Wolters' Ster Woordenboek
Nederlands-Engels

Wolters' Ster Woordenboeken

Nederlands

Frans-Nederlands
Nederlands-Frans

Duits-Nederlands
Nederlands-Duits

Spaans-Nederlands
Nederlands-Spaans

Engels-Nederlands

Nederlands-Engels

Wolters' Ster Woordenboek
Nederlands-Engels

Bewerkt door

H. de Boer

E.G. de Bood

Tweede druk

Wolters' Woordenboeken
Groningen – Utrecht – Antwerpen

CIP-GEGEVENS KONINKLIJKE BIBLIOTHEEK, DEN HAAG

Wolters' Ster Woordenboek Nederlands-Engels /
[samenst./red.: H. de Boer, E.G. de Bood]. - Groningen
[etc.]: Wolters' Woordenboeken. (Wolters' Ster
Woordenboek)
Oorspr. uitg.: Groningen : Wolters-Noordhoff, 1984.
ISBN 90-6648-667-8
ISBN 90-6648-655-4 (N-E en E-N)
NUGI 503
Trefw.: Engelse taal ; woordenboeken.
Depotnr. D/1994/0108/814
R. 8667803

Inhoud

Voorwoord

Dit is een deel van de geheel herziene serie Wolters' Ster Woordenboeken. Deze serie is vooral bestemd voor de leerlingen van het beginnend secundair onderwijs, lbo, mbo, mavo en de onderbouw van havo en vwo. Wolters' Ster Woordenboeken zijn minder uitvoerig dan Wolters' Handwoordenboeken, maar even duidelijk en overzichtelijk ingericht. Door hun formaat en hun uitermate solide uitvoering zijn Wolters' Ster Woordenboeken ook bij uitstek geschikt om mee te nemen op reis.

De woordenschat van levende talen verandert voortdurend. Er komen woorden bij, terwijl andere in onbruik raken. Een woordenboek vraagt daardoor regelmatig om herziening, omdat nieuwe woorden, nieuwe betekenissen en nieuwe uitdrukkingen worden toegevoegd, en verouderde termen worden geschrapt.

Omdat Wolters' Ster Woordenboeken in Nederland en in België worden geraadpleegd, is in deze tweede druk van een aantal belangrijke begrippen behalve het Nederlandse woord ook de term opgenomen die in België gebruikelijk is.

In deze nieuwe druk is gestreefd naar nog grotere duidelijkheid. In de delen Vreemde Taal-Nederlands staan voortaan alle trefwoorden voluit. In de delen Nederlands-Vreemde Taal zijn de meeste trefwoorden voluit gezet. Alleen samenstellingen zijn soms nog verkort weergegeven: van een reeks samenstellingen die het eerste deel gemeenschappelijk hebben, staat alleen het eerste trefwoord voluit. Ook in andere opzichten zijn Wolters' Ster Woordenboeken toegankelijker geworden. Er zijn minder afkortingen gebruikt en er is meer aandacht besteed aan verklarende voorbeelden.

Achter in dit woordenboek is een supplement op getint papier opgenomen. Daarin zijn woorden naar onderwerp gegroepeerd, waarvan sommige op geïllustreerde pagina's. Op die manier wordt het zoeken naar bepaalde woorden en uitdrukkingen vergemakkelijkt. In het supplement wordt ook een aantal grammaticale hoofdzaken kort behandeld.

Bijzonderheden over de inrichting van het woordenboek zijn te vinden in de wegwijzer op p.10.

Groningen, februari 1991

Wolters' Woordenboeken

Afkortingen

aanw vnw	aanwijzend voornaamwoord	hist	historisch
aardr	aardrijkskunde		
abstr	abstract	id	idem, gelijk woord of gelijke uit-
algem	algemeen		drukking
Am	Amerika(ans)	iem(s)	iemand(s)
anat	anatomie	Ind	Indonesië
astron	astronomie	intr	intransitief, onovergankelijk
attr	attributief	inz	inzonderheid, in 't bijzonder
		iron	ironisch
Belg	België, Belgisch		
bet	betekent, betekenis(sen)	jur	juridisch
betr vnw	betrekkelijk voornaamwoord		
bez vnw	bezittelijk voornaamwoord	lit	literair
bijb	bijbel	luchtv	luchtvaart
bijv	bijvoorbeeld	lw	lidwoord
biol	biologie		
bkh	boekhouden	mech	mechanica
bouwk	bouwkunde, architectuur	med	medisch
bn	bijvoeglijk naamwoord	meetk	meetkunde
Br I	(voormalig) Brits Indië	mil	militair
bw	bijwoord	min	minachtend
		muz	muziek
chem	chemie, scheikunde	mv	meervoud
concr	concreet		
		N	noord(en), noordelijk
dierk	dierkunde	natuurk	natuurkunde
econ	economie	O	oost(en), oostelijk
e.d.	en dergelijke	o.a.	onder andere(n)
eig	eigenlijk(e betekenis)	onbep	onbepaald
elektr	elektriciteit, elektronika,	ongev	ongeveer
	elektrisch(e)	o.s.	oneself
Eng	Engeland, Engels	ong	ongunstig
enz	enzovoort	ott	onvoltooid tegenwoordige tijd
etc	etcetera	ovt	onvoltooid verleden tijd
ev	enkelvoud		
		p.	person
fam	familiair, gemeenzaam	pers	persoon, personen
fig	figuurlijk	pers vnw	persoonlijk voornaamwoord
fot	fotografie	plantk	plantkunde
		pol	politiek
geol	geologie	pred	predikatief
gew	gewoonlijk	prot	protestant(s)
godsd	godsdienst	psych	psychologie, psychiatrie
gramm	grammatica		
gymn	gymnastiek		

rekenk	rekenkunde
r-k	rooms-katholiek
sam	samenstelling(en)
s.b.	somebody
Sc	Schotland, Schots
scheepv	scheepvaart
scherts	schertsend
sl	'slang', informele taal van bepaalde groep of klasse
s.o.	someone
sp	sport en spel
spoorw	spoorwegen
s.t.	something
techn	techniek
telec	telecommunicatie
telw	telwoord
theat	theater, toneel, dramaturgie
tlk	taalkunde
tr	transitief, overgankelijk
tw	tussenwerpsel
typ	typografie
univ	universiteit
vd	van de
v dw	voltooid deelwoord
vero	verouderd, ouderwets
vgl	vergelijk
vnw	voornaamwoord
vrag	vragend
vt	verleden tijd
vw	voegwoord
vz	voorzetsel
W	west(en), westelijk
weerk	weerkunde, meteorologie
wisk	wiskunde
wtsch	wetenschappelijk
ww	werkwoord
Z	zuid(en), zuid
zelfst	zelfstandig
zn	zelfstandig naamwoord

Wegwijzer

De gebruikte afkortingen worden verklaard op blz 8.

De trefwoorden zijn vet gedrukt.

Wanneer de klemtoon van een woord verwarring kan opleveren, is er een klemtoonteken vóór de beklemtoonde lettergreep gezet.

Soms staan er op de plaats van het trefwoord twee woorden die veel op elkaar lijken. Dit zijn varianten die dezelfde betekenis hebben en die, omdat ze alfabetisch direct op elkaar volgen, als één term behandeld kunnen worden.

Trefwoorden die alleen gelijk geschreven worden, maar verder niets met elkaar te maken hebben (homoniemen), worden vooraan de regel genummerd met 1, 2 enz.

Niet alle trefwoorden staan voluit. Van een reeks samenstellingen die alfabetisch op elkaar volgen, wordt alleen het eerste voluit gezet. Achter het eerste deel dat al die woorden gemeen hebben, staat een verticaal streepje, en in alle volgende trefwoorden wordt dit begindeel weergegeven door een kort liggend streepje.

Een indeling met romeinse cijfers wordt gegeven bij trefwoorden die tot meer dan één grammaticale categorie gerekend kunnen worden.
De grammaticale gegevens (meestal de woordsoort) staan dan achter het romeinse cijfer vermeld.

De vertaling van het trefwoord staat romein.

Wanneer de Engelse vertaling gelijk is aan het Nederlands, wordt dit aangegeven met: id.

Vertalingen die zeer dicht bij elkaar liggen, worden gescheiden door een komma.

Wordt het verschil wat groter, dan wordt tussen de vertalingen een puntkomma gezet; vaak wordt dan ook tussen haakjes een verklaring van dit kleine verschil in betekenis gegeven.

gelatine gelatin(e); **gelatinepudding** jelly

'omzomen hem
om'zomen border, edge, fringe

sjilpen, sjirpen chirp, cheep

1 wassen (*groeien*) grow; (*van rivier*) rise; *de ~de maan* the waxing moon, the crescent
2 wassen *ww* wax; *bn* waxen, wax
3 wassen wash; (*afwassen*) wash up (the teathings); (*kaarten*) shuffle (the cards); *zich ~* wash (o.s.); *iem de oren ~*, (*fig*) take a p. to task

metaal|bewerker metal-worker; **-draad** metallic wire; **-gaas** wire-gauze; **-industrie** metal industry; **-klank** metallic ring

vers I *zn* (*gedicht*) poem; *dat is ~ twee* that's quite another story; **II** *bn* fresh (vegetables, meat, fruit), new (bread)

studeerkamer study

malaria id; **malariamug** malaria mosquito

bedremmeld confused, embarrassed, perplexed

dop (*van ei, noot*) shell; (*van zaden*) husk; (*van erwt, boon*) pod; (*deksel*) lid, cover; (*van vulpen, flacon, enz*) cap, top

Wanneer het trefwoord duidelijk verschillende betekenissen heeft, worden de vertalingen genummerd met 1, 2, enz.

Soms is bij de vertaling een toelichting nodig, een beperking van het gebruik van een woord, een vakgebied, een korte verklaring. Deze staat cursief tussen haakjes.

De vertaling kan worden gevolgd door voorbeelden en uitdrukkingen. Deze staan cursief; het trefwoord wordt weergegeven door een slangetje. Voorbeelden en uitdrukkingen worden altijd gevolgd door een vertaling. Deze staat altijd romein.

Soms wordt een trefwoord alleen in één of meer uitdrukkingen gegeven, zonder dat het zelf vertaald wordt. De uitdrukking volgt dan na een dubbele punt.

leger 1 army; 2 bed; (*van wild dier*) lair

koraal 1 (*stof*) choral; (*kraal*) bead; 2 (*zang*) chorale, choral; (*pers*) chorister

paplepel pap-spoon; *dat is hem met de ~ ingegeven* he has sucked it in with his mothers milk

weerwil: *in ~ van* in spite of

Aa*a*

A A (*ook muz*); *van ~ tot Z kennen* (*vertellen, enz*) know (tell, etc) from A to Z

à at (at three guilders a pound); *25 ~ 30* from 25 to 30; *in 3 ~ 4 weken* in three or (*of:* to) four weeks; *tien ~ twaalf* some ten or twelve; *~ 5 %* at (at the rate of) 5 per cent.

aai caress, chuck (under the chin); **aaien** stroke, caress, chuck (under the chin)

aak (Rhine-)barge

aal eel; *zo glad als een ~* as slippery as an eel

aalbes redcurrant

aalmoes alms (*ook mv*); *om een ~ vragen* beg (for) alms (an alms), ask for charity; **aalmoezenier** almoner; (*leger, vloot*) (army, navy) chaplain, padre

aambeien piles, haemorrhoids

aan at (at the door; at work, at play; on (the picture on the wall, a ring on his finger, a beard on his chin; fruit grows on trees; on the river Rhine, on the main road, she's on the pill; on board); in (£2000 in jewels, the amount paid in wages, taxes, etc; injured in his legs; not a cloud in the sky); of (die of a broken heart); by (I saw it by his face); to (he has not a shirt to his back; she sits with her hand to her ear; give it to him); *£20 ~ contanten* in cash; *twee ~ twee* (walk) two and two, two by two, by (*of:* in) twos; *de beslissing is ~ u* the decision is yours (up to you); *er is niets van ~* there is nothing (not a word of truth) in it; *er is niets ~: a*) (= het is heel gemakkelijk) it's quite easy; there is nothing in it (to it); *b*) (= het is erg saai) it's fearfully dull; *ik vind er niet veel ~* I don't think much of it; *ik weet niet hoe ik er mee ~ moet* I don't know how to cope with it; *het vuur is ~* the fire is alight (lit); *de* (*centrale*) *verwarming is ~* the heating is on; *het is* (*erg*) *~ tussen hen* they are very thick; *met de schoenen ~* in his shoes

aanbeeld (*van smid*) anvil

aanbellen ring (the (door-)bell)

aanbesteden put out to contract (to tender), invite tenders for; *aanbesteed werk* contract work; **aanbesteding** (public) tender; *bij ~ by* contract

aanbetalen pay down; **aanbetaling** down payment

aanbevelen recommend, commend (the plan ...s itself through its simplicity); **aanbevelenswaardig** recommendable

aanbeveling recommendation; *het verdient ~* it is advisable; *op ~ van* at (on, through) the recommendation of; *goede ~en* good references; **aanbevelingsbrief** letter of recommendation (of introduction)

aanbidden worship (God), adore; **aanbidder** worshipper, admirer; **aanbidding** worship, adoration

aanbieden offer (goods, congratulations); present (a bill, a cheque for payment, a petition); (*zich*) *~* (*vrijwillig*) volunteer; **aanbieding** offer; (*van wissel, geschenk, enz*) presentation

aanbinden fasten, tie (bind) up (down), tie (put, fasten) on (skates); *de strijd ~* join issue (*of:* battle); *kort aangeb* short-tempered, touchy

aanblazen blow (the fire; *ook fig*)

aanblijven (*in ambt*) remain in office, retain office, stay on; (*van lamp enz*) be kept burning; *de deur moet ~* must be left ajar

aanblik sight, look, view; (*schouwspel*) spectacle; *bij de eerste ~* at first sight

aanbod offer; (*tegenover vraag*) supply; *een ~ doen* make an offer; *~ van arbeidskrachten* labour supply

aanbonzen: *~ tegen* bump into

aanboren bore, sink (a well, shaft); strike (oil, coal)

aanbouw addition, annex(e); *in ~* under construction; **aanbouwen** build (houses, ships); add (a new wing)

aanbranden burn (*of:* stick) to the pan; *laten ~* burn (the cakes); *hij is gauw aangebrand* he is touchy

aanbreken I *ww* (*van de dag*) break, dawn; (*van de avond, nacht*) fall, close in; open (a bottle); break into (one's provisions, a pound); *de tijd is aangebroken* the time has come; II *zn: bij het ~ van de dag* at daybreak; *bij het ~ van de nacht* at nightfall

aanbrengen 1 bring; 2 (*plaatsen*) fit (a new propeller), fix (a cupboard in a wall); install, fix up (electric light); construct (a new staircase); 3 make, introduce (improvements, changes); 4 (*aanklagen*) accuse, inform against; (*verklikken*) denounce; 5 (*werven*) bring in (customers, new members); **aanbrenger** (*verrader*) informer; (*klikker*) tell-tale

aandacht attention; (*de*) *~ trekken* attract (draw) attention; *met grote ~* (listen) with close attention; *~ schenken aan* pay attention to; *het kwam onder mijn ~* it came to my notice; *iems ~ vragen* ask for a p.'s attention; **aandachtig** attentive; **aandachtspunt** point meriting attention

aandeel share, portion; *~ aan toonder* share to bearer; *~ hebben in de winst* share in the profits; **aandeelhouder** shareholder

aandelenkapitaal capital stock

aandenken memory, remembrance; (*voorwerp*) keepsake, souvenir

aandienen announce; *iem ~ bij* announce a p. to

aandikken (*fig*) heighten (a description, story, picture), exaggerate (one's own part)

aandoen (*aantrekken*) put on; (*inschakelen*) switch on, turn on; (*veroorzaken*) cause (trouble), give (pain); (*onderweg bezoeken*) call at (a town, port, pub); *onaangenaam* ~ offend (a p.'s eye, ear, taste); *het deed mij vreemd aan* it struck me as strange; *zichtbaar aangedaan* visibly moved; *je hebt het jezelf aangedaan* you've brought it on yourself; **aandoening** emotion; affection (of the throat, etc); (*lichte* ~) touch (of fever); **aandoenlijk** moving, touching, pathetic

aandraaien (*bout, schroef e.d.*) fix on, fasten (by turning); *zie ook* aandoen

aandragen bring, carry (stones, etc)

aandrang (*innerlijke* ~) impulse, urge; (*het aandringen*) insistence; *op* ~ *van* at the instance (*ongunstig:* at the instigation) of

aandrift instinct, impulse

aandrijfas driving shaft

aandrijven: *komen* ~ come floating along; *tr* move, prompt, incite; drive, operate (a machine); **aandrijving** instigation (*op zijn* ~ at his ...); (*techn*) drive, propulsion; *met hand~* (*machine~*) hand- (machine-)driven

aandringen: (*met aandrang spreken*) press the point; ~ *op* insist on; (*bij iem*) ~ *op* press (a p.) for (an answer, payment), to (do a thing); *hij drong er bij mij op aan het te doen* he urged me to do it

aandrukken press (a p. against the wall); clasp (a child to one's breast)

aanduiden (*aanwijzen*) point out, indicate, show; (*door teken*) mark, indicate; (*door een beschrijving*) define, describe; (*getuigen van*) indicate; *nader* ~ specify; *iets terloops* ~ hint (at) a thing; **aanduiding** indication; definition (a clear definition of one's demands), description

aandurven: *iets* ~ dare to do (venture upon) a thing; *hij zal het niet* ~ I don't think he'll risk it

aanduwen push (on), give a push

aaneen together, on end, consecutively; *zie verder* achtereen

aaneen|binden tie (bind) together; **-schakeling** series (of accidents), chain (of happy days), string (of lies)

aan elkaar *zie* aaneen

aanflitsen, aanfloepen flash on

aanfluiting mockery, laughing-stock

aangaan 1 *bij iem* ~ call on a p.; look (*of:* drop) in on a p.; 2 light up (the lamps lit up); *het elektr licht ging aan* went (came) on; 3 (*beginnen*): *de school* (*kerk, schouwburg*) *gaat om 8 uur aan* school (service, the play) begins (starts) at eight; 4 (*sluiten*) enter into (a contract, a marriage, an arrangement); conclude (a contract, a treaty, an arrangement); 5 (*betreffen*) concern, regard; *dat gaat mij niet aan* that does not concern me, is no business of mine; *wat dat aangaat* as to (as for) that, for

that matter; *wat mij aangaat* so far as I am concerned, for my part, as for me, personally; I, for one; **aangaande** concerning, as for, as to, with respect (*of:* regard) to

aangapen gape at, stare at

aangeboren innate (ideas), inborn (talent for music), inbred (piety), congenital (defects)

aangedaan moved

aangeklaagde the accused *de* ~(*n*)

aangekomene: *de pas* ~ the newcomer, the new arrival

aangelegd: *kunstzinnig* ~ artistically minded

aangelegenheid (*zaak*) matter, business, affair

aangenaam pleasant, agreeable, pleasing; lik(e)able (person, qualities); ~ *voor het oog* pleasing to the eye; ~*!* how do you do?; *het is me zeer* ~ *geweest* pleased to have met you

aangenomen: ~ *kind* adopted child; *een* ~ *naam* an assumed name; ~ *dat* ... supposing (assuming) that ...; ~*!* done! agreed!

aangeschoten (*wild*) hit; (*beetje dronken*) ~ tipsy

aangesloten: *telefonisch* ~ *zijn* be on the telephone; (*niet*) ~ *werknemer* (non-)unionist

aangetekend (*post*) registered

aangetrouwd: ~*e familie* relations by marriage; (*fam*) in-laws

aangeven 1 (*aanreiken*) give, hand, pass (the salt, the ball, etc); 2 (*opgeven*) give, state (terms, particulars); 3 (*aanwijzen*) indicate, mark (s.t. on a map); *nauwkeurig* ~ pinpoint (a target on a map); mention (the main points); (*van thermometer, enz*) record (80 degrees); 4 register, give notice of (the birth of a child); 5 (*bij het gerecht; iem*) inform against; (*bij de politie*) report; *hij gaf bij de politie aan dat zijn auto was gestolen* he notified the police ...; *goederen* ~ declare (enter) goods; *iets aan te geven?* anything to declare?; *zich* ~: *hij heeft zichzelf aangegeven* (*bij de politie*) he has given himself up (to the police)

aangezien seeing (that), inasmuch as, since

aangifte (*van goederen, waarde*) declaration; (*bij bevolkingsregister, enz*) registration; entry (at the custom-house); (*voor belasting*) return (make a false ...), declaration; (*aanklacht*) information; ~ *doen van* enter, declare (goods); give notice of; *zie* aangeven; **aangifteformulier** application- (registration-) form; (*bij wedstrijd*) entry-form; (*voor lidmaatschap*) enrolment form

aangrenzend adjacent (rooms; to the house), adjoining, neighbouring (countries)

aangrijpen seize, take hold of (a p.'s arm); take, seize (the opportunity); move *het verhaal greep me aan* I was moved by the story; *gretig* ~ jump (catch, snatch) at (a proposal, a chance); **aangrijpend** moving, stirring, touching

aangroeien grow, increase; (*geluid, aantal*) swell (in ever ...ing numbers)

aanhaken hook (*of:* hitch) on (*aan* to), couple (a carriage to the train)

aanhalen (*aan-, dichttrekken*) draw tight(er), tighten (a rope, a knot), tighten (up) (a belt), draw in (the reins); (*citeren*) quote (a p.'s words), cite (authorities, cases); *verkeerd ~* misquote (words, an author); (*liefkozen*) caress, fondle, pet (a dog); **aanhalig** affectionate, clinging, caressing

aanhaling quotation, quote; **aanhalingstekens** inverted commas, quotation marks

aanhang following, adherents, followers; **aanhanger, aanhangster** follower, supporter

aanhangig pending; (*van rechtszaak ook*) sub judice; *~ maken,* (*rechtszaak*) lay (bring, put) before the court; (*wetsontwerp*) bring in, introduce (a bill)

aanhangsel appendix (*mv ook* appendices)

aanhangwagen trailer

aanhankelijk attached, devoted, affectionate; **aanhankelijkheid** attachment, devotion

aanhechten affix, attach, fasten; **aanhechting** affixture, fastening

aanhef beginning (of a letter), opening (words); **aanheffen** strike up (a melody); start (a song)

aanhoren listen to, hear; (*tot het einde*) hear (a p.) out; *het is u aan te horen* I can tell by your voice; *iem* (*geduldig*) *~* give a p. a (patient) hearing

aanhouden 1 (*tegenhouden*) stop (a p. in the street); hold up (a train); arrest (a criminal); stop (a ship); 2 (*kleren*) keep on (one's coat); 3 (*voorstel, enz*) hold (*of:* leave) over (the matter was left over till ...); hold up, delay (a decision); 4 (*brandende houden*) keep (the fire) in (up, on, going), leave (the light) on; 5 (*niet opgeven*) persevere; persist (the father refused, but the boy ...ed); 6 (*voortduren*) hold (it, the frost, the fine weather, his luck held), continue, persist; **aanhoudend** constant, incessant, continual; (*onafgebroken*) continuous; (*hardnekkig*) persistent (cruelty; a ... drizzle; ... cries); **aanhouding** hold-up (of a train, a p., etc); seizure (of goods, of a ship); arrest, apprehension (of a criminal)

aanjagen drive (*of:* push) on; *schrik ~* frighten, strike terror into; *vrees ~* intimidate

aankaarten (*onder de aandacht brengen*) raise (*bij*) with

aankijken look at; eye (a p. narrowly, suspiciously, etc); *eens* (*goed*) *~* have a (good) look at; *het ~ niet waard* not worth looking at; *ik kijk hem niet meer aan* I won't speak to him again

aanklacht accusation, charge; *een ~ indienen tegen* lodge a complaint against, make a charge against; **aanklagen** accuse; *~ wegens* accuse of, charge with; **aanklager** accuser; (*jur*) prosecutor; *openbare ~* public prosecutor

aanklampen: *iem ~* accost (buttonhole) a p.

aankleden dress; fit up (a room); get up (a play); *zich ~* dress (o.s.), get dressed; **aankleding** (*kamer*) furnishing; presentation (of a proposal); (*van toneelstuk*) get-up, stage-setting

aankloppen knock at the door; *bij iem ~ om* come to a p. for (money, etc)

aanknopen (*eig*) tie on to, fasten to; *er nog een dagje ~* stay another day; *een gesprek* (*briefwisseling*) *~* enter into conversation (correspondence); *onderhandelingen ~* enter into negotiations; *betrekkingen ~ met* enter into relations with; **aanknopingspunt** clue

aankomen I *ww* 1 arrive (*te* ... at Dover, in Paris); *de trein moet om 5 uur ~* is due at five; *de trein kwam* (*5 min*) *te laat aan* was (five minutes) overdue (late); *op tijd ~* (*van trein, vliegtuig, enz*) run to time (to schedule); *het eerst* (*als tweede*) *~* (*bij wedstrijd*) finish first (second); *~ bij* arrive at (*zie ook* aanlopen); *hij zal je zien ~* he'll see you coming; *ik heb het zien ~* I saw it coming; *ik zie ~ dat* ... I can see that ...; 2 *de slag kwam harder aan dan de bedoeling was* hurt more than it was meant to; *hard* (*bij iem*) *~* hit (a p.) hard; 3 (*aanraken*) touch; *niet ~!* hands off!; 4 *daarop* (*alleen*) *komt het aan* that's the real (the big) point; that's all that matters; *waar het op aankomt, is* ... the point is ..., what matters is ...; *als het daarop aankomt* if it comes to that ...; *het komt er niet op aan* never mind; 5 (*in gewicht*) put on (weight); 6 *er is niet gemakkelijk aan te komen* it is not easily come by; 7 *het er op laten ~,* (*het wagen*) chance it, risk it; *het op het laatste ogenblik laten ~* put it off to the last minute; **aankomst** arrival; *bij mijn ~* on (at) my arrival; *bij ~* on arrival

aankondigen announce, publish, advertise (it is ...ed everywhere); (*door biljet*) bill (an actor, a singer) (*officieel*) notify; **aankondiging** advertisement, announcement; notice; (*officieel*) notification, proclamation; (*in de pers*) (press) notice, review; *tot nadere ~* until further notice

aankoop (*abstr & concr*) purchase, acquisition; *bij ~ van* when purchasing; *door ~* by purchase; **aankoopsom** purchase price

aankopen purchase, buy

aankoppelen couple (railway-carriages)

aankruipen: *komen ~* come creeping along; *dicht tegen moeder ~* nestle (snuggle) close to mother

aankruisen mark, tick, check

aankunnen be a match for (a p.); be equal to (a task); manage (he cannot ... the class; can you ... that large piece?); *ik kan het haast niet aan* it is as much as I can tackle (*of:* cope with); *je kunt die kleren niet meer aan* you cannot wear those clothes any longer; *hij kan het best aan* he can cope; *men kan op hem aan* he is quite reliable; *je kunt er op aan, dat* ... you may rely upon it that ...

aan

aankweken cultivate (a habit, etc)

aanlaten keep on (a coat); leave (the lamp) on; leave (the door) ajar

aanleg 1 (*het aanleggen*) construction (of a railway, canal), planning (of towns), laying-out (of streets, a garden), laying-on (of gas, water), installation (of electric light, telephone, etc); *in* ~ under construction; 2 (*concr*) installation; 3 (*wijze van aanleggen, ontwerp*) layout, design (of a garden); 4 (*natuurlijke* ~) gift, natural ability (for business, languages, etc), talent (for languages), (*voor ziekte*) (natural) tendency; ~ *hebben voor* be inclined to; *hij heeft veel* ~ great talents (*of:* gifts)

aanleggen 1 (*plaatsen*) place (*ook van thermometer*), apply (a plaster, bandage), moor (a vessel); *zie ook* 3; 2 *het* ~ manage; (how did he) set about it?; *hoe heb je het aangelegd ...?* how did you manage to get here so early?; *het verkeerd* (*goed*) ~ set about it the wrong (right) way; *het handig* ~ set (go) about it cleverly; 3 (*maken, tot stand brengen*) construct (railways, roads), build (roads, towns, bridges), plan (towns), lay out (gardens, parks, streets), dig, cut (canals), lay on (gas, water), put in (electric light), install (central heating), make (a collection, a register), build up (stocks)

aanleghaven port of call

aanleg|plaats, -steiger landing-stage

aanleiding occasion, motive; ~ *geven tot* give occasion to (a rumour), lead to; (*gegronde*) ~ *geven tot klachten* give (just) cause for complaint; *bij de geringste* ~ on the slightest provocation; *naar* ~ *van* with reference to, referring to (your letter); *zonder enige* ~ without any reason

aanlengen dilute, water (his master's whisky)

aanleren learn (a language)

aanleunen: ~ *tegen* lean against

aanleveren deliver

aanlijnen leash; *aangelijnd* (all dogs to be kept) on a leash (lead)

aanlokkelijk alluring, tempting, charming; **aanlokkelijkheid** ...ness; attraction, charm

aanloop run, running start; *een* ~(*je*) *nemen* take a run; (*fig*) lead up gradually to a subject; *veel* ~ *hebben* have many visitors

aanloop|kosten (*van onderneming*) initial expenses; **-tijd** starting period

aanlopen 1 *komen* ~ come walking (running) on; ~ *tegen* walk (*of:* run) against, run into; 2 *eens* ~ call in (we'll ... here; ask the doctor to ...), call, drop in; ~ *bij* call on a person; 3 *hij liep rood aan* he grew purple (in the face)

aanmaak manufacture, making

aanmaak|hout(jes) kindling, tinder; **-kosten** cost of manufacture

aanmaken 1 manufacture, make; 2 (*toebereiden*) dress (the salad), mix (colours); 3 light (a fire)

aanmanen exhort; ~ *tot* (*te*) urge to; *om beta-*

ling ~ press for payment; **aanmaning** exhortation; (*om betaling*) reminder notice; (*voor belasting*) (second) demand-note, (*laatste* ~ final demand, final notice)

aanmatigen: *zich een oordeel* ~ presume to give an opinion; **aanmatigend** arrogant, overbearing; **aanmatiging** arrogance, presumption

aanmelden announce; *zie* aandienen; *zich* ~ (*van getuigen*) come forward; (*voor betrekking*) apply; (*voor examen, enz*) enter (one's name), present o.s. (for examination); **aanmelding** announcement, notice (*voor betrekking*) application

aanmerkelijk considerable; substantial; **aanmerken** (*beschouwen*) consider; *iets* ~ *op* find fault with (a p. or thing); **aanmerking** 1 (*beschouwing*) consideration; *in* ~ *komen* be considered (for promotion, for a vacancy); be eligible (qualified) (for membership); *in* ~ *komende gevallen* appropriate cases; *in* ~ *nemen* take into consideration (*of:* account); *in* ~ *genomen* considering (the boy's age), in view of (our short acquaintance); *alles in* ~ *genomen* all things considered; 2 (critical) remark; observation; ~ *maken op* (*pers & zaak*) find fault with, criticize

aanmeten take a p.'s measure for (a coat); *zich ... laten* ~ have one's measure taken for ...

aanmoedigen encourage; tempt (to further business)

aanmoediging encouragement; **aanmoedigingspremie** incentive money

aanmonsteren I *tr* engage, sign on (seamen); II *intr* sign on, sign the articles; **aanmonstering** engagement, signing on

aanmunten coin, mint (*ook fig*)

aannemelijk acceptable (proposal, post, etc), plausible (theory); (*van excuus, enz*) plausible, likely; (*toelaatbaar*) admissible

aannemen 1 (*wat aangeboden wordt*) accept (an offer, invitation); take (a cup of tea, money, orders, a message); receive; answer (the telephone); (*van kelner*) take an order; ~! waiter!; 2 (*tot zich nemen*) adopt (a child, a name), take (a name), take up (an attitude), assume (airs, a kind tone); get (drop, fall) into (a habit); 3 *als lid* ~ admit (as a member); *kerkelijk* ~ confirm; 4 (*onderstellen*) suppose, assume (a hypothesis; it is generally ...d that ...); expect (that he has not seen the dog); (*als vaststaand* ~) take for granted; *je kunt gerust van mij* ~ you can take it from me that ...; 5 *een motie* ~ carry a motion (by 50 votes to 12 *met ... tegen ...*); *een wetsvoorstel* ~ pass a bill; 6 *een werk* ~ contract for a work; 7 (*in dienst nemen*) engage (workpeople); 8 *als regel* ~ make it a rule; **aannemer** contractor; (*in bouwvak*) (building) contractor, (master) builder (and contractor); **aanneming** 1 acceptance (of an invitation, etc); 2 adoption; 3 admission; 4 passage (of an act *wet*), carrying (of a motion); 5 (*kerkelijk*) confirmation

aanpak approach (*van een probleem* to a problem); **aanpakken** seize (upon), lay (take, catch) hold of, grip (a p.'s arm); *een onderwerp* ~ tackle a subject; *de zaak* ~ take the matter up (*of:* in hand); *iets goed (verkeerd)* ~ go (set) the right (wrong) way about it; *iem flink (hard)* ~ take a firm line with (be tough on) a p.; *hij (de toestand) moet voorzichtig aangepakt worden* he (the situation) requires careful handling; *ruw* ~ handle roughly; *iem zacht* ~ deal gently with a p.; *hij weet van* ~ he does not shirk his duty

aanpappen: ~ *met* chum (pick, pal) up with

aanpassen (*jas*) try on (a coat); *iets (zich)* ~ *aan* adapt (adjust) s.t. (o.s.) to (environment, etc)

aanpassing adaptation, adjustment, accommodation; **aanpassingsvermogen** adaptability

aanplak|biljet poster, bill; **-bord** noticeboard, (*Am*) bill-board

aanplakken stick (up); (*openbare bekendmaking*) post (up); *verboden aan te plakken* billstickers will be prosecuted; **-zuil** advertising-pillar

aanplanten plant (trees), grow (corn)

aanpraten: *iem iets* ~ talk a p. into (buying, doing s.t.); *iem zijn waren* ~ press one's wares upon a p.

aanprijzen recommend, sing the praises of; **aanprijzing** recommendation

aanraden advise; recommend, suggest (a plan); *het is aan te raden* it is advisable; *op uw* ~ at (*of:* on) your advice (*of:* suggestion)

aanraken touch; *elkaar* ~ touch (each other); *verboden aan te raken* do not touch; **aanraking** touch, contact; *in* ~ *brengen met* bring (put) into contact (in touch) with; *in* ~ *komen met* come (get) into touch (contact) with, mix with, be thrown in with

aanranden assault (she was indecently (sexually) ...ed); (*om te beroven*) hold up; **aanrander** assaulter; **aanranding** assault; hold-up, attack

aanrecht draining board

aanreiken reach, hand, pass

aanrekenen (*eig*) charge; *iem iets* ~, (*fig*) blame a p. for s.t., score it against him

aanrichten cause, bring about, do (damage *schade*)

aanrijden I *intr: komen* ~ come riding (driving) on (*of:* along); drive up (carriages constantly drove up); ~ *op* drive (ride) towards (in the direction of); ~ *tegen* run (crash, dash) into; **II** *tr: iem* ~ run into a p., knock a p. down (he was run into, knocked down (hit) by a motor-car); **aanrijding** collision, crash

aanroepen call (a p., a taxi); (*van schildwacht*) challenge; invoke (God, the Muses); **aanroeping** ...ing; challenge; invocation

aanroeren touch (a p. or thing); touch upon (a fact, a subject)

aanrukken advance; ~ *op* advance (*of:* march) upon; *laten* ~, (*bestellen*) order, call for

aanschaf purchase (*zich*); **aanschaffen** buy, purchase, get

aanschieten hit, wing (a bird); (*kleren*) slip on; ~ *op* rush at (*of:* upon)

aanschouwelijk clear; graphic (description); ~ *maken* demonstrate, illustrate

aanschouwen behold, see; *zie* levenslicht; *ten* ~ *van* in the sight of, in the presence of

aanschrijven 1 *goed (slecht) aangeschreven staan* be in good (bad, ill) repute, enjoy a good reputation, be well thought of (by); **2** (*oproepen*) summon; (*berichten*) notify; **aanschrijving** notification, summons; instruction(s), order(s)

aanslaan 1 touch (the piano, a string *snaar,* key *toets*); strike (a note *toon;* a chord *akkoord*); (*op kasregister*) ring up; (*motor*) start (up); *de motor slaat (niet) aan* the engine picks up (fails to start); ~ *tegen* strike (dash) against; **2** (*bevestigen*) put up, affix; post up (a notice); tack (a list) on the notice-board; **3** *hoog* ~, (*fig*) value (*of:* rate) highly; *niet hoog* ~ not think much of; **4** (*in belasting*) assess (*voor* ... for income-tax at £10); (*plaatselijke belasting*) rate (*voor* at); **5** (*van hond*) start barking; **6** (*van metaal*) tarnish, get tarnished

aanslag 1 (*het aanslaan: muz, schrijfmachine*) touch; *in de* ~ at the ready; **2** attempt, attack (*op* on), hold-up (of a train); (bomb, dynamite) outrage; *een* ~ *doen op* attempt (make an attempt on) the life of; **3** (*belasting*) assessment; **aanslagbiljet** notice of assessment, tax-paper

aanslibben (*van slib*) be deposited; (*dichtslibben*) silt (up); **aanslibbing** accretion of land, deposition; **aanslibsel** sediment, alluvial deposit, silt

aansluipen: *komen* ~ come sneaking along; ~ *op* steal upon (one's prey), stalk (a deer, a p.)

aansluiten I *tr* **1** connect, join, link; *zich* ~, (*verenigen*) unite, join hands; *zich* ~ *bij* join (a p., a party), fall in behind (a procession), join with (a p. in ...), agree with (a p.); *hij sluit zich niet gemakkelijk aan* he does not readily mix (with others); **2** (*telefoon*) connect (*met* with), put through (*met* to); *u is verkeerd aangesl* you've got the wrong number; **II** *intr* **1** ~! close up! move to the rear, please!; **2** (*van trein, enz*) correspond, connect (*op* with); (*deze kamer*) *sluit aan op* ... leads from ...; **3** (*van lager en middelbaar onderwijs, enz*) be co-ordinated, dovetail into (link up with) each other; *doen* ~ link up (technical and secondary education); **4** *dat sluit mooi aan bij* ... links up nicely with ...; **aansluiting 1** junction, joining, linking-up, affiliation (to, with a trade-union, etc); union (*bij* with), association; **2** (*van trein, enz*) connection (the ...s are bad); ~ *hebben* correspond; *de* ~ *halen* (*missen*) catch (miss) the connection; **3** (*telefoon*) connection; ~ *hebben* be connected, be through

aansmeren: *iem iets* ~ palm (pass, fob) s.t. off on a p.

aansnijden cut (a new loaf), cut into (a ham); (*fig*) broach (a question)

aanspannen: *een proces* ~ institute (legal) proceedings

aanspoelen *tr* wash (drift) ashore, wash up; *intr* be washed ashore

aansporen (*paard*) spur (on), urge on (*of:* forward); (*persoon*) urge (on), exhort, spur on, rouse, stimulate (*tot* to); **aansporing** incitement, stimulation; *op* ~ *van* at ...'s instance

aanspraak 1 *we hebben hier helemaal geen* ~ we don't have anyone here; 2 (*recht*) claim, title, right; ~ *hebben op* have a claim to (*of:* on), have a title to, be entitled to; (*ten onrechte*) pretend to (the throne); **aansprakelijk** liable, responsible; ~ *stellen* hold responsible, etc (*voor* for)

aansprakelijkheid liability, responsibility; **aansprakelijkheidsverzekering** third-party insurance

aanspreekbaar approachable; **aanspreken** speak (talk) to, address; (*aanklampen*) accost (a p. in the street, etc); ~ *om vergoeding, geld, enz* apply to (the Company, etc) for damages, claim damages from; (*in rechten*) sue (bring an action against) (a p.) for damages, etc; *iem* ~ *over iets* talk to a p. about s.t., tackle a p. on s.t.; *zijn kapitaal* ~ break into (dip into, draw on) one's capital; *de fles* (*flink*) ~ have a go at the bottle

aanstaan 1 please; *de manier ... stond me niet aan* I did not like the way he said it; 2 *de deur staat aan* is ajar; 3 *de motor stond aan* the engine was running

aanstaande I *bn* (*volgende*) next (Christmas, etc); (*ook*) this (Friday); (*te verwachten, enz*) (forth)coming, approaching (his ... marriage), impending (changes, marriage), imminent (his arrest is ...); ~ *bruid* bride-to-be; ~ *moeders* expectant mothers; **II** *zn:* *mijn* ~ my fiancé(e), my wife-(husband-)to-be

aanstalten: ~ *maken* make (*of:* get) ready

aanstaren stare at, gaze at

aanstekelijk (*ook fig*) infectious, contagious; *het werkte* ~ it was catching; **aanstekelijkheid** infectiousness, contagiousness

aansteken 1 light (a lamp, cigar, fire); kindle (a fire); set fire to, fire (a house); *weer* ~ relight (one's pipe); 2 (*van ziekte, enz*) infect; *aangestoken* worm-eaten (fruit); **aansteker** (cigar-)lighter

aanstellen appoint (to a post); *weer* ~ re-instate; *hij werd aangest tot ...* he was appointed commander; *zich* ~, (*gemaakt doen*) show off (*vooral van een kind*), put on (affected) airs; (*zich zo houden*) put it on (he is merely putting it on); (*te keer gaan*) take on, carry on; *zich belachelijk* (*gek*) ~ make a fool (an ass) of o.s.; **aansteller** affected person; **aanstellerig** affected; **aanstellerij** affectation

aanstelling appointment (*tot* as); (*als officier*) commission; **aanstellings|besluit, -brief** (*Belg*) certificate of appointment

aansterken get stronger, gain (regain one's) strength

aanstichten cause, instigate; hatch (a plot); **aanstichter** instigator; **aanstichting:** *op* ~ *van* at the instigation of

aanstippen touch, paint (a wound); (*een onderwerp*) mention by the way, touch (lightly) on

aanstoken stir (the fire); instigate (a quarrel); set (*of:* egg) on (a p.); **aanstoker** instigator, originator; (*tot oorlog*) warmonger

aanstonds forthwith

aanstoot offence, scandal; ~ *geven* give offence; ~ *nemen aan* take offence at, take exception to; **aanstootgevend** offensive, shocking

aanstormen: *komen* ~ come rushing (tearing) along; ~ *op* rush upon

aanstotelijk offensive, shocking; **aanstotelijkheid** offensiveness

aanstrepen tick off, mark

aanstrijken (*met kwast*) brush (over); plaster (a wall); *een lucifer* ~ strike (light) a match

aansturen: ~ *op* make (*of:* head) for (the lighthouse, etc); (*fig*) make (*of:* work) for (war, etc), aim at

aantal number (of soldiers); ~ *punten* score

aantasten (*aanvallen, ook van ziekte*) attack; (*aanraken*) touch; (*gezondheid, enz*) affect, impair (his health is ...ed); (*van roest, enz*) affect (rust does not ... this metal), corrode; *iem in zijn eer* (*goede naam*) ~ injure a p.'s honour (reputation); **aantasting** (*van iems goede naam*) defamation (of character)

aantekenboek(je) notebook

aantekenen (*optekenen*) note (*of:* write) down; *aantekeningen maken* make (*of:* take) notes; (*aanduiden*) mark; (*inschrijven*) register; (*huwelijk: burgerlijk*) enter a notice of marriage with the registrar (*of:* at a registry-office); (*kerk*) have the banns published; *een brief* (*pakje*) *laten* ~ have a letter (parcel) registered; **aantekening 1** note; 2 (*op diploma, rijbewijs, enz*) endorsement; 3 (good, bad) mark

aantikken (*fig*) tot up (*lekker* nicely)

aantocht approach, advance; *het leger is in* ~ is advancing

aantonen show; (*bewijzen*) prove, demonstrate

aantreden (*mil*) fall in, fall into line, line up, parade (for roll-call); (*commando*) fall in!

aantreffen meet, encounter, find, come across

aantrekkelijk attractive, inviting; *veel* ~*s* many attractions; **aantrekkelijkheid** attraction, charm

aantrekken 1 draw, pull; (*natuurk & fig*) attract; (*bijtrekken*) draw up (a chair); *arbeiders* ~ recruit labour; *zich aangetrokken voelen tot* be drawn to, take to; 2 (*vaster trekken*) draw tighter, tighten (a knot, rope); pull on (the handbrake); 3 (*kleren*) put on (clothes), draw on (gloves), get into (one's coat); *andere kleren* ~ change (one's) clothes; 4 (*verbeteren*) improve (the economy is -ing); zich *iets* ~, (*zich beledigd voelen over*) take offence at s.t.; (*bedroefd zijn*) take s.t. to heart, be worried by (concerned at) s.t.; (*zich persoonlijk* ~) apply (take) (a remark, etc) to o.s.; *trek u dat niet aan* don't let that worry you; *niemand schijnt er zich iets van aan te trekken* nobody seems to mind; *hij trok zich niets van haar aan* he did not bother about her

aantrekking attraction; **aantrekkingskracht** (power of, force of) attraction; (*natuurk*) (gravitational) pull

aanvaardbaar (*niet*) ~ (*van voorwaarde, enz*) (un)acceptable; **aanvaarden** set out on (a journey), begin (one's retreat, *terug-, aftocht*), assume (the responsibility, command), take possession of (one's property), take, accept, face (the consequences), accept (conditions, a punishment); *zijn ambt* ~ enter upon one's duties, take office, take up one's post; (*niet*); **aanvaarding** entering (upon one's duties), accession (to office), taking possession (of a house), acceptance, etc

aanval attack (*op* dan: *ook fig*), charge, assault; fit (of madness, etc); *lichte* ~ touch (of rheumatism, etc); *een* ~ *doen op, ook:* attempt (the record); **aanvallen** attack, fall upon, assault, tackle, engage (the enemy; (*aan tafel*) fall to; **aanvallend** offensive, aggressive; **aanvaller** attacker, assailant, aggressor

aanvallig sweet, charming

aanvang beginning, start (*o.a. van wedstrijd*); *bij de* ~ at the beginning, at the start; **aanvangen** begin, start

aanvangs|cursus course for beginners, elementary course; **-fase** initial (early) phase; **-salaris** starting salary; **-snelheid** initial velocity

aanvankelijk *bn* initial (velocity, expenses, success), original; elementary (instruction); *bw* in the beginning, at first

aanvaren: *komen* ~ come sailing along; ~ *op* make for, head for; ~ *tegen* run into, crash into, collide with; *af- en* ~ come and go; **aanvaring** collision

aanvatten seize (catch) hold of

aanvechtbaar contestable; **aanvechten** challenge (an assertion); **aanvechting** temptation, sudden impulse

aanvliegen (*luchtv*) approach; (*op*) *iem* ~ fly at a p.; ~ *tegen* fly against

aanvoelen feel; (*vaag*) sense; *het voelt zacht aan* it is soft to the touch, it feels soft

aanvoer supply (of goods, water, etc); **aanvoerder** commander, leader; (*sp*) captain, skipper; **aanvoeren** 1 (*toevoeren*) supply; (*uit buitenl*) import; bring, convey (to a place); bring up (fresh troops); 2 (*brengen*) advance (reasons), raise (objections), bring (put) forward (an excuse, arguments), produce (reasons); argue that (...); (*aanhalen*) cite (a case); *iets als verontschuldiging* ~ plead s.t. in excuse; 3 (*leger, enz*) command, be in command of; (*sp*) captain (skipper) (the team); **aanvoering** command; *onder* ~ *van* under the command of, led by; (*sp*) under the captaincy of

aanvraag, aanvrage (*verzoek*) request, application; (*vraag*) demand; (*telefoon*) call; *op* ~ on application; *op* ~ *te vertonen* to be shown on demand; **aanvraagformulier** application form (blank)

aanvragen apply for, ask for; *iets* ~ *bij* ... apply to ... for s.t.; **aanvrager** applicant

aanvullen fill up (a hole, gap), supply, replenish (one's stock); (*het ontbrekende, een verlies*) make up, make good; (*volledig maken*) complete; **aanvulling** replenishment, completion; (*concr*) addition, supplement, new supply

aanvuren fire (the imagination), inspire, stimulate

aanwaaien: *het waait hem aan* he is a quick learner; it comes to him naturally; *bij iem komen* ~ drop (*of:* pop) in upon a p.

aanwakkeren I *tr* stir up (animosity), fan (a flame), stimulate (a p. to ...); II *intr* increase; (*van wind, ook:*) freshen

aanwas (*van bevolking, enz*) increase, growth

aanwenden use, apply, employ (means); appropriate (money to one's own use); (*natuurkrachten voor beweegkracht, enz*) harness (water-power); *een poging* ~ make an attempt; *alles* ~ use every means

aanwennen: *zich* ~ contract (a habit), fall into (acquire) the habit of ...

aanwerven recruit, enlist

aanwezig present; (*bestaand*) extant; *de* ~*en* those present; ~ *zijn* be present, attend; **aanwezigheid** presence, attendance

aanwijsbaar demonstrable

aanwijsstok pointer

aanwijzen show, indicate, point out, point to; (*toewijzen*) allot (a berth (*ligplaats*) to); assign (he was ...ed his rightful share); (*van thermometer, enz*) mark, register, read; *op zichzelf aangewezen zijn* be thrown on one's resources; *aangewezen zijn op* be dependent on; *de mij aangewezen kamer* the room assigned to me; *het aangewezen middel* the obvious means; *hij is de aangewezen man* he is the right man for it; **aanwijzing** indication, allocation, assignment, allotment (*vgl het ww*); direction (...s for use), instruction; (*vingerwijzing*) hint, clue; ~*en*, (*jur*) circumstantial evidence

aanwinning (*van land*) reclamation

aanwinst gain; acquisition

aanzeggen give notice of, notify; **aanzegging** notification

aanzet the first impulse (to); **aanzetstuk** (*van instrument, enz*) extension

aanzetten I *tr* 1 add, join; sew (*of:* put) on (buttons); **2** start (up) (a motor, an engine); put (turn) on (the radio); **3** urge on (a horse); incite (troops to mutiny); egg on; **4** (*scherpen*) whet; II *intr* **1** *komen* ~ come near(er), turn up, show up; **2** *dat zet aan*, (*van eten*) that sticks to the ribs

aanzicht aspect, view

aanzien I *ww* look at; *men ziet het hem niet aan, dat hij zo oud is* he does not look his age; *het eens* ~ wait and see; *niet om aan te zien* not worth looking at; *naar het zich laat* ~ there is every appearance that ...; *de zaak laat zich nu anders* ~ has assumed a new aspect; *ik zie er hem op aan* I suspect him of it; ~ *voor* take for; (*ten onrechte ook*) mistake for (he mistook a 3 for an 8); *waar zie je me voor aan?* what (whom, who) do you take me for?; II *zn* look, appearance (*zie* aanblik); (*achting*) regard, consideration, esteem, respect; *het* ~ *niet waard* not worth looking at; *zeer in* ~ *zijn* be much respected; *ten* ~ *van* with regard to, regarding; *van* ~ *kennen* know by sight; *man van* ~ man of consequence; *zonder* ~ *des persoons* irrespective of persons; **aanzienlijk** (*voornaam*) notable, prominent; distinguished; gentle (birth); (*aanmerkelijk*) considerable, substantial (reduction)

aanzitten sit (*of:* be) at table

aanzoek request, application; (*huwelijks*~) proposal; *hij deed haar een huwelijks*~ he proposed to her; *zijn* ~ *werd aangenomen* (*afgeslagen*) he was accepted (rejected, turned down); **aanzoeken** apply to (a p. for s.t.)

aanzuiveren pay, pay (*of:* clear) off (a debt), settle (an account); *een tekort* ~ make good (make up) a deficiency (a deficit)

aanzwellen (*geluid*) rise

aap monkey (*ook fig*); (*staartloos*) ape; ~ *van een jongen, enz* rascal; *ah, daar komt de* ~ *uit de mouw* ah, there we have it; *in de* ~ *gelogeerd zijn* be in a fix; *iem voor* ~ *zetten* make a p. look silly; **aapachtig** apish, monkeyish; **aapje** little monkey

aar (*van koren*) ear

aard nature, character, disposition, (*soort*) kind, sort; *het ligt niet in mijn* ~ it is not in me (in my nature); *het ligt in de* ~ *der zaak* it is in the nature of things; *uit de* ~ *der zaak* naturally, in (by, from) the nature of things; *van allerlei* ~ of all kinds (sorts); *niets van die* ~ nothing of the kind, no such thing; *edelmoedig van* ~ noble-minded; *huiselijk van* ~ of a domestic turn

aardachtig earthy

aardappel potato

aardappel|meel potato-flour (potato-starch, farine); **-mesje** potato-peeler; **-oogst** potato-crop; **-schil** potato-peel(ing)

aard|as axis of the earth, earth's axis; **-baan** orbit of the earh; **-bei** strawberry; **-beving** earthquake; **-bodem** (surface of the) earth; **-bol** (terrestrial) globe; **-draad** (*elektr*) earth(-wire)

aarde earth (*ook stofnaam*); (*teel*~) mould, soil; *in goede* ~ *vallen* fall on fertile ground (soil); *ter* ~ *bestellen* lay in (commit to) the earth, inter; **aarden** I *bn* earthen; II *ww* thrive, get on well; ~ *naar* take after; *hij kan hier niet* ~, *ook:* he does not feel at home here

aardewerk earthenware, crockery, pottery; **aardewerkfabriek** pottery

aardgas natural gas

aardig I *bn* nice (boy, man, letter, manners, job); *een* ~ *tuintje* a ... little garden; ~ *zijn tegen iem* be ... to a p.; pleasant (manners); (~ *uitzien*) pretty, (*Am*) cute (girl); *het is heel* ~ *van je* it's very good of you; *er* ~ *uitzien* look nice; *een* ~ *kapitaaltje* a nice bit of capital; a tidy sum (penny); II *bw* nicely, etc; ~ *rijk* pretty (*fam* jolly) rich; **aardigheid** niceness, etc; (*grap*) joke; *uit* ~, *voor de* ~ for fun, for the fun of it; *ik zie de* ~ (*ervan*) *niet* (*in*) I don't see the fun of it; (*van anekdote, enz*) I don't see the point; ~ *hebben in* have a fancy for; like; ~ *krijgen in* take a fancy to; *de* ~ *is* (*raakt*) *eraf* the fun has gone (is going) out of it; *hier is een* ~*je voor je* here's a little present for you

aard|korst earth's crust, crust of the earth; **-laag** layer (of earth); **-mannetje** gnome, goblin; **-olie** petroleum, mineral oil; **-oppervlak** earth's surface

aardrijkskunde geography; **aardrijkskundig** geographic(al)

aards terrestrial, earthly (paradise)

aard|schok earthquake shock; **-verschuiving** landslide

aarts|bedrieger arch deceiver; **-bisdom** archbishopric, archdiocese; **-bisschop** archbishop; **-engel** archangel; **-hertog** archduke; **-hertogdom** archduchy; **-leugenaar** arrant (consummate) liar; **-lui** bone-lazy; **-vader** patriarch; **-vijand** arch-enemy

aarzelen hesitate, waver; *zonder* ~ without hesitation, unhesitatingly; **aarzelend** hesitating(ly); **aarzeling** hesitation

aas (*in kaartspel*) ace; (*lokaas*) bait; (*kreng*) carrion; (*prooi*) prey; *van* ~ *voorzien* bait

abattoir abattoir, (public) slaughter-house

ABC ABC, alphabet

abces abscess

abdicatie abdication; **abdiceren** abdicate

abdij abbey; **abdijkerk** abbey church

abdis abbess

abituriënt school-leaver

abnormaal abnormal; inordinate; **abnormaliteit** abnormality

abonnee (*van concert, theater e.d.*) season-ticket holder; (*van krant, telefoon, enz*) subscriber; **abonnement** (*concert, theater e.d.*) season-ticket; (*krant, telefoon e.d.*) subscription; *een* ~ *nemen: a*) take out a season-ticket; *b*) (*in bibliotheek*) take out a subscription; **abonnementskaart** season-ticket

abonneren: *zich* ~ *op* ... subscribe to a newspaper, for a book, to a concert, the telephone, etc; *geabonneerd zijn op* ... take in the Guardian

aborteren have an abortion; **abortus** abortion; **abortuspil** abortion pill

abrikoos apricot

abrupt id

absent absent; *(verstrooid)* absent(-minded); ~*en* absentees; **absenteïsme** absenteeism; **absentie** absence; *de* ~*s opnemen, (school)* call the register; **absentielijst** *(school)* attendance-register

absolutie absolution; ~ *geven* give absolution

absoluut absolute; ~ *niets* absolutely nothing, nothing whatever; ~ *niet* by no means, not at all; ~*!* positively!

absorberen absorb; ~*d middel* absorbent; **absorptie** absorption

abstract abstract

absurd absurd

abt abbot

abuis mistake, error, slip; *je bent* ~ you are mistaken (wrong); *per* ~ by mistake

academi|ca, -cus university graduate; **academie** *(hogeschool)* university; *(kunst-, dans-, mil)* academy; *pedagogische* ~ teacher training college; *sociale* ~ college of social studies; **academisch** academic(al), university ...; ~*e graad* university degree; ~*e opleiding* university education (training)

acceleratie acceleration; **acceleratiesnelheid** acceleration; **accelereren** accelerate

accent accent *(ook:* ~*teken)*; **accentueren** accent, stress; *(fig)* accentuate, emphasize

accept acceptance; **acceptabel** acceptable; **acceptatie** acceptance; **accepteren** accept; *niet* ~, *ook:* refuse acceptance (of)

acceptgirokaart pre-printed giro card inviting payment

accessoires accessories

accijns excise(-duty); **accijnskantoor** excise-office

acclamatie acclamation

acclimatisatie acclimatization

accommodatie accommodation

accountant (chartered) accountant, auditor; **accountants|onderzoek, -verslag** audit

accumulator id, (storage-)battery

accuraat accurate, precise; **accuratesse** accuracy

ach ah! alas!; ~, *dat spijt me* (oh) I say I'm sorry; ~ *wat!* go on!; ~ *zo!* indeed, I see!

1 acht attention, care; ~ *geven (slaan) op* pay attention (give heed) to; *in* ~ *nemen* observe (the proper forms, the laws), practise (economy), exercise (great care); keep (the Sabbath); *zich in* ~ *nemen* be on one's guard *(voor* against), be careful; *(gezondheid)* take care of o.s. (one's health)

2 acht eight

achtbaar respectable

achteloos careless, negligent; *(onoplettend)* inattentive; **achteloosheid** carelessness, negligence

achten *(achting toedragen)* esteem, respect; *(houden voor)* consider (... o.s. bound by one's promise), think (I ... it beneath me, I ... it wrong, I ... it necessary to ...), judge, count, hold (I ... it true; ... the charge proved), look upon (regard) (I ... it as my duty); *zich beledigd* ~ feel offended; **achtenswaard(ig)** respectable, honourable

achter I *vz* behind (... a tree, the Premier has the nation, public opinion, ... him), after (he writes M.P. ... his name), at the back of, in rear of (their position was ... of ours), at (the desk, the wheel); *van* ~ *de bomen* from behind the trees; *nu ben ik er*~ I've found it out; *(heb er de slag van)* now I've got (the hang of) it; **II** *bw* behind; ~ *wonen* live at the back (of the house); *mijn horloge is (3 min)* ~ my watch is (three minutes) slow; ~ *in de tuin, enz* at the back (bottom) of the garden, at the back of the room (drawer, etc), at the far end of the corridor, in the back of the car; *ze is* ~ *in de twintig* in her late twenties; *zijn haar is naar* ~ *gekamd* combed back; *verder naar* ~ further back; *(ten)* ~ *zijn* be in arrear(s) (with one's payments, the rent, etc); lag behind (in education); **achteraan** in the rear, behind, at the back

achteraankomen come last, lag behind *(ook fig)*, hang back

achteraanzicht rear view

achteraf 1 *(plaats)* in the rear; *hij woont* ~ ... out of the way; *iets* ~ *houden* keep s.t. back; ~ *staan* stand back; **2** *(tijd)* retrospectively; by (with) hindsight; ~ *heb ik spijt* I am sorry now that it is done

achteraf|buurt, -dorpje out-of-the-way quarter, village; **-straat** back-street

achterbak *(van auto)* boot, *(Am)* trunk

achterbaks I *bw* behind one's back, secretly; **II** *bn* underhand(ed), backstairs (a ... policy), hole-and-corner (proceedings, business *gedoe)*

achter|ban *(van pol partij, enz)* rank and file, grass-roots; **-band** back (rear) tyre *(of:* tire); **-bank** back (rear) seat; **-been** hind leg

achterblijven 1 *(niet mee heengaan)* stay (remain) behind; **2** *(bij dood)* be left (behind); **3** *(anderen niet bijhouden), (ook fig)* drop (fall, lag) behind; **4** *(in ontwikkeling)* be backward (retarded); *achtergebleven gebied* under-developed area; *als hij het doet, kan ik niet* ~ ... I must follow suit; **achterblijvenden** those left behind, *(ve overledene)* the bereaved; **achterblijver** straggler, laggard

achter|buurt slum (quarter); **-dek** poop(-deck), quarter-deck; **-deur** back-door

achterdocht suspicion; ~ *hebben* be suspicious *(jegens* of); ~ *krijgen* become suspicious; ~ *wekken* rouse suspicion; **achterdochtig** suspicious

achtereen 1 without a pause; *drie uur (mijlen)* ~ three hours (miles) on end; *vijf nachten* ~ in a row; 2 =~*volgens*; **achtereenvolgend** successive, consecutive; **achtereenvolgens** successively, in succession, consecutively

achteren: *naar* ~ backward(s); *van* ~ from behind (run into ...), at the back, in (the) rear (attack in ...); *van* ~ *naar voren* (read) backward(s); *van* ~ *gezien* viewed from the back

achter|erf back-yard; **-grond** background; *op de* ~ *blijven* keep (remain) in the background; **-halen** overtake; (*misdadiger, enz*) hunt down; recover (stolen goods); **-heen**: *ergens* ~ *zitten* be hard at it; **-hoede** rear(-guard); *de* ~ *vormen* bring up the rear; **-hoedegevecht** rear-guard action; **-hoofd** back of the head; **-houden** keep (*of:* hold) back (letters, secrets, etc), withhold (a thing from a person); (*verzwijgen ook*) suppress (certain facts), conceal (s.t. from a p.)

achterin at the back

achter|kamer back-room; **-kant** back; **-klap** backbiting, scandal, slander; **-kleindochter** great-granddaughter; **-land** hinterland; **-laten** leave (an order, one's address, a card); **-licht** (*van auto, enz*) rear-, tail-light; **-liggen** lie behind

achterlijk (*in ontwikkeling*) backward; (*bij de tijd*) behind the times; ~ *kind, ook:* retarded child; **achterlijkheid** backwardness

achterlopen (*van klok*) be slow; (*van pers*) be behind the times

achterna behind, after

achter|naam surname, family-name; **-neef** grand-nephew, great-nephew; second cousin

achterom round the back

achterop behind, at the back; on the back (of one's bike); ~ *met de huur, enz* behind with the rent (one's work, etc); **achteropkomen, achteroplopen** overtake, catch up (with s.o.)

achterover back(wards), on one's back

achterover|gooien throw back, toss (one's head); **-leunen** lean back; **-liggen** lie back, lie on one's back; **-vallen** fall back(ward)

achter|poort back-gate; **-poot** hind-leg, -foot, -paw; **-raken** fall (drop) behind; (*fig*) fall (get) behind (with one's work, the rent, etc), fall into arrears; **-ruit** rear window; **-spatbord** (*van auto*) rear wing, (*van fiets*) rear mud-guard

achterst hind(most), last; *hij stond op zijn* ~*e benen* he was hopping mad

achterstaan: ~ *bij*, (*minder zijn dan*) be inferior to, rank below (*achtergesteld worden bij*) be neglected for

achter|stallig back; ~ *zijn* be in arrear, be behind (with the rent, etc); *het* ~*e* the arrears; **-stand** arrears; time-lag; back-log (of deliveries)

achterste back-part, hind-part; (*zitvlak*) behind, buttocks, bottom

achterstellen subordinate (*bij* to), place at a disadvantage, handicap (*bij* as compared with), discriminate against; **achterstelling** subordination; neglect (*bij* to)

achterstevoren back to front, (the) wrong way round

achteruit I *bw* backward(s), back; ~! stand back!; II *zn* (*auto*) reverse

achteruit|deinzen start back; **-gaan** (*eig*) go back(wards), move back, recede, retreat; (*van zieke*) go downhill, fall into a decline; (*van gezondheid, handel, ijver, inkomsten, enz*) fall off, decline; (*van barometer, prijs, aantal, inkomen, enz*) fall; (*in kwaliteit*) deteriorate, decay; (*moreel*) degenerate; **-gang** 1 decline, deterioration; 2 back door, back way; **-kijkspiegel** rear-view mirror; **-rijden** (*van auto, enz*) reverse, back; **-rijlampen** reverse lights; **-wijken** fall back, recede

achtervolgen pursue, chase, run after; (*om te kwellen*) persecute; (*van gedachte*) haunt; **achtervolging** pursuit, persecution

achterwaarts I *bw* back, backward(s); II *bn* backward

achterwege: ~ *blijven* fail to come (to turn up); (*van zaken*) not come (off), be omitted; ~ *laten* omit, drop, leave undone

achter|werk (*zitvlak*) bottom, bum, behind; **-wielaandrijving** rear wheel drive; **-zak** (*van broek*) hip-pocket

achting regard, respect, esteem; *grote* ~ *genieten* be greatly respected; ~ *hebben voor* hold in esteem, respect

achtmaal eight times; **achtste** eighth; **achttien** eighteen; **achttiende** eighteenth; **achttiende-eeuws** eighteenth-century (London); **achturig**: ~*e werkdag* eight-hour(s) day; **achtvoudig** eightfold

acrobaat acrobat; **acrobatiek** acrobatics; **acrobatisch** acrobatic (*bw:* -ally)

acteren act (*ook fig*), act a part; **acteur** actor, player

actie action; (*reclameaanbieding*) special offer; *in* ~ in action

actie|comité, -groep action committee, action group

actief active, energetic; -*ve dienst* active service

activa assets; ~ *en passiva* assets and liabilities

activeren activate; **activist** id; **activiteit** activity

actrice actress

actualiteit topicality (*ook concr*), timeliness, (*concr ook*) topic of the hour; **actualiteitenprogramma** (*film*) news-reel; (TV) current affairs programme

actueel topical (subjects, allusions), current (problems), timely (article), up to date

acupunctuur acupuncture

acuut acute

A.D. *Anno Domini* id: in the year of our Lord

ad: ~ *rem* to the point, relevant; (*van pers*) smart

adamskostuum: *in* ~ in one's birthday suit

adder viper; *er schuilt een* ~ *onder het gras* there is a nigger in the woodpile; **addergif** viper's venom

adel nobility; *hij is van* ~ he is of noble birth

adelaar eagle; **adelaarsblik** eagle-eye

adel|borst midshipman, naval cadet; **-dom** nobility

adellijk noble (lady, family); *ongev:* titled

adelstand nobility; *tot de* ~ *verheffen* raise to peerage

adem breath; *de* ~ *inhouden* hold one's breath (they held their breath(s)); ~ *scheppen* take breath; *zijn* ~ *stokte* he stood breathless, it (the scene, etc) took his breath away; *buiten* ~ out of breath; *in één* ~ in one breath; *naar* ~ *snakken* gasp for breath; *(weer) op* ~ *komen* recover one's breath

adem|analysator breathalyser; **-analyse** breath test; **-benemend** breath-taking (view *uitzicht*)

ademen, ademhalen breathe, draw breath; **ademhaling** breathing, respiration; **ademhalingsorganen** respiratory organs

adem|loos breathless (amidst ... silence); **-pauze** breathing space; **-proef, -test** breath test; **-tester** breathalyser

adequaat adequate

ader vein (*ook in hout, blad, marmer, enz*); *(van erts)* vein, seam; **aderverkalking** hardening of the arteries, arteriosclerosis

adhesie adhesion; **adhesiebetuiging** message of support (of sympathy)

adjudant adjutant; (van vorst, enz) aide-decamp, A.D.C.; **adjudant-onderofficier** *ongev:* warrant-officer

adjunct assistant, deputy

administrateur administrator; *(boekhouder)* accountant, book-keeper; manager (*van plantage* of an estate); **administratie** administration, management; accounts (department); **administratief** administrative; clerical (post); **administratiekosten** administration charges

administreren administer, manage

admiraal admiral; **admiraalsschip** flagship

admiraliteit admiralty

adopteren adopt; **adoptie** adoption

adres address; (*verzoekschrift, schrijven*) petition; *per* ~ (to the) care of, c/o; *je bent aan het verkeerde* ~ you've mistaken your man; *zonder vast* ~ of no fixed address

adres|boek directory; **-kaart(je)** label, ticket; *(van postpakket)* dispatch-note

adresseren direct, address, label (luggage)

adreswijziging change of address (card)

ADV reduction in working-hours

advent Advent

adverteerder advertiser; **advertentie** advertisement, notice, (*fam*) ad, advert; (*van overlijden, enz*) announcement

advertentie|blad advertiser; **-bureau** advertising-agency

adverteren advertise

advies advice; *op* ~ *van* on (at, by) the advice of; *op medisch* ~ under medical advice; **ad-**

viesprijs recommended retail price, suggested (U.K.) price

adviseren advise; (*van jury bijv*) recommend; **adviserend** advisory, consultative; **adviseur** adviser (medical ...), consultant; *rechtskundig* ~ legal adviser, advising counsel

advocaat barrister(-at-law), counsel (*mv:* counsel); *(ongev)* solicitor, lawyer; *(Sc)* advocate; *een* ~ *nemen* brief (retain) a barrister; *voor* ~ *studeren* study (read) for the bar; **advocaat-generaal** solicitor-general

aërodynamica aerodynamics

aërogram (*Belg*) air letter

af off; down; ~ *en aan* to and fro; ~ *en aan lopen, varen, vliegen, enz* come and go; ~ *en toe* off and on, now and then; *hij is minister* ~ is out of office; *hij is voorzitter* ~ ... chairman no longer; ~! (*tegen hond*) down, sir!; (*sp*) go!; *rechts* ~ to the right; *ik ben* ~, (*bij spel*) out; (*doodop*) done up, knocked up; *daar wil ik* ~ *zijn* I am not sure (about it); goed (*slecht*) ~ *zijn*, (*in goede, slechte doen*) be well (badly) off; (*boffen, wanboffen*) be in luck, have bad luck; *op de minuut* ~ to the minute; *ik ben er* ~ I am rid of it, it is off my hands; *je bent niet van mij* ~ I've not done with you yet; *van 15 p.* ~ from 15p. upwards; *van 1 mei* ~ (as) from the first of May; *van die dag* ~ from that day onward(s); *van kind* ~ from a child; *10 meter van de weg* ~ from the road, off the road

afbakenen (*vaarwater*) buoy; (*terrein*) stake (peg, mark, plot) out; (*weg, enz*) trace (out); (*gebied, grenzen van land*) demarcate, delimit; (*fig*) define; **afbakening** staking out; demarcation, delimitation

afbeelden represent, picture, portray; **afbeelding** representation, picture, portrait, image; (*in boek*) figure, illustration

afbellen *a*) phone (person) to call off (event); *b*) ring (a)round

afbestellen cancel (an order)

afbetalen pay off (a debt, workmen); clear (a debt); (*in mindering betalen*) pay (ten per cent.) on account; **afbetaling** payment; *op* ~ on account; (*koop op*) hire-purchase, hire purchase, instalment purchase

afbeulen overdrive (an animal), work to death; *zich* ~ work o.s. (one's fingers) to the bone, work o.s. to death

afbijtmiddel paint remover

afbikken chip (off), scrape off

afbinden untie, take off (one's skates); tie up

afbladderen peel (*of:* scale) off

afblazen blow off (dust, steam); *stoom* ~, (*fig*) let off steam

afblijven: ~ *van* keep (one's hands) off (a p., a thing), leave alone; ~! hands off!

afboenen (*droog*) rub, polish, (*nat*) scrub

afborstelen (*stof, enz*) brush off; (*kleren*) brush; (*pers*) brush, give a brush up

afbouwen finish; complete; (*geleidelijk verminderen*) phase out

afbraak pulling down, demolition; (*concr*) old materials, rubbish; afbraakprijs knock-out price

afbranden I *tr* burn down (a house); burn off (paint); II *intr* be burnt down

afbreken I *ww tr* 1 break off (a branch, conversation, engagement, etc); break (a journey, an electric current, an engagement); cut (an electric current); interrupt (the thread of one's story); (*schaakwedstrijd, enz*) adjourn (a game); 2 pull (*of:* take) down, demolish (a building), take down (tents); 3 (*afgeven op*) run (write) down (a p., a work), cry down, demolish (a doctrine); II *ww* intr break (off, away), snap (off) (the tree snapped off short); stop, break off (in the middle of one's speech); afbrekend destructive (criticism); afbrekingsteken (-) hyphen

afbrengen: het *er heelhuids* ~ get off (come off, escape) with a whole skin (*of:* unscathed); *er het leven* ~ escape with one's life; *het er goed* ~ get through very well, come well out of (a test), do well (in one's examination); *het er slecht* ~ do (come off) badly; *ik trachtte hem af te brengen van* ... I tried to put him off that subject; I could not persuade (talk) him out of it; *van de goede weg* ~ lead astray

afbreuk damage, injury; ~ *doen* (*aan*) injure (a p.), be detrimental to (a p.'s reputation); detract from (the beauty of a book)

afbrokkelen crumble (off, *ook van prijzen*)

afbuigen turn off; (*van weg*) branch off

afdak lean-to, shed

afdalen go (come) down, descend; *in bijzonderheden* ~ go (enter) into detail(s); ~*de reeks* descending progression; afdaling descent

afdanken dismiss (a servant); disband (troops); (*tijdelijk*) lay off (workmen); discard (one's lover); afdankertje discard, reject, cast-off (garment)

afdeling (*onderdeel*) division, section, part; (*afgesloten ruimte*) compartment; (*van vereniging*) (local) branch; (*van bestuur, universiteit, zaak*) department; (*van zaak ook*) floor; (*van ziekenhuis*) ward (men's, women's ...); ~ *gevonden voorwerpen* lost property office; afdelingschef head of department, departmental (*van zaak ook:* floor) manager; departmental chief (head)

afdichten seal, plug (up)

afdingen I *intr* haggle, bargain; II *tr* beat (a p.) down; ~ *op* beat down (the price); detract from (a man's merits)

afdoen 1 (*afnemen, enz*) take off (clothes, etc); 2 ~ *van de prijs* reduce the price; knock off (one penny, etc); *het doet niets af van zijn verdiensten* it detracts nothing (it does not take away) from his merits; 3 (*afmaken*) finish, settle (a business), clear off (one's correspondence); get through (an enormous amount of work); 4 pay off, clear (a debt); 5 *dat doet er niets aan toe of af* that does not alter the case

(the fact); *het enz heeft afgedaan,* (*is van geen nut meer*) it has served its turn; (*is verouderd*) that theory is dead and buried; *je hebt bij mij afgedaan* I have (am) done (finished) with you, I'm through with you; *die zaak is afgedaan* is (over and) done with, so much for that; afdoend conclusive, decisive, sufficient (reason); (*doeltreffend*) effective (measures); *niet* ~ inconclusive (evidence); *dat is* ~*e* that settles the question; afdoening (*van schuld*) settlement, payment; (*van zaken*) dispatch

afdraaien I *tr* run off (a film); play (a record) play back (a tape-recording); (*op draaibank*) turn; (*opdreunen*) rattle off (one's prayers, etc); II *intr* turn (off)

afdragen wear out (clothes); pay (hand) over (money); *afgedragen* worn (out)

afdrijven I *intr* drift (off); (*van schip ook*) make leeway; (*van onweer, enz*) blow over, drift away; *de rivier* ~ float down the river; II *tr* drive (cattle) down (the hill, etc)

afdrogen dry, wipe (the tea-things; *ook zonder voorwerp*); wipe off, wipe away, dry (tears); afdroogdoek tea-towel

afdruipen trickle (*of:* drip) down; (*van borden, enz*) drain; (*wegsluipen*) slink off; afdruiprek draining board

afdruk copy; (*fot*) print; (*indruk*) print (foot-, finger...), imprint (in wax, etc); (*van medaille, enz*) rubbing; (*tandarts*) cast; afdrukken (*boek, courant, foto*) print; (*sport*) 5 minuten 22 seconden ~ clock ...

afdwalen (*eig*) lose one's way, stray (from the path, etc; her eyes strayed (wandered) to the door); (*fig*) wander (travel, stray) from one's subject; *afgedwaalde kogel* stray bullet; afdwaling straying, wandering; (*fig*) digression

afdwingen extort (money, a promise from ...), wring, wrest (a promise, confession), (money out of ...), compel (admiration), command (attention)

affaire affair, business; (*met vrouw*) (love) affair

affiche (*toneel*) poster, playbill; (*voor raam*) window-bill

afgaan 1 go down (the stairs, river); ~ *van* leave (school, one's wife); *van elkaar* ~ part, separate; 2 (*theat*) exit; 3 (*fam*) flop, fail; 4 ~ *op* make for, go towards, go up to, (*fig*) rely (depend) on (memory), trust in (appearances); go by (a p.'s advice); *op uw woorden* ~*de* judging from ...; 5 (*van getij*) recede, ebb, go out; 6 (*van wapen, wekker, engagement*) go off; 7 er ~, (*van knoop, verf*) come off; *de aardigheid gaat eraf* it's no fun any more; *daar gaat niets van af* (*dat valt niet te ontkennen*) there's no denying (there's no getting away from) that; *het gaat hem gemakkelijk af* it comes easy to him; afgang flop, failure

afgedraaid (*fam*) fagged (out)

afgeladen loaded to capacity; *de trein* (*de schouwburg*) *was* ~ chock-full (packed)

afgelasten cancel (a meeting), abandon (a match, order (call) off (a strike, etc)

afgeleefd decrepit, worn with age, worn out

afgelegen distant, remote, far-off (countries), out-of-the-way (village)

afgemat worn out, tired out, fagged (out)

afgemeten measured (with ... steps; ... language); (*vormelijk*) formal, stiff

afgepast: ~ *geld* the exact money; ~ *geld s.v.p.* no change given; please have exact fare ready

afgerond rounded; *het vormt een* ~ *geheel* it forms a complete whole

afgescheiden separate; (*godsd*) dissenting, non-conformist; (*pol*) separatist, secessionist (party); ~ *kerk* chapel, free church; **afgescheidene** (*godsd*) (Calvinist) dissenter, nonconformist; (*pol*) separatist, secessionist

afgesloten: ~ *rijweg!* road closed! no thoroughfare!

afgestorven deceased, dead

afgevaardigde delegate, representative

afgevallene apostate, renegade

afgeven 1 hand over (money, etc); hand in (a telegram); deliver (a message, letter); deliver up (one's key); issue (a passport, tickets); give up (one's ticket); 2 give out, emit (smoke), release (energy), give off (heat, a smell, smoke); 3 (*van verf, kleur*) come off; 4 ~ *op* (*persoon, school, enz*), run down, cry down, disparage; 5 *zich* ~ *met* take up with, consort with (all sorts of people)

afgezaagd stale, trite, hackneyed (phrase), threadbare, time-worn, outworn (jokes)

afgezant envoy, ambassador

afgieten pour off; (*door vergiet*) strain off; cast (images); **afgietsel** (plaster) cast

afgifte delivery (of a letter); issue (of tickets)

afglijden slide (*of:* slip) down (*of:* off)

afgod idol; *een* ~ *maken van* make an idol of, idolize; **afgodendienst**, **afgoderij** idolatry, idol-worship

afgraven dig off, dig down, level (by digging)

afgrendelen (*mil*) seal off (penetrations)

afgrijselijk horrible, horrid, hideous, ghastly, atrocious; **afgrijzen** horror, abhorrence, revulsion; *een* ~ *hebben van* abhor; *met* ~ *vervullen* horrify

afgrond abyss; precipice

afgunst envy, jealousy; **afgunstig** envious, jealous

afhaken unhook; uncouple; (*fig*) drop out

afhakken chop off, cut off, lop off (branches)

afhalen 1 (*van boven*) fetch (bring) down; 2 call for (a p., a letter, parcel); collect (refuse *vuilnis*); *laten* ~ send for; *iem* ~ call for a p.; (*in auto*) take up, pick up; (*van de trein, enz*) meet a p. (at the station); *zal afgehaald worden* to be left till called for; 3 *bonen* ~ string beans; *de bedden* ~ strip the beds

afhandelen settle, dispatch (business)

afhandig: *iem iets* ~ *maken* filch (*of:* pilfer) s.t. from a p., trick a p. out of s.t.

afhangen I *intr* 1 hang down; 2 ~ *van* depend on, be dependent on; *dat hangt ervan af* that depends; *van niemand* ~ be quite independent; II *tr* hang (a door); **afhangend** hanging (sleeves, etc), drooping (branches)

afhankelijk dependent (*van on*); *van elkaar* ~ interdependent; **afhankelijkheid** dependence (*van on*)

afhelpen help (*of:* hand) down, help off (the steps), help (a p.) to get out (of a tramcar); (*van iets onaangenaams, persoon, enz*) rid (a p. of ...); (*van geld*) relieve a p. of his money

afhouden keep off; (*sp*) obstruct (an opponent); *van zich* ~ keep (a dog) at bay

afjakkeren overdrive (an animal)

afkalven cave in, crumble away

afkappen chop (cut, lop) off, cut down

afkatten (*fam*) snub

afkeer dislike (of, to, for), antipathy (to, against); distaste (for), aversion (to, from, for); *een* ~ *hebben van* dislike, hate, have a dislike of (to); **afkeren** (*hoofd, gezicht, ogen*) turn away, avert; (*gevaar*) avert; (*slag*) ward (stave) off (a blow); **afkerig** averse (*van* to, from)

afketsen *tr* reject (a proposal); frustrate (plans); *intr* (*van kogel, enz*) glance off; (*van plan*) fall through

afkeuren (*gedrag, enz*) blame, disapprove (of), censure, condemn; (*voor gebruik*) condemn (a house), declare unfit (for consumption), ban (a film); (*sp*) disallow (a goal); (*iem*) reject (as medically unfit); **afkeurenswaardig** reprehensible, objectionable; **afkeuring** disapproval, condemnation, censure

afkicken kick (a drug addiction), dry out

afkijken copy, (*school*) crib (s.t. from one's neighbour)

afkleden: *een jurk die mooi afkleedt* ... which is very slimming (a beautiful fit)

afkloppen flick (dust, etc) away, dust (a p., clothes, etc); (*tegen ongeluk*) touch wood

afkluiven gnaw off; pick (a bone)

afknappen *tr & intr* snap (off); (*intr*) break down; **afknapper** (*ongev*) let-down

afknippen cut (off)

afkoelen cool (down, off) (*ook fig*); (*tegen bederf*) refrigerate; **afkoeling** cooling, refrigeration; (*van atmosfeer*) drop (fall) in temperature; **afkoelingsperiode** cooling off period

afkoersen to be heading for

afkomen 1 come down (the stairs, river, road); 2 ~ *van* come (down) from, get away from; get off (a horse, the rocks); (*fig*) (*van persoon, verkoudheid, enz*) get rid of, shake off; 3 *er genadig* (*behouden, goed*) *van* ~ get off lightly (safely, well); *er goed* ~, (*bij onderzoek, enz*) come out all right; *er goed* (*slecht*) ~, (*bij verkiezing, enz*) do well (badly); 4 ~ *op* make for, go for; come towards (*of:* up to); 5 (*van werk*) get finished

afkomst origin, birth, descent; (*van woord*)

derivation; *van lage* ~ of low birth (descent); *een Rus van* ~ a Russian by origin; **afkomstig** descended; *uit Duitsland* ~ of German origin; ~ *uit* (*van woord*) derived from (Latin)

afkondigen proclaim, declare (a strike), publish; **afkondiging** proclamation; publication

afkoop (*van verplichting, enz*) buying off; (*het loskopen*) ransom; **afkoopsom** ransom, redemption money

afkopen (*kopen van*) buy (*of:* purchase) from; (*verplichting, enz*) buy off, redeem; (*loskopen*) ransom, redeem; (*uitkopen*) buy out

afkoppelen uncouple (a railway-carriage); disconnect (a motor)

afkorten shorten, abbreviate (a word); **afkorting** shortening, abbreviation; abridg(e)ment

afkrabben scrape off, scratch off

afkraken slate (a book, a film)

afkrijgen finish, get done (finished)

afkunnen: *ik kan mijn werk niet af* I can't get through my work; *ik kan het wel alleen af* I can manage (it) alone; *het* ~ *zonder* get along without; *u kunt er nog af,* (*van koop, bijv*) you may still back (*of:* get) out of it; *het kan er niet* (*slecht*) *af* I can't (I can ill) afford it (*of:* the expense)

aflandig off shore, off-shore (wind)

aflaten (*naar beneden*) let down; (*hoed, enz*) leave off; *niet* ~*d* unflagging (energy)

afleggen 1 (*wapens, enz*) lay down; (*kleren*) take off; (*afdanken*) cast off, discard; **2** (*afstand*) cover, do (four miles an hour); **3** *het* ~ have the worst of it, come off second best; (*te gronde gaan*) go to the wall, go to pieces; *het* ~ *tegen iem* be no match for a p.; **4** *een lijk* ~ lay out a corpse; *een gelofte* ~ make a vow; *de eed* ~ take (the oath); *een examen* ~ sit for an exam(ination)

afleiden 1 lead away (from the road, etc), lead down (the steps); **2** divert (a stream), distract (a p.'s attention, the mind); *iem* ~, (*van zijn werk*) keep a p. from his work; **3** (*gevolgtrekkingen maken*) deduce, conclude, infer, gather (*uit* from); **4** derive (words); **afleiding** (*van stroom, aandacht, enz, ook mil*) diversion; (*ontspanning*) diversion, distraction (seek ...); (*van woord*) derivation; **afleidingsmanoeuvre** red herring; (*mil*) diversion

afleren (*iets*) unlearn (bad habits), break (*of:* cure) o.s. of; overcome (stammering); *iem iets* ~ break a p. of, get a p. out of (a habit), correct a p. of (a bad accent), cure a p. of (his cheek *brutaliteit*); *ik zal het je* ~*!* I'll teach you!

afleveren deliver (goods); (*produceren*) turn out (pupils); **aflevering** delivery (of goods); (*van boek*) number, instalment; (*van tijdschrift*) issue

aflezen (*thermometer, enz*) read (off); *de namen* ~ call over the names, (*school*) call the roll

aflikken lick off; lick (one's fingers, lips)

afloop (*van water*) flowing off; (*van termijn,* *contract*) expiration, expiry, termination; (*einde*) end, close; (*uitslag*) issue, result, outcome

aflopen I *intr* **1** ~ *van* leave (a place); **2** (*naar beneden lopen*) run (*of:* flow) down; **3** (*getij*) ebb, go out; **4** (*hellen*) slope, decline; **5** (*uurw, accu*) run down; (*van wekker*) go off, (*geheel*) run down; **6** (*eindigen*) (come to an) end, finish, conclude; *goed* (*slecht*) ~ turn out well (badly); *het zal slecht* (*niet goed*) *met je* ~ you will come to grief (to no good); *het liep uitstekend af* it went off all right; *het verhaal loopt goed af* the story has a happy ending; *het is afgelopen* it is finished, all over; **7** (*van termijn, contract*) expire, terminate; **8** ~ *op* run up to, make for; **II** *tr* **1** wear out (one's shoes); **2** run (walk) down (the stairs, etc); **3** go through (a school), finish (a course); **aflopend** sloping, shelving (*vgl* aflopen) outgoing (tide)

aflosbaar redeemable; **aflossen 1** relieve (a p.); **2** redeem (mortgage *hypotheek*), clear off, pay off (a debt); **aflossing 1** relief; **2** redemption (of a mortgage); discharge (of a debt); **3** repayment, instalment

afluisteren overhear; *iets heimelijk* ~ eavesdrop; *telefoon* ~ tap (*door politie*); *de telefoon vd oppositie* ~ wiretap the opposition; *de gesprekken in deze kamer worden afgeluisterd* this room is bugged; **afluistermicrofoon** (*sl*) bug

afmaken 1 (*eindigen*) finish, complete, bring to a conclusion; (*een zaak*) settle (an affair); **2** (*doden*) kill, slaughter (cattle), dispose of, finish off (an enemy), kill off (a number of persons or animals); (*huisdier*) put down; **3** (*afkammen*) run (*of:* write) down, cut (*of:* tear) to pieces, slate (a book, play); (*vernietigen*) dispose of; **4** *zich ergens van* ~ shirk (a duty), wave aside (objections); (*terugkrabbelen*) back out of s.t.; *er zich met een grapje* ~ pass it off with a joke

afmatten fatigue, wear out, tire out; **afmattend** tiring, fatiguing, trying (weather, march)

afmeren *a*) moor; *b*) cast off

afmeten measure (off); **afmeting** dimension, proportion

afmonsteren *tr* pay off; *intr* sign off

afname sale; *bij* ~ *van* for quantities of

afneembaar removable, detachable

afnemen I *tr* **1** take off (one's hat to a p.; a bandage), raise (one's hat), remove (the saddle, etc), take down (curtains); take away (a p.'s driving-licence); **2** (*schoonmaken*) clean; dust (the furniture); **3** *de tafel* ~ clear the table, clear (away); **4** (*kopen*) buy; **II** *intr* decrease, diminish, lessen; (*spanning*) ease; (*wind,* (*koorts*) subside; (*licht*) fail, fade (away); (*krachten*) decline; (*maan*) (be on the) wane; **afnemend** cleaning, deminishing, subsiding, fading, declining; **afnemer** customer, client, consumer, buyer

afpakken: *iem iets* ~ snatch (away) s.t. from a p.

afpalen stake out, demarcate

afpassen pace (a distance, etc); *geld* ~ give (the) exact money

afpersen extort, blackmail

afpoeieren: *iem* ~ brush (put) a p. off

afraden: *iem iets* ~ dissuade (*of:* discourage) a p. from s.t.

afraffelen rush (one's work)

aframmelen thrash, whack, lick; **aframmeling** (*afranseling*) dressing-down, thrashing, hiding

afranselen thrash, whack, lick

afrastering railing, (wire) fence

afratelen reel off, rattle off

afreageren work off (one's emotions), let off steam; ~ *op* take (it) out on (a p.)

afreizen: *het land* ~ travel (all over) the country; (*van acteurs, enz*) tour the country; *heel wat* ~ travel quite a lot

afrekenen settle (square) accounts (scores), (*in restaurant*) settle the bill; *ober,* ~! waiter, bill please!; **afrekening** settlement; (*nota*) account, statement (of account); (*aftrek*) deduction

afrennen dash (tear) down (the street); ~ *op* rush up to; (*op de vijand*) rush at (upon) …

africhten (*algem*) train (recruits, horses, etc); (*voor examen*) cram; (*paard*) break (in)

afrijden 1 ride (drive) down (a road); 2 (*paard: africhten*) break (in), (*afjakkeren*) override

Afrika Africa; **Afrikaan, Afrikaans, Afrikaanse** African

afrit exit

afroep: *op* ~ *leveren* deliver on call; **afroepen** call down; call (out) (the names); call (a p.'s name)

afrollen roll down (the stairs); *afwinden* unroll, unreel, unwind

afromen skim (milk); (*fig*) cream off (the best students)

afronden (*eig & fig*) round (off); *naar boven* ~ round off upwards; **afronding** …ing

afruimen clear (the table), clear away

afrukken tear off, rip off

afschaduwen shadow forth, foreshadow; *zich* ~ *tegen* be faintly outlined against

afschaffen (*algem*) abolish (taxes, customs, capital punishment, etc); do away with (abuses, etc); repeal (laws); cut out (smoking); **afschaffing** abolition, abrogation, repeal

afscheid parting, leave, leave-taking(s); ~ *nemen* take (one's) leave (*van of*), say good-bye

afscheiden separate; *door een gordijn* ~ curtain off; (*vocht*) secrete; *zich* ~ separate (o.s.), detach o.s. (from a group), secede (from a religious body), break away (from a party), dissociate o.s. from (a policy); (*chem*) separate (out); **afscheiding** separation; (*van partij ook*) secession, break-away; (*van vochten*) se-

cretion; (*tussenschot*) partition; **afscheidingsmuur** partition-wall

afscheids|bezoek farewell visit (*of:* call); **-sgeschenk** farewell gift, parting-gift, -present; **-kus** parting-kiss, good-bye kiss

afschepen ship (goods); *iem* ~ send a p. about his business, put s.o. off

afscheren shave (off)

afschermen screen (lights), mask (windows)

afscheuren tear (*of:* rip) off

afschieten 1 fire, shoot, discharge, let off; 2 partition (*of:* board) off (a room); 3 ~ *op* rush at, dash up to, make a dash for; (*van roofvogel, enz*) pounce (swoop down) upon; 4 (*van touw, enz*) slip off; (*van kamertje*) partition off

afschilderen paint, picture, describe, depict, portray

afschilferen *tr & intr* scale, peel (off); (*van huid*) peel

afschra(a)psel scrapings; **afschrapen** scrape (off); (*vis*) scale

afschrift copy, transcript(ion); (*fotokopie*) xerox

afschrijven 1 cancel (an order, a meeting), put off (a p., a meeting); 2 (*voor waardevermindering, enz*) write off (for depreciation, etc); ~ *op* write down (capital); (*van girorekening*) debit (to one's account); 3 (*niet meer rekenen op*) discount (any chance of …); *we hadden je al afgeschreven* we had already given you up; **afschrijving** writing-off; *verplichte* ~*en* statutory writings-off

afschrik horror (*van of*); *een* ~ *hebben van* abhor; **afschrikken** deter (a p. from …); (*minder sterk*) dishearten, discourage (callers *bezoekers*), put off (don't let it put you off); (*bang maken*) scare (birds), frighten off; **afschrikkend, afschrikwekkend** warning, deterrent

afschrobben scrub (off)

afschroeven screw off, unscrew

afschudden shake off (*ook fig*)

afschuiven push off, push back (a bolt); (*sl*) fork out, cough up (the cash); *flink* ~ come down handsomely

afschuren scour (off)

afschutten partition off, screen (off), (*met planken ook*) board off; **afschutting** partition, fence (*gew hout*), railing

afschuw horror, abhorrence (*van of*), abomination; *met* ~ *vervullen* horrify, fill with horror; **afschuwelijk** horrible, abominable, atrocious, horrid, ghastly, disgusting; **afschuwwekkend** horrific

afslaan I *tr* 1 knock (strike, beat) off; brush off (a fly); shake down (the thermometer); 2 beat off, repel, repulse (the enemy); 3 (*afwijzen*) decline (an offer), refuse (a request), reject, turn down (a proposal); 4 knock down, reduce (the price); II *intr* 1 ~ *van* fall off (a ladder); 2 (*van weg*) branch off (to the right, etc); (*van pers, enz*) turn ((to the) right); 3 (*van motor*) stall, cut out; (*fam*) conk (out)

afslachten slaughter, kill off, massacre

afslag (van de kust) erosion (of the coast); (van weg) junction, (uitgang) exit; slip-road; bij ~ verkopen sell by Dutch auction; **afslager** auctioneer

afslanken slim

afslijten wear off

afsloven: zich ~ drudde, slave, fag

afsluit|boom bar, barrier; (van haven) boom; -**dam** dam; -**dijk** main dyke, causeway; De Afsluitdijk The IJsselmeer dam

afsluiten 1 lock (a door, room, etc) lock up (a room, etc); 2 cut (shut) off (gas, steam, the supply), turn off (gas, water); close (a road), block (a road); disconnect (an electric current); 3 shut out (the light); 4 (afscheiden: terrein, enz) hedge in, fence off (in), rail off (in); 5 close (accounts), balance (the books), conclude (a contract); effect (an insurance); enter into (a contract); **afsluiting** ...ing (zie afsluiten), closing (of an account), balancing (of the books), conclusion (of a contract, transaction); (concr) fence, partition, enclosure

afsluit|klep stop-valve; -**kraan** stopcock; -**premie**, -**provisie** commission, brokerage

afsnauwen: iem ~ snap (of: snarl) at a p., snap (of: bite) a p.'s head off

afsnijden cut (flowers, the end of a cigar, communications, a railway), cut off (dead wood, the gas, the enemy, cut short (a p.'s career, life), pare (nails); bochten ~, (door auto, enz) cut corners; iem de pas ~ block (of: bar) a p.'s way, head a p. off; **afsnijding** ...ing

afsnoepen: iem iets ~, (fig) forestall a p.

afspeelapparatuur playback equipment

afspelen play (a cassette); play off (an adjourned game afgebroken partij); zich ~ be enacted; het speelt zich af te A. the scene is laid (the action takes place) at A.

afsplitsen split off (electrons); isolate (factors); z ~ separate (from a society), split off

afspoelen wash, rinse; wash down (a motorcar)

afspraak (om ergens te komen) appointment, engagement; (overeenkomst) agreement, arrangement; dat is de ~ niet that isn't part of the bargain; een ~ hebben have an appointment; een ~je maken met make a date with (a girl); **afspreken** agree upon, arrange, fix (upon); settle; ~ te komen agree to come; er werd afgespr dat ... it was agreed (settled) that ...; hebt u afgespr? have you (got) an appointment?; afgespr! that's agreed (settled, a bargain, a go, a bet)!

afspringen 1 jump down (off), leap down (off); 2 (van vonken, splinters) fly off; (verf) crack off; (knoop) burst off; 3 ~ (op), zie afstuiten; 4 (van onderhandelingen, enz) break down, fall through

afstaan cede (territory), give up, yield (a right, possession, one's seat), hand over (the proceeds to ...), resign, surrender (a right, possession, etc), spare (can you ... me the book for five minutes?)

afstammeling descendant; **afstammen**: ~ van be descended from, come of (from); (van woorden) be derived from; **afstamming** descent; (van woord) derivation

afstand 1 distance; op een ~ at a distance; erg op een ~ very stand-offish, distant (be very ... with a p.); op gelijke ~en at equal d...s; ~ bewaren, op een (eerbiedige) ~ blijven keep at a (respectful) distance; (fig) keep one's distance, keep aloof; op een ~ blijven van steer (keep) clear of (the coast, a p.); 2 (van gebied) cession; (van de troon) abdication; (van bezit, recht, vordering) surrender, renunciation; ~ doen van cede (territory), renounce, resign, give up, give up (one's car), part with (documents, etc); (van de troon) abdicate (the throne); (van zijn geloof) renounce one's faith; **afstandelijk** detached

afstands|bediening remote control; -**mars** long-distance march, (mil) route march; -**onderwijs** distance education

afstappen step down; (van ladder, trottoir) step off; (van fiets, paard) get off (one's bicycle, horse), dismount; (van autobus, enz) get down, alight; van een onderwerp ~ leave a subject

afsteken I tr 1 cut (sods graszoden), trim (the garden border); (met beitel) chisel off; 2 let off (fireworks); 3 deliver, make (a speech); make, pay (a compliment); propose (a toast); II intr: ~ bij contrast with

afstel zie uitstel; **afstellen** (= stellen) adjust (an instrument), tune up (a motor)

afstemeenheid tuner; **afstemmen** 1 reject, negative (a motion), throw out (a bill), vote down, outvote (a proposal); 2 tune; (telec) tune (in) (op to)

afstempelen stamp (documents, coins)

afsterven die; die off

afstoffen dust (down)

afstompen tr & intr (eig) blunt; (fig) blunt (his affections had ...ed), dull

afstotelijk hideous, repulsive; **afstoten** I tr 1 knock (thrust, push) off (down); (van wal) push (shove) off; (afwerpen: huid, horens) shed; (wegdoen) dispose of, drop; 2 (fig) repel, repulse (a p., his advances); II intr repel; **afstotend** repelling, repellent, repulsive

afstraffen punish, correct, chastise; (ernstig berispen) reprove; **afstraffing** punishment, correction, chastisement; (ernstige berisping) reprimand

afstrijken (afvegen) wipe (off); (lucifer) strike, light; afgestr lepelvol level spoonful

afstropen strip (off); (het land) ransack, ravage

afstuderen finish one's studies; graduate

afstuiten rebound, recoil, (vooral van wapen) glance off; (van kogel ook) ricochet; (fig) be frustrated by; het plan stuitte af op de hoge *kosten* the plan had to be abandoned owing to the high cost

afstuiven (*heuvel, enz*) rush down (a hill); ~ *op* rush at

aftakelen unrig, dismantle (a ship); strip (a ship, house); *hij takelt af* he is going downhill

aftakken (*elektr*) branch (off), tap

aftands: ~ *vehikel* dilapidated vehicle

aftappen (*bier, enz*) draw (off), (*op flessen*) bottle; tap (blood, rubber, telephone lines)

aftasten explore (the possibilities)

aftekenen 1 copy (a drawing), sketch, draw (an object); **2** (*met handtekening*) visa (a passport); (*voor ontvangst*) sign for (a parcel); **3** (*grenzen*) mark off; **4** *zich* ~ be outlined, stand out

aftellen count (off, out); (*bij spel*) count out; (*met afdalende getallen*) count down

aftiteling (*film, TV*) credits

aftobben: *zich* ~ weary o.s. out, worry o.s.

aftocht retreat; *de* ~ *blazen* (*slaan*), sound (beat: *ook fig*) the retreat

aftrappen (*voetbal*) kick off; (*de trap*) kick (a p.) down the stairs (downstairs); *van zich* ~ kick right and left; *afgetrapte schoenen* down-at-heel shoes

aftreden (*uit ambt treden*) retire (from office), resign (one's post); (*van vorst*) abdicate; *het* ~ resignation, retirement

aftrek 1 (*korting*) deduction; (*bij belasting*) rebate, relief (income-tax ...), allowance (for children, etc); *na* (*onder*) ~ *van* ... after deducting ..., less ...; **2** (*vraag naar koopwaar*) sale, demand; *weinig* ~ *vinden* be in little demand; **aftrekbaar** deductible; **aftrekken 1** (*weg-, neertrekken*) draw away (off, down), pull (tear) off (a p.'s clothes); **2** *zijn handen van iem* ~ wash one's hands of a p.; **3** (*rekenk*) subtract (*van from*); (*kosten, 10%, enz*) deduct; **4** (*sl*) jerk off; **aftrekking** deduction; **aftreksel** infusion, extract

aftroeven trump; (*met woorden*) score off (a p.)

aftroggelen: *iem iets* ~ wheedle (coax) s.t. out of a p.

aftuigen unharness (a horse), unrig (a ship); *iem* ~ give s.o. a hiding

afvaardigen delegate, depute (*naar het Parlement*) return; **afvaardiging** deputation; delegation; (*naar het Parlement*) return

afvaart sailing, departure

afval (*algem*) refuse (matter), rubbish, waste (nuclear ...); (*van dier*) offal; (*restjes*) leavings, scraps; (*afgewaaid fruit*) windfall

afvallen 1 (*eig*) fall off, drop, tumble down; *van de trap* ~ fall down the stairs (downstairs); **2** (*bij spel*) drop out; **3** (*vermageren*) lose weight; slim; **4** (*afvallig worden*) desert (a party), defect; (*zich afscheiden*) secede (from a church); *iem* ~ let a p. down

afvallig (*inz godsd*) apostate, lapsed; (*algem*) disloyal, unfaithful; ~ *worden* desert, defect;

afvallige (*inz godsd*) apostate; (*algem*) renegade, deserter; **afvalligheid** (*inz godsd*) apostasy; (*algem*) defection

afval|produkt waste product, by-product; **-stof** waste matter; **-water** waste water, (*van fabriek, enz*) effluent (water); **-wedstrijd** knock-out competition (race, etc)

afvaren 1 (*wegvaren*) sail, start, depart, leave, put to sea; **2** go (sail) down (a river)

afvegen wipe off, wipe (one's mouth, etc on a towel), mop (one's forehead), brush away

afvliegen (*van hoed*) blow off, fly off; (*er* ~, *van vonken, enz*) fly off; (*de trap, enz*) fly down, rush down; ~ *op* fly to; (*op vijand*) fly at (upon)

afvloeien flow down (*of:* off); (*fig*) be discharged gradually; *personeel laten* ~ release (*tijdelijk:* lay off) personnel; **afvloeiing** (*fig*) (gradual) discharge; **afvloeiingsregeling** (*ongev*) redundancy pay (agreement)

afvoer (*van goederen*) conveyance, transport, removal; (*van water, enz*) discharge, outlet; **afvoerbuis** outlet-, waste-pipe, drain(-pipe)

afvoeren 1 (*wegvoeren*) carry off, drain away (water); lead (take) away, remove; transport (goods); lead down (the hill), transport (carry) down (the river); **2** *van de lijst, enz* ~ strike (a p.'s name) off the list; write off

afvragen: *zich* ~ wonder, ask o.s.

afvuren fire (off), discharge

afwachten I *tr* wait (*of:* stay) for, await; *zijn beurt* ~ wait (one's turn); *iems beslissing* ~ await (a p.'s decision); *het dient te worden afgewacht* it remains to be seen; **II** *intr* wait (and see), await developments (events); **afwachting** expectation; *in* ~ *van* awaiting, looking forward to (your reply)

afwas washing-up; **afwasbaar** washable

afwas|machine dish-washer; **-middel** detergent

afwassen (*vuil*) wash off (*of:* away); (*handen*) wash; (*vaatwerk*) wash up, wash the dishes

afwateren drain (into the sea, etc); **afwatering** drainage, draining

afwaterings|buis drain-pipe; **-greppel** drain; **-kanaal** drainage canal

afweer defence

afweer|geschut flak, anti-aircraft guns; **-houding** defensive attitude; **-middel** defence, antidote; **-stof** antibody

afwegen (*goederen*) weigh out (meat, etc); (*fig*) weigh (one's words)

afwenden turn away, turn aside (one's face); avert (one's face, a blow); *zich* ~ turn away

afwennen: *iem iets* ~ break a p. of (a habit); *zich* ~ discard (a habit), get out of the habit of ...ing

afweren keep off, keep (the enemy) at bay; avert (danger); parry, fend off, ward off (a blow); repel (an attack)

afwerken finish, finish off, give the finishing touch(es) to; get through (a programme); dispose of (matter)

afwerpen throw (cast, fling) off (*of:* down); (*huid, horens*) shed, cast; (*bladeren*) drop
afwezig absent; (*verstrooid*) absent-minded; *de ~e* the absentee; *de ~en, ook:* those absent; **afwezigheid** absence; absent-mindedness
afwijken 1 (*van koers, pad, enz*) deviate; deflect (to the right, etc); (*van lijnen, paden, opinies*) diverge; 2 (*fig*) deviate (from a rule, etc); depart (from the programme); (*verschillen*) differ (from sample, etc); (*in mening*) differ, dissent (from a p., a doctrine), disagree (with a p.); **afwijking** deviation, deflection, divergence, difference; (*van kompas*) declination; departure (from tradition, a rule, etc); (*med*) disorder; (*lichamelijk*) deformity, defect; (*licht, astron, moreel, verstandelijk*) aberration; *in ~ van dat bericht* contrary to ...
afwijzen 1 (*iem*) refuse admittance (to), turn away; reject (a lover); *afgewezen w* fail (in an examination); 2 (*iets*) refuse (a request), decline (an invitation), reject (a claim), repel (a charge *beschuldiging*), dismiss (suggestion), turn down (a proposal); *~d staan tegenover* dissent from, be averse to (a proposal); **afwijzing** refusal, denial, rejection
afwikkelen unroll, unwind, wind off, uncoil (a rope); (*fig*) wind up, liquidate (a business); **afwikkeling** unwinding; liquidation, winding-up (of a business)
afwinden wind (reel) off, unreel
afwisselen I *tr:* (*iets*) interchange, alternate (*met* with); (*afwisseling geven*) vary, diversify; *elkaar ~* (*personen*) relieve one another, take turns; (*zaken*) succeed each other, alternate; II *intr* (*afwisseling vertonen, verschillen*) vary; **afwisselend** I *bn* (*elkaar ~*) alternate; (*afwisseling vertonend*) varied, varying; *met ~ succes* with varying success; II *bw* alternately, by turns, in turn; **afwisseling** 1 (*opeenvolging*) alternation (of harshness and tenderness), succession (of the seasons); 2 (*verandering*) change, variation; 3 (*verscheidenheid*) variety (give ... to), diversity; *ter (voor de) ~* for a change
afzakken 1 (*van kleren*) come (*of:* slip) down, (*van kous*) slide down, sag (down); 2 sail down (the river); 3 (*sp, enz*) fall back; **afzakkertje** one for the road
afzeggen cancel (an order); put off (a p.)
afzenden send (off), forward; **afzender** sender
afzet sale(s); market; (*sp*) take-off
afzet|gebied market; area of distribution; **-markt** consuming market; **-mogelijkheden** sales potential (of an area)
afzetten I *tr* 1 take (put) off, remove (one's hat); *hij zette ... van zich af,* (*fig*) he put (the idea) (away) from him, dismissed (the idea); 2 (*arm, enz*) amputate, cut off; 3 (*slik, enz*) deposit; 4 (*afduwen*) push off (a boat); 5 (*omheinen*) fence in; (*vaarwater*) buoy; 6 (*toegangsweg, enz*) block, close (off); 7 (*uit voertuig*) set (put) down, drop; 8 (*als versiering*) set off

(with gold, etc); 9 (*ontslaan*) dismiss; depose, dethrone (a king); 10 (*goederen*) sell, dispose of; 11 (*bedriegen*) cheat, swindle; *iem iets ~* cheat a p. (out) of s.t.; 12 shut (cut) off, stop (the engine *motor*); disconnect (the telephone); switch off (the radio); **afzetter** swindler, cheat; **afzetterij** swindle, swindling; **afzetting** 1 amputation; 2 (*uit ambt*) dismissal, deposition; (*police*) cordon, barrier
afzichtelijk hideous, ghastly
afzien (*opgeven*) abandon, give up (a plan, an attempt); (*afstand doen van*) renounce, relinquish, abandon (a claim, right); *afgezien van* apart (*Am:* aside) from, setting aside, not to mention; *afgezien daarvan, dat* ... let alone that ...; **afzienbaar:** *in -bare tijd* in the near future
afzijdig: *zich ~ houden* hold aloof (*van* from)
afzoeken search, scour (a wood)
afzonderen separate, set apart, set (put) aside (money, etc); isolate (patients); *zich ~* retire (from the world); *afgezonderd* remote (place), secluded (life); (*afgescheiden*) separate(d); **afzondering** seclusion, retirement (live in ...), isolation, separation; **afzonderlijk** separate (table, room), private (interview), individual (case); *~ verkopen* sell separately (singly)
afzuigkap cooker hood
afzwaaien be demobbed (= demobilized)
afzweren abjure (the king), forswear (one's religion), swear off (smoking), renounce (the world)
agenda agenda(-paper); (*aantekenboekje*) diary, memo(randum)-book; (*in krant*) (theatre) diary; *op de ~* on (in) the agenda; **agendapunt** item on the agenda
agent agent; (*van politie*) policeman, constable, (*inz bij aanspreken*) officer; **agente** (*van politie*) policewoman; **agentschap** agency, (*van bank*) branch (office)
ageren act, agitate, carry on a campaign
agglomer|aat, -atie agglomerate, -ation; *stedelijke agglomeratie* conurbation
aggregaat aggregate
agitatie agitation, flutter, excitement; **agitator** id, demagogue
agrariër, agrarisch agrarian
agressie aggression; **agressief** aggressive; **agressiviteit** aggressiveness
ahob half-barrier level crossing
ai *tw* (*pijn, enz*) ow! ouch!
AIDS id; **aidsremmer** aids-restraining medicine
air air, appearance, seeming; *~s* airs; *zich ~s geven* give o.s. airs
ajakkes, ajasses bah! pah!
akelig dismal (sound), dreary (weather, tone), nasty (weather, taste, girl), grim (spectacle), horrid (yell, fellow); *zich ~ voelen* feel bad; *je wordt er ~ van* it makes you sick; *~ zoet* sickly sweet; **akeligheid** dreariness, etc
akker field

akker|bouw agriculture; **-gewassen** agricultural crops; **-land** arable land

akkertje: (*fig*) *op z'n* (*dooie*) ~ leisurely, at one's (his) leisure

akkoord I *zn* (*overeenkomst*) agreement, arrangement, settlement; (*muz*) chord; *het op een ~je gooien met* make a compromise (a bargain) with; **II** *bn:* ~ *zijn* (*bevinden*) be (find) correct (in order); ~ *gaan met* agree (to) (a proposal); *voor* ~ *tekenen* sign as correct; ~! agreed! done! it's a bargain! it's a go!

akoestiek acoustics; **akoestisch** acoustic

akte deed; diploma, certificate; (*voor de jacht*) licence; (*bedrijf*) act; ~ *van bekwaamheid* certificate of efficiency, (*van onderwijzer*) teacher's certificate; ~ *van overlijden* death certificate; ~ *van verkoop* deed of sale

aktentas brief-case, dispatch-case

al I *telw, bn, zn* all, every, each; ~*le drie* all three (of them, of us, etc); ~*le beide* both (of them, of you, etc); ~*le dagen* every day; ~*le 3 dagen* every three days (third day); ~*le mannen* (*algem*) all men, (*bepaald*) all the men; ~*le reden* (*recht*) *om* … every reason (right) to …; ~ *het mogelijke* all that is possible; ~ *met* ~ all in all; *te* ~*len tijde* at any time, at all times; *wij* (*zij*) ~*len* we (they) all, all of us (them); ~*len die* all who; ~ *hetgeen* all of which; *en wat niet* ~ and what not; *we kochten het met ons* ~*len* among (*of:* between) us; **II** *bw* already, yet; (*onvertaald*): *hoe lang ben je hier nu* ~? how long have you been here now?; *is hij er* ~? has he come yet? (*sterker: nu* ~) already?; *ik ben* ~ *klaar* I am ready now; *hij is* ~ *3 weken ziek* he has been ill for three weeks; ~ *in 1066* as early (as far back) as …; *dat zei hij toen* ~ even then he said so; *daar heb je het* ~ there you are!; *jij ook* ~? even you? ~ *even slecht als* quite as bad as; *je weet maar* ~ *te goed* only too well; ~ *te bezorgd* over-anxious; *niet* ~ *te schoon* (tablecloth) none too clean; ~ *heel ongelukkig* very unfortunate indeed; *het wordt* ~ *erger* it is getting worse and worse; *àls hij het* ~ *had* if indeed he had it; *hij is toch* ~ *niet mooi* he is not very good-looking as it is; *ik zie hem* ~ *zwemmen!* I can just see him swimming!; ~ *of niet* yes or no; **III** *vw* (al)though, even if, even though; ~ *was ik rijk* though (even if) I were rich; ~ *is hij ook nog zo rijk* however rich he may be

alarm alarm; ~ *blazen*, ~ *maken*, ~ *slaan* sound, give, beat the (an) alarm; **alarmcentrale** (*ongev*) emergency services

alarmeren alarm; call out (the fire-brigade); **alarmerend** alarming

alarm|klok alarm-bell; **-kreet** cry of alarm; **-toestand** state of alert

album id (*alle bet*); (*voor uitknipsels, enz ook*) scrapbook, news-cutting book

alcohol id; **alcoholgehalte** alcoholic content (*of:* strength)

alcoholica alcoholic (spirituous) liquors, intoxicants; **alcoholicus** alcoholic; **alcoholisch** alcoholic; **alcoholisme** alcoholism

alcohol|vergiftiging alco- holic poisoning, alcoholism; **-vrij** non-intoxicant, non-alcoholic; ~*e dranken, ook:* soft drinks, pop

aldaar there, at that place

aldoor all the time, the whole time, all along

aldus thus, in this manner (way), as follows

alfa alpha; ~*deeltje* alpha particle; ~*-faculteiten,* (*univ*) theology, law and humanities

alfabet alphabet; **alfabetisch I** *bn* alphabetic(al); **II** *bw* alphabetically

alfavakken arts subjects

algeheel I *bn* total, complete, entire, whole; wholesale (destruction); **II** *bw* totally, etc

algemeen I *bn* (*met weinig uitzonderingen*) general (rule); (*zonder uitzonderingen*) universal (rule, admiration); (*niet in bijzonderheden*) broad, general (discussion); (*veel voorkomend*) common (experience, etc); (*openbaar*) public (in the … interest); (*onbepaald*) indefinite, vague; -*ne geschiedenis* universal (*of:* world) history; (*openbare opinie*) public opinion; *met -ne stemmen* unanimously; *in -ne zin* in a general sense; **II** *bw* …ly; ~ *in gebruik* in common use; **III** *zn: in* (*over*) *het* ~ in general, on the whole, generally, by and large; *in het* ~ *gesproken* generally (broadly) speaking; **algemeenheid** generality, universality, commonness

alhier here, at this place

alhoewel although

alibi id; *zijn* ~ *bewijzen* prove (establish) an alibi

alimentatie alimentation

alinea paragraph; (*van wet ook*) subsection

alle *zie* al 1; **allebei(de)** both (of them); *het is* ~ *goed* either is correct

alledaags daily (occurrences); every-day; (*gewoon*) plain (face), commonplace (remark, fellow), ordinary (routine); (*afgezaagd*) stale, trivial (sayings); **alledag** every day; … *van* ~ (the) daily (routine)

alleen alone, by o.s. (the cottage stood by itself); (*zonder hulp ook*) single-handed (arrest a p. …); (*eenzaam*) lonely (feel …); (*slechts*) only, merely; *de gedachte daaraan* ~ *al* the mere thought of it; *ik sta niet* ~ … I am not alone in that opinion; *een aardige man,* ~ *wat driftig* a nice man, only a little quick-tempered; *niet* ~ …, *maar ook* not only …, but (also)

alleen|heerschappij absolute power; **-staand** isolated, single, detached (buildings); *een* ~*e vrouw* an unattached woman; **-vertegenwoordiging** sole agency

allegaartje hotchpotch, medley, jumble, mixed grill; (*van orkest, enz*) scratch (band, etc)

allegorie allegory

allehens all hands (… on deck)

allemaal (one and) all, the (whole) lot, (I hate) the lot of them

allemachtig (*fam*) I *bw* mighty (a ... pretty girl, almighty (... pleasant), jolly (decent *aardig*); II *tw:* (*wel*) ~*!* well I'm blowed!

alleman everybody; *Jan en* ~ every Tom, Dick and Harry

allen all

allengs gradually, by degrees

aller- of all (the cheapest ...), very (the ... poorest), most (... disgraceful)

aller|aardigst charming (children); **-best** best of all; very best (do one's ...); **-eerst** *bn* very first; *bw* first of all, first and foremost

allergie (*med*) allergy

allerhande all sorts (kinds) of, all manner of (people), (people) of all sorts

Allerheiligen All Saints('Day)

aller|hoogst highest of all, supreme; *van't* ~*e belang* of the first (paramount) importance; **-laatst** very last, last (latest) of all; *op het* ~ at the very last moment; *tot het* ~ to the very last, right up to the end

allerlei all sorts of

aller|liefst I *bn* very dearest, dearly-loved; sweetest (of all), most charming; II *bw* by preference; *het* ~ *bleef ik hier* I should like best of all to stay here; **-minst** very least, least of all, not at all (a friend of mine); **-nieuwst** very newest (latest); *het* ~*e op het stuk van ...* the latest thing (the last word) in CD players (hats)

Allerzielen All Souls(' Day)

alles all, everything; ~ *wat* all that, whatever; ~ *of niets* all or nothing; *dit* (*dat*) ~ all this (that); *dat is* ~ (*wat er van aan is, enz*) that is all there is to it; *dat is nog niet* ~ this is not (quite) all (not the whole story); *ik wil* ~ *doen om* ... I will do anything to stop this marriage; ~ *op* ~ *zetten* go all out; *van* ~ all sorts of things; anything; *van* ~ *wat* something of everything; *voor* ~ above all, (safety) first

allesbehalve anything but, (he looked) far from (well), (his collar was) none too (clean), not at all

alleskunner all-rounder

alleszins in every respect (*of:* way), everyway, in all respects

alliantie alliance

allicht probably, of course; (= *natuurlijk, fam*) naturally, obviously; small wonder!; *je kunt het* ~ *proberen* no harm in trying

alliter|atie, -eren alliteration, -ate

allooi alloy; *van het slechtste* ~ of the worst sort

almacht omnipotence; **almachtig** almighty, omnipotent, all-powerful

alom everywhere, on all sides; *het is* ~ *bekend* it is common knowledge; **alomtegenwoordig** omnipresent

alomvattend all-embracing; comprehensive

Alpen: *de* ~ the Alps; (*in sam vaak*) Alpine

alpen|hut chalet, Alpine hut; **-pas** Alpine pass

alpinisme Alpinism; **alpinist** Alpinist, mountaineer

als 1 (*zoals, gelijk*) as, like (act as I do (like me); fight like a lion; they rose as one man); ~ *volgt* as follows; **2** (*in de hoedanigheid, bij wijze, van*) as (a father); (*soms onvertaald*) (she died a widow); ~ (*een*) *excuus* as an (by way of) excuse; **3** (*voor opsomming*) (such) as; **4** (*tijd*) when; ~ *wanneer* when, at which time; **5** (*indien*) if; ~ *die er zijn* if any; ~ *jij er niet geweest was* but for you; ~ *hij nu eens kwam?* what if (suppose) he came?; **6** (*alsof*) as if; ~ *het ware* as it were

alsmede and also, as also, as well as, and ... as well

alsnog as yet

alsof as if, as though; ~ *hij wou zeggen* as much as to say, as if to say; *het lijkt* (*ziet er uit*) ~ *het zal regenen, enz* it looks like rain (snow, etc)

alstublieft (*graag*) thank you, yes, please; (*bij aanreiken*) *niet vertalen; zie ook: believen*

alt contralto

altaar altar; **altaarscherm** reredos

alternatief alternative

althans at least, anyway, anyhow

altijd always; invariably; *ik heb het* ~ *wel gedacht* I thought so all along; *ik kan* ~ *nog weigeren* I can always refuse; *voor* ~ for ever, for all time

aluminium id; (*Am*) aluminum; **aluminiumfolie** aluminiumfoil

alvast meanwhile; *je zou* ~ *kunnen beginnen* you may (might) as well begin

alvorens before (going), previous (to writing)

alweer again, once more

alzijdig all-sided, universal (genius, knowledge); versatile (mind); all-round (knowledge, education)

alzo (*zo*) thus, in this way (*of:* manner)

amandel almond; (*in keel*) tonsil

amanuensis laboratory attendant

amateur id (*ook attr:* ... cricketer, etc); **amateurisme** amateurism; **amateuristisch** amateurish

amazone (*sp*) horsewoman; **amazonezit:** *in de* ~ (ride) side-saddle

ambacht trade, (handi)craft

ambachts|gilde craft-guild; **-man** artisan; **-school** technical school

ambassade embassy; **ambassadeur** ambassador

ambitie diligence, zest for work, interest (in one's work, etc); (*eerzucht*) ambition; **ambitieus** diligent, studious, showing great interest (in one's work, etc); (*eerzuchtig*) ambitious

ambt office, place, post, function; **ambtelijk** *a*) professional (duties, etc); *b*) official; ~*e stijl* officialese; **ambteloos** out of office, retired; ~ *burger* private citizen

ambtenaar official, officer, civil (*of:* public) servant, functionary; (*aan loket, enz*) clerk; ~ *zijn* be in the civil service; ~ *van de burgerlijke* *stand* registrar, registration officer; **ambte-naarswereld** official world

ambtenarij officialdom, red-tapism

ambtgenoot colleague

ambts|aanvaarding accession to office, taking office, entrance upon one's duties (*of:* office), installation; **-bezigheden** (*van ambtenaar*) official duties; (*van advocaat, enz*) professional duties; **-eed** oath of office; **-gebied** district, department; (*jur*) jurisdiction; **-gewaad** robes of office, (official) robes

ambtshalve officially, by (*of:* in) virtue of one's office

ambts|periode term of office; **-woning** official residence

ambulance id; **ambulancier** (*Belg*) ambulanceman; **ambulant** id, ambulatory

amendement amendment (*op* on, to); **amenderen** amend

Amerika America; **Amerikaan(s, -se)** American; *ze is een* ~*e* she is (an) American

ameublement furniture; *een* ~ a suite (set) of furniture

amfibie amphibian; **amfibisch** amphibious, amphibian

amfitheater amphitheatre

amicaal amicable, friendly

ammonia(k) ammonia; *vloeibare* ~ liquid ammonia

ammunitie (am)munition; *zie verder* munitie

amnestie amnesty; ~ *verlenen* (grant an) amnesty

ampel I *bn* ample; **II** *bw* amply

amper scarcely, hardly, barely (three weeks)

ampère id; **ampèremeter** ammeter

ampul ampulla; (*med*) ampoule

ampu|tatie, -teren amputation, -tate

amulet id, charm, talisman

amusant amusing, entertaining; **amusement** id, entertainment; **amuseren** amuse, entertain; *zich* ~ enjoy o.s.; *amuseer je!* have a good time!

anaal anal; *anale opening* anus

analfabeet illiterate (person); **analfabetisme** illiteracy

analist analyst, analytical chemist

analogie analogy; *naar* ~ *van* on the analogy of; **analoog** analogous (*met* to); ~ *geval* analogue; ~ *horloge* analogue watch

analyse analysis (*mv* -yses); **analyseren** analyse; **analytisch I** *bn* analytic(al); **II** *bw* -cally

ananas pineapple

anarchie anarchy; **anarchist** id; **anarchistisch** anarchist

anatomie anatomy; **anatomisch** anatomical

anciënniteit seniority; *naar* ~ by seniority

ander 1 (*bijvoeglijk*) other; *een* ~(*e*) another; *een* ~*e sigaar, enz, ook:* a fresh cigar (pair of boots, etc); ~*e kleren aandoen* change one's clothes; *hij is een heel* ~*e man dan jij* quite a different man from you; *een* ~*e dag (keer)* another (some other) day (time); *om de* ~*e dag,*

enz every other (*of:* second) day, etc; **2** (*zelfst*): (*ja, zei*) *de* ~ the other; *een* ~, (*pers*) another (person); *een* ~(*e*), (*zaak, ding*) another (one); ~*e,* (*zaken*) other ones, others; ~*en,* (*pers*) others, other people; *onder* ~*e(n)*, (*pers*) among others; (*zaken, dingen*) among other things

anderhalf one and a half; *anderhalve fles* a bottle and a half, one and a half bottles; ~ *jaar* eighteen months; ~ *maal zoveel* half as much (*of:* many) again

andermaal (once) again, once more, a second time

andermans another man's, other people's

anders I *bw* 1 *wie* (*wat, iem, niem, iets, niets, ergens, nergens*) ~ who (what, someone, no one, something, nothing, somewhere, nowhere) else, *niemand* (*niets*) ~ *dan* nobody (nothing) but, nobody (nothing) else but (*of:* else than); ~ *niet*(*s*)? *nothing else? is that all?; *dat is* (*heel*) *wat* ~ that is (quite) another thing (*of:* story); *wat kon ik* ~ *doen?* what else could I do?; *ik heb wel wat* ~ *te doen* I have s.t. else to attend to; *van wie zou het* ~ *zijn?* who else could it belong to?; **2** (*zo niet*) else, otherwise; ..., ~ *zal ik ... otherwise* (or else) I shall ...; (*heb je geld genoeg bij je?*) *anders* ... if not (if you haven't) ...; **3** (*op andere wijze*) differently, otherwise; *ik kan niet* ~ I can do nothing else, I cannot do otherwise, *ik kan niet* ~ *dan* ... I cannot but ...; ~ *gezegd* put another way; **4** (*op andere tijd, in ander opzicht*): *net als* ~ just as usual; *hij komt niet zo vaak als* ~ as he used to, as before; **5** (*overigens, evenwel*) however, for the matter; *het is* ~ *geen gek idee* not a bad idea, though; **II** *bn* different (in those days it was ...), other (I don't wish him ... than he is), otherwise (it might be ...); ~ *dan zijn vriend* unlike his friend; **andersdenkenden** people (those) of different beliefs

andersom the other way round (*of:* about)

anderszins otherwise

anderzijds on the other hand

andijvie endive

anemoon anemone

angel (*van bij*) sting; (*van pijl*) barb (*beide ook fig*); (*vis-*) (fish-)hook

Angel|saks(er), -saksisch Anglo-Saxon

angina (*in keel*) tonsillitis

anglicaan(s) Anglican; **anglicisme** Anglicism; **anglist** Anglicist, student of English

angst terror, fright; (*ziels-*) anguish, agony; *uit* ~ *voor* for fear of (the consequences)

angst|aanjagend terrifying; **-haas** sissy

angstig afraid (*alleen pred*), frightened; (*sterker*) terrified; (*angst veroorzakend, door angst gekenmerkt*) anxious (moments), painful (suspense)

angstkreet cry of terror

angstvallig (*nauwgezet*) scrupulous, conscientious; (*beschroomd*) timid, timorous

angst|wekkend alarming, terrifying; **-zweet** cold perspiration (*of:* sweat)

animeren encourage, stimulate, urge (on); *ge-animeerd* animated, spirited; *(van markt)* brisk demand; **animo** gusto, zest, energy, go; *met ~* with enthusiasm, with gusto; **animositeit** animosity

anjelier, anjer pink; carnation

anker *(van schip)* anchor; *(van muur)* brace, cramp-iron, wall-tie; *(van magneet)* armature, keeper; *het ~ laten vallen (werpen)* cast (drop) anchor; *het ~ lichten* weigh anchor; *ten (voor) ~ liggen (rijden)* be (lie, ride) at anchor; **ankerboei** anchor-buoy

ankeren (cast) anchor

anker|ketting anchor-chain, chain-cable; **-plaats** anchorage (ground)

annalen annals; records

annexatie annexation; **annexeren** annex

anno id; in the year; A.D.

annonce ad(vertisement), notice

annotatie annotation, note

annuleren cancel, annul

anoniem anonymous; **anonimiteit** anonymity

anorganisch inorganic (chemistry)

ansicht(kaart) picture postcard

Antarctisch Antarctic

antecedent *(gramm)* id; *(vroeger geval)* precedent; *zijn ~en* his antecedents, his record

antenne aerial, antenna *(mv:* antennae); *(radar)* scanner

anti anti- (anti-German, anticlimax, etc)

antibioticum antibiotic

anticiperen anticipate

anticonceptiemiddel contraceptive

antiek antique; *(kunstwerken)* antiques; **antiekbeurs** antique dealers' exhibition

Antillen Antilles; **Antill(i)aan(s)** Antillean

antipathie antipathy, dislike *(tegen* to); **antipathiek** antipathetic(al), *bw* -cally

antiquair antique dealer; **antiquariaat** antiquarian (second-hand) bookshop; **antiquarisch** (at) second-hand

antiquiteit *(abstr)* antiquity; *(voorwerp)* antique; **antiquiteitenhandelaar, (-winkel)** antique dealer (shop)

antisemiet anti-Semite; **antisemitisch** anti-Semitic; **antisemitisme** anti-Semitism

antiseptisch antiseptic *(bw* -ally)

anti|slip non-skid; **-vries** anti-freeze

antropo|logie, -loog anthropology, -logist

antwoord answer *(op* to), reply *(op* to); *(gevat)* repartee, *(scherp)* retort; *(~ op een ~)* rejoinder; *dat is geen ~ op* ... that does not answer my question; *~ geven* give an answer; in *~ op* in answer (reply) to; op *~ wachten* wait (for an) answer; ... *gaf hij ten ~,* ... he answered (made answer); uit *uw ~* from your answer (I understand); **antwoordapparaat** answering machine

antwoorden answer, reply, rejoin, return; *(scherp)* retort; *~ op* reply to, answer (a letter); answer to (the name of Boy)

anus id; *(van lagere dieren: vis, enz) ook:* vent

A.O.W *(pensioen)* O.A.P., old age pension

apart I *bn* separate, apart; distinctive (clothes, flavour); **II** *bw* separately, apart; *iem ~ nemen* take a p. aside; *~ zetten* set apart; **apartheid** id

apathisch apathetic *(bw:* -ally)

ape|gapen: *op ~ liggen,* *(fam)* be at the last gasp; **-kool** rubbish, fiddlesticks; **-kop** *(fam)* monkey; **-kuur** monkey-trick

apenkooi monkey-house

aperitief appetizer, aperitif

ape|trots inordinately proud; **-zat** stoned; **-zuur:** *zich het ~ werken* work like hell

apin she-monkey, she-ape *(zie* aap)

apostel apostle

apostrof apostrophe

apotheek (dispensing) chemist's (shop), pharmacy; **apotheker** chemist; *(academisch gevormd)* pharmacist; *(leger, enz)* dispenser

apotheose apotheosis

apparaat apparatus, *mv* pieces of apparatus

appartement *(kamer)* apartment; *(stel kamers)* flat, apartments *(Eng)*; apartment *(Am)*

1 ap'pel 1 *(beroep)* appeal; **2** *(naamafroeping)* roll-call, call-over; *(mil ook)* parade (morning ...); *~ houden* call the roll, take the roll-call; *(school ook)* call the register

2 appel apple; *voor een ~ en een ei* for a (mere) song *(of:* trifle), for next to nothing, dirt-cheap; *door de zure ~ heenbijten* go through with it, swallow the (bitter) pill; *de ~ valt niet ver van de stam* as the tree, so the fruit; he is a chip off the old block

appel|beignet apple-fritter; **-bol** apple-dumpling; **-flap** apple-turnover

appelleren appeal (to a higher court), lodge an appeal

appel|moes apple-sauce; **-sap** apple-juice; **-schil** apple-peel; **-taart** apple-tart

appeltje: *een ~ voor de dorst bewaren* provide against a rainy day; *een ~ met iem te schillen hebben* have a bone to pick with a p.

applaudisseren applaud, cheer; **applaus** applause

appreciëren appreciate, value, prize

april April; *eerste ~* first of April, All Fools' Day

apropos I *bw & bn* id, to the point; **II** *tw* by the way; **III** *zn: hij bracht me van m'n ~* he put me out

aquaduct aqueduct; **aqualong** aqualung; **aquarel** water-colour; **aquarium** id

ar 1 (horse-)sleigh; **2** *in ~ren moede* at one's wit's end

Arabië Arabia; **Arabier** Arab *(ook paard)*; **Arabisch** Arab(ian); *(vooral van taal en cijfers)* Arabic

arbeid labour, work, *(zware)* toil; **arbeiden** labour, work; *(zwoegen)* toil; **arbeider** worker, (farm-, factory-)hand; *(ongeschoold)* labourer

arbeiders|beweging labour movement;

-sgezin (-huisje, -mensen) working-class family (cottage, people); **-klasse** working-class(es)

arbeids- labour-

arbeids|besparend labour-saving (device); **-bureau** labour exchange; **-duurverkorting** reduction in working-hours; **-gerecht** (*Belg*) court of labour disputes; **-geschikt** fit for work; **-geschil** industrial dispute; **-intensief** labour-intensive; **-krachten** labour (force), manpower; **-loon** wages; **-markt** labour-market; **-ongeschikt** unfit for work; **-ongeschiktheid** industrial disability; **-ongeschiktheidsverzekering** disability insurance; **-overeenkomst** *zie* collectief; **-reserve** labour reserve; **-therapie** occupational therapy; **-vermogen** energy, working-power; **-voorwaarden** conditions of employment (work), working conditions

arbeidzaam industrious, diligent

arbitrage arbitration; **arbitrair** arbitrary

arceren shade

archeologie archaeology; **archeologisch** archaeologic(al); **archeoloog** archaeologist

archief archive(s), records, files; (*gebouw*) record-office; **archiefkast** filing-cabinet

archipel archipelago

architect id; **architectonisch** architectonic (*bw:* -ally); **architectuur** architecture

archivaris keeper of the records (archives)

arctisch arctic

are 119.6 square yards; **areaal** area, acreage

arena id; ring

arend eagle

arends|blik: *met* ~ eagle-eyed; **-jong** eaglet

argeloos artless, harmless; (*geen kwaad vermoedend*) unsuspecting; **argeloosheid** ...ness

  Argentijn(s) Argentine, Argentinian; **Argentinië** Argentina

arglistig crafty, cunning

argument id, plea; **argumentatie** argumentation; **argumenteren** argue

argwaan suspicion, mistrust; ~ *hebben tegen* have (harbour) a suspicion against, be suspicious of; **argwanend** suspicious, distrustful

aristocraat aristocrat; **aristocratie** aristocracy, upper classes

ark ark; ~*e Noachs* Noah's ark

1 arm *zn* arm, branch (*van rivier, kandelaar*); *iems* ~ *nemen* take a p.'s arm; ~ *in* ~ arm in arm; *iem in de* ~ *nemen* secure a p.'s support, consult a p.; *met de* ~*en over elkaar* with folded arms; *met open* ~*en ontvangen* receive (welcome) with open arms; *met ... onder de* ~ (with) a book under one's arm; *met een kind op de* ~ with a child on one's arm

2 arm *bn* poor; (*behoeftig ook*) penniless, needy, indigent; ~ *kind!* poor child!; ~ *e stakker!* poor thing!; ~ *aan* poor in; (*van bodem, enz ook*) deficient in (lime, nitrogen, etc)

armband bracelet, (*uit één stuk*) (arm) bangle; (*meer algem, ook als onderscheidingsteken*)

armlet; **armbandhorloge** wrist watch

arme poor man (woman); *de* ~*en* the poor

armelijk poor, needy, shabby

armetierig miserable, stunted (trees); shabby

armleuning arm, elbow-rest

armoede poverty (*aan metalen* in metals), penury, indigence; (*schaarste*) paucity (*aan ideeën* of ideas); *tot* ~ (*vervallen*) be reduced to poverty; *uit* ~ from poverty; (*fig*) for want of anything better to do; **armoedig** poor, needy, shabby; *het staat* ~ it looks shabby; *in* ~*e omstandigheden* in poor circumstances; *het* ~ *hebben* be hard up

armsgat arm-hole

arm|slag elbow-room (*ook fig*); **-steun** arm-rest; **-stoel** arm-chair; **-vol** armful

armzalig poor (excuse, creature, make a ... figure), sorry (he cut a ... figure), miserable, pitiful, pitiable; beggarly, paltry (a ... £50); measly (a ... little fellow)

aroma id, flavour; **aromatisch** aromatic

arrangement id, (*muz*) orchestration; **arrangeren** arrange (*ook muz*); get up (a party, a bazaar)

arrest 1 (*aanhouding*) arrest, custody, detention; *in* ~ under arrest, in custody; *in* ~ *nemen* take into custody, arrest; **2** (*beslag*) attachment, seizure; **3** (*vonnis*) judgment; ~ *wijzen* pronounce judgment; **arrestant** prisoner, arrested person; **arrestatie** arrest, apprehension; **arresteren 1** arrest, take into custody; **2** (*notulen*) confirm (the minutes)

arriveren arrive (*ook fig:* ...d artists)

arrogant arrogant, presumptuous; **arrogantie** arrogance, presumption

arrondissement district; **arrondissementeel** (*Belg*) district...; **arrondissementsrechtbank** (*ongev*) county-court

arsenaal arsenal, armoury

arsenicum arsenic; **arsenicumvergiftiging** arsenic poisoning

articulatie articulation; **articuleren** articulate

artiest artiste, variety artist

artiesten|kamer green-room; **-uitgang** stage-door

artikel article; (*in tijdschrift ook:*) paper; (*van wet, enz*) article, section, clause; (*koopwaar*) article, commodity

artillerie artillery; **artillerievuur** artillery-, gun-fire

artisanaal (*Belg*) traditional, as a craft

artistiek I *bn* artistic; **II** *bw* ...ally; **artistiekerig** arty

arts doctor, surgeon, medical man (*of:* practitioner), (*huisarts*) general practitioner, physician

1 as (*van wagen*) axle(-tree); (*van planeet, bloeiwijze, wisk, enz*) axis, *mv* axes; (*spil*) spindle; (*drijfas*) shaft

2 as (*algem*) ashes (*soms:* ash); cinders; (*van sigaar*) ash(es); (*attr*) ash-; *in de* ~ *leggen* reduce to ashes

asa

asachtig ashy, ash-like
as|bak ash-tray; **-belt** rubbish dump
asbest asbestos
asceet ascetic
asfalt asphalt; **asfaltbestrating** asphalt-paving
asfalteren asphalt
asgrauw ash-, ashy(-pale)
asiel asylum; (*voor dieren*) hostel (for cats), dogs' home, home for lost animals
as|kleurig ashy(-pale); **-la(de)** ash-pan
asociaal antisocial, disorderly (people); *kinderen uit asociale gezinnen* maladjusted children
aspect id
asperge (stick of) asparagus
aspirant candidate, applicant, aspirant; **aspirant-koper** prospective buyer
aspiratie aspiration; *hoge ~s hebben* fly high
aspirientje, aspirine aspirin (take an ...)
assembleren assemble (parts of a machine)
Assepoester Cinderella
assimileren assimilate (*aan* to, with)
assisen (*Belg*) assizes
assistent(e) assistant; ~ *bij* ... assistant to (Prof. A.); **assistentie** assistance, help; **assisteren** assist
associatie association; (*handel*) partnership; **associëren**: *zich ~* enter into partnership (*met* with)
assortiment assortment
assuradeur insurer; (*zee-assuradeur*) underwriter; **assurantie** insurance; *zie* verzekering
astma asthma; **astmalijder, astmaticus, astmatisch** asthmatic
astrologie astrology; **astrologisch** astrological; **astroloog** astrologer; **astronaut** id; **astronomie** astronomy; **astronomisch** astronomic(al); **astronoom** astronomer
as|vaalt refuse tip, rubbish dump; **-vat** dustbin; (*Am*) trash can
atelier workshop; (*van schilder, enz*) studio
atheïsme atheism; **atheïst** atheist; **atheïstisch** atheistic (*bw:* -ally)
Athene (*stad*) Athens; **Athener** Athenian
atheneum (*ongev*) grammar school
Atlantisch Atlantic; *~e Oceaan* Atlantic (Ocean)
atlas id
atleet athlete; **atletiek** athletics, athleticism; **atletisch** I *bn* athletic; II *bw* athletically
atmosfeer atmosphere; **atmosferisch** atmospheric(al)
atol atoll
atoom atom
atoom|bom atomic bomb, atom bomb, A-bomb; **-duikboot** nuclear submarine; **-energie** atomic energy; **-geleerde** atomic scientist; **-gewicht** atomic weight; **-kern** atomic nucleus; **-kernreactor** nuclear reactor; **-kop** nuclear warhead; **-kracht** nuclear power; **-oorlog** nuclear warfare; **-splitsing** nuclear fission; **-theorie** atomic theory; **-vrij** nuclear-free (zone)

attaque attack; (*beroerte*) stroke; seizure
attenderen: ~ *op* call attention to, bring to (a p.'s) notice; **attent** attentive, (*voor anderen ook*) considerate (to ...); *iem ~ maken op* draw a p's attention to; **attentie** attention (*in beide bet*), consideration; *ter ~ van* (for the) attention of
attest certificate (medical ...), testimonial; **attesteren** attest, certify
attractie attraction
au! ow! ouch!
audiëntie audience; *om ~ verzoeken* ask an audience of; *in ~ ontvangen* receive in audience
audiovisueel audio-visual
auditie audition, voice test; **auditorium** (*gehoorzaal*) id
augurk gherkin
augustus (*maand*) August
aula great (big) hall, auditorium
auspiciën auspices (under the ... of)
Australië Australia; **Australiër, Australisch** Australian
auteur author; **auteurschap** authorship
auteurs|recht copyright; **-wet** copyright act
authenticiteit authenticity; **authentiek** I *bn* authentic; II *bw* -ally, certified (copy)
auto (motor-)car; (*Am*) auto(mobile); *met de ~ gaan naar* ... drive, motor (out, over) to ...; ~ *vd zaak* company car
autobiografie autobiography
auto|bom car bomb; **-botsing** car crash; **-bus** bus, coach (*lange afstand*); **-coureur** racing driver
autodidact self-taught man (woman)
auto|fabriek motor-works, car-factory; **-gordel** seat belt; **-industrie** motor-industry; **-kaart** motoring map, road map; **-kerkhof** (old) car dump; **-kraker** car burglar
automaat automaton (*ook pers*), robot, (*snoep, kroketten e.d.*) vending-machine, vendor; (*in station*) ticket-(issuing) machine; **automatiek** auto-buffet; automat; **automatisch** I *bn* automatic; II *bw* automatically; **automatiseren** automatize; **autom(atis)ering** automation
automobielinspectie (*Belg*) car safety-inspection
automobilist motorist
automonteur motor mechanic
autonomie autonomy; **autonoom** autonomous
auto-ongeluk motor accident, car crash
autoped (= *step*) scooter
auto|rijles driving lesson; **-rijschool** school of motoring
autoriseren authorize; **autoritair** authoritarian (state, etc); high-handed; **autoriteit** authority
auto|slaaptrein car sleeper (expres), Motorail; **-sloperij** breaker's yard; **-snelweg** motorway, (*Am, en Eng in stadsgebied*) expressway; **-telefoon** carphone; **-tocht** motor(ing)

tour; **-transport** motor transport, road transport; **-veer** car ferry; **-verhuur(bedrijf)** car hire (car rental) (firm); **-verkeer** motor traffic; **-weg** motor-road, motorway; *zie* autosnelweg; **-wrak** car wreck

averechts I *bw* (in) the wrong way, wrongly; **II** *bn* inverted, wrong; ~*e steek* inverted stitch, purl; *een* ~*e uitwerking hebben* be counterproductive, (*fam*) backfire

averij (*toegebrachte schade*) damage

aversie aversion

avond evening, night; *de* ~ *voor de slag* (*het feest, enz*) the eve of the battle (the festival, etc); *goeden* ~, (*bij komst*) good evening! (*bij heengaan*) good night!; *'s* ~*s* in the evening, at night, (*Am*) nights; *de* ~ *te voren* the evening before, overnight; *tegen de* ~ towards evening; *van* ~ this evening, to-night

avond|blad evening-paper; **-dienst** evening-service, (*Eng Kerk ook*) evening-prayer, evensong; **-japon** evening-dress, -gown

avondje (*gezellig* ~) evening-party, social evening

avond|kleding evening wear; **-klok** curfew, evening-bell; **-maal** supper, evening-meal; *het Laatste A*~ the Last Supper; **-rood** afterglow, evening-glow; **-schemering** evening-twilight; **-school** (go to) evening-classes; **-toilet** (*man en vrouw*) evening-dress

avonturen risk, venture, hazard; **avonturier** adventurer; **avonturierster** adventuress; **avontuur** adventure; **avontuurlijk** adventurous; romantic (story)

axioma axiom

azen: ~ *op*, (*leven van*) feed (*of:* prey) on; (*loeren op, begeren*) covet, lie in wait for

Aziaat Asian; **Aziatisch** Asian; **Azië** Asia

azijn vinegar

azuren, azuur azure, sky-blue

Bb*b*

baai 1 (*golf*) bay, bight; 2 (*stof*) baize

baak beacon; *zie* baken

baal 1 bale (of cotton, etc); 2 (*zak*) bag (of coffee, etc); *in balen* (*ver*)*pakken* bale; *ik heb er balen* (*tabak*) *van*, (*sl*) I am sick to death of it

baan 1 path, way, road; (*tennis-*)court; (*sp*) course, track; (*ronde* ~) circuit; ('*ronde*') lap (do eight ...s in 7 minutes); (*ijs-*) (skating-) rink; (*glij-*) slide; (*ski-*) run; (*kegel-*) alley; (*op vliegterrein*) runway; (*spoorw*) track; (*van autoweg*) carriageway, (= *rijstrook*) lane; (*van projectiel*) trajectory; (*van hemellichaam, enz*) orbit; (*breedte van stof, behangsel, enz*) breadth, width; (*van vlag*) bar; *zich* ~ *breken* force (push) one's way (through), (*van mening*) gain ground; *ruim* ~ *maken* clear the way (passage), (*opzij gaan*) stand aside (*of:* back); *in een* ~ *komen*, (*satelliet*) go into orbit; *op de lange* ~ *schuiven* put off indefinitely, shelve (a question); *dat is van de* ~ that's off; *voorgoed van de* ~ dead and buried; 2 job, billet, berth; *het is me een* ~*!* a nice job indeed!; *gemakkelijk baantje* soft (*sl:* cushy) job; *aan een* ~ *helpen* place (a p.) in a job

baanbrekend pioneering, epoch-making; **baanbreker** pioneer

baan|record track record; **-ruimer, -schuiver** cowcatcher, track-clearer, obstruction (*of:* safety) guard; **-sporten** track sports

baantje (*betrekking*) job; **baantjesjager(ij)** place-, job-hunter (-hunting), place-, office-seeker (-seeking)

baanvak section

baar I *zn* 1 (*golf*) billow, wave; 2 (*lijk*~) bier; (*draag*~) stretcher, litter; 3 (*staaf*) bar, ingot (of gold, etc); (*her*) bar; **II** *bn:* ~ *geld* ready money, (hard) cash

baard (*van mens, dier, graan, oester*) beard; (*van graan ook*) awn; (*van sleutel*) bit; *hij heeft de* ~ *in de keel* his voice is breaking; *zijn* ~ *laten staan* grow a (one's) beard; **baardig** bearded

baard|schurft, -vin barber's itch (*of:* rash)

baarlijk: *de* ~*e duivel* the devil incarnate

baarmoeder womb, uterus; **baarmoederhals** cervix

baars perch, bass

baas master, *v* mistress; (*fam*) governor (*volkstaal* guv'nor), boss (*beide ook als aanspreekvorm*); (*meesterknecht*) foreman; (*kanjer*) whopper; (*kraan*) crack, dab (*in* at); *aardige* ~ nice chap; *de vrouw is de* ~ the wife

wears the trousers; *hij is mij de* ~ (*af*) he is
more than a match for me, (one) too many for
me; *ik ben mijn eigen* ~ my own master; *iem de*
~ *worden* get the better of (the mastery over) a
p.; *de concurrentie de* ~ *worden* overcome the
competition; *ze kon de jongen geen* ~ the boy
was beyond her management; *de* ~ *spelen*
domineer, lord it (*over* over); *er is altijd* ~ *boven* ~ every man may meet his match; **baasje**:
een klein ~ a little chap
baat profit, benefit; ~ *vinden bij* derive (much,
little) benefit from, (be) benefit(ed) by; *te* ~
nemen avail o.s. of, have recourse to; *ten bate
van* for the good (the benefit) of, in behalf of,
in aid of (charities)
babbel tongue, (*fam*) clapper; **babbelaar-
(ster)** (*vooral vrouw*) chatterbox, gossip; (*algem*) chatterer; **babbelbox** chatterbox; **babbelen** (*keuvelen*) chat; (*kletsen*) chatter; (*over
anderen*) gossip; (*van kind*) prattle, babble;
babbeltje chat
baby-oppas baby-sitter
bacil bacillus (*mv* bacilli)
backslash (*achteroverhellend schuin streepje*)
id
bacterie bacterium (*mv* bacteria); **bacteriedo-
dend** (*middel*) bactericide, germicide
bacteriënvrij sterile, sterilized
bacteriologie bacteriology; **bacteriologisch**
bacteriological; **bacterioloog** bacteriologist
bad (*binnenshuis*) bath (*ook: ~kuip*); (*buiten*)
bathe, plunge, dip; (*zwem-*)~ (swimming-)
pool; (*chem*) bath; *een* ~ *nemen* have (take) a
bath, bathe; (*in open water*) have (take) a
bathe; *een* ~ *geven* bath (a child); **baden** bathe
(*ook:* in blood, etc), bath (a baby, dog), be
bathed (in tears, light), be steeped (in light), roll
(in wealth), wallow (in gold, sensualism); **ba-
dend** bathing, etc; bathed, swimming, welter-
ing (in blood); bathed (in tears); **bader** bather
bad|gast bather, (seaside) visitor; **-handdoek**
bath-, bathing-towel; **-hokje** bathing-cubicle;
-huis (public) baths; **-kamer** bathroom; **-kuip**
bath-tub; **-laken** bath-sheet, -towel; **-mantel**
bath(ing)-wrap, -robe; **-muts** bathing cap;
-pak bathing suit; **-plaats** (*voor minerale wateren*) spa; (*aan zee*) seaside resort, coastal resort
bagage luggage; (*in Eng havensteden & Am*)
baggage; (*fam*) traps; (*van leger*) baggage;
met weinig ~ *reizen* travel light
bagage|depot left luggage (office, depot);
-drager (*van fiets*) (luggage) carrier, (*van
auto*) luggage rack; **-kluis** (*in station*) luggage
locker; **-rek** (*van auto*) luggage-rack, -carrier;
-verzekering luggage-insurance
bagatel trifle, bagatelle
bagger mud, mire, slush; **baggeren** dredge
(*met ~machine*); scoop out (peat mud)
bagger|machine, **-molen** dredger; **-schuit**
hopper(-barge)
bajes (*sl*) quod

bajonet bayonet
bak (*van kat, enz*) tray; (*van ~fiets*) carrier;
(*voor kalk, enz*) hod; (*voor water, enz*) cistern,
tank, reservoir; (*trog, etensbak*) trough, (*van
hond*) dish; quod, jug; (*mop*) (practical) joke;
bakbeest whopper, colossus, mammoth
bakboord port; **bakboordzijde** port-side
baken beacon, seamark; (*boei*) buoy; *de* ~*s
verzetten* adopt new methods
baker (dry-)nurse
baker|mat cradle, birthplace; **-praat** old
wives' tales, idle gossip; **-rijm(pje)** nursery-
rhyme
bakfiets carrier-tricycle
bakje tray (*zie* bak); cup
bakkebaard (side-)whiskers
bakkeleien tussle, scuffle
bakken bake (in an oven); (*in pan*) fry (fish, potatoes, eggs); bake, burn, fire (earthenware);
hij zit daar ge~ he has it made there (is in
clover); *aan iets ge~ zitten* be married to s.t.;
bakker baker; *het (hij) is voor de* ~ everything
O.K.; **bakkerij** bakery, baker's business; **bak-
kersgast** (*Belg*) journeyman baker
bakkes: *hou je* ~! shut up! shut your trap!
bakkie 27MC transceiver
bak|oven oven; **-pan** frying-pan; **-steen** brick;
het regent -nen it is raining cats and dogs;
-stenen *bn* brick; **-vet** frying-fat; cooking fat;
-vis teenage girl, teenager; **-zeil**: ~ *halen*, (*fig*)
climb (*of:* back) down
bal 1 ball (*ook van hand, voet, enz*), bowl (*bij
enkele spelen; kegelbal*); *de* ~ *aan het rollen
brengen* set the ball rolling; *hij weet er de ~len
van* he doesn't know a damn thing about it; 2
ball, dance
balanceren balance, poise, (*fig*) vacillate
balans balance, (pair of) scales; (*handel*) balance-sheet; *de* ~ *opmaken* draw up the balance-sheet; *ook:* draw up the political (etc)
balance-sheet; *de* ~ *opmaken van ...* assess the
results (of the conference); **balansopruiming**
stock-taking sale
baldadig wanton, lawless; **baldadigheid** wantonness; hooliganism
balen be fed up; *ik baal ervan* I'm fed up with it
balg (*fot, blaas~, enz*) bellows
balie (*leuning*) railing, balustrade, parapet (of
a bridge); (*van kantoor*) counter; (*van rechtbank*) bar; *tot de* ~ *toelaten* call to the bar
balk beam (*ook van balans*); balk (*ruw*);
(*vloer-*) joist; (*dak-*) rafter; (*noten-*) staff,
stave; *hij gooit het geld niet over de balk* he
does not spend more than he can help
balkon balcony (*ook van schouwburg*); (*van
tram*) platform; ~ *2de rang* upper circle
ballade ballad
ballast id (*ook van spoorw*); (*fig*) lumber, padding, rubbish; *in* ~ in ballast
ballen 1 *tr & intr* ball (*van sneeuw, enz*); 2 play
with a ball (at ball); 3 *de vuisten* ~ clench one's
fists

ballet id; **balletdanseres** ballet-dancer, ballet-girl, ballerina

balletje little ball; globule; (*gehakt*) mince ball; (*hoest-*) cough-drop; (*zacht, van brood, enz*) pellet

balling exile; **ballingschap** exile, banishment

ballon (*lucht~*) balloon; **ballonvaarder** balloonist

ballotage ballot(ing)

ballpoint(pen) ball-pen, ballpoint, biro

balsem balm, balsam; **balsemen** embalm

balspel playing at ball

balsturig obstinate, refractory; **balsturigheid** obstinacy

balustrade id; (*van trap*) banisters

balzaal ball-room

bamboe(s) bamboo

ban (*kerkelijk*) excommunication, ban; (*bezweringsformule*) charm, spell; (*betovering*) spell, charm

banaal banal, trite, commonplace

banaan banana (*boom en vrucht*)

band (*van muts, schort, pyjama, enz*) string; (*van kleermaker, magnetofoon, voor documenten, enz*) tape; (*lint*) ribbon; (*om arm, hoed, sigaar, schoof*) band; (*grammofoonplaat*) track; (*radio*) (wave-)band; (*van wiel*) tire, tyre; (*van boek*) binding; (*fig*) bond, tie, link; *nauwe ~en met Engeland* close relationships with England; *~en der liefde* bonds of love; *de pers aan ~en leggen* restrict the liberty of the press, gag (*of:* muzzle) the press; *uit de ~ springen* kick over the traces; **bandbreedte** (*econ*) range

bandeloos riotous, lawless, licentious; **bandeloosheid** lawlessness, etc, indiscipline

bandiet bandit, brigand, ruffian

band|opname tape recording; **-recorder** tape recorder

banen: *een weg ~* clear (break) a way; *zich een weg ~* make (force, squeeze) one's way (through the crowd, etc), hew (cut) one's way for o.s.

banenmarkt job fair

bang afraid (*alleen pred*); (*beschroomd*) timid, fearful; frightened; (*ongerust*) uneasy; (*in spanning*) anxious; *~e dagen* anxious days; *zo ~ als een wezel* as timid as a hare; *~e vrees* (give way to) anxious fears; *~ maken* make afraid, frighten, scare; *ik laat me niet ~ maken* I am not to be intimidated; *~ worden* become (get) afraid; *~ zijn voor* be afraid of; (*bezorgd voor*) be afraid for; *~ zijn dat* be afraid that ...; **bangerd** coward; **bang(ig)heid** fear, anxiety, timidity; **bangmakerij** intimidation

banier banner, standard

bank (*zit-, werk-*) bench; (*tuin-, rijtuig-*) seat; (*meubel*) settee; (*school-*) form (*lang zonder leuning*), desk (*bank en lessenaar aan elkaar*); (*kerk-*) pew; (*geld-, speel-, zand-, wolken-, oester-*) bank; *hij is aan* (*werkt op*) *een ~* in a bank; *door de ~* on an average; *de jongen zat*

in (*op*) *zijn ~* at his desk; *geld op een ~ hebben* have money at (in) a bank

bank|biljet banknote; **-cheque** (*Belg*) bank cheque; **-directeur** bank manager; **-disconto** bank-rate; **-employé** bank clerk

banket (*feestmaal*) banquet, public dinner; (*gebak*) (fancy) cakes, almond pastry

banket|bakker confectioner, pastry-cook; **-bakkerij** confectioner's (shop)

bankier banker

bank|instelling banking-institution; **-overval** bank hold-up (raid); **-papier** bank-notes; **-pas** cash card; **-rekening** bank(ing)-account

bankroet *zn* bankruptcy; *bn* bankrupt; *~ gaan* fail

bank|roof bank-robbery; **-rover** bank-robber; **-schroef** (bench-)vice; **-schuld** overdraft; **-stel** three-piece suite; **-werker** fitter; **-werkerij** fitting-shop

banneling(e) exile; **bannen** banish (evil thoughts, fear), exile (from a country), expel (from a country, society), exorcize (evil spirits); **banvloek** anathema, ban

1 bar *zn* (refreshment-)bar

2 bar I *bn* (*dor, naakt*) barren (land, rocks); (*guur*) raw, inclement; *dat is (al te) ~* that's too bad; *nu wordt het me toch te ~* this is getting beyond a joke; II *bw* horribly (cold)

barak shed; emergency hospital; (*mil*) hut(ment)

barbaar barbarian; **barbaars** barbarous (savages), barbaric (splendour), barbarian (nations); **barbaarsheid** barbarity

barbecue id

barema (*Belg*) scale of wages

baren I *ww* bear, bring forth, give birth to; *moeite* (*zorg*) *~* cause (give) trouble (concern); II *zn* childbirth

barens|nood, -weeën labour (pains), throes, pains of childbirth; *in barensnood* in labour

baret cap; (*van geestelijke*) beret; (*van student*) (college-)cap

bariton baritone

barjuffrouw barmaid

barmhartig charitable, merciful; **barmhartigheid** mercy, charity

barok baroque

barometer id; **barometerstand** height (reading) of the barometer

baron(es) baron(ess)

barrel 1 (*vat*) id; 2 *aan ~s slaan* smash to atoms (smithereens)

barrevoets barefooted

barricade id; **barricaderen** barricade

bars stern, grim (face), gruff (voice); **barsheid** ...ness

barst crack, flaw; (*in huid*) crack; *met kleine ~jes,* (*van glazuur*) crazed; **barsten** burst (*ook fig: van jaloezie* with envy), crack, split, be (get) cracked; (*van huid*) chap, crack; (*springen*) burst, explode; *barst! zie* stik; *~de hoofdpijn* splitting headache

bas bass (*ook* ~*viool*); ~ *zingen* sing bass

baseren base, found, ground (*op* on)

basis (*meetk, mil*) base; (*fig inz*) basis, footing; *de* ~ *leggen voor* lay the foundation of

basis|onderwijs primary education; **-vorming** first three years of secondary education; (*Belg*) list of obligatory subjects in secondary school

bassin basin; (*aquarium*) tank

bassleutel bass clef

bast bast, inner bark; (*schors*) rind, bark; *iem op zijn* ~ *geven* tan a p.'s hide

bast|aard, -erd bastard; (*dier, plant*) mongrel

basterdsuiker caster sugar

bas|viool violoncello; **-zanger** bass(-singer)

bataljon battalion

baten I *ww* avail; *niet* ~, *ook:* be of no avail (of no use, unavailing); *wat baat het?* what's the use?; *baat het niet, het schaadt ook niet* if it does not do any good, it does not do any harm either; *menselijke hulp kan niet meer* ~ he (etc) is past (*of:* beyond) human help; II *zn* (*activa*) assets

batig: ~ *saldo* (*slot*) surplus, credit balance

batterij battery

bazaar 1 (*oosters*) baza(a)r; 2 (*liefdadigheids-*) fancy-fair

bazelen waffle, drivel, talk rot

bazig masterful, domineering

bazin mistress

bazuin trumpet

B.B. *Bescherming Burgerbevolking* C.D. (Civil Defence)

beademen breathe upon; **beademing:** *mond op mond* ~ mouth-to-mouth resuscitation, kiss of life

beambte functionary, (subordinate) official, employee

beamen assent (say amen) to, echo

beangstigen (*verontrusten*) alarm; (*bang maken*) frighten

beantwoorden answer (a letter); reply to (a letter, speech); return (a visit, love); acknowledge (an introduction with a bow); reciprocate (feelings); ~ *aan* answer, fulfil (requirements); come up to (a p.'s expectations); *niet* ~ *aan, ook:* fall short of (expectations); *aan het doel* ~ serve the purpose; **beantwoording** replying; (*van groet*) acknowledgement; *ter* ~ *van* in reply (answer, response) to

bebloed blood-stained

beboeten fine; *iem met £5* ~ fine a p. five pounds

bebossen afforest; **bebossing** afforestation

bebouwd 1 cultivated, under crop; *met tarwe* ~ under wheat; 2 built(-)on; ~*e kom*, (*oppervlakte*) built-up area; **bebouwen** 1 cultivate, till; *met katoen* ~ put (land) under cotton; 2 build upon (*of:* over); **bebouwing** 1 cultivation, tillage; 2 building upon (*of:* over); (*concr*) buildings

bebroeden sit on

becijferen calculate, figure out; **becijfering** calculation

bed bed (*ook rivier-, bloem-, enz*); *het* ~ *moeten houden* have to keep one's bed; *aan (bij) mijn* ~ at (by) my bed(side); *in* ~ in bed; *kamer met één* ~ single room; *met 2* ~*den* double room; *naar* ~ *brengen* put to bed; *naar* ~ *gaan* go to bed; (*bij ziekte*) take to one's bed; *ik houd je uit het* ~ I'm keeping you up

bedacht: ~ *op,* (*lettend op*) mindful of, alive to (one's interests); (*voorbereid op*) prepared for

bedachtzaam (*overleggend*) thoughtful; (*niet overijld*) deliberate; (*voor-, omzichtig*) cautious

bedankbrief letter of thanks

bedanken I *ww* thank (a p. for s.t.); render (return) thanks; *zonder te* ~ without acknowledgment; (*ontslag nemen*) resign, retire from office; (*ontslaan*) dismiss, discharge; (*voor uitnodiging, enz*) decline (an invitation, etc), (*beleefd* ~) beg to be excused; (*voor krant, enz*) withdraw (discontinue) one's subscription; (*als lid*) resign one's membership (of …); II *zn: wegens het* ~ *van vele leden* on account of many withdrawals; **bedankje** acknowledgment, (*fam*) thank-you (I did not even get a …); (*weigering*) refusal; (*bedankbriefje*) note of thanks

bedaren (*tot* ~ *komen*) quiet down; (*van storm, enz*) abate, subside (the laughter …d); (*van wind, opwinding, enz*) die down; *tot* ~ *brengen* quiet, moderate, pacify (a p.); soothe (a child); allay, mitigate (pain); still (fear)

bedde|goed bedding; **-laken** sheet; **-sprei** bedspread, coverlet, counterpane

bedding (*van rivier, oceaan*) bed

bede (*gebed*) prayer; (*smeek*~) prayer, entreaty

bedeeld endowed (with natural gifts); *ruim* ~ *met aardse goederen* richly blessed with worldly goods

bedeesd timid, bashful, diffident, shy

bedehuis house (*of:* place) of worship; chapel (*van Engelse Protestanten*)

bedekken cover (up, *geheel:* over), bury (one's face in one's hands); **bedekt** covered; covert (allusions, signs), veiled (insult, threat, war, hint), clandestine (sale of spirits)

bedelaar beggar, mendicant; **bedelen** beg (alms), ask (beg) charity; *om werk (een baantje)* ~ cadge for work (a job); *om iets* ~ beg for s.t.

be'delen (*met talenten, enz*) endow

bedelmonnik mendicant (friar)

bedelven bury, entomb; *bedolven onder,* (*fig*) snowed under with (presents)

bedenkelijk (*gevaarlijk*) critical; (*ernstig*) serious, grave; (*zorgelijk*) critical (state of things); (*twijfelachtig*) questionable, doubtful (means, dealings); (*verdacht*) suspicious; *dat ziet er* ~ *uit* things look serious (suspicious)

bedenken (*onthouden*) remember, bear in

mind; *(overdenken)* consider (what I told you); *(zich te binnen brengen)* recollect (I cannot ... his name), think (I can't ... where I put it); *(verzinnen)* think of (a means of escape), devise, invent, find (means); *(iem ~)* remember (provide for) a p. (in one's will, etc); *en dan te ~ dat* ... and to think that ...; *zich ~, (van gedachten veranderen)* change one's mind; *(nadenken)* reflect; *hij zal zich nog wel eens tweemaal ~, vóórdat* ... he'll think twice before ...; *zonder (zich te) ~* without hesitation; **bedenking** *(bezwaar)* objection; *~en hebben (tegen)* object (to); **bedenktijd** time for reflection

bederf corruption (of manners, morals, etc); *(verrotting)* decay; *(bedervende invloed)* taint; *(achteruitgang in kwaliteit)* deterioration; canker (a ... in the police-force); *aan ~ onderhevig* perishable; **bederfelijk** perishable; *~e waren, ook:* perishables; **bederven** I *tr* spoil (a child, eyes, pleasure), corrupt (manners), ruin (one's health, eyes), mar (joy); *de hele boel ~* spoil the whole thing; II *intr (van eetwaren)* go bad; *(van melk)* turn sour; *(van goederen)* deteriorate

bedevaart pilgrimage; **bedevaartganger** pilgrim

bediende *(in huis)* (man-)servant; *(lakei)* footman); *(lijfknecht)* valet, man; *(hotel, enz)* waiter; *(in zaak)* employee; *(kantoor)* clerk *(zie eerst, enz)*; *(winkel)* (shop-)assistant; **bedienen** I *tr* serve, attend to (customers), wait upon (a guest, etc); *(van leveranciers)* supply; mind, operate (a machine); *(een stervende)* administer the last sacraments; *de mis ~* serve mass; *iem op zijn wenken ~* be at a p.'s beck and call; zich ~ help o.s.; II *intr (in winkel)* serve; *(aan tafel)* wait (at table); **bediening** supplying, minding; operation; *(in winkel, hotel, aan tafel)* service; waiting (at table); *(r-k)* administration of the last sacraments; *dubbele ~ (in lesauto)* dual control

bedienings|geld service charge; **-organen** *(van vliegtuig)* controls; **-paneel** control panel

bedijken embank

bedillen find fault with, carp at; **bediller** censurer; **bedill(er)ig** censorious, captious

beding condition, stipulation; *onder één ~* on one condition; **bedingen** *(met voorwerpszin)* stipulate, condition (that ...); *(anders)* stipulate for (better terms); *(verkrijgen)* obtain (a discount, better terms); *tenzij anders bedongen* unless stipulated otherwise

bedisselen arrange, manage

bedlegerig bedridden, laid up

bedoelen *(menen)* mean *(met by: what do you ... by it?)*; intend (it was ...ed as (for) an insult); *(beogen)* purpose, have in view, aim *(of:* drive) at; *wat bedoel je eigenlijk?* what are you driving at?; *ze ~ het goed* they mean well; *goed bedoelde voorstellen* well-intentioned proposals; **bedoeling** *(betekenis)* meaning; *(strek-*

king) drift (of a remark); *(oogmerk)* intention (with the best ...s), aim, purpose; *met de ~ om te ..., ook:* with a view to ...ing; *het ligt niet in mijn ~ om* ... it is not my intention to ...; *zonder bepaalde ~en* unintentionally

bedompt *(van vertrek)* close, stuffy; *(van atmosfeer)* sultry

bedonderd: ben je ~? are you mad?; *een ~ geval* a wretched business; *ik voel me ~ (ziek)* I feel wretched, *(bedrogen)* I feel taken in (tricked); **bedonderen** gull, spoof, cheat, trick

bedorven spoiled, spoilt (child), corrupt (text, morals), contaminated (meat, fish), bad (egg, air), addle(d) (eggs), unsound (meal *meel*)

bedotten: *iem ~* fool (trick, dupe) a p., take a p. in

bedrag amount; *ten ~e van* to the amount of; **bedragen** amount to, come to, number (the deaths ... 20)

bedreigen threaten, menace; *(van gevaar ook)* hang *(of:* impend) over; **bedreiging** threat *(met boeten* of penalties), menace

bedremmeld confused, embarrassed, perplexed

bedreven skilled, skilful, expert (at, in ...), adept (in ...); experienced, practised (in ...); *~ in, ook:* versed in; **bedrevenheid** skill, proficiency

bedriegen deceive, cheat, swindle, dupe, trick, take in; *(bij spel)* cheat; practise deceit; *(zich vergissen)* be mistaken (if I am not mistaken); *hij kwam bedrogen uit* his hopes were deceived; **bedrieger** impostor, cheat; *(bij kaartspel, enz)* sharper; *de ~ bedrogen* the biter bit; **bedriegerij** trickery, deceit; **bedrieglijk** deceitful *(inz van pers)*; fraudulent, sharp (practices); *(misleidend)* deceptive

bedrijf *(handeling)* deed; *(tak van bestaan)* industry (shipbuilding ...); *(beroep)* business, trade; *(zaak)* business, concern; *(van toneelstuk)* act; *elektriciteits~* (public) electricity authority; *in ~ (stellen)* (put) in operation; *buiten ~, (fabriek, enz)* idle; *buiten ~ stellen, (fabriek, enz)* close down

bedrijfs|administratie industrial accountancy; **-arts** (company, etc) medical officer

bedrijfschap trade organization

bedrijfs|economie business economics; **-kapitaal** working-capital; **-klaar** in running (working) order; **-kleding** industrial clothing; **-kosten** running cost(s); *algemene ~* overheads; **-lasten** *(Belg)* running costs; **-leider** manager; **-leiding** management; **-leven** trade and industry; **-ongeval** industrial accident (injury); **-organisatie** industrial organization; **-panden** commercial properties; **-raad** *(Belg)* works council; **-resultaten** trading-results; **-risico** occupational risk(s); **-tak** branch of industry; **-zeker** reliable; **-zekerheid** dependability

bedrijven commit (a crime)

bedrijvig active, industrious, busy, bustling;

bedrijvigheid (*werkzaamheden*) industry; (*op de beurs bijv*) activity; (*beweging*) bustle

bedrinken: *zich ~* get drunk (tight)

bedroefd *bn* sad, sorrowful, distressed (*over at*); *~ maken* sadden (few); **bedroefdheid** sadness, sorrow; **bedroeven** afflict, grieve, distress; *het bedroeft mij te zien, dat ...* I am grieved to see that ...; **bedroevend** *bn* sad, pitiful; *~ weinig* precious little (few)

bedrog trickery, deceit; *~ plegen* cheat, practise deceit

bedrukt dejected, low-spirited, down; *~ katoen* print(ed) cotton

bed|stede cupboard-bed(stead); **-tijd** bedtime

beducht: *~ voor* (*gevaar, enz*) apprehensive of, afraid of; (*bezorgd*) apprehensive for (one's safety); **beduchtheid** apprehension, fear

beduiden (*betekenen*) mean, signify; (*voorstellen*) represent; (*aanduiden*) indicate, point to; forebode, spell (these clouds ... rain), portend (it ...s mischief); (*te verstaan geven*) give to understand

beduimeld thumbed, thumb-marked

beduusd taken aback, dazed, flabbergasted

beduvelen gull, swindle, sell, hoodwink

bedwang restraint, control; *in ~ hebben* (*houden*) keep under control, keep (one's tongue, etc) in check

bedwelmd stunned; intoxicated; *vgl het ww;* **bedwelmen** stun, stupefy, (*door narcotische middelen*) drug, dope, (*door drank*) intoxicate (*ook fig*); *~d middel* narcotic, drug, dope; **bedwelming** stupor, narcosis

bedwingen conquer, subdue (a country), check, curb, control, restrain; suppress (one's laughter, an insurrection); contain (one's laughter, anger); keep back (one's tears); keep under control; *zich ~* restrain (contain) o.s.

beëdigd confirmed by oath; *~e verklaring* sworn statement, (*schriftelijk ook*) affidavit; **beëdigen** (*ambtenaar*) swear (in), swear into office; (*getuige, enz*) swear; **beëdiging** swearing-in; administration of the oath; (*van verklaring*) confirmation (up)on oath

beëindigen end, conclude, bring to a conclusion, finish; terminate (a contract, etc); **beëindiging** conclusion, termination

beek brook

beeld (*algem*) image; (*portret*) portrait, picture; (*spiegel-*) reflection, reflex; (*tv*) picture, image; (*van ziekte*) picture; (*stand-*) statue; *in ~ brengen* picture, portray; *zich een ~ vormen van* form a notion of

beeld|band video tape; *~ montage* video-editing; **-buis** (*tv*) *a*) TV tube; *b*) cathode-ray tube; **-drager** image carrier

beeldend expressive (faculty *vermogen;* language); *~e kunsten* plastic arts

beelden|storm iconoclasm; **-stormer** iconoclast

beeldhouwen sculpture; (*in hout, enz*) carve; **beeldhouwer** sculptor; wood-carver

beeldhouw|kunst sculpture; **-werk** sculpture; (*in hout*) carving

beeldje statuette

beeld|rijk ornate; **-scherm** (TV-)screen; **-schoon** of rare beauty; (*sl*) super; **-spraak** metaphorical language; **-telefoon** image transceiver; **-verhaal** comic strip; **-woordenboek** pictorial dictionary

beeltenis image, likeness

been leg; bone (*ook stofnaam*); (*van hoek*) side; *ik zie er geen ~ in het te doen* I make no bones about (of) doing it; *hij kreeg geen ~ aan de grond*, (*fig*) he hadn't a leg to stand on; *de benen nemen* take to one's heels, leg it; *met beide benen op de grond* (*blijven*) *staan* be (remain) level-headed; *ik kon haast niet op de ~ blijven* I could scarcely keep (on) my feet (legs); *hij hield mij op de ~* kept me on my legs; *hij kwam weer op de ~* regained his feet; *op eigen benen staan* stand on one's own legs (feet); *hij was spoedig weer op de ~* (= *hersteld*) soon got about again; **beenachtig** bony; bony (fishes)

been|beschermer leg-guard, pad; **-breuk** fracture of a bone (*of:* leg); **-ruimte** leg-room

beentje: *iem een ~ lichten* trip a p. up; *zijn beste ~ voor zetten* put one's best foot foremost

beer bear; (*mannetjesvarken, -cavia*) boar; (*faecaliën*) muck; *Grote ~* Great Bear; *men moet de huid niet verkopen vóór men de ~ geschoten heeft* do not count your chickens before they are hatched

beerput cesspool, cesspit

beertje (*speelgoed*) Teddy bear

beest animal; (*grote viervoeter*) beast, (*wild*) brute; (*fig*) beast, brute; *bij de* (*wilde*) *~en af* too shocking for words; **beestachtig** beastly, brutal; *zich ~ gedragen* behave like a beast; *~ koud* beasty cold; *hij heeft het ~ druk* he is infernally busy; **beestachtigheid** beastliness

beesten|boel (*vuile boel*) (regular) mess; (*herrie*) tumult, racket; **-weer** beastly weather

beestje little beast, creature; (*luis*) crawler

beet (*het bijten van hond, enz*) bite, (*van slang*) sting, (*van vis*) bite, nibble; (*hapje*) bite, mouthful; *in één ~* in (at) one bite

beetje: *een ~* a little (bit), a bit (weak; wait a bit), slightly (better), a shade (too serious); *een ~ Spaans kennen* know a little Spanish; *het ~* (*geld*) *dat ik heb* what little (money) I have; *een ~ melk* a drop of milk; *~ bij ~* bit by bit

beet|nemen (*bedotten*) take in, take advantage of, have; (*voor de gek houden*) fool, (*fam*) pull a p.'s leg; **-pakken** seize, seize hold of, grip (a p.'s hand)

befaamd famous, renowned; (*berucht*) notorious; **befaamdheid** fame, renown

begaafd gifted, talented; **begaafdheid** talents, ability; intelligence

begaan I *ww* walk upon, tread (a road); commit (a crime, mistakes), make (mistakes), *een misdaad ~ aan* commit a crime on; *laat hem ~* leave (let) him alone; II *bn: ~ pad* trodden (beaten) path(way); *op de begane grond* (live) on the ground-floor; *~ zijn met* have pity on; III *zn (van misdaad)* perpetration; **begaanbaar** practicable, passable; *de weg was goed (moeilijk) ~* the road made good (hard) going

begeerlijk desirable; **begeerlijkheid** desirability

begeerte desire (*naar* of); eagerness (*naar* for), lust (of conquest, etc), craving (*naar* for)

begeleiden accompany (*ook muz*); (*geleiden*) conduct; (*hoger geplaatste*) attend; (*uit beleefdheid*) *ook:* escort; (*voor bescherming*) escort, convoy (a ship); see (a p.) home; (*studie*) supervise (a pupil); **begeleid(st)er** companion, escort; (*muz*) accompan(y)ist; **begeleiding** escort, convoy; (*muz*) accompaniment (*met ~ van* to the ... of the piano); (*van studie*) supervision

begenadigd inspired (artist)

begenadigen pardon, reprieve (a p. sentenced to death)

begeren desire, wish, want, covet (the ...ed prize); **begerig** desirous, eager; (*inhalig*) greedy, covetous; *~e blikken werpen op* cast covetous eyes on; *~ naar* desire of, eager for (a change, etc), greedy for

begeven: *de auto begaf 't* the car broke down; *zijn krachten begaven hem* his strength gave way; *zijn moed begaf hem* his heart sank; *zich ~ naar* go to, make for; *zich naar huis ~* go home; *zich in gevaar ~* expose o.s. to danger; *zich op weg ~* set out (*naar* for)

begieten water, wet

begiftigen endow (a p., an institution); present (*met* with), invest (with an order); *iem ~ met, ook:* bestow (confer) s.t. on a p.

begin beginning, start; *een goed ~ is het halve werk* well begun is half done; *een ~ maken* make a beginning; *we zijn nog slechts aan het ~* we are only at the beginning; *bij (in) het ~* at the beginning; *heel in het ~* at the very first; *van het (eerste) ~ af aan* from the (very) outset, from the first; *van het ~ tot het einde* from beginning to end, from start to finish, (*van boek*) from cover to cover; **beginnen** begin, start, (*lit*) commence; start (a business, a conversation), set up (a business); set in (winter, the thaw, has set in); (*sp*) start; *begin maar* fire away! go ahead!; *opnieuw ~* make a fresh start; *verkeerd ~* make a false start; *een reis ~* set out (start) upon a journey; *jij bent ('t) begonnen* you started it; *wat ben ik begonnen!* what am I doing! why ever did I begin it!; *wat te ~!* what to do!; *wat moet ik ~!* what am I to do!; *ik kon niets ~* I could do nothing, I was helpless; *aan iets ~* begin s.t., set about s.t.; *er is niets met hem te ~* there's no doing anything with him; *het is hem om het geld begonnen* it's the money he's after; *~ over een onderwerp*

broach a subject; *voor zichzelf ~* set up for o.s. (on one's own); **beginner** beginner

begin|punt starting-point; **-salaris** starting salary

beginsel principle; *de (eerste) ~en* the rudiments

beginsel|vast(heid) firm(ness) of principle; **-verklaring** programme, constitution (of a party)

begin|stadium initial stage; **-wedde** (*Belg*) starting salary

begluren spy upon, peep at; (*verliefd*) ogle

begoochelen bewitch

begraafplaats cemetery, church-yard

begrafenis funeral (*ook de stoet*), burial

begrafenis|kosten funeral expenses; **-ondernemer** undertaker, (*Am*) mortician; **-plechtigheid** funeral ceremony; **-stoet** funeral procession

begraven bury (*ook fig: ~* o.s. in a little village; *dood en ~* dead and gone

begrensd limited (*ook van verstand*); **begrenzen** bound (France is ...ed on the east by Germany), border (... ed by a canal); (*beperken*) limit; **begrenzing** limitation

begrijpelijk understandable, intelligible; **begrijpelijkerwijze** for obvious reasons, obviously

begrijpen understand; (*zich een idee vormen van*) grasp, conceive; (*inhouden*) contain; (*insluiten*) include, imply; *ik kan me niet ~ waar hij is (hoe het gebeurd is)* I cannot imagine (think) where ... (I'm at a loss to understand how ...); *je (= men) begrijpt niet dat ...* it is a wonder that ...; *dat begreep ik (van hem)* so I understood; *als ik u goed begrijp* if I understand you rightly (correctly), (*fam*) if I get you right; *begrijp mij goed* don't mistake me; *begrijp dat goed!* (*dreigement*) get that into your head! make no mistake about that!; *laten we dat goed ~* let us get that clear; *verkeerd ~* misunderstand; *dat kun je ~!: a)* I should jolly well think so!; *b)* (iron) nothing of the kind; not likely! no fear! not much! (were you present?) Not I!; *ik begrijp daaruit, dat ...* I gather from that that ...; *begrijp je (mij, mijn vraag)? ook:* do you follow (me, my question)?; *hij begreep er totaal niets (hoe langer hoe minder) van, ook:* he was quite at a loss; *en gauw ook, begrepen?* and quick too, do you hear?; *begrepen?* is that clear?; got that?; *de toestand ~* grasp the situation; *dat is gemakkelijk te ~ (laat zich ... ~)* that is easy to understand, easily understood, quite understandable; *alles er in begrepen* inclusive, no extras, everything included (the charges (*kosten*) are included in the price); *in de woorden begrepen* implied in the words; *daaronder zijn begrepen ...* comprehended in it are ...; *ik heb het niet op hem begrepen* I don't trust him; *ze hebben het niet op elkaar begrepen* there is no love lost between them; **begrip** idea, notion, conception; *(het begrijpen)* comprehension; ... *is een* ~ is a household word; *hij toonde* ~ *voor mijn moeilijkheden* he showed he understood my difficulties; *geen* ~ *van huishouden* no notion of housekeeping; *naar Europese* ~*pen* by European standards; *verkeerde* ~*pen* misconceptions; *dat gaat mijn (alle)* ~ *te boven* that is beyond me

begrips|bepaling definition; **-verwarring** confusion of thought *(of:* ideas)

begroeid grown over, overgrown; wooded (hills)

begroeten greet *(ook met kogels, enz)*, salute; welcome; *elkaar* ~ exchange greetings; **begroeting** greeting

begroten estimate, compute, rate *(op* at); **begroting** estimate; *(staats-, enz)* estimates, budget; *(fig) zie* balans

begrotings|debat debate on the budget; **-jaar** financial year; **-post** budget item; **-tekort** budgetary deficit

begunstigde *(verzekering)* beneficiary; *(van cheque)* payee; **begunstigen** favour *(...ed by brilliant weather; favour with orders);* **begunstiger** patron *(of art, etc);* **begunstiging** favour, patronage

beha bra

behaaglijk *(aangenaam)* pleasant; *(gemakgevend)* comfortable; *(knus)* snug; *(zich* ~ *voelend)* at *(one's)* ease

behaag|ziek coquettish; **-zucht** coquetry

behaard hairy

behagen I *ww* please; **II** *zn* pleasure; ~ *scheppen in* take (a) pleasure in

behalen get, win, gain, score (a triumph), obtain, make (a profit); *de overwinning* ~ gain the victory; *de meeste punten* ~ make the highest score

behalve *(uitgezonderd)* except, but; *(benevens)* besides, in addition to (she had no relations except *(of:* but) myself; *niets* ~ nothing beyond ...

behandelen treat (a patient, wound, subject, a p. well, a p. for burns), attend (a patient), handle, handle (goods), try, hear (a case *rechtszaak);* **behandeling** *(under medical)* treatment, attendance; *(rough)* usage; handling, operation (of machinery), (rough) handling (of goods); *(van rechtszaak)* trial, hearing; *slechte* ~ ill usage (treatment); *onder (medische)* ~ *zijn* be under (medical) treatment; **behandelkamer** surgery

behang (wall)paper; **behangen** (wall-)paper (a room), hang (with garlands, pictures, etc); **behanger** paper-hanger, paperer; **behangsel** (wall)paper

beharing hair; *(van dier ook)* coat

behartigen have at heart, look after, study, promote, serve, be watchful of (a p.'s interests); **behartigenswaard(ig)** worthy of consideration; **behartiging** care, promotion (of a p.'s interests)

beheer management, control (demand ... of one's own money), supervision; *slecht* ~ mismanagement; **beheerder** manager, director; *(van failliete boedel, nalatenschap)* trustee; **beheerraad** *(Belg)* board of management

beheersen *(volk, enz)* rule, govern; *(hartstocht, enz)* master, control; *(prijzen)* control; dominate; *een taal* ~ be fluent in a language; *zich* ~ control (govern) o.s., keep one's temper; **beheerser** ruler, master; **beheersing** command *(ook van taal, enz),* domination, control

beheksen bewitch

behelpen: *zich* ~ manage *(met* with), make do (with a part-time help); *zich met weinig* ~ manage with (on) little

behelzen contain; *hetgeen behelsde dat* to the effect that

behendig dext(e)rous, adroit, skilful; **behendigheid** dexterity, adroitness, skill

behept: ~ *met* afflicted with (a disease, etc)

beheren manage, administer (an estate, a bequest), control (one's own financial affairs)

behoeden watch over, guard; ~ *voor* guard (shield, protect, preserve, save) from

behoedzaam cautious, wary; *zie* voorzichtig; **behoedzaamheid** caution, cautiousness, wariness

behoefte want, need *(aan* of, for); ~*n, (benodigdheden)* necessaries; *(dringend)* ~ *hebben aan* be in (urgent) want (need) of, want (badly); *in eigen* ~*n voorzien* provide for o.s.; **behoeftig** needy, destitute; *in* ~*e omstandigheden* in straitened circumstances; **behoeftigheid** need, destitution

behoeve: *ten* ~ *van* on behalf of

behoeven want, need, require; *ik behoef niet te gaan* I need not go; *hij behoefde niet* ... he didn't have (long to wait); *je behoeft hem maar aan te kijken* ... you have only to look at him; *het behoeft niet* it is not necessary

behoorlijk I *bn* proper, fit(ting); decent (income, meal); *van* ~*e grootte* fair-sized, sizable (room, town); **II** *bw* properly, decently; **behoorlijkheid** propriety

behoren I *ww (toebehoren)* belong to; *(ook:* that does not belong here); *(betamen)* be fit, be proper; ~ *tot* belong to (to what regiment do you belong? you belong to the past); be among (we are among his friends); ~ *bij* go with (the dance going with this tune; the land going with the house); *deze* ~ *bij elkaar* belong together; *dat behoort er zo bij* it is part of the game; *je behoort (behoorde) te gaan* you should (ought to) go; *weten hoe het behoort* know one's manners; *zo behoort het* that's as it should be; that's the way (to do it); **II** *zn: naar* ~ as it should be, duly, properly

behoud *(instandhouding)* maintenance; preservation (of the peace, of one's health); *(redding)* salvation; *met* ~ *van salaris* with salary, on (full) pay (salary); **behouden I** *ww* keep (the town for the Prince), retain (one's seat), preserve (one's innocence), maintain (one's self-control); II *bn* safe, safe and sound (arrive ...); **behoudend** conservative

behoudens except for (some alterations), bar-(ring) (accidents)

behuild tear-stained

behuisd: *klein ~ zijn* be cramped for room; **be-huizing** (*huisvesting*) housing, shelter; (*huis*) house; *passende ~ ...* suitable accommodation

behulp: *met ~ van* with the help (aid) of

behulpzaam ready to help, helpful; *~ zijn* help, assist; **behulpzaamheid** helpfulness

beiaardier carillon player

beide(n) both; (*één, onverschillig welke*) either (both coats fit me, I can take either); *mijn ~ broers*, (*nadruk op ~*) both my brothers; (*nadruk op broers*) my two brothers; *alle~* both of them; either (of them); *één van ~* one of the two; either (of the two); *wij ~n* we two, the two of us, both of us; *ons ~r vriend* our mutual friend

beiderlei of both sorts; *op ~ manieren* both ways, either way; *van ~ kunne* of both sexes

beieren chime, ring (the bells)

beijveren: *zich ~* lay o.s. out (to ...), exert o.s.

beijzelen: *beijzelde bomen* ice-coated trees; *beijzelde wegen* roads covered with black-ice

beïnvloeden influence, affect, act upon

beitel chisel

beits (wood-)stain; **beitsen** stain (wood)

bejaard aged; **bejaarde** aged person; senior citizen; (*mv ook*) old people (folks)

bejaarden|huis, -oord home for the elderly; **-zorg** care for the elderly

bejaardheid old age

bejegenen treat (kindly, rudely); **bejegening** treatment

bejubelen cheer, applaud

bek mouth; (*snuit*) snout; (*van vogel*) bill, beak; (*van nijptang*) bit, jaws; (*van bankschroef*) jaws, cheeks, sides; *hou je ~!* (*plat*) shut up! shut your trap!

bekaaid: *er ~ afkomen* come off badly

bekabelen cable

bekaf dead tired, dog-tired, dead beat, all in

bekakt affected, snooty

bekampen fight

bekend (*passief*) known (all the ... religions of the world, well-known (men, newspapers), noted (*wegens* for), familiar (faces, etc); (*berucht*) notorious; (*publiek*) known; *er zijn nadere gegevens ~ geworden* further data have become available; *~ veronderstellen* take for granted; *~ met* acquainted with (a p., thing); *ik ben hier ~* I know the place; *ik ben hier niet ~* I am strange here; *zich ~ maken* make o.s. known; *~ staan als* be known as; (*on*)*gunstig ~ staan* be in good (bad) repute; *een slecht ~ staand persoon* a bad character; *~ staan als de bonte hond* have a bad reputation; *~ worden* become known; *~ worden met* get acquainted

with; *het is algemeen ~* it is common knowledge; *het is mij wel ~, ook:* I am well aware of it; **bekende** acquaintance; **bekendheid** *a*) notoriety (*dikwijls ongunstig*), reputation; *~ geven aan* make public

bekendmaken announce (when are you going to ... your engagement?); **bekendmaking** announcement, publication

bekennen confess (a sin, crime), own; (*erkennen*) acknowledge; (*van gevangene*) plead guilty; *er was niemand te ~* not a soul was to be seen; **bekentenis** confession

beker cup; goblet, bowl; (*kroes*) mug

be'keren convert (to Christianity, to another opinion); reform (a ...ed drunkard); **bekering** conversion

beker|vormig cup-shaped; **-wedstrijd** cup-match, -tie; (*eindwedstrijd*) cup final

bekeurde offender

bekeuren summon(s) (a cyclist for riding without a light), take a p.'s name (and address), report, (*fam*) book (a p.); **bekeuring** summons

bekijk: *veel ~s hebben* attract a great deal of attention; **bekijken** (have a) look at, view; *een zaak anders ~* look at a matter from a different angle; *de zaak van alle kanten ~* look at the matter from every angle; *het is zó bekeken* it will be over (done) in a minute

bekken basin (*ook van rivier, enz*); (*anat*) pelvis (*mv* pelves)

beklaagde: (*de*) *~* the accused (*ook: de ~n*), (the) defendant; **beklaagdenbank** dock (*op de ~* in the dock)

bekladden blot, blotch; plaster (the walls with graffitti); stain (a p.'s reputation)

beklag complaint; *zijn ~ doen* complain; **beklagen** pity; (*betreuren*) lament, deplore; *zich ~ over ... bij* complain of ... to; **beklagenswaard(ig)** pitiable

beklant: *goed ~e winkel* well-patronized shop

bekleden clothe (... a p. with power), cover (chairs), upholster (chairs, a carriage, coffin); hang (with tapestry), line (a chest with zinc); panel (a room with wood), (in)vest (with authority), hold (an important place), fill (a post); **bekleder** (*van ambt*) holder; **bekleding** lining (of the throat, etc), clothing, covering, etc; upholstery (of a motor-car); (*met ambt*) investiture

beklemd oppressed; (*met klemtoon*) stressed; (*vastgeklemd*) stuck, trapped; **beklemdheid** oppression; heaviness (of the heart); **beklemmen** oppress

beklimmen ascend (the throne, mountain), climb (tree, mountain), mount (ladder, hill, throne); **beklimming** ascent, climbing

bekneld jammed, wedged (between ...), trapped (inside the wreckage)

beknibbelen beat down (a price); cut (whittle) down, dock; *~ op het onderwijs* pare down education

beknopt brief; concise (handbook); terse (expression); succinct (narrative); condensed (report); summary (account); (news) in brief; **beknoptheid** terseness, brevity, conciseness

beknorren scold, chide

beknotten curtail (a p.'s rights); **beknotting** curtailment

bekocht taken in, cheated

bekoelen cool (down); (fig) cool (down, off), calm down

bekomen (zich herstellen) recover (o.s., from one's fright, etc); het bekomt mij niet goed it does not agree with me; het zal hem slecht ~ he'll be the worse for it

bekommerd anxious, uneasy (over about); **bekommeren** trouble; zich ~ om (over) care for (about), concern o.s. about (the future), feel concerned (uneasy) about (one's fortune, etc); (fam) bother about; zonder zich te ~ om heedless of (distance, time), regardless of (expense)

bekoorlijk charming, enchanting, attractive; **bekoorlijkheid** charm

bekopen: hij moest het duur ~ he had to pay dear(ly) for it

bekoren charm, fascinate; (verleiden) tempt; **bekoring** charm, fascination, allurement; (verleiding) temptation

bekorten (eig, ook van reis, enz) shorten, curtail, cut short (a journey); (boek, enz) abridge, condense; **bekorting** shortening, abridg(e)ment

bekostigen pay (bear) the cost (expenses) of; ik kan het niet ~ I can't afford it; **bekostiging** defrayment

bekrachtigen confirm (a sentence, an appointment), ratify (a treaty); sanction (a law, usage); **bekrachtiging** confirmation; ratification

bekransen wreathe

bekrassen scratch (all over)

bekritiseren cry down; criticize

bekrompen (kleingeestig) narrow-minded, narrow, contracted (ideas, mind), suburban (outlook); (klein) confined (space); (karig) scanty, (a man of) narrow (means), slender (purse); **bekrompenheid** narrow-mindedness; scantiness; vgl bekrompen

bekronen crown (with success, etc); award a prize (a medal) to; het bekroonde ontwerp the winning design; **bekroning** a) crowning; b) award (list of ...s)

bekruipen (van angst, lust, enz) come over, creep (steal) over

bekvechten dispute, wrangle

bekwaam capable, able, competent (policeman), accomplished (musician), fit (he is not ... for that place); **bekwaamheid** ability, capability, capacity; aptitude; akte van ~ certificate of qualification; **bekwaamheids|diploma, -getuigschrift** (Belg) school-leaving certificate

bekwamen qualify, fit (a p. for a task); zich ~ qualify, train, fit o.s., prepare (for a work), read (for an examination); zich verder ~, ook: improve o.s.

bel bell; (luchtbel) bubble; (oor-) ear-drop; op de ~ drukken press the button

belachelijk ridiculous, ludicrous; (ongerijmd) absurd; doe niet zo ~ don't be ridiculous; ~ maken ridicule; zich ~ maken make a fool of o.s.

beladen load (ook fig), burden (vooral fig: ...ed with sin, etc)

belanden land, come to rest (in a field); doen ~ land (... a p. in prison)

belang interest; issue (vast ...s are at stake); (gewicht) importance; ik heb er groot ~ bij it concerns me deeply; veel ~ hechten aan attach great importance to; ~ stellen in take an interest in, be interested in; handelen in het ~ van act in the interest(s) of; het is in uw ~ it is to your interest; het is in het algemeen ~ it is for the common good; niets van ~ nothing of importance; van het hoogste ~ all-important, of the highest importance; het enige dat van ~ is the only thing that counts; het is van ~ voor ons allen it matters to us all; **belangeloos-(heid)** disinterested(ness)

belangen|gemeenschap a) community of interest; b) combine, interest group; **-groep** (pol) pressure group

belanghebbende party (person) concerned

belangrijk important (news); (aanmerkelijk) considerable (amount, etc)

belangstellend interested; **belangstellenden** those interested; **belangstelling** interest; (deelneming) sympathy; ~ wekken (a)rouse interest; onder grote ~ amid many marks of sympathy

belangwekkend interesting

belast zie belasten; **belastbaar** assessable; (bij douane) dutiable

belasten (last opleggen) load, burden (vooral fig); (belasting opleggen) tax, rate; impose taxes on; (opdragen) charge (a p. with ...); belast met, ook: in charge of (investigations); zich ~ met take (persoonlijk personal) charge of; erfelijk belast zijn have a hereditary taint; **belastend** (fig) aggravating (circumstances), damaging (statements), incriminating (evidence)

belasteren slander, defame; **belastering** defamation, backbiting, slander

belasting (de handeling) burdening, taxation; (gewicht) load (the plane carried full ...), weight; nuttige ~, (van vliegtuig) pay-load; (rijks~) tax(es), (plaatselijk) rates (gew mv), (indirect) duty; ~ toegevoegde waarde (BTW) value added tax (VAT); ~ heffen van impose taxes

belasting|aangifte (tax-)return; **-aanslag** assessment; **-ambtenaar** tax official; **-betaler** tax-, rate-payer; **-biljet** tax-paper; **-consu-**

lent income-tax consultant; **-druk** burden of taxation; **-faciliteiten** tax concessions; **-jaar** fiscal year; **-kantoor** tax-collector's office; **-ontduiking** tax-dodging; **-ontwijking** tax evasion; **-opbrengst** yield of taxation; **-plichtig** liable to taxation; **-plichtige** taxpayer; **-stelsel** fiscal system; **-vrij** tax-, duty-free

belazeren (*sl*): *iem* ~ take a p. in, fool a p.; *ben je belazerd?* (*sl*) (you're) nuts!

beledigde offended party (*of*: person); **beledigen** offend, (*opzettelijk*) insult; (*grof*) outrage; (*kwetsen*) hurt (a p.'s feelings), *zich beledigd gevoelen door* feel offended at; **beledigend** offensive, insulting (*voor* to); **belediging** insult, affront, outrage; (*zie* beledigen); (*van de rechtbank*) contempt of court

beleefd civil, polite, courteous; *het is niet meer dan* ~ *te* ... it is only civil to ...; *ik verzoek u* ~ I should be grateful if ...; *het publiek wordt* ~ *verzocht* the public are kindly requested; **beleefdheid** civility, politeness, courtesy, decency (he hadn't even the ... to knock); *de gewone* ~ *in acht nemen* observe common politeness; *dat laat ik aan uw* ~ *over* I leave it to your discretion; **-heden** civilities

beleefdheidsbezoek duty call

beleefdheidshalve out of politeness (courtesy)

beleefdheidsvormen (rules of) etiquette

beleg siege; *het* ~ *slaan voor* lay siege to

belegen matured (wine, cigars); seasoned (timber), ripe (cheese, wine)

belegeren besiege; **belegering** siege

beleggen cover (floors with mats); call (a meeting), set up (a conference); invest (money); *belegd broodje* dressed roll, ham (cheese, etc) roll; **belegger** investor; **belegging** covering, etc (*zie* beleggen); convocation (of a meeting); investment (of money); **beleggingsfonds** investment fund, trust (fund)

beleid (*leiding*) conduct, management; (government) policy; course of action, (*overleg, enz*); **beleidvol** discreet, tactful

belemmeren hinder, hamper, impede; stunt (*in groei* in growth); obstruct (the view; a p. in the execution of his duty); interfere with (a p.'s work); **belemmering** impediment, obstruction; *zonder* ~ without let or hindrance

belendend adjacent (premises, etc)

belenen (put in) pawn, (*effecten, polis*) borrow money on (securities, policy)

beletsel hindrance, obstacle, impediment; **beletten** prevent (a marriage, etc), bar (one's entry)

beleven live to see (he hasn't lived to see it), witness; experience (hard times); *zo iets heb ik nooit beleefd!* I never saw anything like it!; *daar zal je wat van* ~ you will catch it (hot); **belevenis** experience

belezen well-read, widely read

Belg Belgian; **België** Belgium; **Belgisch** Belgian

belhamel (*haantje de voorste*) ringleader; (*baldadige jongen*) (*sl*) rowdy

belichamen embody; **belichaming** embodiment

belichten light (a picture); throw light upon, illustrate (a fact); (*fot*) expose; *te lang* (*te kort*) ~ over-(under-)expose; **belichting** light(ing); illumination; (*fot*) exposure; **belichtingsmeter** exposure meter

believen please, oblige; *zoals u belieft* as you like; *wat belieft u?* (*wat zei u?*) I beg your pardon?; *als het u belieft* (shall I go now?) (Yes,) please; (Shall I accompany you?) Thank you!; (this way) (if you) please; (*bij aanreiken*) *niet vertalen, of*: here's the book, etc; (*fam*) here you are; (*in winkel, enz ook*) thank you!; *alstublieft* thank you; yes, please

belijden confess (one's guilt), profess (a religion, God, Christ); **belijdenis** confession; (*opneming in kerk*) confirmation; *zijn* ~ *doen* be confirmed

belknop bell-handle; (*drukknop*) bell-button

bellen ring (the bell); pull (touch, press) the bell, press the button; *er wordt gebeld* there is a ring; (*om*) *iem* ~ ring for a p.; (*fam, ook telefoon*) give a p. a tinkle

belofte promise; (solemn) pledge; *zijn* ~ *breken* break one's promise; *zijn* ~ *houden* keep one's promise (*tegenover* to); *iem aan zijn* ~ *houden* hold a person to his promise

belonen reward, recompense, repay; **beloning** reward, recompense; *ter* ~ as a reward; *een* ~ *uitloven* offer a reward

beloop course, way; *het* (*de zaken*) *maar op zijn* (*haar*) ~ *laten* let things take their course

belopen (*bedragen*) amount to, run into (thousands of pounds); *het is niet te* ~ it is not within walking distance

beloven promise; (*plechtig*) vow; (*fig ook*) bid fair (to be a success); *het belooft ... te worden* it promises to be a glorious day; *veel* ~, (*van leerling bijv*) show great promise; *dat belooft wat!* there'll be trouble; *weinig goeds* ~*d* unpromising

belt tip; *vuilnis* ~ rubbish ...

beluisteren listen (in) to (a broadcast); catch (a change of tone)

belust: ~ *op* eager for, keen on, longing for; *zie* begerig

bemachtigen seize (upon); acquire (a certificate); secure (a seat, an order), get one's hands on (a copy); **bemachtiging** seizure, capture

bemannen man (a ship, trench, fort); *onvoldoende bemand* undermanned; **bemanning** crew; *het schip had een* ~ *van 20 man* carried a crew of twenty

bemensen staff

bemerkbaar perceptible, noticeable; **bemerkbaarheid** perceptibility; **bemerken** perceive, notice, find (he ...s he has forgotten it) (*aan* by, from); **bemerking** remark

bemesten manure, fertilize; **bemesting** manuring, fertilizing

bemiddelaar intermediary, mediator

bemiddeld in easy circumstances, well-to-do; **bemiddelen** mediate, intercede; **bemiddeling** mediation, intercession; *door* ~ *van* through

bemiddelings|bureau agency; **-poging** mediatory effort, attempt at mediation; **-voorstel** compromise proposal, proposal of mediation

bemind loved, beloved; (*zich*) ~ *maken* endear (o.s.); **beminde** well-beloved, sweetheart

beminnelijk lovable, amiable; **beminnelijkheid** amiability

beminnen love, be fond of

bemoedigen encourage, cheer (a ...ing smile); **bemoediging** encouragement

bemoeial busybody, (*fam*) Nos(e)y Parker; **bemoeien:** *zich* ~ *met* mind (... your own business!), meddle with (in) (other people's business), interfere in (*gew ongunstig:* with), concern o.s. with; *zich met de zaak gaan* ~ step in, take the matter in hand; *ik bemoei me niet met* ... I won't have anything to do with such people; *zich met niemand* ~ keep o.s. to o.s.; **bemoeienis** exertion, trouble; (*inmenging*) meddling, interference; *door zijn* ~ through his good offices

bemoeilijken hinder, thwart, hamper; interfere with; **bemoeilijking** thwarting, etc; impediment

bemoei|ziek meddlesome, interfering; (*fam*) nos(e)y; **-zucht** meddlesomeness

bemost moss-grown, mossy

benadelen hurt, harm, injure, be injurious to (health); **benadeling** injury, prejudice (*van* to)

benaderen (*z wenden tot*) approach; *moeilijk te* ~, (*ook*) inaccessible; (*ongev bepalen*) estimate, get near; **benadering** approach, approximation; *bij* ~ approximately

benaming name, denomination, (official) designation, appellation; *verkeerde* ~ misnomer

benard critical, perilous; *in* ~*e omstandigheden* in distress, in straitened circumstances; ~*e tijden* hard times; **benardheid** distress

benauwd (*drukkend*) close, sultry; (*om te stikken*) stifling; (*bedompt*) close, stuffy; (*nauw*) tight; bad (dream); (*bang*) timid; anxious (an ...moment); *het* ~ *hebben* feel bad; **benauwdheid** closeness, sultriness; (*op de borst*) tightness of the chest; (*angst*) fear, anxiety

benauwen oppress; **benauwend** oppressive

bende gang (of thieves, etc), band (of robbers); *de hele* ~ the whole lot; *wat een* ~*!* what a mess!; **bendehoofd** gang-leader

beneden I *bw* below, down; (*in huis*) downstairs; ~ *wonen* live on the ground-floor; *naar* ~ *gaan* go downstairs; fall, decline; (*naar*) *komen* come down(stairs), descend; ~ *aan de bladzijde* at the bottom of the page; *hier* ~ here below; **II** *vz* under (... five pounds, a girl

... twelve, ... (the) medium height), below (... Cologne, ... the value, ... cost-price), beneath; *dat is* ~ *me* beneath me; ~ *mijn waardigheid* beneath me

beneden|arm forearm; **-dek** lower deck; **-kaak** lower jaw; **-kamer** ground-floor room; **-stad** lower town

benedenste lowest; bottom (the ... row)

benedenstroom undertow (of the tide); **benedenstrooms** downstream (from)

benedenverdieping ground-floor

benedenwaarts *bw* downward(s); *bn* downward

benemen take away (a p.'s breath, appetite, etc); *zich het leven* ~ take one's (own) life; *iem de lust* ~ *in* spoil a p.'s pleasure in; *iem de moed* ~ discourage a p.; *het uitzicht* ~ obstruct the view

benen *bn* bone; *ww* leg it

benepen (*verlegen*) diffident; (*kleinzielig*) small-minded, petty; (*klein*) confined (little room), cramped; pinched (face, smile); *een* ~ *stemmetje* a small voice

beneveld foggy, misty, hazy; (*van verstand*) clouded; (*dronken*) fuddled

bengel (*persoon*) rascal, naughty boy

bengelen (*slingeren, ook: laten* ~) dangle, swing

benieuwd: ~ *zijn* be curious (*sterker:* anxious) to know (to hear, etc), wonder; ~ *naar* curious about; *ik ben* ~ *of* ... I wonder if ...; **benieuwen:** *het zal me* ~ I wonder if

benig bony, osseous

benijden envy (I ... you, I ... your strength, I ... you your strength), be envious of; **benijdenswaardig** enviable

benodigd wanted, required, necessary; **benodigdheden** requisites

benoembaar eligible (*voor* for); **benoembaarheid** eligibility

benoemde *zn* appointee, nominee; **benoemen** appoint (*voor een betrekking* to a post); nominate; **benoeming** appointment (to a post, as a professor), nomination

benul notion (have no ...of it)

B. en W. *Burgemeester en Wethouders, ongev:* Mayor and Aldermen

benzine id; (*van motoren*) petrol; (*Am*) gas, gasoline

benzine|(laad)station petrol station, filling station; **-meter** petrol gauge; **-pomp** petrol pump; **-tank** petrol tank

beoefenaar student (of a language, an art), practitioner (of medicine); **beoefenen** study (a science, music), follow, practise (a profession), ply (one's trade), practise (virtue), pursue (studies, sport); **beoefening** practise, study

beogen have in view (at heart), aim at

beoordelaar(ster) judge, reviewer (of a book); **beoordelen** judge (persons, institutions, etc); assess (persons, the possibilities);

(*boek, enz*) review, criticize; (*schoolwerk, enz door cijfer*) mark (papers); evaluate (a proposal); ~ *naar* judge by; *verkeerd* ~ misjudge; **beoordeling** judg(e)ment, appreciation; criticism, review; assessment (of the results); *dat staat ter* ~ *van* ... this is (with)in the discretion of ...

bepaald I *bn* (*stellig, vast*) positive, absolute (refusal); (*vastgesteld*) fixed (at the hour ..., a ... number), appointed (on the ... day), given (in a ... space of time), specified (amount); *zie* bepalen; *om* ~*e redenen* for certain reasons; **II** *bw* positively, etc; quite (... impossible); *hij is* ~ *lelijk* positively ugly; ~ *afgrijselijk* simply horrible; *niet* ~ not exactly (ill, clever); *zonder* ~ *ziek te zijn* without being actually ill; **bepaaldelijk** specially, expressly (for that purpose), particularly (for you); **bepalen** (*vaststellen*) fix (a price: *op* at), fix (a day), settle (terms), decide on (*omschrijven:* define) (one's attitude *houding*); determine (prices); (*omschrijven*) define, (*nader* ~) modify; (*van wet*) ordain (the law ordains that ...), prescribe (the age ...d by law); *zich* ~ *tot* restrict o.s. to; **bepaling** (*het bepalen*) fixing, setting, defining, ascertainment, determination, definition; (*definitie*) definition; (*nadere* ~) modification; (*voorschrift*) regulation; (*van contract, enz*) stipulation, (*van wet*) provision

bepantsering armour(ing)

beperken limit, confine; (*besnoeien*) curtail, restrict (rights), reduce; *zich* ~ *tot* restrict o.s. to; *tot een minimum* ~ reduce (cut down) to a minimum; **beperkend** restrictive; **beperking** limitation, restriction; reduction (of armaments); **beperkt** limited (means, number, edition, in a ... sense; *ook van verstand:* he is rather ...); restricted (train-service); narrow (mind); reduced (space); ~*e aansprakelijkheid* limited liability; ~ *leverbaar* in short supply; **beperktheid** limitation

beplanten plant (up); **beplanting** planting (up); vegetation

bepleisteren plaster (over)

bepleiten plead (*iems zaak bij* ... a p.'s cause with ...), argue (one's case); **bepleiter** advocate

bepraten (*praten over*) talk about, talk over (talk a thing over, talk over a thing), discuss; (*overhalen*) talk (a p.) over (*of:* round), persuade, get round (a p.); *iem ertoe* ~ talk a p. into it; *zich laten* ~ (allow o.s. to) be persuaded

beproefd (well-)tried (friend, soldier), well-tested (principles), approved (method); **beproeven** (*proberen*) try, endeavour, attempt; (*op de proef stellen*) try, (put to the) test; **beproeving** (*ellende*) trial (he is a ... to himself and others), ordeal, affliction; (*proef*) trial, test

beraad deliberation, consideration; *het in* ~ *houden* think it over; *na rijp* ~ on mature consideration

beraadslagen deliberate (*over* on); ~ *met* consult with; **beraadslaging** deliberation, consultation

beraden: *zich* ~ think it over, consider

beramen devise, contrive (plans, means); lay (a plot); plot (a man's destruction); plan (an excursion); *vooraf beraamd* premeditated

berde: *iets te* ~ *brengen* broach a subject, bring a matter up; *argumenten te* ~ *brengen* bring forward arguments

berechten (*gerechtelijk behandelen*) try (rebels, a case *rechtszaak*); **berechting** (*jur*) trial

beredeneerd reasoned (opinion, action, conclusion); **beredeneren** discuss, argue (out), reason out

bereid ready, prepared, disposed, willing; **bereiden** prepare (meals, the way, etc); brew (punch, tea); dress (salad); give (a p. a kind reception, a surprise); **bereidheid** readiness; **bereiding** preparation; **bereidingswijze** method of preparation

bereid|vaardig, -willig ready, willing

bereidverklaring (written) agreement

bereik reach, range; *binnen* (*boven, buiten*) *het* ~ *van* within (above, beyond, *of:* out of) the reach of; *binnen uw* ~ within your means; **bereikbaar** attainable; (*van pers*) approachable; **bereikbaarheid** attainableness; **bereiken** reach (one's destination, a compromise), attain (one's object, the age of ...), attain to (power, a certain age), gain (one's object), achieve (a certain effect, nothing), effect (one's purpose); ... *bereik je niets* in that way you get nowhere; *hij was niet te* ~ could not be got at; *gemakkelijk te* ~ within easy reach

bereizen travel (over), navigate (the seas)

berekenbaar calculable; **berekend:** ~ *op* calculated for (50 persons, effect); (*niet*) ~ *voor zijn taak* (un)equal to one's task; *hij bleek* ~ *voor zijn taak, ook:* he rose to the occasion; **berekenen** (*uitrek*) calculate, compute (*op* at), figure (out); (*in rek brengen*) charge; *iem te veel* ~ overcharge a p.; **berekenend** (*fig*) calculating; **berekening** calculation, computation; *volgens ruwe* ~ on a rough calculation; *huwelijk uit* ~ marriage of convenience

beremuts bearskin (cap), busby

berg mountain; (*met eigennaam*) mount (Mount Etna); *zijn haren rezen te* ~*e* his hair stood on end

bergachtig mountainous

bergaf downhill (*ook fig*)

berg|beklimmer mountaineer; **-beklimming** mountaineering; **-dal** mountain valley

bergen (*plaatsen*) put, store; (*opslaan*) store; (*wrakgoederen*) salve, salvage; (*lijk*) recover; (*bevatten*) hold, contain, accommodate (the room can ... 500 persons); (*onderdak verlenen*) put up; *veilig geb* safely stowed (away)

berg|helling mountain-slope; **-hok** shed; (*rommelkamer*) lumber-room, storeroom

bergings|maatschappij salvage-company;

-schip, -vaartuig salvage vessel; -werk salvage-operations

berg|kam mountain-ridge; -keten mountain range; -kloof ravine, gorge, canyon; -kristal rock-crystal, rhinestone; -land mountainous country; -loon salvage(-charges, -money); -meer mountain-lake; -meubel (storage) cabinet; -pas mountain-pass; -plaats depository; (rommelkamer) lumber-room; (loods, ook voor fietsen) shed

Bergrede Sermon on the Mount

berg|rug mountain-ridge; -ruimte storage capacity; storeroom; -schoen mountaineering boot; -spits (mountain-)peak; -stroom mountain-stream, torrent; -tocht mountain-excursion; -top mountain-top; -wand mountain-side; (steil) bluff, mountain-face

bericht news (no ... is good ...); (een ~) piece of news (of information); (krante~) paragraph, newspaper report; (kennisgeving) notice, message; laatste ~en latest news, (in krant) stop-press news; er kwam ~ word came (ervan of it; dat that); berichten inform, let ... know, send (write) word, report; (hand ook) advise; iem iets ~ inform a p. of s.t.; gelieve ons te ~, of ... kindly inform us (let us know) if ...

berichtgever informant (my ...); (verslaggever) reporter; berichtgeving: objectieve ~ objective reporting

berijdbaar practicable

berijden ride (a horse), ride (drive) over (a road); deze weg wordt druk bereden is much frequented by cars

beris|pen, -ping rebuke, reprimand

berkeboom birch

berm (grass) verge (of a road); (hellend) bank; zachte ~ soft shoulder; bermtoerisme roadside picknicking

beroemd famous, celebrated; beroemdheid celebrity; een ~ a celebrity, (theat, enz) a star

beroemen: zich ~ op boast (of), take a pride in, pride o.s. on; (bluffen op) boast of

beroep (algem) occupation; (ambacht, bedrijf) trade; (zaak) business; (dat studie vereist) profession; (~ op iem, ook: hoger ~) appeal; een ~ doen op (make an) appeal to; (op de kiezers) go to the country; in ~ gaan van een vonnis appeal against a conviction; in hoger ~ gaan appeal against a sentence (a decision); in hoogste ~ veroordeeld worden be sentenced in the last resort; van ~ by profession (occupation, trade, calling)

beroepen call (a minister to (the pulpit of) ...); zich ~ op appeal to (a p., a p.'s sense of justice), refer to (a p's own words); beroepengids (telef) yellow pages

beroeps- dikwijls professional

beroeps|bezigheid professional duty; -eer professional ethics; -geheim professional secret (confidence); -keuze choice of a profession (of a career); -leger (~officier) regular

army (officer); -onderwijs vocational education; -ongeval occupational accident; -opleiding vocational training; -oriëntering: Bureau voor ~ (Belg) carreers office; -risico occupational hazard; -school (Belg) vocational school; -speler professional, (fam) pro; -ziekte occupational disease

beroerd miserable, nasty (smell, taste), horrid (I think it ...), rotten (business, weather), beastly (weather; it's ... cold); ik voel me ~ I feel out of sorts (of: rotten)

beroeren stir, disturb; beroering trouble, disturbance, commotion

beroerte (apoplectic) fit, stroke

berokkenen: iem verdriet ~ give a p. pain; schade ~ damage, do harm to

berooid penniless, destitute, (fam) down and out

berouw repentance; ~ hebben over (van) repent (of), regret; zonder ~ unrepentant (over ... of his action); berouwen: het berouwt mij I repent (of) it, I regret it; dat zal je ~!, (bedreiging) you'll be sorry for that; berouwvol repentant, contrite, remorseful

beroven rob (het meest gew: rob a p. of his money, a place of its beauty); deprive (of life, power); iem ~ rob a p.; iem (zich) van het leven ~ take a p.'s (one's own) life; beroving robbery, deprivation

berucht notorious (wegens for), disreputable

berusten: ~ op rest (be founded) on; be due (attributable) to (a mistake, a false notion); ~ bij, (van stukken, enz) be deposited with; de beslissing berust bij mij rests (of: is) with me; ~ in resign o.s. to (one's fate); berustend resigned (in ... to one's loss); berusting acquiescence, resignation; de stukken zijn onder mijn ~ the documents are in my hands

bes 1 berry; (aalbes) (red, white, black) currant; 2 (muz) B flat

beschaafd (ontwikkeld, van goede smaak, enz) cultivated (reader, usage); educated, (man), cultured (voice); (welgemanierd) well-bred, polite, refined; (tegenover barbaars) civilized; ~ man, ook: man of culture

beschaamd ashamed (over of); (verlegen, met ~e kaken) shamefaced; beschaamdheid shame, shamefacedness

beschadigen damage, injure; beschadiging damage, injury

beschamen a) put to shame; b) disappoint (a p.'s hopes), betray (a p.'s confidence); beschamend humiliating

beschaving culture (man of culture), civilization (Western civilization)

beschavings|geschiedenis history of civilization, social history; -peil standard of civilization

bescheid answer, reply; (officiële) ~en (official) documents, records

bescheiden modest, unobtrusive; naar mijn ~ mening in my humble opinion; bescheiden-

heid modesty (**I** say so in all ...), unpretentiousness

beschermeling(e) protégé(e); ward; **beschermen** protect (*voor, tegen* from, against), shelter (from the wind, etc), save (a p. from himself), guard (from moths)

beschermengel guardian angel

beschermer protector

bescherm|geest (good) genius; **-god(in)** tutelary deity; **-heer(schap)** patron(age); **-heilige** patron saint

bescherming protection; (*beschutting ook*) shelter, cover (*voor* from); (*steun*) patronage

beschermvrouw patroness

bescheuren: *zich* ~ laugh one's head off

beschieten 1 fire upon (*of:* at), (*met granaten*) shell; **2** (*bekleden*) line; (*met hout*) board (...ed roof), wainscot; **beschieting** shelling

beschijnen shine (up)on, light up

beschikbaar available, at a p.'s disposal (command); ~ *komen* become available; ~ *stellen* place (s.t., o.s.) at a p.'s disposal, make available; **beschikbaarheid** availability

beschikken (*regelen*) arrange, manage, order; *de mens wikt, God beschikt* man proposes, God disposes; ~ *over* have at one's disposal (command); (*on*)*gunstig op een verzoek* ~ grant (refuse) a request; **beschikking** disposal; (*regeling*) arrangement; (*besluit*) decree; ter ~ available; *ter* ~ *stellen van iem* place (put) at a p.'s disposal; *zijn huis ter* ~ *stellen* (*voor een concert, enz*) lend one's house for ...; *dat is te uwer* ~ at your disposal; *zie ook:* beschikken over

beschilderen paint (over); *beschilderde ramen* stained glass windows

beschimmeld mouldy, mildewy; **beschimmelen** get mouldy

beschimpen abuse, call names, taunt, jeer (at)

beschonken drunk; **beschonkenheid** intoxication

beschot (*afscheiding*) partition; (*bekleding*) wainscot(ing)

beschouwelijk contemplative; **beschouwen** consider, regard; (*bekijken*) look at; ~ *als* consider, regard as, hold (the revolution was held to be inevitable); (*alles*) *wel beschouwd* after all; *ieder geval moet op zichzelf beschouwd worden* each case must be judged on its own merits; **beschouwend** contemplative; **beschouwer** looker-on, spectator; **beschouwing** (*het bekijken*) contemplation; (*bespiegeling*) speculation, contemplation; (*verhandeling*) dissertation, (*opmerking*) observation (...s about art); (*opinie*) view (of life), way of thinking; *buiten* ~ *laten* leave out of consideration (*of:* account), leave aside

beschrijven (*schrijven op*) write on (one side only); (*schetsen*) describe; *een baan om de zon* ~ (describe an) orbit round the sun; *moeilijk te* ~ nondescript (individual); **beschrijvend** descriptive (poetry); **beschrijving** description

beschroomd timid, diffident, shy; **beschroomdheid** timidity, bashfulness, diffidence

beschuldigde: *de* ~(*n*) the accused; **beschuldigen** accuse (*van* of), charge (*van* with), tax (*van* with); **beschuldigend** accusatory; **beschuldiger** accuser; **beschuldiging** accusation; *een* ~ *tegen iem inbrengen* bring a charge against a p.

beschutten shelter, screen (*voor* ... from the wind, heat, etc), protect (*voor, tegen* from, against); **beschutting** shelter (seek, take, find ...), protection, cover

besef (*idee*) notion, idea; (*bewustzijn van toestand, enz*) realization, awareness; **beseffen** realize, appreciate, be aware of

beslaan shoe (a horse); (*ruimte*) take up, occupy (room); fill (a whole page); (*van glas*) become dimmed (steamed, blurred); *de ramen waren beslagen, ook:* the windows were steamed up; (*dof worden, van metaal*) tarnish; *doen* ~ steam, dim (the windows), blur (the rain blurred my glasses); **beslag** (*van vuurwapen, kerkboek, kast, enz*) mounting; (*van album ook*) clasps; (*van deur*) iron (*of:* metal) work; (*van vat*) bands, hoops; (*paarde-*)(horse-)shoes; (*voor gebak*) batter; (~*legging*) seizure; *de zaak heeft* (*krijgt*) (*spoedig*) *haar* ~ the matter is (will soon be) settled; ~ *leggen op,* (*jur*) seize; ~ *leggen op ...* trespass (make great demands) on (a p.'s time); *in* ~ *nemen, zie* ~ leggen op; *ook:* impound (a p.'s passport); (*fig*) take up (room, a p.'s time; one side of the room was ...n up with books), take (it took me all day), command (attention); ... *wordt in* ~ *genomen door ..., ook:* this part of the boat is given over to machinery; **beslagen** *zie* beslaan; (*van paard*) shod; (*van glas*) steamed, blurred; (*van metalen*) tarnished; (*van muur*) sweating; *met ijzer, enz* ~, *zie* beslag

beslapen sleep on; *het bed was niet* ~ had not been slept in

beslechten settle; **beslechting** settlement

beslissen decide (a question, a p.'s fate), determine; (*van rechter, voorzitter, enz*) *ook:* rule (a p. out of order); ~ *over* decide (on); ~ *ten gunste* (*ten nadele*) *van* decide for (against); *zie* besluiten; **beslissend** decisive (take the ... step), final; critical, crucial (the ... moment); ~*e stem* casting vote; *niet* ~ inconclusive (debate); **beslissing** decision; (*van rechter, voorzitter, enz*) *ook:* ruling; *een* ~ *nemen* make a decision; **beslissingswedstrijd** final (match); (*na gelijkspel*) replay

beslist decided (success), firm, resolute; manifest (lie); ~ *waar* absolutely true; ~ (*niet*)*!* definitely (not)!; *ze mag het* ~ *niet weten* she must never know; **beslistheid** determination

beslommering care, worry; (*dagelijkse*) ~*en* (daily) pursuits

besloten (*van viswater, terrein, vergadering*)

private; *ik ben* ~ my mind is made up; *zie* besluiten; **beslotenheid** resoluteness, determination
besluipen stalk (deer, etc), steal upon (*ook fig*)
besluit (*einde*) conclusion, end; (*slotsom*) conclusion; (*beslissing*) decision, (*van vergadering*) resolution, (*van overheid*) decree; *een* ~
nemen make a decision; (*van vergadering*)
pass a resolution; *tot* ~ to conclude with, finally; **besluiteloos** irresolute, undecided;
besluiteloosheid irresolution, indecision;
besluiten end, conclude, wind up (*met* with);
(*een besluit nemen*) resolve, decide; (*een gevolgtrekking maken*) conclude (*uit ... tot* from
... to); *wij moeten* ~ we must make up our
minds; *ik kan er niet toe* ~ I cannot bring myself to do it; ~ *tot* decide (determine) on; **be-
sluitvaardig** resolute
besmeren (be)smear, daub (over) (with paint),
spread (with butter); butter (bread)
besmettelijk contagious; **besmettelijkheid**
contagiousness; **besmetten** infect; contaminate (milk, air, water, a p.'s life); pollute
(water, children's minds, etc); (*bij werksta-
king*) tainted; *besmette arbeid* blacklist job;
besmetting infection, contamination, pollution; **besmettingshaard** seat of infection
besneeuwd snow-covered
besnijden (*godsd*) circumcise; **besnijdenis**
circumcision
besnoeien cut down, curtail (expenses); infringe (a p.'s rights); **besnoeiing** cut (wage
...s, ...s in education, in a literary work)
besnuffelen sniff (at), smell at
besodemieteren (*plat*) swindle
besomming (*visserij*) grossing(s)
bespannen string (a bow, racket); *met ossen* ~
drawn by oxen
besparen save (*aan krachten* in strength; ... a
p. time, ... on railway fares), economize
(time, ammunition), spare (... me that sight);
zich de moeite ~ save o.s. the trouble; **bespa-
ring** saving (*aan* in)
bespeelbaar playable (*terrein, bal*); **bespelen**
play (on) (an instrument), play on (a sports-
ground), play in (a theatre)
bespeuren perceive, discover
bespieden spy on, watch; **bespieder** spy, (*minder ong*) watcher; **bespieding** spying, watch-
ing
bespiegelend: *een* ~ *leven* a contemplative
life; **bespiegeling** speculation, contemplation
bespioneren spy (up)on
bespoedigen accelerate, speed (*vt & v dw:*
speeded) up; **bespoediging** acceleration,
speeding up
bespottelijk ridiculous; ~ *maken* ridicule; *zich
~ maken* make a fool of o.s.; **bespotten** ridicule, mock; **bespotter** mocker; **bespotting**
ridicule, mockery (non-intervention has become a ...), travesty (a ... of justice)

bespreekbaar (seats are) bookable
bespreek|bureau (*van theat*) box-office; **-geld**
booking-fee
bespreken speak (talk) about, talk (things)
over, discuss; review (a book); (*afhuren, enz*)
book, reserve (seats, etc); **bespreking** discussion, conversation, talk (...s between
France and England); (*van boek*) review,
(*kort*) notice; (*van plaats*) booking
besprenkelen (be)sprinkle, spray
besproeien water (flowers); irrigate (land)
bespuiten squirt (with water), spray
besse|sap (red) currant-juice; **-struik** currant-
bush
best I *bn* best; (*uitstekend*) excellent (coffee),
very good; (*vriend, enz*) dear; *het is mij* ~ I
don't mind; (*mijn*) ~*e kerel!* my dear fellow!; II
bw best; very well; *deze zin kan het* ~ *worden
weggelaten* ... had better be left out; *het ziet er
niet* ~ *uit* it does not look very promising; *hij
ziet er niet* ~ *uit* he does not look well; *ik zou* ~
willen I would not mind; *hij wil het* ~ *doen* he
is very willing to do it; *het kan* ~ *zijn* it may
well be; *het is* ~ *mogelijk* very likely; III *zn*
best; *het* ~ *van de oogst* the pick of the crop;
zijn ~ *doen* do one's best; *zijn* ~ *doen om op tijd
te zijn* make an effort to be in time; *zijn uiterste* ~ *doen* do one's utmost (*om te* to); *het* ~*e!*
all the best!; *het* ~*e hopen* hope for the best;
dat zal het ~*e zijn* that will be (the) best (thing,
plan); *als de* ~*e* (he joked) with the best, (he is
as brave) as the next man; *dat kan de* ~*e overkomen* (*gebeuren*) that may happen to the
best of us; *op zijn* ~ at one's best; (*sp*) be in
(on) top form; *ten* ~*e geven* give (a song),
offer (an opinion, a remark); *de mening, die hij
ten* ~*e gaf* the view which he put forward
bestaan I *ww* exist, be (there is no reason why
...), be in existence; ~ *in* consist in; ~ *uit* consist of; ~ *van* live on; *deze gewoonte bestaat
nog* still survives; *niet meer* ~ exist no longer;
... *die er bestaat* the nicest man living; *het feit
blijft* ~ the fact remains; *hij heeft het* ~ *om* ...
he has had the nerve to ...; II *zn* being, existence; (*broodwinning*) livelihood; *wat een* ~*!*
what a life!; *behoorlijk* ~ decent living; *het
honderdjarig* ~ *gedenken van* commemorate
the hundredth anniversary of
bestaanbaar possible; ~ *met* consistent with
bestaand existing
bestaans|middel means of support (of sub-
sistence); **-minimum** minimum of existence;
-recht right to exist; **-zekerheid** social security
bestand *zn* truce; *bn*: ~ *tegen* proof against
(temptation, etc), (*opgewassen tegen*) a match
for; (boats) able to stand up against (severe
weather); *tegen het weer, inbrekers* ~
weather-, burglar-proof
bestanddeel element, ingredient, component
(part), constituent (part), item
besteden spend (money, time) (*aan* on), pay (a

price), give, devote (attention to s.t.), give up (the afternoon is ...n up to games); *de tijd zo goed mogelijk* ~ make the most (the best) of one's time; *... niet aan hem besteed* a concert is thrown away on him; *slecht (goed, nuttig)* ~ make (a) bad (good) use of; **besteding** expenditure, spending; **bestedingsbeperking** credit squeeze, cut in expenditure

bestek *(ruimte)* space; *(van bouwwerk, enz)* (builder's) specification(s); *(tafelgerei)* cutlery; *(scheepv)* reckoning, position; *in een kort* ~ in a nutshell; *buiten (binnen) het* ~ *van dit werk* outside (within) the scope of this work

bestel *(inrichting van de staat, enz)* polity; *maatschappelijk* ~ social system

bestel|auto delivery van; **-biljet** order-form; **-dienst** (parcels) delivery service

bestelen rob

bestellen *(een bestelling geven)* order *(bij* from), place an order for *(bij* with); *(bezorgen)* deliver (letters, etc); **besteller** *(brieven-)* postman; **bestelling** order; *(bestelde goederen)* articles (goods) ordered; *(van brieven)* delivery; *... zijn in* ~ new motors are on order; *op* ~ (made) to order; **bestelwagen** (delivery) van

bestemmeling *(Belg)* addressee

bestemmen destine, intend; *(geld, enz)* set apart, earmark, allocate (money to ...); *voor haar bestemd* intended for her; **bestemming** destination; *(lot)* destiny, fate, lot; *met* ~ *naar* bound for; **bestemmingshaven** port of destination

bestendig *(duurzaam)* lasting, durable; *(gestadig)* continual, incessant; *(van karakter)* firm, steady; *(van weer)* settled; **bestendigen** continue (the import duties); **bestendigheid** durability, constancy

besterven die; *hij bestierf van angst* he nearly died of fear

bestijgen mount (a horse, bicycle, ladder, the throne), ascend (a mountain, the throne); **bestijging** ascent, etc

bestoken harass (the enemy), press (a p.) hard

bestormen storm, assault (a fortress); besiege (with requests, letters, etc); **bestorming** storming, assault

bestraffen punish; **bestraffing** punishment

bestralen shine upon; *(met Röntgen stralen)* x-ray; **bestraling** *(med)* (x-)ray treatment, radiation (treatment)

bestraten pave

bestrijden fight (against) *(ook fig)*, combat (a view, proposal, disease), battle with (abuses, etc); *(betwisten)* contest; oppose (a proposal); defray, meet (expenses); **bestrijder** fighter; **bestrijding** fight *(van* against), fighting; defrayal (of the cost); **bestrijdingsmiddel** *(insecten* ~) insecticide; *(onkruid* ~) herbicide, weed killer

bestrijken pass one's hand (a magnet, etc) over; spread (over), cover; *(van fort)* command (the surrounding country); *(van geschut)* cover

bestrooien strew (with flowers), sprinkle (with sugar)

bestuderen study; **bestudering** study

besturen govern, rule (a country, etc), manage (an estate, affairs), run (a business); steer (a ship), fly (an aeroplane), drive (a motor-car), guide (a horse); **besturing** direction, management, steering, etc; *dubbele* ~ dual control; **besturingsprogramma** operating programme

bestuur *(regering)* government, rule *(beheer)* management; *(bestuurders)* board (of managers, of management); corporation (of a town), committee (of a club), executive (of a party), governors (of a school); *in het* ~ *zitten* be on the committee; *plaatselijk* ~, *(concr)* local authorities; **bestuurbaar** manageable; **bestuurder** governor, director; *(van voertuig)* driver

bestuurs|ambtenaar civil servant; **-apparaat** machinery of government; **-functie** executive function; **-lid** member of the committee; **-personeel** *(Belg)* supporting staff (in schools); **-taal** *(Belg)* officially required language; **-vergadering** board-meeting; **-vorm** form of government

bestwil: *om (voor) uw* ~ for your good

betaalautomaat pay-terminal

betaalbaar payable *(op zicht* at sight; *aan toonder* to bearer); ~ *stellen* make payable

betaal|cheque credit cheque; **-dag** pay-day; **-kaart** credit cheque; **-middel** means of payment; *wettig* ~ legal tender; **-pas** cheque card, cash card; **-terminal** pay-terminal

betalen pay (a bill, a p.), pay for (goods, one's lodgings, a ticket), pay off (the taxi- driver); defray (expenses), meet (expenses); *hij kan niet* ~ he is insolvent; *hij kon geen auto* ~ he could not afford a car; *vooruit* ~ pay (for) in advance; *laten* ~ charge; *te veel laten* ~ overcharge; *slecht* ~ underpay (work-people); *iem iets betaald zetten* make a p. pay for it, get even with a p.; **betalend** fee-paying (pupil), fare-paying (passenger); ~*e lading, (van vliegt)* pay-load; ~ *logé* paying guest; **betaler** payer; **betaling** payment; ~*en doen* make p...s; *tegen* ~ *van* (up)on payment of; *ter* ~ *van* in payment of

betamelijk becoming, decent, proper; **betamelijkheid** propriety, decency; **betamen** become, befit

betasten handle, feel (all over), finger

bèta-vakken maths and the sciences

betekenen mean, signify; stand for (what does 'a.m.' ...?); *dit betekent een stap vooruit* this marks a step forward; *dit betekent een gevaar voor ...* this constitutes a danger to ...; *het heeft niets te* ~ it does not matter; *het heeft niet veel te* ~ it does not amount to much; *hij betekent nogal wat (niets)* he is a man of some weight (a nobody); **betekenis** meaning, sense; (*belang*) significance, importance; *dat heeft voor mij geen* ~ that means (is) nothing to me; *dat is van weinig* ~ that counts for little; **betekenisvol** significant

beter better; *de patiënt is* ~ (*maakt het* ~) the patient is better, (*hersteld*) is well again; *aan de ~e hand zijn* be on the mend; *het zou* ~ *zijn, dat hij dood was* he would be better dead; *het was* ~ *geweest, dat* ... the meeting had better not have taken place; *het is* ~ *dat je gaat* you'd better go; *misschien is het maar* ~ *zo* perhaps it's just as well; ~ *worden* get better, improve, (*herstellen*) get well (again), recover; *je doet* (*deed*) ~ (*met*) *te gaan* you had better go; *ik kan het niet* ~ *doen* I can't improve upon it; *hij is een* ~ *leven begonnen* he turned over a new leaf; *hij heeft het* ~ *dan* ... he is better off than ...; *hij is* ~ *af dan* ... he is in a better condition than ...; ~ *maken*, (*gezond*) make (a p.) well (again); *ik weet niet* ~ *of* ... to the best of my belief he is in L.; *men weet niet* ~ *of* ... the better opinion is that ...; *des te* ~ (*zoveel te* ~) so much the better; *de volgende keer* ~*!* better luck next time!; *ik verlang niets* ~*s* (*dan* ...) I desire nothing better (than ...); **beteren** get (become) better, improve (in health); (*van patiënt ook*) recover (one's health); *z'n leven* ~ better one's life; *zich* ~ mend one's ways, turn over a new leaf; **beterschap** improvement, change for the better; recovery; ~*!* I hope you will soon be better (well again)

beteugelen check, restrain

beteuterd non-plussed, perplexed, glum

betichte (*Belg*) the accused; **betichten:** *iem van iets* ~ accuse a p. of s.t.

betimmeren wainscot; **betimmering** wainscot(ing), boarding, panelling

betitelen style, address

betoelagen (*Belg*) subsidise

betogen demonstrate, argue; *de noodzakelijkheid* ~ *van, ook:* urge the necessity of; **betoger** demonstrator; **betoging** demonstration; (*fam*) demo

beton concrete; *gewapend* ~ reinforced concrete

betonen show (kindness, one's gratitude, courage), extend (sympathy *medeleven*); (*benadrukken*) stress

betonmolen concrete mixer

betoog argument(ation); *dat behoeft geen* ~ that needs no argument

betoverd enchanted, spell-bound; *zie betoveren*; **betoveren** bewitch, cast a spell on (*of:* over); (*fig ook*) fascinate; ~*de glimlach* bewitching smile; *ze zag er* ~*d uit* she looked bewitching

betovergrootmoeder(vader) great-great-grandmother (father)

betovering enchantment, spell, fascination

betraand tearful, wet with tears, tear-stained

betrachten practise (virtue, economy); excercise (the greatest care)

betrappen catch, detect; (*onverhoeds*) catch (a p.) napping; *iem op heterdaad* ~ catch a p. red-handed; *iem op diefstal* ~ catch a p. stealing; *iem op een leugen* ~ catch (detect) a p. in a lie

betreden tread (on), set foot on, enter

betreffen concern; *wat mij betreft* as for me; *dit wat hem betreft* so much for him; *waar het zijn eer betreft* where his honour is concerned; *dit betreft u* this concerns you; *die beschrijving betreft* ..., ... applies to ...; **betreffende** concerning, with regard to

betrekkelijk relative, comparative; ~ *klein* comparatively small; **betrekkelijkheid** relativity

betrekken I *tr* 1 (*huis, enz*) move into (a house); *zie* aanvaarden & wacht; 2 *goederen* ~ obtain goods (*van, uit* from); 3 *iem* ~ *in* draw (drag) a p. into (the conversation), involve (America) in (European complications); **II** *intr* (*van lucht*) become overcast; (*van gelaat*) fall; *zie* betrokken

betrekking 1 (*verhouding*) relation; ~ *hebben op* refer to, bear upon; *in* ~ *staan tot* have relations with; *met* ~ *tot* with regard to; 2 (*ambt, enz*) post, position, place; *zonder* ~ out of employment (*fam:* a job), jobless; 3 ~*en* (*bloedverwanten*) relations

betreuren regret; (*sterker*) deplore; (*een dode*) mourn for (*of:* over); *een verlies* ~ mourn a loss; *er zijn geen mensenlevens te* ~ no lives were lost; *ik betreur het dat* ... I regret (am sorry) that ...; *het is te* ~ *dat* ... it is a pity that ...; **betreurenswaard(ig)** regrettable, deplorable

betrokken 1 (*van lucht*) cloudy, dull, overcast; (*van gelaat*) clouded, (*door pijn, enz*) drawn; 2 ~ *zijn bij* be concerned in, be mixed up with (a plot, etc), be involved in (a bankruptcy, etc); *de* ~ *autoriteiten* the authorities concerned; **betrokkenheid** involvement (*bij* in)

betrouwbaar reliable, dependable; **betrouwbaarheid** reliability

betten bathe, dab (one's eyes, etc)

betuigen certify, attest, declare (that ...), express (regret, sympathy *deelneming*), profess (friendship); *zijn dank* ~ express one's thanks; **betuiging** expression

betuttelen find fault with; patronize

betwijfelen doubt, question; *dat valt te* ~ that is doubtful

betwistbaar disputable (point, etc), debatable (point, ground), open to question; **betwisten** dispute (the truth, every inch of ground), contest (a p.'s right), challenge (a right); (*ontkennen*) deny

beu: *ik ben er* ~ *van* (*ben het* ~) I am tired (sick) of it, fed up with it

beugel bow; (*van beurs*) clasp, frame; (*van fles*) swing wire; (*van mand*) handle; (*voor been*) (surgical) irons (the child wore ...); (*voor gebit*) brace(s); *dat kan niet door de* ~ that won't do; **beugelsluiting** swing stopper

beuk 1 beech; 2 (*van kerk*) nave (*hoofd~*), aisle (*zij~*)

beuke|boom beech(-tree); **-hout** beech(-wood)

1 beuken *ww* beat, batter, pound (the walls of a town), hammer (on the door, at the keys of the typewriter), bang; (*met vuisten*) pommel, pound; (*van golven*) lash, pound, buffet

2 beuken *bn* beech(en)

beukenbos beech-wood

beukenoot(je) beech-nut

beul executioner; (*voor ophangen*) *ook:* hangman; (*fig*) brute, bully

beunhaas (*knoeier*) bungler; (*wie liefhebbert*) dabbler; (*in vak*) interloper, moonlighter; **beunhazen** interlope, bungle; dabble (in politics, etc); **beunhazerij** interloping, moonlighting, bungling; dabbling

1 beurs rotten-ripe, bruised

2 beurs 1 purse; *in zijn ~ tasten* loosen one's purse-strings; *uit een ruime ~* regardless of expense; *voor iedere beurs* (presents, etc) to suit all purses; 2 (*studie~*) scholarship, (sludy) grant; (*vooral Sc*) bursary; *van een ~ studeren* have a (study) grant, hold a scholarship; 3 (*gebouw*) Exchange

beurs|bericht market-report; **-fondsen** Stock-Exchange securities; **-notering** Stock-Exchange quotation(s); **-speculant** stockjobber; **-speculatie** stock-jobbing; **-student** scholar; bursary student; **-waarde** market-value; **-zaken** Exchange transactions

beurt turn; (*van kamer*) turn-out; *een ~ geven a*) do, turn out (a room); *b*) give (a pupil) a turn; *zijn ~ afwachten, ook:* take one's place in the queue; *jij maakte daar een goede ~* you scored a good mark there; *wie is aan de ~?* whose turn is it? who is next?; *ik ben aan de ~* it is my turn; *~ om ~, om ~en* by turns, in turn; *om de ~ iets doen* take turns at s.t.; *op uw ~* in your turn; *het viel mij te ~* it fell to my share; *voor zijn ~* (speak) out of turn; **beurtelings** (he was) in turn (actor and playwright)

beurtvaart regular (goods) service

beuzelachtig trifling, fiddling, trivial, paltry; **beuzelarij** trifle; **beuzelen** trifle, fiddle; **beuzelpraat** twaddle, idle talk

bevaarbaar navigable; **bevaarbaarheid** navigability

bevallen 1 please, suit; (*voldoen*) give satisfaction; *bevalt het je hier?* do you like it here?; *hoe bevalt het u?* how do you like it?; 2 be confined (*van* of); *~ van, ook:* give birth to; *ze moet ~* she is about to have a baby

bevallig graceful, charming; **bevalligheid** charm, grace

bevalling confinement, delivery, childbirth; **bevallingsverlof** (*Belg*) pregnancy leave

bevangen seize (be ...d with trembling, fear), overcome (sleep overcame him), come over (a sense of loneliness came over him)

bevaren navigate, sail (the seas)

bevattelijk 1 (*pers*) intelligent, teachable; 2 (*zaak*) intelligible, clear, lucid

bevatten 1 (*inhouden*) contain, hold; (*ook: kunnen~:* the church holds 200 people); comprise; (*o.a. ~*) include (a biography of ...); 2 (*begrijpen*) comprehend, grasp

bevatting comprehension, grasp; **bevattings-vermogen** comprehension, mental (intellectual) grasp

bevechten fight (against)

beveiligen protect, safeguard (our interests against ...), shelter (*tegen* from), secure (*tegen* against); **beveiliging** protection, shelter; (*concr*) safety device

bevel command (over of), order; (*vooral jur ook*) injunction (*ook: uitdrukkelijk ~*); (*~schrift*) warrant; *~ tot aanhouding* warrant (of arrest); *~ tot huiszoeking* search-warrant; *op ~ van* by order of (the police); **bevelen** order, command, charge

bevel|hebber commander; **-schrift** warrant (*zie* bevel); **-voerder** commander; **-voerend** commanding

beven tremble (with fear, etc), shiver (with cold), shudder (with horror), shake, quiver (a voice ...ing with emotion)

bever (*dier, bont, stof*) beaver

beverig trembling, tremulous, quavery (voice), shaky (hand), wobbly (writing)

bevestigen (*vastmaken*) fix, fasten, attach (*aan* to), secure; (*tegenover ontkennen*) affirm, bear out (a statement, a forecast), confirm (a rumour; new members of the church); *de uitspraak werd door het Hof bevestigd* the judge's finding was upheld by the Higher Court; *uitzonderingen ~ de regel* exceptions prove the rule; **bevestigend** affirmative; *~ antwoorden* answer in the affirmative; **bevestiging** fastening; consolidation; affirmation, confirmation (*ter ~* in ...); *vgl het ww*

bevind: *naar ~ van zaken* as you may think fit; **bevinden** find; *in orde ~* find correct; *zich ~* be (in London, in difficulties); find o.s. (when I woke up I found myself in my bed); (*het maken*) be (how are you?); **bevinding** experience; (*van onderzoek, enz*) finding (the ...s are embodied in a detailed report)

beving trembling

bevlekken soil, stain; (*fig ook*) blemish (beauty, reputation), defile, pollute; **bevlek-king** ...ing, pollution, defilement

bevlieging caprice, whim

bevloeien irrigate; **bevloeiing** irrigation

bevochtigen moisten, damp, wet; **bevochti-ging** wetting, etc

bevoegd (*door ambt, enz*) competent (judge, court), (*door examamen, bekwaamheid, enz*) qualified (candidate), (*gemachtigd*) authorized, entitled; *van ~e zijde* (learn) on good authority; **bevoegdheid** competence, competency, qualification, authority; power (the manager was given power to ...); *dat ligt bui-*

ten mijn ~that is outside my authority; **bevoegdverklaring** qualification

bevoelen feel, handle, finger

bevolken people, populate; **bevolking** population

bevolkings|aanwas growth of population; **-dichtheid** density of population; **-groep** group (section) of the population; **-register** registry office

bevolkt (densely, sparsely) populated

bevoordelen benefit (a p., o.s.), favour (...ed above others)

bevooroordeeld prejudiced, bias(s)ed

bevoorraden provision; **bevoorrading** provisioning

bevoorrechten privilege, favour; **bevoorrechting** privilege, favouring

bevorderaar(ster) promotor; **bevorderen** promote, further, advance (a cause), help along (a work); benefit (health); stimulate (the appetite), (*krachtig*) boost (sales); (*in rang*) promote; (*leerling*) move up; *bevorderd worden*, (*school*) go up; *niet bevorderd worden* stay down; **bevordering** promotion; furtherance; promotion; (*school*) promotion; **bevorderlijk** *voor* conductive (beneficial) to

bevrachten charter; (*laden*) load; **bevrachting** chartering

bevragen: *te* ~ *bij* apply to, inquire of; *te* ~ *alhier* inquire within

bevredigen appease, satisfy (hunger, etc), gratify one's desires); (*bevrediging geven*) give satisfaction; *moeilijk te* ~ hard to please; **bevredigend** satisfactory; **bevrediging** satisfaction, gratification

bevreemden: *het bevreemdt mij* I wonder; **bevreemding** surprise, astonishment

bevreesd afraid; ~ *voor* afraid of (ghosts); (*bezorgd*) afraid for; **bevreesdheid** fear

bevriend friendly (nation), on friendly terms, intimate; ~ *worden* become friends

bevriezen freeze (*ook van rekeningen, saldi, enz*); (*doodvriezen*) freeze to death; (*met ijs bedekt worden*) freeze (be frozen) over (up); (*doen, laten*) ~ freeze; *zie* bevroren; **bevriezing** freezing (over)

bevrijden free (from, of), deliver (from); (*in vrijheid stellen*) set free, set at liberty, release, liberate; (*van sociale beperkingen, enz*) emancipate (women, slaves); *zich* ~ *van* get rid of, rid (free) o.s. from; **bevrijder** deliverer, liberator, rescuer; **bevrijding** liberation, release; rescue; **bevrijdingsbeweging** liberation movement

bevroren frozen (ground, meat), frosty (road), frost-bitten (nose), frosted (potatoes, window-panes), frozen-up (water-pipes); *de rivier is* ~ is frozen over

bevruchten impregnate; (*plantk*) fertilize; **bevruchting** impregnation; fertilization; *kunstmatige* ~ artificial insemination, *reageerbuis*~ test-tube...

bevuilen dirty, soil; *zich* ~ dirty o.s., get o.s. into a mess

bewaarder keeper; (*huis*~) caretaker; (*gevangen*~) warder

bewaarheid: ~ *worden* come true

bewaar|kluis safe deposit vault; **-loon** safe-custody charges; **-middel** (*Belg*) preservative; **-plaats** storehouse

bewaken (keep) watch over, guard, watch (the house was being watched), monitor; *laten* ~ set a watch over; **bewaker** guard; guardian (of our interests); (*cipier*) warder; (*museum*) attendant; **bewaking** guard(ing), watch(ing), monitoring; (intensive) care

bewandelen walk (upon, over)

bewapenen arm; **bewapening** armament; **bewapeningswedloop** arms race

bewaren keep (a present, silence, a secret, the peace), maintain (secrecy, independence), keep up (one's dignity), preserve (one's dignity, world peace, the memory of ...); (*opzij leggen*) save, put by (money against a rainy day); (*beschermen*) protect (*voor* from); **bewaring** keeping, preservation, custody; *in* ~ *geven* deposit (one's bag at the station, money with a bank); *in* ~ *nemen* take charge of; *iem in verzekerde* ~ *nemen* take a p. into custody

beweegbaar movable; **beweegbaarheid** movability

beweeglijk mobile (features); (*levendig*) lively; agile; **beweeglijkheid** mobility; liveliness

beweegreden motive

bewegen move, stir; *iem* ~ *te* ... induce a p. to ..., make a p. ...; *zich* ~ move, stir (not a leaf ...red), (*verroeren*) budge (don't ...); **beweging** motion, movement; (*met hand, enz*) motion; (*lichaams*~) exercise; (*opwinding*) commotion, excitement; (*drukte*) bustle; ~ *nemen* take exercise; *in* ~ *brengen* set going, start; *in* ~ *houden* keep going, keep in motion; *in* ~ *komen* begin to move; *in* ~ *krijgen* get (set) going; *de trein zette zich in* ~ the train moved off; *in* ~ *zijn* be moving; *uit eigen* ~ of one's own accord (free will); spontaneously; **bewegingloos** motionless

bewegwijzeren signpost

bewenen mourn for (a p.), mourn (a loss)

beweren assert, contend, maintain, claim, profess (to know all details); (*wat nog bewezen moet worden*) allege; (*voorgeven*) pretend, make out (not so poor as he ...s out); **bewering** assertion, contention, allegation; claim; *vgl ww*

bewerkelijk laborious (piece of work)

bewerken 1 (*bearbeiden*) till, cultivate, farm (land); process (raw materials), work on (the material on which he had to work); (*machinaal*) machine; (*voor de pers*) edit (an author's works), compile (statistics); (*opnieuw*) rewrite, revise (a dictonary); (*vormen*) fashion, model; *bewerkt naar* adapted from (a novel adapted from that play); *voor het toneel*

~ adapt for the stage; 2 (*beïnvloeden*) set to work on (a p.), use one's influence with; manipulate (a p., the press); canvass (voters); **bewerker** cultivator; author (of the trouble, etc); editor, adapter, reviser; **bewerking** tillage, cultivation; compilation; revision, adaptation, dramatization; manipulation; (*muz*) arrangement; (*rekenk*) operation

bewerkstelligen bring about, achieve, accomplish

bewijs proof, (piece of) evidence; *het* (*bewijzen*) demonstration; (*blijk*) evidence, token; (*~stuk*) certificate, voucher, piece of evidence; (*van dokter*) medical certificate; *zie ook ~je*; ~ *van goed gedrag* certificate of good conduct; ~ *van lidmaatschap* certificate of membership; ~ *van Nederlanderschap* certificate of Dutch nationality; ~ *van ontvangst* receipt; ~ *van toegang* ticket of admission; *concreet* ~ material proof; *een* (*doorslaand*) ~ *leveren van* furnish (a clear) proof of; *niet het minste* ~ not a shred of evidence; *ten bewijze waarvan* in support of which

bewijsgrond argument

bewijsje (*briefje*) voucher

bewijs|kracht conclusive force; **-last** burden of proof; **-materiaal** evidence; **-middel** proof; **-stuk** supporting document; (*bij rechtszitting*) exhibit, piece of evidence; **-voering** argumentation

bewijzen 1 (*de juistheid van iets*) prove, demonstrate; establish; substantiate; *hij bewees, dat hij ... was* he proved himself ripe for it; *niet bewezen* not proved; (*jur in Schotland*) not proven; 2 (*betonen*) show (kindness, gratitude, esteem), pay (attentions to: he paid her attentions), render (a service), confer (a favour) upon, do (a p. a favour), extend (a favour) to

bewind government, administration; *aan het ~ zijn* (*blijven*) be (continue) in power (*of:* office); (*weer*) *aan het ~ komen*, (*van ministerie*) come into (return to) power; (*van vorst*) come to the throne; *zie* regering; **bewindsman** minister

bewindvoerder (*faillissement*) trustee, receiver (in bankruptcy)

bewogen moved (*tot tranen* to tears), affected; ~ *zijn met* pity, feel pity for; **bewogenheid** emotion, compassion

bewolking clouds; **bewolkt** clouded, cloudy (*beide ook fig:* ... brow), overcast

bewonderaar(ster) admirer; **bewonderen** admire; **bewonderenswaard(ig)** admirable; **bewondering** admiration (*voor* for, of); *uit ~ voor* in admiration of

bewonen inhabit, live in (the room is not lived in), occupy; **bewoner** (*van stad, land*) inhabitant, (*tegenover bezoeker*) resident; (*van huis*) inmate, occupant, (*huurder*) tenant; (*van kamer*) occupant; **bewoning** habitation, occupation; **bewoonbaar** habitable

bewoording(en) wording, terms

bewust 1 conscious (actions, etc); *zich ~ zijn van* be conscious (aware) of, be awake to (dangers), be alive to (one's responsibilities), appreciate (the gravity of one's words); *ik werd het mij ~* it dawned upon me; *zich ~ worden van het feit, dat ..., ook:* wake up to the fact that ...; ~ *of onbewust zondigen* sin wittingly or unwittingly; ~ *een valse opgave doen* knowingly make a false declaration; 2 *de ~e brief* the letter in question; **bewusteloos** unconscious, senseless (the blow laid him ...); *iem ~ slaan* knock a p. out; **bewusteloosheid** unconsciousness; **bewustzijn** consciousness, awareness; *het ~ verliezen* lose consciousness; *weer tot ~ komen* regain consciousness

bezaaien sow, seed; (*fig*) sow, stud (...ded with stars, islands), dot (...ted with flowers), litter (table ...ed with papers); ~ *met gras* (*tarwe*) seed to grass (wheat)

bezadigd sober-minded, level-headed, steady

bezegelen seal (*ook fig:* his fate is ...ed)

bezeilen sail (the seas); *er is geen land met hem te ~* there's no doing anything with him

bezem broom, (*van twijgen*) besom; **bezemen** broom; **bezemsteel** broomstick

bezending consignment; *de hele ~* the whole lot

bezeren hurt, injure; *zich ~* hurt o.s.

bezet 1 (*van plaats*) taken (is this seat ...?), engaged; *geheel ~*, (*van hotel, tram, enz*) full up; 2 (*van pers*) busy; (*van pers, tijd, enz*) occupied, engaged; *ik ben* (*vanavond*) ~ I have an engagement for to-night; *ik ben de hele week* ~ I am tied up all the week; 3 set, stuck (with pearls, diamonds); 4 (*mil*) occupied; *door de Duitsers ~te landen* German-occupied countries; 5 *de rollen zijn goed* ~ there is a good (*of:* strong) cast; 6 (*telec*) (the line is) busy, engaged

bezeten possessed (by the devil); obsessed (by a fixed idea); *als een ~e* (go on) like one possessed

bezetten take (seats), occupy (a town, university building), fill (an office, a vacancy); *zie* bezet; **bezetting** 1 occupation (of a town); *een ~ leggen in* garrison (a town); 2 filling (of an office)

bezettings|leger occupying force(s); **-zone** occupation zone

bezichtigen (have a) look at, view (a town; *fam:* do a town (the sights)), inspect, go over; *te ~* on view; **bezichtiging** view, inspection; *ter ~* (be) on view

bezield animated (nature), inspired (orator); *met de edelste voornemens ~* actuated by the most honourable intentions; **bezielen** inspire, animate; *wat bezielt je toch?* what ever has come over you; **bezielend** (*ook*) stirring (song), rousing (speech); **bezieling** inspiration

bezien: *het staat te ~* it remains to be seen

bezienswaardig worth seeing (looking at); **bezienswaardigheid** curiosity, object of interest; (*mv ook*) (the) sights (of a place)

bezig busy, engaged, occupied; (*druk*) ~ (hard) at work (*met iets* on s.t.), (hard) at it; *hij was weer* ~ he was at it again; ~ *zijn aan* (*met*) *iets* be at work (engaged) on s.t., have a thing in hand, be occupied in (writing); ~ *met iets anders* otherwise occupied; (*druk*) ~ *met pakken* (busy) packing; *nu ik er toch mee* ~ *ben* while I am about it

bezigen use, employ

bezigheid occupation, employment, business; **bezigheidstherapie** occupational therapy

bezighouden keep (a p.) busy; (*prettig*) ~ amuse, keep (the children) amused, entertain; *die gedachte hield mij* (*mijn geest*) *bezig* occupied my mind; *zich* ~ *met* busy o.s. with

bezinken settle (down); (*fig*) (let one's arguments) sink in (into a p.'s mind), (let a remark) take effect; *doen* ~ precipitate; **bezinksel** deposit, sediment

bezinnen reflect; *bezint eer gij begint* look before you leap; (*van gedachten veranderen*) change one's mind; **bezinning** reflection; *tot* ~ *komen* come to one's senses; *tot* ~ *brengen* bring (a p.) to his senses

bezit possession; (*eigendom*) property; (*tegenover schulden*) assets; (*fig*) *ook:* asset (a valuable ...; the greatest ... of the party); *in het* ~ *zijn van* be in possession of (all the facts), enjoy (fairly good health); *in het* ~ *geraken* (*komen*) *van iets* come into possession of; *in* ~ *nemen* take possession of; **bezitster** proprietress, owner; **bezitten** possess, own, have; **bezitter** owner, possessor, proprietor; holder (of the cup, the trophy); *de* ~*s en de niet-*~*s,* (*fam*) the haves and the have-nots; **bezitting** property (*ook =* ~*en*), possession; (*landgoed*) estate, property; ~*en,* (*tegenover schulden*) assets; *zijn* ~*en,* (*roerende goederen, 'spullen'*) his (personal) effects

bezocht: *druk* ~ well-attended (meeting), much frequented (place); *slecht* ~ poorly attended (meeting); *zie* bezoeken

bezoedelen stain, soil; sully, tarnish, besmirch (a p.'s honour); defile (someone's honour)

bezoek visit (*aan Londen* to London); (*kort en vormelijk*) call; (*van school, enz*) attendance (at school); a large (small) ... (of visitors)); (*personen*) visitors, company (there is ...); *een* ~ *afleggen* (*brengen*) pay a visit (a call) (*bij* to); *ik kom je morgen een* ~ *brengen* I will come and see you to-morrow; ~ *ontvangen* receive visitors; *dank u voor uw* ~ thank you for calling; **bezoekdag** at-home (day); (*in ziekenhuis, enz*) visiting day

bezoeken visit (*ook van ziekte, enz*), pay a visit to, call upon (a p.), call at (a p.'s house); (*bijwonen*) attend (church, school, a meeting, etc); (*beproeven*) afflict, try; *zie* bezocht; **bezoeker, bezoekster** visitor (*van* to, of), caller,

guest; (*kerk, schouwburg, concert*) church-, theatre-, concert-goer; (*geregeld*) frequenter, patron (of theatres, etc); **bezoeking** visitation, trial (you're a ... to me), affliction

bezoek|tijd, -uur visiting-time, -hour

bezoldigen pay, salary; *door mij bezoldigd, ook:* in my pay; **bezoldiging** pay, salary, stipend (*priester*)

bezondigen: *zich* ~ sin (*jegens God* against God); (*aan iets*) be guilty (of calumny, etc)

bezonken (*fig*) well-considered (opinion)

bezonnen level-headed; **bezonnenheid** level-headedness

bezopen fuddled, boozy; (*fig*) (you're) daft

bezorgd anxious (... look), uneasy; ~ *voor* anxious (uneasy) about, apprehensive for, jealous of (one's good name), considerate of (others); ~ *zijn voor, ook:* fear for (a p.'s life): ~ *over* concerned at, for (your safety); *zich* ~ *maken over* worry about; *maak je niet* ~ don't worry; **bezorgdheid** anxiety, uneasiness, solicitude (out of ... for him)

bezorgen 1 (*verschaffen*) procure (a p. a thing, a thing for a p.), get (a p. a place), find (I'll ... the money for you), win (it won him fame), earn (it earned for him the nickname of ...); give (the police a lively time), put (a p.) to (a lot of trouble); 2 (*bestellen*) deliver (parcels, etc at a p.'s house); *zal ik het laten* ~*?* will you have it sent?; 3 (*zorgen voor*) attend to; *Mr. K kan uw passage* ~ can arrange for your passage; **bezorger** deliverer; **bezorging** delivery (of letters, etc)

bezuinigen economize (*op* in, on); **bezuiniging** economy, cut(s) (in expenditure)

bezwaar objection; (*gewetens*~) scruple; (*grief*) grievance; (*schaduwzijde*) disadvantage; ~ *hebben tegen* object to; *hebt u er* ~ *tegen, als ik rook?* do you mind if I smoke?; *op bezwaren stuiten* encounter difficulties

bezwaard burdened (with guilt, debts); *met* ~ *gemoed* with a heavy heart; *zich* ~ *gevoelen te* ... have scruples about ...ing; *ik voel mij* ~ *door* ... I feel embarrassed by (his generosity)

bezwaarlijk hard, difficult

bezwaarschrift petition; (*tegen belasting*) appeal

bezwaren weight, load; (*vooral fig*) burden; (*belemmeren*) handicap; (*met hypotheek*) mortgage; *het gemoed* ~ weigh on the mind; **bezwarend** aggravating (circumstances), incriminating (evidence), damaging (statements)

bezweet perspiring

bezweren 1 (*onder ede bevestigen*) swear (I swear that ...), swear to (it); 2 (*bannen*) exorcize, lay (a ghost); charm (snakes); allay (a storm, tumult); ward off (danger); (*oproepen*) conjure up (spirits); **bezwering** 1 swearing; 2 exorcism, conjuration (*vgl het ww*); **bezweringsformule** charm, spell

bezwijken succumb (*aan* ... to a disease); succumb, yield (*verleiding* to temptation); die (*aan ...* of fever); collapse (*onder ...* beneath (under) a load; the ice); *hij bezweek* his strength gave way

bezwijmen faint

bibberen shiver (with cold), tremble (with fear)

bibliograaf bibliographer; **bibliografie** bibliography

bibliotheek library

bidden pray; (*vóór of na maaltijd*) say grace; (*smeken*) implore; (*van hond*) beg; *het onzevader* ~ say the Lord's Prayer; *God* ~ *om* pray (to) God for ...; *er werd gebeden* (*om ..., voor ...*) prayers (for the King) were offered in the churches

biecht confession; *te* ~ *gaan* go to confession; **biechten** confess

biecht|geheim seal of confession; **-stoel** confessional; **-vader** (father) confessor

bieden offer (money), present (no difficulty); (*op verkoping*) bid (a price); ~ *op* (make a) bid for; *meer* (*minder*) ~ *dan iem* outbid (underbid) a p.; *weerstand* ~ put up resistance; **bieder** bidder; **bieding** bid; **biedkoers** buying rate; (*Belg*) rate of exchange

bief(stuk) rumpsteak, (*ossehaas*) fillet steak

bier beer, ale

bier|brouwer (beer-)brewer; **-brouwerij** brewery; **-buik** potbelly (*ook pers*); **-kan** beer-jug

biertje (have a) beer

bier|vat beer-barrel; **-viltje** drip-mat

bies (bul)rush; (*op kleren*) piping; (*rand*) border; *zijn biezen pakken* (pack up and) clear out, make o.s. scarce

biet (red, white) beet(root); *geen* ~ not a damn; *mij een* ~ I couldn't care less

bietsen (*sl*) *a*) cadge; *b*) pinch

biezen *bn* rush

big young (little) pig, piglet

biggelen trickle; *de tranen* ~ *haar over de wangen* tears trickle down her cheeks

1 bij *zn* bee

2 bij 1 (*plaats*) by, near, with; ~ *het venster* at (near) the window; *kom* ~ *mij* come to me; *hij woonde* ~ *hen* with them; *ik had iem* ~ *me* I'd got someone with me; *hij ging* ~ *haar zitten* he sat by her; *een stoel* ~ *het vuur trekken* draw a chair to the fire; *de slag* ~ *Waterloo* the battle of W; *we zijn verzekerd* ~ *Lloyd* at Lloyd's; **2** ~ *een kop thee* (discuss the matter) over a cup of tea; ~ *mijn bezoek* during my visit; ~ *zijn werk* (fall asleep) over one's work; *je bent niet met je gedachten* ~ *je werk* your mind is not on your work; **3** ~ *de Romeinen* with the Romans; ~ *Milton* in Milton; ~ *het leger* in the Army; *butler* ~ *Lord A.* butler to Lord A.; **4** *ik heb ... niet* ~ *mij* I have no money with me; **5** ~ *mijn ontbijt* (I take tea) with my breakfast; *werkzaam zijn* ~ ... be (work) with a firm; **6** ~ *dag* (*nacht*) by day (night); ~ *avond* in the evening, at night; ~ *zijn dood* at his death; ~ *zijn*

leven during his life; ~ *koud weer* in ...; ~ *het spelen* while playing; ~ *deze woorden* at these words; ~ *zijn aankomst* on his arrival; ~ *achten* close upon eight; **7** (*door, met behulp van*): *niet genoeg licht om* ~ *te zien* to see by; **8** ~ *honderden* by the hundred; *ze kwamen* ~ *een en twee tegelijk* in ones and twos; **9** ~ *de hand* (take a p.) by the hand; **10** (*ondanks*): ~ *al zijn rijkdom* ... with all his riches he is not happy; **11** ~ *ongelukken* in (the) case of accidents; ~ *niet-slagen* in the event of failure; **12** ~ *haar eerste man* (a child) by her first husband; **13** *geld verliezen* ~ *een transactie* lose money over a transaction; **14** *ik dacht* ~ *mijzelf* to myself; **15** *hij was er* ~, (*tegenwoordig*) he was present, was there; *twintig is er dichter* ~ nearer the mark; *er het eerst* ~ *zijn* get in first; *er wat* ~ *verdienen* make a little on the side; *een vriendelijk bedankje was er niet* ~, (*fam*) never so much as a word of thanks; *hij is goed* ~ he has his wits about him

bij|baantje additional job; **-bedoeling** ulterior motive; **-behorend** belonging to it (them, etc); *met* ~*e ...* chairs with sofa to match; ~*e,* (*van kous, enz*) (its) fellow, twin

bijbel Bible; **bijbelboek** *a*) Bible; *b*) book of the Bible

bijbels biblical, scriptural

bijbel|spreuk biblical text; **-taal** biblical language; **-tekst** Scripture-text; **-vertaling** translation of the Bible

bijbenen keep up with (something, someone)

bijbetalen pay in addition; **bijbetaling** additional payment

bijbetekenis secondary meaning

bijblijven keep up with (a p.); *het zal mij altijd* ~ it will stick in my mind for ever

bijbrengen (*uit flauwte*) bring round (*of:* to); *iem iets* ~ impart (knowledge, etc) to a p.; (*inprenten*) instil (a notion) into, convey to (a p.)

bijdehand smart, bright; **bijdehandje** sharp child

bijdetijds up-to-date

bijdrage contribution (*in alle bet*); **bijdragen** contribute (to a fund, a magazine, a p.'s happiness, tend (this fact ...s to make his position difficult), make (for success)

bijeangel bee-sting

bijeen together, (Parliament is) sitting

bijeen|houden keep together; **-komen** meet, come together, assemble; **-komst** meeting, conference; **-krijgen** get together, raise (£200); **-leggen** put together; pool (tips *fooien*); **-rapen** scrape together, collect; **-roepen** call (Parliament) (together); (*vergadering*) convene; **-scharrelen** scratch up (a dinner); **-schrapen** scrape together; **-voegen** join together, unite; **-zoeken** collect, gather

bijen|houder bee-keeper; **-koningin** queen-bee; **-korf** beehive; **-teelt** bee-culture; **-was** beeswax

bijfiguur subordinate figure

bijgaand enclosed; ~e stukken enclosures
bijgebouw annex(e), outhouse
bijgeloof superstition; **bijgelovig(heid)** superstitious(ness)
bijgenaamd nicknamed, alias
bijgevolg consequently
bijgieten add, pour in
bijhalen bring near; er ~ bring in (Dutch engineers to ...), call in (a doctor)
bijhouden 1 (glas, enz) hold (reach) out; 2 (iem, iets) keep up with (ook fig); 3 keep (the books, the accounts), keep (a diary, etc) posted up; 4 keep up (one's English, etc)
bij|huis (Belg) branch (-office, -establishment etc.); -**kantoor** branche-office; -**keuken** scullery
bijknippen trim (a hedge, beard, etc)
bijkomen (bereiken) get at; (bijgevoegd worden) be added; (uit flauwte) come round (of: to), regain consciousness; dat komt (= past) er niet bij does not match; daar komt nog bij what's more; dat moest er nog ~! that crowns everything!; hoe kom je erbij? who (of: what) ever put that idea into your head?; **bijkomend** attendant, incidental; extra (charges); ~e verdiensten fringe benefits
bijkomstig accidental; subordinate; **bijkomstigheid** accidental circumstance
bijl axe, (klein, voor één hand) hatchet; voor de ~ gaan, (fig) be (in) for it
bijlage enclosure, annex(e)
bijlange (na) niet not nearly, not by a long way
bijleggen 1 (bijvoegen) add (to ...); ik moet er geld ~ I lose on it; 2 (beslechten) settle (differences), compromise (a dispute), make up (a quarrel); het ~ make it up
bijles extra lesson, coaching; ~ Frans geven coach in French
bijlichten: iem ~ give a p. a light
bijltje little axe, hatchet; het ~ erbij neerleggen chuck it; ik heb al lang met dat ~ gehakt I am an old hand at it
bijmengen mix (with ...), add (to ...)
bijna almost, nearly, all but (he ... cried), next to (nothing, no money), close on (£ 500), little short of (a miracle, miraculous); ~ altijd nearly always; ~ niet hardly, scarcely; ~ niets hardly anything
bijnaam (spotnaam) nickname
bijou jewel, gem, trinket; **bijouterieën** jewel-(le)ry
bijpassen pay the difference, make up the deficiency; met ~de pantalon with trousers to match
bijpraten: iem ~ put s.o. in the picture
bijprodukt by-product, spin-off
bijrijder driver's mate
bijschaven plane, smooth
bijschenken top up (a glass); refill (a teapot)
bijscholing (van leraren) in-service training; **bijscholingscursus** refresher course

bijschrift inscription, legend; (onderschrift) caption; (kanttekening) marginal note; (naschrift) postscript; **bijschrijven** (posten, enz) enter (up); post up (the books, a diary)
bijslag a) extra allowance, (war) bonus; b) extra charge
bijsluiter (bij medicijnen) information leaflet
bijsmaak funny taste (flavour); het heeft een ~ it has a taste
bijspijkeren (het achterstallige) make up (arrears, one's rent); coach (students)
bijspringen: iem ~ come to a p.'s aid (help)
bijstaan assist, help; **bijstand** assistance, aid, relief; (sociale) social security, (live on) welfare; rechtskundige ~ legal aid; ~ verlenen render assistance
bijstellen (techn) (re)adjust
bijster I bn: het spoor ~ zijn have lost one's way; II bw exceedingly; niet ~ ... not particularly ...
bijt hole (cut in the ice)
bijtanken fill up (with petrol, etc)
bijten bite (ook van bijtmiddel, enz); (van scherp vocht) sting; het bijt in de keel, op de tong it bites the throat; dat bijt elkaar niet they don't clash; in een appel ~ bite (into) an apple; ~ naar snap at; ~ op bite (one's nails, lips), nibble (a pencil); van zich af ~ show fight; -d (ook fig) biting, caustic; ~e scherts sarcasm
bijtijds (vroeg) in good time; (op tijd) in time
bijtrekken draw (pull) up (a chair); dat trekt wel bij it (the spot, etc) will hardly show; hij trekt wel bij (na boze bui) he'll come round
bijv. e.g., for instance
bijvak subsidiary subjec
bijval approval, applause; stormachtige ~ oogsten draw down storms of cheers; deze theorie vindt algemeen ~ finds general favour; **bijvallen**: iem ~ back a p. (up), support a p.
bij|verdienen: een beetje ~ make a little on the side; (ongeoorloofd, 'zwart') do a little moonlighting, moonlight; -**verdiener** moonlighter; -**verdienste** extra earnings
bijverschijnselen side-effects (of drug)
bijvoeding (baby's) supplementary feeding
bijvoegen add (I've nothing to ... to it); append (the copy of a letter); (insluiten) enclose; **bijvoeging** addition; onder ~ van enclosing; **bijvoeglijk**: ~ naamwoord adjective; **bijvoegsel** addition, supplement
bijvoorbeeld for instance
bijvullen fill up (a glass, a petrol tank), replenish (a pipe, a petrol tank, the stove), refuel (a car, plane), top up (the car battery)
bijwagen (van tram) trailer, second carriage
bijwerk extra work; **bijwerken** (schilderij, enz) touch up, retouch; (boek) bring up to date; (koopmansboeken) write up; (dagboek) write up; update (a directory); coach (students); het achterstallige ~ make up arrears of work
bijwonen be present at, witness (an incident); attend (divine service, a lecture)

bijzaak (matter) of secondary importance, side-issue, (that is but a) detail; *geld is* ~ is no object

bijzetten 1 place (nearer); **2** (*lijk*) inter, entomb; **3** set (a sail); **4** *kracht* (*klem*) ~ emphasize, press (a demand), lend force to; **bijzetting** interment

bijziend short-sighted; **bijziendheid** shortsightedness

bijzijn: *in het* ~ *van* in the presence of

bijzonder I *bn* (*speciaal*) particular (a ... friend of mine), special (case, favour); (*niet openbaar*) private (school, interests); (*eigenaardig*) peculiar, strange; (*afzonderlijk*) particular, individual; ~*e school* independent school; ~ *verlof* (*wegens ziekte of sterfgeval*) compassionate leave; *niets* ~*s* nothing particular, no great shakes; *in het* ~ in particular, particularly; **II** *bw* ...ly; (*buitengewoon*) uncommonly; **bijzonderheid** (*abstr*) particularity, (*concr*) particular, detail, special feature; (*eigenaardigheid*) peculiarity

bikini id

bikken chip (a wall, stone), scrape (a boiler, ship's bottom); (*eten, fam*) tuck in

bil buttock; ~*len* bottom; (*van dier*) rump; *een kind voor de* ~*len geven* spank a child

biljart *a*) (spel) billiards; *b*) billiard-table; *partij* (*spel*) ~ game of billiards; *attr:* billiard; **biljartbal** billiard-ball

biljarten play (at) billiards; **biljarter** billiard-player; **biljartkeu** billiard-cue

biljet (*kaartje*) ticket; (*bank-*) note, (*Am*) bill; (*aanplak-*) poster

billijk fair (treatment, judgment), just, reasonable (wishes), moderate (price); *niet meer dan* ~ only fair; *om* ~ *te zijn tegenover haar* to do her justice; **billijken** approve (of); **billijkheid** fairness, justice

binair binary

binden bind (a book, a prisoner), tie (a ribbon, a goat to a post), tie up (a parcel); (*met riem*) *ook:* strap; (*met touw*) *ook:* rope; (*dik maken, worden, van saus, enz*) thicken; *iem de handen* ~ tie a p.'s hands; ~ *aan* tie (a horse) to (a tree); *zich* ~ commit o.s. (to ...); **bindend** binding (*voor* upon); **binder** binder; **binding** tie, bond; **bindmiddel** cement

binnen I *vz* within (six days; my reach); inside (the walls); **II** *bw* in (is Mr. A. ...?; what time have you to be ...?); inside (come (step) ...); within (enquire ...); ~ *in* inside; *hier* ~ in here; ~*!* come in!; *hij is* ~*: a*) he is in(doors); *b*) (= *heeft zijn schaapjes op het droge*) he is a made man; *naar* ~ (*komen, enz*) go (come, etc) in; *naar* ~ *slaan* (*werken*), (*van eten*) wolf down; *zich te* ~ *brengen* recall; *het wil me niet te* ~ *schieten* I cannot hit upon it; *daar schiet me iets te* ~ that reminds me; *van* ~ inside, (the door was locked) on (*of:* from) the inside; *van* ~ *en van buiten* inside and out

binnen|**bad** indoor swimming-pool; **-band**

inner tube; **-blijven** keep (stay) indoors; **-brengen** bring in; **-dringen I** *tr* penetrate (into); break into (a house); (*met gedrang*) crowd into; invade (a country); **II** *intr* force (push) one's way in; **-druppelen** trickle in; **-gaan** enter; enter into (the new world); ~ *bij* go into (Mr. A.'s); **-halen** fetch (bring) in; gather (in); **-haven** *a*) inner harbour; *b*) inland port; **-hof** inner court; **-houden** keep (a p.) in; keep (food) down; **-huisarchitect** interior decorator; **-in** inside; **-kant** inside

binnenkomen come in, enter; get in (through the window); (*van trein ook*) draw in; *wanneer moet de trein naar Londen* ~*?* when is the London train due in?; *laat hem* ~ let him come in; *hij mocht niet* ~ he was not allowed in; **binnenkomend** incoming (train, mail); *binnengekomen schepen, personen, enz* arrivals; **binnenkomst** entrance, entry

binnenkort before long, shortly

binnen|**krijgen** get down (food); *water* ~ swallow water; (*van boot*) make (ship) w; **-kruipen** creep in(to)

binnenland interior, inland; *in* ~- *en buitenland* at home and abroad; **binnenlands** inland (postcard); interior; internal (policy); domestic (quarrels); ~ *nieuws* home news

binnen|**laten** let in, show in (*alleen van personen*), admit; **-leiden** usher (take) in; **-loodsen** pilot (a ship) into port; **-lopen** run (walk) in(to a house, etc); (*aanlopen*) drop in (upon a p.); (*van trein*) run (draw) in (into the station); (*van schip*) put in (into port); **-plaats** courtyard; **-pretje** secret amusement; **-rijden** ride (drive) in(to ...); **-roepen** call in; **-rukken** march in(to a town, etc)

binnenshuis indoors

binnensmokkelen smuggle (in)

binnensmonds under one's breath

binnenstad town centre, city

binnenstappen step in

binnenst(e) *bn* inner(most); *zn* inside, interior; **binnenst(e)-buiten** inside out

binnen|**stormen** rush in; **-stromen** (*ook fig*) stream in(to ...); *het* ~ incursion (of water); **-treden** enter; **-vaart** inland navigation; **-vallen** drop in (*bij iem* on a p.); invade (a country); (*van schip*) put in(to port); **-waarts** *bw* inward(s); *bn* inward; **-wateren** inland waterways; **-weg** by-road; **-zak** inside pocket; **-zijde** inside, inner side

biograaf biographer; **biografie** biography

biologie biology; **biologisch** biological; **bioloog** biologist

bioscoop cinema

bioscoop|**bezoeker** film-goer; **-publiek** film-going public

biscuit id; **biscuitje** biscuit, cracker

bisdom diocese, bishopric

bisschop bishop; **bisschoppelijk** episcopal

bisschops|**mijter** mitre; **-zetel** bishop's (*of:* episcopal) see

bits snappish, snappy, tart (reply); sharp (tongue); **bitsheid** snappishness, etc

bitter I *bn* bitter (taste, truth, tears, hatred, cold, disappointment, etc); *enigszins ~* bitterish; II *bw* ...ly; *~ wenen* cry one's heart out; III *zn* bitters; *een ~tje* a (glass of) gin and bitters; **bitterheid** ...ness (*fig ook*) acrimony

blaadje leaflet; (*bloem-*) petal; (*papier*) sheet; (*bedrukt*) leaflet; (*krant*) paper; (*thee~, enz*): *a*) leaf; *b*) (presenteer~) salver, tray; *bij iem in een goed ~ staan* be in a p.'s good books

blaam blame, reproach; (*smet*) blemish, reproach (it is a ... to the district); *hem treft* (*op hem rust*) *geen ~* no blame attaches to him

blaar blister (*ook op verf, enz*); *voeten met blaren* blistered feet

blaas bladder; (*in water, glas, enz*) bubble

blaas|balg (pair of) bellows; **-instrument** wind-instrument; **-kaak** windbag; **-ontsteking** inflammation of the bladder; **-orkest** wind-band; **-pijp** blow-pipe; **-pijpje** (*ademtester*) breathalyser

blad (*van boom, boek*) leaf, (*papier, metaal*) sheet, (*van gras, roeiriem, zaag*) blade, (*van tafel*) top, (*uittrekbaar, van schrijftafel, enz, inleg~*) leaf, (*neerhangend*) flap; (*krant*) newspaper; (*thee-, enz*) tray; (*presenteer-*) tray, salver; *geen ~ voor de mond nemen* not mince matters; *~eren krijgen* come (burst) into leaf; *in het ~ zijn* be in leaf; *van het ~ spelen* play at sight

bladerdak (roof of) foliage

bladeren: *in een boek ~* turn over the pages of a book

blad|goud gold leaf; **-groen** chlorophyll; **-groente** (green) leaf(y) vegetables; **-stil:** *het was ~* not a leaf stirred; **-wijzer** bookmarker; **-zijde** page

blaffen bark (*tegen* at; *ook fig*); *hij blaft harder dan hij bijt* his bark is worse than his bite; *~de honden bijten niet* barking dogs seldom bite

blaken: *~ van* glow with (patriotism, health); *blakend ook:* ardent; *in ~e welstand* in radiant health, (*fam*) alive and kicking

blakeren scorch, burn, parch, *de zon blakert de velden* the fields are blazing in the sun; *door de zon geblakerd* sun-baked (fields)

blamage disgrace; **blameren** discredit; *zich ~* disgrace o.s.

blanco blank (cheque); *~ stemmen* abstain (from voting); *~ volmacht* blank power of attorney

blank white (as ... as silver); (*van huid*) white (her ... arms), clear, fair (complexion); plain (oak), (*blinkend*) bright; (*fig*) pure; *het land staat ~* the land is flooded; **blanke:** *een ~* a white (man, woman); *blanken* whites

blaren blister

blaten bleat

blauw I *bn* blue (*van* ... with cold); *~ bloed* blue blood; *iem een ~ oog slaan* give a p. a black eye; *~e plek* bruise; *~e zone* blue zone; II *zn* blue (dressed in ..., the ... of the sky; *ook ~ porselein*)

blauwachtig bluish

blauw|grijs bluish grey; **-kous** blue-stocking

blauwogig blue-eyed

blauwtje: *een ~ geven* (*lopen*) turn (be turned) down

blazen blow (one's tea, a trumpet, glass); sound (the horn); *~ op* blow (one's food), blow (the flute), *hoog van de toren ~* brag

bleek pale; *zo ~ als een doek* as white as a sheet; *~ worden* turn pale; *~ zien* look pale; **bleekgezicht** pale-face

bleekheid paleness, pallor

bleekmiddel decolorant, bleach

bleken bleach, whiten

blèren squall, bawl, howl

blesseren injure, wound; **blessure** injury, wound; **blessuretijd** injury time

bleu timid, bashful, shy

bliep beep

blij glad (tidings; I am glad to ..., that ...), happy (day, event; be happy to ...), pleased; *een toneelstuk met een ~ einde* a play with a happy ending; *ik ben er ~ om* (*mee*) glad of (happy, pleased with) it; *~ toe!* and a good thing too!; **blijdschap** joy (*over* at); **blijheid** gladness, joy(fulness)

blijk token, sign, mark; *~ geven van* give evidence of; show (courage); **blijkbaar** *bw* apparently, obviously, evidently; **blijken** appear, be (become) evident (obvious, apparent); *het bleek mij, dat* ... I found that ...; *dat zal spoedig ~* we shall soon see; *~ te zijn* turn out to be (a good teacher); *doen ~ van* give evidence of; *laten ~* show, betray (one's ignorance); *hij liet* (*er*) *niets* (*van*) *~, ook:* he gave no hint of it; *~ uit* appear from; **blijkens** (as appears) from

blijmoedig cheerful

blijspel comedy

blijven 1 (*ergens*) stay (*meest van pers*), remain; (*~ logeren, wonen, enz*) stay on; *nog wat ~* stay a little longer; *hij bleef langer dan ons lief was* he outstayed his welcome; *wat houdt je?* what keeps you?; *waar ben je zo lang gebleven?* where have you been all the time?; *waar ben ik gebleven?, (in verhaal, enz*) where was I?; 2 (*in een toestand*) remain (a p.'s friend, I remain yours truly ...), continue (the weather ...d fine); go (unanswered); *goed ~, (van eetwaren*) keep; 3 (*overblijven*) remain; *er blijft nog veel te doen* much remains to be done; 4 (*omkomen*) perish, be killed; 5 (*uitblijven*): *hij blijft lang* (*weg*) he is a long time (in) coming (back); 6 (*doorgaan met*) continue ...ing, continue to, keep (on) ...ing; 7 *~ eten* stay to dinner; 8 *~ bij* stay (remain) with (a p.); stick to (one's decision); attend to (one's work); *alles bleef bij het oude* things went on just as they were; *dat blijft onder ons: a*) that is strictly between ourselves; *b*) it won't (shan't) go any further; *op het voetpad ~* keep to the footpath; **blijvend** lasting (impression, peace)

1 blik look, gaze; (*vluchtig*) glance; (*heimelijk*) peep; *een ~ slaan in* (throw, cast) a glance at; *een ~ toewerpen* throw a glance at, give (a p.) a look; *zijn scherpe ~*, (*ook fig*) his keen eye
2 blik 1 tin(-plate); *vlees in ~* tinned (*Am* canned) meat; 2 (*vuilnis-*) dust-pan; *stoffer en ~ dustpan* and brush; 3 tin (*Am*) can
blikgroenten tinned (*Am* canned) vegetables
blikje (*zalm, enz*) tin, (*Am*) can
1 blikken *bn* tin
2 blikken: *zonder ~ of blozen* unblushingly
blik|opener tin-opener, (*Am*) can-opener; **-schade** bodywork damage
bliksem lightning; *arme ~* poor devil; *als de ~* (as) quick as lightning; *naar de ~ gaan* go to the dogs; *wéér f 100 naar de ~ …* down the drain; **bliksemafleider** lightning-conductor
bliksemen: *het bliksemt* it lightens; (*van ogen, enz*) flash; **bliksemflits** flash of lightning
bliksems! I *tw* hang it!; II *bw* devilish; III *bn* devilish, infernal; (*sl*) bloody (the … fool!)
bliksemschicht flash of lightning; thunderbolt
blikvanger (*in etalage, enz*) eye-catcher
blind I *zn* shutter; II *bn* blind (*van* with; *ook fig:* … fury, prejudice; love is …); *~e bocht* blind corner (bend); *~edarmontsteking* appendicitis; *~edarmoperatie* append(ic)ectomy; *~e gehoorzaamheid* implicit obedience; *~ toeval* mere chance; *~ typen* touchtype; *~ worden* go blind; *~ maken* blind (*voor* to); *zich ~ staren op* be obsessed by …; *steke~* as blind as a bat; *~ aan één oog* blind in one eye; *~ voor* blind to (a p.'s faults); III *bw* blindly; *zie ~e-lings;* **blinddoeken** blindfold
blinde blind man, blind woman; (*kaartspel*) dummy; *in den ~e* at random; **blindelings:** *~ (te werk gaan)* (go at it) blindly; (obey, trust a p.) implicitly; **blindemannetje** (*spelen*) (play at) blindman's buff
blinden|geleidehond guide-dog; **-instituut** institute for the blind
blindganger unexploded shell
blindheid blindness; *met ~ geslagen* struck with blindness
blindvliegen blind flying
blinken shine, glitter
blocnote writing-pad
bloed blood; *het ~ kruipt waar het niet gaan kan* blood is thicker than water; *kwaad ~ zetten* stir up bad feeling; *dat zit in het ~* that runs in the blood
bloed|ader vein; **-armoede** anaemia; **-armoedig** anaemic (*bet 1 en 2*); **-baan** bloodstream; **-bad** carnage; **-bank** bloodbank; **-bezinking** blood sedimentation; **-dorstig** bloodthirsty; **-druk** blood-pressure; *hoge ~* hypertension; **-eigen:** *zijn ~ kinderen* his own flesh and blood
bloeden bleed (*ook fig:* my heart …s); *erg ~* bleed freely; *met ~d hart* with a bleeding heart; *tot ~s toe* till it bleeds; **bloederig** bloody

bloed|groep blood-group; **-heet** sweltering; **-hond** bloodhound
bloedig bloody; **bloeding** bleeding
bloed|klonter clot of blood; **-lichaampje** (red, white) blood-cell; **-neus** bleeding nose; *iem een ~ slaan* blood a p.'s nose; **-onderzoek** blood-test; **-plas** pool of blood; **-proef** blood-test; **-rood** blood-red, scarlet
bloedsomloop circulation (of the blood)
bloed|stelpend (*middel*) styptic; **-stroom** blood-stream; **-transfusie** blood-transfusion; **-vat** blood-vessel; **-vatenstelsel** vascular system; **-vergieten** bloodshed; **-vergiftiging** blood-poisoning; **-verlies** loss of blood; **-verwant** (blood-)relation, relative; **-vlek** bloodstain; **-vocht** plasma
bloei blossom (*inz van vruchtboom*), flower, bloom; (*het bloeien*) flowering; (*fig*) prosperity; flower (of youth); *in (volle) ~ staan* be in (full) bloom; **bloeien** bloom, flower; (*inz van vruchtboom*) blossom; (*fig*) flourish, prosper, thrive; **bloeiend** *ook:* (lilies) in bloom; (*fig*) *ook:* prosperous
bloem flower; (*van meel*) flour; *~en op de ruiten* frost-flowers; *geen ~en* (*op verzoek*) no f…s (by request)
bloem|bak flower-box; (*buiten het raam*) window-box; **-bol** (flower-)bulb
bloemen|corso flower parade; **-hulde** floral tribute(s); **-pracht** wealth of flowers; **-teelt** flower culture; **-winkel** florist's (shop)
bloemetje: *de ~s buiten zetten* paint the town red
bloemist(erij) florist('s)
bloem|knop flower-bud; **-kool** cauliflower; **-lezing** anthology; **-perk** flower-bed
bloempje little flower
bloem|rijk flowery; **-schikken** flower arranging; **-slinger** garland of flowers; **-steel**, **-stengel** flower-stalk; **-stuk** (*bij feest, enz*) bouquet, floral tribute; (*bij begrafenis ook*) floral emblem
blok (*hout, steen, huizen, van schavot, bij spoorw, log persoon*) block; (*hout ook*) log; (*aan been*) clog, hobble; (*speelgoed*) (building-)block, brick; (*pol*) (Central European) bloc, block
blok|fluit recorder; **-hut** log-cabin
blokje (*bouillon, kaas, enz*) cube, square
blokken swot (for exams)
blokkeren blockade; (*banksaldo, enz*) block, freeze; (*van wielen*) lock
blokletter block-letter; *in ~s*, (*op formulier, enz*) *ook:* please print
blond fair, light, blond (*v* blonde: a … girl)
bloot I *bn* bare (arms, facts), naked (body); *met het blote oog* with the naked eye; *onder de blote hemel* under the open sky; II *bw* merely, barely; III *zn* flesh, nudity
blootgeven: *zich ~*, (*fig*) commit o.s.
blootje: *in zijn ~* in the altogether
bloot|leggen (*ook fig*) lay open (bare), expose

blo

(foundations), bare (one's soul); **-liggen** lie bare, lie open (*voor* to), be exposed (to view)
blootshoofds bare-headed
bloot|staan *aan* be exposed (liable) to; **-stellen** expose; *zich ~ aan* expose o.s. to
blootsvoets barefoot(ed)
blos (*van verlegenheid, enz*) blush; (*van emotie*) flush; (*van gezondheid*) bloom
blouse blouse; (*van jongen*) shirt
blozen blush (with shame; blush like a beetroot), flush (with excitement); **blozend** blushing; (*vgl boven*); ruddy, rosy (face)
bluf brag(ging), boast(ing); (*sl*) swank; **bluffen** brag (*op* of), boast, (*sl*) swank; **bluffer** braggart
blunder id
blusapparaat fire-extinguisher
blussen extinguish (*ook fig van ijver, enz*); **blusser** extinguisher
blut hard up, broke
bluts dent; **blutsen** dent
blz. (*bladzijde* page) p.
bobbel (*op vloeistof*) bubble; (*bult*) lump
bochel hump, hunch; (*ook persoon*) hunchback
bocht 1 (*van weg, rivier, enz*) bend (dangerous ...), turn(ing), curve; (*baai*) bay; *zich in allerlei ~en wringen*, (*ook fig*) squirm, wriggle; 2 (*rommel*) trash, rubbish; **bochtig** tortuous, winding
bod bid, offer; *een ~ doen*, (*ook fig*) make a bid (*of* for); *een hoger ~ doen dan, ook:* outbid (a p.)
bode messenger (*ook fig*); (*ren-*) runner, courier; (*vrachtrijder*) carrier; (*gemeente-*) beadle; (*gerechts-*) usher; (*post-*) postman; *per ~*, (*post*) by special messenger
bodem (*van vat, zee enz*) bottom; (ocean) floor; (*grond*) soil, ground; (*gebied*) territory; (*schip*) ship; *een titel met een dubbele ~* with a hidden meaning; *de ~ inslaan*, (*fig*) ruin (a p.'s plans); *de beker tot de ~ leegdrinken* drain the cup to the last drop (the dregs)
bodem|gesteldheid condition of the soil; **-kunde** soil science; **-loos** bottomless; **-onderzoek** soil exploration; **-schatten** mineral resources
boe (*schrikaanjagend*) bo(h)!, boo!, *hij zegt ~ noch ba* he never opens his mouth; *hij durft geen ~ of ba te zeggen* he can't say bo(o) to a goose
boeddhisme Buddhism; **boeddhist** Buddhist
boedel estate, property; *een ~ beheren* administer an estate; *failliete ~* bankrupt's estate
boedel|beheerder trustee; **-beschrijving** inventory
boef knave, scoundrel, villain; (*tuchthuis-*) convict; **boefje** guttersnipe, young tough
boeg bow(s), prow; *het over een andere ~ gooien* (*wenden*) change one's tack (tactics); *heel wat werk voor de ~ hebben* have a lot of work on hand; *we hebben ... voor de ~* we have anxious times ahead of us

boeg|beeld figure-head; **-spriet** bowsprit
boei 1 (*gew mv; voet-*) (*ook fig*) fetters; (*hand-*) handcuffs; *de ~en aandoen* put (clap) in irons, (*hand-*) handcuff; 2 (*baken*) buoy; *met een kleur als een ~* as red as a beetroot; **boeien** fetter, put in irons; handcuff (*zie boei*); (*fig*) captivate, fascinate; arrest (a p.'s eye); *de aandacht ~* grip the attention; *geboeid,* (*fig ook*) spell-bound; **boeiend** ...ing; gripping (drama); engaging (subject); fascinating (novel, lecture); *zie ook* spannend
boek book; *voor mij een gesloten ~* a closed (a sealed) book to me; *te ~ staan als* be known as; *hij stond te ~ als eigenaar ...* he was the registered owner of the car; *een post in de ~en* an item on the books; *iets te ~ stellen* commit to paper
boek|band binding (of a book); **-beoordelaar** reviewer, critic; **-beoordeling** (book) review, criticism, (*kort*) notice; **-bespreking** (book) review; **-binder** bookbinder; **-deel** volume (speak ...s); **-drukken** printing; **-drukkerij** printing-office; **-drukkunst** (art of) printing
boeke|bon book-token; **-legger** bookmark(er)
boeken enter (in the books); book (an order); (*fig*) score (a success), produce (results); *op iems credit ~* pass to the credit of a p.'s account
boeken- book:
boeken|beurs book fair; **-kast** book-case; **-liefhebber** book-lover; **-lijst** book-list; **-plank** book-shelf; **-rek** book-shelves; **-stalletje** book-stall; **-taal** bookish language; **-tas** book-bag, -carrier; (*op rug*) satchel; **-wijsheid** book learning; **-wurm** book-worm (*ook fig*)
boeket bouquet, nosegay; (*van wijn*) flavour
boekhandel *a*) book-trade; *b*) book-shop; (*bestellen via*) *de ~* (order) through a bookseller; **boekhandelaar** bookseller
boekhouden *ww* keep the books; (*in huishouden*) keep accounts; *zn* book-keeping; **boekhouder** book-keeper; **boekhouding** accounts
boeking entry
boekjaar financial year
boekje little book, booklet; *buiten zijn ~ gaan* exceed one's powers
boekomslag book cover
boekstaven put on record
boekverkoper book-seller; **boekverkoping** book-auction, -sale
boek|vorm: *in ~* (be published) in book-form; **-waarde** balance-sheet value; **-werk** book, work; **-winkel** book-shop
boel 1 *een* (*hele*) *~* (quite) a lot, a whole lot, lots, heaps, no end (of ...); *een ~ tijd* heaps of time; *een ~ kwaad doen* do a lot of harm; 2 (*rommel*) *een mooie ~* a pretty kettle of fish; *een vuile ~* a mess (make ...); *een saaie ~* a slow affair; *de hele ~* the whole show, (a pound for) the whole lot; *de ~ verraden* give away the whole thing

boeldag auction-day, (public) sale
boeltje: *zijn* ~ his belongings; *zijn* ~ *pakken* pack up (one's traps)
boem! bang!
boeman bogey(-man)
boemel: *aan de* ~ *zijn* be on the spree; **boemelaar** reveller; *(ongunstiger)* rake; **boemeltrein** slow train
boender scrubbing-brush, scrubber; **boenen** scrub, rub, polish; **boenwas** beeswax
boer *(landbouwer)* farmer; *(arme of onontwikkelde* ~) peasant; *(pummel)* boor; *(in kaartspel)* knave, jack; *(oprisping)* belch, *(fam)* burp; *(Zuid-Afrika B*~) Boer; *de* ~ *opgaan* go on (the) tramp; *een* ~ *laten* belch, burp; **boerderij** farm(-house); **boeren** farm; *(een* ~ *laten)* belch, *(fam)* burp; *goed (slecht)* ~ *manage* (one's affairs) well (badly)
boeren|arbeid farm-work; **-arbeider** farm-labourer; **-bedrijf** farming; **-bedrog** swindle; **-bruiloft** country-wedding; **-dorp** country village; **-eieren** farm eggs; **-erf** farmyard; **-hofstede** farm(stead); **-jongen** country-lad; peasant-boy; **-kaas** farmhouse cheese; **-kiel** (peasant's) smock; **-kinkel** yokel; **-kip** barn-door fowl; **-knecht** farm-hand; **-kool** (curled, curly) kale; **-land** farmland(s); **-leenbank** agricultural loan-bank; **-leven** farmer's life; **-lul, -lummel** yokel; **-meid** farm-girl; **-meisje** country-girl; **-oorlog** Boer War; **-schuur** barn; **-stand** peasantry; **-verstand** natural wit; **-vrouw** peasant woman; **-wagen** farm wag(g)on; **-werk** farm-work; **-woning** farmhouse; **-zoon** farmer's (peasant's) son
boerin farmer's wife
boers boorish; **boersheid** boorishness
boete *(straf)* penalty; *(in geld)* fine; *(boetedoening)* penance; ~ *betalen* pay a fine; *een* ~ *opleggen* impose a fine; *iem een* ~ *van £1 opleggen* fine a p. £1; *1 £* ~ *krijgen* be fined £1; ~ *doen* do penance; **boetedoening** penance
boeten *(netten, enz)* mend, repair; ~ *(voor)* atone for, expiate (a crime, sins); *voor zijn vergissingen* ~ pay for one's mistakes; *je zult ervoor* ~ you shall pay for it
boetiek boutique
boetseerder modeller
boetseer|klei modelling-clay; **-werk** modelling-work
boetseren model
boetvaardig repentant; **boetvaardigheid** repentance
boeven|bende pack of knaves; **-streek** (piece of) knavery; **-tronie** hangdog face
boezem bosom, breast; *(van hart)* auricle; *de hand in eigen* ~ *steken* dive into (search) one's own heart
boezemvriend(in) bosom-friend; **boezemvriendschap** intimate friendship
bof *(gelukje)* piece of luck; *(ziekte)* mumps; *de* ~ *hebben* have mumps; **boffen** be in luck; *ik bofte* my luck was in; **boffer** lucky devil

bogen *op, (terecht trots zijn op)* glory in, boast
bok 1 (he-, billy-)goat; *(gems, antilope, enz)* buck; *oude* ~, *(fig)* old rake; 2 *(hijstoestel)* derrick; 3 *(gymn)* vaulting-horse; ~*springen* vault(ing); *(haasje-over)* play at leapfrog; 4 *(van rijtuig)* (driving-)box; 5 *(flater)* blunder; *een* ~ *schieten* make a blunder, etc
bokaal beaker, cup, goblet
bokje kid
bokken *(van paarden)* buck-(jump)
bokke|pruik: *hij heeft de* ~ *op* he is in the sulks; **-sprong** caper; **-wagen** goat-carriage
bokkig surly; **bokkigheid** surliness
bokking *(vers)* bloater; *(gerookt)* red herring
boksen box; *het* ~ boxing; *iets voor elkaar* ~ fix it; **bokser** boxer; **bokshandschoen** boxing-glove
bokspringen vault(ing)
bokswedstrijd boxing match, prize-fight
bol I *zn* ball, sphere, globe; *(meetk)* sphere; *(van plant)* bulb; *het scheelt hem in zijn* ~ he is off his rocker; he is crazy, barmy; II *bn* *(van lens, enz)* convex; *(*~*staand, van zeil, zak, enz)* bulging
bolhoed bowler (hat)
bolleboos adept, *(fam)* dab *(in* at)
bollen swell (out); *(van zeil)* bulge
bollen|kweker bulb-grower; **-teelt** bulb-growing (industry); **-veld** bulb-field
bolletje globule; *en zie* bol
bolstaand bulging; *(van groenteblik)* blown (tin)
bolster shell, husk
bolvorm spherical shape; **bolvormig** spherical
bolwerk rampart, bastion; stronghold (of conservatism, etc); **bolwerken:** *het* ~ bring it off
1 bom! bang! boom!
2 bom 1 bomb; *de* ~ *is gebarsten* the bomb has burst; 2 *een* ~ *geld* lots of money
bom|aanslag bomb-outrage; **-aanval** bombing-raid
bombardement bombardment, *(uit vliegt)* *ook:* bombing; **bombarderen** *(met artillerie)* shell; *(inz uit vliegtuig)* bomb; *(fig)* bombard
bombast id, rant, high-falutin(g); **bombastisch** stilted, bombastic *(bw:* -ally)
bombrief letter-bomb
bomen 1 *(boot)* punt, pole; 2 (have a) chat; *(fam)* (spin a) yarn
bommelding bomb scare; *valse* ~ bomb hoax
bommen: *het kan me niet* ~! (a) fat lot I care!
bommen|last bomb load; **-werper** *(vliegtuig)* bomber
bom|vol chock-full; **-vrij** bomb-, shell-proof
bon ticket, voucher, check; *(voor cadeau)* token (book-...); *(in winkel)* coupon; *(voor levensmiddelen)* coupon; *(bekeuring)* ticket; *op de* ~, *(van levensmiddelen)* rationed
bonbon id, chocolate; **bonbondoosje** box of chocolates

bond alliance, league, confederacy; (*staten-*) confederation; (*vak-*) union

bondgenoot ally, associate; **bondgenootschap** alliance

bondig terse (style), concise, succinct; **bondigheid** ...ness (*zie* ~ig)

bonds|regering federal government; **-repubiek** federal republic

bonensoep bean-soup

bonk (*oude zee-*) old salt; *één ~ zenuwen* (she is) a bundle of nerves; **bonken** *op* thump; **bonkig** bony, scraggy

bonnefooi: *op de* ~ at haphazard

bons thump, bump, thud; *de ~ geven* give (a p.) the sack; (*een minnaar*) jilt; *de ~ krijgen* be sacked

bont I *bn* parti-, many-coloured; gay (dress); spotted (cow, dog), piebald (horse); motley (crowd); *~ programma* varied programme; **II** *zn* 1 fur; *met ~ gevoerd* fur-lined; 2 print(ed cotton)

bont|handelaar furrier; **-jas** fur coat; **-kraag** fur collar; **-muts** fur cap; **-werker** furrier

bonzen thump; (*van hart*) throb, pound; *op de deur ~* bang at the door; *tegen ... aan ~* bump against (to) (a p., a lamp-post)

boodschap (*mededeling*) message; (*opdracht*) errand; *~pen*, (*het gekochte*) purchases; *een ~ doen* go on (do) an errand; *~pen doen* go out shopping; *een ~ achterlaten* leave a message; *een ~ brengen* bring word; *een ~ sturen* send word; *daar heb ik geen ~ aan* that's none of my business

boodschappen|jongen errand-boy; **-lijst(je)** shopping-list; **-tas** shopping-bag, carrier-bag

boodschapper messenger

boog (*wapen*) bow; (*bouwk, hemel, enz*) arch; (*bocht*) curve, bend

boog|gewelf arched vault; **-schutter** archer; **-venster** arched window; **-vormig** arched

boom 1 tree; *een kerel als een ~* a great strapping fellow; *door de -men het bos niet zien* not see the wood for the trees; *je kan de ~ in* go to blazes; 2 (*afsluit-*) bar, barrier; *met een ~ sluiten* bar; 3 *een ~ opzetten* (spin a) yarn

boom|gaard orchard; **-grens** tree-, timberline; **-kweker** (tree-)nurseryman; **-loos** treeless

boompje little tree; (*jong*) sapling

boom|rijk wooded; **-schors** tree-bark; **-stam** tree-trunk; **-stronk** tree-stump; **-tak** branch, bough (of a tree)

boon bean; *ik ben een ~ als het niet waar is* I'm a Dutchman if ...; *in de -nen zijn* be at sea; **boontje**: *~ komt om zijn loontje* chickens come home to roost; *z'n eigen ~s doppen* look after one's own interests

boor (*omslag-*) brace-and-bit; (*dril-, ook van tandarts*) drill; (*met horizontaal handvat*) gimlet

boord 1 (*rand*) border (carpet, flower-bed), bank (of a river, etc); 2 (*hals-*) collar; (*van hemdsmouw*) wristband; 3 (*van schip*) board; *aan ~* on board; *aan ~ van ... on board the Rodney; *aan ~ gaan* (*zich inschepen*) embark; *aan ~ hebben* have on board; *aan ~ hebben, ook:* carry (a doctor, wireless); *kom me niet met je onzin aan ~* none of your nonsense, please!; *binnen ~* inboard; *buiten ~* outboard; *over ~ slaan* carry away; *over ~vallen* fall overboard; *man over ~!* man overboard!; *van ~ gaan* go ashore, (*zich ontschepen*) disembark

boordevol brimfull

boordje collar

boordwerktuigkundige (*luchtv*) flight engineer

boor|eiland drilling platform, oil-rig; **-gat** bore(-hole); **-machine** boring-machine, drill

boortje gimlet

boor|tol (electric) handdrill; **-toren** (drilling-) derrick

boos I *bn* 1 (*nijdig*) angry, cross, (*inz Am*) mad; *boze bui* fit of anger; *~ kijken* look black; *zich ~ maken, ~ worden* get angry, lose one's temper; *~ op* angry with; *~ om* (over) angry at, angry about; 2 (*slecht, kwaadaardig*) bad, evil, wicked; *boze driften* evil passions; **II** *bw* angrily, wickedly, etc

boosaardig malicious; sinister (smile); vicious (snarl); (*ziekte*) malignant; **boosaardigheid** malice

boosdoener evil-, wrongdoer

boosheid anger, wickedness, malignity (*vgl* ~)

boot boat, steamer; *in de (redding)boten gaan* take to the (life-)boats; *met de ~ gaan* go by boat; *de ~ is aan* the boat is in; (*fig, fam*) the fat is in the fire; *de ~ afhouden*, (*fam*) refuse to commit o.s.

bootsman boatswain

boot|trein boat-train; **-vluchteling** boat-refugee; **-werker** docker, dock-labourer

bord plate; (*plat*) dinner-plate; (*diep*) soup-plate; (*houten*) trencher; (*karton*) board; (*voor aankondigingen, schaak-, enz*) (notice-, chess-, etc) board; (*school-*) (black)board; *een ~ voor de kop hebben* be brazen-faced

bordeel brothel

borden|doek tea-towel; **-wassen** *zn* dish-washing; **-wasser** dish-washer; **-wisser** (*school*) eraser

bordje (small) plate; (*huur~, enz*) (notice-) board, sign; (*bij plant, enz*) label

borduren embroider (*ook fig*); **borduurgaren** embroidering-thread

borduur|sel, -werk embroidery

boren bore (wood, a hole, a tunnel), drill (metal, a hole), sink (a well, a shaft); (*door~*) pierce, perforate; *~ naar* bore (drill) for (oil); *in de grond ~* sink (a ship)

borg (*pers*) surety, guarantee; (*jur*) bail; (*zaak*) security, guaranty, pledge, (*jur*) bail; (*krediet*) credit; *~ staan* stand surety; *~ stellen* give security, give bail; *daar sta ik je ~ voor* I'll go bail for that; **borgen 1** give credit; **2** buy on credit; **3** (*techn*) secure, lock

borg|moer lock-nut; **-tocht** security, (*jur*) bail; *onder ~ op vrije voeten gelaten worden* be released on bail

borrel drink, drop, tot; **borrelen 1** (*van water, enz*) bubble; **2** have a drink

1 borst: *een brave ~* an honest fellow

2 borst breast (*ook fig*), bosom; (*~kas*) chest; (*vrouwen~*) breast; (*~ van dier als voedsel*) breast; (*van overhemd*) front; (*van schort*) bib; *aan de ~ leggen* put (baby) to the breast; *het stuit me tegen de ~* it goes against the grain with me; *tot aan de ~* up to the breast; *uit volle ~* at the top of one's voice

borstel brush; (*van varken, enz*) bristle; **borstelen** brush; **borstelig** bristly, bristling

borst|holte cavity of the chest; **-kanker** breast cancer; **-kas** chest; **-kind(je)** breast-fed child; **-plaat** *a*) (*mil*) breast-plate, cuirass; *b*) (*lekkers*) (*ongev*) fondant, fudge; **-rok** (under)-vest, singlet; **-slag** (*zwemmen*) breast-stroke; **-vliesontsteking** pleurisy; **-voeding** breast-feeding; *de ~ krijgen* be breast-fed; **-wering** parapet; **-wijdte** (have great) width of chest

bos 1 bunch (of keys, violets), bundle (of sticks), truss (of straw); (*haar*)~ shock (of hair); ~(*je*) tuft (of hair); wisp (of straw); **2** wood(s), forest

bos|aanplant afforestation; (*concr*) forest reserve; **-bes** (*blauw*) bilberry; **-bouw** forestry; **-brand** forest-fire; **-grond** woodland soil

bosje grove, (*van struiken*) bush, thicket; *bij ~s* by the handful

Bosjesman Bushman

bos|land woodland; **-landschap** woodland scenery; **-pad** wood-path; **-rand** fringe (edge) of a wood; **-rijk** wooded, woody; **-wachter** forest-keeper; **-weg** forest-track

bot I *zn* **1** (*vis*) flounder; **2** (*been*) bone; *zijn hartstochten ~vieren* give rein to one's passions; *~ vangen* meet with a refusal, (*iem niet thuis vinden, falen*) draw (a) blank; **II** *bn* (*eig*) blunt, dull; (*dom*) dull, obtuse; (*ronduit, lomp*) blunt; flat (refusal); *~ maken* (*worden*) blunt

botanicus botanist; **botanisch** botanical

boter butter; (*fam = margarine*) marge; *met ~ besmeren* butter; *met ~ buttered* (toast); **boteren**: *het wil niet ~ tussen hen* they don't hit it off

boterham slice of bread (and butter); *~men meenemen* take sandwiches along; *een goede ~ verdienen* earn a good wage

botertje: *het is ~ tot de boom* everything in the garden is lovely (*of:* rosy)

botsen strike, bump (up) (*tegen* against); **botsing** collision (*ook fig*), crash (train ..., air ..., motor ...); impact; *in ~ komen met* collide with; (*eig ook*) run into (a motor-car); (*fig van belangen, wensen, enz ook*) clash with, run foul of (the law)

bottelarij bottling-room; **bottelen** bottle

botten bud

botweg bluntly, (refuse) point-blank, flatly

bougie (*van motor*) spark-plug

bouillon broth, beef-tea; **bouillonblokje** beef-tea cube

boulevard id; (*aan zee*) *ook:* (sea-)front; ~ *blad* tabloid (newspaper)

bout 1 bolt; (*soldeer-*) soldering iron; **2** (*algem van dier*) quarter; (*van vogel*) drumstick; (*schape-*) leg (of mutton)

bouw 1 building, construction (*ook van zin*); (*samenstel*) structure (of the atom); build (of the body); (*van drama, enz*) framework; *tenger van ~* of slight build; **2** (*het be-, verbouwen*) cultivation, culture; (*verbouw ook*) growth; *de ~* the building trade

bouw|bedrijf building trade; **-boer** arable farmer; **-doos** box of bricks; construction box; do-it-yourself kit

bouwen build, (*ineenzetten*) construct, (*oprichten*) erect; (*verbouwen*) grow, cultivate; *op iem ~* rely on a p.; **bouwer** builder

bouw|fonds building society; **-grond** building site

bouwkunde architecture; **bouwkundig** architectural; **bouwkundige** building expert; **bouwkunst** architecture

bouw|land arable land, farm-land; **-materialen** building-materials; **-meester** architect; **-ondernemer** (building-)contractor; **-pakket** construction kit; *als ~* in kit form; **-plaat** cutout; **-promotor** (*Belg*) developer; **-rijp** *maken* prepare (a site)

bouwsel structure

bouw|steen building-stone, -brick, (*fig*) building block; (*mv fig*) materials; **-stijl** (style of) architecture; **-terrein** building-site; **-toezicht** building-inspectors; **-vakkers** building workers, construction workers

bouwval ruin(s); **bouwvallig** ruinous, ramshackle dilapidated (*ook fig*); **bouwvalligheid** ruinous condition, decay

bouw|vergunning building-licence; **-verordening** building-regulations; **-werk** *a*) building; *b*) building-work, constructional work

boven I *vz* (*hoger dan, ook fig*) above (sea-level, suspicion, the law); (*loodrecht ~*) over (the door, one's head, the fire); (*meer dan*) over (ten pounds); (live) beyond one's means); *hij is ~ de 40* he is over forty; *~ iem staan* be over a p.; **II** *bw* above; (hold the stone of the ring) uppermost; on high; (*in huis*) upstairs; *daar ~* up there; *dit ~!* this side up!; *~ wonen* live upstairs; *~ aan de bladzij* at the top of the page; *~ op* on the top of (a bus); *als ~* as (stated) above; *naar ~* up(wards); (*meer*) *naar ~* higher up (the river, etc); *naar ~ gaan* go upstairs; *te ~ gaan* exceed (£20), beat (everything), transcend (a beauty which ...s them all); *alle beschrijving te ~ gaan* defy description; *zie begrip, verstand, enz*; *te ~ komen* overcome, get over (difficulties), survive (a shock), recover from (an illness); *de moeilijk-heden te ~ komen, ook:* win through; *hij is het te ~* he has got over it; *zo iets zijn we te ~* we have outgrown that sort of thing; *van ~: a)* (it is black) at the top; *b)* (all blessings come) from above; *c)* from upstairs; *3de regel van ~* third line from the top; *van ~ naar beneden* from the top downward(s); *van ~ tot beneden* from top to bottom

bovenaan at the top, (start) at (from) the top; at the head (of the table); *~ staan* head the list, come first (in a p.'s esteem), hold the record

bovenaf: *van ~* from above; (begin) at the top

bovenal above all; *~ in deze tijd* at this time above all others

boven|arm upper arm; **-brengen** take up (a p.'s dinner, etc); **-buur** upstairs neighbour; **-deel** upper part; **-dek** upper deck

bovendien besides; (little food, and poor food) at that; *en er is ~ het voordeel ..., ook:* and there is the added advantage ...

bovengedeelte upper part

bovengenoemd above(-mentioned)

boven|gronds: *bovengrondse kruising* fly-over; **-hoek** (left-, right-hand) top corner

bovenin at the top

boven|kaak upper jaw; **-kamer** upstairs room; *het scheelt hem in zijn ~* he has bats in his belfry; **-kant** upper side; **-kleding** upper (*of:* outer) clothes; **-komen** come up(stairs); (*boven de grond*) come up; (*in vloeistof*) rise to the surface, emerge; *laat hem ~* show him up; **-leiding** (*van tram*) overhead wire; **-licht** skylight; (*waaiervormig*) fan-light; **-lijf** upper part of the body; **-lip** upper lip

bovenmate exceedingly; **bovenmatig** *bn* exceeding, extreme; exceedingly

boven|meester headmaster; **-menselijk** superhuman; **-natuurlijk** supernatural

bovenop on top (my hair is getting thin on top); *er ~* (he did not see it till he was almost) on top of it; *met ... er ~* surmounted by a flag; *zie boven (op); er weer ~ helpen,* (*maatschappelijk*) set (a p.) on his feet again; *er weer ~ komen,* (*fig*) pull through; *hij zal er niet weer ~ komen* he is not likely to live

boven|raam upstairs window; **-rand** upper edge

bovenst upper(most), topmost, top (drawer, button, etc)

bovenstaand above (-mentioned); *het ~e* the above

bovenste *zie ~*st

bovenstuk upper (*of:* top) part

bovenuit: *overal ~ steken* rise above everything

bovenverdieping upper floor

bovenwaarts *bw* upward(s); *bn* upward

box (*baby~*) (play-)pen; (*garage*) box

boycot boycott; **boycotten** boycott

braad|kip, -kuiken roasting-chicken; **-oven** Dutch oven, roaster; **-pan** casserole; **-rooster** gridiron, grill; **-spit** roasting-spit

braaf honest, good, virtuous; (*iron*) good (don't be so terribly ...); *brave jongen* (*ziel*) good boy (soul); *~ oppassen* behave well; **braafheid** honesty, integrity

braak I *zn* (*inbraak*) burglary; **II** *bn: ~ liggen* lie fallow (waste) (*ook van kennis, enz*) *er ligt nog een groot terrein ~* there is still a large unexplored field

braak|land fallow (land); **-leggen** keep waste, keep uncultivated; **-middel** emetic

braaksel vomit

braam (*van metaal*) wire-edge, burr

braam|bes blackberry; **-struik** blackberry bush

brabbelen talk gibberish; **brabbeltaal** gibberish

braden *tr & intr* roast (on a spit), bake, roast (in an oven), grill (on a gridiron), broil (on a fire or gridiron), fry (in a pan), (*knetterend*) frizzle; *gebraden rundvlees* roast beef

brak *bn* brackish, saltish, briny

braken *tr & intr* vomit (*ook fig:* smoke, curses, etc), throw up, belch (flames, etc)

brallen brag, boast

brancard stretcher; *per ~ vervoerde* stretcher case

branche line (of business)

brand fire; (*uitslaande*) blaze; (*branderig gevoel*) prickly heat; *~!* fire!; *er is ~* there is a fire; *in ~ staan* be on fire; *in ~ raken* catch fire, burst into flames; *in ~ steken* set fire to; *uit de ~ helpen* help out of a scrape

brandalarm fire-alarm

brandbaar inflammable; **brandbaarheid** (in)flammability

brand|blus... *zie* blus...; **-bom** incendiary (bomb); **-brief** pressing letter; **-deur** *a)* fireproof door; *b)* (nooddeur) emergency-door; **-emmer** fire-bucket

branden I *intr* burn (*ook van lamp, gezicht, enz*), be on fire; (*fel*) blaze; (*van brandnetel*) sting; *~ van* burn with (impatience); *~ van nieuwsgierigheid* die of curiosity; *~ van verlangen om* be burning to ...; **II** *tr* burn (one's hand, wood); scald (with hot liquid); roast (coffee); singe (one's hair); stain (glass); (*zengen*) scorch; *~ aan* burn (one's mouth) with (hot food); **brandend** burning; ardent (desire); *~ vraagstuk* burning question; *~ van nieuwsgierigheid* dying with curiosity; zie branden; **branderig** (*smaak, enz*) burnt; (*gevoel*) burning, tingling

brandewijn brandy

brand|gang (*in bios*) fire lane; **-gat** burn(-hole); **-gevaar** risk of fire; **-haard** seat of the fire; **-hout** (piece of) fire-wood; (*fig*) rubbish

branding breakers, surf

brand|kast safe; **-kraan** fire-cock; **-ladder** fire-escape; **-melder** fire-alarm; **-merk** brand, stigma; **-merken** brand; (*fig ook*) stigmatize; **-plek** burn; (*door vloeistof*) scald; **-polis** fire-policy; **-punt** focus (*ook fig:* ... of sedition, etc); **-puntsafstand** focal distance; **-raam** (*Belg*) stained-glass window; **-schade** damage (*geldelijk:* loss) by fire; **-schatten** hold to ransom; **-scherm** safety-curtain; **-schoon** immaculate, spotless; **-slang** fire-hose; **-spuit** fire-engine; **-stapel** (funeral) pile; (*voor lijk*) pyre; *op de* ~ *sterven* die at the stake; **-stichter** incendiary, fire-raiser; **-stichting** arson; **-stof(fen)** fuel; **-trap** fire-escape; **-verzekering** fire-insurance; **-vrij** fire-proof; ~ *maken* render fire-proof; **-wacht** fire-watch; (*pers*) fire-watcher

brandweer fire-brigade

brandweer|auto fire engine; **-kazerne** fire-station; **-man** fireman

brand|werend fire-retarding, fire-resistant; **-wond** burn; (*door vloeistof*) scald; **-zalf** ointment for burns and scalds

branie *bn* bold, daring; *zn* daring; (*pers*) daredevil; (*opsnijder*) swank; *de* ~ *uithangen* throw one's weight about

bravo *zn* id; *tw* well done! hear, hear!

bravoure bravura, bravado

Braziliaan(s) Brazilian; **Brazilië** Brazil

breed broad (shoulders, street, grin), wide (river, mouth, forehead); *een brede blik* (take) a broad view (*op* of); *zij hebben het niet* ~ they are in straitened circumstances; **breedgeschouderd** broad-shouldered

breedheid (*ook fig*) breadth, width

breedsprakig verbose, long-winded; **breedsprakigheid** verbosity

breedte breadth, width (*beide ook als 'baan' van stof*); (*aardr*) latitude; *op 51° (N, Z)* ~ in lat. 51° (N, S.); *ter* ~ *van* ... the breadth of (my thumb), (five feet) in breadth (width); **breedtegraad** degree of latitude

breedvoerig I *bn* circumstantial (report), detailed; II *bw* at (full) length; **breedvoerigheid** fulness (of detail)

breekbaar breakable, fragile; ~! fragile!; **breekbaarheid** fragility

breek|ijzer crowbar; **-punt** breaking-point

breien knit; **breier** knitter

brei|garen knitting yarn; **-katoen** knitting-cotton

brein brain, intellect

brei|naald, -pen knitting needle

breister knitter

brei|werk knitting; **-wol** knitting-wool

breken I *tr* break (a glass, a fall, a p.'s power, heart, resistance), fracture (a bone), refract (light); (*verbrijzelen*) smash; II *intr* break (*ook van wolken, golven, hart*), be (get) broken, go to pieces; (*knappen, ook van touw*) snap (in two); (*van licht*) be refracted; *de zon brak door de wolken* ... burst through the clouds; ~ *met* break with (a p., the past)

brem: *zo zout als* ~ as salt as brine; **bremstruik** broom

brengen (*algem, naar de spreker*) bring (what ...s you here? an hour's walk ...s us to the

place); (*van spreker af*) take (a letter to the post; ... him a message, the ink); see (a lady home, to the station); drive (despair); land (in difficulties); (*overbrengen*) carry, convey (goods, passengers); *het ver* ~, (*in de wereld*) go far; *iem aan het weifelen* ~ make a p. waver; *het bracht me aan het denken* it set me thinking; *met zich* ~ bring (along with it); involve (great expense); *ik bracht het gesprek op dat onderwerp* I turned the conversation on that subject; ~ *over* bring (misery, etc) on (a p.); *iem ertoe* ~ *te* ... get a p. to ...; *wat bracht je ertoe het te doen?* what made you do it? *dat brengt mij tot* ... that leads me to my second point; *hij bracht het tot kapitein* he rose to the rank of captain

breng(st)er bearer

bres breach; (*meer algem*) gap; *op de* ~ *staan voor,* (*ook fig*) stand in the breach for

breuk (*barst*) crack, flaw, burst; (*van been, arm, schedel*) fracture; breach (in dike); (*wisk*) fraction; (*fig*) rupture (between friends), break (with tradition); *enkelvoudige* (*dubbele*) ~, (*van been, enz*) simple (compound) fracture

brevet certificate, brevet, patent; (*luchtv*) (pilot's) licence

bridge id; **bridgen** (play) bridge

brief letter, epistle; ~ *volgt* letter to follow; *brieven met volledige inlichtingen aan* letters, giving full details, to be addressed to; *per* ~ by letter

brief|geheim privacy of letters; **-hoofd** letterhead

briefje note; *ik geef het je op een* ~, *dat* ... you may take it from me that ...

brief|kaart postcard; **-port** postage; **-wisseling** correspondence; ~ *houden* keep up a correspondence (*met* with)

bries breeze; *er kwam een flinke* ~ the wind freshened up

briesen (*van paard*) snort; ~ *van woede* fume

brieven|besteller postman; **-bus** letter-box, (*Am*) mail-box; (*op straat, in Eng*) pillar-box

brieveweger letter-balance

brigade brigade; **brigadecommandant** brigadier

brigadier police-sergeant

brij (*pap*) porridge

brik (*schip*) brig

bril (pair of) glasses (spectacles; *fam:* specs); (*stof-*) goggles; (*van WC*) seat; *twee* ~*len* two pair(s) of spectacles; *een* ~ *dragen* wear spectacles, etc

briljant *zn & bn* brilliant

brillekoker spectacle-case

brilmontuur spectacle-frame

brink *ongev:* village green

brisantgranaat high explosive shell

Brit Briton

brits plank bed

Brits British; *zie* eiland & rijk; **Brittannië** Britain

broche brooch
brochure pamphlet, brochure, leaflet
brodeloos breadless; ~ *maken* throw out of employment, reduce to beggary
broed brood, hatch; (*vissen*) fry; **broedei** hatching-egg
broeden I *intr* brood, sit (on eggs) (the hen is …*ting*); (*zitten te*) ~ *op*, (*fig*) brood on (revenge, etc); II *tr* (*fig*) *verraad* (*onheil*) ~ brew treason (mischief)
broeder brother (*als medelid van gilde, vrijmetselaars, enz, mv:* brethren); (*orde-*) brother, friar; (*in ridderorde*) companion; (*verpleger*) male nurse
broederliefde brotherly love
broederlijk brotherly
broederschap fraternity, brotherhood
broed|machine incubator; **-plaats** breeding-place, (fish) hatchery
broeds broody
broedsel *zie* broed
broedtijd breeding-season; (*van vogels ook*) nesting-season
broei (*van hooi*) heating; **broeibak** hot-bed, (cold, garden-)frame
broeien 1 *zie* broeden I; 2 (*hooi, enz*) get heated; 3 *het broeit in de lucht* the air is sultry; 4 (*fig*) brew; *er broeit iets* there is s.t. (some mischief) brewing; **broeiend** *heet* broiling (hot); **broeierig** close, sultry, sweltering (heat)
broei|kas hot-house; **-nest** hotbed (of crime, disease, etc)
broek 1 (*lang*) (pair of) trousers; (*pof-*) plus fours; (*jongens-, sport-*) shorts; (*slappe lange*) slacks; (*onder-*) (pair of) drawers, pants; *de vrouw heeft de* ~ *aan* the wife wears the breeches; *iem achter de* ~ *zitten* keep a p. up to the mark; *voor de* ~ *geven* spank (a child); 2 (*drasland*) marsh(y land), swamp
broekband waistband
broekje knickers, panties; *jong* ~ youngster
broek|knoop trouser(s)-button; **-pak** trouser suit
broekspijp trouser-leg
broekzak trouser(s)-pocket
broer *zie* broeder; **broertje** little brother; *zijn kleine* ~ his baby brother; *daar heb ik een* ~ *aan dood* I hate it of all things
brok piece, bit, fragment, lump; *de pap zat vol* ~*ken* the porridge was full of lumps; *overgeschoten* ~*ken* scraps, odd bits; *hij kreeg een* ~ *in z'n keel*, (*fig*) he felt a lump in his throat; ~*ken maken* blunder, mess things up; **brokje** (little) bit; *zie* brok; **brokkelen** crumble; *hij heeft niets in de melk te* ~ his word carries no weight; *hij heeft veel in de melk te* ~ he can pull a string or two (in the press, etc); **brokkelig** crumbling, crumbly
brokkenmaker accident-prone person
broksgewijze (*stukje bij beetje*) bit by bit, piecemeal

brokstuk fragment
brom|beer grumbler; **-fiets** moped, motor-driven bicycle; **-fietser** moped rider
brommen (*van insekt*) hum, buzz; (*van persoon*) growl (*op* at), grumble, (*over* at); (*mompelen*) mutter; (*'zitten' in de gevangenis*) do time; **brommer** *zie* bromfiets; **brommerig** grumpy, cross(-tempered)
brom|pot grumbler; **-vlieg** bluebottle
bron (*in bodem*) well, spring; (*van rivier*) source; (*fig*) source, origin; (*wtsch*) authority, source; ~ *van inkomsten* source of income; *we vernemen uit goede* ~ we learn from a reliable source
brons bronze
bronst (*van mannetjesdier*) rut; (*id vrouwtjesdier*) heat; **bronstig** at rut; on heat
bronstijd bronze age, bronze period
bronsttijd rutting-season
bronwater spring- (spa-, mineral) water
bronzen *bn & ww* bronze
brood (*stofnaam*) bread; *een* ~ a loaf (of bread); *ons dagelijks* ~ our daily bread; *hij ziet er geen* ~ *in* he does not think it will pay; *zijn* ~ *hebben* make a living; *iem het* ~ *uit de mond stoten* take the bread out of a p.'s mouth; *zijn* ~ *verdienen* earn one's bread; *een eerlijk stukje* ~ *verdienen* turn an honest penny; *gesneden* ~ sliced bread
brood|bakker baker; **-bakkerij** bakery; **-dronken(heid)** wanton(ness)
broodje roll; *zoete* ~*s bakken* eat humble pie (*tegenover* to)
brood|korst bread-crust; **-kruim(els)** breadcrumbs; **-mager** (as) lean as a rake (a lath), scraggy; **-nijd** professional jealousy; **-nodig** much-needed (holiday); *ik heb het* ~ I need it badly; **-plank** bread-board; **-rooster** toaster; **-schaal** bread-plate; **-schrijver** hack (writer); **-trommel** bread-bin; **-vorm** bread-tin; **-winner** bread-winner; **-winning** livelihood
broom bromine
broos *bn* brittle; (*fig*) frail, fragile, brittle; **broosheid** (*eig*) *zie* brosheid; (*fig*) frailty, fragility, brittleness
bros crisp, brittle; **brosheid** …ness
brouwen brew (beer); (*fig*) brew (mischief, etc), hatch (a plot); **brouwer** brewer; **brouwerij** brewery; *leven in de* ~ *brengen* liven things up; *er kwam leven in de* ~ things came to life; **brouwsel** brew, concoction; (*fig*) concoction
brr! ugh!
brug bridge (*ook op schip en in tandheelkunde*); (*loopplank*) gangway; (*gymn*) (pair of) parallel bars; *over de* ~ *komen* pay up, come across; **bruggehoofd** (*mil*) bridge-head
brug|gepensioneerde (*Belg*) employee in early retirement; **-klas** first form (of secondary school); (*Am*) seventh grade (of junior high school); **-leuning** railing (of a bridge); (*van steen*) parapet; **-wachter** bridge-keeper

brui: *ik geef er de* ~ *aan* I chuck it
bruid bride; **bruidegom** bridegroom
bruids|bed bridal bed; **-dagen** bridal days; **-geschenk** wedding-present; **-japon** wedding-dress; **-koets** bridal carriage; **-meisje** bridesmaid; **-nacht** wedding-night; **-paar** bride and (bride)groom; **-schat** dowry; **-sluier** bridal veil; **-stoet** wedding-procession; **-taart** wedding-cake
bruikbaar (*nuttig*) serviceable, useful; (*te gebruiken*) usable, (*van pers*) employable; ~ *plan, ook:* workable plan; **bruikbaarheid** usefulness, utility
bruikleen (permanent) loan; *in* ~ *hebben* have the … of
bruiloft wedding(-party); *25-, 50-, 60-jarige* ~ silver, golden, diamond wedding; *een* ~ *geven* give a w-party
bruilofts|dag wedding-day; **-feest** w-party; **-gast** w-guest
bruin I *bn* brown (bear, sugar); (*rood*~, *van paard*) bay; ~*e beuk* copper beech; ~ *café* old-time café, brown café; *het nogal* ~ *bakken*, (*fam*) lay it on rather; ~ *worden* (*door de zon*) tan; **II** *zn* brown; *dat kan Bruin niet trekken* I cannot afford it; **bruinachtig** brownish; **bruinbrood** brown bread, whole-meal bread
bruinen I *tr* (make) brown, (*van zon ook*) tan, bronze; **II** *intr* (become) brown; (*van huid ook*) tan, bronze
bruinebakken browned (toast)
bruis (*fijne waterdeeltjes van fontein, enz*) spray; **bruisen** (*van gazeuze dranken, enz*) fizz, sparkle; (*van zee*) seethe, roar; (*van beek*) bubble, brawl; ~*de geestdrift* fervid enthusiasm
brullen roar (*van lachen* with laughter)
Brussel Brussels; ~*s lof* chicory; ~*e spruitjes* Brussels sprouts
brutaal I *bn* impudent, insolent, brash; daring (thief, robbery); (*minder sterk*) cheeky; *wat* ~*!* the cheek of it!; *hij was zo* ~ *om* … he had the cheek to …; ~ *zijn tegen* bully a p.; *niet* ~, *alsjeblieft* none of your cheek; **II** *bw* impudently, etc; ~ *antwoorden* talk back; ('*t*) ~ *volhouden* brazen (face) it out; **brutaaltje** saucy imp; **brutaalweg** coolly
brutaliseren: *iem* ~ sauce (cheek) a p.; bully a p.; *ik laat mij door hem niet* ~ I won't be bullied by him; **brutaliteit** impudence, insolence; *de* ~ *hebben om* … have the front to …
bruto gross (weight, profit, etc); ~ *nationaal produkt* gross national product, G.N.P
bruusk brusque, blunt; **bruuskeren** snub; **bruuskheid** brusqueness
bruut I *bn* brute, brutish; ~ *geweld* brute force; **II** *zn* brute, bully
B.T.W. V.A.T. (Value Added Tax)
budget id; *zie* begroting; **budgetteren** budget for
buffel buffalo; **buffelleder** buff
buffet (*meubel*) side-board; (*tapkast*) bar; (*in station enz*) refreshment-bar, buffet

buffet|bediende barman; **-juffrouw** barmaid
bui shower (rain, etc); (*wind- en regenvlaag*) squall; (*van hoesten, lachen*) fit; (*gril*) whim; (*droge* ~ dry spell; *voor de* ~ *binnen zijn*, (*fig*) be in before the rain; *de* ~ *zien hangen*, (*fig*) see what's coming; *in een goede* ~ *zijn* be in a good humour
buidel bag, pouch; (*van dier*) pouch; (*beurs*) purse, pouch
buidel|dier marsupial (animal); **-rat** opossum
buigbaar flexible, pliable; **buigbaarheid** flexibility, pliability
buigen I *tr* bend (the knee, head), bow (the knee, etc); *het hoofd* ~, (*fig*) give in, submit; *iems wil* ~ bend (bow) a p.'s will; ~ *en strekken* flex and extend (the limbs); *zich* ~, (*van pers, takken, enz*) bend, bow; (*bukken*) stoop; (*zich onderwerpen*) submit, yield; *zich* ~ *over* devote one's attention to; *zich* ~ *voor* bow to (public opinion, the inevitable), bow before (a p.); **II** *intr* bend, bow; (*een buiging maken*) bow (*voor* to); *zie verder* zich ~; ~ *of barsten* bend or break; **buiging** bend, curve (*zie* bocht); (*groet*) bow; (*van stem*) modulation; *een* ~ *maken* make a bow
buigtang (pair of) pliers
buigzaam flexible; (*ook fig*) supple, pliant; (*fig*) yielding; **buigzaamheid** flexibility
buiig showery, unsettled
buik belly (*ook van fles, spier, enz*); (*-holte*) abdomen; *pijn in zijn* ~ *hebben* have a pain in one's stomach; *ik heb er mijn* ~ *vol van* I am fed up with it; *op zijn* ~ *liggen* lie on one's stomach
buik|griep gastro-enteritis; **-holte** abdo-men
buikig paunchy; **buikje** (*maag*) stomach; *zijn* ~ *vol eten* eat one's fill
buik|kramp gripes; **-landing** (*luchtv*) belly landing; **-loop** diarrhoea; **-operatie** abdominal operation; **-pijn** stomach-ache; ~ *hebben* have a pain in one's inside; **-spreken** *zn* ventriloquy, -quism; **-spreker** ventriloquist; **-wand** abdominal wall
buil (*gezwel*) lump, swelling, bruise; *zich een* ~ *vallen*, (*fig*) have a bad bargain
buis (*pijp*) tube, pipe; (*TV*) tube, screen; *op de* ~ on the telly
buis|baby test-tube baby; **-verlichting** strip lighting; **-vormig** tube-shaped
buit booty, loot, spoil(s), prize; (*sl*) swag; *hele* ~, (*van jager*) bag; ~ *maken* capture, seize
buitelen tumble, roll; **buiteling** tumble; (*van fiets, paard*) spill; (*acrobatische toer*) somersault
buiten I *vz* (*zie behalve de volgende uitdrukkingen de woorden, die met* **buiten** *een bepaling vormen*) 1 outside (of) (the town), outside (my competence), out of (danger, sight, a mile … Hull), beyond (my power); *ik was* ~ *mijzelf van toorn* I was beside myself with anger; *zich er* ~ *houden* stand aside; *de Pers er* ~ *houden* keep the Press out; *laat haar er* ~ leave her out

72

of it; ~ *mij om* without my knowledge; ~ *iem om handelen* go behind a p.'s back; 2 (*behalve*) except, but, beyond; besides (*zie* behalve); 3 (*zonder*) without (doubt, etc); *ik kan niet ~ hem* I cannot do without him; II *bw* outside (come, wait, sit ...), out (sit ... in the garden), (picnic) in the open; (*niet in de stad*) in the country; *hij mag niet ~ komen* he is not allowed out (of doors); *naar ~ gaan: a*) go outside; *b*) go into the country; *c*) (*van reddingboot*) put out (to sea), put off; *naar ~ snellen* run outside; (*optreden naar ~* act in public; *alle grenzen te ~ gaan* exceed all bounds; *zich te ~ gaan aan* indulge too freely in, (*aan de drank*) drink to excess; *van ~* (black) outside, (locked) on the outside, (as seen) from the outside; *invloeden van ~* influences from without; *van ~ komen: a*) come from the outside; *b*) come from the country (the provinces); *van ~ kennen* know by heart; *ik ken Amsterdam van ~* I know A. inside out; *zie* **binnen**; III *zn* country-seat, -house

buiten|aards extraterrestrial; **-af** on (*of:* from) the outside; **-bad** outdoor swimming pool; **-band** (cycle) cover, tyre; **-beentje** side-slip; odd man out; **-bekleding** outer covering; **-bocht** outside bend; **-deur** *a*) outer door; *b*) street-, front-door; **-echtelijk** (born) out of wedlock; **-gaats** off the harbour; **-gewoon** uncommon; *bw ook* extremely; *school voor ~ onderwijs* special school; *niets ~s* nothing out of the ordinary; **-goed** country-seat; **-haven** outer harbour; **-huis** country-house, cottage

buitenissig strange, eccentric; **buitenissigheid** oddity

buiten|kansje stroke of (good) luck; *ik had een ~ I* came in for a windfall; **-kant** outside, exterior; *het zit maar aan de ~* it's only on the outside; *schoonheid zit maar aan de ~* beauty is but skin-deep; **-kerkelijk** non-church; **-kerkelijke** non-church member; **-land** foreign country (countries); *in* (*naar*) *het ~, ook:* abroad, *zie* ~slands; **-lander** foreigner; **-lands** foreign (trade, products, etc), (news) from abroad, (a trip) abroad; **-leerling** out-of-town pupil; **-leven** *a*) open-air life; *b*) country-life; **-lucht** open air; **-lui** country-people; **-model** non-standard; non-regulation (uniform); ~ *artikelen* off-sizes; **-muur** outer wall; **-om** (go) round the town, etc; **-patiënt** out-patient; **-plaats** country-seat, place

buitens|huis out of doors; ~ *eten* dine out; ~ *slapen* sleep out; **-lands** in foreign parts, abroad

buiten|sluiten lock (a p.) out, shut out (light, etc); (*fig*) exclude; **-spel** (*sp*) off side; **-speler** (*sp*) (right, left) winger

buitensporig extravagant, excessive; ~*e prijs* exorbitant price; ~ *drinken* drink to excess; **buitensporigheid** extravagance

buiten|sport outdoor (field) sport(s); **-staander** outsider

buitenste out(er)most

buiten|temperatuur outside temperature; **-verblijf** country-house; **-waarts** *bw* outward(s); **-wacht**: *ik heb het van de ~* I heard it from an outsider; **-weg** country-road; **-wereld** outer (outside) world; **-wijk** suburb; (*mv ook*) outskirts (of a town); **-zak** outside pocket; **-zijde** outside

bukken I *intr*: (*zich*) ~ stoop, bend down; (*duiken*) duck; ~ *voor* bow to (before), submit (yield) to; II *tr* bend (one's head)

bul (papal) bull; (university) diploma

bulderaar blusterer; **bulderen** (*van wind, kanon, enz*) roar; (*van kanon, zee, enz*) boom; (*van pers*) roar, boom; **bulderlach** guffaw

bulken: ~ *van het geld* roll in money

bullebak bully

bulletin bulletin

bult lump, bump; (*bochel*) hump, hunch; **bultenaar** hunchback; **bultig** bumpy (road), lumpy (bed); (*gebocheld*) hunchbacked

bundel bundle (of clothes, etc); wad (of banknotes); collection (of poems, essays); shaft, band (of light); **bundelen** (*artikelen, enz*) bring together, collect (in one volume); coordinate (research programmes, efforts); unite

bungalow id; **bungalowtent** frame tent

bungelen dangle, swing (to and fro)

bunker id; (*mil*) pill-box; block house; **bunkeren** *a*) coal, oil, bunker; *b*) gormandize; **bunkerkolen** bunker-coals

bunzing polecat

burcht castle, citadel, stronghold

bureau 1 office, bureau; (*compagnies-*) orderly-room; (*politie-*) (police-)station; 2 (*schrijf-*) writing-desk

bureaucratie bureaucracy; **bureaucratisch** bureaucratic (*bw:* -ally)

burengerucht breach of the peace

burgemeester mayor; (*Nederland, Duitsland, Vlaanderen*) burgomaster; (*City of London, en enkele grote steden*) Lord Mayor; (*Schotland*) provost (*soms:* Lord Provost); *B~ en Wethouders* Mayor and Aldermen

burger citizen; (*niet-edelman*) commoner; (*niet-mil*) civilian; (~*man*) (lower) middle-class man; **burgerbevolking** civilian population

burgerij *a*) middle classes (*de kleine ~* the lower ...); *b*) citizens

burgerkleding plain clothes; *agent in ~* plain-clothes (police)man

burgerlijk (*van de staatsburger*) civil; (*van de burgerstand*) middle-class; (*van de burgerstand*) middle-class (be hopelessly ...); (*niet-mil*) civil(ian); ~ *ambtenaar* civil servant; ~ *huwelijk* register-office wedding; ~ *leven* civil life; ~ *recht* civil law; ~*e staat* marital status; ~*e stand* registration of births, marriages and deaths; (*bureau van de burgerlijke stand*) registrar's office; ~ *wetboek* civil code

burger|luchtvaart civil aviation; **-oorlog** civil

war; -**pot** plain fare; -**recht** civil right(s), citizenship; (*van stad*) freedom (of a city); -**rechtelijk** (*Belg*) third-party liability; -**schap** citizenship; -**schapsrechten** civic rights; **burger|twist** internal discord; -**wacht** citizen guard; -**woning** middle-class house

burg|graaf viscount; -**gravin** vicountess

bus (*brieven-, peper-, enz*) box; (*koffie, thee*) canister; (*cacao, enz*) tin; (*grote, voor gedroogde vruchten, voor verf, enz*) drum; (*inmaak-*) tin, (*inz Am*) can; (*autobus*) bus; (*voor lange afstanden*) coach; *een brief op de ~ doen* post a letter; *laten we afwachten wat er uit de ~ komt* let's await the result

bus|dienst bus service; -**halte** bus stop; -**hokje** shelter; -**kruit** gunpowder; *hij heeft het ~ niet uitgevonden* he will not set the Thames on fire; -**lichting** collection; -**rit** bus ride

buste bust; **bustehouder** bra

buur neighbour; *een goede ~ is beter dan een verre vriend* a near neighbour is better than a distant cousin; *de buren, ook:* the people next-door

buur|land neighbour(ing) country; -**lieden** neighbours; -**man** neighbour; -**meisje** girl next-door

buurt neighbourhood (*ook de mensen*), vicinity; (*wijk*) quarter, district; (*gehucht*) hamlet; *hier ergens in de ~* somewhere near here; *toevallig in de ~ zijn* happen to be about; *in de ~ blijven* remain near at hand (in the neighbourhood); *blijf uit zijn ~* don't go near him; *ver uit de ~* far off; *iem uit de ~* some one of the neighbourhood; **buurten** visit one's neighbours; **buurtschap** hamlet

buurvrouw neighbour('s wife)

b.v. *bijvoorbeeld* e.g., for instance

B.Z. *Buitenlandse Zaken* the Foreign Office

Ccc

cabaret cabaret; **cabaretier** cabaret artist

cabine (bathing-)cabin; (*van vrachtauto, enz*) cab(in); (*van vliegt*) cabin

cacao cocoa; **cacaopoeder** cocoa

cactus cactus

cadans cadence, lilt; rhythm

cadeau present; *iem iets ~ geven* make a p. a present of s.t.; *wij geven één vergroting ~ indien … we give away free one enlargement if …; ~ krijgen* get as a present; *die vent geef ik je ~* I can do without that fellow; *ik zou het niet ~ willen hebben* I would not have it as a gift; **cadeaubon** gift token

café (*geen verkoop van alcoholische dranken*) café, coffee-shop; (*alcoholische dranken verkrijgbaar*) public house, (*fam*) pub

café|bezoeker café-goer; -**houder** (*ong*) publican

cafeïnevrij decaf, decaffeinated

cafetaria cafeteria

caissière (girl, woman) cashier, cash-girl

calculatie calculation; **calculator** id; costing-clerk

Californië California

calorie id, caloric unit

calvinist Calvinist; **calvinistisch** Calvinistic(al)

camee cameo

camera id; *~ obscura* id

camera|man camera-man; -**ploeg** camera crew

camouflage id; **camoufleren** camouflage

campagne campaign (*ook fig*); (*van fabriek, enz*) (working-)season; (*fig ook*) drive (… to stop smuggling); *een ~ voeren* conduct (run) a campaign (*tegen* against)

camping camp(ing-)site

canapé sofa, settee

canon id (*in alle bet*); **canoniek** canonical; *~ recht* canon law

c.a.o. collective labour agreement

capabel able (to), capable (of)

capaciteit capacity, ability; (*van motor, enz*) power, power output; (*van zaal*) seating capacity

capituleren capitulate (*voor* to)

capriool caper; *capriolen maken* cut capers

capsule id; (*van fles ook*) bottle-cap, (lead) capsule

capuchon hood

cara chronic aspecific respiratory affliction

Caraïbisch Caribbean; *~e Zee* Caribbean (Sea)

caravan (towing) id, (*Am*) house trailer; **caravanpark** caravan park, caravan site, (*Am*) trailer park

carburateur carburettor

cargadoor ship-broker

carillon carillon, chimes

carnaval carnival

carrière career; ~ *maken* make a career, make one's way in the world; *zijn* ~ *mislopen* miss (mistake) one's vocation

carrosserie coach-work, body-work

carte: *à la* ~ id

carter sump

cartograaf cartographer

cartotheek card file

casco hull (of a ship), body (of a motorboat, car); **cascoverzekering** insurance on hull and appurtenances (on bodywork (of a car))

cassatie reversal of judgment, appeal; ~ *aantekenen* give notice of appeal

cassette (*voor geld*) cash-box; (*voor juwelen, enz*) casket; (*fot, bandrecorder*) id

cassis black currant drink

castratie castration; **castreren** castrate

casu: *in* ~ in this case (instance)

catacombe catacomb

catalogus catalogue, (*Am ook*) catalog; *systematische* ~ classified catalogue; **catalogusprijs** list-price

catastrofaal catastrophic; **catastrofe** catastrophe

catechisatie confirmation class(es); *op* ~ *zijn* take confirmation classes; **catechismus** catechism; (*r-k*) *zie* -chisatie

catego|raal, -riaal categorial

categorie category

causerie id, talk (*over* on); *een* ~ *houden* give a talk

cavalerie cavalry (light, heavy ...), horse; tanks; **cavalerieregiment** tank-regiment

cavalerist tank soldier; (*hist*) cavalry-man

ceder cedar; **cederboom** cedar(-tree)

ceintuur belt, sash, scarf

cel cell (*ook fig:* communist ...s); (*telefoon*) (call) box, kiosk; (*muz*) cello; ~ *voor ter dood veroordeelde* condemned cell; *zie* celstraf

celebreren celebrate; *de mis* ~ celebrate mass

celibaat celibacy

cellist (violon)cellist; **cello** id

cellofaan cellophane

celluloid id; **cellulose** id

Celsius id; *12°* ~ 12 degrees Celsius

cel|stof cellulose; **-straf** solitary confinement; **-wand** cell-wall; **-weefsel** cellular tissue

cement id

censureren censor; **censuur** censorship

cent (Dutch, American) cent; *ik heb geen* ~ I haven't a penny; *het kan me geen* ~ *schelen* I don't care a fig

centimeter centimetre; *ook:* measuring tape, tape-measure

centraal central; *centrale verwarming* central heating; *met ... centrally* heated; **centrale** (*elektr*) power (generating, electricity) station, (*Am*) power plant; (*telefoon*) (telephone) exchange; (*verenigings*~) central council, federation; (*verkoopsorganisatie*) (potato, egg, milk) marketing board; *ook:* pig- (etc) board; **centralisatie** centralization; **centraliseren** centralize

centrifuge id; (*voor wasgoed*) spin-drier

centrum (town, city) centre

ceremonie ceremony; **ceremonieel** *bn & zn* ceremonial; **ceremoniemeester** master of (the) ceremonies (M.C.); (*om toosten aan te kondigen bij officiële maaltijd*) toast-master

cert. certificaat; **certificaat** certificate

cesuur caesura

chagrijn chagrin, vexation; **chagrijnig** chagrined, cantankerous, sullen, cross

champagne id

champignon mushroom

chantage blackmail; **chanteren** blackmail; **chanteur** blackmailer

chaos id, welter; **chaotisch** chaotic (*bw:* -ally)

chaperonneren chaperon(e)

chapiter chapter; (*fig*) subject; *dat is een ander* ~ that's another story

charitatief charitable

charlatan id, quack, mountebank

charmant charming; **charme** charm; *uiterlijke* ~, *ook:* glamour; **charmeren** charm; **charmeuse** charmer, enchantress; (*fam*) glamour girl

charter id; **charteren** charter

chassis (*van auto*) id, framework

chauffeur id, (motor-car, taxi) driver; *auto zonder* ~ self-drive car; *auto met* ~ chauffeur-driven car; **chauffeursplaats** driving-seat

chauvinisme chauvinism; *Eng* ~ jingoism

chef chief; (*patroon*) employer, principal, (*fam*) boss; (*directeur*) manager; (*1ste bediende*) chief (*of:* head) clerk; (*van afdeling*) = ~ *de bureau* office-manager, department-head; (*station*) station-master; (*kok*) chef; **cheffin** (shop-)manageress; **chef-kok** head chef

chemicaliën chemicals; **chemicus** (analytical) chemist, analyst; **chemie** chemistry; **chemisch** chemical; ~ *reinigen* dry-clean

chemotherapie chemotherapy

cheque id; **chequeboek** cheque-book

chic I *bw* smart, stylish (shoes), fashionable (quarter), swell (your ... friends), chic, (*sl*) posh (hotel), (*volkstaal*) classy; II *zn* smartness, etc, chic; *de* ~ the fashionable world, the upper ten

chimpansee chimpanzee

China id; **Chinees** *zn* Chinese, Chinaman; *de -nezen* the Chinese; *bn* Chinese; China (tea); (*in sam*) Chino-, Sino-(Japanese, etc)

chip (*electr*) id; **chips** (potato) crisps

chirurg(ijn) surgeon; **chirurgie** surgery; **chirurgisch** surgical

chloor chlorine

chloor|achtig, --houdend chlorous
chocolaatje chocolate; (*fam*) choc; **chocola-(de)** chocolate, cocoa
chocola(de)|melk (drinking) chocolate, cocoa; **-reep** bar (*of:* stick) of chocolate
cholera id
christelijk Christian; ~*e leer* Christianity; **christelijkheid** Christianity; **christen** Christian; **christendom** Christianity
christenezielen! Christ!
christenheid Christendom
christenziel: *geen* ~ not a soul
Christus Christ; *na* ~ after Christ; A.D., *vóór* ~ before Christ, B.C.; **Christusbeeld** image of Christ; (*kruisbeeld*) crucifix
chronisch chronic (*bw:* -ally)
cijfer figure, digit; (*op klok*) numeral; (*van beoordeling*) mark; *een* ~ *geven,* (*op werk*) mark (papers, pupils); *een laag* ~ *geven* mark low; *in ronde* ~*s* in round figures; **cijferlijst** mark(s) list, list of marks
cilinder cylinder; **cilindervormig, cilindrisch** cylindrical
cineast film-maker, film-producer
cipier jailer, warder, turnkey
cipres cypress
circa about, circa (500 B.C.), approximately, roughly (200 pages)
circuit id; racing-track
circulaire circular (letter); ~*s zenden aan* send circulars to; **circulatie** circulation; *in* ~ *brengen* put in(to) circulation; *aan de* ~ *onttrekken* withdraw from circulation, call in (a book), recall; **circuleren** circulate; *laten* ~ send round
circus id, ring
circus|directeur circus-master; **-nummer** circus act (turn)
cirkel circle; **cirkelboog** arc of a circle
cirkelen circle
cirkel|omtrek circumference of a circle; **-oppervlak** area of a circle; **-segment** segment of a circle
cirkeltje circlet
cirkelvorm circular shape; **cirkelvormig** circular
cirkelzaag circular saw
citaat quotation
citadel citadel
citeren cite; (*woordelijk*) quote
citroen lemon
citroen|geel lemon-yellow; **-kleur(ig)** lemon-colour(ed); **-kwast** lemon squash; **-limonade** (*als siroop*) lemon-syrup; (*als drank*) lemondrink; **-pers** lemon-squeezer; **-schil** lemonpeel
civiel civil; (*billijk*) moderate, reasonable (price); ~ *recht* civil law; ~*e zaak* civil suit; *hof voor* ~*e zaken* civil court; **civiliseren** civilize
claim id, right
clandestien clandestine, secret (newspaper), illegal (slaughtering), illicit (trading)

classicisme classicism
classificatie classification; **classificeren** classify, class; (*schepen*) scrape (ship's walls, tanks, etc)
clausule clause, proviso, stipulation
clavecimbel harpsichord
claxon klaxon, motor-horn; **claxonneren** sound the (one's) horn
clement lenient, clement, merciful; **clementie** leniency, clemency, mercy, indulgence; *met* ~ *behandelen,* (*ook*) let down lightly (gently); *ik roep uw* ~ *in voor* ... I ask your indulgence for ...
clerus clergy
cliché (stereotype) block (*of:* plate); (*fig*) id, hackneyed phrase; *als bn:* id, stereotyped (ideas)
cliënt(e) (*van advocaat*) client; (*klant*) customer, client; **cliënteel, clientèle** clientele, customers, connexion
clignoteur indicator light
climax id
closet water-closet, wc.; **closetpapier** toilet-paper
clown id; *voor* ~ *spelen* play the clown
club id
club|bestuur club committee; **-kampioen** club champion
Co. *company*
coalitie coalition (Coalition government, etc)
cocaïne cocaine, (*sl*) snow; **cocaïneverslaafde** cocaine addict
cocktail id; **cocktailprikker** cocktail stick
cocon cocoon
code id; *in* ~ *overbrengen* encode
code|bericht code (coded) message; **-nummer** (*Belg*) cash-card code number
coderen (en)code
code|telegram code telegram, cipher telegram; **-woord** code word
codicil id
coëducatie co-education, mixed education
coëxistentie co-existence
cognac brandy, cognac
coiffeur id, hairdresser; **coiffure** id, headdress, style of hair-dressing, hairdo
cokes coke
col polo-neck, (*Am*) turtle-neck
colbert jacket; **colbertkostuum** lounge-suit
collaborateur collaborator
collectant collector; **collecte** collection; (*aan uitgang*) retiring-collection; *een* ~ *houden* make a collection, (*fam*) send (pass) the hat round; **collectebus** collecting-box; (*kerk*) offertory-box
collecteren collect, make a collection
collecte|schaal collection-plate; **-zakje** offertory-bag, collecting bag
collectie collection; **collectief** *bn & zn* collective; *-ieve arbeidsovereenkomst* collective (labour) agreement
collega colleague; ~ *Pieterse* my (respected)

colleague, (Mr.) P.; **collega-schrijvers** enz fellow authors, etc

college (*lichaam*) college (of cardinals, etc), board; (*aan univ*) lecture, course (of lectures); (*bijzondere school voor voortgezet onderwijs*) denominatial secondary school; ~ *van B. & W.* Court of Mayor and Aldermen; ~ *van Bestuur*, (*univ*) Governing Body; *de ~s zijn begonnen* term has started; ~ *geven* lecture (*over* on; ... twice a week), give a lecture; *zijn ~s hervatten* resume one's lectures; ~ *lopen* attend (the) lectures (a course of lectures)

college|geld tuition (university, lecture) fee; -**zaal** lecture-room, (*amfitheater*) lecture theatre

collegiaal fraternal (greetings), amicable (relations), (act) as a good colleague; **collegialiteit** good-fellowship

collier necklace

colonne column

colportage (book-)hawking, door-to-door sales; **colporteren** hawk (about), sell in the streets; **colporteur** id, canvasser, (book-)hawker

coltrui polo-neck (pullover), (*Am*) turtle-neck (sweater)

combinatie combination; (*syndicaat*) combine, ring (coal…, etc)

combinatie|slot combination(-lock); -**vermogen** power of combination

combineren combine

comfort id; (*van hotel, enz*) conveniences; **comfortabel** comfortable, commodious (house)

comité committee; *en petit* ~ with only a few intimate friends

commandant commander; (*van vesting, enz*) commandant; (*gezagvoerder*) master, captain, commander; (*van brandweer*) superintendent, fire-master; **commanderen** command, order, be in command of; *ik laat me niet* ~ I won't take orders from anybody; ~*de officier* Commanding Officer (C.O.); **commando** (word of) command; (*troepenafdeling*) command; (*2e Wereldoorlog*) commando; *het* ~ *voeren* (*over*) be in command (of); *op* ~ (talk, etc) to order

commando|-aanval commando raid; -**brug** navigating-bridge

commentaar commentary (*op* on), comment; ~ *leveren op* comment upon; **commentariëren** comment upon; **commentator** id

commercieel commercial

commissariaat *a*) commissionership; (*van maatschappij*) directorate, directorship; *b*) police-station; **commissaris** commissioner; (*van maatschappij*) director; (*van politie*) superintendent of police, (*ongev*) Chief Constable; ~ *zijn van* be on the board of (a company); **commissie** (*personen*) committee, board; (*opdracht, enz*) commission; (*bestelling*) order; (-*loon*) commission; ~ *van advies*

advisory body (*of*: committee); ~ *van deskundigen* expert committee; ~ *van onderzoek* committee of inquiry; (*Am*) factfinding committee; ~ *van ontvangst* reception-committee; ~ *van toezicht* board of visitors (of supervisors)

commune id

communicatie communication

communicatie|media media (of communication); -**middel(en)** means of communication; -**satelliet** communication satellite; -**stoornis** failure in communication

communiceren communicate (*beide bet*)

communie (Holy) Communion; *zijn* ~ *doen* receive Holy Communion for the first time

communiqué id

communisme communism; **communist** id; **communistisch** communist(ic)

compagnie company; **compagniescommandant** company-commander

compagnon partner, business associate

compartiment compartment

compensatie compensation; **compenseren** (*opwegen tegen*) compensate, counterbalance, offset; (*vergoeden*) make good (a loss), compensate (a p.) for s.t.

competent id; *zijn* ~*e portie* his rightful share; **competentie** competency

competitie (*sp*) league

competitie|stand league table; -**wedstrijd** league-game, league-match

compilatie compilation; **compileren** compile

compleet complete, full; (*fig ook*) utter (failure); downright (scandal); regular (downpour); (I) clean (forgot it), utterly (I am ... indifferent to it)

complet (*kostuum*) ensemble

completeren complete

complex id; (*gebouwen*) block; **complicatie** complication; **compliceren** complicate

compliment id (*ook iron*: you can tell him, with my compliments, that ...); (*doe*) *mijn* ~*en aan uw broer* (give) my regards (respects) to your brother; ~*en van allemaal* they all send you their c...s (*fam*: their love); *zonder* ~*en* without ceremony, with no more ado; *een* ~ *maken* make (pay) a compliment; *veel* ~*en hebben* be hard to please; *iem zijn* ~ *maken* (*over*) pay a p. a compliment (on), compliment a p. (on); **complimenteren** compliment (a p. upon s.t.); **complimenteus** complimentary; **complimentje** compliment

component id; **componeren** compose; **componist** (musical) composer; **compositie** composition

compressie compression; **compressieverhouding** compression ratio

compressor id; **comprimeren** compress

compromis compromise; **compromitteren** compromise, commit

computer id; **computergestuurd** computer-operated

computeriseren computerize
computer|kraker hacker; **-kunde** computer science; **-taal** computer language; programming language; **-uitdraai** computer print-out; **-virus** computer virus
concentratie concentration
concentratie|kamp concentration camp; **-vermogen** powers of concentration
concentreren concentrate (troops, one's attention, etc), focus (one's thoughts, attention), fix (one's mind); *zich ~* concentrate (on a subject), put one's mind (to a project)
concept (*begrip*) id; (*ontwerp*) (rough, first) draft (*of:* copy); **conceptie** conception
concert id; (*door één persoon of van één componist*) recital; (*muziekstuk*) concerto
concert|bezoeker concert-goer; **-zaal** concert-hall; **-zanger(es)** concert-singer
concessie concession, grant, charter; (*van autobus enz*) licence, franchise; *een ~ doen* make a concession
conciërge caretaker, hall-porter, (*van school*) school-porter
concilie council
concluderen conclude, infer (*uit* from); **conclusie** conclusion, inference; finding; *een ~ trekken)* draw a conclusion (an inference) (*uit* from)
concours match, competition
concreet concrete (proposals, etc); tangible (results, etc)
concurrent competitor, rival; **concurrentie** competition, rivalry; *~ aandoen* enter into competition with; **concurreren** compete (*met* with); **concurrerend** *ook:* competitive (price), rival (firm)
condensatie condensation; **condensator** condenser, (*Am*) capacitor; **condenseren** evaporate, condense (…d milk)
conditie condition, (*mv ook*) terms, (*toestand*) condition, state; *in uitstekende ~,* (*sp*) in capital (splendid) form (condition), at the top of one's form; *om in ~ te blijven* (take long walks) in order to keep (o.s.) fit; *uit ~ raken,* (*sp*) go off form; *zie* voorwaarde
condoleantie condolence; **condoleantie-bezoek** call of condolence
condoleren condole; *iem ~* sympathize (with a p. in his loss); *hij kwam ~* … he called to sympathize on my mother's death; *ik condoleer je* accept my sympathies
condoom condom, sheath
conducteur (*van trein*) guard, (*Am*) conductor; (*van tram, bus*) conductor
confectie ready-made (ready-to-wear) clothing (clothes), (*fam*) off-the-peg (suit)
confectie|magazijn, **-zaak** ready-made (clothes) shop; **-pakje** ready-made suit, (*fam*) suit off the peg
conferencier entertainer
conferentie conference (hold a …); **confereren** consult (together), confer (together), hold a conference

confessie confession; **confessioneel** (*van school, enz*) denominational
confidentie confidence; **confidentieel** confidential
configuratie (*electr*) configuration
confisqueren confiscate, seize
conflict id; *in ~ komen met* come into conflict with
conform in accordance with, in conformity with, conformably to
confrater colleague; (*jur*) (my) learned friend
confrontatie confrontation; **confronteren** confront (*met* with)
congé id, dismissal; *zijn ~ geven* dismiss, (give the) sack, fire
congres conference, (world) congress; *het* (*Am*) *C~* Congress
Congreslid (*Am*) member of Congress, Congress(wo)man
congruent identically equal, equal and similar
conjunctuur (*handel*) tendency (condition, trend) of the market, business (trade) outlook, state of trade; *opgaande ~* upward movement, revival in trade, boom; *dalende ~* decline, slump
connectie connection, connexion; *veel ~s hebben,* (*handel*) have a large connection
corrector vice-principal, senior master
consciëntieus conscientious, scrupulous
consequent consistent; **consequentie** *a*) (*consequente geest*) consistency; *b*) (logical) conclusion, consequence
conservatie conservation, preservation; **conservatief** *bn & zn* conservative; *bn ook:* unprogressive; **conservatisme** conservatism
conservator id, keeper, custodian, curator (of a museum)
conservatorium school (college, academy) of music; (*inz Am*) conservatory
conserveermiddel preservative
conserven preserves; **conservenfabriek** preserving-, tinning-factory, (*inz Am*) canning-factory, cannery
conserveren preserve, keep; (*in blik*) tin, (*inz Am*) can; *goed geconserveerd,* (*ook van pers*) well preserved
consideratie consideration; *uit ~ voor* in deference to, out of consideration for
consigne instructions, orders; (*wachtwoord*) password; **consigneren** consign
consistorie consistory, vestry; **consistoriekamer** vestry
consolidatie consolidation; **consolideren** consolidate
constant id; (*van pers ook*) firm, staunch, loyal
constateren ascertain; establish (a truth, a p.'s guilt); put (a fact) on record; find, note (a deficit of …); (*ziekte*) diagnose, certify (heart-trouble); *de dood ~* certify death, testify to a p.'s death; *we moeten ~ dat …* we have to accept the fact that …
consternatie consternation

constipatie (*med*) constipation
constitutie constitution; (*van pers ook*) make-up (his whole ...); constitutioneel constitutional
constructeur design engineer, designer
constructie construction, structure; (*het construeren*) construction; constructietekening working drawing (*of:* plan)
construeren construct
consul id; consulaat consulate; consulair consular (invoice, etc)
consulent adviser, counsel; advisory expert, consultant
consult consultation, *in* ~ *roepen* take into consultation; consultatie consultation; consultatiebureau health centre; ~ *voor (aanstaande) moeders* maternity centre; ~ *voor zuigelingen* infant welfare centre
consulteren consult; *een dokter* ~, *ook:* take medical advice, see a doctor (about ...); consulterend advisory
consument consumer; consumentenbond consumers' association
consumeren consume; consumptie consumption; *voor* ~ *geschikt* fit for consumption, edible
consumptie|goederen consumer goods; -maatschappij consumer society
contact contact, touch; *in* ~ *komen met* contact
contact|doos (*stopcontact*) power point; -persoon contact, person to be contacted; -sleuteltje ignition key
contant cash; *à* ~ (sell) for cash (down), for ready money; *prijs à* ~ cash-price; ~ *zonder korting* net(t) cash; ~ *betalen* pay cash; ~*e waarde* market value; ~*en* (hard) cash, ready money
continent id; continentaal continental; ~ *plat* continental shelf
contingent id, quota
continueren continue (a p. in office, etc); continuïteit continuity
contraceptie contraception; contraceptief contraceptive; -*ve middelen* contraceptives
contract contract, agreement; (*leer*~) articles (of apprenticeship); *een* ~ *sluiten* enter into a contract; *op* ~ by contract; *volgens* ~ according to contract; contractant contracting party; contractbreuk breach of contract
contracteren contract; contractueel contractual; *zich* ~ *verbinden* bind o.s. by contract
contramine: *in de* ~ *zijn* be contrary, be in opposition
contraspionage counter-espionage
contrast id; *een groot* ~ *met* a great contrast to
contributie (*als lid*) subscription
controle check (*op* on), supervision; inspection (of tickets); *iem onder* ~ *houden* keep a check on a p.; *door de* ~ *gaan*, (*station*) pass through the (ticket-)barrier
controle|lamp pilot lamp; -post (*sp*) checking-point; (*mil*) checkpoint

controleren check (a p., a statement), verify (accounts, etc), (*van accountant*) audit (accounts); examine, inspect (tickets, the books); supervise; monitor (radio transmissions); controleur controller, checker; (*van kaartjes*) ticket-inspector, -collector
conveniëren suit, be convenient to
conventioneel conventional
conversatie *a*) conversation; *b*) (social) intercourse; *ze hebben veel (weinig, geen)* ~ they see much (little, no) company
conversatie|les conversation-lesson; -zaal (*hotel, enz*) lounge
converseren converse; conversie conversion
convocatie notice (convening a, the, meeting); convoceren convene
coöperatie co-operation; coöperatief co-operative (society, stores)
coördinatie co-ordination; coördinator co-ordinator; coördineren co-ordinate
corporatie corporate body, corporation
corps corps (*mv id*), body; ~ *leraren* teaching-staff
corpulent stout, corpulent, obese
correct id; ~ *handelen*, *ook:* do the correct thing; correctheid ...ness; correctie correction
correspondent(e) correspondent, correspondence clerck; correspondentie correspondence; *de* ~ *voeren* conduct the correspondence
correspondentie|adres accommodation address, mailing address; -kaart correspondence-card
corresponderen correspond (*met* with), be in correspondence
corrigeren correct (*ook: berispen, straffen*); read (proofs), proof-read; mark (papers, proofs); set (a p.) right
corrupt id; corruptie corruption
corvee fatigue(-duty); (*hele karwei*) tough job, hardship, fag
cosmetica cosmetics
coupe (*snit*) cut; (*schaal*) cup
coupé (*van trein*) compartment
couperen (*kaartspel*) cut; (*staart, enz*) dock; (*in toneelstuk*) cut, make cuts
couplet stanza; (*tweeregelig*) couplet
coupon id (*ook voor geschenk:* gift-coupon); (*van stof*) remnant, cutting
coupure cut (in film, etc)
courant I *bn* current, marketable; ~*e maten* stock sizes; *niet* ~*e maten* off-sizes; II *zn* 1 *Nederlands* ~ Dutch currency; 2 (news-) paper, journal
coureur racing motorist (cyclist)
couvert envelope; (*op tafel*) cover (a dinner of ten ...s); *onder* ~ under cover
cowboy id; cowboyfilm western (picture); (*gemaakt in Italië*) spaghetti western
creatie creation (*in alle bet*); creativiteit creativeness, creativity

crèche id, day (*of:* public) nursery
credit id; **crediteren:** ~ *voor* pass (place) to a p.'s credit (to the credit of a p.'s account); **crediteur** creditor; ~*en*, (*bkh*) accounts payable; **creditnota** credit-note
creëren create (*in alle bet*)
crematie cremation; **crematorium** id, crematory
crème cream
cremeren cremate
cricket id; **cricketen** play cricket; **cricketer** id; **cricketveld** cricket-ground
crime: *het is een* ~ it's a shame
criminaliteit criminality; **crimineel** criminal; (*fig*) horrible, outrageous
crisis id (*mv* crises), critical stage (moment, point), turning-point; *hij is de* ~ *te boven,* (*van patiënt, enz*) he has turned the corner
criticus critic
cru *bn* crude, blunt; *bw* ...ly
crucifix id
crypt id
culinair culinary
culmineren culminate (*ook fig*)
cultiveren cultivate
cultureel cultural
cultures plantations, estates
cultus cult
cultuur cultivation, culture; (*van bacteriën*) culture; *in* ~ under cultivation; *in* ~ *brengen* bring into cultivation, put under the plough
cultuur|bezit cultural heritage; **-grond(en)** cultivated land; **-volk** civilized nation
cumi ethnic minority
cum laude: ~ *slagen* pass with credit
cumulatie cumulation; **cumulatief** cumulative; **cumuleren** cumulate
curatele guardianship, custodial care; *iem onder* ~ *stellen* put a p. in ward, place a p. under guardianship; **curator** guardian; (*museum, enz*) curator, custodian; (*faillissement*) (official) receiver, trustee
curieus curious, odd, queer; (*sl*) rum; **curiositeit** curiosity, curio; *artistieke* ~*en* bric-à-brac
cursief in italics, italicized
cursist course-member
cursiveren print in italics, italicize
cursus *a*) course (of study), curriculum; *b*) school-year; *driejarige* ~ three years' course; *een* ~ *volgen* take classes (in cookery, etc), take a course (of first aid)
cycloon cyclone
cyclus cycle
cylinder enz, *zie* cilinder, enz
cynisme cynicism

D d *d*

daad action, act, deed; *de* ~ *bij het woord voegen* suit the action to the word; **daadwerkelijk** actual(ly)
daar I *bw* there; here (... they come; ...'s Bob); *kom, bèn je* ~? ah, here you are!; *ik ben* ~ *gek!* I'm not that daft!; *tot* ~ as far as that; *van* ~ from there; II *vw* as, because; ~ *hij ziek was, kon hij ..., ook:* being ill ...
daaraan: ~ *is te zien dat hij arm is* which shows that he is poor; *je moet hem* ~ *herinneren* you must remind him (of it)
daaraantoe: *dat is tot* ~ let that pass
daarachter behind it (that); **daarbij** near it; ~ *komt nog* besides; **daarbinnen** within; **daarboven** *a*) over (*of:* above) it; *b*) up there; **daarbuiten** outside (it); **daardoor** *a*) through that; *b*) by that; *zonder te beseffen dat hij* ~ ... that by doing so ...; *zie* ~om
daarentegen on the contrary
daarginds over there; **daarheen** there; **daarin** in it (there)
daarmee with that (he left us); **daarna** after that, next; *de zondag* ~ the Sunday after; *kort* ~ shortly after; **daarnaast** beside; **daarom** therefore, that's why (I can't come); **daaronder** *a*) under it (that), underneath; *b*) among them; **daarop** *a*) (up)on it (that); *b*) (up)on (after) that; *zie* ~na; **daarover** *a*) over (across) that (it); *b*) about (concerning) that, on that point; **daartegen** against that; **daartegenover** opposite; **daartoe** for that (it), to that end; **daartussen** between (them); **daaruit** out (of that), from that; **daarvoor** 1 for that (purpose); 2 (he was punished) for it; 3 (*tijd*) before that; 4 (*plaats*) in front of it (that, them)
dadel date; **dadelboom** date-tree
dadelijk I *bn* immediate; II *bw* immediately, at once, right (straight) away
dader(es) perpetrator; (*van misdaad*) offender
dag day; ~*!: a*) hello!, hullo!, hi!; *b*) good bye, bye-bye!; *wat voor* ~ *is het?* what day of the week is it?; *het is kort* ~ there is little time left; *de gehele* ~ all day (long); (*één*) *dezer* ~*en,* (*toekomst*) one of these days; *de* ~ *te voren* the day before; *goeden* ~ *zeggen* say good day to (a p.); *de oude* ~ old age; *prijs de* ~ *niet voor de avond* don't praise the day before it is over; ~ *aan* ~ day by day; *aan de* ~ *brengen* bring to light; *aan de* ~ *leggen* display; ~ *in* ~ *uit* day in day out; *in de laatste* ~*en* during the last few days; *met de* ~ *erger worden* get worse day by day; *la-*

ter op de ~ later in the day; *op de* ~ *af* to the day; *op klaarlichte* ~ in broad day-light; *op een goeie (mooie)* ~ one fine day; *van* ~ *tot* ~ from day to day; *voor* ~ *en dauw* before daybreak; *voor de* ~ *brengen* bring out; *voor de* ~ *halen* take out, produce; *voor de* ~ *komen* appear; *(van gebreken, enz)* become apparent; *(met cadeau, enz)* produce; *(met denkbeeld, enz)* come out (with an idea), put forward (a proposal); *voor de* ~ *ermee!, (zeg op)* out with it!

dagblad daily (paper)

dagblad|artikel newspaper-article; **-pers** daily press

dagboek diary

dagelijks *bw* every day, daily; *zo iets komt* ~ *voor, ook:* these are everyday happenings; *bn* daily, everyday (occurrences); ~ *bestuur* executive (committee), *(van gemeente)* mayor and aldermen

dagen *het daagt* day is breaking (dawning)

dageraad dawn *(ook fig:* ... of life), daybreak

dagje *uit (naar buiten)* a day out (in the country); *hij wordt een* ~*je ouder* he is getting on; **dagjesmensen** day trippers

dag|kaart day-ticket; **-koers** day's quotation; **-licht** daylight; *bij* ~ by (in) daylight; *in het volle* ~ in broad daylight; *dat kan het* ~ *niet verdragen (zien, velen)* it will not bear the light of day; *in een verkeerd* ~ *stellen* misrepresent; **-loner** day-labourer; **-ploeg** day shift; **-retour** day-return; **-schotel** plat du jour, *(fam)* to-day's special; **-taak** day's work; full-time job; *halve (onvolledige)* ~ half-time (part-time) job; **-tocht** day('s) excursion; **-vaarden** summon, subpoena; **-vaarding** summons, subpoena; **-verblijf** *(ziekenhuis enz)* day-room; **-werk** day-work, daily work; *als je dat allemaal wou doen, had je wel* ~ you'd have your work cut out for you

dak roof; *een* ~ *boven zijn hoofd hebben* have a roof over one's head; *onder* ~ *brengen* put up (a friend); *op zijn* ~ *krijgen* get what for; *dat krijg ik op mijn* ~ they'll lay it at my door

dak|bedekking roofing; **-goot** gutter; **-kamertje** attic, garret; **-kapel** dormer; **-licht** sky-light; **-loos** homeless; **-pan** roof(ing)-tile; **-raam** attic window, sky-light; **-tuin** roof-garden

dal valley; *(klein houtrijk ketel-)* dell; *(nauw)* glen

dalen *(vliegtuig, avond, enz)* descend; *(zon)* sink, go down; *(stem)* drop; *(barometer, water, temperatuur)* fall, drop; *(prijs)* fall

daling descent, fall, drop, decline

dam dam, dike, embankment; *(met weg of pad)* causeway

dambord draught-board, *(Am)* checkerboard

dame lady; *(bij dans, aan tafel, enz)* partner; *(spel)* Queen; *een* ~ *(niet) passend* (un)lady-like; ~*s, (opschrift)* ladies (only)

dames|blad women's magazine; **-fiets** lady's (bi)cycle; **-kapper** ladies' hairdresser; **-kou-**

-sen women's stockings; **-tasje** lady's bag, hand-bag; **-verband** sanitary towel, *(Am)* sanitary napkin; **-vest** cardigan

dammen play at draughts, *(Am)* at checkers

damp vapour, steam; **dampig** vaporous, vapoury, hazy

damp|kring atmosphere; **-vormig** vaporous

dam|schijf draughtsman; *(Am)* checker; **-spel** *a)* (game of, at) draughts, *(Am)* checkers; *b)* draughts(men) and board; **-wand** sheet pile wall

dan I *bw* then; *onvertaald: verlies ik,* ~ *verlies ik* if I lose, I lose; *als hij het zegt,* ~ *is het waar* it is true; *en jij* ~*?* what about you?; ~ *ook* consequently; *kom* ~ *toch* do come; II *vw (na vergrotende trap)* than; *hij is rijker* ~ *jij* he is richer than you are

dancing: *een* ~ a dance-hall

danig *bn* thorough; *zich* ~ *vergissen* be sorely mistaken

dank thanks, acknowledgement; *mijn* ~*!* (my best) thanks!; *veel* ~*!* many thanks!; *geen* ~ you're welcome!; *zijn* ~ *betuigen* express one's thanks; ~ *zeggen* return thanks; ~ *zij uw steun* thanks to your support; **dankbaar** grateful, thankful; **dankbaarheid** gratitude, thankfulness; *uit* ~ in gratitude *(jegens* to)

dank|betuiging acknowledgement; *onder* ~ with thanks; **-dienst** thanksgiving service

danken thank, give thanks; *(aan tafel)* say grace; *(te danken hebben)* owe (s.t. to a p.); be indebted to (a p. for s.t.); *dank u, (bij aanneming)* thank you, *(bij weigering)* no, thank you; *dank u zeer* thank you (thanks) very much; *je hebt het aan jezelf te* ~ you have yourself to thank for it

dank|gebed prayer of thanks; **-woord** word (speech) of thanks

dans dance (may I have the pleasure of this ...?); *de* ~ *ontspringen* get off scot-free; *(op het nippertje)* escape by the skin of one's teeth; **dansen** dance *(ook van bootje, enz)*; **danser(es)** dancer; **dansinstituut** school of dancing

dansje dance; *een* ~ *maken* have a dance

dans|kunst art of dancing; **-les** dancing-lesson; **-muziek** dance-music; **-paar** dancing couple; **-pas** dance-step; **-school** dancing-school; **-vloer** dancing-floor; **-zaal** ball-room

dapper brave, valiant; *zich* ~ *houden* behave bravely; **dapperheid** bravery, valour

darm intestine; gut (blind ...); ~*en, ook:* bowels

darm|kanaal intestinal canal; **-ontsteking** enteritis; **-vernauwing** intestinal obstruction

dartel playful, frisky; **dartelen** frolic, gambol; **dartelheid** playfulness, etc

das I *(strop~)* tie; *(sjaal)* scarf; *(dier)* badger

dat I *aanw vnw* that; *wat zijn* ~*?* what are they (those)?; ~ *zijn de vleugels* those are ...; *ben jij* ~*?* is that you?; ~ *is* ~ so much for that; ~ *is het 'm juist* that's just it; ~ *doe je niet!* you'll do nothing of the sort; that's me; *hoe weet je* ~? how do you know?; **II** *betr vnw* that, which; *vgl die*; **III** *vw* that (*dikwijls onvertaald:* I know he was there; how old do you think he is?); *op de dag*, ~ ... on the day that (*of:* when) ...

data id; **databank** id

dateren date; *gedateerd 9 mei* dated May 9(th); *dat dateert van eeuwen her* that dates back for many centuries

datgene that; ~ *wat* that which

datum date; *welke* ~ *hebben we vandaag?* what's the date to-day?; ~ *postmerk* date as postmark; **datumstempel** date-stamp

dauw dew

daveren boom, thunder; *doen* ~ shake (cheers shook the building); *een ~d succes* a roaring success

de the; *hij is dè man* he is the (ði:) man

debarkeren disembark

debat debate, discussion; *in* ~ *treden met* enter into argument with; **debating-club** debating-society; **debatteren** debate, discuss

debet debit; **debetsaldo** balance due

debiel backward, retarded

debiteren: *we hebben u voor het bedrag gedebiteerd* we have passed it to the debit of your account; *aardigheden* ~ crack jokes (*over* on)

debiteur debtor; **debiteurlanden** debtor countries

debutant(e) débutant(e); **debuteren** make one's début; (*van jong meisje*) come out; **debuut** début, first appearance

decaan dean; *school*~ careers counsellor

decadent id; **decadentie** decadence

december December

decennium id (*mv* -ia), decade

decent id

decentralisatie decentralization; **decentraliseren** decentralize

decharge discharge; **dechargeren** discharge

decimaal I *bn* decimal; *decimale breuk* decimal (fraction); ~ *stelsel* decimal system; **II** *zn* decimal place; **decimaalteken** decimal point

decimeren decimate

declameren recite, declaim

declaratie declaration; **declareren** declare; *iets te* ~? anything to declare?

decor: ~*(s)* scenery, décor

decoratie decoration; **decoratief** decorative; **decoreren** decorate; (*met ridderorde ook*) confer an order of knighthood upon

decreet decree, enactment; **decreetgevend** (*Belg*) entitled to issue by laws or decrees

deduceren deduce, infer; **deductie** deduction

deeg dough; (*van gebak*) paste; **deegroller** rolling-pin

deel I board, plank; (*dorsvloer*) threshing floor; **II** part, portion; (*aandeel*) share; (*afdeling*) section; (*boek-*) volume; *neem 3 delen suiker,* ... take 3 parts of sugar; ~ *uitmaken van* form part of; *in genen dele* not at all; *voor een* ~ partly; *voor een groot* ~ to a great ex-

tent; **deelachtig**: ~ *zijn* (*worden*) participate in, share

deelbaar divisible (*door* by); **deelbaarheid** divisibility

deelgenoot partner; ~ *maken van een geheim* confide a secret to; **deelgenootschap** partnership

deelnemen: ~ *aan* take part in, join in (a game), enter (a competition)

deelnemend sympathetic, sympathizing

deelnemer participant; (*vgl wedstrijd*) competitor, contestant; **deelneming** participation (*aan* in); (*medegevoel*) sympathy; *zijn* ~ *betuigen* offer one's condolences

deelregering (*Belg*) regional government

deels partly (pay ... in money, ... in goods), part (it's ... cause and ... effect of the catastrophe)

deeltje 1 small part; **2** (*natuurk*) particle

deerlijk sad, pitiful; *zich* ~ *vergissen* be greatly mistaken

deernis pity, compassion; ~ *hebben met* have (take) pity on

defect I *zn* id, deficiency; (*in constructie*) fault; ~ *aan de machine* breakdown of the engine; **II** *bn* faulty (tire, engine); ~ *raken* get out of order

defensie defence; **defensief** defensive

defilé (*mil*) march-past, parade; (*luchtv*) fly-past

definiëren define; *niet te* ~ indefinable; **definitie** definition; *per* ~ by definition

definitief definitive, definite (result, answer), final (settlement), permanent (appointment)

deftig stately (building, bearing), grave (as ... as a judge), solemn (style, language); fashionable (dress, people, school); ~ *gezin* dignified family; ~ *doen* give o.s. airs; **deftigheid** stateliness, smartness

degelijk I *bn* sound (reasoning, judge), thorough (knowledge), steady (character); **II** *bw* soundly, etc; *wel* ~ (he did it) right enough; **degelijkheid** soundness, thoroughness, solidity

degen sword; (*scherm-*) foil

degene he, she (who ...); ~*n* those (who ...)

degradatie degradation; **degraderen** degrade

deinen heave, roll, sway; **deining** swell; (*fig*) stir, excitement

dek 1 cover; **2** (*scheepv*) deck

dekbed quilt; *donzen* ~ duvet, eiderdown

deken 1 blanket; **2** (*persoon*) dean

dekken I *tr* cover; (*met riet*) thatch; (*merrie*) cover; shield (a p.); *de tafel* ~ lay (*of:* set) the table; *gedekt zijn tegen verlies* be secured against loss(es); **II** *intr:* er *werd* (*was*) *gedekt voor 5 pers* the table was laid for five; **dekking** cover; ~ *zoeken* seek (take) cover

dek|laag upper layer; **-lading** deck-cargo; **-mantel** cloak; (*fig ook*) mask, disguise

deksel cover, lid

dek|stoel deck-chair; **-zeil** tarpaulin

del

delegatie delegation; **delegeren** delegate
delen divide; (*opinie, enz*) share (a p.'s views); *het verschil* ~ split the difference; *een gedeelde derde plaats bezetten* tie in third place; *20* ~ *door 5* divide 20 by 5; ~ *in* share (in) (a triumph)
delfstof mineral
delicatesse delicacy
deling division; (*verdeling*) partition (of Germany); (*biol*) fission (reproduction by ...)
delta id; **deltaplan** Delta scheme
delven dig (a grave), mine (coal)
demi-finale semifinal(s)
demilitariseren demilitarize
demissionair: *het kabinet is* ~ is under resignation
demobiliseren demobilize, (*fam*) demob
democraat democrat; **democratie** democracy; **democratisch** democratic (*bw*: -ally); **democratiseren** democratize; **democratisering** democratization
demonstrant demonstrator; **demonstratie** demonstration; *een* ~ *houden* make a demonstration; **demonstratief** demonstrative; **demonstreren** demonstrate, display
demontage ...ing, *zie*; **demonteren** take apart (machinery), dismantle (machinery, an aeroplane), remove (a machine part)
demoraliseren demoralize
dempen (*sloot, enz*) fill in (up); (*oproer*) quell; (*licht*) dim; (*geluid*) deaden; *met gedempte stem* in a subdued voice
den fir(-tree); *grove* ~ pine(-tree)
denderen rumble, shake, dither
Denemarken Denmark
denkbaar imaginable, conceivable
denkbeeld idea, notion; (*mening*) *ook*: view (on art, etc); **denkbeeldig** imaginary, fictitious
denken think; (*van plan zijn*) intend (to go), think of (going); (*verwachten*) expect; *dat dacht ik al* I thought as much; *ik zou* ~*, dat* ... I am inclined to think that ...; *dàcht ik het niet!* just as I feared!; *dat feit geeft te* ~ that fact sets one thinking; *zich* ~, imagine; *ik moet er niet aan* ~ I cannot bear to think of it; *laten we er niet meer aan* ~ let's forget about it; *nu ik eraan denk* now I come to think of it; *ik dacht er niet aan dat het zondag was* I did not realize it was Sunday; *het is out of the question; *doen* ~ *aan* (*herinneren aan*) remind (a p.) of; ~ *over* think about; *er anders over* ~ think otherwise; **denker** thinker
denk|sport (art of) puzzle-, problem-solving; (*rubriek*) brain-teasers; **-vermogen** thinking-faculty; **-wijze** way of thinking; **-wolk(je)** (*fam*) balloon (in a strip cartoon)
denne|appel fir-cone, pine-cone; **-boom** fir-tree; **-naald** fir-, pine-needle
departement department; (*regerings- ook:*) Office; *zie* ministerie
dependance annex(e)

deponeren put down, place; (*geld, enz*) deposit (with, at a bank); (*documenten*) file, lodge
deportatie deportation
deposito deposit; **depositorente** deposit-rate
depot id (*ook mil*), dump; (*filiaal*) branch(-establishment)
deppen dab
depressie depression (*ook fig*); trough (area) of low pressure; **depressief** depressive
derde third; *een* ~*: a*) a third (part); *b*) a third person (party)
deren hurt, harm, injure; *wat niet weet, wat niet deert* what the eye doesn't see the heart doesn't grieve about
dergelijk such(-like), similar, like; *en* ~*e* and such-like; *iets* ~*s* something like it
dermate to such a degree
dertien thirteen; **dertiende** *bn & zn* thirteenth
dertig thirty; *in de* ~*er jaren* (*de jaren* ~) in the thirties; **dertigste** *bn & zn* thirtieth
des: ~ *te beter* (*erger, meer*) so much the (all the) better (worse, more); ~ *te meer, omdat* ... the more so as ...
desalniettemin nevertheless
deserteren desert; **deserteur** deserter
desgevraagd if necessary; **desgewenst** if required; *u kunt* ~ ... if you like
desinfectie disinfection; **desinfectiemiddel** disinfectant
deskundig expert (on *op het gebied van*); **deskundige** expert; **deskundigheid** expertness, expertise
desnoods if necessary, if need be
desperaat desperate, despairing
despoot despot
dessert id; *aan het* ~ at dessert
dessin design, pattern
destijds at the (that) time, in those days
detachement detachment; **detacheren** detach, detail
detail detail; (*handel*) retail; *en* ~*: a*) = *in* ~*s* in detail; *b*) by retail; **detailleren** detail, specify; **detaillist** retailer
detail|prijs retail price; **-verkoop** retail sale
detective id
detective|roman detective novel; **-verhaal** detective (crime) story
detentie detention
determineren determine; (*plantk*) identify
deugd virtue; *lieve* ~! good heavens!
deugdelijk sound (advice), reliable (article); valid (argument); (*duurzaam*) durable; **deugdelijkheid** reliability, durability
deugdzaam virtuous; ~ *blijven* keep straight
deugen 1 *niet* (*willen*) ~, *nergens voor* ~ be good for nothing; (*fam*) be a bad lot; 2 *niet* ~, (*van dingen*) be no good; 3 ~ *voor* be good (fit) for
deugniet good-for-nothing
deuk dent; (*fig*) blow (to one's prestige)
deun(tje) air, tune; (*eentonig*) sing-song
deur door; *dat doet de* ~ *dicht* (*toe*) that

clinches (settles) it; *de ~ uitgaan* leave the house; *aan de ~* (knock) at the door; *aan de ~ wordt niet gekocht* no hawkers; *met gesloten ~en* behind closed doors; *met de ~ in huis vallen* get down to business at once

deur|bel door-bell; **-knop** door-handle; **-opening** doorway

deurwaarder sheriff's officer, bailiff; **deurwaardersexploot** summons; *(dagvaarding)* subpoena

deux-pièces two-piece (suit, costume)

devaluatie devaluation, depreciation

devies motto, device; *(her)* device, charge

deviezen *a)* foreign bills; *b)* foreign currency

devoot devout, pious

deze this, *(mv)* these; *(de laatstgenoemde)* the latter; *~ en gene* (I heard it from) various people; *~ of gene* one or other

dezelfde the same; *dit is ~* this is the same (one)

dezerzijds on this side

dia (colour) transparency, (colour) slide

diafragma diaphragm, *(fot ook)* stop

diagnose diagnosis; *de ~ opmaken van;* diagnose (a disease)

diagonaal *bn & zn* diagonal

diagram diagram

dialect dialect; **dialectiek** dialectics, dialectic

dialoog dialogue

diamant diamond

diamant|naald diamond stylus; **-slijper** diamond-cutter; **-slijperij** diamond-cutting establishment

diameter id; *in ~* (ten feet) across

dia|projector slide projector; **dia|raampje** slide frame (mount)

diarree diarrhoea; *(bij vee)* scour

dicht I *bn (deur, enz)* closed, shut; *(gordijnen, ook)* drawn; *(niet lek)* tight; *(~ opeen)* dense (population), thick (wood, fog *(zeer ~* dense fog), hair); *(van kraan)* off; II *bw* densely (populated), thickly (planted), closely (written); *~ bij* near (home), close to (the church), close upon (twenty); *~ op* close upon; **dichtbevolkt** densely populated

dichtbij close by, near (at hand); *van ~* at close quarters

dicht|binden tie up; **-doen** close, shut, draw (the curtains); **-draaien** turn off (a tap)

dichten 1 write poetry (verses); 2 *(gat, enz)* stop (up), close; **dichter** poet; **dichteres** poetess; **dichterlijk** poetic(al)

dicht|gaan shut, close; *(van wond)* close, heal up; **-gooien** slam (a door, book), bang (a door), fill in (a grave)

dichtheid density

dicht|houden keep (one's mouth) shut; **-klappen** slam (door); **-knijpen** squeeze; **-knopen** button up; **-maken** close, stop (a hole); *zie* sluiten; **-schroeien** sear (meat); **-spijkeren** nail up; **-trekken** pull (the door) to

dictaat dictation

dictator id; **dictatuur** dictatorship

dictee dictation; **dicteren** dictate

dictionaire dictionary

die I *aanw vnw* that, *(mv)* those; *~ met de zwarte jas aan* the one in the black coat; *Mijnheer, enz ~ en ~* Mr. So and So; II *betr vnw* who, which, that; *hij was altijd de eerste (laatste) ~ naar huis ging* he was always the first (last) to go home

dieet diet, regimen; *~ houden* live (be) on a diet

dief thief; *houdt de ~!* stop thief!; **diefstal** theft, robbery

diegene he, she; *~n* those

dienaar servant; **dienares(se)** servant

dienblad (dinner-)tray, *(kleiner)* salver

diender policeman; *dooie ~* dull fellow

dienen I *tr* serve (God, a master, one's country); *om u te ~* at your service!; *waarmee kan ik u ~?* what can I do for you?; *daarmee ben ik niet gediend* that is (of) no use to me; *daarvan ben ik niet gediend* none of that for me!; II *intr* 1 *a)* serve (as a servant, etc), be in (domestic) service *(bij* with); *b)* serve *(bij de ...* in the artillery); *gaan ~ bij, (van dienstbode)* take service with; 2 *~ als (tot, voor)* serve as (for); *nergens toe (tot niets) ~* be of no use; 3 *(behoren): je dient te gaan* you should (ought to) go; 4 *(van rechtszaak)* come up; 5 *ijs (wind) en weder ~de* weather permitting

dienst service; *(het ~ hebben)* duty; *zie ~* hebben, enz; *de ene ~ is de andere waard* one good turn deserves another; *iem een ~ bewijzen* do a p. a good turn; *~ doen* function; (this railway ...s no longer), do duty, serve (this one might ... as well); *~ hebben*, be on duty; *~ nemen* enlist, join the army, etc; *de ~ verlaten* retire; leave the army; *de ~ weigeren (van pers)* refuse orders; *(van motor)* cease working; *buiten ~, (van pers): a)* off duty; *b)* retired (major, etc); *(van lift)* out of use; *in ~ nemen* engage (a p.); *in ~ stellen* put into service; *bij mij in ~* in my service; *tot uw ~!* don't mention it, (you are) welcome; *van ~ zijn* be of use

dienst|auto official car; **-baarheid** servitude; **-betoon** service(s) (rendered); **-betrekking** employment, service; **-bode** (maid-)servant; **-doend** *(van wacht, beambte, enz)* on duty

dienster waitress

dienst|geheim official secret, *(op mil publicaties)* restricted; **-ijver** professional zeal; **-jaar** year of service; **-knecht** (man-)servant; **-meid** (maid-)servant; **-meisje** servant-girl; **-order** order; **-personeel** domestic staff, servants; *(Belg) (school)* cleaning and maintenance staff; **-plicht** National Service, conscription; **-regeling** time- table, schedule; **-rooster** duty-roster; **-tijd** time of service; *(loopbaan)* term of office; **-verband** tenure (his ... expires in May), engagement; **-verlenende** *bedrijven* service industries; **-verlening** service; **-vervulling** discharge of one's duties; **-weigeraar** *(mil, uit principe)* conscientious objector;

(*Am*) draft dodger; -**weigering** wilful disobedience; (*mil*) refusal of military service; (*uit principe*) conscientious objection; -**woning** official residence; -**zaken** official business

dientafeltje dumb-waiter

dientengevolge therefore, consequently, as a result

dienwagentje serving-trolley

diep I *bn* deep (water, cupboard, insight, voice, sorrow, indignation, silence), profound (*meest fig:* darkness, interest); ~*er maken* (*worden*) deepen; ~*e buiging* low bow; *uit het* ~*st van mijn hart* (thank you) from the bottom of my heart; **II** *bw* deeply (deeply moved, breathe deeply), profoundly (unhappy, etc), far (penetrate far into the wood)

diep|bedroefd profoundly distressed; -**gaand** searching (questions), thorough (investigation), penetrating (study); -**gang** draught; *20 voet* ~ *hebben* draw twenty feet (of water); -**gevoeld** heartfelt (thanks); -**gravend** in-depth; *een onderwerp* ~ *behandelen* make an in-depth study of the matter; -**liggend** deep-set (eyes)

diepte depth (*ook fig*); (*zee, enz*) deep (the creatures of the ...); *op grote* ~ at great depth

diepte|bom depth-charge; -**punt** lowest point, low

diepvries|groente deep-freeze vegetables; -**kast** (deep) freezer

diepzinnig deep, profound

dier animal, beast

dierbaar dear, beloved; cherished (memories)

dieren|arts veterinary surgeon, (*fam*) vet; -**bescherming**: *vereniging voor* ~ (Royal) Society for the Prevention of Cruelty to A...s, (R.)S.P.C.A.; -**rijk** animal kingdom; -**tuin** zoo; -**winkel** pet-shop

dier|geneeskunde veterinary science; -**kunde** zoology

dierlijk animal (food, fear, instinct); bestial

dier|proef animal experiment; -**soort(en)** species of animals

dies therefore; *en wat* ~ *meer zij* and so on

diesel id

diesel|motor diesel engine; -**olie** derv, diesel oil

dieven|bende gang of thieves; -**pad** *op het* ~ out stealing

differentieel differential

diggel: *aan* ~*en slaan* smash to bits (to smithereens); *aan* ~*en vallen* fall to pieces

dij thigh; **dijbeen** thigh-bone

dijk dike, dyke; *aan de* ~ *zetten* (give the) sack

dijk|doorbraak dike-burst; -**schouw** inspection of dikes

dik I *bn* thick (book, coat, soup); (*groot*) big (boy, tears); (*log, moeilijk te hanteren*) bulky (fellow); (*dicht*) thick (hair), dense (fog); (*van pers*) fat (woman); (*mollig*) plump (girl, cheeks), chubby (child); (*kort en* ~) podgy; (*opgezet*) swollen (eyes); (*geklonterd*) curdled

(milk), clotted (cream); ~*ke vrienden* great friends; ~ *doen* show off; *zich* ~ *maken* get excited (about); ~ *worden* grow fat; **II** *bw* thickly, densely; *het ligt er* ~ *op* it's quite obvious;

dikachtig thickish

dikdoener swanker; **dikdoenerig** swanky

dikhuidig (*ook fig*) thick-skinned

dikkerd fat person

dikte thickness, etc; (*van plaatijzer, glas, enz*) gauge

dikwijls often, frequently

dikzak fatty (*ong, vooral als aanspreekvorm*); podgy fellow

dilemma id (be in an awkward dilemma)

dimlicht dipped headlights

dimmen dim, dip (the headlights)

diner dinner, dinner party; *iem een* ~ *aanbieden* entertain a p. at dinner, dine a p.; **dineren** dine; *gaan* ~ dine out

ding thing, (*fam*) affair (her handbag was an expensive ...); (*dingsigheidje*) gadget; (*meisje*) thing (young ...); *ik zou een mooi* (*lief*) ~ *geven om* ... I would give my ears to ...

dingen haggle, bargain; ~ *naar* compete for (a post, prize, etc), sue for (the hand of ...)

dingsigheidje gadget, trifle

dinsdag Tuesday; **dinsdags** *bw* on T...s; *bn* Tuesday

diploma certificate (of qualification); (*getuigschrift*) diploma; *zonder* ~('*s*) unqualified, uncertified

diplomaat diplomat(ist); **diplomatenkoffertje** attaché case

diplomatie diplomacy; **diplomatiek, -tisch** diplomatic (*bw:* -ally); *langs* ~*e weg* by diplomatic procedure, through diplomatic channels

direct *bn* direct; ~*e uitzending* live broadcast; *bw* directly, at once, right away; (*rechtstreeks*) direct (from the manufacturer); *niet* ~ ... not exactly (tactful); *zie dadelijk*

directeur (*van fabriek, bank, enz*) manager; (*toneel-, opera-, enz*) director; (*maatschappij*) managing director; (*postkantoor*) postmaster; (*gevangenis*) governor; (*school*) headmaster, principal; (*ziekenhuis, dierentuin, begraafplaats*) superintendent; **directie** management (*abstr & concr*); **directiekeet** site office

directoraat directorate

directrice (*van zaak*) manageress; (*school*) headmistress, principal; (*ziekenhuis*) matron(-in-chief), superintendent

dirigent (*orkest*) conductor, (*koor*) choirmaster; **dirigeren** direct; (*orkest*) conduct

discipline id

discobar discotheque

discotheek (*verzameling grammofoonplaten en CD's*) record library; (*dansgelegenheid*) discoteque

discreet (*bescheiden*) modest; (*kies*) considerate; (*geheimhoudend*) discreet

discussie discussion, debate (*over* on), argument; **discussiëren** discuss

diskrediet discredit; *in ~ brengen* discredit (*bij* with), bring into discredit; *in ~* discredited
diskwalificeren disqualify
dispensatie dispensation
dissertatie thesis
dissident id
distantiëren: *zich ~ van* dis(as)sociate o.s. (distance o.s.) from (an action, an opinion)
distilleerderij distillery
distilleerketel still
distilleren distil
distribueren distribute; ration (food); **distributie** distribution; (food) rationing; **distributiekaart** ration-card
district id; *zie ook* kiesdistrict; **districtenstelsel** constituency voting system
dit this; *~ zijn mijn boeken* these are …; *over ~jes en datjes praten* talk about one thing and another
divisie division
d.m.v. *door middel van* by means of
dobbelaar dicer, gambler; **dobbelen** (play) dice, gamble; **dobbelsteen** dice (*mv:* dice)
dobber (*van hengel*) float; **dobberen** bob (up and down); *op zee ~* toss on the seas
docent teacher, master; **docentenkamer** masters' common room; **doceren** teach
doch but, yet, still
dochter daughter
doctor doctor; **doctoraal** *bn* doctoral; *zn* (preliminary) examination for the doctor's degree; **doctoraat** doctor's degree; **doctorandus** candidate for a doctor's degree (*ongev*) M.A. *enz*
document id; *officiële ~en, (ook)* official records; **documentaire:** *~ film* documentary film; **documenteren** document
dode dead man (woman); *de ~, ook:* (the) deceased; *de ~n* the dead; **dodelijk I** *bn* mortal (fear), deadly (blow, poison), fatal (accident, injury), killing (disease); **II** *bw* mortally, fatally (wounded); **doden** kill (*ook fig*)
doden|herdenking commemoration of the dead; **-lijst** death-roll; **-masker** death-mask
doedelzak bagpipe
doe-het-zelf winkel do-it-yourself shop, DIY-shop
doek 1 (*het ~*) cloth, linen; (*schilders-, schilderij*) canvas; (*theat*) curtain (*zie* gordijn); (*film*) screen (*het witte ~*); 2 (*keuken-, enz*) cloth; *hij had zijn arm in een ~* he wore his arm in a sling; **doekje** (piece of) cloth; *er geen ~s om winden* not mince matters
doel (*mikpunt, ook fig*) target, butt; (*eindpunt, sp*) goal; (*oogmerk*) aim, object, goal, target; objective; *een ~ beogen* have an object in view; *zijn ~ bereiken* attain one's end; *het (tot) dat ~* to that end; *met het ~ om* … with a view to …ing; *zich ten ~ stellen te* … make it one's objects to …; **doelbewust** purposeful
doeleinde end
doelen: *~ op* aim at; (*fig ook*) allude to; *waar ik op doel, is* … what I am driving at is …

doel|lat cross-bar; **-lijn** goal-line; **-loos** aimless; (*nutteloos*) useless; **-man** (*sp*) goalkeeper, (*fam*) goalie
doelmatig efficient, appropriate, suitable; **doelmatigheid** efficiency, suitability
doel|paal goal-post; **-punt** goal; **-punten** make (*of:* score) a goal; **-stelling** objective; **-treffend** effective (help), efficient; **-wit** aim, target
doemen doom (…ed to failure, etc); *ten ondergang gedoemd* (our civilization is) doomed
doen **I** *ww* 1 do (a p. a service, one's hair, etc), make (a discovery), take (a step, walk), put (it in your pocket), ask (a question); *ik heb niets gedaan* I have done nothing; *wat zullen we ~ (uitvoeren)?* what shall we do with ourselves? *wat ~ we nu? (zullen, moeten we ~)* what do we do now?; *doe maar wat je niet laten kunt* suit yourself; 2 (*met het:*) *ik kan het er niet zonder ~* I cannot do without (it); *daar kan ik het mee ~* that will do; 3 (*bergen, steken, enz:*) put (it in your pocket); stick (a stamp on the envelope); 4 (*met te:*) *het is niet te ~* it's an impossible job; *wat is daar te ~?* what is up there?; *niets te ~ hebben* be at a loose end; *ik heb met je te ~* I am sorry for you; *anders krijg je met mij te ~* or you'll have to deal with me; *het is hem om mijn geld te ~* it's my money he's after; *is het je daarom te ~?* is that your little game?; 5 (ter vervanging van een ww:) *hij werkt korter, dan jij ooit gedaan hebt* than you have ever done; *zal ik het hem zeggen, of wil jij het ~?* or will you?; 6 (*met onbep wijs:*) make (a p. laugh), set (a p. thinking), lead (a p. to believe); 7 (*met er:*) *dat doet er niet toe* that does not matter; 8 (kosten:) *wat doet dit huis?* what is the rent of this house?; 9 (*met voorzetsels, enz:*) *~ aan* go in for (sport, etc); *er meer aan ~* give more time to it; *aan Engels gaan ~* take up English; *je (men) moet er iets aan ~* you must do s.t. about it; *wat kan ik eraan ~?* what can I do?; *er is niets aan te ~* it can't be helped; *~ alsof* make as if, pretend to (cry), make believe (to read); *erbij ~* add; *~ in* deal in (coffee, etc); *je doet maar* please yourself; *hij doet maar zo* it is only make-believe on his part; *met een gulden kan men niet veel ~* a guilder does not go far; *een jongen op school ~* put a boy to school; *hoe lang heb je er over gedaan?* how long did it take you?; **II** *zn* doing(s); *ons ~ en laten* (all) our doings; *hij is niet in zijn gewone ~* he is not himself; *in goeden ~* well-to-do; **doende** doing; *al ~ leert men* practice makes perfect; *zie bezig*
doezelen doze, drowse
dof dull (colour); lack-lustre, dim (eye); dead (surface, gold); (*lusteloos*) dull; dumb (misery, despair); *~fe slag* dull thud; *~ worden* (*maken*) tarnish
dok dock; *drijvend ~* floating dock
dokter doctor, physician; *zie* huisarts; **dokteren:** *~ aan,* (*fig*) doctor, tinker at

dokters|attest doctor's (*of:* medical) certificate; **-rekening** doctor's bill

dol (*gek*) mad; (*woedend*) frantic, wild, mad; ~*le drift* frenzy; ~*le hond* mad dog; ~*le streek* mad trick; ~ *op iem zijn* be crazy about a p.; ~ *op iets zijn* be very fond of s.t.; *wat zijn ze er* ~ *op!* how they love it!; *door het* ~*le heen zijn* be delirious (wild) (with joy, etc); ~ *maken* drive mad; **dolblij** overjoyed, as pleased as Punch

dolen wander (about), roam, rove

dolgraag: *het* ~ *willen* (*lusten*) be very keen on it; *ik zou* ~ *willen* (will you come too?) I'd love to, I'll be delighted

dolk dagger

dollar id; *papieren* ~ dollar bill; *1/4* ~ quarter; *1/10* ~ dime

dolleman madman, madcap

1 dom cathedral (church)

2 dom stupid (*in* at), dull; (*onnozel*) simple; *je hebt* ~ *gedaan* you've been stupid; *zich van de* ~*me houden* play ignorance

domheid stupidity, dullness

dominee clergyman, rector, vicar; (*niet-anglicaans*) minister; (*als aanspreekvorm*) rector, vicar; ~ (*J.*)*S.* (the) Rev J(ohn) Smith; **domineesvrouw** clergyman's (etc) wife

domkerk cathedral (church)

domkop blockhead, fat-head

dommelen doze, drowse; **dommelig** dozy, drowsy

dompelen plunge (*ook fig:* in (*of:* into) darkness, sorrow); **dompeling** immersion

domper: *de* ~ *zetten op* damp down, dampen (their joy)

domweg thoughtlessly; *er was* ~ *geen plaats,* (*fam*) there simply was no room

donateur, donatrice (*schenker, -ster*) donor; (*van vereniging*) supporter; **donatie** donation

donder thunder; (*van geschut*) daar kun je ~ *op zeggen* you bet!, and no mistake!; *naar de* ~ *gaan* go bust, run to waste; *iem op zijn* ~ *geven* give a p. a good hiding; *door de* ~ *getroffen* thunder-struck; *geen* ~ (I do) not (know) a damn thing (about it); **donderbui** thunder shower, -storm

donderdag Thursday; **donderdags** *bw* on Thursdays; *bn* Thursday

donderen I *intr* thunder (*tegen* against); (*vallen*) tumble (down the stairs), drop; *het dondert* it thunders; *hij keek of hij het in Keulen hoorde* ~ he looked stunned (flabbergasted); **II** *tr* (*gooien*) fling; **donderend** ...ing, thunderous (applause)

donders I *tw* the devil, dash it (all)!; **II** *bw* confoundedly (difficult), (you know it) darn(ed) (well); **III** *bn* devilish, thundering (liar), darned (fool)

donder|slag thunderclap; **-speech** *een* ~ *houden,* (*ongev*) lay down the law; **-straal** blighter; **-wolk** thunder-cloud

donker I *bn* dark, obscure; (*somber*) gloomy (weather); strong (beer); ~*e kamer,* (*fot*) dark room; *het wordt* ~ it's getting dark; **II** *bw* darkly; ~ *kijken,* (*boos*) look black, (*somber*) look gloomy; **III** *zn* dark, darkness; *bij* ~ at dark; *in het* ~ in the dark; *tegen* ~ towards dark

dons down, fluff; **donsdeken** eiderdown, duvet

donzen down; ~ *deken* eiderdown, duvet

1 dood *bn* dead (*ook van vingers, enz*); *zo* ~ *als een pier* as dead as a doornail (as mutton); ~ *of levend* dead or alive; *een dooie boel* a slow affair; *op het dode punt zijn,* (*fig*) be at a dead lock; *op* ~ *spoor raken,* (*fig*) come to (reach) a dead end; *zich* ~ *ergeren* be mortally vexed; *zich* ~ *lachen* die with (*of*) laughing; *zich* ~ *schrikken* be frightened to death; *zich* ~ *werken* work o.s. to death; ~ *verklaren* boycott; ~ *tij* slack water

2 dood *zn* death; *als de* ~ *zijn voor* be mortally afraid of; *een natuurlijke* ~ *sterven* die a natural death; *een zachte* ~ *sterven* die without a struggle; *de* ~ *vinden* meet (come by) one's death; *bij de* ~ *van* at the death of; *om de* (*dooie*) ~ *niet* not on your life; *ten dode opgeschreven zijn* be doomed (to death); *ter* ~ *brengen* put to death; *uit de* ~ *verrijzen* rise from the dead

dood|bloeden bleed to death; (*fig*) blow over; **-doener** knockdown argument; **-drukken** squeeze to death; **-eenvoudig** perfectly simple; **-eerlijk** dead honest; **-gaan** die; **-geboren** still-born (*ook fig*); **-gemakkelijk** dead easy; **-gewoon** quite common; **-goed** *hij is* ~ he wouldn't hurt a fly; **-jammer** (it is) a great pity; **-kalm** as cool as a cucumber; **-kist** coffin; **-leuk** coolly; **-lopen** (*van straat, enz*) come to a dead end; (*van onderneming, enz*) peter out; ~*de weg* dead-end road; (*als waarschuwing*) no through road; **-maken** kill; **-op** dead-beat

doods deathly, dead (silence)

doods|advertentie death notice; **-akte** death certificate; **-angst** pangs of death; (*fig*) mortal fear, agony (of terror); **-bang** terrified (*voor* of); **-bed** death-bed; **-benauwd** terrified; **-bericht** death notice; **-bleek** deathly pale

dood|schieten shoot (to death); **-schoppen** kick to death

doods|gevaar mortal danger; **-hoofd** death's-head, skull; **-kleed** shroud; **-kleur** deadly pallor; **-klok** funeral-bell

doodslaan kill, beat to death; **doodslag** manslaughter

doods|nood agony; **-oorzaak** cause of death; **-schrik** mortal fright; **-strijd** death-struggle

dood|steek (*ook fig*) death-blow (*voor* to); **-steken** stab to death; **-stil** stock-still; **-straf** death-penalty

doods|verachting contempt of death; **-vijand(in)** mortal enemy

dood|vallen fall (drop) dead; *val dood!* drop

dead!; **-verklaring** boycott; **-verven**: *iem als de dader van iets ~* attribute s.t. to a p.; **-vonnis** death-sentence; **-vriezen** be frozen (freeze) to death; **-wond** mortal (fatal) wound; **-ziek** (*eig*) dangerously ill; (*fig*) sick to death; **-zonde** mortal (deadly) sin; *het is ~* it is a downright shame; **-zwijgen** ignore

doof deaf; *~* aan *het ene oor* deaf of (in) one (an) ear; *~ zijn voor* be deaf to (advice, etc); *zich ~ houden* sham deaf(ness); **doofheid** deafness

doof|pot extinguisher; *in de ~ stoppen* hush up; **-stom** deaf and dumb; **-stomme** deaf-mute (two ...s)

dooi thaw; dooien thaw

dooier yolk

doop (*ook van schip, klok, enz*) baptism, christening

doop|plechtigheid christening (*van schip*: naming) ceremony; **-vont** font

door I *vz* 1 (*plaats*) through (look ... the window) (*ook fig*: pass ... many hands); *~ geheel Engeland* throughout England; 2 (*tijd*): *~ alle eeuwen heen* through all ages; *~ de week* on week-days; 3 (*oorzaak, middel*) by (be killed ... one's enemy, send ... post), through (make mistakes ... ignorance), (*wegens*) on account of, for (I can't see ... the fog); **II** *bw* through; *de hele nacht ~* all through the night; *de hele wereld ~* all over the world; *hij is er ~* he has got through; *~ en ~* thoroughly

doorberekenen pass on (along) (the purchase tax to the customers)

doorbetalen continue (a p.'s salary)

doorbladeren turn over the leaves of, leaf through (a book)

'**doorboren** bore through, pierce

door'boren run through (with a bayonet, etc), stab (with a dagger)

doorbraak (*van dijk*) burst; (*van water*) breaking through; (*mil & pol*) break-through

doorbranden I *intr* burn on; **II** *intr & tr* burn through; (*van elektr lamp*) blow

doorbreken *tr* break (a stick), break through (the enemy); *intr*: (*dijk, zweer*) burst; (*zon*) break through

doorbrengen spend (one's holidays, the night), pass (the time)

doordacht well-considered

doordat because (he did not have enough time), through (not having had enough sleep), owing to (their being sold in sealed tins)

'**doordenken** think (well)

door'denken consider, think out; *zie* doordacht

doordraven trot on; (*fig*) talk at random; run on (how you ...!)

doordrijven drive (a proposal) through, (*met geweld*) force (a bill) through; *zijn zin ~* have (it all) one's own way;

'**doordringen** penetrate; (*doorsijpelen*) ooze through, filter through; *het drong tot hem ~, dat* it dawned on him that

door'dringen penetrate, pierce; *iem van iets ~* impress on a p.; **door'dringend** piercing (cold, eyes, look, cry), penetrating (smell); **doordrongen**: *~ zijn van* be deeply convinced of

doordrukken push through; *een maatregel* (*er*) *~* steam-roller a measure through

doorduwen push through

dooreen together, pell-mell, in confusion

dooreen|gooien throw (bundle) together, jumble together (*of*: up); **-halen** mix up; **-schudden** shake up; *~ geschud w*, (*in rijtuig*) be jolted (to pieces)

doorgaan 1 go (*of*: walk) on; *ga door!* go on! (*fam*) carry on! *~ met* continue with (the medicine), carry on with (one's work); *~ met* (*te*) ... keep (on), continue ...ing; *op* (*over*) *de zaak ~* pursue the subject; 2 (*gaan door*) go (pass) through (the garden); 3 *er van ~* go off, make off; *ik ga er vandoor,* (*ga heen*) I am off; 4 (*plaatshebben*) come off, take place (the strike will not ...); *niet ~* (*van wedstrijd*) be cancelled (abandoned) (owing to bad weather etc); 5 *~ voor* pass for (a rich man); *zich laten ~ voor* pass o.s. off as (for)

doorgaand: *~e passagier* through passenger, transit traveller; *~e trein* through (non-stop) train; *~ verkeer* through traffic

doorgaans generally, usually

doorgang (*tussen banken*) aisle, gangway; **doorgangkamp** transit camp

doorgeven pass (the salt), pass (a message, etc) on (*aan* to), hand (the letter) on (*aan* to); **doorgifte** transmission (by cable)

doorgroefd (*gelaat*) lined, furrowed

doorgronden fathom (a p.'s character)

doorhakken cut (through)

doorhalen 1 (*ergens ~*) pull through; 2 (*woord, enz*) strike out, delete; *door te halen wat niet verlangd wordt* please cross out what does not apply; **doorhaling** deletion, erasure

doorhebben see through; *hij heeft je door,* (*fam*) he has got your number

doorheen through; *ik ben er juist ~,* (*door correspondentie, enz*) I am just through; *zich er ~ slaan* break through; (*fig*) win through

doorhelpen help (see) trough

doorhollen *intr* hurry on; *tr* hurry through (the street)

doorjagen: *er ~* run through (money)

doorkijken look through (*of*: over) (accounts), run (one's eye) over

doorkneed *in* well-versed in

doorkomen get through (the crowd), live through (the winter), tide over (a difficult period); (*van zon*) breakthrough, come out; *er is geen ~ aan* it is impossible to get through

doorkrijgen (*fam*) (*doorzien*) see through (a person, his motives)

doorlaatpost (*mil*) checkpoint; **doorlaten** let through, transmit (light); *geen geluid ~* be sound-proof

doorleven live (pass) through
doorlezen *tr* read through, peruse; *intr* go on reading
doorliggen: *zich* ~ become bedsore
doorloop passage
'**doorlopen** 1 go (walk, run) on (*tot* as far as); ~*!* move on, please!; 2 *wat* ~ mend one's pace; *flink* ~ step out well; 3 (*van kleuren*) run; 4 (*lopen door*) go (walk, run) through
door'lopen 1 *zie* 'doorlopen 4; 2 pass through (a school), complete (the full course); **doorlopend** continuous, non-stop (programme, etc), running (commentary)
doormaken go (pass) through (a crisis, etc)
doormidden in two
doorn thorn; *dat is me een* ~ *in het oog* it is a thorn in my side, (*van lelijk gebouw, enz*) eyesore
doornat wet through, soaking (wet), soaked
doornemen go through, over (a lesson)
doorpraten *intr* talk on; *tr* discuss
doorprikken prick
doorreis passage through; *op* ~ in transit; **doorreizen** pass (travel) through
doorrijden 1 ride (drive) on; (*na wachten bij verkeersstein*) go; 2 *wat* ~ ride (drive) faster; 3 ride (drive) through (the village); 4 *zich* ~ get saddlesore; **doorrijder** hit-and-run driver; **doorrijhoogte** headroom
doorrollen roll through; *er* ~ get through by the skin of one's teeth
doorschemeren filter through; *hij liet* ~ *dat …* he hinted that …
doorslaan I *tr* drive (a nail) through; punch (metal, leather); (*op schrijfmachine*) x out (a line); (*in tweeën slaan*) knock in two; II *intr* 1 (*doordraven*) run on; 2 *de balans doen* ~ tip the scales; 3 (*van muur*) sweat; 4 (*van schroef, motor*) race; (*van wielen*) skid, race; 5 (*van zekering*) blow (out); (*bij verhoor*) blab; ~*geslagen zekering* blown fuse
doorslag (*van brief*) carbon copy; *de* ~ *geven* turn the scale; **doorslaggevend** decisive
doorslikken swallow (down)
doorsmeren lubricate
doorsnee(prijs) average (price)
'**doorsnijden** cut (through)
door'snijden intersect, cross, traverse
doorspelen *a*) play on; *b*) pass on (information, a request)
doorspreken *a*) go on speaking; *b*) discuss
door'staan stand (a shock, the test (*proef*), cold, criticism), pass (a test), bear (criticism), endure (pain), survive (all perils), pull through (an illness); *wat hij* ~ *heeft* what he has gone through
'**doorsteken** pierce (ice, etc); *doorgestoken kaart* put-up job
door'steken stab, run through, pierce
doorstoten push (thrust) through
door'tastend I *bn* drastic (measures), energetic; II *bw* energetically, etc; **doortastendheid** energy, thoroughness

doortocht passage; *zich een* ~ *banen* force one's way through
doortrapt unmitigated; **doortraptheid** cunning; '**doortrekken** 1 (*door opening tr*) pull through; 2 go through (the streets), traverse (the desert); 3 (*van WC*.) flush
doortrokken soaked (with alcohol, etc), steeped (in romance)
doorvaart passage; **doorvaren** pass through (a canal); pass (under a bridge); (*verder* ~) sail on
doorvechten fight on
doorverbinden (*telec*) connect (with)
doorvoed well-fed
doorvoer transit; **doorvoeren** convey (goods) in transit; carry (a principle) through
doorvoer|handel transit trade; **-haven** transit port
doorwaadbaar fordable; ~*waadbare plaats* ford
doorweekt soaked
'**doorwerken** I *intr* work on; II *tr* work through (a book) finish
doorwrocht elaborate
doorzagen *tr* saw through; *intr* saw on; *iem* ~ question a p. closely
doorzakken (*van muur, telegraafdraad, enz*) sag; (*te veel drinken*) booze
doorzenden send on, forward (on)
doorzetten: *iets* ~ carry a thing through, press (an attack); (*volharden*) persevere; **doorzetter** go-getter, hustler; **doorzettingsvermogen** perseverance
doorzichtig transparent (*ook fig:* pretext, etc), thin (excuse); *het is nogal* ~, (*fig*) it's a bit obvious; **doorzichtigheid** transparency (*ook fig*)
door'zien see through (a p., his tricks), read (a p.) aright, size up (a p.)
doorzoeken search (a house, pocket), ransack (a room), go through (a p.'s pockets)
doos box, case; **doosje** (little) box; packet (of cigarettes)
dop (*van ei, noot*) shell; (*van zaden*) husk; (*van erwt, boon*) pod; (*deksel*) lid, cover; (*van vulpen, flacon, enz*) cap, top
dopen baptize; (*schip, klok, enz; ook: een bijnaam geven*) christen; name (a ship); (*in-*) dip
dop|erwt green pea (*mv* peas); **-hoed** bowler (hat); **-moer** cap nut
doppen shell (peas, nuts)
dopsleutel (*techn*) socket spanner
dor dry (wood), barren (land), arid (desert); (*fig*) dry, arid, barren (subject); (*verdord*) withered (*ook van lichaamsdeel*); **dorheid** dryness, barrenness, aridity; *zie* dor
dorp village; **dorpeling** villager
dorps|bewoner villager; **-gemeenschap** village-community; **-herberg** village-inn; **-huis** village social centre; **-plein** *ongev:* village-green
dorsen thresh; **dorsmachine** threshing-machine

dorst thirst (*ook fig*); ~ *hebben* (*krijgen*) be (get) thirsty; ~ *naar* thirst for (glory, etc); **dorsten:** ~ *naar* thirst for (after) (... for peace); **dorstig** thirsty; ~ *werk* thirsty work; **dorstlessend** thirst-quenching

doseren dose; **dosering** dosage

dosis dose (*ook fig*), quantity; *te grote* ~ overdose

dossier id, file; *een* ~ *aanleggen* file, place on file

dot 1 knot (of hair, etc), tuft (of grass, hair), (*slagroom*) dollop; 2 *een* ~ *van een hoed* a dream of a hat

douane custom-house

douane|beambte custom-house (customs-)officer; **-formaliteiten** customs formalities; **-kantoor** custom-house; **-onderzoek** customs examination; **-rechten** customs duties; **-verklaring** customs declaration; **-voorschriften** customs regulations

douanier customs-officer

doublé gold-plated work

doubleren double; (*klas*) repeat a class

douche shower; **douchecel** shower (cubicle)

dove deaf person; **dovemans** *hij klopte aan* ~ *deur* his words fell on deaf ears

doven extinguish, put out

dozijn dozen; *een, twee, verscheiden, enz* ~ (*boeken*) one, two, several, etc dozen (books); ~*en boeken* dozens of books

Dr. id

draad thread (*ook in glas, enz, van schroef en fig:* ~ of life, etc); (*metaal-*) wire; (*vezel*) fibre; (*in elektr lamp*) filament; *een* ~, *ook:* a length of thread; *hij heeft geen droge* ~ *aan het lijf* he has not a dry thread on him; *de* ~ *kwijt raken* lose the thread (of the story, etc); *de* ~ *van ... weer opvatten* take up the thread of the conversation; *tot op de* ~ *versleten* threadbare; *met iets voor de* ~ *komen* come out with s.t.; **draadje** thread

draad|loos wireless; **-nagel** wire-nail; **-schaar** wire-cutter

draagbaar I *zn* (*brancard*) stretcher; II *bn* portable (goods, etc); bearable; (*kleren*) wearable; **draagbaarheid** ...ness, portability

draag|golf (*telec*) carrier wave; **-kracht** bearing-power; (*van schip, brug, enz*) carrying-capacity; *financiële* ~ financial strength

draaglijk *bn* tolerable, endurable; (*tamelijk*) *ook:* passable; *bw* tolerably, passably

draag|riem (carrying-)strap; **-vermogen** carrying capacity; **-wijdte** range (of a gun); import (of a p.'s words); scope (of a decision)

draai turn; (*van weg, enz*) bend (dangerous ...), curve; **draaibaar** revolving

draai|bank lathe; **-boek** (*van film*) scenario (*ook fig: uitgewerkt plan*) (shooting) script

draaien I *intr* turn; (*om as of middelpunt ook*) revolve; (*snel*) spin (round); (*van stoel, enz*) swivel; (*van motor*) run; (*van wind*) shift; (*fig*) prevaricate; (*van bedrijf, fabriek, enz*) run;

(*van film*) show; (*van grammofoonplaat*) play, turn; *er omheen* ~ beat about the bush; II *tr* turn (a wheel, wood, ivory, etc); wind (a piece of string round s.t.); (*telefoon*) dial (a number); show (a film); play (a record); *zich* ~ turn (to the right, etc); *zich eruit* ~ wriggle out; **draaier** turner (in steel, etc); (*fig*) twister, prevaricator; **draaierig(heid)** dizzy, giddy (-iness)

draaihek swing-gate

draaiing rotation (on an axis)

draai|kolk whirlpool (*ook fig*), eddy; **-krukje** revolving stool; **-molen** merry-go-round; **-orgel** barrel (street-)organ; **-raam** casement; **-schijf** (potter's) wheel; **-spil** capstan; **-spit** roasting-spit; **-stoel** swivel-chair; **-stroom** (*elektr*) three-phase current; **-tafel** (*van grammofoon*) turntable

draak dragon; *een* ~ *van een kind* an odious child; *de* ~ *steken met* poke fun at

drab dregs, lees

drabbig turbid; **drabbigheid** turbidity

dracht (*kleder-*) dress, costume, wear (summer ...); (*zwangerschap*) gestation; **drachtig** with young; **drachtigheid** gestation

draf trot; *op een* ~ at a trot; *het op een* ~ *zetten* break into a trot

dragen bear (a weight, fruit, sorrow, inscription, loss; the ice ...s); (*schragen*) support; *wapens* ~ (*soldaat zijn*), bear arms; (*aan het lichaam*) wear (clothes, beard, the crown); carry (s.t. from one place to another, one's arm in a sling), (*bij zich hebben*) carry (a stick, a parcel; I never ... a watch); (*van wapen, stem*) carry (the rifle, his voice, does not ... far); (*van wond*) fester, discharge (matter), run; *niets om hier bij te* ~ nothing to wear with it; *ik kan het niet langer* ~, (*uithouden*) I cannot bear it any longer; *de gevolgen* ~ take the consequences; **drager** bearer (*ook van brancard*), carrier

dralen tarry, delay; (*treuzelen*) dawdle, dally; **draler** lingerer, slow-coach

drama id; (*treurspel*) tragedy; **dramatisch** dramatic (*bw:* -ally); **dramatiseren** dramatize; **dramatisering** dramatization

drang pressure (of public opinion), impulse, craving (*naar liefde* for love); **dranghek** crush-barrier

drank drink, beverage; (*van dokter*) medicine, mixture; (*voor dier*) drench; *sterke* ~ strong drink, spirits; *aan de* ~ *zijn* be given to drink; *aan de* ~ *raken* take to drink(ing)

drank|accijns drink-duty; **-bestrijding** temperance movement

drankje mixture, draught

drank|misbruik excessive drinking; **-smokkelaar**, **-arij** liquor-smuggler, **-ing**; **-verbod** prohibition; **-verkoop** sale of liquor

draperen drape; **draperie** hangings

drassig marshy, swampy; **drassigheid** marshiness

drastisch drastic (*bw:* -ally), radical (measure)

draven trot (*ook van pers*)

dreef alley, lane; *hij was goed op* ~ he was in top form; *niet goed op* ~ out of form; *iem op* ~ *helpen* give a p. a start

dreg drag; **dreganker** grapnel; **dreggen** drag

dreigbrief threatening letter

dreigement threat, menace; **dreigen** threaten (*ook fig*); *iem* ~ *met* threat a p. with (death, etc); **dreigend** threatening (clouds, circumstances); lowering (sky), imminent (danger), impending (misfortune); **dreiging** threat, menace

dreinen whine (*om* for)

drek muck

drempel threshold (*ook fig*), doorstep; ~*vrees* thresholdfear

drenkeling *a*) drowning person; *b*) drowned person

drenken water (cattle, etc); (*in iets*) steep, soak

drentelen saunter

dresseren train (animals); break (in) (horses); **gedresseerd** trained, performing (dogs, etc); **dresseur** trainer, horse-breaker

dressoir sideboard, (kitchen) dresser

dressuur training, etc

dreumes toddler, (little) mite, nipper

dreun roar(ing), boom; (*bij lezen, enz*) drone; *op dezelfde* ~ in the same monotone; *geef hem een* ~! (*fam*) sock him one!; **dreunen** (*van donder*) rumble, roar; (*bij lezen, enz*) drone; *doen* ~ shake

dribbelen toddle, trip; (*voetbal*) dribble

drie three; *twee* ~*ën* two threes; **driedelig** tripartite

drie|dubbel treble (dose), triple (line of soldiers), threefold; -**eenheid**: *de* (*Heilige*) ~ the (Holy) Trinity; -**hoek** triangle; -**hoekig** triangular; -**koningen(feest)** Epiphany, Twelfth-night; -**kwart** three fourths; three quarters of (a mile); -**kwartsmaat** three-four (time)

drieledig threefold

drieletterwoord four-letter word

drieling (set of) triplets; (*een der drie*) triplet; -**luik** triptych

drie|maal three times; -**maandelijks** *bw* quarterly; *bn* quarterly; -**manschap** triumvirate; -**sprong** three-forked road

driestheid audacity, impudence

drie|stuiversroman shilling story; -**tal** (number of) three, trio; *een* ~ *dagen* three days; -**tand** trident; -**voud** *a*) multiple of three; *b*) treble; -**voudig** threefold; -**wieler** tricycle

drift passion; (*drang*) impulse; (*haast*) haste; (*in zee*) drift-(current); (*van wolken*) scud, drift; *in* ~ in a fit of passion

driftbui fit of temper

driftig (*van aard*) quick-tempered, passionate; (*boos*) in a passion, angry; (*haastig*) hasty, hurried; ~ *worden* fly into a passion; **driftigheid** passionateness

drijf|anker sea-anchor; -**as** driving-shaft; -**gas** propellant; -**hout** drift-wood; -**ijs** drift-ice; -**kracht** motive power; (*fig ook*) driving-force; -**nat** soaking wet; -**stang** connecting-rod; -**veer** moving-spring; (*fig ook*) spring (the ...s of his actions); -**vermogen** buoyancy; -**zand** quicksand(s)

drijven I *intr* 1 float (in grease, in the air), swim (in butter), drift (with the current); 2 (*nat zijn*) be soaking wet; II *tr* 1 drive (a p. to despair); drive (a machine); *iem* ~ drive a p. on; (*jachten*) hurry a p.; *een zaak* ~ carry on a business; 2 emboss (metals); (*sp*) dribble (the ball); **drijvend** floating (crane); adrift (on the ocean); afloat (remain ...); **drijver** (*van vee*) driver; (*jacht*) beater; (*van metalen*) embosser; (*van vliegboot, enz*) float

dril 1 (*stof*) drill; 2 (*boor*) drill; 3 (*gelei*) (meat-)jelly; **drilboor** drill; **drillen** 1 (*boren*) drill; 2 drill (recruits, pupils, etc)

dringen I *intr* push, (*van menigte ook*) crowd; *niet* ~! don't push! no pushing, please!; *de tijd dringt* time presses; ~ *door* penetrate (through); (*door menigte, enz*) force one's way through; II *tr* push (a p. aside); (*fig*) urge (a p. to action); *zich* ~ *in* insinuate o.s. into (a p.'s favour); **dringend** urgent (telegram), pressing (need); ~ *nodig hebben* be in urgent need of

drinkbaar drinkable, potable; **drinkbaarheid** ...ness

drink|bak (*van hond, enz*) water-bowl; -**bakje** (*van vogel*) (drinking-)fountain, -**beker** cup, goblet

drinken I *ww* drink; (*met kleine teugjes*) sip; *wat* ~ have a drink; *stevig* ~ drink hard (heavily); (*fam*) booze; II *zn* drinking; (*concr*) drink(s), beverage

drinker drinker

drink|glas drinking-glass; -**plaats** watering-place; -**water** drinking-water

droef sad; **droefenis** sorrow; **droefgeestig** melancholy; **droefheid** sadness; **droevig** sad

droge: *op het* ~ on dry land

drogen I *tr* dry (one's hands upon a towel); (*kunstmatig*) dehydrate, desiccate; II *intr* dry

drogist chemist; **drogisterij** chemist's (shop)

drol (*plat*) turd

drom crowd; *in* ~*men* in droves

dromen dream; *droom prettig!* pleasant dreams!

dromer dreamer; **dromerig** dreamy; far-away

drommel deuce; *arme* ~ poor devil; *om de* ~ *niet slecht* by no means bad; *om de* ~ *niet!* bless me no!; **drommels** I *tw:* ~! by Jove! by gum!; II *bw:* ~ *heet* darned hot; III *bn* deuced

dronk drink (a ... of water)

dronkaard drunkard; **dronken** drunken (*alleen attr*), drunk (*alleen pred*) intoxicated, inebriated, tipsy, (*fam*) tight; ~ *van vreugde* drunk with joy; **dronkenschap** drunkenness; *in z'n* ~ in his drunken fit

droog dry (climate, humour, sherry, etc); (*dor*)

arid (*ook fig*); (*van weer*) *ook:* fine; *het zal wel* ~ *blijven* the weather will hold; ~ *worden* go dry; *zo* ~ *als kurk* as dry as dust

droog|automaat tumble dryer; **-doek** tea-towel; **-dok** dry-dock

droogheid dryness

drooghouden keep dry

droogje *op een* ~ without anything to drink; **droogjes** drily

droog|koken boil dry; **-leggen** drain (land, bogs), reclaim (the Zuider Zee); **-legging** drainage; reclamation; (*verbod alcoholverkoop*) prohibition; **-lijn** clothes-line; **-maken** dry; **-rek** drying-frame

droogte dryness, drought

droom dream; *in dromen verzonken zijn* be lost in dreams; **droombeeld** phantasm

drop 1 liquorice; 2 (*druppel*) drop, drip

drossen run away, dash off, desert

drs. *zie* doctorandus; *Drs. X, ongev* Mr. X, M.A. (M. Sc, etc)

drug id

drug|gebruiker drug user; **-verslaafde** drug addict

druif grape; *rare* ~ queer cuss

druilen mope; (*van weer*) drizzle; **druilerig** moping, mopish; (*van weer*) sullen; **druiloor** mope

druipen drip (*van* ... with blood); (*van kaars*) run; *mijn kleren* ~ are dripping; **druiper** (*plat*) clap

druip|nat dripping (wet); **-neus** running nose

druisen roar, swish

druiven|oogst grape-harvest; **-pers** wine-press; **-pluk(ker)** vintager; **-tros** bunch of grapes

druive|pit grape-stone; **-sap** grape-juice; **-suiker** grape-sugar

1 druk I *bn* (*vol beweging*) busy (scene, street, traffic, day, lively; heavy (traffic); (~ *bezocht*) much frequented (café, shop); (*levendig*) brisk (trade); (*zenuwachtig* ~) fussy; (*van versiering, kleuren, enz*) loud; *~ke uren* busy (peak) hours; *het* ~ *hebben* be busy; *zich* ~ *maken* get excited (*over* about); *maak je niet* ~ don't bother; II *bw* (talk) busily, animatedly, etc; ~ *bezig* very busy; ~ *bezochte vergadering* well-attended meeting; III *zn* pressure (high, low ..., a ... of three atmospheres; *ook fig:* mental ...); (*psych*) stress; burden (of taxation), strain (on the nerves), squeeze (of the hand); (*onderdrukking*) oppression; (*van boek*) print-(ing), (*uitgave*) edition; ~ *uitoefenen op* bring pressure to bear upon; *in* ~ in print; *onder* ~ *zetten* put pressure on a p.; **drukfout** misprint

drukken I *tr* press, squeeze; (*fig*) oppress (this thought ...ed him); (*van belasting, zorgen, enz*) weigh (heavy) upon; (*boek, katoen*) print; *het boek wordt gedrukt* is being printed; *iem de hand* ~ shake hands with a p.; *iem iets op het hart* ~ impress s.t. (up)on a p.; II *intr* press;

zich ~ shirk; ~ *op* press (a button); *zie verder* tr; **drukkend** heavy, burdensome (taxes); oppressive (feeling, heat), (*zwoel ook*) close; **drukker** (*boek-, katoen-*) printer; **drukkerij** printing-office

druk|knoop press-stud; **-knop** push-button; (*van bel ook*) bell-push; **-kunst** (art of) printing; **-pers** (printing-)press

drukte (*herrie*) bustle; (*opwinding*) excitement; (*last*) trouble; (*ophef*) fuss; (*in zaken*) rush of business; (*bij uitverkoop, enz*) rush; (*kouwe* ~) swank; **druktemaker** *a*) noisy fellow; *b*) swaggerer

drukwerk printed matter

drumband marching band

druppel drop, drip (a ... on the tip of her nose); *~s,* (*medicijn*) drops; **druppelen** drop, trickle (the tears trickled down her cheeks); **druppelsgewijs** drop by drop; **druppeltje** droplet

Ds.: ~ *Smith* (the) Rev (Reverend) J(ohn) Smith

D-trein express train (with surcharge)

dubbel I *bn* double (door, standard); *~e punt* colon; ~ *spel spelen* play a double game; II *bw* doubly (be ... welcome; (*de dingen*) ~ *zien* see (things) double; III *zn* (*bridge*) double; *~e* duplicate, double

dubbel|ganger double; **-parkeren** park double; **-spel** (*sp*) double(s); (*golf*) foursome; **-spion** double agent; **-spoor** double(-line) track; twin-track (recorder)

dubbeltje ten-cent piece; *op de ~s passen* take care of the pence

dubbelvouwen fold in two

dubbelzinnig ambiguous; (*onkies*) double-meaning; **dubbelzinnigheid** ambiguity, equivocalness; (*onkiesheid*) double-meaning

dubben be in two minds, brood (over)

dubieus doubtful; questionable (practices)

duchten dread, fear

duchtig *bn* sound, thorough; *bw* ...ly

duel id, single combat; **duelleren** (fight a) duel

duf (*ook fig*) musty, fusty

duidelijk clear, plain; distinct (pronunciation); (*klaarblijkelijk*) obvious; (*uitdrukkelijk*) explicit; *het is mij niet* ~ it's not clear to me; **duidelijkheid** ...ness, clarity; **duidelijkheidshalve** for the sake of clearness

duiden: ~ *op* point to, suggest

duif pigeon; *onder iems duiven schieten* poach on a pigeon's preserves

duig: *het plan viel in* ~*en* the plan fell through

duik dive

duikboot sub(marine); **duikbootjager** submarine chaser

duikelen (*buitelingen maken*) turn somersaults; (*tuimelen*) tumble; (*duiken*) dive

duiken dive (*naar* for), plunge; (*zich buigen*) duck; *ineengedoken* hunched; **duiker** diver

duiker|klok diving-bell; **-pak** diving-suit

duikplank diving board

duim thumb; (*maat*) inch; ~*en draaien* twiddle one's thumbs; *iets uit zijn* ~ *zuigen* make up a story; **duimbreed** *geen* ~ *wijken* not move an inch; **duimen**: *ik zal voor je* ~ I'll keep my fingers crossed; **duimpje**: *ik ken het op mijn* ~ I have it at my fingers' ends

duim|schroef: *iem de* ~*schroeven aanleggen* put on the thumb-screws; **-stok** rule

duin dune; **duinenrij** range of dunes

duinpan dip, hollow in the dunes

duister dark (night, future), obscure (style, etc); (*schemerig*) dim; (*somber*) gloomy; *in het* ~ *tasten* be in the dark (*omtrent* about); **duisterheid** obscurity, darkness, gloom; **duisternis** darkness, obscurity

duit: *een flinke* ~ *kosten* cost a pretty penny

Duits German; **Duitse** German (woman, lady); **Duitser** German; **Duitsland** Germany

duivel devil; fiend; *des* ~*s* (he was) furious; *de* ~ *hale hem!* the deuce take him!; *loop naar de* ~*!* go to the devil; **duivelachtig** devilish; **duivelin** she-devil; **duivels I** *bn* devilish, diabolical, fiendish; *die* ~*e jongens!* drat the boys!; ~ *maken* infuriate; **II** *bw* devilish(ly), deuced(ly) (pretty)

duivelskunstenaar magician; **duivelskunst(enarij)** the black art

duiveltje little devil, imp

duiven|hok pigeon-house; **-houder** pigeon-fancier; **-melker** pigeon-fancier

duizelen grow dizzy; **duizelig** dizzy, giddy; *het maakte me* ~ it made my head spin; ~ *worden* turn giddy; **duizeligheid** dizziness; **duizeling** dizziness; **duizelingwekkend** dizzy(ing)

duizend a (one) thousand

duizend|jarig of a thousand years, millennial; *het* ~ *rijk* the millennium; **-maal** a thousand times; **-poot** centipede

duizendste *bn & zn* thousandth

duizend|tal thousand; **-voud(ig)** *bn* thousandfold; *bw* a thousandfold

dulden (*pijn*) bear; (*iem, sekte, enz*) tolerate; (*behandeling, enz*) put up with; (*toestaan*) allow

dun thin (board, air), slender (waist), rare (atmosphere), scanty (hair); *aan de* ~*ne zijn* have diarrhoea; ~ *bevolkt* thinly populated; **dunheid** ...ness

dunk opinion; *een hoge* ~ *hebben van* have a high opinion of; **dunken**: *mij dunkt* I think; it seems to me

dunnetjes I *bw* thinly; *het* ~ *overdoen* go through it again; (*weer proberen*) have another try; **II** *bn* rather thin

dupe victim; *hij werd er de* ~ *van* he had to suffer for it; **duperen** disappoint, let (a p.) down; (*bedriegen*) dupe

duplicaat duplicate

duplo: *in* ~ in duplicate

duren last (it will ... my time); continue (the storm ...d all night); go on (that cannot ... for ever); (*in stand blijven*) *ook*: endure; (*in onpersoonlijke uitdrukkingen*) be (it was long before he came); *zolang het duurt* while it lasts; *wat duurt het lang* (*voor je komt, enz*) what an age you are!; *langer* ~ *dan*, (*ook*) outlast (her grief did not ... the spring)

durf pluck, nerve, daring; **durven** dare (he dare not go; I dare not; *vt:* did not dare to go); *ik durf beweren* I venture to say; *dat durf ik niet zeker zeggen* I couldn't say for certain; *hoe durf je!* how dare you!

dus (*bijgevolg*) so, consequently, therefore, then (then it is settled that ...?); (*aldus*) thus

dusver(re): *tot* ~ so far

dutje: *een* ~ *doen* take a nap; **dutten** doze, snooze

1 duur *zn* duration (of the war, etc); *op den* ~ in the long run

2 duur I *bn* dear (shop; bread is ...); expensive (hotel, dress, travelling is ...); *hoe* ~ *is dat?* how much is it?; **II** *bw* dear(ly); dear; *zijn leven* ~ *verkopen* sell one's life dearly

duurzaam durable, lasting (peace); (stuff) that wears well; **duurzaamheid** ...ness, durability

duw push; (*por*) thrust, shove; **duwen** push; *de menigte opzij* ~ elbow one's way through the crowd; **duwtje** (*met elleboog*) nudge; push

dwaal|licht will-o'-the-wisp, **-spoor** wrong track (way, path); *op een* ~ *brengen* lead astray

dwaas I *bn* foolish, daft; *ik was zo* ~ *om te ...*, *ook:* I was fool enough to ...; **II** *zn* ass, fool; **dwaasheid** folly, foolishness

dwalen wander (*ook van gedachten, enz*); (*in dwaling verkeren*) err; **dwaling** error, mistake

dwang compulsion

dwang|arbeid (*jur*) penal servitude; **-arbeider** convict; **-bevel** warrant; **-buis** straitjacket; **-positie** (*fig*) *in een* ~ *verkeren* have one's hands tied; **-voeding** (*het voeden onder dwang*) force-feeding

dwarrelen whirl

dwars transverse, diagonal; (*fig*) cross-grained, fractious, pig-headed; *dat zit me* ~ it worries me; ~ *door ... heen*, ~ *over* (right) across

dwars|balk cross-beam; **-bomen** cross (a p.'s plans, wishes)); **-liggen** be contrary; **-ligger** (*spoorw*) sleeper; **-straat** side-street; **-zitten 1** hamper, bother, inconvenience; **2** upset *ik weet niet wat hem dwarszit* I don't know what's upsetting him

dweepziek fanatic(al)

dweil (floor-)cloth; (*stok-*) mop; **dweilen** wash (floors), mop

dwepen (*in godsd, enz*) be fanatical; ~ *met* be enthusiastic about; *zij dweept met ...* is a fan of ...; **dweper** *a*) fanatic; *b*) enthusiast; **dweperij** fanaticism

dwerg dwarf; **dwergachtig** dwarfish

dwingeland tyrant; **dwingelandij** tyranny

dwingen force (a p. (o.s.) to do s.t.), compel;
  (door geweld) iem *(tot iets)* ~ coerce a p.; *hij
  laat zich niet* ~ he won't yield to force; **dwin-
  gend** coercive (force), compelling (reason)
d.w.z. *dat wil zeggen* i.e., that is (to say)
dynamiet dynamite

Ee*e*

e.a. *en andere(n)* and others, and other things,
  etc
eb ebb(-tide); *het is* ~ the tide is out; **ebben:** *het
  water is aan het* ~ the tide is going out; **eb-
  stroom** ebb-tide
echo echo; **echoën** (re-)echo, reverberate
echt I *bn* genuine (document, breed *ras*), real
  (silk), thorough (a ... mess), perfect (snob);
  (wettig) legitimate (child); **II** *bw* really; ~ *boos*
  downright angry; *het is* ~ *waar* it's really true;
  het is ~ *gebeurd* it's a true story; **III** *zn* marriage, matrimony; *in de* ~ *treden* enter the
  married state; *in de* ~ *verbinden* join in matrimony; **echtelijk** matrimonial, marital; ~ *bed*
  nuptial bed
echter however, nevertheless, yet
echt|genoot husband, spouse; **-genote** wife,
  spouse, lady; **-paar** married couple; **-schei-
  ding** divorce; ~ *aanvragen* sue (bring a petition) for a divorce; **-verbintenis** marriage;
  25-jarige ~ silver wedding
ecolo|gie, -gisch ecology, -gical
economie *(staathuishoudkunde)* economics;
  (zuinigheid) economy; **economisch** economic (problems, etc); *(zuinig, zuinig werkend)*
  economical; **econoom** economist
e.d. *en dergelijke(n)* and such, etc.
edel noble (character), precious (stones); *de*
  ~*e delen* the vital parts (of the body); *de* ~*en*
  the nobility
edel|achtbare *(aanspreektitel)* Your Honour,
  my Lord; **-gesteente** precious stone; **-moe-
  dig** generous; **-moedigheid** generosity
editie edition; *(van krant ook)* issue
eed oath; *de* ~ *afleggen* take the oath; *zijn* ~
  breken break one's oath; *een* ~ *doen* swear
  (take) an oath; *ik zou er een* ~ *op kunnen doen*
  I could swear to it; **eedbreuk** violation of
  one's oath, perjury; ~ *plegen* break one's oath
EEG: *Europese Economische Gemeenschap*
  Common Market, EEC
eekhoorn squirrel
eelt callus; **eelt(acht)ig** callous
een I *lw* an *(voor klinker)*, a *(voor medeklinker)*;
  ~ *dertig* some *(of:* about) thirty; **II** *telw* one;
  een zekere Jansen one J.; *ik ken er* ~ *die* ... I
  know of someone who ...; ~ *en al eenvoud*
  (she is) simplicity itself; *het* ~ *en ander* a thing
  or two (I know ... about it); *het* ~ *of ander
  boek* some book; *noch het* ~, *noch het ander*
  neither one thing nor the other; *op* ~ *na* (all)
  except one, (the last) but one; ~ *voor* ~ one by
  one, one at a time; **eenakter** one-act play

eend duck; *jonge* ~ duckling
eendagsuitstapje day-trip
eendeëi duck's egg
eender alike, the same; *het is mij* ~ it's all one (*of:* all the same) to me
eendracht concord, union; ~ *maakt macht* union is strength; united we stand, divided we fall; **eendrachtig** *bn* united, unanimous; *bw* ...ly, in concord; ~ *samenwerken, (ook)* pull together
eenduidig *bn, bw* unequivocal(ly)
eengezinswoning family house
eenhandig one-handed
eenheid (*in getallen, strategische* ~, *enz*) unit; (*het één zijn*) unity, (*wisk*) unity; *tot een* ~ *maken* unify; **eenheidsprijs** *a*) (*prijs per stuk*) unit price; *b*) uniform price
eenieder everyone
eenjarig of one year; ~ *dier* yearling; **eenjarige** (*plantk*) annual plant
eenkennig shy, timid; **eenkennigheid** shyness, timidity
eenling individual; (*alleenstaande*) solitary
eenmaal once (we're only young ...); (*te eniger tijd*) one day; ~, *andermaal, derdemaal* going, going, gone; *als we maar* ~ ... when once we are out of the Channel; *het is nu* ~ *zo* there it is; it cannot be helped; *jongens zijn nu* ~ *jongens* boys will be boys; **eenmalig** once-only
eenparig I *bn* unanimous; II *bw* ...ly, by common consent, (declare) with one voice; *zij prijzen hem* ~ they unite in praising him
eenpartijstaat one-party state
eenpersoons one-man, single (bedroom)
eenrichtingsverkeer one-way traffic
eens I *bw* (*eenmaal*) once; (*op een keer in het verleden*) once, one day; (*in sprookjes*) once upon a time (there was ...); (*in de toekomst*) one day; (*toonloos*) just (... come here; ... get me some cigars); ~ *op een dag* (*avond, enz*) one day (evening, etc); *en niet* ~ *zo ver van Londen* and not so far from London either; ~ (*en*) *voor al* once (and) for all; ~ *zo groot* twice as large, as large again; II *bn: het* ~ *zijn* agree; *daarmee kan ik het niet* ~ *zijn* I cannot subscribe to that; *men is het er algemeen over* ~ *dat* ... there is general agreement that ...; *het* ~ *worden* come to an agreement
eensdeels ... *anderdeels* partly ..., partly; for one thing ..., for another
eensgezind unanimous; **eensgezindheid** unanimousness, harmony, (working-class) solidarity
eensklaps suddenly
eenstemmig (*muz*) ~ *zingen* sing in unison; *men is* ~ *van oordeel, dat* there is a consensus of opinion, that ..., *zie ook* -parig; **eenstemmigheid** unanimity, agreement, consensus
eentje one; *jij bent me er* ~*!* you are a one!; *op* (*in*) *mijn* ~ all by myself
eentonig monotonous, drab, humdrum; **eentonigheid** monotony; drabness

eenvormig(heid) uniform(ness)
eenvoud simplicity; ~ *is het kenmerk van het ware* simplicity is the hall-mark of truth; **eenvoudig** I *bn* simple (subject, dress), plain (food, meal); *in* ~*e bewoordingen* in plain terms; II *bw* simply (dress ...; it ... isn't true); *ik doe het* ~ *niet* I just won't do it; **eenvoudigheid** simplicity, plainness, homeliness; **eenvoudigweg** just, simply
eenwording unification, integration (the European integration)
eenzaam solitary (walk, life), lonely (road, it is ... here); (*afgezonderd*) retired, secluded (spot, life); (*verlaten, doods*) desolate; *eenzame opsluiting* solitary confinement; *zich* ~ *voelen* feel lonely; **eenzaamheid** solitude
eenzelvig solitary(-minded), self-contained
eenzijdig one-sided (view; look at a thing ...ly); **eenzijdigheid** one-sidedness, partiality
eer honour, credit; ~ *bewijzen* do (a p.) honour; *de laatste* ~ *bewijzen* render the funeral honours (to); *iem de* ~ *geven van* give a p. the credit of; *de* ~ *aan zich houden* save one's face; *er een* ~ *in stellen te* consider it an honour to; *in ere houden* keep up (a tradition); *naar* ~ *en geweten* to the best of my knowledge; *op mijn* ~ upon my honour; *te zijner* ~ in his honour; *het strekt u tot* ~ it does you credit
eerbaar virtuous, chaste; **eerbaarheid** chastity
eerbied respect; *met alle* ~ *voor* with all respect for; **eerbiedig** respectful, reverent, dutiful; **eerbiedigen** respect; **eerbiediging** respect, deference; **eerbiedwaardig** respectable (motives), venerable (priest)
eerder I *bn* earlier; II *bw* before; sooner; *hoe* ~ *hoe liever* (*beter*) the sooner the better; ~ *meer dan minder* more rather than less
eergevoel sense of honour
eergisteren the day before yesterday
eerlijk I *bn* honest (man), honourable (intentions); ~ *is* ~ fair is fair; *zo* ~ *als goud* (as) straight as a die; ~ *spel* fair play; II *bw* honestly, etc; *iem* ~ *behandelen,* (*fam*) give a p. a square deal; *alles gaat* ~ *toe* everything is above-board; ~ *handelen, ook:* play fair; ~ (*waar*)*!* really!; ~ *gezegd* honestly (speaking); **eerlijkheid** honesty, fairness; **eerlijkheidshalve** in all fairness (I have to add)
eerst I *bn* first; (*voornaamste ook*) chief, leading (papers), prime (minister), senior (medical officer); (*one of the*) earliest (voyages to India); *de* ~*e april* the first of April; ~*e hulp* (*bij ongelukken*) first aid; ~*e hulp verlenen* render first aid; ~*e levensbehoeften* necessaries of life; *de* ~*e*(*n*) = ~*genoemd*(*en*), (*van twee*) the former; (*van meer*) the first(-named); *ik was de* ~ I was first; *ten* ~*e* first(-ly), in the first place; *ten* ~*e ..., ten tweede, ook:* for one thing ..., for another; II *bw* first; (*in het* ~) at first; *als ik maar* ~ *in L. ben* when once I am in L.; **eerstdaags** one of these days
eersteklas ... first-class (compartment, ticket)

eerstens firstly

eersterangs first-rate, first-class

eerst|genoemde *zie onder* eerst; **-komend** next, following; **-volgend** next, following; *de ~e dagen* the next few days

eervol honourable; *~le vermelding* honourable mention

eerzaam respectable; (*van vrouw ook*) modest

eerzucht ambition; **eerzuchtig** ambitious, aspiring

eetbaar edible

eet|gerei dinner things; **-hoek** dining area; **-kamer** dining-room; **-lepel** table-spoon; *een ~ vol* a tablespoonful; **-lust** appetite; *~ hebben* (*geven*) have (give) an appetite; *de ~ kwijtraken* lose one's appetite; **-lustopwekkend** appetizing; **-servies** dinner-set; **-tafel** dining-table; **-waren** eatables, food(s); **-zaal** dining-hall

eeuw century (the 19th ...), (*lang tijdvak*) age (the golden ...; the ... of Queen Anne); *ik heb je in geen ~ gezien* I have not seen you for ages; *in de vorige ~* (in the) last century; *door alle ~en heen* throughout all ages; **eeuweling** centenarian; **eeuwenoud** centuries(-)old, age-old (customs)

eeuwig eternal (life; *ook fig:* his ... umbrella); perpetual (snow); everlasting (grant us life ...); *ten ~en dage, voor ~* for ever; **eeuwigdurend** *zie ~*; **eeuwigheid** eternity; *de ~ ingaan* pass into eternity

eeuwwisseling (at the) turn of the century

effect effect; *dat zal geen ~ hebben* (*sorteren*) that will produce no effect

effecten stocks (and shares), securities; *in sam:* stock-

effecten|beurs stock-exchange (on the ...); **-makelaar** stock-broker; **-markt** stock-market

effectief effective; *-ieve kracht* effective power

effen smooth, level, even; (*van stoffen*) plain; *een ~ gezicht* a straight face; **effenen** level, smooth (over, out); **effenheid** smoothness

egaal smooth, level, even; *de lucht was ~ grauw* the sky was a uniform grey

egel hedgehog

eggen harrow, drag; **egger** harrower

egoïsme egoism, selfishness

E.H.B.O. first aid

ei egg; *een zacht gekookt ~tje*, (*fig*) a piece of cake; *hij koos ~eren voor zijn geld* he made the best of a bad bargain

eiderdons eiderdown

eier|dooier (egg-)yolk; **-dop** eggshell; **-dopje** egg-cup; **-eten** *dat is het hele ~* there is nothing more to it; **-klutser** egg-beater, egg-whisk; **-wekker** egg-timer

eigen own; private (grave, car); (*aangeboren*) natural; (*eigenaardig*) peculiar; (*vertrouwelijk*) familiar; *zijn ~ huis* his own house; *dit zijn haar ~ woorden, ook:* these are her very words; *~ aan* (defects) inherent in (the sys-

tem); *zich ~ maken* acquire (a language, etc), contract (a habit), pick up (a language); *zeer ~ met elkaar, ook:* (they are) very thick, thick as thieves (together); **eigenaar** owner (of a book, etc), proprietor (of a hotel, etc); *van ~ veranderen* change hands

eigen|aardig peculiar; **-aardigheid** peculiarity

eigenares (woman) owner; proprietress (*zie* eigenaar)

eigenbelang self-interest

eigendom property

eigen|dunk self-conceit; **-gebakken** home-baked; **-gemaakt** home-made; **-gerechtig(heid)** self-righteous(ness); **-gereid** arbitrary (behaviour), self-willed (person); **-gewicht** nett weight; **-handig** with one's own hand

eigenlijk I *bn* proper (fraction *breuk;* sense *betekenis*); real (name, reason); II *bw* properly (strictly) speaking (= ~ *gezegd*), really; *wat weten we er ~ van?* what do we know of it after all?

eigen|machtig arbitrary; **-naam** proper name

eigenschap quality (of persons), property (of things); (*vereiste ~*) qualification

eigentijds contemporary, modern

eigen|waan self-conceit; conceitedness; **-waarde:** *gevoel van ~* self-respect; **-wijs** pig-headed; **-wijsheid** self-conceit; **-zinnig** self-willed, obstinate; **-zinnigheid** self-will, obstinacy

eik oak

eike|blad oak-leaf; **-boom** oak-tree

eikel acorn

eikeschors oak-bark

eiland island; isle (the Isle of Wight); *de Britse ~en* the British Isles

eind end, conclusion; ending (a happy ...); (*uiteinde*) end; (*dood*) (it made me think of my) end; (*stuk*) piece (of wood, of string); (*afstand*) distance; *het ~ van het liedje was dat ...* the end of it was that ...; *daarmee kom ik een heel ~* it will go far to pay my expenses; *een ~ maken aan* put an end to; *hij stak een heel ~ boven hen uit* he rose head and shoulders above them; *hij voelde zijn ~e naderen* he felt his end drawing near; *aan het langste ~ trekken* have the better end of the stick; *je hebt het bij het rechte ~* you are right; *tegen het ~ van mei* towards (by) the end of May; *ten ~e* (his troubles are) at an end; *ik ben ten ~e raad* at my wits' (wit's) end; *ten ~e lopen* (*van abonnement, enz*) expire

eind- *dikwijls* final

eind|beslissing final decison; **-diploma** (school-)leaving certificate; **-doel** final (ultimate) object (aim)

einde *zie* eind; **eindejaarsgeschenk** (*Belg*) christmas gift, New Year gift

eindelijk I *bw* at last, finally; II *bn* ultimate; **eindeloos** endless, interminable

einder horizon

eindexamen (school-)leaving examination

eindig finite; **eindigen I** *intr* end, finish, conclude (now I must ...), come to an end, stop (we'll ... now), end up (she ends up thus); ~ *met* end in (defeat), wind up with (a song); ~ *op een klinker* end in a vowel; **II** *tr* end (one's life), finish (one's work)

eindje *zie* eind; (cigar-)end; (*potlood, enz*) stub; ~ *touw* piece (*of:* length) of string; *een klein* ~, (*afstand*) a short distance; *de* ~s *aan elkaar knopen,* (*fig*) make both ends meet

eind|meet (*Belg*) finish; **-oordeel** final judg(e)ment; **-produkt** finished product; **-punt** end, farthest point; (*van spoorw, enz*) terminus; **-resultaat** final (net, grand) result; **-sprint** final sprint; **-station** terminus; **-streep** (*sp*) (cross the) finishing line; **-strijd** final(s)

eis demand, claim; (*gestelde* ~, *voor examen, enz, gew mv*) requirement, (*voor toelatingsexamen ook:*) qualifications for entrance; *naar de* ~*en des tijds ingericht* up-to-date; *van zijn* ~ *afzien* waive one's claim; ~*en stellen* make demands; **eisen** demand (*van of, from*), require (*van of*), claim (damages from); **ei-ser(es)** (*jur*) plaintiff

eivormig egg-shaped

eiwit (*deel van ei*) white of egg; (*chem*) protein

ekster magpie; **eksteroog** corn

elasticiteit elasticity; **elastiek** *zn* elastic; **elastieken** elastic; **elastiekje** rubber band

elders elsewhere; *overal* ~ everywhere (any-where) else

elegant id, graceful, stylish; **elegantie** elegance

elektricien electrician; **elektriciteit** electricity; **elektrisch** electric (light, current), electrical; **elektriseren** (*ook fig*) electrify

elektrolytisch electrolytic

elektromotor electric motor

elektronenflits electronic flash

elektronica electronics; **elektronisch** electronic

elektro|techniek electrical engineering; **-technisch** electro-technical

element id; (*fig ook*) spirit (discontented ...s); (*elektr*) cell; **elementair** elementary

elevatie elevation

elf eleven

elfde *bn* eleventh; *zn* eleventh (part); *ter* ~*r ure* at the eleventh hour

elfendertigst: *op zijn* ~ at a snail's pace

elfje fairy

elftal (*sp*) eleven, team, side

elite élite, smart set; **eliteregiment** crack regiment

elk (*bijvoeglijk*) every (he comes here ... day), any (he may come ... day); (~ *afzonderlijk*) each; (*zelfst*) everyone, everybody, anyone, anybody, each; (they cost a penny) each

elkaar each other; *achter* ~ *de kamer in-* (*uit*)*gaan* file into (out of) the room; *achter* ~ *lopen* walk in single file; *bij* ~ together; *door* ~ (ev-

erything was lying) in a heap; *in* ~ *zetten* assemble (parts of a motor-car); ... *zat goed in* ~ (the play) was well made; *met* ~ together; *na* ~ one after another; *naast* ~ side by side; *onder* ~ (they were talking) among themselves; *op* ~ one on top of the other; *ik ken ze niet uit* ~ I don't know them apart; *van* ~ *gaan* separate; *dat is voor* ~ that is settled

elleboog elbow (*ook van kachelpijp, enz*); *met de ellebogen werken* fight (push) one's way up; *hij heeft ze achter de* ~ he is a sneak

ellende misery, distress, woe(s), wretchedness; **ellendeling** wretch, villain; **ellendig** miserable; **ellendige** *zn* wretch; **ellendigheid** ...ness

ellenlang yards long; (*fig*) interminable

ellips (*figuur*) ellipse; **elliptisch** elliptic(al)

elpee L.P., long-playing record

emballage packing; **emballeren** pack (up)

emeritus id, retired; ~ *predikant* pastor emeritus

emigrant emigrant; **emigratie** emigration; **emigreren** emigrate

emitteren issue (*uitstoten*), emit (pollution, toxid gases)

emmer pail, bucket

emmeren (*fam*) twaddle; bungle

emotie emotion, excitement, stir; **emotioneel** emotional

emplacement (railway-, station-, goods-)yard

employé employee, assistant

en and; (*in rek & chem*) plus; *en ... en ...* both ... and ...; *en?* well?

encyclopedie (en)cyclop(a)edia

endeldarm rectum

enenmale: *ten* ~ entirely, altogether, absolutely

energie energy, push; *hij heeft veel* ~, *ook:* (*fam*) he has plenty of go in him; **energiek** energetic (*bw:* -ally), pushing; ~ *persoon,* (*fam*) live wire

enerzijds on the one side; ~ ... *anderzijds* on the one hand ... on the other

eng (*nauw*) narrow, (*nauwsluitend*) tight; (*griezelig*) creepy; ~*e blik* narrow view

engageren: *zich* ~ become engaged (*met* to)

engel angel (*ook fig:* an angel of a child); **engelachtig** angelic (*bw:* -ally); **engelachtigheid** angelic nature

Engeland England

engelengeduld patience of an angel

Engels English; *het* ~ English; *de* ~*en* the English; *zuiver* ~ pure English, the King's English; ~*e Kerk* Church of England (C. of E.), Anglican Church; ~*e sleutel* monkey-wrench; ~*e vlag* British (national) flag, Union Jack; **Engelse** Englishwoman; *zij is een* ~*e, ook:* she is English; **Engelsman** Englishman (*ook:* he is English)

engerd horrible fellow

engheid (*nauwheid*) narrowness, tightness; (*bekrompenheid*) narrowmindedness

en gros wholesale; ~ *en en detail* wholesale and retail

engte narrow(s); (*zee-, ook*) strait(s); (*land-*) isthmus

enig I *bn* (*zonder 2de*) only (child), sole (heir); (*ongeëvenaard*) unique; *het is* ~ it is wonderful; ~ *in zijn soort* unique of his (its) kind; **II** *bw:* ~ *en alleen* simply and solely; *wat* ~*!* how marvellous!; **III** *vnw* some (give me ... money), any (have you ... money? without ... trouble), a few (books); *te* ~*er tijd* at any time; **enigermate** to some extent; **enigszins** somewhat, slightly

enkel I *bn* single; ~*e,* (*enige*) a few (hours), one or two; *geen* ~ *huis* not a single house; *een* ~ *handschoen* an odd glove; ~*e reis* single journey; **II** *zn:* **1** ~*en* some few; **2** (*lichaamsdeel*) ankle; *tot de* ~*s* up to the ankles; **III** *bw* simply, only, merely; ~ *en alleen* simply and solely

enkelgewricht ankle-joint

enkeling individual

enkelspel single(s)

enkelvoud singular (number)

enorm enormous; *het is* ~ *belangrijk,* (*fam*) it's immensely important; **enormiteit** enormity

enquête (official) inquiry; *een* ~ *instellen* set up an inquiry (*naar* into); **enquêteformulier** questionnaire

enteren board

enthousiasme enthusiasm, keenness; **enthousiast I** *zn* enthusiast; (*fam*) (football-, radio-) fan; **II** *bn* enthusiastic (*bw:* -ally), keen; (*fam*) wild (*over* about)

entree (*het binnenkomen*) entrance, entry; (*ingang*) entrance; ~ *betalen* pay for admission; *vrij* ~ admission free

entree|biljet ticket (of admission); **-prijs** admission charge

envelop(pe) envelope

enz etc, and so on; ~ ~ etc, etc; and so on and so forth

epidemie epidemic; **epidemisch** epidemic (*bw:* -ally)

epiloog epilogue

episode episode; incident (only an ... in the conflict)

epistel epistle

epos epic

epuratie (*Belg*) purge

equator id; **equatoriaal** equatorial

equipe (*sp*) team, side

er there; *we zijn* ~, (*na reis*) we're there; *ik heb* ~ *nog drie* I have three left; *ik heb* ~ *nóg drie* I have three more; *ik heb* ~ *geen* I haven't any; ~ *zijn* ~, *die* ... there are those who ...; *wat is* ~*?* what is it?; *nu ben ik* ~ (= *ik heb het*) I've got it; ~ *werd geen schade aangericht* no damage was done; ~ *werd verondersteld, dat* ... it was supposed that ...

erbarmelijk pitiable, pitiful, lamentable, miserable, wretched, rotten (roads), poor (excuse)

ere honour

ere|baantje post of honour, honorary post; **-boog** triumphal arch; **-burgerschap** (honorary) freedom (of a city); **-code** code of honour; **-divisie** premier division; **-doctoraat** honorary degree; **-gast** guest of honour; **-lid** honorary member; **-lidmaatschap** (honorary) freedom (of a society); **-medaille** medal of honour

eren honour, (*sterker*) revere

ere|naam name of honour; **-penning** commemorative medal; **-poort** triumphal arch; **-schuld** debt of honour; **-teken** mark of honour; **-voorzitter(schap)** honorary president (presidency); **-wacht** guard of honour; **-woord** word of honour; *op mijn* ~ on my word; **-zaak** affair of honour

erf yard, farmyard; *huis en* ~ premises

erfdeel portion, heritage

erfelijk hereditary, heritable, transmissible (defects); **erfelijkheid** heredity; **erfelijkheidsleer** genetics

erfenis inheritance, heritage, legacy (*ook fig*)

erfgenaam heir (to, of, a p.; to property); **erfgename** heiress

erf|goed inheritance, heritage; *vaderlijk* ~ patrimony; **-opvolging** succession; **-pachter** long leaseholder; **-stuk** heirloom; **-zonde** original sin

erg I *bn* bad; (*van zieke ook*) ill, poorly (*ook:* the patient is very low to-day); severe (pains); *is het zo* ~*?* is it that serious?; *al* ~ *genoeg* quite bad enough; *ik vind het niet* ~ I don't mind; *zie ook* ~*er* & ~*st;* **II** *bw* badly (I need it ...), severely (suffer ...), very (bad, much, etc); **III** *zn: zonder* ~, *a*) unintentionally; *b*) without malice; *hij had er geen* ~ *in* he was not aware of it

ergens somewhere, anywhere (did you see him anywhere?); (*in enig opzicht*) somehow; *hier* ~ somewhere near; ~ *waar* ... (let us go) where we can talk quietly

erger worse; *het wordt steeds* ~ it is getting w and w; *des te* ~ so much the w

ergeren (*kwaad maken*) annoy, vex; (*aanstoot geven*) give offence; *zich* ~ be offended (vexed) (with a p., at s.t.), take offence (*aan* at); **ergerlijk** annoying, exasperating; (*aanstootgevend*) offensive (language), shocking (...ly dirty); **ergernis** (*aanstoot*) scandal, offence; (*verdrietelijkheid*) annoyance, exasperation

ergst worst (prepared for the ...); *het* ~*e is, dat* ... the w of it is that ...

erkennen acknowledge (their ...d leader), recognize (a ...d authority); (*toegeven*) admit (...ted facts), confess (guilt, etc); *erkend, ook:* approved (method); *niet* ~, *ook:* disown; *en laat me* ~, ... and, be it admitted; *naar hij zelf erkent* on his own confession; **erkenning** acknowledg(e)ment; admission

erkentelijk grateful, thankful; **erkentelijkheid** gratitude

erker (*hoekig*) bay window

ernst earnest(ness), gravity (of the situation); *in* ~ in earnest; *ik meen het in* ~ I am serious; **ernstig** serious (illness, accident), grave (condition, fears); severe (illness); (~ *en deftig*) grave (as ... as a judge)

erosie (soil) erosion

erotiek eroticism, sex; **erotisch** erotic (*bw:* -ally)

erts ore; **ertslaag** ore-deposit

eruptie eruption

ervaren I *ww* experience; discover; *hij ervoer tot zijn schade* ... he found out to his cost; II *bn* experienced, expert, skilled; **ervaring** experience (*in* of); *uit* (*eigen*) ~ from (one's own) experience

erven *zn* heirs; *ww* inherit (*van* from)

erwt pea; **erwtensoep** pea-soup

es (*boom*) ash(-tree)

escorte escort; **escorteren** escort

eskader squadron; **eskadron** squadron

essehout ash(-wood)

essentieel essential; *van* ~ *belang* of vital importance; *het* -''*ele* the essence, the gist (of the matter)

estafette|loop, -rit relay (team, team pursuit) race

etage stor(e)y, floor; (*als afzonderlijke woning*) flat; **etagewoning** (*één etage*) flat; block of flats

etalage (*het raam*) shop-window; (*uitstalling*) window-display; ~*s kijken* window-shopping; **etalagepop** window dummy

etaleren display (articles, learning); **etaleur** window-dresser

etappe (*rustpunt*) halting-place, stage; (*afstand*) stage, lap; (*van vliegt, fam, ook:*) hop, leg

eten I *ww tr* eat; *intr* eat; (*aan tafel*) dine; *wat* ~ *we?* what's for dinner?; *laten we even wat* ~ let's have something to eat; *we* ~ *om 7 uur, ook:* dinner is at seven; *warm* ~ have a hot meal; *zij at bijna niets aan het ontbijt* she ate hardly any breakfast; *uit* ~ *gaan* dine out; *zie ook het zn;* II *zn* (*kost*) food, fare; (*maal*) meal, dinner, supper; ~ *voor drie bestellen* order dinner for three; ~ *geven* feed (the ducks); *dat is* ~ *en drinken voor hem* it is meat and drink to him; *het* ~ *klaar maken* prepare dinner; *het zonder* ~ *stellen* go without one's dinner; *voor* (*na, onder*) *het* ~ before (after, during) dinner

etens|bak(je) (eating-)trough; **-resten** leftovers; **-tijd** dinner-time

eter eater; *hij is een flinke* ~ a large eater

ether id; **etherpiraat** pirate radio (station)

ethiek *a*) ethics; *b*) ethic (professional ...)

etiket label; (*met touwtje*) tag; **etiketteren** label

etmaal 24 hours' day, full day

ets etching; **etsen** etch; **etser** etcher

ettelijke several, some, quite a few

etter pus, matter; (*persoon*) twerp, pain in the neck; **etteren** suppurate, fester

etui case (card-, spectacle-...)

eucharistie eucharist

eufemisme euphemism

euforie euphoria

Euromarkt European market

Europa Europe; **Europees** European

euthanasie euthanasia, mercy killing

euvel (*kwaad*) evil, (*gebrek*) fault; ~ *duiden* (*opnemen*) take ill

evacuatie evacuation; **evacueren** evacuate

evangelie gospel; *het* ~ *naar Mattheus* the Gospel according to St. Matthew; **evangelisatie** evangelization

even I *bn* even; ~ *of on*~ odd or even; *het is mij om het* ~ it is all the same to me; *om het* ~ *wat* no matter what; II *bw* equally, as (it is equally useful to boys and girls); (*eventjes*) just; *haal me* ~ *een fles wijn* just get me ...; ~ *lang* of the same length; *ze zijn* ~ *groot,* (*hebben dezelfde lengte*) they are of a size, (*beide zijn groot*) are equally tall; ~ *daarna* (*later*) shortly after, presently

evenaar equator

evenals (just) as, (just) like

evenaren equal, be a match for, come up to

evenbeeld image, (exact) likeness, (very) picture

eveneens (just) as well, too, also, likewise

evenement event

evengoed *bw* (just) as well; (he has lost but) all the same; **evenmin:** ~ *als* no more than; ... *en kon evenmin* ..., ... and equally could not ...

evenredig proportional, proportionate; ~*e bijdrage* pro rata contribution; **evenredigheid** proportion

eventjes just, (for) a moment

eventueel I *bn* (any) possible (in order to repress ... disorders), potential (buyers); eventual (an ... aggressor, his ... return to the Cabinet); *eventuele klachten indienen bij* ... complaints, if any, to be lodged with ...; II *bw:* *indien hij* ~ *mocht komen* ... if (by any chance) he should come

evenveel as much, as many; the same amount

evenwel however, yet, still, nevertheless

evenwicht balance, equilibrium, poise; *het* (*z'n*) ~ *bewaren* keep one's balance; *het* ~ *herstellen* restore the balance (*ook fig*); *in* ~ *houden* keep well balanced; **evenwichtig** well-balanced; (*fig ook*) level- headed; **evenwichtigheid** balance, poise

evenwijdig parallel (*aan, met* to, with); **evenwijdigheid** parallelism

evenzeer as much, equally; ~ *als* as much as

evenzo likewise, similarly; (do) the same

evolutie evolution; **evolutieleer** theory of evolution

ex ex (ex-Premier), former

examen examination, (*fam*) exam; ~ *doen* sit for (an, one's) examination; *zich aan een* ~ *onderwerpen* go in for an examination; *voor zijn* ~ *slagen* pass one's examination

examen|kandidaat candidate; **-opgaaf** examination paper; **-vrees** examination fright

examinator examiner; **examineren** examine

exclusief exclusive; (*in hotel, enz*) excluding service charges, tips extra

excursie excursion, outing, trip

excuseren excuse; *ook:* excuse (a p.) from attendance; *zich* ~ excuse o.s.; **excuus** excuse, apology; ~ *maken* apologize

executeren execute (a criminal); **executie** execution; **executiepeloton** firing squad

exemplaar specimen (*ook van pers*) (a splendid ...), sample; (*van kunstprodukt*) example; (*van boek, enz*) copy

exerceren drill (*tr & intr*)

expediteur forwarding-, shipping-agent; **expeditie** (*tocht*) expedition; (*verzending*) forwarding, shipping

experiment id; **experimenteel** experimental; **experimenteren** experiment

expert id

expliciet explicit

exploderen explode

exploitant licensee; proprietor; **exploitatie** working (of a mine, railway); *in* ~ in working order, in operation; **exploitatiekosten** working-expenses, running-costs

exploiteren exploit (oil-fields, mines, etc; *ook ong:* a p.), work (mines, railways), run (a railway, etc), operate (an air service)

exploratie exploration

explosie explosion, blast, detonation; **explosief** *bn, bw* explosive(ly); *zn* explosive; **explosiestof** explosive

exponent id

export id, exportation; **exportartikel** article for export

exporteren export; **exporteur** exporter

export|firma e-firm, shipping-firm; **-handel** export-trade

exposant exhibitor; **exposeren** exhibit (*ook intr*); **expositie** (*tentoonstelling*) exhibition, show; (*uitstalling*) exhibit; (*theat, muz*) exposition

expres I *bn* express; ~*se brief* express, express delivery letter; **II** *bw* expressly (I came ... to see you), intentionally, on purpose, purposely; **expresgoed** express goods

expressief expressive; **expressievak:** *-ken* arts and crafts subjects (at school)

expres|trein express (train); **-weg** (*Belg*) motorway

exterieur exterior

extern non-resident; ~*e* (*leerling*) day-pupil

extra I *bn* id (... dividend), special (offer), added (responsibility); **II** *bw* id (an ... long cigar); (she had done it) specially (well); **III** *zn* id (no extras); ~ *belasting* (*op hoge inkomens*) surtax; **extralegaal** (*Belg*) extra-legal

ezel (jack)ass (*ook van pers*), donkey (*scherts ook van pers*); (*van schilder*) easel; **ezelachtig** asinine, (*fig ook*) stupid, (be) ass (enough to ...); **ezelachtigheid** stupidity

ezeldrijver donkey-driver

ezelin she-, jenny-ass

ezelsoor (*van boek*) dog('s)-ear

ezelwagen donkey-cart

F f *f*

fa. *firma* Messrs.

faam fame, reputation, repute

fabel fable; (*verzinsel ook*) fiction, fabrication; **fabelleer** mythology

fabriceren manufacture, (*vooral fig*) fabricate (lies), concoct, cook up (a story)

fabriek factory, mill, works, (manufacturing) plant

fabrieks|arbeid(st)er factory-hand

fabrieks|geheim trade secret; **-merk** trademark; **-stad** manufacturing-town

fabrikaat manufacture, make (a pistol of French ...); **fabrikant** manufacturer

factor id (*ook fig*)

factureren invoice; **factuur** invoice (*over* of); **factuurbedrag** invoice-amount

facultatief optional

failliet: ~*e boedel* bankrupt's estate; ~ *gaan* fail, go bankrupt; ~ *verklaard worden* be adjudged bankrupt; **faillissement** bankruptcy

fakkel torch; (*luchtv*) flare; **fakkeldrager** torch-bearer

falen (*mislukken, ontbreken*) fail; (*het mis hebben*) make a mistake; (*missen*) miss

falie: *iem op z'n ~ geven* dust a p.'s jacket

faliekant: *het plan kwam ~ uit* the plan misfired; *ik ben er ~ tegen* I am dead against it

familie (*geslacht & gezin*) family; (~*leden*) relations, relatives; *de ~ is gewaarschuwd*, (*bij ongeluk*) next of kin have been informed; *ik ben ~ van hem* I am related to him; *de ~ Smith* the Smith family

familie|aangelegenheden family affairs; **-band** family tie; **-graf** family-grave; **-lid** member of the (a) family; (*bloedverwant*) relative, relation; **-naam** surname; **-trek** family-feature, -trait; **-wapen** family (coat-of-)arms

fanaat *bn* fanatical; **fanaticus** fanatic; **fanatiek** fanatical, *bw* fanatically; **fanatiekeling** enthusiast, fanatic

fanfarekorps brass band

fantaseren *intr* romance; *tr* invent (a story); **fantasie** fantasy, fancy; *rijk aan ~* imaginative; **fantast** id; **fantastisch** fantastic (*bw: -ally*)

fascineren(d) fascinate, -ing; *zie* boeien

fascisme fascism; **fascist** id; **fascistisch** fascist

fase phase; stage (of an illness)

fat dandy

fataal fatal

fatsoen (*fatsoenlijkheid*) decency; (*goede ma-*
nieren) (good) manners; *hij kent geen ~* he is without a sense of decency; *zijn ~ houden* behave onseself; *uit zijn ~* (a hat hopelessly) out of shape; *voor zijn ~* for decency's sake; **fatsoeneren** fashion (*tot* into), shape, re-model (he had his nose ...led); **fatsoenlijk** decent (fellow, girl, clothes, shop), respectable (people, respectably dressed), good (girl); **fatsoenlijkheid** respectability, decency; **fatsoenshalve** for decency's sake

fauteuil easy-chair, arm-chair; (*theat*) id, stall

favoriet favourite

faxnummer (tele)fax number

fazant pheasant

fazante|haan cock-pheasant; **-hen** hen-pheasant

februari February

federaliseren (*Belg*) federalize; **federatie** federation; **federatief** federative

fee fairy; *de ~en, ook:* the good people

feeks virago, vixen, shrew

feest fête (*meestal buitenshuis*), feast (*vooral kerkelijk*), festival (*ook kerkelijk*), festivity; celebration; party; *dat ~ gaat niet door*, (*fam*) not likely!

feest|artikelen (*ongev*) novelties; **-dag** (public) holiday, feast-day (*vooral kerkelijk*); *op zon- en ~en* on Sundays and public holidays; **-drukte** festivities

feestelijk festal, festive; ~ *onthalen* entertain

feest|maal feast, banquet; **-roes** festive flush; **-tent** marquee; **-vierder** reveller; **-vieren** celebrate; **-viering** celebration

feil (*gebrek*) fault; (*misslag*) mistake, error; **feilbaar** fallible; **feilbaarheid** fallibility; **feilloos** faultless

feit fact; *het ~ bekennen* confess the fact; **feitelijk I** *bn* actual, real; **II** *bw* practically (the same); **feitelijkheid** fact

feitenkennis factual knowledge

fel fierce (heat, wind), sharp (contest), keen (competition), vivid (colour), glaring (light)

felicitatie congratulation; **feliciteren** congratulate (*met* on); **gefeliciteerd!** congratulations!, (*alleen van verjaardag*) many happy returns!

felien feline

feminien feminine

feminisme feminism; **feminist** id; **feministisch** feminist(ic)

ferm (*van de markt*) firm, steady; *zie ook* flink

ferventie fervour

festijn feast; **festival** id; **festiviteit** festivity

feuilleton serial (story, novel); *als ~ verschijnen* be serialized

fiasco id failure; (the piece, book, meeting was a) flop

fictie fiction; **fictief** fictitious, fictive

fier proud, high-spirited, -hearted; **fierheid** pride

fiets (bi)cycle, (*fam*) bike; (*tegenover motorfiets*) push-bike; *per ~* by bicycle

fiets|band bicycle-tyre; **-benodigdheden** bicycle-accessories

fietsen cycle, bike; *wat gaan* ~ go for a bicycle ride

fietsen|berg(~bewaar)plaats (bi)cycle shed; **-hok** bicycle-shed; **-rek** bicycle-stand

fietser cyclist

fiets|ketting bicycle-chain; **-mandje** handlebar basket; **-pad** cycle-path; **-pomp** bicycle pump; **-tocht** cycling-tour

figuur figure (*in alle bet*); (*in drama, enz*) character; (*meetk ook*) diagram; *een goed* ~ *slaan* make a good figure; *een* ~ *als modder slaan* cut a sorry figure; *zijn* ~ *redden* save one's face; **figuurlijk** figurative; **figuurzaag** fretsaw

fijn fine (rain, sand); (*heerlijk*) delicate (food), lovely (a ... day), (that's) great; (*kerks*) orthodox, strict; ~! fine!; *een* ~ *heer* (*jongen*), (*iron*) a nice specimen; *hij weet er het* ~*e van* he knows the ins and outs of it

fijn|besnaard finely(-) strung; **-gebouwd** slight (figure); **-gevoelig** sensitive; **-maken** pulverize; **-proever** connoisseur

fijntjes smartly; (smile) subtly; with fine irony

fijnwrijven rub down

fiks vigorous, energetic

fiksen fix

filatelie philately

file id, queue, tailback (a 10 mile ...); string (of taxis)

filet fillet (of beef), tenderloin

file|verkeer single-file (lane) traffic; **-vorming** traffic jam(s)

filiaal branch(-establishment, -office)

film id, (*bioscoop~*) motion-picture, (*sl*) movie; (*eig het doek*) screen (stories written for the ...)

film|acteur, -actrice film-, screen-actor, -actress; **-camera** film camera

filmen film, shoot

film|industrie motion-picture industry; **-journaal** newsreel; **-keuring** film-censorship; **-opname** shot; *een* ~ *maken* shoot a scene; **-ster** film-star; **-studio** id; **-vertoning** film-show; **-zon** camera floodlight

filosoferen philosophize; **filosofie** philosophy

filter filter; (*elektr, fot*) filter; **filteren** filter; **filtreren** filter, filtrate, strain

finaal total, complete (failure); final (decision)

finale id; (*sp*) final(s); **finalist** id

financieel financial (...ly independent), monetary; **financiën** (*geldmiddelen*) finances

finesse: *tot in de* ~*s* down to the minutest details

firma firm, concern, house

firmament id, sky

firmant partner

fiscaal fiscal; ~ *recht* revenue tax; **fiscus:** *de* ~ the Inland Revenue, (*fam*) the tax man

fit id

fitter id; **fitting** id, lamp-holder, socket

flacon bottle, flask

fladderen flutter, flit; hover (round a p.)

flakkeren flicker, waver

flanel flannel; **flanellen** flannel; ~ *broek* flannel trousers

flaneren stroll, lounge, saunter, laze about the streets

flank id, side

flap slap, blow; (*gebak*) turnover

flapdrol (*plat*) dud

flappen flap; *eruit* ~ blurt out

flappentap cash dispenser

flaptekst blurb

flapuit blab(ber)

flarden rags, tatters; *aan* ~ in rags, in tatters; *aan* ~ *scheuren* tear to rags

flat id, (*Am*) apartment

flater blunder; (*sl: bij examen, enz*) howler

flatgebouw block of flats; **flatje** flatlet

flatteren flatter; **flatteus** flattering

flauw (*geestloos, ook fig*) insipid (remarks), vapid (conversation), flat (the beer tastes ...); (*van grap*) silly, poor (joke); (*niet helder*) dim (light), faint (colour); (*zwak*) weak, faint; wan (smile); (*van markt*) dull, inactive; faint (*van honger* with hunger); (*van voedsel*) be a bit tasteless; *ik heb er geen* ~ *idee van* I have not the faintest idea; *ik had er een* (*geen*) ~ *vermoeden van* I had an (no) inkling of it; ~*vallen* faint, pass out; **flauwekul** (a load of) bunk (codswallop)

flauw|erd, -erik *a*) silly (fellow); *b*) (bangerd) milksop

flauwiteit insipid joke; **flauwte** swoon; *een* ~ *krijgen* faint, pass out; **flauwtjes** dimly (visible), (breathe) faintly

flens flange; **flensje** thin pancake, crepe

fles bottle; *op de* ~ *gaan,* (*sl*) go bust

flesse|bier bottled beer; **-gas** (bottled) gas; **-kind** bottle-baby; **-melk** bottled milk

flessen swindle; *je bent geflest* you've been had; **flessentrekker** swindler

flets dull, lacklustre (eyes); dim (light); pale

fleurig blooming; florid (face); lively

flikker homo, pansy, queer, gay; (*fam*) *iem op z'n* ~ *geven* give a man a good hiding

flikkeren flicker (candle), twinkle (stars); **flikkering** flicker(ing); **flikkerlicht** flickering light

flink I *bn* (*lichamelijk*) fine (boy), vigorous; (*energiek*) energetic, capable (servant); (*aanzienlijk*) considerable (quantity); ~ *portie* generous helping; ~*e wandeling* good walk; *wees eens* ~ pull yourself together; ~ *zo!* that's the stuff!; II *bw* vigorously, energetically; (beat a p.) soundly; *iem* ~ *de waarheid zeggen* give a p. a piece of one's mind

flipperen play pin-ball; **flipperkast** pin-table

flirt id, (*vooral man*) philander(er); **flirten** flirt

flits flash (*ook fig*); **flitsen** flash; **flitser** flash(-gun); **flitslampje** flash bulb

flo

flodder (*vrouw*) dowdy; *losse* ~ blank (cartridge); **flodderen** flounder; **flodderig** slipshod, careless; floppy (tie), sloppy (dress), baggy

flonkeren sparkle; **flonkering** sparkling, sparkle

floreren flourish, prosper

fluisteraar(ster) whisperer

fluistercampagne whisper(ing) campaign

fluisteren whisper; **fluistering** whisper(ing)

fluit flute; *hij weet er geen* ~ *van* he doesn't know a thing about it; **fluiten** whistle (*ook van wind, kogels, enz*); (*van vogel*) flute, pipe; (*op fluit*) flute

fluit|ketel whistling (tea-)kettle; **-signaal** whistle-signal

flut rubbish (that's ...)

fluweel velvet; **fluweelachtig** velvety; **fluwelen** velvet

fnuikend fatal

foedraal (spectacle-)case, casing, cover

foef(je) dodge, trick, wrinkle, (*sl*) gimmick

foei (for) shame!; **foeilelijk** positively ugly

foeteren (*uitvaren*) storm, rage

foetsie (*sl*) gone

foezelen swindle, cheat

fok foresail

fokken breed; **fokker** breeder; **fokkerij** *a*) (horse-, poultry-, pig-)breeding; *b*) (cattle, pig) farm

folder brochure

folio|papier foolscap; **-vel** folio

folklore id; **folklorist** id; **folkloristisch** folkloristic

folteraar torturer; **folteren** (*eig & fig*) put on (*of:* to) the rack, torture; (*fig*) torment; **foltering** torture, torment; (*fig ook*) agony

fonds (*uitgevers*~) (publisher's) list; (*reserve*~, *enz*) fund; (*zieken*~, *enz, ongev*) the National Health; (*kapitaal*) funds; ~*en*, (*effecten*) securities, stock(s); *geen* (*voldoende*) ~ *aanwezig* no effects; **fondspatiënt** (*ongev*) National Health patient

fonkelen sparkle; **fonkeling** sparkling, sparkle; **fonkelnieuw** spick-and-span (new), bran(d)-new

fontein fountain; **fonteintje** fitted basin, (small) wash-basin

fooi tip, gratuity; *iem* (*25 p.*) ~ *geven* tip a p. (25p.); *geen* ~*en* no gratuities, please

foppen fool, hoax; (*bedriegen*) cheat; **fopper** hoaxer; **fopperij** hoax, trickery

forceren force (door), strain (one's voice); *de dingen* ~ force the issue

forel trout (*mv:* trout); **forelkwekerij** trout-farm

forens commuter; **forensentrein** commuters' train

forma: *in optima* ~ in due form; *pro* ~ for form's sake

formaat size, format; (*fig*) stature

formaliteit formality; *zekere* ~*en vervullen* go through certain formalities

formatie formation; (*personeelssterkte*) (number of) staff

formeel formal; (*volslagen*) downright

formeren form (a government, etc), create

formidabel formidable

formule formula (*mv ook:* formulae); **formuleren** formulate, word; *zoals hij het zeer juist formuleert* as he aptly puts it; **formulering** wording; **formulier** form, blank

fornuis cooker, kitchen-, cooking-range

fors robust, big, stalwart, strong (wind)

fort (*mil*) fort(ress)

fortuin fortune; ~ *maken* make a fortune; **fortuinlijk** lucky; ~ *zijn* be in luck; **fortuintje** windfall

fossiel *bn & zn* fossil

foto photo

foto|artikelen photographic materials; **-geniek** photogenic

fotograaf photographer; **fotograferen** photograph; **fotografie** (*de kunst*) photography; **fotografisch** photographic (*bw:* -ally)

foto|handel camera shop; **-lijst** photo frame; **-toestel** camera

fouilleren search, frisk (a p. for arms, etc)

fout I *zn* mistake, error; (*gebrek*) defect; (*moreel & bij wedstrijd*) fault; II *bn* wrong, faulty; **foutief** wrong; **foutloos** faultless, perfect

fraai fine, pretty, handsome; **fraaiheid** prettiness

fractie fraction; (*pol*) (parliamentary) party; *een* ~ *van een seconde* a split second

fragment id; **fragmentarisch** patchy

framboos raspberry

Française Frenchwoman, French lady

franco (*per post*) post-paid; (*van goederen*) carriage paid; ~ *huis* free domicile

franje fringe, edging; (*fig*) frill(s), trimmings

frank frank; ~ *en vrij* frank and free

frankeerkosten postage; **frankeren** prepay; (*postzegel opplakken*) stamp

Frankrijk France

Frans I (*naam*) *een vrolijke* ~ a live wire; II *zn* French; *de* ~*en* the French; *tien* ~*en* ten Frenchmen; *in het* ~ in French; *daar is geen woord* ~ *bij* that's plain speaking (language, English); III *bn met de* ~*e slag* perfunctory; **Franse** Frenchwoman; **Fransman** Frenchman

frase phrase; (*muz*) id; (*holle*) ~*n* empty talk

frater (lay) brother, friar

fraude fraud; ~ *plegen* practise fraud; **frauduleus** fraudulent (bankruptcy)

fregat frigate

Fries *zn & bn* Frisian; **Friesland** id

frikadel minced-meat ball

fris fresh (flower, air), refreshing (drinks), cool (weather), fit (feel very ...); *zo* ~ *als een hoen(tje)* as fresh as a daisy; **frisdrank** soft drink, (*Am*) pop

frisheid freshness, coolness; **frisjes** somewhat fresh

frites (*fam*) chips, French fries
frommelen rumple, crumple, fumble
fronsen knit, wrinkle (one's forehead); *zijn voorhoofd~, ook:* frown, (*dreigend*) scowl
front front (*in alle bet*); (*van gebouw ook*) façade; *aan het ~* at the front; *voor het ~ der troepen* in front of the troops; **frontaal** frontal; *frontale botsing* head-on collision
fruit fruit
fruiten (*uitjes e.d.*) fry
fruit|handelaar fruiterer; **-stalletje** fruit-stall; **-verkoper** fruit-seller; **-winkel** fruiterer's shop
fuif party, spree; *een ~ geven* throw a party
fuik bow-net, fish-trap, eel-trap
fuiven feast, celebrate, revel; (*sl*) be on the binge, junket; *iem~* feast a p. (*op* with)
functie function; *in ~ zijn* be in function (in office)
functie|-eis requirement for the job; **-waardering** job-assessment
functionaris functionary; **functioneren** function; officiate (*als* as)
fundament foundation; **fundamenteel** fundamental, basic (agree on ... points); **funderen** lay the foundations of (a building); *~ op* base on; **fundering** foundation; (*van schuld*) funding
funest fatal, disastrous
fungeren: *~ als* act (officiate) as; **fungerend** acting
fusie fusion, amalgamation, merger, take-over
fusilleren shoot (down)
fut spirit, spunk, go; *er zit geen ~ in hem* there is no spirit in him
fysiotherapeutisch (*Belg*) rehabilitative; **fysiotherapie** physiotherapy

Ggg

gaaf sound (wood, fruit, teeth), whole, entire; (*sp*) perfect (game *partij*)
gaan go (*ook van bel, fluit, klok, radio, de tijd, enz*); *de telefoon ging* the telephone went; *ik ga* I am going, I am off; *daar ~ we!* off we go!; *ik moet ~* I must be going (must go); *zich laten ~* let o.s. go, speak out freely; *laten we ~* let us be off; *hoe ~ we?* (= *hoe zullen we ~?*) how do we go?; *hoe gaat het?* how are you?; *hoe gaat het met je broer?* how is your brother?; *het gaat slecht in de handel* trade is bad; *het gaat hem goed* (*slecht*) he is doing well (badly); *het gaat niet erg goed met hem* he isn't doing any too well; *het ga je goed!* good luck to you!; *als alles goed gaat,* ... if all goes well ...; *het gaat niet* it can het be done; I cannot manage it; *het ging niet* (*op*) it (the plan, etc) didn't work; *dat gaat zo niet* (*langer*) that won't (doesn't) do; *het zal niet ~!* (*iron*) nothing doing (thank you)!; *zo gaat het* (*in de wereld, in het leven*) such is life; *daar gaat ie!* here goes!; *hij ging bij de marine* he joined the navy; *er gaat niets boven een glas wijn* there is nothing like a glass of wine; *er ~ ... in* ... the hall will hold (accommodate) 400 people; *in de politiek ~* take up politics; *de boot gaat naar A.* is bound for A.; *waar gaat deze weg naar toe?* where does this road go (lead) to?; *het gaat om het leven* (*om zijn leven*) it is a matter of life and death (with him); *daar gaat het om,* (*bij verkiezing, enz*) that's the point (at issue); *waar het om gaat* the issue at stake; *daar gaat het niet om* that's not (that is beside) the point; *het gaat er mij alleen om, dat je* ... all I want is that you ...; *als het om ... gaat* if it is a question of ...; (*helemaal*) *niet begrijpen, waar het om gaat* miss the point (entirely); *4 gaat 3 maal op 12* 4 into 12 goes three times; *er ~ er 10 in een pond* ten of them go to a pound; *over Amsterdam ~* go via (by way of) A.; *het boek gaat over* ... the book tells about ...; *tot Utrecht ~* go as far as U; *het gaat tussen hem en mij* the choice is between him and me; *~ + infinitief: iem ~ bezoeken* go to see (go and see) a p.; *wanneer je erover gaat denken* when you come to think of it; *~ eten* go and dine; *je zult ervan ~ houden* you'll come to love it; *het gaat regenen* it is going to rain; *~ wandelen* go for a walk; **gaande** going; *de ~ en komende man* comers and goers; *er is een oorlog ~* there's a war on; *wat is er ~?* what is the matter (what is up, going on)?; *het gesprek ~ houden* keep the conversation going; **gaandeweg** little by little, gradually; **gaans:** *een uur ~* an hour's walk

gaap yawn

gaar done; (*van vermoeidheid, enz*) (feel) done (up); *te ~ overdone*; *te ~ koken* overcook; *goed ~ well(-)done*; *niet ~ underdone*; *hij is niet (goed) ~* he is half-baked (half-witted, crack-brained); *halve gare* softy; **gaarkeuken** soup-kitchen

gaarne willingly, readily, gladly; *uw antwoord ~ tegemoet ziende ...* looking forward to your reply; *zie verder* graag *bw*

gaas gauze, (mosquito) netting; (*kippe-*) wire netting; **gaasje** square of gauze

gade husband, wife

gadeslaan watch, observe, regard

gading *dat is niet van mijn ~* it doesn't suit me (my requirements), that is not in my line; *is er iets van uw ~ bij?* is there anything you fancy?

gaffel (*2-tandige vork*) two-pronged fork; (*hooivork*) pitch-fork; (*algem*) fork

gage salary; (*van scheepsvolk*) pay

gajes rabble

gal bile, gall; *de ~ doen overlopen* stir up a p.'s bile; *zijn ~ (uit)spuwen* vent one's spleen (gall), spit one's venom (*over iem* on a p.)

gala (*feest*) id; *in ~* in gala, in full dress

gala|avond gala night; **-bal** dress-, state-ball

galachtig bilious; (*fig ook*) choleric

galadiner state dinner (*of:* banquet)

galant gallant; **galanterie** gallantry; *~ën* fancy-goods, fancy- articles

galavoorstelling gala (state) performance

galblaas gall-bladder

galei galley

galei|boef, -slaaf galley-slave

galerij gallery; **galerijflats** galleried flats

galg gallows, gibbet; *aan de ~ sterven* die on the gallows; *hij groeit op voor ~ en rad* he will end on the gallow

galge|brok gallows-bird; **-humor** grim (sardonic, gallows) humour

gallicisme gallicism

galm boom, (booming) sound, echo (*in kerk*); **galmen** sound, resound, (re-)echo; (*van persoon*) bawl; **galmgat** sound-hole

galnoot gall-nut, oak-apple

galon lace, braid

galop gallop; *korte ~* canter; *in ~* at a gallop; *in volle ~* (at) full gallop; **galopperen** gallop

galsteen gall-stone

galvanisch galvanic; **galvaniseren** galvanize

gammastraal gamma ray; **gammastraling** gamma radiation

gammawetenschappen social sciences

gammel crazy, shaky, ramshackle

1 gang (*van huis, enz & onderaards*) passage; (*van gravend dier*) tunnel; (*van gebouw en trein*) corridor; (*vestibule*) hall; (*aan boord*) alley-way, companion-way; (*in mijn*) gallery

2 gang (*wijze van lopen*) walk, gait; (*snelheid, vaart*) pace, speed; (*verloop van ziekte, enz*) course; (*gerecht*) course; *de gewone ~ van z* the usual course (of events); *er zit geen ~ in* there is no go in it; *zijn eigen ~ gaan* go one's own way; *ga uw ~!* do as you please, have it your own way!; (*na u!*) after you!; (*gew: gaat ...*) (*van winkelier die klant uitlaat*) thank you; *alles gaat zijn gewone ~* things are going on as usual; *iem zijn ~ laten gaan* let a p. have his way; *laat hem zijn ~ gaan, ook:* let him (be); *hij laat de zaken hun ~ gaan* he lets things take their course; *iems ~en nagaan* watch a p.'s movements; *iems ~en laten nagaan* have a p. watched, set a watch on a p.; *aan de ~ blijven* keep going (moving); *aan de ~ brengen* set (get) (a watch) going, start (up) (an engine); *aan de ~ gaan* set to work; *aan de ~ helpen* start a p. (in business, in life), give a p. a start in life; *de zaak aan de ~ houden* keep things going; *het gesprek aan de ~ houden* keep the conversation alive; *ik kon niet aan de ~ komen* I could not get going; *ik kon de motor niet aan de ~ krijgen* I could not get the engine started; *aan de ~ zijn,* (*van pers*) be at work; (*van campagne, verhaal, enz*) be under way; *onderhandelingen zijn aan de ~* negotiations are in progress; *... is nog maar ... aan de ~* the football season is only a week old; *de voorstelling is al aan de ~* the performance is now on; *ze zijn weer aan de ~ geweest* they have been at it again; *er ~ achter zetten* push things on; *alles is in volle ~* everything is in full swing; *de fabriek is weer op ~* is in working-order again; (*goed*) *op ~* (things are) (well) under way; *op ~ komen* get under way; *zie ook:* aan de ~

gangbaar current (words, article); *niet meer ~* out of date

gangboord gangway

gangetje 1 (narrow) passage-way; 2 jog-trot; *het gaat zo'n ~* things are jogging on pretty well (not too well); *het gewone ~ volgen* go on in the old way, continue on the old lines

gang|lamp hall-lamp; **-loper** passage-carpet; **-maker** pace-maker; **-mat** hall-, corridor-mat; **-pad** (*tussen stoelen, enz*) gangway; (*in kerk*) aisle

gangster id, gun-man

gans I *zn* goose (*ook fig*); **II** *bn* complete, entire; **III** *bw* entirely, completely; **ganzenmars:** *in de ~* (in) single file

gapen (*geeuwen & van afgrond*) yawn; (*opzettelijk & van mond, wond, enz*) gape; **gaping** gap, hiatus, lacuna (*mv:* lacunae)

gappen pinch, pilfer, sneak; **gapper** pilferer

garage id; **garagehouder** garagist, garage-keeper

garagist (*Belg*) 1 id; 2 car-, motormechanic

garanderen guarantee, warrant; **garant** guarantee, guarantor; *z ~ stellen voor* guarantee, warrant, vouch for; **garantie** guarantee, guaranty, warranty, security; *~ stellen* give a guarantee; *met ~* guaranteed, warranted

garantie|bewijs guarantee, warranty; **-fonds** guarantee-fund

garde guard(s); *koninklijke ~* Royal Guards, Household Troops

garde|-officier officer of the Guards, guardsman; **-regiment** Guards regiment

garderobe wardrobe; (*in schouwburg, station, enz*) cloak-room; **garderobejuffrouw** cloak-room attendant

gareel collar, harness; *in het ~ lopen* be in harness

garen thread, yarn; (*naaigaren*) cotton

garnaal shrimp; (*steur~*) prawn

garnalen|broodje shrimp roll; **-vangst** shrimping, prawning

garneren trim, garnish; **garnering, garneersel** trimming; **garnituur** (*van kleed*) trimming; (*van schotel*) trimmings

garnizoen garrison

garnizoens|commandant garrison commander; **-plaats** garrison-town

gas gas; *door ~ verlicht* gas-lit; *door ~ bedwelmen* (*doden*) gas; *door ~ verdrijven* gas out; *~ geven* (*auto*) accelerate, open the throttle, (*oorspronkelijk Am*) step on the gas; *~ minderen* throttle down (*of: back*); *vol ~ geven* give full throttle

gas|aansteker gas-lighter; **-aanvoer** gas-supply

gasachtig gaseous

gas|bel gas pocket; **-druk** gas-pressure; **-fabriek** gas-works; **-fitter** gas-fitter; **-fornuis** gas-cooker; **-geiser** gas water heater; **-gestookt** gas-fired; **-haard** gas-fire; **-kachel** gas-stove, gas-heater; **-kamer** gas chamber; **-komfoor** gas-ring, -cooker; **-kraan** gas-tap; **-lamp, -lantaarn** gas-light, -lamp; **-leiding** (*hoofdleiding*) gas-main; (*in huis*) gas-pipes; **-lek** gas-leak(age); **-masker** gas-mask; **-meter** gas-meter; **-oven** gas-oven; **-pedaal** accelerator (pedal); **-pijp** gas-pipe; (*hoofdbuis*) gas-main; (*tussen straat en huis*) service pipe; **-slang** gas-tube; **-stel** gas-cooker

gast guest (*ook parasiet*), visitor (*beide ook van hotel*); (*ere~*) guest of honour; *~en* (*sp*) visitors, visiting team; *iems ~* (*bij iem te ~*) *zijn* be a p.'s guest

gast|arbeider (im)migrant worker; *~s* foreign labour; **-dirigent** guest-conductor; **-docent** visiting lecturer

gastenboek visitors' book; hotel register

gast|gezin host family; **-heer** host; (*mv sp*) home club, home team; **-huis** hospital; (*voor oude lieden*) home (for the aged and infirm)

gast|land host country; **-maal** feast, banquet; **-rol** star-part

gastronomie gastronomy

gastvrij hospitable; **gastvrijheid** hospitality; *~ verlenen* give (extend) hospitality

gastvrouw hostess

gas|vergiftiging (death by) gas-poisoning; **-verlichting** gas-lighting; **-verwarming** gas-heating; **-vlam** gas-flame, gas-jet

gasvormig gasiform, gaseous; **gasvorming** gasification

gat hole, opening, gap; (*in dijk ook*) breach; (*achterste*) bottom; (*fam*) backside; (*in weg*) (pot-)hole; (*dorpje, enz*) (dog-)hole, wretched (rotten) hole of a place; *hij heeft een ~ in zijn hand* he spends money like water; *een ~ in de dag slapen* sleep far into the day; *~en krijgen,* (*van kous, enz*) wear (go) into holes; *hij kreeg een ~ in z'n hoofd* he broke his head; *hij sloeg een ~ in de lucht* it took away his breath, he jumped out of his skin; *een ~ in de markt* an undiscovered business opportunity; *een ~ stoppen* stop a gap (*ook fig*); *iem het ~ van de deur wijzen* show a p. the door; *ik zie er geen ~ in* I am up against a blank (brick, stone) wall, I don't see a way out; *hij is voor niet één ~ te vangen* he knows more than one trick; *hij heeft het in de ~en* he has noticed it; *ik had hem gauw in de ~en* I had soon found him out, had soon sized him up; *houd hem in de ~en!* keep your eye on him! watch him!; *in de ~en krijgen* get sight of, spot; get wind of (s.t.); *in de ~en lopen* attract notice

gauw I *bn* quick, swift; *hij was me te ~ af* was too quick for me; **II** *bw* ...ly, (suspect a p. too) readily; (*spoedig*) soon, before long; easily (he is not ... satisfied, laugh ...); *~ wat!* be quick!; *hij wist zo ~ niet wat hij zou zeggen* he did not know what to say on the spur of the moment; *hij vergeeft niet ~* he is slow to forgive; **gauwdief** pickpocket

gauwigheid quickness, swiftness; *in de ~* in a hurry, hurriedly

gave gift (*ook fig:* have the ... of poetry); *man van grote ~n* highly gifted man

gazel(le) gazelle

gazon lawn

geaard (*in sam*) natured, disposed, tempered; (*elektr*) earthed; **geaardheid** nature, disposition, temper

geaccidenteerd (*van terrein*) broken (ground)

geacht esteemed, respected; *~e Heer* Dear Sir

geaderd veined (hands, leaves, marble, wood)

geadresseerde addressee

geaffecteerd affected

geaggregeerde (*Belg*) grammar school teacher

geagiteerd agitated, fluttered, (be) in a flutter

geallieerd allied; *de G~en* the Allies

gearmd arm in arm

geautomatiseerd computerized

geavanceerd advanced (ideas, etc), sophisticated (techniques)

gebaar gesture (*ook fig*), gesticulation; *edelmoedig ~,* (*fig*) generous gesture; *gebaren maken* gesture, gesticulate

gebaard bearded

gebabbel (*onschuldig*) prattle; (*in ongunstiger bet*) chatter, gossip

gebak pastry, cake(s); **gebakje** pastry

gebaren|spel mime, dumb-show; **-taal** sign, gesture-language

gebazel empty talk

gebed prayer; (*voor & na maaltijd*) grace; *het*

geb

Onze Vader the Lord's prayer; *een* ~ *doen* say a prayer; **gebedenboek** prayer-book

gebedsgenezer faith healer

gebeente bones; *wee je* ~*!* (you'll do it right, or) I'll know the reason (why)!

gebeier chiming, ringing

gebelgd incensed, offended (*over iets* at s.t.); **gebelgdheid** resentment (*over* at)

gebergte mountain range; **gebergtevorming** mountain-building

gebeten: ~ *zijn op* have a grudge against

gebeuren happen, come about, come to pass, occur; *het moet* ~ it has to be done; *wat gebeurd is, is gebeurd* it is no use crying over spilt milk; *zo iets gebeurt meer* such things will happen; *dat zal me niet meer* ~ you won't catch me at it again; *wat is er met u gebeurd?* what has happened to you?; (*de dag ging voorbij*) *zonder dat er iets gebeurde* uneventfully; *als er eens iets mocht* ~ just in case; **gebeurtenis** event, occurrence; *de loop der* ~*sen afwachten* watch events, wait and see

gebied territory (of a state), dominion; area (the flooded ...); belt (corn-belt, etc); (*rechts-*) jurisdiction; (*fig, wisk*) domain (the ... of trade), territory, province, field, department; *deskundige op het* ~ *van* ... expert on ...; *dat behoort niet tot mijn* ~ that is outside my province

gebieden order, command, direct; *stilte* ~ order (*of:* call for) silence; *voorzichtigheid blijft geboden* caution should be exercised; **gebiedend** commanding (tone), imperative (necessity, etc), compelling (look); (*vooral van pers*) imperious; ... *is een* ~*e eis* is imperative; **gebieder** ruler, lord, master

gebiedsdeel territory

gebit set of teeth, teeth; (*van toom*) bit

gebladerte foliage, leaves

gebloemd flowered (dress, silk, etc)

geblokt chequered, check (cloth)

gebocheld hunch-backed; **gebochelde** hunchback

gebod order, command; (*goddelijk*) commandment; *de tien* ~*en* the ten commandments

geboefte riff-raff, rabble

gebogen bent (crooked) (stick), bowed (figure), arched (nose), curved (blade, mirror)

gebonden (*niet vrij*) tied; (*van boek*) bound; (*van saus, enz*) thick; ~ *zijn*, (*fig*) be committed to s.t., to do s.t.); **gebondenheid** lack of freedom

geboomte trees, timber

geboorte birth; *bij de* ~ at birth; *ze stierf bij de* ~ *van een zoon* she died in giving birth to a son; *een Engelsman van* ~ an Englishman by birth

geboorte|akte certificate of birth; **-dag** birthday; **-grond** native soil; **-huis** birth-place; **-jaar** year (date) of (a p.'s) birth; **-land** native country, home land

geboorten|beperking birth-control; **-cijfer** birth-rate; **-overschot** excess of births over deaths; **-regeling** birth-control, family planning; **-register** register of births

geboortig: ~ *uit H.* born at (in) H., a native of H.; **geboren** born; *zij is een* ~ *Engelse* an English-woman (English) by birth; ~ *Hagenaar* native of The Hague; ~ *en getogen* born and bred

geborgenheid (sense of) security

gebouw building; (*ook fig*) structure; (*fig*) fabric (the social ...); **gebouwencomplex** block of buildings

Gebr.: ~ *J. J.* Bros

gebrand burnt; *zie branden*; ~ *glas* stained glass; ~ *zijn op* be keen on, (*sterker*) be mad about

gebreid knitted; ~*e goederen* knitted goods, knitwear

gebrek (*gemis*) want, lack (*aan* of: there is no lack of criticism); (*schaarste*) shortage (*aan* of); want, lack; (*armoede*) want; (*lichamelijk*) defect; (*fout*) failing, fault, defect, shortcoming; (*in wet, enz*) defect, flaw; *een* ~ *aan de machine* a defect in the machine; ~ *hebben* (*lijden*) be in w, starve; ~ *hebben aan* be in w of; *groot* ~ *hebben aan* be hard up for; *aan niets* ~ *hebben* want for nothing; ~ *aan ruimte hebben* be cramped for room; ~ *hebben aan personeel* be short-handed; ~ *krijgen aan* run short of; *bij* ~ *aan* for w of; *bij* ~ *aan bewijs* for lack of evidence; *bij* ~ *daaraan* failing that; *door* (*uit*) ~ *aan* for lack (want) of; *in* ~*e blijven* fail (*te* to); *in* ~*e zijn* be in default; **gebrekkig** defective (eyesight, apparatus), insufficient (packing), faulty (English, expression), poor (writing); (*pers*) deformed, crippled, lame, handicapped; (*van ouderdom*) decrepit

gebrild (be)spectacled

gebroed brood (*ook fig*)

gebroeders: *de* ~ *F.* the F. brothers, the brothers F.; (*als firma*) F. Bros

gebroken broken; fractured (rib); ~ *Engels* broken English; ~ *getal* fractional number, fraction; ~ *wit* off-white

gebrom buzz(ing), murmur; (*radio*) hum; (*van hond*) growl(ing); (*van pers*) grumbling (*over* at, about), growling (*op* at)

gebruik use (of one's arms, legs, instruments); (*gewoonte*) usage, practice, custom, habit; (*verbruik*) consumption (unfit for ...); ~ *maken van* make use of, use (one's authority); avail o.s. of (an opportunity); *een goed* ~ *van iets maken* put a thing to good use; *een slecht* ~ *maken van* misuse; *buiten* ~ out of use; *buiten* ~ *raken* fall into disuse; *in* ~ in use; *in* ~ *komen* (*nemen*) come (put) into use; *ten* ~*e van* for the use of (schools, etc); *voor uitwendig* ~ for outward application; **gebruikelijk** usual, customary; **gebruiken** 1 use (books, instruments, a p.'s name), employ (servants), make use of, exercise (one's talents); 2 take (one's meals, sugar in one's tea), drink (alcohol), have (breakfast, lunch, etc), eat (one's dinner); (*verbruiken*) consume; *ik zou best ... kunnen* ~ I could do with a few pounds (a new coat, etc); *wat* ~ have some refreshments; *wat zul je* ~? what are you going to have? (*fam*) what shall it be?; *hij gebruikt nooit ...* he never touches drink (meat, etc); **gebruiker** user; (*verbruiker*) consumer

gebruiks|aanwijzing directions for use; **-goederen** consumer goods; **-klaar** ready for use; ready-to-eat (food); **-voorwerp** utensil; **-waarde** useful value

gebruikt used (cup, match); second-hand

gebruind sunburnt

gebrul roaring, howling

gebulder boom(ing), roar(ing)

gecharmeerd: ~ *zijn van* be taken with

geciviliseerd civilized, well-mannered

gecommitteerde delegate; (*bij examens*) external examiner

gecompliceerd complicated

gedaagde defendant

gedaan done; (*in akten, enz*) given (this 8th day of May); *het is met hem* ~ he is done for, it's all over with him; *het is* (*helemaal*) *met mijn geluk* (*bij spel, enz*) ~ my luck is out; *het is niets* ~ it's no good; *ik kan niets van hem* ~ *krijgen* I cannot get anything out of him; *hij kreeg het* ~ he brought it off, managed it; *gedane zaken nemen geen keer* it is no use crying over spilt milk

gedaante shape, figure, form; *zich in zijn ware* ~ *vertonen* show o.s. in one's true colours (character); **gedaanteverwisseling** metamorphosis (*mv:* -ses), transformation

gedachte thought (*aan* of), idea, notion; (*herinnering*) memory; (*nadenken*) thought, reflection; (*mening*) opinion; *zijn* ~*n gingen terug naar ...* his mind went back (his thoughts returned) to that day; *zijn* ~*n hebben bij* keep one's mind on ...; *zijn* ~*n niet bij elkaar hebben* be absent-minded; *zijn* ~*n verzamelen* collect one's thoughts; *hij glimlachte bij de* ~ *...* he smiled to think ...; *in* ~*n ben ik bij je* I am with you in thought; *in* ~*n verzonken* absorbed (lost, wrapped) in thought, deep in thought, preoccupied; *met ... in* ~*n* with this idea in mind; *houd dat in* ~ bear that in mind, remember that; *dat heeft me op de* ~ *gebracht* that first suggested the idea to me; *iem tot andere* ~*n brengen* make a p. change his mind; *het uit de* ~ *zetten* put it from one's mind; *van* ~(*n*) *veranderen* change one's mind; *van* ~*n wisselen* exchange views; *op twee* ~*n hinken* halt between two opinions; **gedachteloos** thoughtless, unthinking

gedachten|gang train (line) of thought; **-lezen** thought-, mind-reading; **-wolkje** (*ook in stripverhaal*) balloon

gedachtig mindful (of)

gedateerd dated

gedecideerd decided, resolute; *een* ~*e weigering* a flat (an uncompromising) refusal; **gedecideerdheid** resolution, decision

gedecoreerd decorated (*ook van aardewerk*)

gedeelte part, section, instalment; (*aandeel*) share; *bij* ~*n afbetalen* pay in instalments; *voor het grootste* ~ for the greater part; **gedeeltelijk** *bn* partial (eclipse); *bw* partly, in part; *zie* deels

gedegen native (gold); (*degelijk*) sound, thorough

gedegenereerd(e) degenerate

gedekt laid (table); (*kaartspel, enz*) guarded; ~*e kleuren* subdued colours

gedelegeerde delegate (*bij de Verenigde Naties* to ...)

gedempt (*licht*) subdued

gedenk|boek memorial volume; **-dag** anniversary

gedenken remember; commemorate

gedenk|jaar jubilee-year; **-penning** commemorative medal; **-plaat** memorial tablet; **-teken** monument, memorial; **-waardig** memorable

gedeponeerd: ~ *handelsmerk* registered trademark

gedeputeerde deputy, delegate

gedetailleerd *bn* detailed; *bw* in detail

gedetineerde (trial, remand) prisoner, detainee

gedicht poem

gedienstig obliging, attentive; *al te* ~ officious

gedijen prosper, thrive, flourish (*van* on); *gestolen goed gedijt niet* ill-gotten goods never prosper

geding lawsuit, action, case; *in het* ~ *zijn* be at stake

gediplomeerd certificated (midwife), qualified (teacher), trained (nurse)

gedistilleerd spirits, strong liquor

gedistingeerd refined (features); *zij is niet* ~ she has no style; **gedistingeerdheid** distinction

gedocumenteerd documented (report)

gedoe (*druk*) bustle; (*gezanik*) bother

gedogen tolerate

gedonder thunder; *dat* ~! confound it!; **gedonderjaag** nagging, bullying; carry-on

gedrag (*zedelijk*) conduct; (*optreden, manieren*) behaviour, demeanour; ~ *tegenover de omgeving* social behaviour; *getuigschrift van goed* ~ certificate of good character; **gedragen I** *ww: zich* ~ behave (o.s.); *zich goed* ~ behave well; (*vooral van kind*) behave (o.s.); *zich slecht* ~ misbehave (o.s.); *zich beter gaan* ~ *mend* one's ways; **II** *bn* lofty (style, etc)

gedrags|code code of conduct; **-lijn** line of conduct (of action, of policy), course (of action), policy; **-regel** rule of conduct, maxim; **-wetenschappen** behavioural sciences

gedrang crowd, throng, crush, rush (to the exit); *in het* ~ *komen,* (*fig*) get into a corner (a tight place), ... is going to suffer

gedreun drone, din, shaking
gedrocht monster, monstrosity
gedrongen: ~ *gestalte* thick-set (squat, stocky) figure; ~ *stijl* terse style
gedruis noise, rush, roar
gedrukt printed (book, cotton); (*neerslachtig*) dejected, depressed, low(-spirited); **gedrukt-heid** dejection, depression, dullness
geducht I *bn* formidable (opponent); (*enorm*) tremendous, enormous; II *bw* sound, thorough
geduld patience; *een ogenblik* ~*!* one moment, please!; ~ *hebben* have patience, be patient; *mijn* ~ *is op* my patience is at an end (is exhausted); *zijn* ~ *raakte op* his patience was wearing thin; **geduldig** patient
gedupeerd harmed, hurt, injured; **gedupeerde** victim
gedurende (*3 weken enz lang*) for (ill … three weeks), over (stay … the week-end); (*tijdens*) during (… the night some rain fell); ~ *het middagmaal* all through dinner
gedurfd daring, risky, provocative (film)
gedurig I *bn* continual, incessant; II *bw* …ly, time and again
gedwee submissive, subdued, meek, docile
gedwongen enforced (holiday), forced (smile, sale), compulsory (sale), constrained (manners); ~ *arbeid* forced labour
geëigend appropriate
geel I *bn* yellow; ~ *worden* turn (become) yellow, yellow; II *zn* yellow; (*van ei*) yolk; **geelachtig** yellowish
geel|bruin yellowish brown, tan; fawn; **-koper(en)** brass; **-zucht** jaundice
geëmancipeerd emancipated, liberated
geëmotioneerd excited
geen (*bijv*) no, not a (not a bird sang, this is not a busy street), not any, not (he doesn't know French); (*zelfst*) not one, none, not any; ~ *van hen* (*beiden*) neither (of them); ~ *van hen* (*allen*) none (not one) of them; *ik ken* ~ *van hen* I don't know any (*van twee:* either) of them; *dat is* ~ *Engels* that is not English
geenszins by no means, not at all, in no way
geest (*tegenover lichaam*) spirit; (*met betrekking tot denken, waarnemen, willen*) mind; (*geestigheid*) wit; (*persoon*) spirit (noble …s), mind (the greatest …s); (*karakter*) spirit, genius; (*onstoffelijk wezen*) spirit, ghost; *de* ~ *van de tijd* the spirit of the times; *boze* ~*en* evil spirits; *een goede* (*prettige*) ~ pleasant (happy) atmosphere (tone); *tegenwoordigheid van* ~ presence of mind; *de* ~ *geven* breathe one's last; *hij sprak in dezelfde* ~ to the same effect; *de meeste antwoorden waren in de* ~ *van* … were on the lines of that given by …; *volgens de* ~ *van de wet* according to the spirit of the law; *voor de* ~ *komen* come to one's mind; *voor de* ~ *roepen* call up before one's mind; *weer voor de* ~ *roepen* recall (names, etc); *het staat mij nog duidelijk voor de* ~ it stands out

clearly in my memory; *hij zag er uit als een* ~ he looked like a ghost; **geestdodend** soul-killing, dull, monotonous; ~ *werk, ook:* drudgery
geestdrift enthusiasm; *in* ~ *brengen* enrapture; *in* ~ *geraken* become enthusiastic; **geestdriftig** enthusiastic (*bw:* -ally)
geestelijk (*onstoffelijk*) spiritual; (*verstandelijk*) intellectual, mental; cultural (life); (*kerkelijk*) spiritual; sacred (songs), religious (orders); ~ *welzijn* spiritual welfare; **geestelijke** (Anglican) clergyman, (R.C.) priest; ~ *worden* go into the Church, take (enter into) holy orders, enter the ministry; *andere* ~*n* other clergy; **geestelijkheid** clergy
geesten|bezwering necromancy, exorcism; **-rijk** spirit world; **-uitdrijver** exorcist
geestes|gesteldheid mentality; **-houding** attitude of mind; **-kind** brain-child; **-oog** mind's eye; **-produkt** brain-child, product of (one's) brain; **-toestand** state of mind; **-wetenschap:** *de* ~*pen*, (*ongev*) the humanities; **-ziek** mentally handicapped, insane; **-ziekte** mental illness
geestig witty, smart; **geestigheid** wit, wittiness; (*aardigheid*) witticism, wisecrack
geest|kracht strength of mind, fortitude; **-rijk** (*van pers, enz*) witty; ~*e dranken* spirituous liquors, strong drinks; **-vermogens** (mental) faculties; **-verruimend** psychedelic; **-verschijning** apparition, phantom; **-verwant** *bn* congenial; *zn* kindred (congenial) spirit; (*aanhanger*) supporter; **-verwantschap** congeniality of spirit (of mind)
geeuw yawn; **geeuwen** (give a) yawn
geëvacueerde evacuee
geëxalteerd high-strung, highly strung
gefaseerd phased, gradually
gefingeerd fictitious (name), bogus (address)
geflikflooi coaxing, fawning
geflirt flirtation
geflonker twinkling, sparkling
gefluit whistling; (*van vogels*) warbling
gefortuneerd wealthy, rich, (man) of means
gefrankeerd post-paid; ~*e, geadresseerde enveloppe* stamped addressed envelope (SAE)
gefundeerd: *goed* ~ well(-)founded
gegadigde interested party; (*bij koop*) would-be (prospective) purchaser (buyer); (*sollicitant*) applicant, candidate
gegeneerd embarrassed
gegeven I *bn* given (at a … moment); *in de* ~ *omstandigheden* in the circumstances; *zich aan zijn* ~ *woord houden* stick to one's word; II *zn* datum, (*wisk*) data; ~*s* data, information
gegiechel giggling, titter(ing)
gegil scream(ing), yell(ing)
gegoed well-to-do, well(-)off; ~*e stand* mon-eyed classes
gegolfd waving, wavy; corrugated (iron)
gegomd gummed (envelope)
gegrinnik chuckle, chortle

gegrom snarl(ing), growl(ing), grumbling

gegrond well-founded, just; good (reason for joy), sound (reasons), strong (motive), reasonable (doubt); *zonder ~e redenen* without proper cause; **gegrondheid** soundness, justness, justice

gehaaid sharp, knowing, deep (he is a … one)

gehaast hurried; *~ zijn* be in a hurry

gehaat hated, detested

gehakt minced meat

gehalte *(algem)* quality, standard; *(van goud, enz)* (degree of) fineness, alloy; strength (of beer); *(normaal ~ van alcohol)* proof; *van het zelfde ~ als, (fig)* of a piece with; *gezelschap van het slechtste ~* of the worst sort; *erts van laag ~* low-grade ore

gehandicapt handicapped

gehard *(van staal, enz)* tempered; *(fig)* hardened *(tegen* against), hardy; seasoned

geharnast armoured; *(fig)* strong (language)

geharrewar bickering(s)

gehaspel *(geknoei)* bungling, botching

gehavend battered, dilapidated; (his clothes were) in rags; tattered (books)

gehecht: *~ aan* attached to, *(sterker)* devoted to (one's children); **gehechtheid** attachment, devotion

geheel I *bn* whole, entire, complete; *~ getal* whole number, integer; *~ Engeland* all *(of:* the whole of) England; *de -le wereld* all the (the w) world; *de -le dag* all day, the w day; *gister de -le dag* (I was out) all day yesterday; *over het -le land* all over the country; *de -le stad* the w town; *met ~ mijn hart* with all my heart; **II** *bw* wholly, entirely, completely, quite (different), all (… alone; … in white); *~ en al* altogether, entirely, utterly; *~ of gedeeltelijk* in whole or in part; *~ wol* all-wool; *~ gekleed* fully dressed; *zie ook* helemaal; **III** *zn* whole; *zeven in het ~* seven in all; *in het ~ niet (niets)* not (nothing) at all; *over het ~* (up)on the whole

geheelonthouder total abstainer, teetotal-(l)er; **geheelonthouding** total abstinence, teetotalism

geheid *(fam)* firm(ly); certain (goal); (it's) a dead cert

geheim I *bn* secret (door, meeting; *ook op brief*); hidden (feelings); *(ongeoorloofd)* clandestine (marriage); underground (organizations); *~e agent* secret agent; *~e politie* secret police; *~ telefoonnummer* unlisted telephone number; *(diep) ~ houden* hush-hush (conference); *het ~ houden* keep it (a) secret *(voor* from); **II** *zn* secret, mystery; *publiek ~* open secret; *een ~ bewaren* keep *(of:* guard) a secret; *geen ~en voor iem hebben* have no secrets from a p.; *iem het ~ mededelen* let a p. into the secret; *in het ~* in secret, in secrecy, secretly

geheim|houding secrecy, privacy; *~ in acht nemen* maintain secrecy; *iem ~ opleggen (laten zweren)* bind a p. over to secrecy; **-schrift** cipher, code, cryptography

geheimzinnig mysterious *(met iets* about s.t.); uncanny (his … sixth sense); *~ doend* mysterious, secretive; **geheimzinnigheid** …ness, mystery

gehemelte *(in mond)* palate; **gehemelteplaat** (dental) plate

geheugen memory (good, bad …), remembrance; *sterk ~* strong (retentive) memory; *houd dat in het ~* keep that in mind; *het ligt (mij) nog vers in het ~* it is (still) fresh in (my) memory

geheugen|steuntje aid to memory; **-verlies** loss of memory, amnesia

gehoor *(het horen, ~vermogen)* hearing, sense of hearing; *(audiëntie)* audience; *(hoorders)* audience, *(in kerk)* congregation; *(geluid)* sound; *goed (fijn) ~* good (quick) ear; *~ geven aan* listen to (a p.'s advice); respond to (an appeal); accept (an invitation); comply with (a request); *ik kreeg (vond) geen ~* I obtained no hearing; *(bij kloppen)* I could not make myself heard; *(telefoon)* I could not get through; *een welwillend ~* a sympathetic ear; *buiten ~ van* out of hearing of; *ten -re brengen* play (a sonata), present (a radio play); *scherp van ~* sharp of hearing

gehoor|aandoening affection of the ear; **-apparaat** hearing-aid; **-gestoord** hearing-impaired; **-oefening** ear-training; **-organen** auditory organs

gehoorsafstand hearing distance; *op ~* (be) within earshot; *buiten ~* out of earshot

gehoorzaal auditory, auditorium, concert-hall

gehoorzaam obedient; *~ aan de wet* law-abiding; **gehoorzaamheid** obedience; *tot ~ brengen* bring (reduce) to obedience; *tot ~ komen* submit, yield; **gehoorzamen** *tr* obey; *intr* obey, be obedient; *~ aan* obey (a call), be obedient to; *niet ~, tr & intr ook:* disobey

gehorig noisy (houses)

gehouden: *~ te* bound to, obliged to; *ik acht mij ~ te …* I consider it my duty to …

gehucht hamlet

gehuichel hypocrisy, dissembling

gehumeurd: *goed, slecht ~* good-, ill-humoured

geijkt: *~e maten* legally stamped measures; *~e uitdrukking (term)* accepted expression, stock phrase

geil lascivious, lecherous, lustful; **geilheid** …ness, salacity, lust

geïllustreerd illustrated, pictorial

geïmproviseerd improvised, extemporized, impromptu; makeshift (dinner), scratch (meal)

gein *(fam)* fun

geïnteresseerd interested, concerned *(bij* in)

geïnterneerde internee

geintje joke

geiser geyser; gas (water-)heater, bath-heater

geit (she-)goat, nanny(-goat)

geite|bok billy-goat; **-haar** goat's hair; **-leer** goatskin

geitje kid, little (*of:* young) goat

gejaagd hunted; (*fig*) agitated, fluttered, flustered, nervous; **gejaagdheid** agitation, fluster

gejacht hustle, hurry(ing)

gek I *bn* (*krankzinnig*) mad, frantic, crazy; (*dwaas*) foolish, mad, silly; (*koddig*) funny; (*vreemd*) queer, funny, odd; *een ~ke uitdrukking* a funny expression; *op de ~ste plaatsen* in the most unlikely places; *je zult me nog ~ maken* you'll drive me mad next; *~ worden* go mad; *je wordt er ~ van* it's enough to drive one mad; *tot ~ wordens toe* (love a p.) to distraction; *hij is lang niet ~* he is no fool; *dat is nog zo ~ niet* there's some sense in what you say; *hij is niet zo ~ als hij er uitziet* he is not such a fool as he looks; *dat is al te ~, te ~ om los te lopen* that is too ridiculous for words; *hij stond te kijken, alsof hij ~ was* he looked as if he had taken leave of his senses; *hij schreeuwde alsof hij ~ was* he shouted like mad; *hij is ~ op dat meisje* he is mad on that girl, crazy about her; *~ van vreugde* mad with joy; *het ~ke van het geval is …* the strange (funny) part of it is …; **II** *bw* madly, etc; **III** *zn* (*krankzinnige*) madman, madwoman, lunatic; (*idioot*) idiot, halfwit; (*dwaas*) fool; *lopen (rijden, enz) als een ~* run (ride, etc) like mad; *de ~ steken met, voor de ~ houden* make fun of, make a fool of (a p.), (*fam*) pull a p.'s leg; (*bedriegen*) fool (a p.)

gekant: *~ zijn tegen* be set against, be opposed to

gekheid (*dwaasheid*) folly, foolishness, madness; (*scherts*) joke(s), joking; (*pret*) fun; *het is geen ~,* (*dat wil zeggen: ernstig genoeg*) it's no joke, no laughing matter; *~! (onzin)* nonsense!; *alle ~ op een stokje* (all) joking apart; *~ maken* joke; *hij kan geen ~ verdragen* he cannot take (stand) a joke; *zonder ~* putting all jokes aside, joking apart

gekibbel squabbling, bickering(s)

gekken|huis madhouse, bedlam; **-werk** madness, folly

gekleed dressed (in black; she went … like a man); *keurig ~, ook:* (*fam*) perfectly turned out; *het staat ~* it is very smart; *~ kostuum* formal dress

geklets (*kletspraat*) twaddle, rubbish

gekleurd coloured; *hij stond er ~ op,* (*fam*) he looked pretty silly; *~e bril* tinted glasses

geknipt: *~ voor* cut out for (a teacher); cut out (made, meant) for (one another); *dat is als voor mij ~* that is just the thing for me

gekostumeerd (*van pers*) in costume; *~ bal* fancy(-dress) ball

gekscheren joke, jest; *~ met* make fun of

gekuist chaste, pure; (*van boek*) expurgated, (*overmatig*) bowdlerized

gekunsteld artificial, mannered (style)

gekwalificeerd qualified (personnel, majority); skilled (trades)

gelaagd (*van gesteente*) layered, stratified, laminated (windscreen)

gelaat countenance, face

gelaats|kleur, -tint complexion; *met een donkere (frisse) ~* dark-(fresh-)complexioned; **-trek** feature, lineament; **-uitdrukking** facial expression

gelach laughter, laughing

geladen (*fig*) full of suppressed anger; *de stemming was ~* the atmosphere was explosive

gelag score; *het is een hard ~ (voor je)* it is hard lines (on you); *het ~ betalen* pay the score, foot the bill; (*fig*) pay the piper; **gelagkamer** tap-room, bar-room; (*fam*) tap

gelang: *naar ~ van* in proportion to, according to; *naar ~ (dat)* according(ly) as, as (I'll give you money as you want it); *naar ~ (everything was) in proportion

gelasten order, direct, charge, instruct

gelaten (*berustend*) resigned

gelatine gelatin(e); **gelatinepudding** jelly

gelazer bother

geld money; *~en, moneys, monies; vals ~* bad money, base coin; *kinderen half ~* children half price; *~ als water verdienen* make big money; *daar is (veel) ~ mee te verdienen* there is (big) money in it; *~ is bij hen alles* money is everything with them; *het ~ groeit me niet op de rug* I am not made of money; *honderd gulden aan baar ~* a hundred guilders in cash; *te ~e maken* turn into money, realize; *~ slaan uit* make money out of; *voor geen ~ (van de wereld)* (I would) not (have him here) at any price; *voor ~ of goede woorden* for love or money; *zonder ~* without money, penniless

geld|afpersing extortion of money; **-automaat** cash-dispenser; **-bedrag** amount (of money); **-belegging** investment; **-boete** fine; **-duivel** demon of money, mammon

geldelijk monetary (loss, reward, transaction), financial (support, difficulties); *ook:* money (… troubles); *~ getroffen worden* suffer financially

gelden (*van kracht zijn, opgaan*) be in force, be valid, obtain, apply, hold (good); *dat geldt niet* that does not count; *die bepaling geldt in dit geval niet* that provision does not apply to this case; *deze regel geldt zonder uitzondering* this rule holds good universally; *zulke redeneringen ~ niet bij mij* such arguments do not count with me; *6 geldt als voldoende* ranks as a pass-mark; (*voor*) *wie geldt het?* who(m) is it meant for?; *zijn invloed doen (laten) ~* assert one's influence (*bij* with); *zich (weer) doen ~* assert (reassert) o.s. (itself), make itself felt; *dat geldt ook van de anderen* the same applies to the others; *~ (opgaan) voor* apply to (that applies only to our country); *~ (doorgaan) voor* be said to be, be considered (to be), rank as; *dat geldt ook voor jou* that also goes for you; *de thans ~de prijzen* current prices

geld|gebrek want of money, lack of funds; ~ *hebben* be short of money (of cash); **-gever** lender; **-handel** banking (business)

geldig valid (*volgens de wet* in law), operative; *slechts* ~ *voor de dag van afgifte* valid only on day of issue; *niet meer* ~ (the passport is) out of date; ~ *maken, verklaren* make valid, validate; (*van kracht*) in force; **geldigheid** validity

geldingsdrang assertiveness, desire to assert o.s.; (*psych*) aggression

geld|kist strong-box; **-kistje** cash-box; **-koers** rate of exchange; **-kwestie** question of money; **-lade** till, cash-drawer; **-lening** loan; **-markt** money-market; **-middelen** means, finance(s); **-ontwaarding** inflation; **-schaarste** scarcity of money; **-schieter** money-lender; **-som** sum of money; **-soort** kind of money, coin; **-standaard** monetary standard; **-stuk** coin

geldswaarde money-value, value in money

geld|verkeer (international) finance; **-voorraad** supply of money; **-wereld** world of finance; **-wezen** finance, monetary matters; **-wisselaar** money-changer; **-zorgen** money-troubles

geleden ago; (*van een punt in het verleden gerekend*) before, previously, earlier (I had seen him a week ...); *een jaar* ~ *was hij* ... this time last year ...; *het is lang* ~ it is a long time since I saw him last; *hoe lang is dat* ~? how long ago is that?; *heel kort* ~ quite recently

geleding (*biol*) articulation, joint; (*van kust*) indentation; (*personen*) echelon; **geleed** articulate, jointed (stalk, tail); (*van kust*) indented

geleerd learned (man), scholarly (work, production); *dat is mij te* ~ that is beyond me (beyond my comprehension); *hij spreekt mij te* ~ he talks over my head; **geleerde** scholar, man of learning, (*natuurk*) scientist; **geleerdheid** learning, erudition

gelegen 1 situated (*aan* ... on a river), lying; 2 convenient, opportune; *te~er tijd* in due time, in good season; *dat komt mij nu niet* ~ it does not suit me now; *hoe is het daarmee* ~? what about that?; *er is (mij) veel aan* ~ it is of great importance (to me); *daar is niets aan* ~ it does not matter; it is of no consequence; *ze lieten zich weinig aan mij* ~ *liggen* they paid little attention to me

gelegenheid occasion; (*gunstige* ~, *kans*) opportunity, chance; *ruim* ~ ample scope; (*plaats, ruimte*) place, accommodation; (*café*) place, establishment; *de* ~ *biedt zich aan* (*doet zich voor*) the opportunity offers (presents itself); the occasion arises; *de* ~ *aangrijpen* seize the opportunity (of doing, to do); ~ *geven* give (afford) an opportunity, enable; ~ *hebben* have (an) opportunity; ~ *krijgen* (maken, vinden) get (make, find) an opportunity (*om te* to); *de* ~ *laten voorbijgaan* allow the opportunity to slip by, let the opportunity slip; *bij* ~ on occasion, occasionally; *bij de eerste* ~ on (at) the first opportunity; *bij elke* ~ on every occasion, on all occasions; *in de* ~ *stellen* give an opportunity, enable; *in de* ~ *zijn te* be in a position to, be able to; *op eigen* ~ *reizen* travel on one's own (independently); *per eerste* ~ by the earliest opportunity; *ter* ~ *van* on the occasion of

gelegenheids|kleding formal dress; **-koopje** bargain

gelei (*vruchten-*) jelly, preserve; **geleiachtig** jelly-like

geleid guided (*projectiel* missile)

geleide (*begeleiding*) attendance, guard, care; (*mil, enz*) escort; (*van vloot*) convoy; *onder* ~ under escort; *onder* ~ *van* (children) in charge of (an adult); **geleidehond** guide-dog

geleidelijk *bn* gradual; *bw* ...ly, by degrees, little by little; ~ *afvoeren, opheffen, enz* phase out; ~ *verdwijnen* fade away; **geleidelijkheid** gradualness

geleiden lead, conduct, accompany, escort, attend; (*vloot*) convoy; (*natuurk*) conduct (heat); **geleidend** conductive; **geleider** leader, guide, conductor; **geleiding** leading, etc; (*natuurk*) conduction; **geleidingsvermogen** conductivity

geletterd literary, lettered; **geletterde** man of letters, literary person

geleuter rot, drivel

gelid (*gewricht*) joint; (*mil*) rank (*ook fig*), file; *voorste* (*achterste*) ~ front (rear) rank; *in het* ~ *gaan staan* fall in, line up; *de gelederen sluiten* close the ranks

geliefd dear, beloved, well-liked (*bij* by, of); *zijn* ~ *hoekje* his favourite corner; **geliefde** sweetheart, dearest, love, beloved, (her) lover

geliefkoosd favourite, cherished

gelieven I *zn* lovers; II *ww* please; *gelieve mij te berichten* kindly inform me; *wat hij geliefde te noemen* ... what he chose to call ...

gelig yellowish

gelijk I *bn* (*niet verschillend*) equal, identical, similar, alike; *vijftien* ~, (*sp, enz*) fifteen all; ~ *spel* draw; ~ *spel zonder doelpunten* goalless draw; ~ (*spel*) *maken*, (*sp*) equalize (at 7-7); *het is mij* ~ it is all the same to me; *de klok is niet* ~ is not right; *10 min 4 is* ~ *6* ten less four equals six; *in* ~*e mate* equally, in the same degree; *op* ~*e wijze* in the same way (manner); *op* ~*e hoogte met de begane grond* (the door was) at ground level, (windows) flush with the floor; *van* ~*e leeftijd* of an age, of the same age; II *bw* equally, similarly, alike; (she treated all men) the same; (*tegelijk*) at the same time, simultaneously; ~ *opdelen* (share and) share alike, (*van 2 pers ook*) go fifty-fifty; ~ *denken* think alike; III *zn* right; *iem* ~ *geven: a*) agree with a p., bear a p. out; (*fam*) back a p. up; *b*) decide in a p.'s favour; *ik geef je* ~, *ook*: I think you are right; ~ *hebben* be right; *hij is* *overtuigd van zijn eigen* ~ ... of being in the right; ~ *heb je!* right you are!; *hij kreeg* ~ he was put in the right; *dat stelde haar in het* ~ that put her in the right, justified her; IV *vw* as (do it ... I have shown you); **gelijke** equal; (you will not find his) peer (*ook:* equal); **gelijkelijk** equally, evenly (divided); **gelijken:** ~ (*op*) resemble, look like, be like; *dit is een goed* ~*d portret* this photo is very like, it is a good likeness

gelijkenis resemblance (*met, op* to), likeness (to ...), similarity; (*parabel*) parable

gelijk|gaan keep good time; *gaat uw horloge* ~? is your watch right?; **-gerechtigd** equal, coequal (partners); **-gezind** like-minded, of one mind

gelijkheid equality; (*gelijkenis*) similarity; (*eenvormigheid*) sameness

gelijk|knippen trim; **-lopen** *zie* ~gaan; **-luidend** (*document*) identical; ~ *afschrift* true copy; **-maken** equalize (*aan* to, with); (*sp*) draw (level), equalize; (*effenen*) level (the ground), smooth; *met de grond* ~ raze to the ground; ~ *aan,* (*brengen op het peil van*) level up (down) to; **-maker** (*sp*) equalizer; **-matig** equable (temperature, climate), steady (pressure); even (temperature, temper, speak in ... tones), equal; **-moedig** equanimous, eventempered; **-namig** of the same name; **-richter** rectifier; **-schakelen** co-ordinate (with ...), standardize; **-schakeling** co-ordination, standardization; **-soortig** similar; **-soortigheid** similarity; **-spelen** (*sp*) draw (at 3-3); *Arsenal en Everton speelden gelijk* A. and E. drew (their match); **-staan** be equal (*met* to), be level (*met* with); **-stellen** put on a par (*met* with); **-stelling** equalization (of men and women); **-stroom** direct current; **-teken** sign of equality; **-tijdig** *bn* simultaneous; *bw* simultaneously, (arrive) at the same time; **-vloers** on the ground floor, on ground (street) level; ~*e kruising* level intersection; **-vormigheid** conformity, similarity; **-waardig** equivalent (*aan* to); of the same value; **-waardigheid** equivalence; **-zetten** set (the clock, one's watch); **-zijdig** equilateral (triangles)

gelinieerd ruled (paper)

gelispel lisping, lisp

gelofte vow; *een* ~ *doen* make a vow

gelood leaded (petrol)

geloof belief, faith; ~, *hoop en liefde* faith, hope and charity; ~ *aan* faith (belief, trust) in; ~ *hechten aan* believe; ~ *vinden* find credence; *op goed* ~ *aannemen* take (up)on trust

geloofs|artikel article of faith (of religion); **-belijdenis** confession of faith, creed; **-bezwaren** religious scruples; **-brieven** credentials; **-ijver** religious zeal; **-leer** dogmatics, religious doctrine; **-overtuiging** religious conviction; **-vervolging** religious persecution; **-vrijheid** religious liberty

geloofwaardig credible (story), reliable (person), plausible (account); *klinkt dat* ~? does that ring true?; **geloofwaardigheid** credibility, reliability

geloop running (to and fro), coming and going

geloven believe; (*van mening zijn*) think, believe; ~ *dat iem dood is, ook:* believe a p. (to be) dead; *hij kon maar niet* ~ *dat* ... he could not bring himself to believe ...; *geloof dat maar* you may take my word for it; *doen* ~ make (a p.) believe, bring (a p.) to believe; *niet te* ~ (it is) not to be believed; *dat geloof ik graag!* I should think so! I dare say!; *het verder wel* ~ leave it at that; *je kunt me* ~ *of niet* believe me or not; ~ *aan* believe in; *je moet eraan* ~, (*fig*) you are in for it now; **gelovig** faithful, believing, pious; *de* ~*en* the faithful, the believers, the worshippers; **gelovigheid** faithfulness, piety

geluid sound; *een ander* ~ *laten horen* strike a different note

geluid|dempend sound-damping, soundproofing (material); **-demper** sound absorber; (*muz*) mute; (*van motor, revolver*) silencer; **-dicht** sound-proof; **-loos** soundless

geluids|band sound recording tape; **-barrière** sound-barrier; **-film** sound-film; **-golf** soundwave; **-hinder** noise nuisance (pollution); *bestrijding van* ~ noise control; **-installatie** stereo; **-leer** acoustics; **-opname** (*film*) sound-record; **-overlast** *zie* ~hinder; **-scherm** sound screen; **-spoor** (*film*) soundtrack; **-trilling** acoustic vibration

geluimd: *goed* ~ good-humoured; *slecht* ~ in a (bad) temper

geluk (*gevoel*) happiness (domestic ...), (*sterker*) bliss; (*door omstandigheden*) fortune; (*gelukkig toeval*) (good) luck, good fortune; (*succes*) success; *zie* ~*je;* *wat een* ~! what a piece of luck!; *wat een* ~, *dat* ... what a mercy she was not at home; *bij* ~ (*toevallig*) by chance; *op goed* ~ (*af*) at a venture, at random; *een selectie op goed* ~ a random selection; ~ *ermee!* I wish you joy (of it)!; *meer door* ~ *dan wijsheid* through no virtue of his own (he found ...); *het* ~ *diende hem* his luck was in; ~ *hebben* be in luck; *zijn* ~ *beproeven* try one's luck (fortune); *je mag nog van* ~ *spreken, dat* ... you may count yourself lucky that ...; **gelukje** piece of (good) luck, windfall, godsend

gelukken succeed; *niets gelukt hem* nothing succeeds with him; *alles gelukte hem* he succeeded in everything; *het* (*kunstje*) *gelukte niet* it (the trick) did not come off; *het gelukte hem* he succeeded (*te* ... in ...ing); *het gelukte mij binnen te komen, ook:* I managed to get in; *het gelukte hem niet* he failed (*te* ... to ...); *dat zal je niet* ~! you won't get away with that

gelukkig I *bn* (*gemoedstoestand*) happy (days, thought); (*door omstandigheden*) fortunate;

(*door toeval*) lucky (Sunday is a ... day for me); (*voorspoedig*) successful (merchant); *zich ~ voelen met iets* feel happy about s.t.; ~*!* thank goodness!; ~*e afloop* happy ending; ~ *toeval* lucky (happy) chance; ~ *voorteken* good omen; ~ *zijn*, (*boffen*) be in luck; (*als de politie erachter komt*) *dan zijn ze nog niet ~*, (*fam*) they'll be for it; *en maar ~ ook!* and a (jolly) good thing (*of:* job) too!; **II** *bw* fortunately, happily; luckily

geluks|dag lucky (happy) day; **-getal** lucky number; **-hanger** (*amulet*) charm; **-kind** fortune's favourite, (*fam*) lucky dog; **-poppetje** mascot; **-telegram** greetings telegram; **-vogel** fortune's favourite, (*fam*) luckydog

geluk|wens congratulation; **-wensen** *ww* congratulate (*met* on), wish (a p.) good luck; **-zalig** blessed, blissful; **-zaligheid** bliss, blessedness; **-zoeker** fortune-hunter, adventurer

gelul (*plat*) gas, claptrap

gemaakt 1 (*confectie*) ready-made, ready-to-wear (clothes); 2 affected, prim; ~*e vrolijkheid* artificial (forced) gaiety; ~ *lachen* laugh affectedly; **gemaaktheid** affectation, primness

gemaal consort (*vooral in titels:* prince consort), spouse; (*machine*) pumping-engine; (*gebouw*) pumping-station

gemachtigde proxy, assignee, deputy, attorney; (*van postwissel, enz*) endorsee

gemak (*behaaglijkheid*) ease, comfort; (*gemakkelijkheid*) ease, facility; (*gerief*) comfort, convenience; *van moderne ~ken voorzien* fitted with modern conveniences; *huis met vele ~ken, ook:* commodious house; *hou je ~!* compose yourself!; *zijn ~ nemen* take one's ease, make o.s. comfortable; *met ~* easily; *op zijn* (*dooie*) ~ at (one's) ease, (*zonder haast*) at one's leisure, leisurely; *zich* (*niet*) *op zijn ~ voelen, ook:* feel (un)comfortable; *doe het op uw ~* take it easy; *iem op z'n ~ stellen* put (set) a p. at his ease, make a p. feel at home; **gemakkelijk** easy (sum, life); commodious, labour-saving (house); comfortable (bed); ~ *baantje* easy (light) job; ~*e betalingsvoorwaarden* easy terms (of payment); ~*e houding* comfortable position; ~ *te vinden* easy to find; *ze is lang niet ~* she is not easy to get on with; ~ *verdiend geld* (it's) easy money; *hij is wat ~* he takes things easy, is (an) easy-going (man); *het is zo ~ als wat* as easy as ABC; *het zich ~ maken* (*zijn gemak nemen*) make o.s. comfortable, take one's ease; *hij spreekt ~* he is a ready (fluent) speaker; *zit je ~?* are you comfortable?; (*van kledingstuk en schoenen*) be comfortable

gemaks|halve for convenience(' sake); **-voeding** convenience food

gemak|zucht love of ease; **-zuchtig** easy-going

gemalin consort, spouse

gemarineerd marinaded

gemaskerd masked; ~ *bal* masked ball

gematigd moderate (drinker, language), temperate (zone *luchtstreek*); **gematigdheid** ...ness, moderation

gember ginger

gember|koek gingerbread; **-limonade** ginger ale

gemeen **I** *bn* (*gemeenschappelijk*) common, joint; (*algemeen*) common, public, general; (*gewoon*) ordinary, common, usual; (*slecht*) bad, vile (weather), beastly (foul) (weather), nasty (smell); (*min, laag*) low, mean, base, sordid, dirty (you ... dog!), foul (murder); (*vals*) vicious (dog); (*vuil*) obscene (writings), filthy (talk); -*ne afzetterij* beastly swindle; (*grootste*) -*ne deler* highest common factor; (*kleinste*) -*ne veelvoud* (least) common multiple; ~ *goed: a*) common property; *b*) = ~ *goedje* vile (nasty) stuff; ~ *spel* foul play; -*ne streek* shabby (dirty) trick; *een -ne vent* a rotter; *het is* ~ it's a shame, it's a dirty trick; *dat is* ~ *van je* it's horrid of you; **II** *bw* meanly, etc; beastly; **gemeengoed** common property

gemeenheid meanness, shabbiness, beastliness, etc

gemeenplaats commonplace, platitude

gemeenschap (*het gemeen-hebben*) community (of interests); (*omgang*) intercourse; (*verbinding, betrekking*) connection, communication; (*maatschappij, enz*) community (the European Economic C...); *seksueel verkeer, contact* sexual intercourse; *in* ~ *van goederen trouwen* marry in community of property (on equal terms); *buiten* ~ *van goederen* (marry) under the separate estate arrangement; **gemeenschappelijk** **I** *bn* common (friend, the C... Market), joint (action); ~ *bezit* collective (communal) ownership, (*bezitting*) common property; **II** *bw* ...ly, (con)jointly, (have s.t.) in common, (act) together; **gemeenschappelijkheid** community (of interests)

gemeenschaps|gevoel, **-zin** communal sense, public spirit

gemeente (*burgerlijke*) municipality; (*kerkelijk*) parish; (*het gehoor*) congregation

gemeente- *dikwijls* municipal

gemeente|ambtenaar municipal official; **-arts** (municipal) medical officer, health officer; **-bedrijven** municipal (public) works; **-begroting** municipal budget; **-belasting** rates; **-bestuur** municipality, (municipal) corporation; **-garantie** municipal guarantee; **-grond** municipal land; **-huis** municipal (*of:* common) hall, town-, village-hall; **-kas** municipal treasury

gemeentelijk municipal; corporation (bus service, etc)

gemeente|ontvanger city (town, municipal) treasurer; **-raad** town-, city- council; **-raadslid** town-, city-councillor; **-raadsverkiezing** municipal (local) election; **-reiniging** municipal sanitation department; **-secretaris** *ongev:* town clerk, (*in kleine plaatsen*) clerk of the council; **-verordening** by-law; **-werken** municipal works; *directeur der* ~ municipal (city, town) surveyor; **-wet** Local Government Act; **-woning** council house

gemeenzaam familiar, intimate; **gemeenzaamheid** familiarity, intimacy

gemelijk peevish, sullen; **gemelijkheid** ...ness

gemenebest commonwealth

gemengd mixed (feelings, marriage, school), miscellaneous (news, collection); ~ *koor* municipal choir, (for) municipal voices; ~*e lading* general cargo

gemest: *het* ~*e kalf, (bijb)* the fatted calf

gemeubileerd furnished (apartments)

gemiddeld I *bn* average (number, price), mean (time); *van* ~*e lengte (grootte)* (man) of medium height, medium-sized; **II** *bw* on an average; *ik slaap* ~ *8 uur per dag* I average 8 hours sleep per day; **gemiddelde** average (above the ...); *het* ~ *nemen* strike an average

gemis lack (*aan* of), want; deprivation, loss

gemoed mind, heart; *in* ~*e* (recommend, advise) conscientiously, (ask) in all conscience; *de* ~*eren waren verhit* feeling ran high

gemoedelijk kind(-hearted), good-natured, genial, jovial; **gemoedelijkheid** kind-heartedness, good nature, geniality, joviality

gemoeds|**aandoening** emotion; **-gesteldheid** temper, disposition, attitude (*of:* frame) of mind; **-rust** tranquillity (*of:* peace) of mind; **-toestand** state of mind

gemoeid: *mijn leven is ermee* ~ my life is at stake; *daar is ... mee* ~ it will take the whole day (a lot of money)

gemotoriseerd motorized (army)

gemunt (*van geld*) coined; ~ *geld* specie; ~ *op* aimed at; *zij hebben het op uw geld* ~ they after your money; *dat was op mij* ~ was meant (intended) for me

gemutst: *goed (slecht)* ~ in a good (bad) temper

gen (*biol*) gene

genaamd named, called, ... by name

genade (*goddelijke* ~) grace; (*barmhartigheid*) mercy; (*begenadiging*) pardon; *grote (goede)* ~*!* good gracious! good grief!; *door Gods* ~ by the grace of God; *iem weer in* ~ *aannemen* receive a p. back into favour; *overgeleverd zijn aan de* ~ *van* be at (be left to) the mercy of (a p., the waves); *om* ~ *smeken (roepen)* pray (cry) for mercy; *hij is zonder (kent geen)* ~ he is without (knows no) mercy; *iem* ~ *betonen (verlenen, schenken)* pardon a p.; *ik vond geen* ~ *in zijn ogen* I found no favour in his eyes; ~ *voor recht laten gelden* temper justice with mercy; **genadebrood:** ~ *eten* live on charity

genadeloos merciless, ruthless

genadeslag finishing stroke, final (fatal) blow

genadig (*van God, enz*) merciful, gracious; (*nederbuigend*) gracious, (*neerbuigend*) condescending; *wees hem* ~ have mercy on him; *er* ~ *afkomen* get off (escape) cheaply (easily, lightly)

genaken approach; *hij is haast niet te* ~ he is almost inaccessible

gênant embarrassing, awkward

gene that, the former; *deze ... gene* the latter ... the former; *aan* ~ *zijde* on the other side

genealogie genealogy

genees|**heer** physician, doctor; ~-*directeur* medical superintendent; **-kracht** curative (*of:* healing) power; **-krachtig** healing, curative; medicinal (herbs); **-kunde** medicine; **-kundig** medical; ~*e dienst, (gemeentelijk)* public health department; ~ *toezicht* Health Authorities

geneeslijk curable; **geneeslijkheid** curability

genees|**middel** remedy, medicine; **-wijze** mode of treatment, cure

genegen inclined, disposed; **genegenheid** affection, inclination; ~ *hebben voor* feel (have) affection for; ~ *opvatten voor* take a liking to

geneigd: ~ *te* (*tot*) inclined (disposed, given) to; (*gew tot iets verkeerds*) prone to (error, mischief); **geneigdheid** inclination, propensity

generaal *bn & zn* general

generalisatie generalization; **generaliseren** generalize

generatie generation; **generatiekloof** generation gap

generator id

generen: *zich* ~ feel embarrassed, be shy; *geneer je niet* make yourself at home, don't be shy; *ik zou me dood* ~ I'd die of shame; *zich* ~ *te ...* hesitate to ...

genereren generate

genetica genetics; **genetisch** genetic (*bw:* -ally)

genezen I *tr* cure (*iem van ... a* p. of ...); restore (a p.) to health; heal (wounds); **II** *intr* recover (*van ...* from an illness), get well again, regain one's health; (*van wond*) heal (up), close; **genezing** cure, recovery

geniaal highly gifted, brilliant (a ... young man); ~ *man* man of genius; **genialiteit** genius; **genie 1** genius (*ook* = man of genius); **2** military engineering; *de* ~ the (Royal) Engineers

geniep: *in het* ~ on the sly, furtively, stealthily; **geniepig** sneaky, sneaking; **geniep(ig)erd** sneak; **geniepigheid** sneakiness

geniesoldaat engineer

genietbaar enjoyable; **genieten I** *tr* enjoy (life, privileges); *een goede opvoeding* ~ receive a good education; **II** *intr* enjoy o.s.; (*fam*) have a good time; ~ *van* enjoy (a concert, trip); **genieting** enjoyment; (*genot ook*) pleasure

genitaliën genitals

genocide id

genodigde guest

genoeg enough, sufficient(ly); (*geen*) *geld* (*doktoren*) ~ (not) enough money (doctors), (not) money (doctors) enough; *meer dan* ~ more than enough, enough and to spare; *de* *plaats is veilig* ~, *ook:* it's a safe enough place; *ik ben niet deskundig* ~ *om* ... not enough of an expert to ...; *zeg maar als het* ~ *is,* (*bij inschenken*) say when; *ik heb er* ~ *van* (~ *van hem*) I've had enough of it (of him), (*fam*) I am fed up with it (with him); ~ *van iem* (*iets*) *krijgen* get enough of ..., tire (weary) of ..., get bored (*fam:* fed up) with ...; **genoegdoening** satisfaction, reparation

genoegen pleasure, joy, delight; liking; satisfaction; *veel* ~ *doen* (*geven*) give (afford) great (much) pleasure; *om hem* ~ *te doen* to please (oblige) him; *het doet mij* ~ *te* ... I am glad (pleased) to ...; *wil je mij het* ~ *doen?* will you do me the pleasure (the favour)?; ~ *nemen met* be content with; *daar neem ik geen* ~ *mee* I won't put up with it; ~ *scheppen in* take (a) pleasure (delight) in, delight in; *met alle* ~ with the greatest pleasure; *ik hoop dat alles naar je* ~ *is* I hope everything is satisfactory (to your liking); *ten* (*tot*) ~ *van* to the satisfaction of; *zie ook boven* (*naar* ~); *ik zie tot mijn* ~, *dat* ... I am pleased to see that ...; *tot* ~*!* good-bye! I hope we shall meet again; **genoeglijk** pleasant, agreeable

genoegzaam sufficient (*bw:* -ly)

genoot fellow, companion, associate, partner; **genootschap** society, association

genot joy, pleasure, delight; (*het genieten*) enjoyment; *het is een* ~ *te* ... it is quite a treat to listen to him; *onder het* ~ *van een glas bier* over a glass of beer

genot|middel (*tabak, wijn, enz*) stimulant; **-vol** delightful, enjoyable

genre style, genre; **genreschilder** genre-painter

geoefend practised, trained (ear, eye, soldier), expert (swimmer); ~ *in* practised (trained) in

geograaf geographer; **geografie** geography; **geografisch** geographic(al)

geologie geology; **geologisch** geological; **geoloog** geologist

geoorloofd lawful, allowed, admissible, permissible; ~ *middel* lawful means

geopend: *het* ~*e venster* the open(ed) window; *dagelijks* ~ open daily; ~ *voor het publiek* open to the public

gepaard (*in groepen van twee*) in pairs, by twos; *het gaat* ~ *met* ... it is attended with (fever), it is attended by (the happiest results), it involves (great expense); *grotere produktie* ~ *met* ... a larger output coupled with a better price

gepantserd armoured (car, knight)

gepast becoming, fit(ting), proper, suitable, apt; ~ *geld* the exact money; ~ *geld s.v.p.* no change given; ~*e maatregelen* appropriate measures

gepeins meditation(s), brooding; *in* ~ *verzonken* absorbed (wrapped) in thought, in a brown study

gepensioneerde retired (major, etc); pensioner

gepeperd peppered, peppery; (*fig*) peppery (style, writings), tall, steep (price)

gepeupel mob, rabble

gepikeerd piqued, nettled, sore (*over* at); *gauw* ~ *zijn* be touchy (apt to take offence)

geproportioneerd: *goed* (*slecht*) ~ well-(ill-) proportioned

geraakt (*fig*) offended, nettled, (feel a bit) sore (*over* at); *licht*~ touchy; **geraaktheid** irritation, pique

geraamte skeleton; (*fig*) *ook:* frame(work), shell (of a building), fuselage (of an aircraft)

geraas din, noise

geraden advisable; *het is je* ~ (*het te doen*) you'd better (do it); *ik acht het* ~ I think it advisable

geraffineerd refined (*ook fig:* cruelty, etc); subtle (play a ... game); sophisticated (equipment); scheming, cunning (person); ~*e leugenaar* arrant liar; ~ *uitgedacht* ingeniously contrived; **geraffineerdheid** cunning, craftiness, subtlety

geraken get, arrive, attain; *in gesprek* ~ fall into conversation; *bij iem in de gunst* ~ win a p.'s favour; *te water* ~ fall into the water

gerant manager

1 gerecht course (dinner of five ...s); dish (a delicious ...)

2 gerecht I *bn* just, righteous; *de* ~*e straf doen ondergaan* bring to justice; **II** *zn* court of (justice); *voor het* ~ *brengen* bring (a p.) into court (to trial); take (a matter) into court; *voor het* ~ *verschijnen* appear in court

gerechtelijk judicial (murder); legal (adviser); ~*e geneeskunde* forensic medicine; *iem* ~ *vervolgen* take an action (in law) against a p.

gerechtigd qualified, entitled

gerechtigheid justice

gerechts|gebouw court-house; **-hof** court (of justice); **-kosten** legal charges (expenses); **-zaal** courtroom; **-zitting** session (of the court)

geredeneer arguing

gereed ready (to go, for a journey); (*af*) finished, done; *ik ben* ~ I am ready; *kaartjes* ~ *houden!* all tickets ready, please!; *zich* ~ *houden,* ~ *staan* hold o.s. ready, stand by (troops ... in their barracks); *het stond* ~ it stood in readiness; ~ *leggen* put ... ready; ~ *maken* prepare, get ready; *zich* ~ *maken* prepare, get ready, make ready; **gereedheid** readiness

gereedschap: ~(*pen*) tools, instruments, implements, utensils

gereedschaps|bak, -kist toolbox, -chest; **-schuurtje** tool-shed; **-tas** tool-kit

gereformeerd Calvinist(ic); **gereformeerde** Calvinist

geregeld regular, orderly, fixed; ~*e toevoer* constant supply; **geregeldheid** regularity

gerei (fishing-)tackle, (steering-)gear, (coffee) things, implements, utensils

gerekt: (*lang*) ~ long-drawn(-out) (tone, negotiations), protracted (hearing *verhoor;* dispute), long-winded (speech)

gerenommeerd famous, renowned; well-known, noted, well-established (business)

gereserveerd reserved, uncommunicative, reticent (*omtrent* upon); ~e plaats reserved seat; **gereserveerdheid** reserve, aloofness

gereutel (*van stervende*) death-rattle, ruckle

geria|trie, -trisch geriatrics, -tric

geribd ribbed (cloth), corrugated (iron)

gericht: *het jongste* ~ the last Judg(e)ment

gerief convenience, comfort; *ten gerieve van* for the convenience (*of:* use) of; **geriefelijk** convenient, commodious, comfortable (house); **geriefelijkheid** convenience; **gerieven** accommodate, oblige (*met* with)

gerimpeld wrinkled (face)

gering small, scanty, slight (not the ...est idea, effect); *uiterst* ~ minute (quantity); ~e *kans* faint (slender, slim, remote) chance; *een* ~e *dunk hebben van* have a poor (low) opinion of; **geringheid** smallness, scantiness

geringschatten hold cheap, disparage, depreciate; **geringschattend** disparaging(ly), slighting(ly), derogatory (remark); **geringschatting** depreciation, disregard, disdain; *met* ~ *spreken over* speak slightingly of

gerinkel jingling, clank (of chains), clink, chinking (of glass)

geritsel rustling, rustle (dress)

Germaan German; **Germaans** Germanic

germanisme Germanism; **germanist** Germanist

gerochel (*doods*-) (death-)rattle; (*van pijp*) gurgling

geroddel gossip, tittle-tattle, backbiting

geroep calling, shouting, calls, shouts, cries

geroepen: *zich* ~ *voelen* feel called upon

geroerd moved, affected

geroezemoes buzz, din, hum (of voices)

gerommel rumbling

geronk snoring, snorting, drone, roar

geronnen curdled (milk); clotted (blood)

gerontocratie gerontocracy

geroutineerd experienced, practised

gerst barley

gerucht rumour, report; (*geluid*) noise; *het* ~ *gaat* (*loopt*) *dat* ... there is a rumour (afloat, abroad), it is rumoured (reported), the story goes; *in een kwaad* ~ *staan* be in bad repute; **geruchtmakend** sensational

geruim (some) considerable (time)

geruis noise; rustle (of a dress, trees, rain); (*med*) murmur; (*van grammofoonplaat*) surface noise; **geruisloos** noiseless, silent

geruit checked, chequered

gerust easy; (*rustig*) quiet, calm; ~ *geweten* clear (*of:* easy, good) conscience; *ik durf* ~ *beweren dat hij ongelijk heeft* I don't hesitate to say that he is wrong; *je kunt het* ~ *nemen* you are welcome to take it; *je kunt* (*men kan*) ~ *zeggen, dat* ... you may safely say that ...; ~!

certainly! yes, indeed!; *wees daar maar* ~ *op* make yourself (your mind) easy on that point; *hij is er niet* ~ *op* he is not easy (happy) about it; **gerustheid** peace of mind, security, calm; *met* ~ quietly, confidently

geruststellen reassure (a p.), set (a p.'s mind) at ease (at rest); **geruststellend** reassuring (news), (a) soothing (thought); **geruststelling** reassurance, relief, comfort

geschal flourish (of trumpets), ringing sound(s)

geschater peals of laughter

gescheiden (*van man of vrouw*) divorced; ~ *man* (*vrouw*) divorcee

geschenk present, gift; *hij gaf* (*bood*) *het mij ten* ~ *e* he made me a present of it, gave it me as a present; **geschenkverpakking** gift wrapping

geschetter blare; (*fig*) rant(ing), bragging

geschieden happen, occur, take place

geschiedenis history; (*verhaal*) story, tale; *de nieuwe* ~ modern history; *de oude* ~ ancient history; *het is* (*al weer*) *de oude* ~ it's the old story (over again); *het is een beroerde* ~ a nasty business; *dat is de hele* ~ that's all there is to it

geschiedenis|boek history-book; **-leraar** history-master; **-les** history-lesson

geschied|kundig historical; **-kundige** historian; **-schrijver** historian, historiographer; **-schrijving** historiography; **-vervalsing** adulteration of history

geschift (*fig*) dotty, daft, nuts, crackers, balmy

geschikt fit, proper, suitable (for presents); suited (to, for, the purpose), appropriate (for, to the occasion); (*bekwaam*) able, capable; (*schappelijk*) decent; ~ *om te eten* fit to eat, fit to be eaten; ~ *ogenblik* appropriate moment; ~e *tijd* convenient time; *dat is* ~ *voor mijn doel* that suits my purpose; *ik ben niet* ~ *voor zo iets* I am no good at that sort of things; **geschiktheid** fitness, suitability, ability, capability; *vgl* ~

geschil difference, quarrel, controversy, dispute; **geschillencommissie** board of arbitration

geschilpunt point (matter, question) at issue, (controversial) issue

geschoold trained, practised, schooled; ~ *arbeider* skilled worker

geschreeuw cries, shouts, outcry

geschubd scaly, scaled

geschut artillery, guns

geschut|poort port-hole; **-stelling** gun position; **-toren** (gun-)turret

gesel scourge (*ook: bezoeking*), lash, whip; **geselen** flog, cane, whip; (*fig*) scourge, lash; **geseling** flogging, etc

gesitueerd (well-, better) circumstanced (situated); *de beter* ~*en* the better off

gesjacher bartering, haggling

geslacht (*familie, enz*) race, family (spring from a noble ...); (*biol*) genus *mv:* genera; (*orgaan*) genitals, privy parts; (male) member; (*sekse*) (male, female) sex; (*tlk*) (masculine, feminine, neuter) gender; *het menselijk* ~ the human race, mankind; *het schone* ~ the fair sex; **geslachtelijk** sexual

geslacht|kunde genealogy; **-loos** sexless

geslachts|boom family tree, genealogical tree; **-delen** genital (*of:* privy) parts, genitals; **-drift** sex urge, sexual instinct; **-gemeenschap** sexual intercourse; ~ *hebben* have sex; **-naam** family name, patronymic; **-orgaan** sexual organ; **-rijp** sexually mature; **-rijpheid** puberty, sexual maturity; **-ziekte** venereal disease, V.D.

geslagen beaten (gold); wrought (iron)

geslenter lounging, sauntering

geslepen whetted, sharp(ened); (*fig*) sly, cunning; ~ *glas* cut glass; **geslepenheid** slyness, cunning

gesloten closed, shut, (*op slot*) locked; (*fig*) uncommunicative, secretive, close, reticent, tight-lipped, reserved; ~ *gelederen* serried (closed) ranks; ~ *enveloppe* sealed envelope; *in* ~ *formatie* in close formation; ~ *jachttijd* close (*of:* fence) time (*of:* season); ~ *als het graf* as silent as the grave; **geslotenheid** closeness, reticence

gesluierd veiled; (*fot*) fogged, foggy

gesmeed: ~ *ijzer* wrought iron

gesmolten melted (butter), molten (lead)

gesol dragging about, fooling about (with ...)

gesorteerd assorted; *ruim* ~ *zijn* have a large stock

gesp buckle, clasp

gespannen stretched, bent; *zie* spannen; tense (cord, muscles; *ook fig:* situation *toestand*); tight (rope); *met* ~ *aandacht* (listen) with rapt (close) attention, (watch a p.) intently; *in* ~ *verwachting* in keen expectation; *de verwachtingen waren hoog* ~ expectations ran high; *mijn zenuwen waren* ~ my nerves were (set) on edge; *zij staan op* ~ *voet* relations are strained between them

gespeend ~ *van* devoid of (humour)

gespen buckle; (*met riem*) strap

gespierd muscular; (*van taal, enz*) nervous, sinewy; **gespierdheid** muscularity; (*fig*) nervousness

gesprek conversation, talk; (*telefoon*) call; *in* ~, (*telefoon*) number engaged; *een* ~ *voeren* hold (carry on) a conversation; *het* ~ *op iets anders brengen* change the conversation (subject); **gesprekskosten** call charges

gespuis rabble, scum, vermin

gestaag, gestadig steady (rain; it rained steadily), continual, constant, settled; ~ *vooruitgaan* make steady progress

gestalte figure, stature, shape

gestand: *zijn woord* (*belofte*) ~ *doen* keep (live up to, fulfil, stick to) one's word (promise)

geste gesture (*ook fig*); *zie* gebaar

gesteente stone, rock; *het vaste* ~ the solid rock

gestel constitution, system, frame

gesteld: ~, *dat ik* ... suppose (supposing) I ...; *goed* ~ well-worded (letter); *binnen de* ~*e tijd* within the time specified (set, appointed); *hoe is het* ~ *met* ...? how is it with ...?; *erg op geld* ~ keen on money; *op de vormen* ~ *zijn* stand on ceremony

gesteldheid state, condition, constitution, (his physical) make-up; ~ *van de bodem* character (nature) of the soil

gestemd tuned; (*fig*) disposed; ... *gunstig* ~ *zijn* be favourably disposed to (towards) a p.

gesteriliseerd sterilized (*alle bet*)

gesternte constellation, star(s); *mijn gelukkig* ~ my lucky star

gesticht institution, establishment; home, hospital; *liefdadig* ~ charitable institution

gesticuleren gesticulate

gestoffeerd (apartments) with curtains and carpets, upholstered (furniture); (*fig*) furnished

gestommel bumping noise

gestrafte punished person; (*mil*) defaulter

gestrekt stretched; ~*e galop* full gallop; *in* ~*e galop* (*draf*) at full gallop (trot)

gestuukt stucco; ~*e wanden* stucco walls

gesuf day-dreaming, dozing

gesuis buzz(ing); singing (in one's ears)

getal number; *in groten* ~*e* in great numbers; *in groten* ~*e voorkomen, ook:* abound; *ten* ~*e van* ... to the number of thirteen, thirteen in number

getalm lingering, loitering

getalsterkte numerical strength

getand toothed, notched; (*van wiel, enz*) cogged; (*van blad*) dentate, serrate(d)

getij(de) tide; *getijden*, (*kerkelijk*) hours; *dood* ~ neap tide; *hoog* (*laag*) ~ high (low) tide; *op het* ~ *lopend* (*varend*) tidal (train, boat); *het* ~ *verloopt* the tide goes out; *het* ~ *laten verlopen*, (*fig*) let the opportunity slip by; **getij-(den)boek** breviary, (Book of) Hours

getij|golf tidal wave; **-haven** tidal harbour; **-rivier** tidal river; **-tafel** tide-table

getik (*van klok*) ticking; (*met vinger, enz*) tapping, rapping

getikt (*fig*) dotty, daft, crackers

getralied (cross-)barred, grated, latticed

getrapt: ~*e verkiezingen* elections by indirect vote

getreuzel dawdling, lingering, dilly-dallying

getroosten: *zich veel moeite* ~ spare no pains; *zich ongemakken* ~ rough it; *zich opofferingen* ~ make sacrifices

getrouw faithful (*ook fig:* translation; portrait), true, loyal, devoted; ~ *blijven aan* ... remain true to one's principles; ~ *naar het leven* true to life; **getrouwe** faithful follower, supporter, *oude* ~ faithful retainer; **getrouwheid** faithfulness, fidelity (to the original), loyalty

getto ghetto

getuige witness (*bij* ... to a marriage); (*toeschouwer, ook*) bystander; ~ *à charge* w for the prosecution; ~ *à decharge* w for the defence; *ten* ~ *waarvan* in testimony whereof; *van uitstekende* ~*n voorzien* with excellent references; *als* ~ *voorkomen* go into the witness-box, (*Am*) take the stand; ~ *zijn van* witness, be a witness of (to); **getuige-deskundige** expert witness

getuigen I *tr:* ~*, dat* ... testify that ..., say in evidence that ...; *ik kan* ~*, dat hij daar geweest is* I can testify to his having been there; *jij kunt* ~*, dat ik de waarheid geproken heb* you can bear me out; **II** *intr* appear as a witness, give evidence; ~ *tegen* give evidence against, testify against; ~ *van* testify (bear witness) to, speak of (a refined taste), show (inventiveness); *voor iem* ~ testify in a p.'s favour; **getuigenbank** witness-box

getuigenis evidence, testimony; ~ *afleggen* give (bear) evidence (*van* to); *valse* ~ *afleggen* bear false evidence (*of:* witness)

getuigen|verhoor examination of the witnesses; **-verklaring** testimony

getuigschrift certificate (school), testimonial

geul channel, gully

geur fragrance, perfume, scent, odour, smell, flavour (*geur en smaak*); **geuren** smell; ~ *met* show off, parade (one's talents); **geurig** fragrant, odorous, aromatic (coffee), sweet-smelling, sweet(-scented)

gevaar danger (*voor* ... to the public, to navigation; *of* fire), risk, peril; ~ *lopen* incur risks (a risk); ~ *lopen om te* ... run the risk of ...ing; *er is geen* ~ *bij* there is no danger; *buiten* ~ *zijn* be out of danger; *in* ~ in danger; *in* ~ *brengen* endanger, put in danger, put at risk, imperil; *in* ~ *komen* get into danger; *met* ~ *voor zijn leven* at the risk of his life; *op* ~ *af u te vervelen* at the risk of boring you; *daar is geen* ~ *voor* there is no danger (no fear) of that; **gevaarlijk** dangerous (...ly ill), perilous, risky, hazardous; ~ *voor* dangerous to; ~*e zone* danger zone (*of:* area)

gevaarte colossus, monster

geval case; *een concreet* ~ a concrete instance; *lastig* ~ (we're up against a) tough (stiff) proposition; *in geen* ~ in no case, under no condition, by no means, on no account; *in elk* (*ieder*) ~ at all events; at any rate, in any case, anyhow, anyway; *in elk* ~ *bedankt* thanks all the same; *in het ergste* ~ at (the) worst, if the worst comes to the worst; *in* ~ *van* ... in (the) case of (in the event of) war; *van* ~ *tot* ~ (decide) as each case arises; *voor het* ~ *dat* ... in case ...

gevangen captive, imprisoned; *zich* ~ *geven* give o.s. up (as a prisoner), surrender

gevangen|bewaarder warder, (prison-)officer; **-bewaarster** wardress

gevangene prisoner, captive

gevangenhouden detain, keep in prison; **gevangenhouding** detention

gevangenis prison, jail; *de* ~ *ingaan* go to prison (to jail); *in de* ~ *stoppen* put into prison, jail (a p.); *uit de* ~ *breken* break prison

gevangenis|boef jail-bird, convict; **-predikant** prison-chaplain; **-straf** imprisonment; **-wezen** prisonsystem

gevangen|nemen arrest, apprehend; (*mil*) take prisoner; **-neming** arrest, apprehension; **-schap** imprisonment, confinement, captivity; **-wagen** prison-van; **-zetten** put in prison, imprison

gevarendriehoek (breakdown) warning triangle

gevat ready- (quick-, sharp-)witted, clever, smart; ~ *antwoord* witty retort, smart answer; **gevatheid** ready wit, smartness

gevecht fight, battle, combat, action (killed in ..., go into ...); *buiten* ~ *stellen*, (*kanon*) put out of action, (*soldaat*) disable; (*bokser*) knock out

gevechts|bommenwerper fighter-bomber; **-eenheid** fighting unit; **-front** battle-front; **-groep** task-force; **-terrein** battle-ground; **-troepen** combat troops; **-uitrusting** (full) battle-kit; **-vliegtuig** fighter; **-waarde** fighting-power; **-zone** battle zone

gevederd feathered; **gevederte** feathers

geveinsd simulated, pretended, feigned, assumed (indifference); **geveinsdheid** hypocrisy, simulation

gevel façade, front

gevel|spits gable; **-toerist** cat burglar

geven give, present with; afford, yield, produce; (*geur, warmte, enz*) give out; (*verlenen*) confer, grant; (*kaartsp, tr & intr*) deal; *ik gaf haar niet meer dan 30 (jaar)* I put her down at no more than thirty; *God geve, dat* ... God grant that ...; *ik wou het niet voor minder* ~ I would not let it go (part with it) for less; *mag ik u wat aardappels* ~*?* may I help you to some potatoes?; *wat wordt er gegeven?* (*theat*) what is on?; *een kreet* ~ give a scream (a cry); *zijn oordeel* ~ state one's view; *een teken* ~ make a sign; *ik geef het gewonnen* I give it up; *zich gewonnen* ~ own (admit) o.s. beaten, accept (admit) defeat; *zijn betrekking eraan* ~ give up one's post (job); *zijn zaken eraan* ~ go out of business, retire from business; *de sigaren eraan* ~ cut out cigars; *zich* ~ *aan* give o.s. to (study), throw o.s. into (one's work); *zich* ~ (*minder stijf worden*) unbend, expand; *dat geeft niet(s)*, (*doet er niet toe*) that doesn't matter; never mind!; *het geeft niets* it is no use (no good, of no avail); *het geeft niets om te schrijven* there is no use in writing; *wat geeft het, of men erover praat?* what's the good of talking about it?; *wat geeft het?* what's the use (the good)?; *maar wat geeft* (= *zou*) *dat nu?* but what of that?; *dat zal wat* ~*!* there'll be trouble; *veel* (*weinig*) ~ *om* care a great deal (little) for; *ik geef niet veel voor zijn kansen* I don't rate his chances very highly; **gever** giver, donor

gevest hilt

gevestigd established; ~*e belangen* vested interests; ~*e mening* fixed (firm) opinion; ~*e zaak* (old-)established business

gevierd feted, toasted (the ... beauty)

gevit fault-finding, cavilling

gevlamd flamed (tulip)

gevlekt spotted (skin), stained

gevleugeld winged

gevlij: *iem in het* ~ *zien te komen* worm one's way into a p.'s good graces, play up a p.

gevoeglijk decently, properly

gevoel (-*szin*) feeling, touch; (*gewaarwording*) feeling, sensation; (*niet-lichamelijk* ~) *ook:* sentiment (a matter of ...); ~ *van warmte* sensation of warmth; ~ *voor humor* sense of humour; *wat voor* ~ *is het?* what does it feel like?; *ik heb zo'n* ~ *dat* ... I have a feeling that ...; *op het* ~ (know, etc) by the feel (of it); *ik kan het wel op het* ~ (*af*) *vinden* I can find it by the touch; *hij vond de weg op het* ~ he groped (felt) his way; **gevoelen** feeling, sentiment, opinion; *naar zijn* ~ in his opinion, to his mind; **gevoelig** (*vatbaar voor gewaarwordingen*) sensitive; (*van pers ook*) feeling, susceptible; (*pijnlijk*) tender, sensitive (skin); (*van instrument*) sensitive; (*lichtgeraakt*) touchy, sensitive; ~*e klap* smart (sharp) blow; ~*e les* sharp lesson; ~(*e*) *nederlaag* (*verlies*) heavy defeat (loss); ~*e plek* tender spot; *een* ~*e snaar aanroeren* touch (upon) a tender string; ~ *voor* sensitive to; **gevoeligheid** sensitiveness, sensibility, tenderness (*zie* gevoelig); *iems* ~ *ontzien* (*kwetsen*) spare (hurt, wound) a p.'s feelings; **gevoelloos** unfeeling, callous; insensible (*voor* to); (*van lichaamsdeel*) numb; **gevoelloosheid** unfeelingness, callousness; insensibility, numbness

gevoels|leven inner life, emotional life; -**mens** emotional person; -**waarde** emotional value; -**zenuw** sensory nerve

gevogelte birds, fowls, poultry

gevolg (*van pers*) train, suite, following; (*resultaat, enz*) consequence, result, outcome; (*goed* ~) success; *geen nadelige* ~*en ondervinden van* be none the worse for (one's adventure); *de* ~*en zijn voor jou* (you must) take the consequences; ~ *geven aan een verzoek* grant (comply with) a request; *met goed* ~ successfully, with success; *ten* ~*e hebben* bring on, result in (loss, etc); *ten* ~*e van* in consequence of, as a result of; *zonder* ~, (*resultaat*) without success, unsuccessful(ly); **gevolgtrekking** conclusion, deduction; ~*en maken* draw conclusions (*uit* from); *voorbarige* ~*en maken* jump at conclusions

gevolmachtigd having full powers; ~ *minister* minister plenipotentiary; **gevolmachtigde** proxy, attorney

gevorderd advanced (age, student), late (hour)

gevraagd (*van waren*) in request, in demand

gevreesd dreaded

gevrij love-making; (*fam*) petting

gewaad attire, garment(s), dress, robe

gewaagd risky, hazardous (enterprise); (*fam*) chancy; ~*e gissing* bold guess; *ze zijn aan elkaar* ~ they are well matched; **gewaagdheid** riskiness, etc

gewaarworden become aware of, notice, perceive, experience; (*te weten komen*) find out; **gewaarwording** sensation, perception, feeling

gewag: ~ *maken van* mention, make mention of; **gewagen** *van* mention, make mention of

gewapend armed; ~ *beton* reinforced concrete; **gewapenderhand** by force of arms

gewas vegetation; (*oogst*) crop(s); (*plant*) plant

gewatteerd quilted (cover *boekband*), padded

gewauwel twaddle, drivel, waffle, rot

geweer rifle; (*jacht-*) gun; *presenteer het* ~! present arms!; *in het* ~ *zijn* (*komen*) stand to (arms); *de wacht kwam in het* ~ the guard turned out

geweer|kogel (rifle-)bullet; -**kolf** rifle-butt; -**loop** rifle-barrel; -**schot** rifle-, gunshot; -**vuur** rifle-fire

gewei (pair of, set of) antlers

geweld violence, force; *met* ~ by force, forcibly; *hij wil er met alle* ~ *heen* he wants to go there by all means (at any cost); ~ *aandoen* do violence to (one's conscience), violate (the law); *zichzelf* ~ *aandoen* restrain o.s., put a restraint on o.s.; ~ *gebruiken* use force, use violence

gewelddaad act of violence, outrage; **gewelddadig** *bn* violent (die a ... death); *bw* ...ly, by violence

geweldig vehement, violent, powerful, mighty, enormous, tremendous (explosion); (*vreselijk*) dreadful(ly), terrible, -bly, awful(ly); ~! (*sl*) terrific!; **geweldigheid** vehemence, violence, force

geweldpleging (personal) violence

gewelf vault(ing), arch; **gewelfboog** vaulted arch

gewelfd vaulted, domed, arched; (*van voorhoofd*) curved (forehead)

gewemel swarming

gewend accustomed; ~ *zijn aan* be used (accustomed) to; *hij is hier nog niet* ~ he does not feel at home here yet; **gewennen** I *tr* accustom, habituate (*aan* to); II *intr: zich* ~ *aan* accustom o.s. to, get accustomed (used) to

gewest region; (*provincie*) province

gewest|raad (*Belg*) regional parliament; -**regering** (*Belg*) regional government

geweten conscience; *kwaad* ~ bad (guilty) conscience; *een zuiver* ~ a good (clear, clean) conscience; *ik kan het niet met mijn* ~ *overeen-*

brengen I cannot reconcile it to my conscience; **gewetenloos** unscrupulous

gewetens|angst pangs of conscience; **-bezwaar** scruple, conscientious objection; **-bezwaarde** conscientious objector; **-dwang** moral constraint; **-nood** moral dilemma; **-onderzoek** examination of conscience; **-vraag** question (matter) of conscience; **-vrijheid** freedom of conscience; **-wroeging** compunction(s), remorse; **-zaak** matter of conscience

gewettigd justified, legitimate (hope)

geweven woven; ~ *stoffen* textiles

gewezen late, former, ex-

gewicht weight (*ook van klok*); (*fig ook*) importance, moment; *soortelijk* ~ specific gravity; *weer op zijn* ~ *komen* recover one's lost w; *man van* ~ man of w (of consequence); (*fam*) bigwig, big shot; *een zaak van groot* ~ a matter of great importance; *haar mening is van* ~ carries weight; ~heffen lift weights, put the w; ~ *in de schaal leggen* carry w; *zijn* ~ *in de schaal werpen*, (*fig*) throw one's w into the scale; **gewichtig** important, momentous, weighty; (~*doend*) pompous, self-important; ~ *doen* give o.s. airs, behave importantly; **gewichtigdoenerij** display of self-importance; **gewichtigheid** importance, weight; pomposity; *vgl* gewichtig

gewichtloos weightless

gewichts|toename weight increase; **-verlies** loss of w

gewiekst knowing, sharp, smart

gewijd consecrated (earth), sacred (music)

gewild (*in trek*) in demand, much sought after, popular; (*gemaakt*) affected; ~ *geestig* studiously (would-be) witty

gewillig willing, ready, docile; ~ *het oor lenen aan* lend a ready ear to; **gewilligheid** willingness, readiness, docility

gewin gain, profit; **gewinnen** win, gain

gewis certain, sure

gewoel bustle, stir; (*menigte*) crowd, throng

gewond injured; **gewonde** wounded person

gewoon I *bn* (*gewend*) accustomed, used (*te* to); (*gebruikelijk*) usual (the ... hour); customary (his ... corner); (*niet on- of buitengewoon*) ordinary (an ... boy), common (mistake), plain (fare *kost*); (*ordinair*) common (manners); *gewone breuk* vulgar fraction; *de gewone burger* the average citizen; *de gewone man* the common man, the man in the street; *het gewone publiek* the general public; *zoals hij* ~ *was* as his habit was; *hij was* ~ *hier veel te komen* he used to come here frequently; ~ *raken* (*worden*) *aan* get used (accustomed) to; II *bw* commonly, ordinarily; simply (I ... cannot think now); **gewoonlijk** usually, generally, ordinarily, as a rule; *als* ~ as usual; **gewoonte** (*algem aangenomen gebruik*) custom (national ...s), usage, practice; (*persoonlijk*) custom, habit; (*aanwensel*) habit; trick (he has ...s

that remind me of his father); *volgens* ~ as usual, by custom; (*louter*) *uit* ~ from (sheer) habit; *een* ~ *worden* become the practice, grow into a custom (habit)

gewoonte|drinker habitual drinker; **-recht** common (*of:* customary) law

gewoonweg downright (wonderful); just (I ... don't know what to do); *ik ben* ~ *doornat* I am simply soaked

gewricht joint

gewrichts|band ligament; **-breuk** fracture of a joint; **-reumatiek** rheumatoid arthritis

gewriemel wriggling

gewroet rooting; (*fig*) intrigues, schemings

gewrongen tortuous (style)

gezag authority, power, prestige; *op* ~ *aannemen* accept upon authority; *het* ~ *voeren* (*over*) (be in) command (of); *een man van* ~ an authority (on Greek); **gezaghebbend** authoritative

gezagsdrager authority

gezagvoerder (*scheepv*) master, captain, commander; (*luchtv*) captain

gezamenlijk I *bn* complete (the ... works of S.), total (amount), joint (owners), united (forces), collective (responsibility), combined (efforts); *voor* ~*e rekening* for (on) joint account; II *bw* ...ly, together, (go) in a body

gezang (*het zingen*) singing; (*lied*) song; (*kerk-*) hymn; **gezangboek** hymn-book, hymnal

gezanik bother, fuss

gezant (*algemeen*) minister; (*afgezant*) envoy, ambassador; **gezantschap** legation, embassy

gezantschaps|gebouw legation; **-personeel** legation staff

gezapig easy-going

gezegde saying, expression, phrase; (*gramm*) predicate

gezegeld sealed (envelope); stamped (paper)

gezegend blessed; ~ *met* blesses with (worldly goods)

gezeglijk docile, obedient

gezel fellow, mate; (*handwerks-*) journeyman (butcher, etc)

gezellig (*van pers*) companionable, sociable, (*fam*) chummy; (*van vertrek, enz*) pleasant; (*intiem*) cosy, snug; ~ *avondje*, (*muziek, enz*) social evening; *hij is een* ~*e baas, ook:* he is good company; *het was erg* ~, (*na bezoek*) thank you for a delightful evening; ~ *hoekje* cosy corner; **gezelligheid** companionableness, sociability; (*van vertrek, enz*) snugness, cosiness; *ik hou van* ~ I like company; **gezelligheidsvereniging** social club

gezellin companion

gezelschap company, society, party (of friends); (*theat, enz*) company, troupe; *in* ~ *van* in the company of; *iem* ~ *houden* keep a p. company

gezelschaps|biljet party ticket; **-dame** (lady-)companion; **-reis** organized tour; **-spel** round game, party game

gezet corpulent, stout; (*gedrongen*) thick-set, stocky; *op ~te tijden* at set times

gezeten: ~ *zijn* be seated; be mounted (on a fine horse); ~ *boer* substantial farmer

gezetheid corpulence, stoutness

gezeur (*narigheid*) bother; (*gezanik*) rot, twaddle

gezicht (*het zien*) sight; (*het vermogen*) (eye-) sight; (*gelaat*) face, looks; (*met het oog op de uitdrukking*) countenance; (*wat men ziet*) view, sight (a sad ...); (*uitzicht*) view; (*visioen*) vision; *het was géén ~* it was (he looked, etc) a perfect sight; *een vrolijk ~ zetten* put on a cheerful face; ~ *op Amsterdam* view of Amsterdam; *zijn ~ verliezen,* (*fig*) lose face; *zijn ~ redden,* (*fig*) save one's face; *~en trekken* pull (make) faces (*tegen* at); *een gek ~ trekken* make a queer face; *hij trok een lang ~* he pulled (made) a long face; *iem recht in zijn ~ kijken* look a p. full in the face; *in het ~ van* in sight (view) of; *in het ~ komen* come in(to) sight (*of* view); *ik lachte hem in het ~ uit* I laughed in his face; *ik zei het hem in zijn ~* I told him so to his face; *in het ~ zijn* be (with)in sight; *op het eerste ~* at first sight; on the face of it (it seems probable); *op zijn ~ krijgen* get a licking; *uit het ~* out of sight; *uit het ~ verliezen* lose sight of; *iem van ~ kennen* know a p. by sight

gezichts|bedrog optical illusion; **-einder** horizon; **-hoek** optic (visual) angle, angle of vision (*ook fig*); **-kring** (intellectual) horizon, ken; **-punt** point of view, aspect; *uit een ander ~ bezien* from a different angle; **-veld** range of vision; **-verlies** (*fig*) loss of face; **-vermogen** (eye-)sight

gezien esteemed, respected; *voor ~ tekenen* visa; *~ wat volgt* in view of what follows

gezin family, household; *het ~ bestaat uit 3 personen* there are three in the family

gezind disposed, inclined; *democratisch ~* democratically minded; **gezindheid** disposition, inclination; **gezindte** denomination, sect, persuasion

gezins|hoofd head of the (a) family; **-hulp** home help; **-leden** members of the family; **-leven** family life, home life; **-toelage, -toeslag** family allowance; **-verzorgster** mother's help

gezocht: (*zeer*) ~ in (great) demand, much sought after; (*onnatuurlijk*) studied, affected

gezond healthy (man, etc); sound (principle, argument); (*gaaf*) sound (fruit); (*geestelijk ~*) sane; (*~heidbevorderend*) healthy (climate); (*van spijs, drank*) wholesome (food, etc); (*pred van persoon*) in (good) health, well; ~ *verstand* common sense; *hij is niet erg ~* in poor health; *zo ~ als een vis* as fit as a fiddle; *~ en wel* safe and sound; ~ *van lijf en leden* sound in body and mind; ~ *blijven* keep fit; ~ *maken* restore to health, cure, make (a p.) well (again); *weer ~ worden* recover, get well

again; **gezondheid** health; healthiness (of a climate); soundness; saneness, sanity; *vgl* gezond; *slechte ~* ill-health; *een goede ~ genieten* enjoy (be in) good health; *op iems ~ drinken* drink a p.'s health; (*op je*) ~*!* here's luck! here's to you! cheerio!

gezondheids|dienst public health service; **-leer** hygiene, hygienics; **-oord** health-resort; **-toestand** state of health, health conditions; **-zorg** hygiene, sanitation

gezouten salt (butter), salted (herring)

gezusters: ~ *W* the sisters W, the W sisters

gezwam gas, hot air

gezwel swelling, tumour

gezwind swift, quick; *met ~e pas* at the double

gezwoeg toil(ing), drudging, drudgery

gezwollen swollen (ankle); (*fig*) bombastic, stilted, inflated (style); **gezwollenheid** swollenness, etc

gezworen sworn; **gezworene** juror, juryman

GG en GD Municipal Health Service

gids (*man*) guide; (*boek*) guide(-book); **gidsen** guide; **gidsland** country in the vanguard

giechelen giggle, titter, snigger; **giechelig** giggly

giek jib, boom

gier 1 vulture; 2 (*gil*) scream, screech; 3 (*mest*) liquid manure; **gieren** 1 scream (with laughter), screech (...ing shells); (*van wind*) whistle, howl; (*van banden*) squeal; 2 dress land with liquid manure

gierig avaricious, stingy, miserly; **gierigaard** miser, skinflint; **gierigheid** avarice, miserliness, stinginess

gierput manure-pit, dung-hole

gietbui downpour, pouring rain

gieten 1 pour; 2 cast (bells); found (guns); (*fig, van gedachten, enz*) mould; *... zit als gegoten* the coat fits him like a glove; **gieter** 1 watering-can; 2 (*in gieterij*) founder; **gieterij** foundry

giet|ijzer cast iron; **-kroes** crucible; **-stuk** casting; **-vorm** casting-mould; **-werk** cast work

gift I (*wat gegeven wordt*) present, gift; (*in kerk*) offering; II (*ook* **gif**) poison, (*dierlijk en fig ook*) venom

gif(t)|drank poisoned draught; **-gas** poisongas

giftig poisonous, venomous, toxic; (*fig*) venomous (remark)

gif(t)tand venom-tooth, poison-fang

gigant giant; **gigantisch** gigantic, giant, colossal

gij (*ev & mv*) you

gijzelaar (*gegijzelde*) hostage; (*wegens schuld*) prisoner for debt; (*gijzelnemer*) kidnapper, hijacker; **gijzelen** imprison for debt; kidnap, hijack; **gijzeling** imprisonment for debt; hijack(ing); *in ~ houden* hold hostage; **gijzelnemer** kidnapper, hostage-taker

gil yell, shriek, scream, squeal (give a ...)

gild(e) guild, corporation

gild(e)|brief charter; **-huis** guild-hall; **-meester** guild-master

gillen yell, shriek, scream; *het is (jij bent) om te ...* it is (you are) a (perfect) scream

ginder over there; **ginds I** *bw: (daar)* ~ over (up) there; ~ *bij de rivier* down by the river; **II** *bn* yonder; *aan ~e kant* on the other side, over the way, across

ginnegappen giggle, snigger

gips gypsum; *(gebrand)* plaster (of Paris)

gips|afgietsel plaster-cast; **-model** plaster cast; **-verband** plaster bandage; **-vorm** plaster-mould

giraffe id

gireren transfer; **giro** id, credit transfer

giro|afrekening guild statement; **-bank** clearing *(of:* transfer) bank; **-betaalkaart** giro payment card; **-biljet** giro form; **-cheque** id; **-dienst** giro service

giromaat GPO cash dispenser; **giromaatpas** GPO cash card

giro|nummer giro account number; **-overschrijving** giro transfer; **-pas** giro guarantee card; **-rekening** giro account

gis I *zn* guess; *op de* ~ by guess, at random; **II** *bn (schrander)* bright; *een* ~ *ventje* a bright boy

gispen blame, censure

gissen guess, conjecture; *naar iets* ~ guess at a thing; **gissing** guess, conjecture; *(schatting)* estimation; *het zijn maar ~en* it is mere guess-work

gist yeast, barm; **gisten** ferment; *aan het* ~, *(fig)* (the town is) in a ferment

gister(en) yesterday; ~ *voor (over) een week* yesterday week; *de krant van* ~ yesterday's paper

gister(en)|avond last night, yesterday evening; **-middag**, **-morgen**, **-nacht** yesterday afternoon, morning, night

gisting fermentation, ferment *(beide ook fig)*

gitaar guitar; **gitarist** guitarist; guitar-player

gitzwart jet-black, (as) black as jet

glaasje (little) glass; *(van microscoop)* slide; *hij heeft te diep in het* ~ *gekeken* he has had a glass (a drop) too much

glacé kid(-leather)

glaceren glaze (pottery); ice (cakes)

glad I *bn* smooth (surface, skin, sea), sleek (hair), plain (ring); *(glibberig)* slippery (road); *(bij vorst, ook)* icy (roads); *(slim)* clever, cunning; *dat is nogal* ~ that goes without saying, is a matter of course; *de wegen zijn plaatselijk* ~ there are icy patches on the roads; **II** *bw* smoothly, smooth; ~ *lopen* run smooth(ly); *het gaat hem* ~ *af* it comes easy to him; *dat zal je niet* ~ *zitten* you're not going to get away with that; *ik ben het* ~ *vergeten* have clean forgotten it; ~ *verkeerd* altogether wrong

glad|boenen polish; **-borstelen** brush (down), smooth (down); **-geschoren** clean-shaven; **-harig** sleek-, smooth-haired; **-heid** smoothness *(ook van taal, enz)* slipperiness; **-janus** slyboots, slick customer; **-maken** smooth, polish; **-strijken** smooth (out, down), sleek down (hair); iron out (a crease, differences); *(van vogel) ook:* plume, preen (its feathers); **-wrijven** polish

glans gloss (of hair, silk), lustre (of eyes), glitter (of gold); shine; *(fig)* lustre (of his name); *(poetsmiddel)* polish; *verblindende* ~ glare; *zachte* ~ gleam; *met* ~ *slagen* pass with flying colours

glans|periode heyday, golden age; **-punt** crowning event, high(-)light, hit (of the day), (outstanding) feature (of the exhibition); **-rijk** glorious, brilliant, resplendent, radiant; ~ *succes* signal (smashing) success; *het* ~ *afleggen* fail signally *(of:* gloriously); **-rol** *(theat)* star part; **-verf** gloss paint

glanzen *intr* shine, gleam, shimmer (...ing silk), glisten; *tr* glaze (leather, a photo), polish; *~d haar* glossy hair; *~d papier, (fot)* glossy paper

glas glass; *(ruit)* (window-)pane; *(van lamp)* chimney; *(van bril)* glass, lens; *(scheepv)* bell; ~ *water* glass of water; *bij een* ~ *wijn* over a glass of wine; *zijn eigen glazen ingooien* stand in one's own light, cut one's own throat; **glasachtig** glassy, glass-like

glas|blazen *ww* blow glass; *zn* glass-blowing; **-blazer** glass-blower; **-blazerij** glass-works; **-dicht** glazed; **-fabriek** glass-works; **-handel** glass-trade; **-hard** *(fig)* as hard as nails; **-helder** (as) clear as glass, crystal-clear; **--in-lood-raam** leaded window; **-plaat** sheet of glass; **-scherf** fragment of glass, glass splinter; **-snijder** glass-cutter; **-verzekering** window-glass insurance; **-werk** glassware

glazen (of) glass, glassy; ~ *deur* glazed door, glass door

glazen|maker glazier; **-wasser** window-cleaner

glazig glassy; *~e aardappel* waxy potato

glazuren glaze; *geglazuurd aardewerk* vitreous china; **glazuur(sel)** *(van tanden)* enamel; *(van aardewerk)* glaze, glazing; *(op gebak)* icing

gletsjer glacier; **gletsjerspleet** crevasse

gleuf groove; *(lange opening)* slit (of a letter-box), slot (of a slot-machine)

glibberen slither (in the mud), slip; **glibberig** slithery, slippery (road), slimy (fish); **glibberigheid** slitheriness, etc

glijbaan slide

glijden *(op glijbaan, enz)* slide; *(van boot, vogel, enz)* glide; *(uit-, af-, enz)* slip; *hij liet het in zijn zak* ~ he slipped it into his pocket

glijvlucht glide

glimlach smile; **glimlachen** smile *(tegen* at, on *over* at); **glimlachje** half-smile

glimmen glimmer (...ing ashes); shine (his eyes shone with joy), gleam (his teeth ...ed),

glisten (with perspiration); **glimmend** shining (boots), shiny (trousers)
glimp glimpse; glimmer (of understanding)
glinsteren glitter, sparkle, twinkle; **glinstering** ...ing
glippen slip (my foot, my bicycle, ...ped)
globaal *bn* rough (estimation); broad (survey); *bw* ...ly; ~ *bekijken* take an overall view of; ~ *genomen* roughly speaking; **globe** id
gloed glow, blaze (*ook fig:* a ... of colour); (*fig*) ardour, (speak with great) fervour
gloed|nieuw brand-new; **-vol** glowing (account of ...), colourful (scene)
gloeidraad filament
gloeien (her ears began to) tingle; ~ *van* glow with (enthusiasm), burn (blaze) with (indignation); *mijn hoofd gloeit* my head burns; **gloeiend** *bn* glowing, etc; red-hot (iron); *~e kolen* live coals; *bw:* ~ *heet* burning hot (day); (*van vloeistof*) scalding (piping) hot; (*van metaal*) red-hot
gloeihitte *a*) white (red) heat; *b*) intense heat
gloeiing glowing
gloei|kousje gas mantle; **-lamp** (electric) bulb; **-licht** incandescent light
glooien slope, shelve; **glooiing** slope
gloren glimmer; (*van de dag*) dawn, break
glorie glory; **glorierijk, glorieus** glorious
gluiper(d) sneak; **gluiperig** sneaking (fellow), furtive (eyes)
glunder cheerful; **glunderen** smile happily, beam
gluren peep, peek, peer; **gluurder** voyeur
glycerine id
GMD joint medical services
gniffelen chuckle (*over* over, at)
gnoom gnome
gnuiven chortle
goal id; *een* ~ *maken* make (score) a goal, score
gobelin id
God God; *van* ~ *noch zijn gebod weten* live without God in the world; *~s water over ~s akker laten lopen* let things slide; ~ *zij dank* thank God; *zo waarlijk helpe mij* ~ *almachtig* so help me God; *ga in g~s naam niet* don't go for Heaven's (for goodness') sake; ~ *weet waar vandaan* from goodness knows where; *leven als* ~ *in Frankrijk* live in clover; *grote goden!* good Heavens!
goddank thank God; thank heaven!
goddelijk divine, godlike; *het was* ~ it was marvellous, delicious; **goddelijkheid** divinity
goddeloos godless, ungodly; ~ *lawaai* dreadful noise; **goddeloosheid** godlessness, impiety
goddomme damn, dammit
goden deities; **godendom:** *het* ~ the gods
goden|leer mythology; **-schemering** twilight of the gods
godganse(lijke) *de* ~ *dag* the livelong day
god|geleerde divine, theologian; **-geleerdheid** theology

godheid (*abstr*) godhead, divinity; (*concr*) deity, divinity; **godin** goddess
god|lasterend blasphemous; **-loochenaar** atheist; **-loochening** atheism; **-loos** godless
godsdienst religion; **godsdienstig** religious, devout; **godsdienstigheid** religiousness, devotion
godsdienst|ijver religious zeal; **-ijveraar** religious zealot; **-oefening** divine service; **-onderwijs** religious teaching; **-oorlog** religious war; **-plechtigheid** religious ceremony (*of:* rite); **-vrijheid** religious liberty; **-waanzin** religious mania
godsgericht *a*) (trial by) ordeal; *b*) divine judg(e)ment
gods|huis house of God, place of worship; **-lasteraar(ster)** blasphemer; **-lastering** blasphemy; **-lasterlijk** blasphemous; **-vrede** political truce; **-vrucht** piety; devotion
god|vergeten God-forsaken (place); **-vruchtig** God-fearing, pious
goed I *bn* good; (*goedaardig*) kind, good-natured; (*juist*) right (the ... age for marriage), correct; (*gezond*) well; II *bw* well; (*juist*) right (do a sum ...), correctly; properly (clean them ...); *als je* ~ *kijkt* if you look carefully; *was de wond* ~ *uit* wash the wound thoroughly; *geen al te* ~*e dag* (the patient had) not too good a day; *een* ~*e 80 pond* eighty odd pounds; *~e morgen!* good morning!; *op een* ~*e morgen* one fine morning; *op een* ~ *ogenblik* (*moment*) (*kan het je niets meer schelen*) the moment comes (there comes a moment) when ...; *en maar* ~ *ook* and a good thing (a good job) too! and quite right too!; *het is maar* ~ it's just as well (you didn't go); *G~e Vrijdag* Good Friday; (*alles*) ~ *en wel* that is all very well (but ...); ~ *blijven* (*van eetwaren*) keep (good); (*van bloemen*) last; *als het weer* ~ *blijft* if the weather holds; *jij hebt* ~ *praten* it is all very well for you to say so; *is dat* ~? will that do?; *elke envelop is* ~ any envelope will do; *mij* ~, *ook:* I don't mind; it's all right with (by) me; *daar is de verzekering* ~ *voor* the insurance will take care of that; *nergens* ~ *voor* (he is) good for nothing; *hij is er niet te* ~ *voor* he is not above that sort of thing; *je bent niet* ~! (*fam*) you're crazy (nuts)!; *ze zijn weer* ~ *op elkaar* they have made it up, are on good terms again; *die is* ~! that is a good one!; I like that!; *hij maakt het* ~ he is doing well; ~ *in de talen* good at languages; *hij wordt er* ~ *voor betaald* he gets good money for it; *zit* (*lig, enz*) *je* ~? are you quite comfortable? *het* ~ *hebben* be well off; *als ik het* ~ *heb* if I am not mistaken; *ik begrijp 't niet* ~ ... I don't quite understand ...; ~ *komen* come right; *er* ~ *van leven* live well; *ik kan het niet* ~ *krijgen* I can't get it right; *ben ik op de* ~*e weg naar* ...? am I (is this) right for ...?; *zo is het* ~ that will do; ~ *zo!* *zo gaat ie* ~! that's right! all right! well done!; *zo* ~ *als dood* as good as (all but, nearly) dead;

goe

zo ~ *als niets* (*niem, geen ervaring*) next to nothing (nobody, no experience); *zo* ~ *en zo kwaad als het gaat* as best I (you) can, somehow or other; *hij was zo* ~ *niet of hij moest betalen* he had to pay, there was no help for it; ~ *bedoeld* well-meant, well-intentioned; III

goedaardig *a*) good-natured, kind-hearted; *b*) (*van ziekten*) benign, mild; ~ *gezwel* benign (innocent) tumour; **goedaardigheid** *a*) good nature, kind-heartedness; *b*) (*van ziekte*) benign character, non-malignity

goeddunken *ww* think fit (proper); *zn* pleasure; *naar* ~ at will; *naar* ~ *van* at the discretion of

goedendag good day; **goedendagzeggen** (*afscheid nemen*) say good-bye

goederen goods, merchandise, commodities
goederen|beurs produce exchange; **-bureau** goods-office; **-handel** produce (*of:* goods) trade; **-loods** goods-shed; **-prijzen** commodity prices; **-station** goods-station; **-trein** goods-train; **-verkeer** (*tussen landen*) exchange of goods; **-vervoer** goods-, carrying-traffic, transport of goods; **-voorraad** stock; **-wagen** goods-van; (*open*) truck

goedertierenheid mercy, clemency
goedgeefs generous, liberal, open-handed; **goedgeefsheid** generosity, liberality, open-handedness

goed|gehumeurd good-tempered, -humoured; **-gelovig** credulous; **-gelovigheid** credulity; **-gezind** well-disposed; **-gunstig** kind, obliging; **-gunstigheid** kindness; **-hartig** kind-hearted

goedheid goodness, kindness
goedje stuff
goedkeuren (*oordeel*) approve of; (*rapport, notulen*) adopt; (*van dokter*) pass (a p.); (*film*) pass (for public exhibition); *goedgekeurd worden*, (*van begroting*) be agreed to; *koninklijk goedgekeurd worden* be incorporated; **goedkeurend** *knikken* nod approvingly, nod approval; **goedkeuring** approval, approbation; (*koninklijke*) (royal) assent; (*van notulen, rapport*) adoption; *zijn* ~ *hechten aan* approve of; *zijn* ~ *onthouden* withhold (refuse) one's consent; *ter* ~ *voorleggen* submit for approval

goedkoop I *bn* cheap (*ook fig*), inexpensive; low-priced (cars), low-cost (tourist flights); ~(*er*) *maken* (*worden*) cheapen; ~ *is duurkoop* quality pays; II *bw* (buy, sell) cheap, at a low price; cheaply; *er* ~ *afkomen* get off cheaply; **goedkoopheid, goedkoopte** cheapness

goedlachs fond of laughing; *hij was erg* ~ he had a ready laugh, was quick to laugh

goed|maken make good, make up for, compensate for (a loss), make (it) all right, repair (a mistake), put (a wrong) right, make reparation for (everything), make amends for (past misdeeds); **-moedig** good-natured, kind-hearted; **-praten** explain away (a mistake), excuse (a p.'s conduct)

goedschiks with a good grace, willingly
goedvinden I *ww* think fit (*of:* proper); (*goedkeuren*) approve of; *hij vindt alles* ~ anything will do for him; *als je moeder het* ~*vindt* if your mother does not mind, will let you (go, etc); II *zn* consent; *met wederzijds* ~ by mutual agreement (consent); *naar* ~ at pleasure

goedwillig(heid) willing(ness)
goedzak kind soul
goeierd good-natured (person)
goesting (*Belg*) (*eetlust*) appetite
gok: *het is een* ~ it's taking a chance; it's a toss-up; *de* ~ *wagen* take the chance; *iets op de* ~ *doen* do s.t. on the off-chance (that ...)

gok|automaat gaming machine; **-huis** gaming-house

gokje flutter (have a ...)
gokkantoor betting office (shop), bookmaker's office
gokken gamble; **gokker** gambler; **gokkerij** gamble, gambling; **gokspel** game of chance
golf 1 wave, (*groot*) billow, (*lang en zwaar*) roller; (*inham*) gulf, bay; *op de korte* ~, (*radio*) on the short w; 2 (*spel*) golf

golf|baan golf-links, golf course; **-beweging** undulation; **-breker** breakwater; **-ijzer** corrugated iron; **-lengte** w-length (*ook fig*); **-slag** wash of the waves; **-speler** golf-player, golfer; **-stok** golf-club

golven wave, undulate; **golvend** waving (grass), wavy (hair), rolling (field), surging (crowd); **golving** waving, undulation
gom gum; **gomachtig** gummy; **gommen** (*uit-* ~) rub (out)
gondel gondola; **gondelier** gondolier
gong id; (*als huisbel*) chime
goniometrie trigonometry
gonzen hum, buzz, drone, whirr
goochelaar conjurer(-or), juggler, illusionist; **goochelarij** conjuring, juggling; **goochelen** conjure, juggle, do tricks
goochel|kunst art of conjuring; **-kunstje** conjuring-(juggling-)trick
goochem knowing, smart; **goochemerd** slyboots, knowing one
gooi throw, cast; *een* ~ *doen naar* have a shot at; (*fig*) *hij doet een goede* ~ *naar de betrekking* he stands a good chance of getting the post; **gooien** fling, throw, cast, pitch (*naar* at); *met de deur* ~ slam the door; *iem* ~ *met* pelt a p. with (snowballs), fling (throw, pitch) ... at a p.; *het* ~ *op* ... put it down to ...; *het op een akkoordje* ~ reach a compromise; *ertussen* ~ interject (a remark)

goor (*onfris*) dingy; sallow (face); (*onsmakelijk, enz*) nasty
goot (*dak-, straat-*) gutter; (*straat-*) *ook:* drain
goot|steen (kitchen-)sink (*gooi het in de* ~ throw (pour) it down the ...); **-water** gutter-water, slops
gordel (*om het lichaam*) belt, waistband, girdle; (*anders*) circle, ring; **gorden**: *zich ten strijde* ~ gird o.s. for the fight

gordijn curtain (*ook in theat*); (*rol~*) blind; *het ~ gaat op* (*valt*), (*theat*) the curtain rises (drops, falls)

gordijn|rail curtain rail; **-roede** curtain-rod; **-stof** curtain(ing) material, curtaining

gording (*balk*) girder; (*scheepv*) buntline

gorgeldrank gargle; **gorgelen** gargle

gort groats; **gortig:** *je maakt het al te ~* you are going too far

gossie! (by) golly! by gum! gosh!

Goten Goths; **gotiek** Gothic (style); **Gotisch, gotisch** Gothic

goud gold; *het is al geen ~ wat er blinkt* all that glitters is not gold; *dat is ~ waard* it is worth its weight in gold; **goudachtig** gold-like, like gold, golden

goud|ader gold-vein, -lode; **-blond** golden; **-bruin** golden brown, auburn; **-delver** gold-digger; **-dorst** thirst for (of) gold, lust of gold; **-draad** gold-wire, (*gesponnen*) gold-thread

gouden gold (coin), golden (hair, wedding); *~ bergen beloven* promise the earth; *~ bril* gold-rimmed spectacles; *~ eeuw* golden age

goud|erts gold-ore; **-geel** gold-coloured, golden (corn); **-gehalte** gold-content, fineness (of coins); **-geld** gold coin, gold; **-graver** gold-digger; **-kleur(ig)** gold-colour(ed); **-klomp** nugget of gold; **-koorts** gold-fever; **-korrel** grain of gold; **-mijn** gold-mine; *een ~ vinden,* (*fig*) strike oil; *een echt ~tje* a regular money-spinner

goudsbloem marigold

goud|schaal gold-scales, -balance; *zijn woorden op een ~tje wegen* pick one's words; **-smid** goldsmith; **goud|smidskunst** goldsmith's art; **-staaf** bar (*of:* ingot) of gold; **-stuk** gold coin; **-vis** gold-fish; **-winning** gold-mining; **-zoeker** gold-seeker, -finder; **-zucht** greed of gold, gold-hunger

gouvernante governess; (*fam*) nanny

gouvernement government; **gouvernementeel** governmental; **gouvernementsambtenaar** government-officer, government-official

gouverneur governor; (*vero onderwijzer*) tutor; **gouverneur-generaal** governor-general

gozer (*sl*) bloke

graad degree; *12 graden Celsius* 12 degrees centigrade, 12° C.; *een ~ halen* graduate, get (take) one's degree; *bij 0 graden* at zero; *in graden verdelen* graduate; *in de hoogste ~* (he is vain) to the last degree; *neef in de tweede ~* cousin twice removed; *op 105 graden lengte en 53 graden breedte* in longitude 105, latitude 53

graad|boog protractor; **-meter** graduated scale; (*fig*) gauge

graaf (*Engelse*) earl, (*buitenlandse*) count; **graafschap** *a*) earldom, countship; *b*) (*Eng provincie*) county, shire

graafwerk digging, excavation(s)

graag I *bn* hungry; eager; II *bw* gladly, readily, willingly; *~ of niet* you may take it or leave it; *~!* with pleasure! yes, please! (Another cup of tea?) Thank you!; *wat* (*heel*) *~!* with all my heart, I shall be delighted; *hij zou het zo ~ hebben* he wants it so badly; *ik zal het je ~ geven* you're welcome to it; **graagte** eagerness, appetite; *met ~ aannemen* accept eagerly

graaien grabble, rummage; *~ naar* grab at

graan corn, grain; *granen* cereals

graan|beurs corn-exchange; **-bouw** corn-growing; **-elevator** corn-elevator; **-gewassen** cereals; **-handel** corn-trade; **-handelaar** corn-dealer, corn-chandler; **-korrel** grain of corn; **-pakhuis** granary, silo; **-schuur** granary

graantje: *een ~ meepikken* get one's share

graanzolder corn-loft

graat fish-bone; *van de ~ vallen: a*) faint; *b*) have a roaring appetite; *hij is niet zuiver op de ~* not altogether reliable; **graatachtig** bony (fish)

grabbel: *geld te ~ gooien* throw money to be scrambled for; *te ~ gooien,* (*zijn geld, fig*) make ducks and drakes of one's money; (*zijn eer*) throw away one's honour; **grabbelen** scramble (for ...), grabble (in ...); **grabbelton** lucky dip

gracht (*in stad*) canal; (*om slot, vesting*) moat

gracieus graceful, elegant

gradatie gradation; **gradueel** (difference) in degree

graf grave; (*verheven*) tomb; *een stilte als van het ~* the silence of the tomb; *aan het ~* at the graveside, at the grave; *hij zou zich in zijn ~ omkeren* he would turn in his grave; *een ~ in de golven vinden* find a watery grave; **grafdelver** grave-digger

grafelijk of a count (an earl); like a count (an earl); *~e waardigheid* countship; earldom

graffito id (*mv* -ti), scratch-work

graf|gewelf sepulchral vault; (*onder kerk, enz*) crypt; **-heuvel** grave-mound, burial mound; (*hist ook*) barrow, tumulus, *mv* -li

grafiek *a*) graphic art; *b*) (voor statistiek, enz) graphics

grafiet graphit

grafisch graphic (*bw:* -ally); *de ~e vakken* the printing trade; *~e voorstelling* graph, diagram

graf|kamer (*in piramide*) sepulchral chamber; **-kelder** burial-, family-vault; **-krans** funeral wreath

grafologie graphology; **grafologisch** graphological (report); **grafoloog** graphologer, hand-writing expert

graf|rede funeral oration, graveside speech; **-schender** (**~schennis**) desecrator (desecration) of a grave (of graves); **-schrift** epitaph; **-steen** tomb-stone; **-stem** sepulchral voice; **-tombe** tomb

gram *zn* gram(me); (*toorn*) wrath, ire

grammatica grammar; **grammaticaal** grammatical

grammofoon gramophone

gra

grammofoon|muziek gramophone music, recorded music; **-plaat** gramophone-record, disc

gramschap anger, wrath

granaat shell; (*hand~*) grenade

granaat|huls shell-case; **-inslag** shell-burst; **-scherf** shell-splinter; **-trechter** shell-hole, -crater; **-vuur** shell-fire

grandioos grandiose

graniet granite; **granietachtig** granitic; **granieten** granite

grap joke, jest; *~pen maken* make jokes, joke; *uitgehaalde (niet vertelde)* ~ practical joke; *~pen vertellen* crack jokes; *dat is geen ~(je)* it's no joke; *geen ~pen!* none of your jokes! none of that!; *een dure* ~, (*fig*) an expensive business; *hij maakte er een ~(je) van* he made fun of it; *een* ~ *uithalen* play a joke; *uit (voor) de* ~ for fun, in fun, in sport, for the fun of it; *het mooiste van de* ~ *was* the best of it was ...; *hij kan wel tegen een* ~ he can take a joke

grapjas, grappenmaker joker, funny man (person); **grapjasserij** drollery

grappig funny, droll, comic, amusing; *het ~ste was dat* ... the funny thing about it was that ...; *wat ~!* what fun! how funny!

gras grass; *met* ~ *begroeid* grass-grown, grassy; *je moet er geen* ~ *over laten groeien* don't let the grass grow under your feet; *je hebt mij het* ~ *voor de voeten weggemaaid* you have cut the grass from under my feet; **grasachtig** grassy, grass-like

gras|duinen (*in*) browse in (a library); **-etend** herbivorous; **-halm** grass-blade, blade of grass; **-land** grass-land, pasture(-land); **-maaier** grass-mower, (*voor tuin*) lawnmower; **-mat** (*van sportveld*) turf; **-perk** lawn; **-rand** grass border; (*langs weg*) grass verge; **-schaar** garden-shears; **-spriet** blade of grass; **-veld** lawn; **-vlakte** grassy plain, prairie; **-zode** turf, sod

gratie (*bevalligheid, gunst*) grace; (*kwijtschelding van straf*) pardon; *bij de* ~ *Gods* by the grace of God; *weer in de* ~ *komen bij iem* get into a p.'s good books again; *bij iem uit de* ~ *geraken* lose a p.'s favour; *uit de* ~ *zijn* be out of favour (*bij* with)

gratificatie extra pay, bonus, gratuity

gratis I *bn* id, free (of charge); ~ *bijvoegsel* (*exemplaar, monster*) free supplement (copy, sample); give-away (puzzle, etc); II *bw* id, without (free of) charge, (be admitted) free

1 grauw *zn* (*snauw*) snarl, growl

2 grauw *bn* grey, gray; (*fig*) drab

grauwachtig greyish, grizzly

grauwen snarl, growl

grauwgeel grey(ish) yellow

grauwheid greyness

graveerder engraver

graveer|naald, -stift engraving-needle

graven dig (a canal), sink (a mine)

's-Gravenhage The Hague

graver digger

graveren engrave; **graveur** engraver

gravin (*Eng & buitenl*) countess

gravitatie gravitation, gravity

gravure engraving

grazen graze, feed; (*fam*) *iem te* ~ *nemen (beetnemen)* pull a p.'s leg; (*de leeuw*) *had hem aardig te* ~ *gehad* had badly injured him; **grazig** grassy

greep (*het grijpen*) grip, grasp, clutch; (*handvat*) hilt (of a sword), handle; (*van pistool*) butt; *een gelukkige* ~ *doen* make a lucky hit; *hij deed er een* ~ *naar* he made a grab at it, snatched at it

greintje: *geen* ~ not a grain (of truth), not a shred (of evidence); not a particle of sense

grenadier id

grenadine id (*stof & drank*)

grendel bolt (*ook van geweer*); **grendelen** bolt

grenehout fir, deal, pine-wood

grens (*grenslijn, -punt, ook fig*) limit; (*van land, landgoed, enz*) boundary; (*zoom*) border, margin; (*staatkundige* ~) frontier; (*grensstreek*) border; *natuurlijke* ~ natural boundary; *er zijn -zen* there are limits; *-zen stellen aan* set bounds (limits) to; *men moet de* ~ *ergens trekken* one has to draw the line somewhere; *nu is de* ~ *bereikt* that's the limit; *aan de* ~ on the frontier; *aan de -zen der stad* on the outskirts of the city; *binnen zekere -zen* within (certain) limits; *dat gaat alle -zen te buiten* that exceeds all bounds; (*net*) *op de* ~, (*fig*) (just) on the (border-)line; *op de* ~ *van* on the verge of (madness)

grens|bewaker frontier guard; **-bewoner** frontier inhabitant; (*inz tussen Eng & Schotland*) borderer; **-dorp** frontier village; **-gebied** border(land), frontier area, confines; **-geschil** boundary dispute; (*botsing*) frontier clash; **-geval** borderline case; **-incident** border incident; **-lijn** line of demarcation, boundary-line; **-paal** boundary-post; **-plaats** border (frontier) town; **-politie** frontier police; **-rechter** (*voetbal, tennis*) linesman; (*rugby*) touch-judge; **-rivier** boundary-river; **-stad** frontier town; **-steen** boundary-stone; **-verkeer** frontier traffic; **-vlag** (*sp*) boundary flag; **-wacht(er)** frontier guard

grenzeloos boundless, limitless, unlimited

grenzen: ~ *aan* border (up)on (*ook fig*); *Nederland grenst ten oosten aan Duitsland* Holland is bounded on the East by Germany; *aan elkaar* ~, (*van kamers, tuinen, enz*) join

greppel trench, (field-)drain, ditch

gretig eager; **gretigheid** eagerness

grief grievance; (*krenking*) offence

Griek Greek; **Griekenland** Greece; **Grieks** Greek; (*vooral van kunst*) Grecian; *het* ~ Greek

grienen sniffle, blubber, whine, whimper

griep influenza, (*fam*) flu

gries grit; **griesmeel** semolina

griet(je) (sl) bit (piece) of skirt, bird, chick

grieven grieve, hurt; grievend grievous, galling

griezel: een ~, (pers) a horror; griezelen shudder, shiver; iem doen ~ give a p. the creeps, make a p.'s flesh creep; griezelfilm horror film

griezelig creepy, gruesome, weird; hij is ~ knap he is uncannily clever

griezelverhaal blood-curdling (creepy) story, thriller

grif promptly, readily; ~ toegeven admit readily (freely)

griffen (en)grave, impress

griffie office of the clerk (zie griffier); griffier clerk (of the court), recorder, registrar

griff(i)oen (fabeldier) griffin

grijns(lach) sneer, grin; grijnslachen, grijnzen sneer, grin

grijparm tentacle

grijpen seize, catch, grasp, grip (a p.'s hand), clutch, grab, snatch; ~ naar clutch (grab, snatch) at; om zich heen ~, (van vuur enz) spread (the fire spread rapidly); voor het ~ liggen be ready to hand

grijplijnen (voor drenkelingen) beckets

grijs grey, gray, grey-headed; grijze beer grizzly (bear); de grijze oudheid remote antiquity; het grijze verleden the dim past; grijsaard grey-haired man, old man; grijsachtig greyish, grizzly (beard); grijsheid greyness; (ouderdom) old age

grijzend greying; grijzig greyish

gril caprice, whim, quirk; een ~ van het noodlot a quirk (trick) of fate

grilleren grill

grillig whimsical, capricious, fickle, wayward; fitful (weather); grilligheid whimsicality, capriciousness, etc

grimas grimace; ~sen maken make grimaces

grime make-up; grimeren make up

grimmig grim; furious; grimmigheid grimness; fury

grind gravel; (inz op het strand) shingle; grindpad gravel-path, -walk, gravelled path

grinniken (genoeglijk) chuckle, chortle; (giechelen) snigger

grissen snatch, grab; (gappen) pinch, pilfer

groef groove; (rimpel) furrow

groei growth

groeibon (Belg) savings certificate; groeien grow; iemand boven het hoofd ~ outgrow a p.; ergens in ~ revel in a thing; uit zijn kleren ~ outgrow (grow out of) one's clothes; er zal nooit ... uit hem ~ he'll never make a good teacher

groei|fonds growth stock; -kern growth centre (zo ook: growth market, enz); -kracht growing-power, vitality; -stuipen growing-pains; -zaam favourable (to vegetation); ~ weer growing weather

groen I bn green; (fig ook) fresh, inexperienced; ~e kaart green card, International Motor Insurance Card; ~e zeep soft soap; het werd me ~ en geel voor de ogen my head was swimming; II zn a) (kleur) green; b) (planten) greenery, green; c) de Groenen (milieu-organisaties) the Green lobby; groenachtig greenish

Groenland Greenland; Groenlander Greenlander

groenstrook green belt

groente (green) vegetables, greens; een ~ a vegetable; twee ~n two vegetables

groente|boer green-grocer; -markt vegetable market; -tuin kitchen-garden; -winkel greengrocer's (shop)

groentijd noviciate, freshmanship

groentje (algem) greenhorn, (univ) freshman

groenvoe(de)r green food, grass-fodder

groep group, cluster (of trees, stars, houses), clump (of trees), body (of men); (luchtv) flight; (elektr huisleiding) branch circuit; in ~jes van twee of drie in twos and threes; groeperen group; zich ~ group themselves; groepering grouping

groeps|commandant (politie) district superintendent; (mil) file-leader; -geest group loyalty; -gewijze in groups; -leider group-leader; -praktijk group practice; -therapie group therapy; -verband in ~(reizen) (travel) in (as) a group

groet greeting; een ~ zenden send greetings; met (na) vriendelijke ~en with kind(est) regards; de ~en aan ... remember me (kindly) to ..., give my kind regards (love) to ...; groeten greet, salute; hij laat u ~ he sends you his compliments, wishes to be remembered to you, (fam) sends his love; gegroet good-bye! so long!

groeve (kuil, mijn) pit; (steen~) quarry

groeven ww groove, score

groezelig dingy, grubby; groezeligheid dinginess, etc

grof coarse (bread, linen, features), rude (remarks, treat a p. ...ly), rough (towel), gross (carelessness), big (lie), profound (ignorance), glaring (error), broad (humour, joke); grove fout gross (bad) mistake, blunder; ~ geschut, (fig) heavy metal; grove stem harsh voice; met grove trekken coarse-featured; ~ liegen lie shamelessly; ~ spelen play high; ~ geld verdienen earn (make) big money; ~ geld verteren spend money like water, spend lots of money; hij wordt ~ he cuts up rough

grof|dradig coarse-threaded; (van hout, enz) coarse-grained; -gebouwd big-boned, large-limbed

grofheid coarseness, etc; ~heden tegen iem zeggen say rude things to a p.

grof|korrelig coarse-grained; -vezelig coarse-fibred; -wild big game

grog grog; (met suiker) toddy

grol antic

grom (*gegrom*) growl, snarl; **grommen** growl, snarl (*tegen* at), grumble; **grommig** grumpish, grumpy, snarly; **grompot** grumbler, growler

grond (*aarde*) ground, earth; (*met het oog op de aard*) soil (poor, rich ...); (*land*) land (own a great deal of ...); (*bouw-*) site; *stuk* ~ plot; (*bodem van zee, enz*) bottom; (*vloer*) floor; (*grondslag*) ground, foundation; (*motief*) ground (the ...s of my decision), reason; *vaste* ~ *onder de voeten hebben* be on firm ground; *er is goede* ~ *om te geloven* ... there is good reason to believe ...; *er is een* ~ *van waarheid in* it has a basis of truth; *het mist alle* ~ it is without any foundation; ~ *winnen* (*verliezen*) gain (lose) ground; *aan de* ~ *lopen* (*raken*) run aground; *aan de* ~ *zitten* be aground; (*fig*) be in low water; *in de* ~ essentially, fundamentally, at bottom (at heart); *in de* ~ *van de zaak* fundamentally (the position has not changed), basically; *in de* ~ *boren* sink, send to the bottom; *met* ~ with (good) reason; *op goede* ~ (act) on good grounds; *op* ~ *van* on the ground of, on account of (ill health); (*krachtens*) on the strength of, by virtue of; *op de* ~ *vallen* (*gooien*) fall (throw) to the ground (floor); *te* ~*e gaan* be ruined, go to pieces, *fam:* to the dogs; *te* ~*e richten* ruin, wreck; *tegen de* ~ *gooien* throw to the ground (floor); *tot de* ~ *toe afbranden* be burnt to the ground; *uit de* ~ *verrijzen* spring out of the ground; *uit de* ~ *van mijn hart* from the bottom of my heart; *van de koude* ~ open- (outdoor-) grown (strawberries); (*fig*) twopenny-(halfpenny) (poet), (a politician) of a sort, of sorts; *van de* ~ *komen*, (*luchtv*) become airborne; *zonder enige* ~ without any ground (*of:* foundation); **grondachtig** earthy (taste), muddy

grond|afweergeschut ground defences; **-beginsel** basic principle; ~**en**, (*van wetenschap, enz*) elements, rudiments; **-begrip** fundamental (*of:* basic) idea; **-belasting** *ongev:* land-tax; **-betekenis** original meaning; **-bezit** landed property; **-bezitter** landowner, landlord

gronden *ww* base, found, ground (*op* on)

grond|fout basic error; **-gebied** territory; **-gedachte** root (basic, underlying) idea; **-getal** base

grondig thorough (investigation, he knows it ...ly), profound (study), intimate (knowledge), radical (change); exhaustive (inquiry); **grondigheid** thoroughness, profoundness, etc

grond|ijs ground-ice; **-kleur** ground-, priming-colour; (*primaire kleur*) primary colour; **-legger**, **-legster** founder; **-legging** foundation; **-oorzaak** root (basic) cause; **-personeel** (*luchtv*) ground-staff; **-plan** ground-plan; **-regel** principle, ground rule; **-slag** foundation(s), ground-work; basis (of negotiations); *dit beginsel ligt aan de zaak ten* ~ this principle

underlies the matter; **-soort** (type of) soil; **-sop** dregs, grounds; **-stelling** (*van leer*) tenet; (*wisk*) axiom; **-stof** raw material; **-toon** key-note; **-troepen** ground forces; **-verf** ground-colour, primer; **-verzakking** subsidence

grondvesten I *zn* foundations; *op zijn* ~ *doen schudden* rock (shake) to its foundations; **II** *ww* found, lay the foundations of; **grondvester** founder

grond|vlak base; **-vorm** primitive form (*of:* type); **-water** ground water, subsoil water; **-werker** navvy; **-wet** (written) constitution; **-wettelijk** constitutional (government); **-zeil** ground sheet

groot (*uitgestrekt*) large; (*zeer uitgestr*) vast; (*omvangrijk*) big, large; (*lang*) tall (of stature); (*volwassen*) grown(-up); (*veel indruk makend*) great; (*fig*) great, big (the ...gest fool ever born); (*groots*) grand; *3 maal zo* ~ *als* ... (a ball) three times the size of a football; *een vrij* ~ *plantsoen* sizable public gardens; *het* ~*ste deel van* the greater (the best) part of (the way); *grote kinderen* grown-up children; ~ *licht* (*van auto*) full (undipped) headlights; ~ *man* great man; **-e man** tall man; *de* **-e massa** the masses; **-e menigte** large crowd; **-e mensen** grown-ups; *de* **-e mogendheden** the Great Powers; *het* **-e publiek** the general public; *de Grote Oceaan* the Pacific (Ocean); *een* ~ *verschil* a great (wide) difference; **-e weg** high-road, (*Am*) highway; *de* **-e wereld** Society, (*fam*) the upper ten; ~ *worden* (*van kind*) grow up, grow into a man (woman); (*lang w*) grow tall; *te* ~ *leven* live beyond one's means; *hij doet alles in het* ~ he does everything on a large scale

groot|boek ledger; **-brengen** bring up, rear, raise (a large family); *met de borst* (*fles*) breast-feed (bottle-feed)

Groot-Brittannië Great-Britain

grootdoen put on airs, swagger; **grootdoenerij** swagger

grootgrondbezitter large landowner; ~*s* landed gentry

groothandel wholesale trade; **groothandelaar** wholesale dealer

groothandels|gebouw trade centre; **-prijs** wholesale price

grootheid greatness, magnitude; (*pers*) man of consequence; (*fam*) big shot; (*wisk*) quantity; **grootheidswaanzin** megalomania

groot|hertog grand duke; **-hertogdom** grand duchy; **-hertogelijk** grand-ducal

groot|hoeklens (*fot*) wide-angle lens; **-houden** *zich* ~ put a good (a brave) face on it; **-industrieel** captain of industry

grootje granny, grannie; *je* ~*!* rot, bosh

groot|kapitaal: *het* ~ the moneyed interest, high finance; **-moeder** grandmother; **-moederlijk** ...ly

grootmoedig magnanimous; **grootmoedigheid** magnanimity

grootouders grandparents

groots grand, grandiose

grootscheeps I *bw* (live, do things) in grand style, on a large scale; **II** *bn* grand; ambitious (attempt), all-out (effort), large-scale (enterprise)

grootsheid grandeur, majesty; (*trots*) pride

grootspraak boast(ing); **grootspreken** boast; **grootspreker** boaster

grootsteeds of a large town (city)

grootte size, bigness, greatness, tallness, extent, magnitude; (*lengte van pers*) height; op *ware* ~ full-sized; ter ~ *van* the size of; *van behoorlijke* ~ fair-sized

grootwinkelbedrijf chain store, multiple (store)

gros 1 (*12 dozijn*) gross; 2 gross, mass, bulk, *het* ~ *vd studenten*... the bulk (majority) of...

grossier wholesale dealer; **grossierderij** wholesale business; **grossiersprijs** wholesale price

grot grotto, cave, cavern

grotendeels for the greater (the most) part; ~ *afhangen van, ook:* depend largely upon

grotesk grotesque, fanciful

gruis grit; (*geol*) (rock-)waste; (*van kolen*) slack, coal-dust

gruizelementen: *aan* ~ (knock) (in)to smithereens, (smash) to atoms (pieces, fragments)

grut: *het kleine* ~ the small fry

gruwel: *dat is mij een* ~ I abhor it

gruwel|daad atrocity; **-film** horror film

gruwelijk horrible, atrocious, abominable; **gruwelijkheid** horribleness, atrocity; (*concr*) horror, atrocity

gruwel|kamer chamber of horrors; **-verhaal** tale of terror

gruwen shudder (*bij* at); ~ *van* abhor

gruzelementen *zie* gruizelementen

GSD (*gemeentelijke sociale dienst*) Municipal Social Service

guerrilla guer(r)illa; **guerrillaoorlog** guer-(r)illa warfare

guillotine id; **guillotineren** guillotine

Guinees: ~ *biggetje* guinea-pig

guirlande garland, wreath

guitenstreek roguish trick

guitig roguish, arch; **guitigheid** ...ness

gul open-handed, generous, liberal

gulden *zn* guilder, Dutch florin; *bn* golden

gulhartig genial, frank, cordial; **gulhartig-heid** geniality, frankness, cordiality

gulheid *a*) *zie* gulhartigheid; *b*) open-handedness, generosity, liberality (*vgl* gul)

gulp 1 fly (in trousers); 2 gush (of blood, water); **gulpen** gush, pour (forth), spout

gulzig gluttonous, greedy; ~ *eten,* (*tr & intr*) gobble; **gulzigaard** glutton; **gulzigheid** gluttony, greed(iness)

gummi (india-)rubber

gummi|laarzen gumboots, wellingtons; **-stok** (rubber) truncheon

gunnen (*toewijzen*) allow, grant, award; *een order* ~ *aan* place an order with (a firm); *het is je gegund,* (*ook iron*) you are welcome to it; *hij gunt mij het licht in mijn ogen niet* he begrudges me everything; *ze gunt zich geen ogenblik rust* she does not allow herself a moment's rest

gunning allotment (of shares), award (of a contract); **gunningskoers** price of allotment

gunst favour; *iem een* ~ *bewijzen* do a p. a favour; (*zeer*) *in de* ~ *komen bij* find (great) favour with; *weer in de* ~ *komen* return to favour; *in de* ~ *staan bij iem* be in a p.'s good books; *iem om een* ~ *verzoeken* beg a favour of a p.; *ten* ~*e van* in favour of; *uit de* ~ *geraken* fall out of favour; *uit de* ~ *zijn* be out of favour (*bij* with); **gunsteling(e)** favourite; **gunstig** favourable; ~ *gelegen* conveniently (favourably) situated; *bij* ~ *weer* weather permitting; *het geluk (lot) was ons* ~ fortune favoured us; *in het* ~*ste geval* at (the) best; ~ *bekend staan* enjoy a good reputation; *zich* ~ *voordoen* make oneself agreeable

gut! good gracious!; gosh!

guts gouge; (*voor lineoleumsnede*) lino-cutter; **gutsen** gush, spout, pour (the rain ...ed down)

guur raw, bleak; **guurheid** rawness, bleakness

gym *a*) (gymnastiek) gym; *b*) *zie* gymnasium

gymnasiaal: ~ *onderwijs* classical teaching; *met -e opleiding* grammar-school educated; **gymnasiast** grammar-school pupil; **gymnasium** (*ongev*) (secondary) grammar-school

gymnast id; **gymnastiek** gymnastics; P.E. (= physical education), P.T. (= physical training)

gymnastiek|broek shorts; **-leraar** gym(nastics) instructor (master); **-lerares** gym(nastics) mistress; **-pak** gym costume (*of:* suit); **-rokje** gym-slip, -skirt; **-schoenen** gymshoes, plimsolls, (*inz Am*) sneakers; **-vereniging** gymnastic (athletic) club; **-zaal** gymnasium

gynaecologie gynaecology; **gynaecologisch** gynaecological; **gynaecoloog** gynaecologist

gyroscoop gyroscope

Hh*h*

haag hedge, hedgerow
Haag: *Den* ~ The Hague
haai shark; *naar de ~en gaan* go to the bottom
haaiebaai shrew
haak hook (boat-, fish-hook, etc); (*van venster, enz*) hook, hasp, clasp; (*winkel-*) square; (*telef*) hook, cradle; (*kapstok*) (coat-)hook, peg; *aan de ~ slaan* hook (a fish; *ook fig:* a customer); *het is niet in de ~* it is not as it should be; *er is iets niet mee in de ~* there is something wrong (fishy) about it; *tussen ~jes* in brackets, in parentheses; (*fig*) by the way, in passing; incidentally; **haaknaald** crochet-hook
haaks *bn* square(d); *bw* square(ly)
haakwerk crochet(ing)
haal (*aan touw, sigaar, enz*) pull; (*met pen*) stroke, dash (by one dash of the pen *met ...*); *aan de ~ gaan* take to one's heels
haalbaar attainable, realizable
haan cock; *daar zal geen ~ naar kraaien* nobody will be (any) the wiser; **haantje** young cock, cockerel; *hij is ~ de voorste* he is (the) cock of the walk, he is the ringleader
1 haar I *bez vnw* her; *mv* their; *de* (*het*) *hare* hers, *mv* theirs; *zie* mijn; II *pers vnw* her, *mv* them; *dit is van ~* this is hers (theirs)
2 haar *zn* hair (*ook van plant*); *rood ~* red hair, (*sl*) carrots, ginger; *het scheelde maar een ~* it was touch and go; *hij had spijt als haren op zijn hoofd* he was as sorry as could be; *elkaar in het ~ zitten* be at loggerheads; *tegen het ~ in strijken*, (*fig*) rub (a p.) up the wrong way
haarachtig hair-like
haard (*open*) hearth, fireplace, fireside; (*kachel*) stove; (*van brand*) seat; (*fig*) hotbed (of cholera); *bij de ~, in het hoekje van de ~* by (at) the fireside; *eigen ~ is goud waard* there is no place like home; **haardkleedje** hearth-rug
haarfijn I *bn* as fine as a hair; (*fig*) subtle; II *bw* minutely
haar|kloven split hairs; **-kloverij** hair-splitting, quibbling; **-knippen** *zn* hair-cutting; **-krul** curl of hair; **-lok** lock of hair; **-roos** dandruff; **-scherp** (*fot*) dead sharp; **-scheurtje** hair crack; **-speld(bocht)** hair-pin (bend); **-vat** (*adertje*) capillary; **-vlecht** plait, braid (of hair); (*hangend ook*) pigtail
haas hare; *zo bang als een ~* as timid as a hare; **haasje** young hare; *hij is het ~*, (*fam*) he has had it; **haasje-over** *spelen* play at leap-frog
1 haast *bw* almost, nearly; *ik kreeg ~ een ongeluk* I nearly had an accident

2 haast *zn* haste, speed; (*te grote ~*) hurry; *in ~* in haste, in a hurry; *er is ~ bij* there is no time to be lost; *ik heb ~* I am in a hurry; *~ maken:* hurry up; *~ maken met* speed up (production), hurry up (dinner); *waarom zo'n ~?* what's the hurry?
haasten hurry (a p.); *zich ~* make haste, hurry; *haast je wat!* hurry up!; *ik laat me niet ~* I am not going to be hurried; *haast je maar niet* take your time; *zonder zich te ~* unhurried; **haastig** I *bn* hasty, hurried; *~e spoed is zelden goed* more haste less speed; II *bw* hastily, hurriedly, in a hurry; **haastigheid** hastiness, hurry
haat hatred (*tegen* of, for); **haatdragend** resentful, vindictive
haat-liefdeverhouding love-hate relation
hachelijk critical, precarious, perilous, desperate (position); **hachelijkheid** precariousness, critical state
hachje: *bang zijn voor zijn ~* be anxious to save one's skin
hagedis lizard
hagel hail; hailstone; (*om te schieten*) shot; **hagelbui** hail-storm, shower of hail; **hagelen** hail
hagel|korrel *a*) hail-stone; *b*) pellet of shot; **-steen** hailstone; **-wit** (as) white as snow, snowy white
hak 1 *van de ~ op de tak springen* jump from one subject to another; 2 heel; *met hoge ~ken* high-heeled (shoes); *zie* hiel; *iem een ~ zetten* play a p. a nasty trick; **hakbijl** hatchet
haken I *tr* (*vast~, enz*) hook, hitch (a horse to a tree); (*beentje lichten*) trip (up); II *intr* (*blijven ~*) catch; (*handwerken*) crochet; *~ naar* crave for
hakenkruis swastika
hakhout coppice, copse
hakkelen stammer, stutter, flounder
hakken cut (up), hew, mince (meat); (*kloven*) chop; **hakmes** chopper
hal (*vestibule*) (entrance-)hall; *centrale ~* (*in gebouw*) (main) concourse; (*zaal*) hall
halen fetch (*ook muz:* he can't fetch the top notes), go for (the police), get; draw (run) (a comb through one's hair), pull (a chair towards o.); make (the front page); (*theat*) raise (draw) the curtain; *een akte ~* obtain (secure) a certificate; *hij haalde ...* he took a diploma in economics; *laten ~* send for; *de politie erbij ~* call in the police; *de post ~* catch the post; *goede cijfers ~* get good marks; *haal mij een glas bier* get me a glass of beer; *de trein ~* catch the train; *van de trein ~* meet (a p.) at the station; *ga je moeder ~* go and find your mother; *door elkaar ~* mix up; *denk je dat hij het zal ~?* (*zieke*) do you think he will pull through?; *de bus kon de helling niet ~* could not take the incline; *dat haalt niet bij wat ik zag* that is nothing to what I saw; *daar haalt niets bij* nothing touches that; *hij haalt niet bij*

u he cannot hold a candle to you; *ze haalt het bij de kruidenier* she gets it from the grocer; *uit de zak* ~ take out (one's watch); *zoveel mogelijk uit z'n vakantie* ~ make the most of (get the most out of) one's holiday; *geld van de spaarbank* ~ withdraw money from the savings-bank; *waar haal je het vandaan?* how did you get it into your head?

half half; semi-(circle, oriental, savage, barbarian; be ...-conscious); *een* ~ *broodje (flesje)* a small loaf, half-bottle; ~ *vijf* half past four; *3 min voor (over)* ~ *vijf* 27 minutes past four (to five); *halve eindstrijd* semi-final(s); *omstreeks* ~ *juli* about the middle of July; *met een* ~ *oog (oor)* (see) with half an eye, (listen) with half an ear; ~ *werk doen* do one's work (do things) by halves; *hij heeft maar een* ~ *woord nodig* he needs no more than a hint; ~ *klaar met* half-way through (one's dinner); *niet* ~ *zo veel* not half so much (many); *je weet niet* ~ ... you little know how I feel; *ik heb het maar* ~ *verstaan* I did not understand more than half of it; ~ *rijp* half ripe; *hij is er* ~ *en* ~ *van op de hoogte* he is partially informed; *ik had* ~ *en* ~ *zin om* ... I had half a mind to ...; *ik dacht (hoopte) zo* ~ *en* ~ I rather thought (hoped) ...; *al* ~ *en* ~ *besloten hebben* have more or less decided

half|bakken half-baked (*ook fig*); **-bloed** *zn* half-breed, -blood, -caste; **-broer** half-brother; **-donker** *zn* semi-darkness, twilight; **-dood** half dead (*van* ... with fatigue); *iem* ~ *slaan* half kill a p.; *zich* ~ *lopen* run (walk) o.s. off one's legs; **-dronken** half drunk; **-edelsteen** semi-precious stone; **-geleider** semiconductor; **-geschoold** semi-skilled; **-jaar** six months, half a year; **-jaarlijks** *bn* half-yearly, semi-annually; *bw* every six months

halfje half a glass, 'half a one'

half|luid in an undertone; **-slachtig** half-bred, half-way (measures); **-slachtigheid** half-heartedness, irresolution; **-speler** halfback; **-stok**: *de vlag woei* ~ the flag was flying (at) half-mast; **-waardetijd** half-life; **-zacht** half-baked

hallo hello, hullo! (*ook bij telef*)

halm (corn-)stalk, blade (of grass, of corn)

halogeen halogen (lamp)

hals neck (*ook van fles, enz*); tack (of a sail); (*onnozele*) ~ simpleton; *de* ~ *breken* break one's neck; *zich iets op de* ~ *halen* bring (draw) s.t. on o.s., catch (a cold, a disease); *je weet niet, wat je je op de* ~ *haalt* you don't know what you are letting yourself in for; ~ *over kop trouwen* rush into marriage

hals|ader jugular (vein); **-band** collar; **-brekend** breakneck; **-keten** collar, neck-chain, necklace, necklet; **-kraag** collar; (*geplooide*) frill; **-misdaad** capital crime; **-slagader** carotid (artery); **-snoer** necklace, necklet

halsstarrig obstinate, stubborn, head-strong; **halsstarrigheid** obstinacy

halster halter

hals|wervel cervical vertebra (*mv:* -brae); **-wijdte** width round the neck

halt halt, stop; (*commando*) halt!; ~ *of ik schiet* stop or I'll fire; ~ *maken* make a halt

halte stop (go out at the next ...); *volgende* ~! next stop, please!

halvemaan half-moon, crescent; **halvemaanvormig** crescent(-shaped), half-moon shaped (window)

halveren halve, divide into halves

halverwege half-way (through, down, across)

ham id; *broodje* ~ ham sandwich

hamer hammer; (*houten ook*) mallet; *onder de* ~ *brengen (komen)* bring (come) under the hammer, be put up to (for) auction, come up for sale; **hameren** hammer (*op* ... at the door); (*van specht*) drum; *op iets blijven* ~ keep on about s.t.; *iets erin* ~ hammer s.t. home

hamster hamster; **hamsteraar** (food-) hoarder; **hamsteren** hoard

hand hand; ~*en thuis* hands off; *het was zijn* ~ the writing was in his hand; *ik gaf (drukte) hem de* ~ I shook hands with him; *zij gaven (schudden) elkaar de* ~ they shook hands; *ik had mijn* ~*en vol* I had my hands full (*aan* with); ~*en vol geld* heaps (lots) of money; *de* ~ *houden aan* enforce (rules); *je moet er de* ~ *aan houden* you must keep it up; *iem de* ~ *boven het hoofd houden* support a p., back him up; *de* ~ *leggen op* lay hands on; *veel* ~*en maken licht werk* many hands make light work; *ik draai er mijn* ~ *niet voor om* I think nothing of it; *de* ~*en ineenslaan* clasp one's hands; *zijn* ~*en staan verkeerd* he is all thumbs; *de* ~*en uit de mouwen steken* put one's shoulder to the wheel, buckle to, turn to; *iem de vrije* ~ *laten (de* ~*en vrijlaten)* leave (give, allow) a p. a free hand; *de* ~*en niet vrij hebben* not have a free hand, not have one's hands free; *ik legde de laatste* ~ *aan mijn werk* I put the finishing touch to my work; *stemmen door de* ~*en op te steken* vote by show of hands; *ik steek geen* ~ *uit* I won't stir a finger (to help him); ***aan*** *iems linker* ~ (sit) on a p.'s left (hand) *aan* ~*en en voeten gebonden* bound hand and foot; *iem iets aan de* ~ *doen* suggest s.t. to a p., throw out a hint (a suggestion) to a p.; *zijn fiets aan de* ~ *hebben* wheel one's bicycle; *wat is er aan de* ~? what is up? what's the trouble?; *er is iets aan de* ~ there is s.t. in the wind (*of:* going on); *er is niets aan de* ~ there is nothing wrong; *iets* ***achter*** *de* ~ *hebben* have s.t. up one's sleeve (*of:* in reserve), have s.t. to fall back upon; *achter de* ~ *houden* keep in (on) hand; ***bij*** *de* ~ *hebben* hold by the hand; (*fig*) have at hand; (*bezig zijn met*) be engaged on; *de bel (vlak) bij de* ~ *hebben* ... (straight) to one's hand; *met de hoed* ***in*** *de* ~ hat in hand; *ik heb het niet alleen in de* ~ it's not entirely up to me; *in de* ~ *houden* have (matters) under control; *in* ~*en krij-*

gen, (een order) secure an order; *in andere ~en overgaan* change (pass into other) hands; *in verkeerde ~en vallen* fall into the wrong hands; *in goede ~en zijn* be in good hands; *met beide ~en aangrijpen* jump at (a thing); *met ~ en tand verdedigen* defend tooth and nail; *met de ~en over elkaar (gekruist)* hands crossed; *met de ~* by hand, hand-(made, feed, etc); *met de ~ geschreven* hand-written; *zie eigenhandig; met de ~en in het haar zitten* be at one's wit's (wits') end, be at a loss what to do; *iem naar zijn ~ zetten* bend a p. to one's will; *niets om ~en hebben* have nothing to do; *onder de ~* meanwhile, in the mean time, incidentally; *onder ~en hebben* have in hand; *onder ~en nemen, (zaak, pers)* take in hand; *iem onder ~en nemen, ook:* take a p. to task; *hij moet eens goed onder ~en genomen worden, ook:* he wants a good talking-to; *iem op de ~en dragen* worship a p.; *op ~en en voeten* (go, creep) on all fours; *op ~en zijn* be near at hand; *het misbruik nam ~ over ~ toe* gained ground; *ter ~ nemen* take (a task) in hand; *ter ~ stellen* hand (a p. something, s.t. to a p.); *uit de eerste (tweede) ~* (at) first (second) hand; *van de ~ doen* dispose of, sell, part with; *duur van de ~ gaan* sell at high prices; *goed (vlot, vlug) van de ~ gaan, (van waren)* sell well (rapidly), sell like hot cakes; *van de ~ in de tand leven* live from hand to mouth; *van de ~ wijzen* refuse, *(zwakker:)* decline (a request, an offer); *van ~ tot ~* from hand to hand; *van hoger ~* from a high quarter; *bevel van hoger ~* superior orders; *hij neemt alles wat hem voor de ~ komt* he takes everything that comes his way; *voor de ~ liggen* go without saying; *voor de ~ liggende opmerkingen* obvious comments

hand|arbeider manual worker; **-bagage** hand-luggage; **-bereik:** *binnen ~* within reach; **-beweging** motion *(of:* wave) of the hand, gesture; *met een ~ beduidde hij mij te gaan zitten* he motioned me to a chair; **-boeien** handcuffs; **-boek** manual, handbook; **-boor** gimlet; **-boormachine:** *elektrische ~* electric drill; **-doek** towel; **-druk** handshake

handel trade *(op Am* to …), commerce, business; *(zaak)* business; *zijn ~ en wandel* his conduct; *~ drijven* carry on trade, trade *(zie* handelen); *in de ~ komen* come into the market; *niet in de ~* not in the market, not for sale; **handelaar** merchant, dealer, trader

handelbaar tractable; **handelbaarheid** tractability

handelen *(te werk gaan)* act; *(handel drijven)* trade *(met iem* with a p.); deal, carry on business *(of:* trade); *~ in* deal (trade, traffic) in *(vgl* handel); *~ over* treat of, deal with; *ik handelde volgens uw raad* I acted on your advice; **handeling** action *(ook in drama),* act; *een verslag van zijn ~en* a report of his doings

handelmaatschappij trading-company

handels|aangelegenheid business matter;

-agent(schap) commercial agent (agency); **-belang** commercial interest; **-belemmeringen** trade barriers; **-besprekingen** trade talks; **-betrekkingen** commercial relations; **-correspondentie** commercial correspondence; **-firma** trading-firm; **-geest** commercial spirit; **-kantoor** business office; **-kennis** commercial practice; **-krediet** trade credit; **-kringen** commercial circles; **-merk** (registered *gedeponeerd)* trade mark; **-onderneming** commercial undertaking; **-overeenkomst** trade *(of:* ommercial) agreement; **-recht** commercial (trade) law; **-register** commercial register; **-reiziger** (commercial) traveller, *(Am)* (travelling) salesman; **-rekenen** commercial arithmetic; **-statistiek(en)** trade return(s) (statistics); **-tekort** trade deficit; **-transactie** business transaction; **-verdrag** commercial treaty; **-verkeer** trade, commercial traffic; **-vloot** merchant fleet; **-waar** commodity; *(ook: ~waren)* merchandise; **-waarde** commercial value; **-wetenschappen** *(Belg)* business economies

handelwijze procedure, proceeding, way of acting, method, policy

handenarbeid *a)* manual labour; *b) (schoolvak)* arts and crafts

hand- en spandiensten: *iem ~ bewijzen* aid and abet a p.

hand|gemeen I *bn:* *~ worden* come to blows; **II** *zn* hand-to-hand fight; **-geschreven** hand-written; **-granaat** (hand-)grenade

handhaven maintain (discipline), uphold (the law), live up to (one's reputation), assert (one's independence); *zich ~* hold one's own; **handhaving** maintenance

handig *(vaardig)* handy, clever (with one's hands), skilful; *(gemakkelijk te hanteren)* handy (volume); *~ zijn in, ook:* be a good hand at; *hij heeft het ~ gedaan* he has made a good (a nice) job of it; **handigheid** handiness, adroitness

handje (little) hand; *zeg maar dag met het ~* forget it; *zie ook* hand; **handjeplak:** *~ spelen met* be in league with

hand|kar barrow; **-lang(st)er** *(medeplichtige)* accomplice; **-leiding** manual, guide; **-omdraai:** *in een ~* in a jiffy; **-reiking** assistance; **-rem** hand-brake; **-schoen** glove; *iem de ~ toewerpen* throw down the gauntlet; **-schrift** *a)* manuscript; *b)* handwriting; **-tas(je)** hand-bag; *(met spiegeltje, enz)* vanity-bag; *(Am)* purse

handtastelijk: *~ worden* become aggressive; **handtastelijkheden** (they came to) blows

hand|tekening signature; **-vaardigheid** manual dexterity, *(schoolvak)* arts and crafts; **-vest** charter (of the United Nations); **-vol** handful; *het kost een ~ geld* a lot of money; **-werk** *a)* trade, (handi)craft; *b)* (tegenover machinaal werk) handwork; **-werken** *ww* do needlework; **-werkje** piece of needlework; **-werksgilde** craft-guild

handzaam (*gemakkelijk te hanteren*) handy
hane|balk purlin; *onder* (*in*) *de* ~*en* in the garret; **-poot** cock's foot; **-poten,** (*slecht schrift*) scrawl
hanga(a)r hangar
hangen I *intr* hang (*aan* ... on, against, from the wall), be suspended (*aan* from); **II** *tr* hang, suspend; *gehangen worden* be hanged; *tussen* ~ *en wurgen* between the devil and the deep (blue) sea; aan *de kapstok* ~ hang on the peg; ~ *aan,* (*fig*) cling to (a p., old customs, etc); *aan iems woorden* ~ hang on a p.'s words; *aan elkaar* ~ be attached to each other; *hij bleef met zijn jas aan een spijker* ~ his coat caught in (on) a nail; *ik ben aan dat huis blijven* ~ I got stuck with the house; *er is weinig van blijven* ~, (*fig*) very little of it has stuck (to him, me, etc); *dat hangt ons boven het hoofd* that is hanging over our heads (impending over us); ~ *over* hang over, overhang (trees ...ing the road); *staan te* ~ hang about (at streetcorners, etc); **hangend(e)** hanging, drooping (eyelids); (the matter is still) pending; ~*e het onderzoek* pending the inquiry
hang- en sluitwerk locks and hinges
hanger (coat-)hanger; (*aan halssnoer, enz*) pendant; (*in oor*) (ear-)drop
hangerig drooping, (*lusteloos*) listless
hang|kast hanging-cupboard; **-mat** hammock; **-slot** padlock
hansworst buffoon, clown; **hansworsterij** buffoonery, clownery, clowning
hanteerbaar manageable; *gemakkelijk* ~ easy to handle; **hanteerbaarheid** manageability
hanteren handle, operate, work (a gun, typewriter), wield, employ; *moeilijk te* ~ unwieldy
hap *a*) (het happen) bite; *b*) (stuk) bite, morsel, bit, mouthful; *in één* ~ at one bite
haperen (*bij het spreken*) falter, stammer; (*van machine*) not function properly; *haar stem haperde* her voice broke; *er hapert iets aan* there's a hitch somewhere; *zonder* ~ without a hitch; **hapering** hitch; (*bij het spreken*) hesitation
hapje *zie* hap; *een* ~ *eten* (have) a snack, (get) a spot of food; *lekker* ~ titbit
happen bite; ~ *naar* snap at; ~ *in* bite (into); (*fam*) *hij hapte niet* he did not rise to the bait
happig eager, keen; *hij is er erg* ~ *op* he is (very) keen on it
hard I *bn* hard (*ook fig:* judge, features, fate, necessity), harsh (measures), solid (rock, figures (*cijfers*)), loud, (voice); **II** *bw* hard (work, rain), (rain) heavily, (treat a p.) hardly, (don't talk so) loud; (*snel*) fast; *ik heb er een* ~ *hoofd in* I have my doubts about it; ~*e woorden* harsh words; *er kwam een* ~*e uitdrukking in* ... his eyes hardened; *ik denk er* ~ *over om te* ... I have a good mind to ...; *het gaat* ~ *tegen* ~ it is pull devil; *zo* ~ *mogelijk rijden* drive (ride) at top speed, flat out; (*spreek wat*) ~*er!* speak up; ~ *worden* harden; **harden** harden, temper (steel), steel (one's nerves, o.s. against s.t.)

hardhandig hard-handed, rough, violent
hardheid hardness, etc; *zie* hard
hardhorig dull of ear; **hardhorigheid** dullness of hearing
hardleers slow of understanding, dull, unteachable, a slow learner
hardlopen run, race; *zn* running; **hardloper** runner, racer; (*op korte afstand, man &* *paard*) sprinter
hardnekkig obstinate (person), stubborn (fight); ~ *weigeren* refuse doggedly; **hardnekkigheid** obstinacy, stubbornness
hardop loud, aloud
hardrijden race; (*schaatsen*) speed-skating; **hardrijder** speed-skater; **hardrijderij** skating-match
hardvallen be hard upon (a p.); *het valt me hard* ... it's a great wrench to leave the place
hardvochtig hard(-hearted); **hardvochtigheid** ...ness
harem id
harerzijds on her part
harig hairy; **harigheid** hairiness
haring herring; (*gezouten en gerookt*) kipper; (*van tent*) (tent-)peg; *ik wil er* ~ *of kuit van hebben* I want to get to the bottom of it
haring|vangst *a*) herring-trade; *b*) herring-fishery; **-visser(ij)** herring-fisher(y); **-vloot** herring-fleet
hark rake; *zo stijf als een* ~ as stiff as a poker; (*stijve*) ~, (*fig*) stick (of a fellow); **harken** rake
harlekijn harlequin, buffoon; (*speelgoed*) jumping-jack
harmonie harmony; *in* ~ in harmony, in keeping (*met* with); **harmoniëren** harmonize, go (*met* with); **harmonieus** harmonious
harmonika concertina, accordion
harmonisch (*welluidend*) harmonious
harnas armour; *een* ~ a suit of armour; *iem tegen zich in het* ~ *jagen* antagonize a p.
harp harp
harpoen harpoon; **harpoeneren** harpoon; **harpoenier** harpooner; **harpoenkanon** whaling-gun
hars resin; **harsachtig** resinous
hart heart, (*sl*) ticker; (*kern*) heart (*ook van kool*), core; ~ *en hoofd* head and heart; *zijn* ~ *klopte in de keel* he had his heart in his mouth; *daar heb jij het* ~ *niet toe* you have not the nerve to do it; *heb het* ~ *niet te* ... don't you dare to ...; *mijn* ~ *draaide ervan om in mijn lijf* it gave me such a turn; *hij heeft het* ~ *op de rechte plaats* he has his heart in the right place; *zijn* ~ *aan iets ophalen* eat (drink, etc) to one's heart's content; *hij heeft het* ~ *op de tong* he wears his heart on his sleeve; *het gaat me aan mijn* ~ it goes to my heart; *hij heeft het aan het* ~ he has a weak heart; *dat ligt mij na aan het* ~ it is near to my heart; *in* ~ *en nieren* to the back-bone; *in zijn* ~ (he knows) in his heart (of hearts) ...; *zich met* ~ *en ziel toeleggen op zijn taak* apply o.s. to one's task heart

and soul; *hij is er niet met ~ en ziel bij* his heart is not in it; *een man naar mijn ~* a man after my own heart; *het was (werd) mij bang om het ~* my heart was heavy; *zeg, wat je op het ~ hebt* say what lies on your mind, get it off your chest; *(sl)* cough it up; *ik kon het niet over mijn ~ krijgen* I could not bring myself to do it; *zijn raad ter ~e nemen* go by his advice; *die woorden waren mij uit het ~ gegrepen* were quite after my heart; *van (ganser, heler) ~e* heartily, with all my heart (we wish with all our hearts …), (thank you) from my heart; *het van ~e doen* put one's heart into it; *het moet me van het ~, dat …* I have to confess …

hart|aandoening affection of the heart; **-aanval** heart attack; **-brekend** heart-breaking

harte|dief darling, love, pet; **-kreet** cry from the heart

hartelijk hearty, cordial; *hij schudde mij ~ de hand* he shook me warmly by the hand; *met ~e groeten, (onder brief)* with kind regards, yours sincerely; **hartelijkheid** heartiness, cordiality

hartelust: *naar ~* to one's heart's content

harten *(kaartspel)* hearts

hart- en vaatziekten cardiovascular diseases

hartewens heart's desire

hartgrondig I *bn* heart-felt, whole-hearted; **II** *bw* whole-heartedly

hartig *(zout)* savoury; *(flink)* hearty; *een ~ woordje* a heart-to-heart talk; **hartigheid** savouriness

hartinfarct heart infarct, heart attack

hartje: *in het ~ van de winter* in the dead (the depth) of winter; *in het ~ van de zomer* in the height of summer

hart|klopping palpitation (of the heart); **-kwaal** heart condition; **-patiënt** cardiac patient; **-roerend** heart-stirring, touching; **-slag** heart-beat; **-specialist** heart-specialist

hartstikke utterly (crazy); *~ dood* stone dead; *~ goed* smashing

hartstocht passion; **hartstochtelijk** passionate (love-letter), impassioned (protest)

hart|streek region of the heart, cardiac region; **-verheffend** exalting, ennobling; **-verlammend** heart-failure; **-veroverend** ravishing; **-verscheurend** heart-rending; **-versterking** cordial; **-verwarmend** heart warming; **-zeer** heartache, (heart-felt) grief; *ik zal er geen ~ van krijgen* it won't break my heart; **-ziekte** heart-disease

hasj hash(ish)

haspel reel, hose-reel

hatelijk spiteful, malicious, nasty; **hatelijkheid** …ness, malice; *een ~* a gibe, a taunt

haten hate; **hater** hater

have: *levende ~* live stock; *~ en goed* goods and chattels

haveloos ragged, shabby

haven harbour, port; *(achter een sluis)* dock; *(~stad)* port; *(vooral fig)* haven; *in behouden (veilige) ~* safe in port; *een (de) ~ binnenlopen* put into port

haven|arbeider dock-worker; **-bestuur** port authorities

havenen handle roughly, batter, mess (up)

haven|gelden dock-, harbour-dues, -charges; **-hoofd** jetty, pier, mole; **-installaties** harbour-installations; **-kantoor** harbour- (harbour-master's) office; **-kom** basin; **-licht** harbour-light; **-meester** harbour-master; **-plaats, -stad** port, (sea)port town

haver oats; *van ~ tot gort kennen* know (a p., a thing) inside out

haver|klap: *om een (de) ~ boos worden* get angry at every moment; **-mout** (rolled) oats; *(pap)* oatmeal porridge

havik goshawk

HAVO higher general secondary education

hazelip hare-lip

hazelnoot (hazel-)nut

haze|pad: *het ~ kiezen* take to one's heels; **-slaap** cat-nap

he(e) dear me! oh, (what a pity); hi! (you there!); eh?; *aardige kerel, ~?* nice fellow, what?; *mooi weer, he?* nice weather, isn't it?

hebbelijkheid habit

hebben I *ww* have; *heb je het warm?* are you warm?; *ze ~ het arm* they are poor; *ik heb geen telefoon* I am not on the telephone; *heb je het al lang? (de pijn, enz)* have you had it long?; *ik heb het* I've got it; *daar had ik hem (te pakken)* I had him there; *ziezo, dat ~ we weer gehad* well, that's that; *wat heb je daar?* what's that you've got there?; *wat heb (= scheelt) je?* what is the matter with you?; *hier heb je het geld* here is the money; *hebt u £40 voor mij?* can you spare me £40?; *~ of niet?* take it or leave it!; *ik wil niet ~, dat je zulke dingen zegt* I won't have you saying such things; *dat lawaai kan ik niet ~* I can't have that noise; *ik kan niet ~ dat hij er zijn neus voor ophaalt* I cannot bear to see him turning up his nose at it; *dit is de man, die ik moet ~* this is my (the) man; *men moet je ~, (er wordt naar je gevraagd)* you're wanted; *wat wilt u ~? (in bar bijv)* what would you like?; *ik moet er niets van ~ (niets van hem) ~, (fig)* I'll have none of it (of him); *ik moet niets van vleermuizen ~* I positively dislike bats; *van je grappen moet ik niets ~* I don't want your jokes; *ik heb er niets (meer) aan* it's of no use to me; *~ is ~, krijgen is de kunst* possession is nine points of the law; *je weet nooit wat je aan hem hebt* you never know where you are with him; *het aan het hart ~* suffer from one's heart; *ik heb het bij mij* I've got it with me; *het ~ over* talk about (of); talk (finance); *nu we het er toch over ~* as we are on the subject; *ik heb er niets tegen* I don't mind, I'm willing; *ik had het tegen …* I was talking to …; *mijn dochter is muzikaal, maar dat heeft ze niet van mij* she doesn't get it from me; *het heeft er iets (niets) van* it is somewhat (nothing) like it; *ze moeten het ervan* ~ they depend on it; *van heb-ik-jou-daar* like anything; II *zn: zijn gehele* ~ *en houden* all his belongings, his all, all his worldly goods

hebberig greedy, grasping, covetous

hebzucht greed, covetousness; **hebzuchtig** greedy, grasping, covetous, acquisitive

hecht *bn* firm, solid, strong

hechten (*vastmaken*) attach, fasten, affix (*aan* to); (*wond*) stitch, sew up; ~ *aan* (*fig*) be a believer in; attach (no importance) to; *zich* ~ *aan* get attached to, attach o.s. to

hechtenis custody, detention; *in* ~ *nemen* (place under) arrest; *in* ~ *houden* detain; *hij werd veroordeeld tot ...* ~ he was sentenced 21 days' detention

hechting suture, stitch

hechtpleister sticking-plaster

hectare id

hecto|gram hectogram(me); **-liter** hectolitre; **-meter** hectometre

heden to-day; *tot op* ~ up to the present, to date, so far, up till now; ~ *ten dage* nowadays; *de krant van* ~ to-day's paper; *het* ~ the present; **hedenavond** this evening, to-night

heel I *bn* whole, entire; complete, intact (the egg was ...); *een -e tijd* quite a time; *de -e tijd* all the time; *de -e zomer lang* throughout the summer; *een -e dame* (*meid*) quite a lady (woman); *door* ~ *Europa* throughout Europe; II *bw* quite, very (old); ~ *veel* a great many (books), a great deal of (money), (since that time) quite a lot (has happened); *je weet het* ~ *goed* very (perfectly) well; ~ *anders* quite different; ~ *en al* entirely, quite, altogether; ~ *vroeg* very (quite) early; ~ *wel* very (quite) well

heelal universe

heelhuids (get off, escape) without injury, without a scratch

heelkunde surgery, art of healing

heen away; *nergens* ~ nowhere; *overal* ~ everywhere; *ik ben door mijn voorraad potloden* ~ I have (am) run out of pencils; *waar gaat u* ~? where are you going? (*conducteur*) where are you for?; *waar moet dat* ~? (*fig*) what are we (what's the world) coming to?; *waar moet dat met je* ~? what are you coming to?; ~ *en terug* there and back; (take a bus) each way, both ways; ~ *en terug naar K.* to K. and back; ~ *en weer* (walk) to and fro, up and down; **heen-en-terugreis** round trip

heen|gaan leave; (*ook: overlijden*) pass away; **-komen** I *ww* get away, escape; ~ *door* get (make one's way) through; tide over (the difficulties); II *zn: hij zocht een goed* ~ he sought safety in flight; **-lopen** run away; *loop* ~*!* get along with you!; *luchtig over iets* ~ brush aside (an objection), scamp (one's work); *hij laat iedereen over zich* ~ he has no will of his own; **-reis** voyage (journey) out, outward voyage, out-journey; **-stappen:** ~ *over* step

across; (*fig*) pass over, skip over (difficulties); **-weg** (*op*) *de* ~ (on) the way there; **-zetten:** *zich erover* ~ make light of it, get over it

heer gentleman; (*vorst, gebieder*) lord; (*des huizes, baas*) master; (*kaart*) king; *onze lieve H~* our Lord; *dames en heren* ladies and gentlemen; *in naam des Heren* in the name of the Lord; *de* ~ *W* Mr. W; *de -en S. en L.* Mr. S. and Mr. L.; (*soms, van firma steeds*) Messrs. S. & L.; *de -en W & Co.* Messrs. W & Co.; *de jonge* ~ *S.* Master S.; ~ *en meester* lord and master (*over* of)

heerlijk 1 (*van de heer*) manorial (rights); 2 delicious (food), lovely (weather), beautiful (cakes, smell); *dat zou* ~ *zijn!* (*fam*) that would be wonderful!; **heerlijkheden** (eat all kinds of) dainties

heerschappij mastery, power, sovereignty

heersen (*heerschappij voeren*) rule, (*van vorst of vorstin, en fig*) reign; (*van ziekte, gewoonte, winden, enz*) prevail, be prevalent; (*woeden, van ziekte*) rage, be about; ~ *over* rule (a country); *stilte heerst om ons* silence reigns about us; *er heerst een meer hoopvolle stemming* a more hopeful feeling prevails; **heersend** prevailing (opinion), prevalent (disease); **heerser(es)** ruler

heerszucht lust of power, ambition; **heerszuchtig** ambitious, imperious

heertje: *het* ~ *zijn: a*) (*er* [*weer*] *netjes uitzien*) be quite the gentleman; *b*) (*van alle zorg bevrijd zijn*) be on top of the world; *nu is hij het* ~*, ook:* his fortune is made now

hees hoarse, husky; *zich* ~ *schreeuwen* cry oneself hoarse; **heesheid** hoarseness, huskiness

heester shrub

heet hot (*ook van tranen, kruiderijen, gevecht, enz*); *hete luchtstreek* torrid zone; *hete tranen, ook:* scalding tears; ~ *van de naald* straight off, straight away

heet|gebakerd hot-, quick-tempered; **-hoofd** hothead

hefboom lever

heffen (*optillen*) raise, lift; (*belasting*) levy, impose (taxes, duties); (*schoolgeld*) charge (a fee of ...); **heffing** levying (of taxes), imposition; *een* ~ *van 12%* a 12 per cent. levy

hefschroefvliegtuig helicopter

heft handle, haft; (*van zwaard*) hilt; *het* ~ *in handen hebben* be at the helm

heftig violent, heated (debate), hot (..., he answered hotly); **heftigheid** violence

hefvermogen lifting-power

heg hedge, fence; ~ *noch steg, zie* weg

hegemonie hegemony

heide heath, moor; (*plant*) heather

heiden heathen, pagan; *de* ~*en* the heathen; **heidens** heathen (gods), pagan (deities)

heidestruik heather, heath

heien ram, drive (piles)

heiig hazy

heil welfare, good (act for the ... of the

country); (der ziel) salvation; hij zag er geen
(niet veel) ~ in he did not see much point in it;
zijn ~ verwachten van pin one's faith to
Heiland Saviour
heilig holy (Father, City, Land, ground, joy),
sacred (river, writings, duty, promise, rights);
de H~e Franciscus St. Francis; ik ben er ~ van
overtuigd I am firmly convinced of it; de ~e
Schrift Holy Writ, Holy Scripture; ~ verklaren canonize; ~ beloven (verzekeren) promise
(declare) solemnly; **heiligdom** (plaats) sanctuary, shrine
heilige saint; hij is geen ~ he is no saint; **heili-
gen** sanctify; **heiligenbeeld** image of a saint
heiligheid holiness; Zijne H~ His Holiness
heiligschennis sacrilege, desecration
heil∥loos (rampzalig) disastrous; (verderfelijk)
pernicious; (slecht) wicked; -**wens** congratulation
heilzaam, **heilzaamheid** salutary influence
heimelijk I bn secret, private; (ong) surrepti-
tious; furtive (glance); sneaking (sympathy,
idea); II bw secretly; **heimelijkheid** secrecy
heimwee homesickness; ~ hebben be home-
sick (naar for)
heipaal (timber, concrete) pile
heisa bother, to-do
hek (omheining) fence; (vooral ijzeren) rail-
ing(s); (in kerk) (choir-, etc) screen; (voor toegang) gate
hekel dislike; een ~ hebben aan hate, dislike;
een ~ krijgen aan take a dislike to
hekeldicht satire; **hekelen** (fig) criticize, satir-
ize
hekkesluiter last comer; ~ zijn bring up the
rear
heks witch; ouwe~ hag
heksen: ik kan niet ~ I am no conjurer
heksen∥ketel (hels lawaai) pandemonium;
een; -**toer** a ticklish job
hekserij sorcery, witchcraft; daar moet ~ bij in
het spel zijn there must be black magic in it
hekwerk railing(s)
1 hel bn bright, vivid (a ... green); (schel) glaring
2 hel zn: de ~ hell (ook fig); loop naar de ~! go
to hell
helaas unfortunately; (I often have to go
there,) more's the pity!
held hero; de ~ van de dag the hero of the day
helden∥daad heroic deed, act of heroism;
-**dicht** epic; -**dood** heroic death; de ~ sterven
die a hero; -**moed** heroism; -**verering** hero-
worship
helder (van geluid) clear, sonorous; (van licht,
enz) clear; bright (colours); luminous (star);
(van water, lucht enz) clear (water, sky),
bright (sky, eyes, day); (duidelijk) clear, lucid
(style); (scherpzinnig) bright (boy); (zindelijk)
clean; **helderheid** clearness, lucidity, cleanness

helderziend a) clear-sighted; b) second-
sighted; **helderziendheid** a) clear-sighted-
ness; b) clairvoyance, second sight
heldhaftig heroic (bw: -ally); **heldhaftigheid**
heroism
heldin heroine (ook fig: zie held)
heleboel: een ~ a lot; zie boel
helemaal entirely, altogether, all (alone);
quite, clean (I had ... forgotten it); ~ tot all
the way to; ~ tot boven right to the (very) top;
~ niet not at all; niet ~ verkeerd not all (altogether) wrong; ~ niet verkeerd not at all
wrong; het kwam ~ niet in hem op it never entered his head; ~ niet! (they are engaged?) Engaged nothing! not a bit!
1 helen receive, fence (stolen goods)
2 helen tr heal, cure; intr heal (up)
heler receiver, (fam) fence
helft half; de ~ van 4 is 2 the half of four (half
four) is two; ieder de ~ betalen, ook: go halves
(van ... in the expenses); de ~ minder less by
half; we zijn op de ~ (van het boek) we have got
half-way through (the book); voor de ~ half
(full of water)
helicopter id
heling receiving, fencing
hellen incline, slope; ~d, ook: inclined
helleveeg shrew, virago
helling slope, incline, dip; (scheepsb) slip-
(way); de hele procedure moet op de ~ must be
revised
helm helmet; (van duiker) headpiece
helpen (bijstaan) help, aid, assist, give a hand;
(baten) avail, be of avail, be of use; (bedienen)
attend to, serve (are you being attended to?
served?); (dokter bij bevalling) attend; help!
help!; dat helpt niet veel that doesn't help
much; dat zal veel ~! that'll help a lot!; ik kan
het niet ~ I cannot help it; kan ik ~? (van dienst
zijn) can I help?; waarmee kan ik u ~? what
can I do for you?; zich ~ help o.s.; ik kan er u
aan ~ I can get it for you; iem aan een baantje
~ help a p. to get a job; in (uit) de bus ~ help a
p. into (out of) the bus; heen ~ over help (a p.)
over (the difficulties); hij is niet meer te ~ he is
past help; **help(st)er** assistant, helper, aid
hels infernal; een ~ lawaai, ook: a hell of a
noise; iem ~ maken infuriate a p.
hem vnw him; die van ~ his; dat boek van ~ that
book of his; het is van ~ it is his
hemd (ondergoed) vest; shirt; in z'n ~ staan,
(fig) cut a foolish figure; tot op het ~ toe nat
wet through; **hemdsmouw** shirt-sleeve
hemel (plaats der gelukzaligen) heaven; (uitspansel) sky; goeie ~! (good) heavens!; de ~ zij
dank thank heaven; aan e ~ in the sky; in de ~
in heaven; in de ~ komen go to heaven; in 's ~s
naam for Heaven's sake; wat bedoel je in 's ~s
naam? what on earth do you mean?
hemel∥bed canopied bed, four-poster; -**hoog**
sky-high; -**lichaam** heavenly (celestial) body
hemels heavenly (our ... Father), celestial

hemels|blauw sky-blue, azure; **-breed** wide (difference); *ze verschillen* ~ there is a world of difference between them; *dat maakt een* ~ *verschil* that makes all the difference; *(letterlijk van afstand)* as the crow flies

hemeltergend flagrant (offence)

hemeltje: ~*(lief)!* (good) Heavens!

hemelvaartsdag Ascension day

1 hen *zn* hen

2 hen *vnw* them; *vgl* hem

hengel fishing-, angling-rod; **hengelen** angle; ~ *naar* fish for (a compliment)

hengel|sport angling; **-stok** angling-rod

hengsel handle, bail; *(scharnier)* hinge

hengst stallion

hennep hemp, cannabis; **hennepen** hemp(en)

hens: *alle* ~ *aan dek* all hands on deck

her- *(voorvoegsel)* re-, again

her: ~ *en der* here and there; *van eeuwen* ~ from times immemorial; *van ouds* ~ of old

herademen *(ook fig)* breathe again

herberg inn, public-house *(fam:* pub), tavern; **herbergen** lodge, house, put up, accommodate; harbour (a fugitive); **herbergier** innkeeper, landlord

herbewapenen rearm; **herbewapening** rearmament

herbezinnen, zich reconsider

herdenken *(vieren)* commemorate; **herdenking** commemoration; **herdenkingsdienst** memorial service

herder *(schaap~)* shepherd; *(vee~)* herdsman; **herderin** shepherdess; **herderlijk** pastoral; ~ *ambt* pastoral office, pastorate; ~ *schrijven* pastoral (letter)

herdershond sheep-dog; *Duitse* ~ Alsatian, *(Am)* German shepherd

herdruk reprint; **herdrukken** reprint

herenigen reunite; **hereniging** reunion

heren|kleding (gentle)men's clothing; **-leventje:** *een* ~ *leiden* live like a prince

herfst autumn; *(Am)* fall; **herfstachtig** autumnal

herfst|kleuren autumn colours; **-vakantie** autumn half term

hergebruik recycling

herhaald repeated; **herhaaldelijk** repeatedly, again and again, time and again

herhalen repeat; *(telkens weer)* reiterate; *in het kort* ~ summarize; **herhaling** repetition, reiteration; *(televisie)* action replay; **herhalingscursus** refresher (revision) course

herinneren, zich ~ remember, recollect, recall; *als ik me goed herinner* if I remember rightly; *voor zover ik me herinner* as far as I remember, to the best of my recollection; *iem (aan) iets* ~ remind a p. of s.t.; *heel vriendelijk, dat je mij eraan herinnert* thank you for reminding me; **herinnering** *(het zich herinneren, ook: een* ~*)* recollection, memory *(aan* of); *(wat helpt onthouden)* reminder *(aan* of); *(aandenken)* memento, souvenir; *in* ~ *brengen* call to mind; *ter* ~ *aan* in memory of

herintreden re-enter

herkauwen ruminate; *(fig)* repeat over and over again

herkenbaar recognizable; identifiable; **herkennen** recognize; identify (a dead body); **herkenning** recognition; **herkenningsmelodie** *(radio)* signature tune

herkiesbaar eligible for re-election; *zich niet* ~ *stellen* not offer o.s. for re-election

herkiezen re-elect; **herkiezing** re-election

herkomst origin, descent, source

herkrijgen recover (one's health, one's balance), regain (one's strength)

herleiden reduce *(ook in de wisk)*; convert (Dutch money into English); **herleiding** reduction, conversion

hermetisch air-tight; ~ *gesloten* firmly shut

hernia slipped disc

hernieuwen renew; resume (old friendship); **hernieuwing** renewal

heroïne heroin

heropenen re-open; **heropening** re-opening

heroveren reconquer, recapture; **herovering** reconquest

herrie *(lawaai, opschudding)* noise, din, hullabaloo, racket; *(ruzie)* row, shindy; ~ *maken (schoppen)* kick up a row; **herrieschopper** *(bij opstootje)* hooligan

herrijzen rise again, rise (from the dead); **herrijzenis, herrijzing** resurrection, resurgence

herroepen revoke (a decree), recall, (a decree), repeal (laws)

herscheppen re-create, convert, transform *(tot* into)

herscholen retrain; **herscholing** occupational resettlement; ~*scursus* refresher course

hersenbloeding cerebral h(a)emorrhage

hersenen, hersens *(orgaan)* brain; *(massa, verstand)* brains; *hoe haalde je het in je* ~*?* how did you get it into your head?

hersen|gezwel brain tumour; **-schim** chimera, phantasm; **-schudding** concussion of the brain; **-spoeling:** *hij heeft een* ~ *gehad* he has been brainwashed

herstel (economic) recovery, restoration (of law and order), reinstatement (in one's functions), redress (of grievances); *(genezing)* recovery; **herstelbaar** curable, repairable; **herstellen I** *tr (repareren)* mend, repair (clothes, etc); redress (grievances), restore (the balance *evenwicht*, the monarchy), correct (a mistake), right (a wrong), retrieve (a loss), make good (the damage); reinstate (a p. in office); *zich* ~ *(van schrik, enz)* recover o.s., pull o.s. together; **II** *intr* recover (from an illness); ~*de zijn* be convalescing (convalescent); **hersteller** repairer; **herstelling** repair; **herstellingsoord** sanatorium, health-resort; *(voor herstellenden)* convalescent home

herstel(lings)werk repair work, repairs

hert deer *(mv:* deer); *(mannetje)* stag, hart

hertog duke; **hertogdom** duchy; **hertogelijk** ducal; **hertogin** duchess

hertrouwen remarry, marry again

heruitzen|den, -ding (*doorgeven*) relay, (*opnieuw uitzenden*) re-broadcast, rediffuse, -ion

hervatten resume (work), restart (work, the train service); **hervatting** resumption (of hostilities, etc)

hervormd reformed; **hervormde** protestant; **hervormen** (*opnieuw vorm geven*) reform, remodel; **hervormer** reformer; **hervorming** reform; (*kerkelijk*) reformation

herwinnen regain, retake

herzien revise (a book, law, sentence *vonnis*), review (a decree), overhaul (the system needs drastic …ing), reconsider (one's views); **herziening** revision, reform (of higher education), reconsideration, review, overhaul(ing)

het I *lw* the; *dit is hèt weer ervoor* this is the (ŏi:) weather for it; *zie* de; **II** *vnw* it; he, she, they (what fools they are!), so (he said so, I think so); *ben jij ~, Jan?* is it you, John? (is) that you, John?; *ik ben ~* it is me

heten *tr* name, call; *intr* be called (named); *het boek heet …* the book is entitled …; *hoe heet dat?* what is it called?; *hij heet Willem* his name is William; *hij heet naar mij* he is called after me

heterdaad: *iem op ~ betrappen* catch a p. in the act (red-handed)

heterogeen heterogeneous

heteroseksueel heterosexual

hetgeen what; (*na antecedent*) which

hetzelfde the same; likewise

heugen: *de tijd heugt me niet, dat …* I don't remember the time when …; **heugenis**: *sinds mensen~* within living memory; **heuglijk** (*blijde*) joyful (event, news), glad (tidings), pleasant

heup hip; (*van dier*) haunch; *het op de ~en hebben* be in a tantrum

heus I *bn* (*werkelijk*) real; *zijn vader is een ~e 'baronet'*, (*fam*) is a real live baronet; **II** *bw* really, truly; *het is ~ waar* really true; *~? really?

heuvel hill; (*verkeers~*) island; **heuvel|achtig, -ig** hilly; **heuvelland** hilly country

hevig violent (storm, pain), heavy (rains), intense (heat), vehement (protest); **hevigheid** violence, intensity

hiel heel; *de ~en lichten* take to one's heels; *hij zat mij op de ~en*, (*ook fig*) he was at my heels; *de politie zat hem op de ~en* the police were hot on his trail (track)

hiep, hiep, hoera! hip, hip, hurrah!

hier here; *niemand ~ in de buurt* no one round here; *~ en daar* here and there; *~ te lande* in this country

hierachter behind (this)

hierbeneden below, down here

hierbij *a*) close by; *b*) herewith (I … inform you), hereby (I … promise); *~ komt, dat …* add to this the fact that …

hierdoor *a*) by (owing to) this; *b*) through here

hierheen this way, (on my way) here

hierin in here

hierna after this

hiernaast next door

hierom for this reason

hieronder below, underneath; (*onder aan bladz*) at foot; (*te midden van*) among these; *zoals ~ aangegeven* as stated below

hierop upon this

hierover about this

hiertegenover opposite

hiertoe for this purpose

hieruit from this

hij he; *een ~ en een zij* a he and a she

hijgen pant; (*snakken*) gasp (for breath)

hijsen hoist; (*fig*) booze, tipple; **hijskraan** (hoisting-)crane, hoist

hik hiccup; *de ~ hebben* have the hiccup(s)

hilariteit hilarity, (cause) merriment, (amid general) amusement

hinde hind, doe; **hindekalf** fawn

hinder hindrance, impediment, obstacle

hinderen (*belemmeren*) hinder, impede, bother; (*van lichaamsdeel*) trouble; (*ergernis veroorzaken*) annoy (his whistling …ed me); *is er iets dat je hindert?* is anything troubling (bothering) you?; *dat hindert niet* that does not matter

hinderlaag ambush

hinderlijk annoying, troublesome; *zie* lastig

hindernis obstacle; (strike, hit a) snag

hinder|paal obstacle, impediment; **-wet** (public and private) nuisance act

Hindoe(s) *zn & bn* Hindu, Hindoo; **hindoeïsme** Hinduism

hinkelen hop, play (at) hop-scotch

hinken limp, have a limp; *op twee gedachten ~* halt between two opinions

hinniken neigh; (*zacht, vrolijk*) whinny

hippie (*sl*) id, hippy

historie history, story; *zie* geschiedenis; **historisch** historical (novel); (*van ~e betekenis*) historic; *het is ~!* it's authentic

hit Shetland pony; (*zware*) cob

hitlijsten (in the) charts

hitte heat

hitte|bestendig heat-proof; **-golf** heat-wave

ho ho! stop!; *~ maar* forget it!

hobbel bump; (*fig*) obstacle; **hobbelen** rock (to and fro); (*in rijtuig*) jolt; **hobbelig** bumpy (road); **hobbelpaard** rocking-horse

hocus-pocus id, hanky-panky

hoe how (did it happen?); what (is he called?); of how (you have no idea … I suffered); as to how (I had no idea … it was done); *je weet ~ Moeder is* you know what Mother is; *~ (dat) zo?* how (why) so?; *~ meer ~ beter* the more the better; *~ dan ook* anyhow, anyway; *~ hij ook … wreef* rub his eyes as he would; *~ het ook zij* however that may be; *ik wil weten ~ of wat* I want to know where I am

hoed hat

hoede guard, care; *aan mijn ~ toevertrouwd* in

my keeping (of: charge); *iem onder zijn ~ ne-men* take charge of a p.; *op zijn ~ zijn* be on one's guard (*tegen* against)

hoeden tend, watch, herd (cattle, sheep); (*be~*) guard; *zich ~ voor* guard against

hoedje: *onder één ~ spelen* be hand and (*of:* in) glove (*met* with)

hoef hoof; **hoefijzer** horseshoe

hoegenaamd: *~ niet* not at all; *~ niets* absolutely nothing; *~ geen ... no ... at all*

hoek (*wisk*) angle; (*in kamer, van straat, oog, mond, enz*) corner; (*scherpe kant of punt*) angle; (*vishaak*) hook; *~en en gaten* holes and corners; *in* (*uit*) *alle ~en en gaten* in (from) every nook and cranny; *om* (*op*) *de ~* round (at, on) the corner; **hoekig** angular (*ook fig*), jagged (rocks); **hoekigheid** angularity; **hoek-je** (little) corner; (*afgelegen, afgesloten*) nook; *het ~ omgaan* peg out, pop off, (*sl*) kick the bucket

hoek|schop corner (kick); **-slag** (*boksen*) hook; (*hockey*) corner (hit); **-tand** eye-tooth

hoen hen, fowl; **hoenderpark** poultry-farm

hoepel hoop; **hoepelen** trundle a hoop

hoepla: *~!* (wh)oops-a-daisy!

hoer whore; *ouwe ~* twaddle

hoera hurrah; *driemaal ~ voor de bruidegom* three cheers for the bridegroom

hoes (*voor stoel*) cover, dust-sheet; (*voor boek*) slip-cover; (*van grammofoonplaten*) sleeve, (*Am*) jacket; **hoeslaken** fitted sheet

hoest cough

hoest|bui coughing-fit; **-drank** cough-mixture

hoesten cough; **hoesttablet** cough-lozenge

hoeve farm

hoeveel *ev* how much, *mv* how many; *~ is het?* how much?; *~ hij ook van hem hield ..., ook:* much as he liked him, ...; *zeg maar ~,* (*bij inschenken*) say when; **hoeveelheid** quantity, amount (do a tremendous ... of work); **hoe-veelste:** *de ~ hebben wij?* what day of the month is it?

hoever: *in ~*(*re*) how far, to what extent

hoewel though, although

hoezeer how much; *zie* hoeveel

hof court; (*tuin*) garden (the ... of Eden, of Gethsemane); *aan het ~* at court; *het ~ maken* court; **hofdame** lady in waiting

hoffelijk courteous; **hoffelijkheid** courteousness

hofhouding royal household

hofje (*pleintje*) court

hof|leverancier (by appointment) purveyor (tailor, etc) to H. M. the King (the Queen); **-meester** steward; **-meesteres** stewardess; (*van vliegt*) *ook:* flight attendant

hogerhuis House of Lords

hogerop higher up

hogeschool (*ongev*) polytechnic; (*ruitersp*) high-school

hoge-snelheidstrein high-speed train

hok kennel (for dogs), pen (for sheep), sty (for pigs), (pigeon-)house; (*schuurtje*) shed; (*kamer*) den; **hokje** (*op formulier*) box; (*kamertje*) cubby-hole; (*bad*)*~* cubicle; **hokjesgeest** parochialism

hokken: *bij elkaar ~* huddle together

1 hol *zn* cavern, cave; (*holte*) cavity; (*van wild dier*) den, lair; (*van vos*) hole

2 hol *zn:* *iem het hoofd op ~ brengen* turn a p.'s head; *zijn hoofd raakte helemaal op ~* he completely lost his head; *op ~ gaan* (*raken, slaan*) bolt

3 hol *bn* hollow (tree, cheeks, voice), empty (talk, phrases); *in het ~st van de nacht* at dead of night

hola hullo! stop! hold on!

holbewoner cave-dweller, cave-man

Holland id; **Hollander** Dutchman, Hollander; *Vliegende ~* Flying Dutchman; *de ~s* the Dutch; **Hollands** Dutch; *het ~* Dutch; **Hollandse** Dutchwoman

hollen run, scamper, career (the bull ...ed through the street); *zie ook* door-; *het is met hem ~ of stilstaan* he always runs to extremes

hologig hollow-eyed, (*van zorg, enz ook*) haggard

holster id, (pistol-)case

holte cavity (*ook in het lichaam*), socket (of the eye), crook (of the arm, of the elbow)

homeopaat homeopath

hommel bumble-bee

hommeles: *het is ~ tussen hen* they are at odds

homo homo(sexual), pansy, queer, gay

homofiel homophile; **homofilie** homophily

homogeen homogeneous; **homogeniteit** homogeneity

homoseksualiteit homosexuality; **homo-seksueel** *zn & bn* homosexual

homp lump, hunch, hunk, chunk (of cheese)

hond dog, (*jacht-*) hound, (*min*) cur; *jonge ~* puppy, pup; *blaffende ~en bijten niet* barking dogs do not (*of:* seldom) bite; *ik ben hier de gebeten ~* I can do nothing right here; *men moet geen slapende ~en wakker maken* let sleeping dogs lie

honde|hok (dog)kennel; **-ketting** dog-chain; **-leven** dog's life; *een ~ hebben* lead a dog's life; **-mand** dog('s) basket

honden|pension boarding kennels; **-tentoon-stelling** dog-show

honde|penning dog-licence badge; **-poep** dog-dung; **-ras** dog-breed

honderd a (one) hundred; *enige ~en* some hundreds (of); *~ uit praten* talk nineteen to the dozen; *alles* (*de boel*) *loopt in het ~* everything is going awry; *alles in het ~ jagen* make a mess of the whole affair, mess up everything; **honderdjarig:** *~ bestaan* (*feest*) centenary, centennial; **honderdste** hundredth; **honderd-voudig** a hundredfold

honde|voer dog-food; **-weer** beastly weather

honds currish, churlish; *iem ~ behandelen* treat a p. like dirt

honds|dagen dog-days; **-dolheid** rabies

honen scoff (jeer) at, taunt; **honend** *ook:* scornful

honger hunger; ~ *hebben* be hungry; *ik heb geen* ~ I am not hungry; ~ *krijgen* get hungry; ~ *lijden* starve; *van* ~ *sterven* starve (to death); **hongeren** hunger; ~ *naar* hunger after (for); **hongerig** hungry (*ook fig:* naar for); *een beetje* ~ peckish; **hongerloon** starvation wages **hongersnood** famine; *door* ~ *getroffen* famine-stricken

hongerstaking hunger-strike

honi(n)g honey

honi(n)g|bij honey-bee; **-raat** honey-comb; **-zoet** as sweet as honey; ~*e woorden* honeyed words; *op* ~*e toon, ook:* in mellifluous accents

honk home, (*bij spel ook*) goal, base

honk|bal baseball; **-vast** stay-at-home

honneurs: *de* ~ *waarnemen* do the honours

honorarium (doctor's, lawyer's etc) fee; (*van schrijver*) (author's) fee, copy-fee, (*per exemplaar*) royalty, royalties

honoreren honour; pay (an author)

hoofd head; (*persoon*) head (of a family, school, etc), chief; (*van brief, enz*) heading; ~ *der school* headmaster; *een* ~ *groter* taller by a head; *het* ~ *bieden* make head against, brave, defy (danger, competition), cope with (difficulties); *het* ~ *hoog houden* hold up one's head; *mijn* ~ *staat er niet naar* I am not in the mood for it; *het* ~ *kwijtraken* lose one's head; *overal het* ~ *stoten, ook:* be up against a blank wall; *zich het* ~ *breken over* rack one's brains about; *aan het* ~ *staan (van)* be in charge (of); *hij is niet goed bij het* ~ he is off his head; (*sl*) off his rocker; *het is mij door het* ~ *gegaan* it has slipped my memory; *zich iets in het* ~ *halen* take s.t. into one's head; *iem een belediging (beschuldiging) naar het* ~ *slingeren* fling an insult in a p.'s teeth; *over het* ~ *zien* overlook (mistakes, a fact); *verbruik per* ~ per capita consumption; *uit* ~*e van* on account of, owing to; *uit het* ~ *kennen* know by heart; *uit het* ~ *rekenen* do mental arithmetic; *zich iets uit het* ~ *zetten* put s.t. out of one's head; *iem voor het* ~ *stoten* rebuff a p.

hoofd|agentschap general agency; **-akte** headmaster's certificate; **-altaar** high altar; **-ambtenaar** senior official; **-arbeid** brain-work; **-arbeider** brain-worker; **-artikel** leading article, leader; **-bestanddeel** chief ingredient, main constituent; **-bestuur** general committee; national council (of a party); **-bewoner** main tenant; **-bezwaar** main objection; **-breken:** *het kostte veel* ~*(s)* it occasioned much brain-racking; **-bureau** head-office; (*van politie*) police headquarters; **-commissaris** (chief) commissioner (of police); **-deksel** head-covering; **-doek** head-shawl; **-doel** main object; **-eigenschap** chief quality (property); **-einde** head (of the bed, of the table), top (of the table)

hoofdelijk (*per hoofd*) per capita; ~*e stemming* voting by call; ~ *aansprakelijk* severally liable; ~ *omslaan* apportion; (*Am*) prorate

hoofd|film feature film; **-gebouw** main building; **-gerecht** main course; **-huis** (*Belg*) main office; **-ingang** main entrance; **-inspecteur:** ~ *van politie* police superintendent; **-kantoor** head-office; **-klasse** top class; **-kussen** pillow; **-kwartier(en)** head-quarters, H.Q.; *in het* ~ at headquarters; **-letter** capital (letter); **-luis** head-louse; **-man** chief, leader; (*dorpshoofd*) headman; **-motief** principal motive; **-oorzaak** principal (main, root) cause; **-persoon** principal person, principal (central) figure; (*in drama*) principal character; **-pijn** headache; ~ *hebben* have a headache; **-plaats** chief town; (*van Eng graafschap*) county-town; **-postkantoor** head post-office; (*in Londen*) general post-office, G.P.O.; **-prijs** first prize; **-redacteur** editor, editor-in-chief; **-rekenen** mental arithmetic; **-rol** principal (leading) part; **-schuldige** chief offender (culprit); *hij is de* ~ the fault lies chiefly with him; **-stad** capital (town, city); **-stel** bridle; **-straat** principal street, main street; **-stuk** chapter; **-telwoord** cardinal (number); **-thema** central theme; **-tribune** grandstand; **-vak** principal subject; **-verkeersweg** main (trunk) road, (*Am* highway); **-verkoudheid** head-cold; **-voedsel** principal food, staple diet; **-weg** main road; **-wond** head-wound, head-injury; **-zaak** main point, ~*zaken* essentials; **-zakelijk** principally, mainly; **-zin** main (head-, principal) clause

hoog high (mountain, note, opinion, temperature, politics), lofty (ideals), deep (snow), high-pitched (voice); (*lang & slank*) tall; ~ *wonen* live high up; *vier* ~ (live) four floors up, four stairs up; ~ *en droog* high and dry; (*fig*) safe, out of harm's way; *een hoge leeftijd bereiken* attain (to) a great age; *bespottelijk hoge prijs* fancy price; *de prijzen worden hoger* prices are going up; ~ *grijpen* (*fig*) aim high; *het hoge woord moet* (*is*) *er uit* the plain truth must be told; *hij achtte zich niet te* ~ *om* ... he was not above ...ing; *dat zit mij nog* ~ it still sticks in my throat; *hoger onderwijs: a*) higher education; *b*) university education; *een hoge ome* a bigwig, (*mil*) a brass hat

hoogachten respect; **hoogachtend:** *Uw* ... Yours truly ...; **hoogachting** esteem, respect

hoog|bejaard far-gone in years; **-bouw** high-rise (building); **-conjunctuur** boom; **-dravend** (*fig*) stilted, bombastic; **-gebergte** high mountains; **-geboren** high-born; **-gelegen** high; **-geplaatst** highly placed; **-gerechtshof** High Court (of Justice); **-geschat** highly esteemed; **-gespannen** high (hopes); *onze verwachtingen waren* ~ our expectation ran high; **-hartig** proud, haughty, supercilious; **-hartigheid** haughtiness

hoogheid highness; height; grandeur; *Zijne* ~ His Highness

hoog|houden uphold (authority, a p.'s honour), maintain (a tradition), live up to (one's reputation); **-land** highland; *de H~en* the Highlands; **-lander** Highlander; **-leraar** professor; **-lopend** running high; *~e ruzie* flaming row; **-mis** high mass; **-moed** pride; **-moedig** proud, haughty; **-nodig** highly necessary, much-needed; *~ hersteld moeten worden* be sadly in need of repair; **-oplopend** *(Belg)*: *een ~ ruzie* a flaming row; **-schatten** esteem highly; **-spanning** high tension; *gevaarlijk! ~!* danger! high voltage!; **-spanningskabel (-lijn)** power line; **-spanningsmast** pylon

hoogst I *bn* highest, utmost, top (prices); *~e klas, (school)* top form; *op zijn (het) ~* (the storm was) at its heighth; *ten ~ (= heel erg)*: *a)* highly, extremely (pleased); *b)* (twenty) at (the) most, at best; **II** *bw* highly, extremely (improbable)

hoogstaand high-principled

hoogsteigen: *in ~ persoon* in his own proper person

hoogstens at most, at best

hoogstwaarschijnlijk *bw* most probably

hoogte height (of a tower, *ook fig*); *(~ in de lucht)* altitude; *(concr)* height (the house stands on a ...); *hij kreeg de ~* he got tipsy; *~ bereiken (verliezen) (luchtv)* gain (lose) height; *in de ~ gaan* rise *(ook van prijzen)*; *op dezelfde ~* at the same height; *op één ~ zijn met* be on a par with; *hij is niet op de ~ van ...* he is not in touch with recent events; *op de ~ blijven van deze wetenschap* keep abreast of this science; *ik heb hem op de ~ gebracht* I have informed him; *ik zal u op de ~ houden* I'll keep you posted; *op de ~ stellen* inform; *zich op de ~ stellen van* make o.s. acquainted, inform o.s. of (about, on) (the facts); *ter ~ van* off (Dover); *tot op zekere ~* (you are right) to a certain extent; *iem uit de ~ behandelen* treat a p. haughtily (superciliously); *erg uit de ~ zijn* be very high and mighty; *uit de ~ neerzien op* look down upon

hoogte|lijn *(op kaart)* contour (line); **-meter** altimeter; **-punt** height, high point, summit, peak (unemployment ...); *het ~ bereiken* culminate; *(een crisis bereiken)* come to a head; **-vrees** fear of heights

hoog|tijdag high-day; **-uit** at most (40 people), (40 people) at the outside; **-verraad** high-treason; **-vlakte** plateau, upland plain; **-vlieger**: *hij is geen ~* he is no genius; **-waardig**: *~e produkten* high-grade products; **-waardigheidsbekleder** dignitary; **-water** high tide; *het is ~* the tide is in; **-waterlijn** flood-mark

hooi hay; *hij neemt te veel ~ op zijn vork* he bites off more than he can chew; **hooiberg** hay-stack; **hooien** *ww* make hay; *zn* hay-making

hooi|koorts hay-fever; **-schuur** hay-barn, hay-shed; **-veld** hay-field; **-vork** pitchfork; **-zolder** hay-loft

hoon scorn, taunt(s), derision; **hoongelach** scornful laughter

1 hoop *(stapel)* heap, pile; crowd (of people); *(fam)* lot (a ... of fuss about nothing); *een ~ leugens* (tell) a pack of lies

2 hoop hope *(op herstel* of recovery); hopes; *ijdele ~* vain hope; *wel (geen) ~ hebben op* entertain a (no) hope of; *alle ~ opgeven* give up (abandon) all hope; *zijn ~ vestigen op* place one's hope(s) on; *~ koesteren* entertain hopes; *in de ~ dat ...* in the hope that ...; *tussen ~ en vrees zweven* be poised between hope and fear; *vol ~ zijn op* be hopeful of (success)

hoop|gevend hopeful (signs); **-vol** hopeful; *(veelbelovend)* hopeful, promising

hoorbaar audible; **hoorbaarheid** audibility

hoorn horn; *(van auto)* horn, hooter; *(van telef)* receiver; *(schelp)* shell, conch; **hoornachtig** horny, horn-like

hoornblazer horn-blower; trumpeter

hoornen horn

hoor|spel radio play; **-zitting** public inquiry, public hearing

hop *(de plant)* hop; *~ plukken* pick hops

hopelijk hopefully

hopeloos hopeless, without hope, desperate; *hij is ~ (slecht, enz)* he is quite hopeless; *de zieke is ~* is past hope; **hopeloosheid** ...ness

hopen hope (for) (I hope with you that ...); *het beste ~* hope for the best; *tegen beter weten in ~* hope against hope

hor *(tegen muggen e.d.)* wire gauze

horde horde, troop, band; **hordenloop** hurdle-race, (the 80 metres) hurdles

horecabedrijf hotel and catering industry (trade); *een ~* a catering establishment

horen hear; *(vernemen)* hear, learn; *toevallig ~* overhear; *hoor eens* I say; *(als protest)* look here; *verlies het niet, hoor!* don't lose it, mind!; *te ~ krijgen* hear, learn; *hij kreeg heel wat te ~* he had a rough time; *het is hier niet te ~* it cannot be heard here; *beide partijen ~* hear both sides; *ik hoor het lied zingen* I hear the song sung; *ik hoor hem een lied zingen* I hear him sing a song; *ik heb het ~ zeggen* I've heard it said; *zo mag ik het ~* now you're talking (sense); *een gefluit laten ~* give a whistle; *ik kon aan zijn stem ~* I could tell by his voice; *van iem ~, (bericht ontvangen)* have word from a p.; *ik wil van geen weigering ~* I won't take no for an answer; *je zult er meer van ~* you shall hear about this; *het was een leven, dat ~ en zien je verging* the noise was fit to awake the dead

horizon horizon, sky-line; *aan de ~* on the horizon; **horizontaal** horizontal (projection, etc); *(in kruiswoordraadsel)* across

horloge watch; *het is drie uur op mijn ~* by my watch; *op zijn ~ kijken* look at one's watch

horloge|bandje watch-string; **-maker** watch-maker

hormoon hormone

horoscoop horoscope; *iems ~ trekken* cast a p.'s horoscope

hort jerk; *met ~en en stoten,* (*eig*) joltingly; (*fig*) by fits and starts; *~ sik gee up!;* **horten** *a*) jolt, jerk, shake; *b*) (*bij spreken*) stammer; *~d* jerky (sentences), (*speak jerkily*), abrupt (style, sentences)

horzel horse-fly

hospes landlord; **hospita** landlady

hospitaal hospital; *in het ~ liggen* be in hospital

hospitant(e) teacher-trainee; **hospiteren** attend classes as a teacher-trainee

hossen go jigging and singing along

hostie (*r-k*) *de Hostie* the Host

hotel id; *~ het Anker* the Anchor Hotel

hoteldebotel *a*) all at sea; *b*) swept off (one's) feet

hotelhouder hotel-keeper, landlord

hotsen shake, jolt, bump

houdbaar tenable (fort, theory, etc), maintainable; *vis is niet lang ~* fish will not keep; **houdbaarheid** tenableness; (*van eetwaren*) keeping qualities

houden (*vasthouden*) hold (a p.'s hand): (*behouden*) keep (the money); (*inhouden*) hold, contain; (*gestand doen*) keep (a promise); (*kippen, een winkel enz*) keep (hens, a shop); (*er op na ~*) keep (a motorcar); (*uitspreken*) deliver, make (a speech); *je mag het ~,* (*= ik geef het je*) *ook:* it's yours for keeps; *houd de dief!* stop thief!; *een vergadering ~* hold a meeting; *rechts ~* keep to the right; *hij hield z'n woord* he was as good as his word; *zich goed ~,* (*gedragen*) behave o.s.; (*zich in bedwang ~*) control o.s.; (*niet lachen*) keep a straight face; *het weer hield zich goed* continued fair; **zich** *~ aan* stick to (a method), abide by (a decision, a ruling), comply with (a request); *zich stipt aan het programma ~* keep strictly to the programme; *zich aan zijn woord ~* hold (stick) to one's word; *dat recht houd ik aan mij* I reserve that right for myself; *ik houd je aan je belofte* (*woord*) I take you at your word; *houd dit pakje bij je* keep this parcel by you; *houd je bij ...* stick to (your work); *het* **met** *andere vrouwen ~* carry on with other women; *het er* **op** *~ dat* take it (assume) that; *ik kan ze niet* **uit** *elkaar ~* I cannot tell them apart; *~* **van** like, be fond of; *zich ver ~ van* hold aloof from (politics); *waar hou je me* **voor?** what do you take me for?; *ik hield hem* (*ten onrechte*) *voor ...* I mistook him for my nephew; *ze ~ hem voor schuldig* they consider him (to be) guilty

houding carriage (erect, stiff ...), (military) bearing; attitude, (sitting) posture; (*optreden*) attitude (*jegens* to(wards)); *een goede ~* (*een ~ als ...*) *hebben* hold o.s well (like a king); *in de ~ staan,* (*mil*) stand at (*ook:* to) attention; *een dreigende ~ aannemen* assume a threatening attitude; *om zich een ~ te geven* to conceal his embarrassment

houdstermaatschappij holding-company

hout wood; (*timmerhout; groot ~gewas*) timber; (*stuk ~*) piece of wood; (*kreupelhout*) underwood, brushwood; *dat snijdt geen ~* that (theory) won't wash; *uit het zelfde ~ gesneden* cast in the same mould

hout|aankap *a*) timber felling; *b*) afforestation; **-bewerking** wood-work; **-blazers** woodwinds; **-blok** log of wood

houten wooden; **houterig** wooden (*ook fig*); *~ mens, ook:* stick

hout|hakker wood-cutter; **-handel** timber-, wood-trade; **-handelaar** timber-merchant

houtje bit of wood; *hij deed het op zijn eigen ~* he did it ons his own hook

hout|lijm joiner's glue; **-schroef** wood-screw

houtskool charcoal

hout|snee(figuur) wood-cut; **-snijkunst** wood-carving; **-snijwerk** wood-carving; **-soort** kind of wood; **-spaander** chip of wood; **~s** (*om vuur aan te maken*) wood-kindlings; **-stapel** wood-stack, pile of wood; **-veiling** timber-sale; **-vlot** timber-raft; **-vuur** wood-, log-fire; **-werk** wood-, timber-work; **-worm** wood-worm; **-zaag** wood-saw; **-zaagmolen** saw-mill; **-zager** (wood-)sawyer; **-zagerij** saw-mill

houvast handhold, grip (give a firm ...), hold, support; (*klamp*) holdfast; (*fig ook*) mainstay; *geen ~ hebben,* (*fig*) have nothing to go by (*of:* on)

houweel pick-axe

houwen hew, cut, hack, slash

hoveling courtier

hozen bail; (*fam*) pour with rain

hufter lout, boor, yokel

huichelaar(ster) hypocrite, dissembler; **huichelachtig** hypocritical, sanctimonious; **huichelarij** hypocrisy; **huichelen** *tr* feign, sham; *intr* dissemble, pretend

huid (*van mens of dier*) skin; (*van dier*) hide; (*van schaap, geit, enz*) pelt; (*van paard, enz*) coat; (*van schip*) sheathing, skin, planking, (*iron*) plating; *met ~ en haar* (swallow) whole, (*fig*) lock, stock and barrel; *tot op de ~* to the skin

huidig present-day, of the present day, modern; *tot op de ~e dag* to this day; *de ~e prijs* the current price

huid|kleur colour of the skin; (*gelaatskleur*) complexion; **-ontsteking** inflammation of the skin, dermatitis; **-transplantatie** skin-grafting; **-uitslag** eruption (of the skin); **-verzorging** care of the skin; **-vlek** mole; **-ziekte** skin-disease; *leer der ~n* dermatology

huif (*hoofddeksel*) coif; (*van kar*) hood; **huifkar** covered wag(g)on

huig uvula

huilbui crying-fit

huilebalk cry-baby

huilen (*van hond, wind enz*) howl, (*meer klagend*) whine; (*van mens*) cry; *eens goed ~ have* a good cry; *ik kon wel* ~ I was close to tears; **huilerig** snivelling

huis house; home; (*handels*~) house, firm, concern; (*techn*) housing, casing; *heer des huizes* master of the house; ~ *en haard* hearth and home; *huizen bekijken, een* ~ *zoeken* be house-hunting; *naar* ~ home; *naar* ~ *brengen* see (your girl-friend) home; *naar* ~ *gaan* go home; *uit het* ~ *zetten,* (*gezin*) evict; *van* ~ *gaan* leave home; *van* ~ *uit* originally

huis|adres home address; **-arrest** house arrest; **-arts** family doctor; **-baas** landlord; **-bel** front-door bell; **-bewaarder, -ster** caretaker; **-bezoek** house-to-house call; **-bezoek(st)er** welfare worker, community worker; **-brand-olie** fuel oil; **-deur** front-, house-door; **-dier** domestic animal; *onze* ~*en* our domestic pets

huiselijk home-loving (a ... couple), homelike (make the place more ...); ~*e kring* domestic (*of:* family) circle; ~*e plichten* household duties

huis|genoot fellow resident, housemate; **-gezin** family, household; **-heer** master of the house; (*tegenover huurder*) landlord

huishoudelijk household (expenses, etc), domestic; **huishouden I** *zn* (*het besturen*) housekeeping, management (her capable ...); (*gezin, enz*) household, family; *het* ~ *doen,* (*besturen*) keep house, run the household (home); *ze doet het* ~ *voor me* she does for me; *een* ~ *opzetten* (*beginnen*) set up house(keeping); **II** *ww* keep house (*van ...* on £ 1 0 a week); *vreselijk* ~ play havoc (*in, onder* with, among); **huishoudgeld** housekeeping money

huishouding *zie* huishouden *zn;* (*fig*) (water) economy; **huishoudkunde** home economics; **huishoudster** housekeeper

huishuur house-rent

huisje little (small) house, cottage; (*van slak*) shell; **huisjesslak** snail

huis|kamer sitting-, living-room; **-knecht** man-servant; (*in livrei*) footman; (*in hotel*) boots; **-mus** (house-)sparrow; **-personeel** domestic staff; **-raad** furniture; **-regel** rule of the house (club, firm etc.); **-sleutel** latch-key

huis-, tuin- of keuken... common or garden (cold *verkoudheid*)

huis|vader father of a (the) family; **-vesten** house, lodge, put up; **-vesting** lodging, housing (of the poor), accommodation; ~ *verlenen* put (a p.) up; **-vlijt** home crafts; **-vrede-(breuk)** (disturbance of) domestic peace; **-vrouw** housewife, mistress (of the house); **-vuil** household refuse; (*Am*) garbage; **-waarts** homeward(s); **-werk** house-work, household work; (*voor school*) homework, prep; ~ *opgeven* set homework

huiver hesitation, fear; **huiveren** shudder (with fear); shiver (with cold or fear); *hij huiverde ervoor* he shrank from it; **huiverig** shivery, chilly; **huiverigheid** shiveriness, chilliness; (*fig*) hesitation, scruple(s); **huivering**

shiver(s), shudder; *een* ~ *van afschuw* a thrill of horror; *zie* huiveren; **huiveringwekkend** horrible

huizen house, be housed, lodge

hulde homage, tribute; ~ *brengen* (*belonen, bewijzen*), (*iem, iets*) pay homage (to), pay (a) tribute (to)

hulde|betoon homage; **-blijk** tribute

huldigen do (pay, render) homage to, honour; believe in (a system, method), recognize (a principle); *de opvatting* ~ hold the view; **huldiging** homage, honouring

hullen wrap (up), envelop; (*fig*) wrap (...ped in silence, darkness, mystery)

hulp help, aid, assistance; (*redding*) rescue; *medische* ~ medical attendance; ~ *in de huishouding* domestic help; ~ *verlenen* render help; *iems* ~ *inroepen* call in a p.'s aid; *om* ~ *roepen* cry (call) for help; *iem te* ~ *komen* (*snellen*) come to a p.'s assistance

hulp- *dikwijls* auxiliary

hulpbehoevend requiring help; (*lichamelijk*) invalid; (*door ouderdom*) infirm; (*behoeftig*) needy, destitute; *de* ~*en: a*) the infirm; *b*) the destitute

hulpbron resource

hulpeloos(heid) helpless(ness)

hulp|middel help, expedient, (*tijdelijk*) makeshift; ~*en, ook:* aids (and appliances); resources; **-motor** auxiliary engine; **-personeel** emergency staff; **-ploeg** (*bij spoorwegongeluk*) breakdown gang; **-post** (first, medical) aid-post; **-postkantoor** sub-post-office; **-troepen** auxiliaries, auxiliary troops; **-vaar-dig** ready to help, helpful; **-verlening** assistance

humaan humane

humaniora (*Belg*) general secondary (education)

huma|nisme, -nist, -nistisch humanism, -ist, -istic

humeur temper, mood, humour; *zij heeft een verschrikkelijk* ~ she has got a devil of a temper; *hij heeft een gelijkmatig* ~ he is of an even temper; *hij is in zijn* ~ in a good temper; *hij is slecht in zijn* ~ in a bad temper; *uit zijn* ~ out of temper, in a pet; **humeurig** moody, sulky, capricious; **humeurigheid** moodiness, etc

humor humour; *grove* ~ slapstick

hun I *bez vnw* their; *zij en de* ~*nen* they and theirs; **II** *pers vnw* them

hunkeren: ~ *naar* hanker after (for), long for

huppelen hop, skip, frisk

hups (*monter*) lively, brisk

huren hire (a house, piano, motor-car, etc), rent (a house), charter (a ship); (*altijd op contract*) lease (a house, an estate, a car)

hurken *gehurkt zitten* squat, cower

hut (*klein huisje*) cottage; (*armoedig*) hut, hovel; (*van leem, enz*) cabin; (*van hout, Am*) shack; (*op boot*) cabin; **hutkoffer** cabin-trunk hutspot hotchpotch, hodge-podge

huur (house-)rent, rental, hire; (huurtijd) lease; huis te ~ house to let; te ~ of te koop to be let or sold; fietsen te ~ for hire

huur|auto hired car; -contract lease

huurder hirer; renter (of a private safe); (van huis) tenant

huur|huis rented house; -koop hire-purchase

huurling mercenary

huur|opbrengst rental; -opzegging notice to quit; -prijs rent; -tijd term of lease, tenancy; -waarde rat(e)able value

huwbaar marriageable; huwbare leeftijd marriageable age

huwelijk I zn (het huwen) marriage, wedding; (toestand) marriage, matrimony, wedlock; haar ~ met ... her marriage to (with) ...; een gelukkig ~ doen make a happy match; in het ~ treden marry; een meisje ten ~ vragen propose to a girl; II bn: ~se staat the married state, matrimony; ~se voorwaarden, zie ~svoorwaarden

huwelijks|aankondiging notification of marriage; -aanzoek proposal (of marriage); een ~ doen propose; -advertentie matrimonial advertentie; -bed marriage-bed, nuptial bed; -bootje: in het ~ stappen get married; -feest wedding(-party, -feast); -gelofte marriage-vow; -geluk conjugal bliss (of: happiness); -gemeenschap a) consummation of marriage; b) zie gemeenschap (van goederen); -geschenk wedding-gift; -kandidaat suitor; -leven married life; -lijst (Belg) list of suggested wedding-gifts; -makelaar marriage-broker, matrimonial agent; -markt marriage-market; -nacht wedding-night; -plechtigheid marriage-ceremony; -reis(je) wedding-trip, honeymoon (a young couple on their ...); -trouw conjugal fidelity; -voorwaarden marriage-settlement, -contract

huwen marry, wed

huzaar hussar

huzarensla Russian salad

hyacint (plant & steen) hyacinth

hygiëne hygiene, hygienics; hygiënisch hygienic (bw: -ally)

hypermodern ultra-modern

hypnose hypnosis; onder ~ in hypnosis; hypnotisch hypnotic (bw: -ally); hypnotiseren hypnotize, mesmerize

hypothecair mortgage-; ~e akte mortgage-deed

hypotheek mortgage; geld op ~ nemen raise money on mortgage; met ~ bezwaard mortgaged

hypotheek|akte mortgage-deed; -gever mortgagor; -houder mortgagee

hysterie hysteria; aanval van ~ fit of hysteria, hysterics; hysterisch hysterical

I i i

icoon (alle bet) icon

id id, do., ditto

ideaal I bn ideal (place, etc); II zn ideal; idealiseren idealize; idealisme idealism; idealist id; idealistisch idealistic (bw: -ally)

idee idea, notion, thought; (mening) opinion; het ~! wat een ~! the idea!; dat is een ~! it's (quite) an idea; het ~ is om te ... the idea is to ...; ik had er niet het minste (flauwste) ~ van I had not the least (faintest) idea (of it); ik heb zo'n ~ dat ... I have a sort of idea that ...; met het ~ om ... with the idea of ...ing; naar mijn ~ in my opinion, to my mind; hij bracht me op het ~ he suggested the idea to me; hoe kwam je op het ~? who (what) put the idea into your head?

idem idem, the same

identiek identical (aan with, to)

identificeren identify

identiteit identity

identiteits|bewijzen identity papers; -controle (Belg) identity check; -kaart (Belg) identity card

idioot I bn idiotic (bw: -ally); II zn idiot, imbecile

idylle idyl(l); idyllisch idyllic (bw: -ally)

ieder (bijvoeglijk) every (get up at six ... morning); each (reply to ... letter personally); any (... fool can do that); (zelfst) everyone, everybody (not ... can do this); each (... told the story in his own way); anyone (... can afford that luxury); iedereen zie ieder (zelfst)

iel thin, meagre

iemand somebody, someone, anybody

iep elm(-tree); iepen bn elm; iepenziekte Dutch elm disease

Ier Irishman; de ~en, (natie) the Irish; enige ~en some Irishmen; Ierland Ireland; Iers Irish; Ierse Irishwoman

iets I vnw something, anything; heb je ooit zo ~ gezien? did you ever see the like of that?; is er ~? is anything the matter?; kan ik ~ voor u halen? can I get you something (to eat)?; ~ nieuws s.t. new; hij had ~ in zijn ogen (zijn toon), dat ... there was that in his eyes (his tone) which ...; net ~ voor een man! how like a man!; net ~ voor jou! just like you!; iets doms a stupid thing; II bw a little, somewhat, rather, slightly; is hij ook ~ beter? is he any better?; hij is ~ beter he is slightly better; als hij er ~ om gaf if he cared at all; ietsje: een ~ beter a shade better; ietsjes a little, a bit

i.h.a. in general
i.h.b. in particular, particularly
ijdel vain (person, hope), idle (words), empty (threats); **ijdelheid** vanity; (*vergeefsheid*) futility
ijdeltuit: *een* ~ a vain person
ijk gauge; **ijken** gauge, stamp and verify; **ijkpunt** point of reference
1 ijl *bn* thin (air), rare, rarefied (air, gas)
2 ijl *zn: in aller~* in great (in hot) haste, posthaste; *hij werd in aller~ ... vervoerd* he was rushed to hospital
1 ijlen be delirious, rave; *~de koorts* delirium
2 ijlen hasten, hurry (on)
ijlings in hot haste, hastily
ijs ice; (*room-*) ice-cream, ice; *niet over één nacht ~ gaan* take no chances; *goed beslagen ten ~ komen* be well prepared for one's task; *zich op glad ~ wagen* go out of one's depth
ijs|baan (*ook kunstmatig*) skating-, ice-rink; **-beer** polar bear; **-bloemen** frost-flowers; **-blokje** ice cube
ijselijk horrible, terrible; (*afgrijselijk*) gruesome, ghastly; **ijselijkheid** horror (the ...s of war)
ijsje ice
ijs|kast refrigerator, (*fam*) fridge; *in de ~,* (*fig*) in cold storage, on ice; **-kegel** icicle; **-koud** icy-cold, icy (*ook fig:* ... indifference), ice-cold; (*fig ook*) frosty (a ... smile); (*fam*) (*flegmatiek*) flegmatic, cool
IJsland Iceland; **IJslander** Icelander; **IJslands** Icelandic
ijs|pegel icicle; **-zee** polar sea; *de Noordelijke* (*Zuidelijke*) *IJszee* the Arctic (Antarctic)
ijver (*vlijt*) diligence, industry; (*vurige ~*) zeal (blind ...), ardour, fervour; **ijveraar** zealot, fanatic; **ijveren** be zealous; *~ voor* devote o.s. to (a cause); **ijverig** (*vlijtig*) diligent, industrious; (*vurig*) zealous, ardent; *~ bezig zijn met* be hard at, be intent upon (one's work)
ijzel *a*) black ice, glazed frost; *b*) (*rijp*) hoarfrost; **ijzelen**: *het ijzelt* there is black ice
ijzen shudder; *~ bij de gedachte* shudder at the thought
ijzer iron; (*van schaats*) blade; (*van slede*) runner; **ijzerdraad** (iron-)wire
ijzeren iron; *een ~ wil* an iron will
ijzer|erts iron-ore; **-gaas** wire-netting; (*fijner*) wire gauze (of a safety-lamp); **-gieterij** iron-foundry; **-handel** iron-trade; **-handelaar** ironmonger; **-houdend** ferriferous; **-pletterij** iron-mill; **-sterk** (as) strong as iron; **-tijd(perk)** iron age; **-vreter** fire-eater; **-waren** hardware, ironware; **-winkel** ironmongers' (shop)
ijzig icy, as cold as ice
ijzing horror, shudder(ing); **ijzingwekkend** gruesome, appalling, ghastly
ik I; *het ~* (a person's) self, the ego; *mijn tweede* (*beter*) ~ my other (better) self; *~ voor mij ... I* for one do not believe it; **ikzelf** I myself
illegaal illegal; **illegaliteit** resistance (movement)

illuminatie illumination; **illumineren** illuminate (*ook van manuscript*)
illusie illusion; *zich ~s maken over* entertain illusions about; *zich geen ~s maken omtrent* have no illusions about
illustratie illustration; **illustratief** illustrative; **illustreren** illustrate
immens immense (*bw:* -ly), huge (*bw:* -ly)
immers: *hij was er ~?* he was there, wasn't he?; *je hield er ~ niet van?* you did not like it, did you?
immigrant immigrant; **immigratie** immigration; **immigreren** immigrate
immobiliën (*Belg*) real estate; **immobiliën-agentschap** (*Belg*) estate agent, (*Am*) realtor
immoreel immoral
immuni|satie, **-seren** immunization, -nize; **immuun** immune (from, to, against)
impasse id, blind alley; (*fig*) impasse, fix, deadlock, stalemate
imperiaal *bn* imperial; *zn* (*van auto, enz*); imperial; (*van auto, enz ook*) roof-rack
imperialisme imperialism; **imperialist** id; **imperialistisch** imperialistic (*bw:* -ally), imperialist
impertinent id; **impertinentie** impertinence
imponeren impress, awe, overawe; **imponerend** imposing, impressive
import id; *voor sam zie* invoer; **importeren** import; **importeur** importer
imposant imposing, impressive, commanding
impotent id; **impotentie** impotence
improviseren improvise, extemporize, speak extempore, speak without notes
impuls impulse; (*mech*) momentum; **impulsief** impulsive
in (*binnen zekere grenzen*) in (the room, France, Dickens), inside (the house); (*overschrijding van grenzen*) into (go ... the garden), inside (go ... a church); (*voor namen van grote steden*) in; (*voor andere plaatsnamen*) at; *ben je ooit ~ Parijs geweest?* have you ever been to Paris?; (*verkeren in een toestand*) in (be ... trouble); (*komen in een toestand*) into (get ... trouble); (*tijdruimte*) in (three years, my youth), for (I have not seen him ... three years); *~ en om Londen* in and around London; *hij is ~ de zestig* in his sixties; *dat wil er bij mij niet ~* that won't go down with me
inademen breathe (in), inhale; **inademing** breathing (in), inhalation
inbeelden: *zich ~* fancy, imagine; *hij beeldt zich heel wat in* he thinks much of himself; **inbeelding** *a*) fancy, imagination; *b*) (*verwaandheid*) (self-)conceit, presumption
inbegrepen: *kosten ~* inclusive of charges, charges included; *wijn ~* including wine; *alles ~* all found, (two guineas a week) inclusive; *waarbij alles ~ is* all-in (... tour, ... rate of five dollars a day); *prijs alles ~* overhead price
inbinden bind (a book), *laten ~* have (a book) bound; (*zich*) *wat ~* come down a peg or two, climb down

inblazen blow into; (*fig: in het oor blazen*) prompt, suggest (s.t. to a p.); (*nieuw*) *leven* ~ breathe (put, infuse) (new) life into

inboedel furniture, household effects

inboezemen inspire (love, terror, etc), strike (fear) into (a p.)

inboorling native, aborigine

inbouwen build in (we are completely built in); *ingebouwd* built-in (cupboard)

inbraak burglary, break-in; *poging tot* ~ attempted burglary; **inbraakverzekering** burglary-insurance

inbreken break into a house; **inbreker** burglar, housebreaker

inbreng contribution (to the discussion); **inbrengen** (*eig*) bring (take) in; (*in spaarbank, enz*) deposit; (*buis in longen enz*) introduce; ~ *tegen* object to; bring against; *daar kan ik niets tegen* ~ I have nothing to say to that; *hij heeft heel wat in te brengen* he has great personal influence

inbreuk violation, infringement; ~ *op* ... encroachment on (rights)

inburgeren acclimatize; *dit woord is nu helemaal ingeburgerd* is now quite current; *hij is daar helemaal ingeburgerd* he feels quite at home there

incest id

incident incident; *het* ~ *is nu gesloten* the incident is now closed; **incidenteel** incidental-(ly), as occasion arises; occasionally

inclusief inclusive (of); *drie gulden* ~ 70p., service charge included

inconsequent inconsistent

incontinent id

incourant unmarketable (article); ~*e maat* offsize; ~*e fondsen* unlisted securities

indachtig mindful of

indelen divide, class(ify), arrange; map out (the day as follows); draft (into the Air Force); assign (to (*bij*) the first or the second group); *zie* inlijven; **indeling** division, incorporation; geography (of the house)

indenken: *zich* ~ *in* (try to) realize (a p.'s position), enter into (a p.'s feelings); *hij kon zich niet* ~ *dat er mensen waren* ... he could not conceive the possibility of there being people ...; *dat kan ik me* ~ I can understand (imagine) that

inderdaad indeed, really, in (point) of fact

inderhaast in haste, in a hurry, hurriedly

indertijd at the time; ~ *woonde hij hier* he used to live here

indeuken dent, indent

index id, table of contents

Indië (*Nederlands*) the (Dutch East) Indies

indien if, in case; *zie* als **5**

indienen introduce, lodge (a complaint *klacht*) (*bij* with), submit (one's resignation) (*bij* to), put forward (proposals); (*vordering*) put in a claim; (*verzoekschrift*) present a petition; **indiening** presentation, introduction; *vgl het* ww

indiensttreding entrance into office (*of:* upon one's duties); ~ *1 januari* duties to commence on ...

indigestie indigestion

indirect id; ~*e verlichting* indirect lighting

indiscreet id, indelicate; **indiscretie** indiscretion

individu individual; (*ong*) specimen (a pretty ...); *een gemeen* ~ a bad lot (*of:* character); **individueel** individual

indommelen doze off, drop off (to sleep)

Indonesië Indonesia; **Indonesisch** Indonesian

indringen enter by force, break into, penetrate (into); (*van vloeistof*) soak in; *zich* ~ intrude o.s.; **indringer** intruder; **indringerig** intrusive, importunate; **indringerigheid** ...ness, importunity; **indringster** intruder

indruisen: ~ *tegen* clash with, contravene (a principle, law); run counter to (principles, public opinion, tradition); interfere with (a p.'s interests); be at variance with (the facts); be contrary to (all justice)

indruk impression (*ook fig*); (*van vinger, voet*) finger-, foot-print, imprint (of a foot); *een* ~ *geven* give an idea (of the difficulties); *de* ~ *hebben dat* be under an (the) impression that; ~ (*geen, weinig* ~) *maken* make an impression (no, little impression); *hij maakt op mij de* ~ *van* ... he strikes me as extremely young; *de* ~ *wekken* create the impression, suggest; *niet onder de* ~ unimpressed

indrukken depress, push (in, down), press (a button)

indrukwekkend impressive, imposing (building, etc)

indruppelen drip into (a patient's eyes)

industrialiseren industrialize; **industrie** (manufacturing) industry; **industrieel** I *bn* industrial; II *zn* industrialist; **industriegebied** industrial area (district)

indutten doze off, drop off (to sleep)

ineen together

ineen|draaien twist together; **-frommelen** crumple up; **-krimpen** wince (under pain), double up (with pain); **-lopen** (*van vertrekken*) communicate; (*van kleuren, enz*) run

ineens all at once; (*zo maar* ~) (I cannot tell you) off-hand; *een som* ~ a lump sum

ineen|storten collapse (*ook fig*), crumble (topple) down; **-storting** collapse, downfall; **-strengelen** interlace; **-zakken** collapse

inenten vaccinate; **inenting** vaccination; **inentingsbewijs** vaccination certificate

infaam infamous, shameful

infanterie infantry; **infanterist** infantryman

infecteren infect; **infectie** infection

inferieur inferior; **inferioriteit** inferiority

inflatie (currency) inflation

influenza id, (*fam*) flu

influisteren whisper (in a p.'s ear), prompt

informatica data processing

informatie (*ook* ~*s*) information; (*navraag*) inquiry; ~s inwinnen make inquiries (of bij), ask for information; **informatiebureau** inquiry-office

informatief exploratory

informeel informal

informeren inquire, make inquiries; ~ naar inquire after (for, about); ~ bij inquire (make inquiries) of

ingaan (binnengaan) enter, go (walk, step) into (go in and out of the room); (van kracht worden) take effect, become effective; op een voorstel ~ agree to a proposal; (verder) op de zaak ~ go (further) into the matter; ~ tegen go against (a p.'s wishes); zie indruisen; ~de 1 mei dating (effective) from May 1st, (as) from (Am as of) May 1st; **ingang** entrance, doorway, entry; ~, (als opschrift) way in; met ~ van heden (as) from today

ingebeeld (denkbeeldig) imaginary

ingeboren innate, native, inborn

ingehouden restrained, bottled-up, controlled

ingekankerd inveterate, deep-rooted (hatred)

ingemaakt preserved; (in azijn) pickled

ingenaaid sewed, stitched

ingenieur engineer (civil, electrical ...)

ingenomen: ~ met pleased with; zeer ~ met highly pleased with; **ingenomenheid** sympathy; (voldoening) satisfaction; ~ met zichzelf self-complacency

ingesloten enclosed

ingespannen I bn strenuous (work); II bw ...ly; ~ luisteren listen intently

ingetogen modest, quiet (live ...ly); **ingetogenheid** modesty

ingevallen hollow, sunken (cheeks, eyes)

ingeven administer (medicine to a p.); (fig) suggest; **ingeving** inspiration, suggestion

ingevoerd informed, well-up (in)

ingevolge in accordance with (your instructions), in response to (an invitation)

ingewand(en) bowel(s), intestines; **ingewandsziekte** intestinal trouble

ingewijd initiated, adept; **ingewijde** initiate, insider

ingewikkeld intricate, complicated, complex; **ingewikkeldheid** intricacy, complexity

ingeworteld (deep-)rooted (prejudices)

ingezetene inhabitant, resident

ingezonden: ~ stuk letter (to the editor)

ingooien smash (windows)

ingrediënt ingredient

ingreep intervention; medische ~ surgery; **ingrijpen** intervene, interfere, take a hand, take action; ~de veranderingen drastic changes

inhaalverbod (bord) no overtaking

inhaalwedstrijd deferred (postponed) match

inhakken: ~ op pitch into; dat hakt er nogal in that makes a hole in my pocket

inhalen (naar binnen halen) fetch in, bring in; get in, gather (in) (the crop(s) oogst); take in (sails), lower (a flag), draw in (nets); (op de weg, enz) overtake; (les, enz) make up for (a

lesson, lost time), recover (lost time); een verzuim ~ make up for an omission; het achterstallige ~ work off (catch up) arrears

inhalig greedy; **inhaligheid** greed

inham creek, bay, inlet; kleine ~ cove, recess

inhechtenisneming arrest; bevel tot ~ warrant

inheems native, indigenous (plants, etc)

inherent inherent (to aan)

inhoud contents (of a box, a letter); (essentiële ~) content, substance (the ... of the speech can be summed up in two words), terms (of a settlement); (~sopgave) table of contents; (strekking) purport, tenor; korte ~ summary, précis; **inhoudelijk** as regards content; **inhouden** (bevatten) contain, hold; restrain (one's anger, etc), keep back (one's tears), hold (one's breath); (niet uitbetalen, korten) stop, deduct; (paspoort) impound; zijn paard ~, ook: draw rein; zich ~ contain (restrain) o.s., hold o.s. in; dit houdt niet in, dat ... this does not mean that ...; **inhouding** (van loon, enz) stoppage, deduction

inhoud|maat cubic measure; **-opgave** table of contents

inhuldigen inaugurate, install

inhuren hire, engage

initiatief initiative; het particulier ~, (bedrijfsleven) private enterprise; op ~ van on (at) the initiative of; geen ~ hebben be lacking in initiative; het ~ nemen (tot ...) take the initiative (in doing s.t.)

initiatief|nemer originator (of the plan); **-wetsvoorstel** (in het Eng Lagerhuis) private member's bill

injectie injection, shot

injectie|motor fuel injection engine; **-spuitje** hypodermic syringe

inkapselen enclose, wrap up

inkeer introspection, searching(s) of heart; (berouw) repentance; tot ~ brengen bring (a p.) to his senses; tot ~ komen repent

inkeping notch, nick, indentation

inkeren: tot zichzelf ~ retire into o.s., search one's own heart

inkijken I intr look in; bij iem (in het boek) ~ look on with a p.; II tr glance over (the paper), skim, dip into (a book)

inkleden word, put into words, clothe (couch) (in words), express

inkomen I ww come in (ook van klachten, gelden, bestellingen, enz), enter; ik begin er net in te komen, (op streek te komen) I'm just getting my hand in; daar komt niets van in that's out of the question; daar kan ik ~ I can quite understand it; ~de schepen incoming vessels; II zn income; zie ook inkomst; **inkomens|groep**, **-klasse** income group, income bracket

inkomst entry; ~en income, earnings; (van Staat, Kerk, groot bedrijf) revenue; ~en en uitgaven receipts and expenditure; **inkomstenbelasting** income-tax

inkoop purchase; -en doen make (one's) purchases, go shopping; **inkoopsprijs** cost price; *tegen (beneden)* ~ (sell) at (below) cost price

inkopen buy, purchase; **inkoper** (*van firma*) purchasing agent

inkorten shorten (a dress, a speech), curtail (a p.'s power)

inkrimpen: *het personeel* ~ cut down the staff

inkt ink; **inkten** ink

inkt|gom ink-eraser; **-lint** (inked, typewriter) ribbon; **-pot** ink-pot, **-well**; **-vis** cuttle-fish, squid; **-vlek** ink-blot

inkuilen clamp (*of*: pit) (potatoes)

inkwartieren billet (*troepen bij* ... troops (up)on the inhabitants); **inkwartiering** billeting

inlaat inlet; **inlaatklep** inlet-valve

inladen load, put on board, ship; **inlading** loading, shipment

inlander native; **inlands** native (fruit, oysters), home grown (fruit)

inlassen insert, interpolate; add (a train); **inlassing** insertion, interpolation

inlaten let in, admit; *zich* ~ *met* concern o.s. (deal) with (s.t.); mix with (undesirable company); *ik wil er mij niet mee* (*wil mij niet met hem*) ~ I will have nothing to do with it (him)

inleg (~*geld*), (*voor lidmaatschap, enz*) entrance-fee; (*in bank, enz*) deposit; **inleggen** put in, lay in; (*geld*) deposit (money in a bank); *bij spel*) stake (money); (*trein*) put on (a train); **inlegger** depositor

inleg|kruisje slip inlay; **-vel** insert; **-werk** inlaid work, inlay, mosaic

inleiden (*binnenleiden*) usher in, introduce; (*fig*) usher in (a new era), initiate (a p. in a science, into a society, a debate), introduce (a subject for discussion), open (a debate); **inleidend** introductory, opening (remarks); **inleider** initiator (of a debate); (*spreker*) speaker; **inleiding** introduction (to the study of ...), preface, introductory remarks; speech, address

inleven: *zich* ~ identify o.s. with (one's role)

inleveren give (hand) in (work in class, names), hand in (a list, books)

inlichten inform (*omtrent* on, about), give information (*omtrent* on, about); *verkeerd* ~ misinform (*over* (up)on); **inlichting(en)** information; *een* ~ an item (a piece) of information; *opzettelijk gegeven valse* ~ disinformation; ~*en geven* give information; ~*en vragen* make inquiries, inquire (*bij* of; *omtrent* about), ask for information (*over* about); **inlichtingendienst** intelligence service; *geheime* ~ secret service

inliggend enclosed

inlijsten frame

inlijven incorporate (*bij* in, with), annex(e) (*bij* to); (*mil*) enlist; **inlijving** incorporation, annexation; enrolment, enlistment

inlopen enter (a shop); turn into (a street); run in (an engine); gain (3 minutes on the sched-

ule); *achterstand* ~ make up arrears; *er* ~ walk (fall) into the trap; *hij liep erin* he fell for it; *iem er laten* ~ take a p. in

inluizen: *hij is erin geluisd*, (*fam*) he's fallen for it

inmaak preservation; bottling; (*in azijn, enz*) pickling; (*het ingemaakte*) preserved vegetables; pickles; **inmaken** preserve; (*in blik*) tin, (*vooral Am*) can; (*in azijn, zout, enz*) pickle

inmengen: *er* ~ mix (up) with it

inmenging interference, meddling

inmiddels meanwhile, in the mean time

innemen (*naar binnen brengen*) take in, bring in; (*gebruiken*) take (medicine); (*beslaan*) occupy (room); (*kaartjes, enz*) collect (tickets, work in class); (*innaaien*) take in (a dress); *water* ~ (take in) water; *iem tegen zich* (*tegen iets*) ~ prejudice a p. against one (against s.t.); *iem voor zich* ~ impress a p. favourably; *vóór het* ~ *goed schudden* shake (the bottle) well before use

innemend winning (look, smile, manner, face), pleasing, engaging, endearing (qualities); **innemendheid** charm

innen collect (debts), cash (a cheque)

innerlijk inner (life), inward (the ... eye), internal (forces); *het* ~(*e*) *van een mens* one's internal self

innig heartfelt (joy), hearty, earnest (my ... wish), close (attachment), fond (love), fervent (prayer); **innigheid** earnestness, fondness

inpakken pack (goods, a trunk), wrap up (parcels); (*warm*) ~ wrap (a p., o.s.) up; *iem* ~ (*inpalmen*) get round a p., (*beetnemen*) take a p. in; **inpakker** packer; **inpakking** packing up, etc

inpalmen: *iem* ~ win over a p.; *hij liet zich door haar* ~, (*fam*) he fell for her

inpassen fit in

inpeperen pepper; *ik zal het hem* ~ I'll get even with him

inperken fence in, enclose; (*fig*) curtail; **inperking** curtailment

in petto in reserve, in store

inpikken (*gappen*) nab, pinch

inplakken paste in (newspaper cuttings)

inplanten plant; (*fig*) implant

inpolderen reclaim; **inpoldering** reclamation

inpompen pump in; (*fig ook*) cram (in); (*sl*) swot up (a subject, etc)

inprenten impress (s.t. upon a p.), stamp (s.t. on the memory)

inramen mount (slides)

inregenen rain in; *het regent in, ook*: the rain is coming in

inrekenen (*van politie*) run (pull) in

inrichten arrange, organize, manage, adapt; (*huis, enz*) fit up, furnish; *zich* ~ set up house; *zijn leven* ~ order o.'s life (in o.'s own way); *het zo* ~ *dat* ... manage (things) so that ...; **inrichting** (*regeling*) arrangement, organization; (*samenstelling*) structure; lay-out (of the shop), (*fam*) (be familiar with the) geography (of the house, etc); (*meubilering*) furnishing, fitting up; (*ameublement*) furniture; (*gesticht, instelling*) institution

inrijden drive (ride) in(to); (*paard*) break in; (*nieuwe auto*) run in (see that the car is well ...)

inrit way in, entrance; *geen* ~ no entry

inroepen call in (a p.'s aid), enlist (a p.'s help)

inroesten rust; *ingeroeste gewoonten* engrained habits

inruil exchange; **inruilen** exchange, barter (*tegen* for); trade in (a used car)

inruimen: *plaats* ~ make room (for a p.)

inrukken break ranks, dismiss

inschakelen switch on (in, into circuit); plug in (wireless); engage (lowest gear); call in (the help of) (the police), enlist the aid (of); retain (an expert)

inschenken pour out (a cup of tea), pour (she ...ed herself a cup of tea; will you ...?), pour in

inschepen embark; *zich* ~ embark (*naar* for); **inscheping** embarkation

inscheuren tear, rend

inschieten: *hij schoot er ... bij in* he lost his life in it; *ik schoot er ... bij in* it cost me my dinner

inschikkelijk accommodating, obliging; **inschikkelijkheid** obligingness, compliance

inschikken move up, close up, sit closer

inschrijfgeld enrolment fee

inschrijven book, enrol(l), enlist, enter (for a competition, in a register); register (luggage, etc); inscribe (one's name on ...); zich (*laten*) ~ enter (put down) one's name, register; (*als lid*) enrol(l) o.s. as a member; *op aandelen* ~ apply (tender) for shares; **inschrijver** tenderer (the lowest ...); subscriber (to a loan); **inschrijving** (*in register*) registration (of pupils), enrolment; (*van studenten*) enrolment; (*in boek, voor wedstrijd, enz*) entry

inschrijvings|plaat (*Belg*) registration plate; **-taks** (*Belg*) road tax

inschuiven push in, squeeze in (I can ... you in somewhere)

inscriptie inscription

insekt insect; **insektebeet** insect bite

insekten|kunde, -leer entomology; **-plaag** insect-nuisance, plague (locusts, *sprinkhanen*); **-poeder** insect-powder, insecticide

inseminatie (*kunstmatige*, artificial) insemination

insgelijks likewise, in the same way (manner); *veel succes!* ~! good luck! (the) same to you!

insigne badge

inslaan I *ww* (*spijker, enz*) drive in (a nail); (*stukslaan*) beat in, smash (in) (windows); (*inkopen*) lay in, stock; (*een weg, enz*) take, turn into (a road); (*van bliksem*) (the lightning struck (the house)); (*fig*) catch on (the book did not ...); *het boek sloeg geweldig in*, (*fam*) was a smash hit; *een weg* ~, (*fig*) take a course; **II** *zn* impact (of a projectile)

inslag (*van weefsel*) woof, weft; (*karakter*) character

inslapen fall asleep; (*sterven*) pass away

inslikken swallow

insluimeren doze off

insluipen steal (sneak) in(to), (*fig*) creep in; **insluiper** sneak-thief; **insluiping** stealing (sneaking) in

insluiten enclose (a letter, etc), lock (a p., o.s.) in, surround; (*omvatten*) include (everybody); *de prijs sluit alles in* is all-inclusive

insmeren grease, oil; (*met zalf*) embrocate

insneeuwen snow in; *ingesneeuwd* snowed-in, -up, snow-bound

insnijden cut in(to), incise; *ingesneden* indented (coast-line); **insnijding** incision; (*van kust*) indentation

inspannen: *de paarden* ~ put the horses to (*of:* in); *zijn krachten* ~ exert one's strength; *zich* ~ exert o.s.; **inspannend** exacting, strenuous; **inspanning** exertion(s), effort(s), strain (listening attentively is a great ...); *met* ~ *van alle krachten* with the utmost exertion; *zonder* ~ effortless

inspecteren inspect; survey (a building); **inspecteur** inspector, superintendent; **inspectie** inspection; (*gebied & personen*) inspectorate

inspeelvoorstelling (*theat e.d.*) try-out

inspelen: *zich* ~ play o.s. in; ~ *op* prepare for (the future), adapt to (circumstances)

inspiciënt property and lighting manager

inspiratie inspiration; brain-wave; **inspireren** inspire

inspraak participation, (have a) say (in)

inspreken: *iem moed* ~ put some heart into a p.

inspringen (*eig*) leap in(to); (*van huis*) stand back from the street; (*kantlijn*) indent

inspuiten inject; **inspuiting** injection

instaan: ~ *voor de echtheid van* ... guarantee the genuineness of ...; ~ *voor de waarheid van* vouch for the truth of; *daar sta ik voor in* you can take my word for it

installateur (approved *erkend*) installer; **installatie** (*in ambt*) installation, inauguration; (*van geestelijke vooral*) induction; (*het inrichten*) installation; (*concr*) installation (electric ...); **installeren** install, inaugurate; (*aanbrengen*) install; (*meubileren*) furnish

instandhouding maintenance, preservation

instantie *a*) instance, resort; *b*) (official) body, authority (military -ies)

instappen step in(to); (*in rijtuig, enz*) get in

insteken put in; *een draad* ~ thread a needle

instellen establish, set up (a committee), adjust (instruments); ~ *op*, (*fot*) focus (an object); **instelling** institution, adjustment; attitude (towards one's work); *vgl het ww*

instemmen: ~ *met* agree with (a p., what he says), fall in with (an idea), approve of (a plan); **instemming** agreement; (*goedkeuring*) approval

instinct id, flair; *bij* ~ by instinct
instituut institution, institute
instoppen tuck (a p.) in (up) (in bed)
instorten fall (tumble) down, collapse (the house, the wall …d); (*van grond, put*) cave in; (*weer* ~, *van zieke*) (have a) relapse; (*door hard te werken*) crack up; **instorting** collapse, falling down, etc; (down-) fall (of an empire)
instromen stream (pour, crowd) in(to); **instroming, instroom** influx, inflow
instructeur instructor, (*mil ook*) drill-sergeant; **instructie** instruction, (*voorschrift ook*) direction, order; (*van vliegers enz*) briefing; **instructief** instructive; **instrueren** instruct; brief (a barrister, air crew)
instrument id (*ook jur*); (~*je, dingsigheidje*) device, gadget; **instrumentaal** instrumental; **instrumentenbord** instrument-board, -panel; (*van auto & vliegtuig ook*) dashboard
instuderen practise (hymns), study (a part *rol*), rehearse (a play)
instuif (informal) party
intact id, unimpaired, entire
integendeel on the contrary
integer incorruptible
integraal integral; complete
integratie integration; **integreren** integrate; **integrerend** integral, integrant
integriteit integrity
intekenaar(ster) subscriber; **intekenen** subscribe (to, for); **intekening** subscription
intellect id; **intellectueel** *bn & zn* intellectual
intelligent id; (*vooral van kind & ondergeschikte*) *ook:* bright; **intelligentie** intelligence
intens intense; acute (anxiety); **intensief** intensive; **intensiteit** intensity
interen eat into one's capital (one's stocks)
interessant interesting; *veel* ~*s* many interesting things; **interesseren** interest; *zich voor iets* ~ be interested in s.t.; *iem voor iets* ~ interest a p. in s.t.; *het zal u misschien* ~ *te horen* … you may be interested to hear …; *geïnteresseerd zijn bij* be interested in
interest id; *tegen* 5% ~ at the rate of five per cent.; *zie ook* rente
interieur interior
interland(wedstrijd) international (match)
interlokaal inter-urban; ~ *gesprek*, (*telefoon*) trunk (long-distance) call; *een* ~ *gesprek voeren* put in a long-distance call; *automatisch* ~ *kunnen bellen* be on STD
intern (*inwendig*) internal; (*inwonend*) resident; ~*e aangelegenheden* domestic concerns; ~*e geneeskunde* internal medicine; **internaat** boarding-school
internationaal international; **internationaliseren** internationalize
internist specialist for internal diseases
interpellatie (*buiten Eng*) interpellation; (*in Eng*) (asking a) question; **interpelleren** (*buiten Eng*) interpellate; (*in Eng*) question (a minister: *over* on)

interpretatie interpretation, reading, version
interregionaal (*Belg*) inter-regional
interruptie interruption
interventie intervention
intiem intimate; (*interieur, kamer*) cosy; *de* ~*e kring* the inner circle; *zij zijn erg* ~ they are very close; ~*e vriend, ook:* close friend
intikken type
intimidatie intimidation; **intimideren** intimidate, browbeat, bully; *zich niet laten* ~ *door* stand up to
intimiteit intimacy
intocht (solemn *plechtige*) entry
intomen (*paard*) curb, pull up; (*fig*) curb
intrappen kick open; (*voetbal*) kick a goal; (*fig*) force (an open door)
intrede entrance (upon one's office); *zijn* ~ *doen,* (*van winter, enz*) set in; **intreden** enter; enter upon (one's 70th year, a new year); fall (*zie stilte*); (*van vorst, dooi, reactie, enz*) set in
intrek: *zijn* ~ *nemen* put up (at a hotel); **intrekken** (*eig*) draw in (one's head), retract (claws, etc); (*huis*) move in, move into a house; (*zijn intrek nemen*) put up (with a p.); *de wereld* ~ go out into the world; (*van vloeistof*) soak in; (*herroepen, terugnemen*) withdraw (a bill *wetsontwerp,* motion); retract (a statement); recall (a promise), repeal (an act *wet*), cancel (an order *bestelling*); *een rijbewijs* ~ withdraw (*tijdelijk:* suspend) a driving-licence; **intrekking** withdrawal, recall, cancellation
introducé guest; **introduceren** introduce; **introductie** introduction; **introductiebrief** letter of introduction
intuinen *hij is er ingetuind* he's been taken in
intussen meanwhile, in the mean time
inval invasion (*in* of); (*vooral om te plunderen*) incursion, inroad; (*van politie, enz*) raid (on a night-club, etc); (*idee*) idea, notion, thought, (*fam*) brain-wave; *een* ~ *doen in* invade (a country); (*van politie*) raid (a drug dealer's house); *het is daar de zoete* ~, (*ongev*) they keep open house there
invalide I *bn* disabled (soldiers); II *zn* disabled soldier; **invalidenwagentje** wheel chair
invaliditeit disablement, disability
invallen (*vallen in*) fall (*of:* drop) in(to); (*instorten*) tumble down, give way, collapse; (*van licht*) enter; (*van vorst, nacht, enz*) set in; come on (night came on); (*land*) invade (a country); (*mee beginnen te zingen, enz*) join in; **invaller** substitute, stand-in
invasie invasion
inventaris inventory; *de* ~ *opmaken* take stock
inventeren invest; **investering** investment
invetten grease, oil
invitatie invitation
invloed influence; *zijn* ~ *aanwenden* use one's influence; ~ *hebben bij* have influence with; ~ *uitoefenen* exert (exercise) an influence (*op* on); **invloedrijk** influential; **invloedssfeer** sphere of influence

invoegen insert, put in; file (cards, slips); (*verkeer*) merge with (a stream of traffic); **invoegstrook** acceleration lane

invoer import, (*vaak fig*) importation; **invoerartikel** import article

invoerder importer; (*van nieuwe methode, enz*) introducer; **invoeren** (*uit het buitenl*) import; (*nieuw systeem, machines, mode, enz*) introduce (into *in*); **invoerrecht** import duty

invriezen freeze in

invrijheidstelling release, discharge

invulformulier form

invullen (*naam, datum, enz*) fill in, insert; (*formulier, cheque, stembiljet, enz*) complete, fill up; *verzoeke dit formulier ingevuld terug te zenden aan* ... please return this completed form to ...; *zijn naam ~ als* put oneself down as ...; **invulling** filling in (up)

inwendig I *bn* inner, inward, internal, interior; *niet voor ~ gebruik* (*op etiket*) not to be taken; **II** *bw* inwardly (laugh ...), internally; **inwendige**: *het ~* the interior (part, parts)

inwerken: *~ op* act (operate) upon, affect, influence; *op elkaar ~* interact; *op zich laten ~* saturate oneself with; *er ~, (eten)* get down (food); *als hij* (*in zijn nieuwe baan*) *is ingew* when he has settled in(to his new job); **inwerking** action, influence

inwijden consecrate (a church, a bishop), ordain (a priest), inaugurate (a new building); *een nieuw huis ~* give a house-warming; *iem ~ in* initiate a p. in (a plan, an art); **inwijding** consecration, ordination; inauguration; initiation; *vgl het ww*

inwijkeling (*Belg*) 1 immigrant; 2 (in Belgium) person settling in an alien language area; **inwijken** (*Belg*) immigrate

inwilligen comply with, satisfy, agree to (a request)

inwinnen: *inlichtingen ~* gather information, make enquiries; *informatie ~ bij* apply for information to; *iems raad ~* take a p.'s advice; *rechtskundig advies ~* take legal advice

inwisselen change (banknotes); cash, redeem (coupons); *~ voor* (*tegen*) exchange for

inwonen: *~ bij* live (lodge) with; (*met kost*) board with; **inwoner** inhabitant, resident; (*op kamer*) lodger; **inwoning** lodging; *plaats van ~* place of residence

inworp money inserted

inzage inspection; *ter ~* for inspection; *ter ~ leggen* deposit for (public) inspection; *exemplaar van boek ter ~* inspection copy

inzakken collapse, give way; (*van weg, enz*) cave in; (*van huis, ook van prijzen*) sag

inzameling collection; *een ~ houden* make a collection

inzegenen consecrate, bless; (*van predikant*) ordain; *het huwelijk kerkelijk ~* give the marriage a religious blessing; **inzegening** consecration; (*van predikant*) ordination

inzenden send in (*ook op tentoonst*), enter

(three paintings); (*in krant*) contribute; **inzender** correspondent, contributor; **inzending** sending in; contribution; entry (in competition); (*op tentoonst*) exhibit

inzepen soap; (*voor het scheren, ook:*) lather

inzet 1 (*bij spel, enz*) stake(s); (*bij verkiezing, enz*) main issue; 2 (*bij veiling*) upset-price; 3 (*bij muziekstuk*) start; 4 (*overgave*) devotion, dedication, application; **inzetten I** *tr* (*ruiten, enz*) set in; (*inlassen*) insert, let in; launch (an attack); *de achtervolging ~* go in pursuit; *zich ~ voor* devote (dedicate) o.s. to; **II** *intr* (*spel*) stake; (*muz*) strike up; (*beginnen*) set in (spring sets in well), make a (good, bad) start

inzicht insight (into a question), discernment; (*mening*) view, opinion; *naar mijn ~* in my opinion; *goed ~* sound judgment; *een dieper ~* a deeper understanding

inzien I *ww* glance over (a letter), skim (a report), look into; (*begrijpen*) see, realize; (gaan) *~* wake up to (the fact that ...); *dat zie ik niet in* I do not see that; *het ernstig ~* take a grave view of it (of things, of a p.'s condition); **II** *zn*: *mijns ~s* in my opinion (view); *bij nader ~* on second thoughts

inzinken sink in (down), subside, give way, (*van oever, enz*) cave in; (*fig*) decline; (*handel*) sag; **inzinking** subsidence (of the ground), relapse (of a patient), decline (of morality), falling off; sagging, slump; *vgl het ww*

inzitten: *wij zitten er lelijk in* we are in a hole (in a fix); *ik zit ermee in* I am at a loss what to do; *erover ~* be worried about it

inzittenden occupants

iris (*plant, regenboogvlies*) id

ironie irony; *de ~ van het noodlot* the irony of fate; **ironisch** ironical; *het ~e ervan* the irony of it

irreëel unreal, imaginary

irriteren irritate; (*van huid, ook:*) chafe; (*onopzettelijk*) get on a p.'s nerves

islam: *de ~* Islam; **islamitisch** Islamic

isolatie isolation; (*natuurk*) insulation; **isolatieband** insulating tape

isolator insulator

isolement isolation; **isolementspolitiek** isolationism

isoleren isolate; (*natuurk*) insulate

Israël Israel; **Israëli(ër)** Israeli; **Israëlisch** Israeli

Italiaan Italian; **Italiaans** Italian; **Italië** Italy

i.v.m. *in verband met* in connection with

ivoor ivory; **ivoorachtig** ivory-like; **ivoren** ivory

J j *j*

ja yes; *ze knike van* ~ she nodded assent; *en zo* ~ and if so; *hebt u het telegram aangenomen?* ~ that's right; ~, *ik was zo verbaasd, dat …* indeed, I was so surprised that …; *met* ~ *beantwoorden* answer in the affirmative

jaar year; *'s* ~*s,* (£100) a year, per annum; *het hele* ~ *door* all the year round; *ze is 10* ~ she is ten (years old); *de laatste 25* ~ (for) the last 25 years; *de dertiger jaren* the thirties; *daar kunnen nog jaren over verlopen* it may be years before that happens; *eens in het* ~ once a year; *om de twee (drie)* ~ every other (third) year; *vanaf zijn zesde* ~ from the age of six; *kinderen van tien* ~ ten-year-olds; *van 20 jaren (her)* (a friend) of 20 years' standing; **jaar-** *dikwijls* annual

jaar|abonnement annual (*of:* year's) subscription; **-beurs** industries fair; **-gang** volume (of a magazine); (second) year of publication (of issue); (*van wijn*) vintage; *oude* ~ back volume; **-genoot** class-mate, contemporary; **-getij(de)** season; **-kaart** annual pass; (*trein*) annual railpass

jaarlijks *bw* annually; *bn* annual

jaar|markt (annual) fair; **-tal** (year) date, year; **-vergadering** annual meeting; **-verslag** annual report; **-wedde** (*Belg*) annual wages; salary

jacht 1 (*vaartuig*) yacht; **2** (*op groot wild, ook vossen*) hunt(ing); (*met geweer op patrijzen, enz*) shooting; (*algem*) chase (*de* ~ the chase); (*fig*) pursuit (*naar rijkdom* of wealth); *op de* ~ *gaan* go out shooting (hunting); *op* ~ *zijn* be hunting (shooting); ~ *maken op* hunt (tigers, etc), pursue; **jachtclub** (*vaartuigen*) yacht-club

jachten *tr* hurry, rush; *intr* hurry, hustle

jacht|gebied hunting-ground(s); **-geweer** sporting-, shot-gun; **-haven** marina; **-hond** hound

jachtig hurried

jacht|kostuum hunting-costume; **-opziener** game-keeper; **-veld** hunting-field; *particulier* ~ preserve; *de eeuwige* ~*en* the happy hunting grounds; **-vliegtuig** fighter (plane); **-wachter** (*Belg*) game-keeper

jack (casual) jacket

jacquet morning-coat; *in* ~ in morning dress

jagen (*ook:* ~ *op*) hunt (lions, foxes, etc), shoot (hares, duck, etc), (*besluipen*) stalk (deer), (*nazitten*) chase (one's prey) (*vgl* jacht), (*fig*) hurry (on), urge on, rush; (*snellen*) race, rush;

uit ~ *gaan* go out shooting (hunting); *zich een kogel door het hoofd* ~ put a bullet through one's head; *naar vermaak* ~ pursue pleasure; **jager** sportsman, hunter; ~ *op leeuwen, enz* big game hunter

jak (casual) jacket; (*hesje*) (knitted *gebreid*) overtop

jakhals jackal

jakkeren *tr* ride (a horse) to death; *intr* pelt (rush, tear) along; *zie* jachten

jakkes bah! pah! yah!

jaloers jealous (*op* of), envious (*op* of); **jaloezie 1** jealousy (his … of you), envy; *uit* ~ out of jealousy, in envy; *… wekt de* ~ *op van …* she (her car, etc) is the envy of all other motorists; **2** Venetian blind, slatted blind

jam id; ~ *maken van* make (cherries) into jam

jammer: *het is erg* ~ it is a great pity; *het is (zo)* ~ *dat …* the pity (of it) is …; *het is* ~ *voor hem* I feel sorry for him; ~ *genoeg!* (they are not all like you,) (the) more's the pity!; **jammeren** lament, wail; **jammerlijk** miserable, woeful, wretched; *hij heeft* ~ *gefaald* he has failed signally

jampot jam-jar

Jan John; (*fam*) Jack; ~ *en alleman* all the world and his wife; ~, *Piet en Klaas* (every) Tom, Dick and Harry

janboel muddle, mess, (*fam*) shambles; *een grote* ~ a regular mess

janken yelp, whine, squeal, whimper

Jantje Johnnie; *j*~, (*matroos*) Jack, blue-jacket; **jantje-van-leiden:** *zich ergens met een* ~ *van afmaken* skimp (an essay), shirk (the difficulty)

januari January

Japan id; **Japanner, Japans** Japanese

japon dress, gown; **japonstoffen** dress-materials

jarenlang *bn* of years, (an acquaintance) of many years' standing; *bw* for years on end

jarig *drie*~ *bestaan* third anniversary; *een drie*~ *kind* a three-year-old; *ik ben vandaag* ~ to-day is my birthday

jas coat; (*kort*) jacket; **jasje** jacket

jasses bah! pah! yah! faugh!

jaszak coat-pocket

jatten pinch, pilfer

Java id; **Javaan(s)** Javanese

jawel yes, indeed; (*iron*) indeed!

jawoord: *om het* ~ *vragen* ask in marriage

je I *pers vnw* you; *zo iets geeft* ~ *moed* that's what cheers one (a man) up; **II** *bez vnw* your; *dat is jè tabak* that's the (ði:) tobacco; *jè van hèt,* (*fam*) the (ði:) thing

jee oh dear! dear me! Good Lord!

jegens towards, to, by (I have always done right by you); with (be frank … a p.)

jenever (Dutch) gin, (*Am*) Hollands

jenever|moed Dutch courage; **-stoker(ij)** gin-distiller(y); **-struik** juniper

jengelen whine, whimper, pule; (*van bel*) jingle

jennen (*fam*) badger

jeugd youth; *de* ~, (*personen*) (the) youth

jeugd|bescherming (*Belg*) child protection, child welfare; **-herberg** youth-hostel; **-herbergcentrale** youth-hostels association (Y.H.A.)

jeugdig youthful, youngish

jeugd|liefde youthful passion; **-rechtbank** (*Belg*) juvenile court; **-rechter** (*Belg*) juvenile court magistrate; **-vereniging** youthclub; **-werk** *a*) juvenile work; *b*) youth work (= *voor de jeugd*)

jeuk itch, itching; ~ *hebben* itch; **jeuken** itch; *mijn vingers* ~ *me om ...* my fingers itch to box his ears; *zich* ~ scratch o.s.; **jeukerig** itchy, itching (elbow)

jezuïet Jesuit

Jezus Jesus; **Jezuskindje** Christ-child

jicht gout; **jichtaanval** attack of (the) gout

jij you

jobstijding bad news

jobstudent (*Belg*) *zie* werkstudent

jochie boy, lad(die); *nee*, ~! no, sonny!

jockey id; (*fam*) jock

jockey|club jockey-club; **-pet** jockey-cap

joden|buurt Jewish quarter; **-dom** (*de leer*) Judaism, (*joden*) Jewry, Jews; **-kerk** synagogue; **-kerkhof** Jewish cemetery; **-vervolging** persecution of the Jews; (*Rusland*) pogrom

jodin Jewess

jodium iodine; **jodiumtinctuur** tincture of iodine

Joego|slaaf, **-slavisch** Yugoslav; **Joego-Slavië** Yugoslavia

joekel (*fam*) whopper

joelen shout, bawl, howl

joghurt yog(h)urt (= *Bulgaarse* ~)

joker id (*ook sl*); *voor* ~ *staan* look a fool

jokkebrok fibber, fibster, story-teller; **jokken** fib, tell fibs, tell stories; (*schertsen*) joke; **jokkentje** fib

jol yawl, jolly-boat; (*klein*) dinghy

jolig jolly, merry; **joligheid** jolliness

jolijt joy, mirth, merry-making, fun

jong I *bn* young (*van ... in* years, in mind); ~*e boom, ook: sapling; ~e kaas* (*wijn*) new cheese (wine); *een* ~*e formatie* a recent formation; *in mijn* ~*e jaren* in my young days; ~ *en oud* old and young; **II** *zn* young one (three young ones); (*van vos, beer, enz*) cub; (*van hond*) pup(py); ~*en werpen* litter

jonge|heer young gentleman, (*met naam*) Master (William); **-juffrouw** young lady; (*met naam*) Miss (Jane)

jongeling young man, youth, lad; **jongelingsjaren** years of adolescence

jongelui young people (*ook als aanspreekvorm*)

jongen I *zn* boy (*ook: bediende*), lad; *ouwe* ~! old boy!; *ze is net een* ~ she is a regular hoyden (*of:* tomboy); ~*s zijn* ~*s* boys will be boys; ~, ~! dear, dear!; **II** *ww* litter, breed; (*van kat*) kitten; (*van hond*) pup

jongens-: *dikwijls* boyish

jongens|achtig boyish (smile ...ly); **-gek** boy-mad girl, regular flirt; **-jaren** boyhood; **-school** boys' school

jonger younger; *hij is 3 jonger* ~ *dan zij* he is three years younger than she

jongetje little (small) boy

jong|gehuwden newly-weds; **-gezel** bachelor, single man

jongleren juggle; **jongleur** juggler; (*hist*) id

jongs: *van* ~ *af* from childhood

jongst youngest; ~*e bediende* (*firmant, vennoot*) junior clerk (partner); *de* ~*e berichten* the latest news; *de* ~*e gebeurtenissen* recent events

jongstleden last; ~ *maandag* last Monday

jood Jew; **joods** Jewish

jool fun, (drunken) frolic, jollity; ~ *maken* make whoopee

Joost: *dat mag* ~ *weten* goodness knows

Jordanië (the kingdom of) Jordan

jou *zie* je; *die vriend van* ~ that friend of yours

journaal (*bioscoop*) news-reel; (*TV*) news; **journalist** id, newspaper man; **journalistiek** journalism

jouw your

joviaal jovial; breezy (laugh, remark)

jubelen jubilate, exult, rejoice; **jubelend** *ook:* jubilant, exultant

jubileren celebrate one's jubilee

jubileum jubilee; **jubileumuitgave** jubilee-edition

judassen nag, tease; **judasstreek** act of betrayal

judo id

juf miss; *ja* ~, (*op school*) yes, Miss

juffershondje lap-dog; *beven als een* ~ tremble like a jelly

juffrouw lady; *met naam* Miss (Brown); *bij aanspreking zonder naam* Madam; (*populair & tegen buffetjuffrouw, enz*) Miss

juichen cheer, shout for joy

juist I *bn* right (the ... quantity, etc), correct (definition), proper (dosage, food), exact (value, an ... balance), accurate (thermometer); *de* ~*e datum,* (*precies aangegeven*) the exact date, (*de correcte*) the right (correct) date; **II** *bw* just (I have just arrived); especially (in this case); exactly; correctly (translate, describe, etc correctly); *zo* ~ just now; ... *of* ~ *niet?* or just the reverse?; ~ *daarom* for that very reason; **juistheid** correctness, rightness, exactness

juk yoke

juli July; *de maand* ~ the month of Juli

jullie you, you fellows (people, chaps)

juni June; *de maand* ~ the month of June

junior id; (*van broers op school*) (Smith) minor

juridisch juridical; *de* ~*e studie* the study of law; **jurist** id (*ook* = law-student), lawyer

jurk dress, frock, gown; **jurkje** frock

jury id; **jurylid** member of the jury

jus 154

jus gravy; **jus|kom**, **-lepel** gravy-boat, -spoon
justitie judicature; *hof van* ~ court of justice;
de ~, *dikwijls:* the law; *met de* ~ *in aanraking
komen* come into contact with the law; **justi-
tieel** judicial (*inquiry* onderzoek)
juweel jewel, gem; (*fig ook*) (our cook is a)
treasure; **juwelenkistje** jewel-case, -box
juwelier jeweller; **juwelierswinkel** jeweller's
(shop)

kaak jaw (*ook van bankschroef, enz*); *aan de* ~
stellen show up; **kaakslag** punch on the jaw
kaal (*hoofd*) bald; (*boom, muur, veld*) bare;
(*kleren, karpet, enz*) threadbare, shabby; (*on-
vruchtbaar*) barren (rock); *er* ~ *afkomen* come
away empty-handed
kaal|geknipt shorn; **-geschoren** shorn
kaalheid baldness; threadbareness; barrenness; *vgl* ~
kaal|hoofdig(heid) baldness, bald- headed-
(ness); **-slag** clear felling, clearing, clear-
felled area; (*fig ook*) demolition (site)
kaap cape (C~ Horn), promontory, headland;
~ *de Goede Hoop* the Cape of Good Hope;
kaapstander capstan
kaars candle (*ook lichteenheid*), (*was-*) wax-
candle, (*dun*) taper; (*vet-*) tallow-candle, dip;
(*van paardebloem*) blow-, puff-ball; *eindje* ~
candle-end; **kaarsepit** candle-wick
kaarshouder (*aan piano*) candle-bracket
kaarsje *zie kaars*
kaars|licht (*bij*) ~ (by) candle-light; **-recht**
dead straight (road), (he stood) erect
kaart (*speel-, visite-*) card; (*land-, plattegrond*)
map; (*weer-, zee-*) chart; (*toegangs-, spoor-*)
ticket; *in* ~ *brengen* map (out); (*van klippen,
enz*) chart; *die stad staat niet op de* ~ is not in
(on) the map; *van de* ~, (*fig*): *a*) finished; *b*) all
at sea; *de* ~ *leggen* tell the cards; ~ *spelen* play
(at) cards; *open* ~ *spelen* put (lay) (all) one's
cards upon the table; **kaarten** play at cards;
kaartenbak (*informatica*) data base
kaartje (*visite-, enz*) card; (*spoor-, enz*) ticket;
~*s, alstublieft!* tickets, please!, (*in autobus,
enz*) fares, please!; *waar moet ik mijn* ~ *kopen?*
where do I book?
kaart|spel card-playing; (*spelletje*) game at
(of) cards; (*spel* ~*en*) pack of cards; **-systeem**
card-index (system); **-telefoon** card phone;
-verkoop sale of tickets, booking
kaas cheese; *hij heeft er geen* ~ *van gegeten* it is
beyond him; *hij laat zich de* ~ *niet van het brood
eten* he can stand up (stick up) for himself
kaas|boer cheese-making farmer; **-korst** rind
of cheese, cheese-rind; **-markt** cheese-market;
-schaaf cheese-plane, cheese-slicer; **-wron-
gel** curd
kaatsen (*stuiten*) bounce
kabaal rack.et, row; ~ *schoppen* kick up a row
kabbelen ripple, babble, lap, murmur, purl
kabel cable

kabeljauw cod(-fish)

kabel|lengte cable('s) length; **-net** (*elektr*) electric mains; (*radio, TV*) cable network; **-spoorweg** cable-(rail)way, funicular railway

kabinet (*meubel, vertrek, ministerie*) cabinet

kabinets|crisis cabinet crisis; **-formateur** *ongev:* premier-designate; **-formatie** formation of a government; **-vergadering** cabinet meeting

kabouter (hob)goblin, imp; (*scouting*) brownie

kachel I *zn* stove; (electric) heater, fire; *wat in de ~ doen* put in (on) some more coal (*of:* wood), fill up the stove; II *bn* (*dronken*) (*sl*) tight, soaked; **kachelhout** firewood

kacheltje (electric) fire, room heater

kadaver dead body, carrion

kade quai; **kadelengte** quayage

kader (*mil*) cadre; (*fig*) framework (it comes within the ... of the treaty), plan, scheme, scope; *een tekort aan ~,* (*in handel en industrie*) a shortage of trained executives (of senior staff); **kaderfunctie** executive job, executive function

kadet *zie* cadet; **kadetje** (bread) roll

kaf (*van graan*) chaff; *het ~ van het koren scheiden* separate chaff from wheat

kaft (paper) cover, wrapper, (book-)jacket; **kaften** cover (a book); **kaftpapier** wrapping-paper, brown-paper

kajuit (ship's) cabin; (*van vliegt*) cabin; (*officiers-, op oorlogsschip*) ward-room

kak shit; *koude ~* swank

kakelen cackle; (*fig ook*) chatter, rattle

kalender calendar

kalf calf (*ook van hert, enz*); *als het ~ verdronken is, dempt men de put, ongev:* lock the stable door after the horse is stolen

kalfs|bout leg of veal; **-karbonade** veal-cutlet; **-lapje** veal-steak; **-vlees** veal

kaliber calibre (*ook fig*); *een man van een heel ander ~* a man of very different mould

kalk lime; (*geblust*) slaked lime; (*ongeblust*) quick lime; (*metsel-*) mortar; (*pleister-*) plaster; (*koolzure*) chalk; (*als component van de voeding*) calcium; **kalkachtig** limy, calcareous; **kalken** (*bepleisteren*) plaster, roughcast (a wall); (*witten*) whitewash; (*schrijven*) chalk, pencil; **kalkgroeve** limestone quarry

kalkoen turkey; **kalkoenevlees** turkey

kalk|oven lime-kiln; **-rots** limestone rock; **-steen** limestone

kalm calm, quiet, cool, collected, composed; (*van markt*) quiet, easy; *een ~e overtocht, ook:* a smooth passage; *~ blijven, zich ~ houden* keep cool; **kalmeren** I *tr* calm, soothe, steady (the nerves); II *intr* calm down, regain one's composure; *~d middel* sedative, tranquillizer; **kalmpjes** quietly, calmly; *~ aan!* steady!; **kalmte** calm(ness), composure, self-possession

kalotje skull-cap

kalven calve; (*van grond*) cave in

kam comb; (*van haan*) comb, crest; (*van vogel, hagedis, helm, enz*) crest; (*van heuvel, enz*) crest, ridge; (*van rad*) cam, cog; (*van viool*) bridge

kameel camel; **kameelhaar** camel('s) hair

kamenier lady's maid

kamer room, chamber; (*van hart*) ventricle; *de Tweede ~* the Second Chamber; *huis met zes ~s* six-roomed house; *gemeubileerde ~s te huur* furnished apartments to let; *op ~s wonen* live in lodgings (in rooms; *fam:* in digs)

kameraad comrade, mate, companion; (*fam*) chum, pal; **kameraadschap** (good-)fellowship; **kameraadschappelijk** companionable

kamer|bewoner, -bewoonster lodger; **-breed** wall-to-wall (carpeting); **-debatten** Parliamentary debates; **-deur** room-door; **-fractie** Parliamentary party; **-genoot** room-mate; **-jas** dressing-gown; **-lid** member of the (Second) Chamber; (*Eng*) Member of Parliament, M.P.; (*Am*) congressman, chamber-woman; **-meisje** parlour-maid; (*in hotel*) chamber-maid; **-zitting** session (sitting) of Parliament

kamfer camphor; **kamferachtig** camphoric; **kamferspiritus** camphorated spirits

kamgaren worsted

kammen comb

kamp 1 camp (*ook fig:* the Liberal ...); *het ~ opslaan* pitch (the) camp (the tents); *het ~ opbreken* break (strike) camp; 2 (*strijd*) fight, combat, struggle

kampanje (*scheepv*) poop

kampbewoner inmate of a camp

kampeer|auto camper, motor home, mobile home; **-busje** motor caravan; dormobile, caravanette

kampeerder camper

kampeer|terrein camp(ing)-site, caravan park; **-wagen** (touring) caravan; (*Am*) house-trailer

kampen fight; *te ~ hebben met* be up against

kamperen (en)camp, camp out

kamperfoelie honeysuckle; *wilde ~* woodbine

kampioen champion (*ook attr:* champion-boxer, -skater, etc); (*fam*) champ; **kampioenschap** championship

kamp|rechter umpire; **-vuur** camp-fire

kamrad cog-wheel

kan jug, jar, can, mug; *wie het onderste uit de ~ wil hebben, krijgt het lid op de neus* grasp all, lose all

kanaal (*gegraven*) canal; (*door de natuur gevormd*) channel; (*buis*) channel; (*fig*) channel; *het K~* the (English) Channel

kanaal|boot cross-Channel boat; **-tunnel** *de ~* the Channel Tunnel, the Chunnel

kanalisatie canalization; **kanaliseren** canalize

kanarie canary

kandelaar candlestick, candle-holder

kandidaat candidate; (*sollicitant*) applicant; *~ zijn voor* run for (the Presidency, etc)

kandidaatsexamen (*ongev*) B.A.-examination

kan

kandidaatstelling nomination
kandidatuur candidature, nomination
kaneel cinnamon
kanen gorge, tuck in
kanjer whopper, bouncer, spanker
kanker cancer (*ook fig*); ~ *hebben* have cancer; **kankeraar** grouser, grumbler; **kankerbestrijding** fight against cancer
kankeren (*mopperen, fam*) grouse
kanker|gezwel cancerous tumour (*of: growth*); **-onderzoek** cancer-research
kannibaal cannibal; **kannibaals** cannibalistic; **kannibalisme** cannibalism
kano canoe; *in een* ~ *varen* canoe
kanon gun, (*minder gewoon*) cannon (*mv id*); **kanonschot** gun-shot
kanonskogel cannon-ball
kanonvuur gun-fire
kans chance (*op* of rain, etc), opportunity (of (for) promotion); *iem de* ~ *geven iets te doen* give a p. a chance of doing s.t.; *geef hem een* (*eerlijke*) ~ give him a (fair) chance; *de* ~*en staan gelijk* the chances are equal; ~ *staan gelijk* the chances are equal; ~ (*een goede, aardige, weinig, geen* ~) *hebben om* … *te krijgen* stand a chance (a good, a fair, a poor, no chance) of getting the place; *de* ~ *lopen om te* … *run* the risk of …ing; *de* ~ *schoon zien* see one's chance; *ik zie* ~ *het te doen* I see my way to do it; *hij zag* ~ *te ontsnappen* he managed to escape
kansel pulpit
kanselarij chancery, chancellery; **kanselier** chancellor
kanshebber likely candidate, favourite
kansje half a chance, off(-)chance; (*buiten*~) godsend, windfall
kansspel game of chance (of hazard)
kant I (*zijde*) side; (*rand, zoom*) border, (*van water*) edge; (*oever*) bank, border; margin; (*van afgrond*) brink; (*van trottoir, enz, scherpe* ~) edge; *het gesprek ging een andere* ~ *op* took another (a new) turn; *de andere* ~ *uitkijken* look the other way; *die* ~ *uit* that way; *aan deze* ~ *van* … at (on) this side of the table; *aan alle* ~*en* on every side; *aan de ene* ~ *geloof ik* … *aan de andere* … on the one hand …, on the other …; *het jack kan aan beide* ~*en gebruikt worden* the jacket is reversible; *langs de* ~ *van het water lopen* walk by the waterside; *op zijn* ~ *zetten* up-end (a cask); *hij kan het niet over z'n* ~ *laten gaan* he can't let it pass; *de zaak van alle* ~*en bezien* discuss the matter from all angles; *ik, van mijn* ~ I, for one; *zich van* ~ *maken* do away with o.s.; II (*weefsel*) lace
kantelen I *tr* cant, tilt; (*omkantelen*) turn bottom up, turn over, overturn; II *intr* topple (turn) over, overturn; (*van schip*) capsize; *niet* ~! this side up! don't tip!
kanten *ww: zich* ~ *tegen* oppose, turn against
kantine canteen, cafetaria; *rijdende* ~ mobile canteen
kantje (*van brief*) page, side; *het was op het* ~

af (*kantje-boord*) it was a close shave, touch and go; *er de kantjes aflopen* idle, take it easy
kantlijn margin
kanton|gerecht district court; **-rechter** district judge
kantoor office; *je bent aan het juiste* (*verkeerde*) ~ you have come to the right (wrong) shop; *op een* ~ *zijn* be in an office; *ten kantore van* at the office of
kantoor|bediende (office-)clerk; **-behoeften** *a*) (schrijfbehoeften) stationery; *b*) office-equipment; **-boekhandel** stationer's (shop); **-tijd, -uren** (*van personeel*) office-hours; (*voor publiek*) business-hours
kap (*algem, hoofddeksel, enz*) cap; (*van mantel, voor hoofd & hals, van rijtuig, auto*) hood; (*over motor van auto*) bonnet; (*schoorsteen-*) cowl, cap, top; (*van lamp*) shade; (*van huis*) roof; *onder de* ~, (*van huis*) covered in; *het huis was er een van twee onder één* ~ was semi-detached
kapel (*bedehuis*) chapel; (*muziekkorps*) band
kapelaan curate, chaplain
kapelmeester bandmaster
kapen hijack (a plane), take over (a train); **kaper** hijacker; (*ter zee*) privateer, raider (*beide ook het schip*); **kaperschip** privateer, raider
kaping hijack; (*train*) siege
kapitaal I *zn* capital; II *bn* capital; III *bw* (he is doing) capitally, (lie) shamelessly; **kapitalisme** capitalism
kapitalist capitalist; **kapitalistisch** capitalist(ic)
kapitein captain; (*van schip*) captain, master; (*van kleine koopvaarder*) skipper; **kapitein-luitenant** commander
kapiteinsrang rank of captain
kapitein-vlieger flight lieutenant
kapittel chapter (*in alle bet*); *stem in het* ~ *hebben* have a voice in the chapter; **kapittelen** *iem* ~ read a p. a lecture, lecture a p.; **kapittelkerk** minster
kapje *zie* kap & kalotje; (*van brood*) heel
kap|laars top-boot, jackboot; **-mantel** (*bij het kappen*) dressing-jacket; **-mes** chopper, chopping-knife
kapok id
kapot broken (boots, etc), torn (coat), defective (lock), (it has) gone to pieces, (it is) all to pieces; (*doodop*) knocked up; (*van verdriet*) broken-hearted, crushed, cut up; (*van zenuwen*) frayed, (my nerves are) in rags, all to pieces; (*op de fles*) gone to smash; ~ *gaan* break, go to pieces (*ook fig*), smash; (*bankroet*) go to pot, come to grief; ~ *maken* break (coal); smash; ~ *slaan* smash (up); run through (one's money); *zich* ~ *werken* work o.s. to death; *ik ben er niet* ~ *van* I am unimpressed
kappen fell, cut down (trees), chop (wood), cut (the cable); (*fijnhakken*) chop (up), mince (meat); (*haar*) dress (the hair); **kapper** hairdresser; **kapsalon** hairdresser's (shop)

kapseizen capsize, turn turtle
kapsel head-dress
kapsones (*sl*): ~ *hebben* make a fuss
kap|stok hat-rack, hall-stand, hat(-and-coat) stand; (*knop, haak*) peg, coat-hook; (*fig*) peg (to hang s.t. on); **-tafel** dressing-table, toilet-table
kapucijner (*erwt*) marrowfat (pea); ~ *monnik* Capuchin (monk)
kar cart; (*hand-*) hand-cart, barrow
karaat carat
karabijn carbine
karaf water-bottle, carafe; (*voor wijn*) decanter
karakter character; *man van* ~ man of character; **karaktereigenschappen** qualities of character
karakteriseren characterize; be characteristic of; **karakteristiek I** *bn* characteristic (*bw:* -ally), distinguishing (mark); **II** *zn* delineation, description; (*rekenk*) characteristic
karakterloos characterless, of no character; (*gewetenloos*) unprincipled
karakter|rol character-part; **-trek** trait of character; **-vastheid** strength of caracter; **-vorming** character-building
karamel caramel
karavaan caravan; **karavaanweg** caravan-route, -track
karbonade chop, cutlet
kardinaal I *bn* cardinal; *het -ale punt, ook:* the vital point, the root question; **II** *zn* cardinal
karig (*schriel*) parsimonious; (*schraal*) scanty (meal), meagre (wages), slender (means); ~ *met woorden* sparing of (one's) words; **karigheid** parsimony; scantiness, etc
karikaturiseren caricature; **karikatuur** caricature; **karikatuurtekenaar** caricaturist
karkas carcass; skeleton
karn churn; **karnemelk** buttermilk
karnen churn
karper carp
karpet carpet
karren cart; (*fietsen*) bike, pedal
karre|paard cart-horse; **-spoor** cart-rut, caravan-track
karretje little cart; (*fiets*) bike; *zich voor iems* ~ *laten spannen* become someone's tool
karrevracht cart-load
1 kartel (*vereniging van, of overeenkomst tussen, ondernemers*) cartel
2 kartel (*kerf*) notch
kartelen notch; **kartelig** notched; (*van blad, schelp, enz*) crenate(d); **kartelmes** serrated knife
karteren map (out), survey; **kartering** mapping out, survey (*uit de lucht* aerial ...)
karton cardboard; (*doos*) cardboard box, carton (a ... of 20 cigarettes); **kartonnen** cardboard, pasteboard
karwats 1 (*rijzweep*) riding-whip; **2** cat-(o'-nine-tails)
karwei job, piece of work, (*Am*) chore; *op het*

~ *on the job; een heel* ~ a tough job; **karweitjes** *allerlei* ~ *doen* (*opknappen*) do odd jobs, make o.s. generally useful
kas (*van horloge*) (watch-)case; (*van oog, tand*) socket; (*voor planten*) greenhouse, glasshouse; (*broeikas*) hothouse; (*geld*) cash; (*kassa*) pay-desk, cashier's desk; *'s lands* ~ the exchequer; *goed bij* ~ *zijn* be in cash (flush, flush of money, in funds); *ik ben slecht bij* ~ I am out of cash (short of money), I am hard up (for money); *geld in* ~ cash in hand; *de* ~ *houden* keep the cash
kas|boek cash-book; **-cheque** giro- cheque for cash withdrawal; **-geld** till-money, cash (in hand); **-groenten** glass-house vegetables; **-loper** collecting-clerk; **-middelen** cash (resources), cash-in-hand; **-plant** hothouse plant; **-register** cash-register; **-rekening** cash-account; **-rozen** hot-house roses
kassa pay-desk; (*bioscoop, enz*) box-office; (*opschrift*) pay here
kassier *a*) (*kashouder*) cashier; (*van bank, ook:*) teller; *b*) (*casino*) banker
kasstuk box-office success
kast (*algem*) cupboard, (*Am*) closet; (*kleer-*) wardrobe; (*boeken-*) book-case; (*van piano, klok, enz*) case; (*horloge-*) watch-case; (*gevangenis*) quod
kastanje chestnut(-tree); *tamme* ~ sweet (Spanish) chestnut; *wilde* ~ horse-chestnut
kaste caste
kasteel castle; (*schaakspel*) rook
kastekort deficit, deficiency
kastelein innkeeper, publican, landlord, licensee; **kastelein|es, -se** landlady
kastijden chastise, castigate, punish
kastje *zie* kast; *zij stuurden mij van het* ~ *naar de muur* I was sent (driven) from pillar to post
kasvruchten hothouse fruit
kat cat; *als de* ~ *in het nauw zit, doet ze rare sprongen*, (*ongev*) desperate needs lead to desperate deeds; ~ *en muis spelen* play cat and mouse; *als de* ~ *weg is, dansen de muizen* when the cat's away the mice will play; *de* ~ *in de gordijnen jagen* put the cat among the pigeons; *leven als* ~ *en hond* lead a cat-and-dog life, live like cat and dog; *als een* ~ *in een vreemd pakhuis* like a fish out of water; *de* ~ *de bel aanbinden* bell the cat; *een* ~ *in de zak kopen* buy a pig in a poke; *hij knijpt de* ~ *in het donker* he is a sneak, does things on the sly; *de* ~ *uit de boom kijken* wait to see which way the cat is going to jump, play a waiting game; **katachtig** cat-like, feline; *zie* kattig
kata|lysator, -lyse, -lytisch catalyst (*ook fig*), -lysis, -lytic
katapult catapult
kater tom-cat, tom; (*fig*) hangover
katern(tje) quire; (*boekbindersterm*) section
katheder lectern
kathedraal cathedral (church)
kathode cathode

kat

katholicisme (Roman) Catholicism; **katholiek** *bn & zn* (Roman) Catholic

katje kitten; *zij is geen ~ om zonder handschoenen aan te pakken* she has a tongue (and a spirit) of her own

katoen cotton; *iem van ~ geven* give a p. socks, pitch into a p.; *hem van ~ geven (eten)* tuck in, guzzle; *(hard werken)* lather away (at one's job); **katoenen** cotton; *~ stoffen* cottons, cotton fabrics

katoen|fabriek cotton-mill; **-planter** cottongrower, **-planter**; **-spinner**, **-ster** cotton-spinner; **-spinnerij** cotton-mill; **-weverij** cotton-mill

katoog cat's-eye *(ook steen en reflector)*

katrol pulley; **katrolblok** pulley-block

katte|bak cat's box; **-belletje** scrawl; **-gemauw** mewing; **-grit** cat litter; **-kop** cat's head; *(fig, van vrouw)* cat; **-kwaad** mischief

katterig chippy; *~ zijn, ook:* have a head; **katterigheid** chippiness, hang-over

kattig cattish, catty; **kattigheid** cattishness

katzwijm (brief) swoon

kauw jackdaw, daw

kauwen chew, masticate, munch; *zijn woorden ~* drawl out one's words, mumble; **kauwgom** chewing-gum

kavel parcel, lot

kaviaar caviar, caviare

kazen *(stremmen)* curdle, turn to curds; *(kaas maken)* make cheese

kazerne barracks; *een ~* a barrack(s)

keel throat, *(keelgat)* gullet; *iem de ~ afsnijden* cut a p.'s throat; *iem de ~ dicht-, toeknijpen* strangle a p.; *een (harde) ~ opzetten* cry (scream) at the top of one's voice; yell one's head off; *het hangt me de ~ uit* I'm sick and tired of it, I am fed up with it; *iem bij de ~ pakken (grijpen)* seize (grip) a p. by the throat; *ik kon het eten niet door de ~ krijgen* I could not get it past my gorge; *ik kreeg het in de verkeerde ~* it went (down) the wrong way *(ook fig)*; *iem naar de ~ vliegen* fly at a p.'s throat

keel|aandoening affection of the throat, throat-trouble, throat-affection; **-arts** throat specialist; **-gat** gullet; **-holte** pharynx; **-kanker** cancer of the throat; **-klank** guttural (sound); **-klep** epiglottis; **-ontsteking** inflammation of the throat; **-pijn** (have) a sore throat

keep notch, nick, score, snick

keepen keep goal; **keeper** *(doelverdediger)* goalkeeper; *(fam)* goalie

keer turn, change; *(maal)* time; *negen van de tien ~* nine times out of ten; *een paar ~* once or twice, two or three times; *geen enkele ~* never once (he ... alluded to it); *een enkele ~* once or twice, once in a while, occasionally; *een heel enkel ~tje, een doodenkele ~* once in a blue moon; *de éne ~ ..., de andere ...* (at) one time ..., (at) another ...; *in één ~* at one go, (swallow it) at a draught; *op een ~* one day (morn-

ing, etc); *~ op ~* time after time; *per ~* (a penny) a time; *te ~ gaan* take on, carry on (don't ... so, *of:* like that), go on *(tegen iem* at a p.), storm *(tegen* at); *verschrikkelijk te ~ gaan* raise the devil (Cain, hell); *tegen de ~ (in)* contrary; *voor een ~* (just) for once, once in a way; *(voor) deze ~* this time, (that's all) for now

keer|kring tropic; **-punt** turning-point, crisis; **-zijde** reverse (of a medal, etc; *ook fig:* show the ... (*ook:* reverse side) of the medal)

keet shed, shanty; *~ hebben* have a lark (a rag); *~ schoppen* kick up a row (a shindy)

keffen yelp, yap *(ook fig)*

kegel cone; *(voor spel)* skittle, ninepin; **kegelaar** skittle-player

kegel|baan skittle-, bowling-alley; **-bal** skittle-ball

kegelen play at skittles (ninepins); play bowls

kegelsnede conic section

kei boulder; *(straat-)* paving-stone, roadway stone, *(rond)* cobble(-stone); *(fig)* crack (player); *op de ~en staan* be out of a job; **keihard** as hard as a stone (as nails), stone-hard; hard-boiled; (shout) at the top of one's voice

keilen fling, pitch, shy *(naar* at)

keizer emperor; **keizerin** empress; **keizerlijk** imperial; **keizerrijk** empire

keizerskroon imperial crown

keizersnede caesarian section (caeserian operation)

kelder cellar; *(van bank, enz)* vault; *naar de ~ gaan, (op zee)* go to the bottom; *(fig)* go to pot (to the dogs); **kelderdeur** cellar-door

kelderen *(van effecten, enz)* slump, tumble

kelder|luik cellar-flap, trapdoor; **-verdieping** basement

kelen cut the throat of

kelk cup, chalice; *(van bloem)* calyx

kelner waiter; **kelnerin** waitress

Kelt Celt; **Keltisch** Celtic

kemphaan fighting-, game-cock *(ook fig)*

kenbaar recognizable, knowable, distinguishable; *~ maken* make known; **kenbaarheid** recognizability, etc

kenmerk distinguishing mark; *(fig)* characteristic, feature; **kenmerken** characterize, mark; *zich ~ door* be characterized (marked) by; **kenmerkend** characteristic *(voor* of); distinctive, outstanding, salient

kennel id, kennels

kennelijk *bn* recognizable, *(blijkbaar)* apparent, obvious; *bw* clearly, evidently

kennen know, understand, be acquainted (familiar) with; *ik ken zijn naam (goed)* his name is familiar to me; *mensen die ik ken* people of my acquaintance; *men moet hem ~* he takes some knowing; *hij deed zich ~ als ...* he proved himself to be (showed himself) a good business-man; *laat je niet ~* don't let yourself down; *de wens te ~ geven om te ...* express a wish to ...; *zij gaf me te ~ dat ...* she gave me to understand that ...; *ik ken hem aan zijn stem* (*gang, schoenen, enz*) I know him by his voice (gait, shoes, etc); *iem ~ als* know a p. for (a great leader); *hij heeft er mij niet in gekend* he has not consulted me about it; *iem van gezicht ~* know a p. by sight; **kenner** connoisseur (*van* of, in), judge (*van* of)

kennis knowledge (*van* of), acquaintance (*van* with); *technische ~*, (*Am*) know-how; (*bekende*) acquaintance, friend; *~ dragen van* be aware of, know, have knowledge of; *~ geven* (*van*) announce (s.t.), give notice (of s.t.), notify (a p. of s.t.); *veel ~sen hebben* have many acquaintances; *gemakkelijk ~sen krijgen* pick up acquaintances easily; *~ krijgen aan* get to know; *~ maken met iem* make a p.'s acquaintance, make acquaintance with a p.; *~ met elkaar maken* make acquaintance; *persoonlijk ~ maken met* make the personal acquaintance of; *~ nemen van* take note of, note (the contents of a letter); *weer bij ~ komen* regain consciousness; *buiten ~ zijn* be unconscious; *buiten ~ raken* lose consciousness; *ik zal je met hem in ~ brengen* I'll introduce you to him; *met iem in ~ komen* make a p.'s acquaintance, get acquainted with a p.; *in ~ stellen van* acquaint with, inform (apprise) of; *met ~ van zaken* (speak) with (full) knowledge (of the facts, etc), with authority; *ter ~ brengen van* bring to the notice of; *ter algemene ~ brengen* give public notice of; *ter ~ komen van* come to the knowledge of (it came to my knowledge)

kennis|geving notice; announcement; *voor ~ aannemen* note (the communication was ...d); (*van notulen, enz*) take as read; *voor ~ aangenomen* duly noted; **-making** (making a p.'s) acquaintance; *een toevallige ~* a chance acquaintanceship; *exemplaar ter ~* inspection copy; **-neming** inspection, examination; *ter ~* for information

kennissenkring circle of acquaintances

kenschetsen characterize, mark

kenteken distinctive (distinguishing) mark, token, badge, distinctive; (*van auto*) registration number

kentekenbewijs registration certificate

kentekenen characterize

kentekenplaat registration plate

kenteren turn; **kentering** turn, turning, turn of the tide (*ook fig*)

keper: *iets op de ~ beschouwen* examine (look at) a thing closely; (*weefsel*) twill

keramiek ceramics, ceramic art

kerel fellow, chap; **kereltje** *klein ~* little fellow, little chap

keren I *tr* (*draaien, om~*) turn; (*tegenhouden*) stem, stop, check; *iets onderste boven* (*binnenste buiten*) *~* turn a thing upside down (inside out); *zich ~* turn (round); *zich naar rechts ~* turn to the right; *zich ~ tegen* turn against (*of: on*) (a p.); *zich ten goede* (*kwade*) *~* take a turn for the better (the worse); II *intr* turn (things may take a turn); (*terug~*) turn back, return

kerf notch, nick; **kerfstok**: *hij heeft veel op zijn ~* he has a good deal on his slate (much to answer for), (*een aantal misdaden*) he has a number of crimes to his record

kerk church; (*van niet-anglicaanse protestanten*) chapel; *de ~ gaat om 10 uur aan* (*uit*) church (divine service) begins (is over) at ten; *de ~ was uit* church was over; *in de ~ zijn*, (*voor de dienst*) be at (in) church; *naar de ~ gaan* go to church

kerk|bank pew; **-bezoek** church-attendance, church going; **-dienst** divine service

kerkelijk ecclesiastical (office *ambt*); church (affairs); *~(e) feest(dag)* church festival; *~ huwelijk* church marriage (*of:* wedding)

kerker jail; (*onderaards*) dungeon

kerkezakje collecting-bag; *met het ~ rondgaan* take up the collection

kerk|gang church-going, going to church; **-gang(st)er** church-goer, chapel-goer; **-gebouw** church(-building); chapel; *vgl ~*; **-genootschap** communion (Anglican and other ...s), religious community; (*sekte*) denomination, sect; **-geschiedenis** church- (*of:* ecclesiastical) history; **-gezang** church-singing; (*lied*) (church-) hymn; **-hervorming** Reformation; **-hof** churchyard (*op het ~* in the ...), cemetery, graveyard; **-klok** *a*) church-bell; *b*) church-clock; **-koor** church-choir; **-raam** church-window; **-rat**: *zo arm als een ~* as poor as a church-mouse

kerks church-going

kerk|toren church-steeple; (*zonder spits*) church-tower; **-torenspits** church-spire; **-vader** father (of the church), church-father; **-vergadering** church-meeting, synod; **-voogd** (*r-k*) prelate; (*prot*) churchwarden; **-vorst** prince of the church, prelate

kermen moan, groan, whine

kermis (fun, pleasure) fair; *het is niet alle dagen ~* life is not all beer and skittles; Christmas comes but once a year; *hij kwam van een koude ~ thuis* he came away with a flea in his ear

kermis|bed (*fam*) shakedown, makeshift bed; **-kraam** (fair-)booth; **-tent** (fair-)booth; **-terrein** fair-ground; **-volk** show-people; **-wagen** caravan

kern kernel (of a nut), stone (of a peach), pith (of wood), heart (of a tree), nucleus (of a comet, of an atom, *mv* nuclei); (*fig*) kernel (of truth), heart (of the matter), essence (of his statement), nucleus (of a library, a navy); *de ~ van de zaak* the root (heart, core, pith) of the matter; *een ~ van waarheid* a germ (a grain) of truth; **kernachtig** pithy, terse

kern|afval nuclear waste; **-brandstof** nuclear fuel; **-centrale** nuclear power-station; **-energie** nuclear power; **-fysica** nuclear physics; **-gezond** perfectly healthy; (*inz van oud pers*) hale and hearty; **-kabinet** inner cabinet; **-kop** nuclear warhead; **-onderzoek** nuclear re-

ker

search; **-ploeg** (*sp*) national selection; **-probleem** central problem; **-reactie** nuclear reaction; **-reactor** nuclear reactor, atomic pile; **-splitsing** nuclear fission; **-stop** test ban (treaty); **-vraag** key question; **-wapen** nuclear weapon

kerrie curry

kers cherry; (*plant*) cress

kerse|bloesem cherry-blossom; **-boom** cherry-tree; **-boomgaard** cherry-orchard; **-pit** cherry-stone; (*sl* = *hoofd*) nob, chump, cokernut

kerst|avond (*24 dec.*) Christmas Eve; (*25 dec.*) Christmas evening; **-boom** Christmas-tree; **-dag** (*eerste*) Christmas Day, (*tweede*) Boxing Day

kerstenen christianize

kerst|feest Christmas (feast); **-geschenk** Christmas present; **-groet** Christmas greeting(s), greetings of the season; **-kindje**: *het* ~ the Christ-child; **-klokken** Christmas bells; **-lied** Christmas carol; **-man(netje)** Father Christmas, (*Am*) Santa Claus; **-mis** Christmas, Xmas; **-nacht** Christmas night; **-tijd** Christmas (time, season); **-vakantie** Christmas holidays; **-week** Christmas week

kersvers quite fresh

kerven notch, carve, slash; (*tabak*) cut

ketel kettle; (*was-, brouw-, enz*) copper, cauldron; (*was- ook:*) boiler; (*heksen-*) cauldron; (*stoom-*) boiler

ketel|dal basin(-shaped) valley, bowl, circus, cirque; **-huis** boiler-house; **-lapper** tinker; **-muziek** rough music, tin-kettling; **-ruim** (*scheepv*) boiler-room; **-steen** scale, fur

keten chain (*ook berg-, enz*); ~*en*, (*fig*) chains, bonds (of slavery), fetters; **ketenen** chain, shackle, enchain

ketsen *intr* (*van geweer*) miss fire, misfire; (*biljart*) miscue; (*afketsen*) glance off

ketter heretic; **ketteren** rage, storm, swear; **ketterij** heresy (*ook fig*); **ketterjacht** heretic-, heresy-hunt(ing), witch-hunt

ketters heretical

ketting chain; *aan de* ~ chained up, on the chain; *aan de* ~ *leggen* chain up, put on the chain; (*schip*) arrest (*of:* embargo) a ship

ketting|botsing chain collision, pile-up; **-brief** chain-letter; **-brug** chain-, suspension-bridge; **-draad** warp-thread; **-hond** watch-dog; **-kast** gear-case; **-reactie** chain-reaction; **-roker** chain-smoker; **-steek** chain-, lock-stitch, figure of eight (knot); **-wiel** chain-wheel; (*klein, inz van fiets*) sprocket-wheel; **-zaag** chain saw

kettinkje (little) chain, chainlet

keu (*biljart*) cue

keuken *a*) kitchen; *b*) cooking (good ...; the ... is excellent)

keuken|doek kitchen-cloth, kitchen-towel; **-fornuis** kitchen-range; **-gereedschap, -gerei** kitchen-utensils; **-kast** kitchen-cupboard; kitchen-cabinet; **-meid** cook; **-meidenroman** penny dreadful, (*Am*) dime novel

keukentje (*inz in flat*) kitchenette

keuken|trapje (folding) step-stool; **-zout** kitchen-, cooking-salt

keur (*keuze*) choice, selection; (*puikje*) pick (of our forces); (*op goud en zilver*) hall-mark; (*gemeenteverordening*) by(e)-law; (*handvest*) charter; *een* ~ *van spijzen* a choice of foods; **keurcollectie** choice collection

keuren (*algem*) examine, judge, try, test; (*eetwaren*) inspect; (*metalen*) assay; (*medisch*) examine; (*proeven*) taste; *iem geen blik waardig* ~ not deign to look at a p.

keurig exquisite (the room was furnished ...ly), trim, dainty, natty; *er* ~ *netjes uitzien* look very spruce (trim and neat, spick and span); ~ *getrouwd* decently married; **keurigheid** trimness, etc

keuring (medical) examination; inspection (of meat, etc); assay (of metals); test(ing), tasting, etc; *vgl het ww*; **keuringsdienst** food-inspection department

keur|korps crack regiment; **-meester** (food-) inspector; assayer (of gold and silver); (*bij tentoonstelling, enz*) judge

keurs(lijf) bodice, stays, corset; (*fig*) shackles

keur|teken hallmark, stamp; **-troepen** picked troops; **-vorst** elector

keus choice, selection; (*recht van* ~) option; *een ruime* ~ a large assortment, a wide choice; *de* ~ *is aan u* the choice lies (rests) with you (is yours); *er blijft mij* (*ons, enz*) *geen andere* ~ *over* there is no alternative, I have no other choice, (*dan te* ...) I have no choice (no option) but to ...; *iem de* ~ *laten* leave a thing to a p.'s choice; *een* ~ *doen* make a choice; *de* ~ *vestigen op* fix upon (such a house); *naar* ~ at choice, as desired; *vakken naar keuze* optional subjects; *naar* (*ter*) *keuze van* at (in) the option of; *uit vrije* ~ of one's own free will; *iem voor de* ~ *stellen* put a p. to the choice

keutel turd; ~*s* (*van dieren*) droppings

keuter(boer) small farmer, crofter, cottager

keuvelen chat, have a chat; (*van klein kind*) prattle, babble

keuze *zie* keus

kever beetle; (*Am*) bug

kibbelaar(ster) bickerer, squabbler, wrangler; **kibbelarij** bickering(s), wrangling, wrangle, squabble, tiff; **kibbelen** bicker, wrangle, haggle, squabble

kiek snap(shot)

kiel I (*kledingstuk*) blouse, smock(-frock); II (*schip*) keel

kiel|halen keel-haul; **-zog** wake, dead water

kiem germ; (*fig ook*) seed; *in de* ~ *doden* (*smoren*) nip in the bud, stifle in its birth; **kiemcel** germ-cell

kiemen germinate (*ook fig*), sprout, shoot

kiem|kracht germinal force; **-vrij** germ-free, sterile

kien keen; **kienhout** fossil wood

kiepauto dump truck

kiepen tip (up); **kieperen** *a)* tip (up); *b)* tumble (down); **kiepkar** tip-, tilt-, dumping cart

kier chink; *op een* ~ ajar

kies I *zn* molar(-tooth), back-tooth; *een* ~ *laten trekken* have a tooth (pulled) out; **II** *bn, bw* delicate, considerate; *(teer)* delicate, tender, nice

kiesarrondissement *(Belg)* polling district

kiesbaar eligible

kies|brief *(Belg)* ballot paper; **-college** electoral college; **-deler** quota; **-district** constituency

kiesheid delicacy, considerateness

kieskauwen trifle (toy, play) with one's food

kieskeurig dainty, (clients have become more) discriminating; fastidious, particular (about the company one keeps)

kies|kring polling-district, -area; **-pijn** toothache; ~ *hebben* have (a) toothache; **-platform** *(Belg)* election manifesto, electoral platform; **-recht** suffrage, franchise; **-schijf** dial; **-stelsel** electoral system; **-toon** *(telefoon)* dialling tone

kietelen tickle, titillate

kieuw gill

kievi(e)t pe(e)wit, lapwing

kiezel gravel; *(inz langs kust)* shingle

kiezel|pad pebbled walk; **-steen** pebble

kiezen choose, select; single out (two poems for discussion); *(tot voorzitter, afgevaardigde, enz)* elect; *(stemmen)* vote; *je moet* ~ *of delen* you may take it or leave it; it is one thing or the other; **kiezer** constituent, voter, elector; *de (gezamenlijke)* ~*s* the electorate

kif(t) *(fam)* jealousy; wrangling; *dat is de* ~! sour grapes!; **kiften** wrangle

kijf: *buiten* ~ beyond dispute

kijfziek, kijfzuchtig quarrelsome

kijk look, aspect; *zijn* ~ *op de zaak* his view of the matter; *daar is geen* ~ *op* that is out of the question, that is not to be expected; *te* ~ *lopen met* make a show of, show off; *te* ~ *staan (zijn)* be on view; *tot* ~ see(ing) you

kijk|dag show-, view-day; **-dichtheid** viewership figures

kijken look, have a look; *(fam)* peep; *(televisie)* see in, view; *iets laten* ~ show s.t.; *laat me eens goed* ~ let me have a good look at it; *ga eens* ~ go and have a look; *hij komt pas* ~ he has just come out of the shell; *daar komt heel wat bij* ~ that's quite a job; *kijk eens!* look here!; *kijk nu eens aan!* look at that now! there now!; ~ *staat vrij* a cat may look at a king; *in de kast (de spiegel)* ~ look in the cupboard (the glass); ~ *naar* look at, have a look *(vluchtig:* a glance) at; *(gadeslaan)* watch, eye; ~ *naar televisie* watch TV; *(passen op, enz)* look after (the children), attend (look, see) to; *ik zal er eens naar* ~ I'll give it a look; *kijk naar jezelf!* look at home!; *laat naar je* ~! don't be silly; ~ *op* look at (one's watch); *ik hoef niet op een paar shilling te* ~ I need not look twice at

every shilling; *hij stond ervan te* ~ it made him stare (sit up); *daar sta ik van te* ~! well, I am dashed!; **kijker** spectator, looker-on, onlooker; *(televisie)* viewer; *(instrument)* (field-) glasses, binoculars

kijk|gat peep-, loop-hole; *(in deur van cel)* spy-, observation-hole; **-geld** TV-licence fee

kijkje look; *(fam)* peep; *een* ~ *nemen* have (take) a look

kijk|lustig eager to see, inquisitive; ~*en* gapers, sightseers, *(Am sl)* rubbernecks; **-spel** show-piece

kijven quarrel, wrangle, brawl

kik: *hij gaf geen* ~ he didn't utter a sound; **kikken:** *je hoeft maar te* ~ you have only to say the word

kikker frog

kikker|billetje frog's leg; **-visje** tadpole

kikvors frog; **kikvorsman** frogman

kil *bn* chilly, shivery; **kilheid** chilliness

kilo(gram) kilogram(me)

kilometer kilometre

kilometer|teller *ongev* milometer; **-vreter** road-hog

kim *(van vat)* chimb, rim; *(van schip)* bilge; *(gezichtseinder)* horizon

kimono id *(mv -s)*, house-coat

kin chin

kina quinine

kind child; *(fam)* kid(dy); *(~je)* baby *(ook fig)*; infant; *zij heeft drie* ~*eren, ook:* she has a family of three; *met zijn vrouw en* ~*eren, ook:* with his wife and family; *ze moet een* ~*(je) krijgen* she is to have a child; *wie zijn* ~ *liefheeft, kastijdt het* spare the rod and spoil the child; *zij is geen* ~ *meer* she is no longer a child, she is no chicken; *je hebt er geen* ~ *aan* it's no trouble at all; *hij is daar als* ~ *in huis* he is quite one of the family; *daar ben jij een* ~ *bij* you are not in it with him, you are not a patch upon him; *hij heeft* ~ *noch kraai* he has neither chick nor child; *het* ~ *bij zijn naam noemen* call a spade a spade; *je wordt het* ~ *van de rekening* you will have to foot the bill

kinder- *dikwijls:* toy (drum, pistol, etc)

kinderachtig childish, infantile, silly; **kinderachtigheid** childishness, silliness

kinder|arbeid child labour; **-arts** children's doctor *(of:* specialist); **-bad** *(in zwembad)* paddling-pool; **-bed** child's bed, cot; **-bescherming** child protection, child welfare; *De K...* The RSPCC; *bureau voor* ~ infant welfare centre; **-bewaarplaats** crèche, day nursery; **-bijslag** children's *(of:* family) allowance; **-boek** children's book; **-dagverblijf** crèche; **-feest** children's party; **-fiets** child's bicycle; **-hand** child's hand; *een* ~ *is gauw gevuld* a child's heart is easily made happy; **-hoofdje** *a)* baby's head; *b)* cobble-stone; **-jaren** (years of) childhood, infancy; **-juffrouw** nurse; *(fam)* Nannie; **-kaart** child's ticket, half ticket; **-kamer** nursery; playroom;

-kleertjes baby-clothes; **-kleren** children's clothes; **-kliniek** infant clinic; **-kolonie** children's holiday-camp; **-ledikantje** cot; **-leven** child life; **-liefde** (*voor* ~*en*) love of (one's) children, (*van* ~*en*) filial love; **-lijk** childish (*als van een kind:* childlike) (simplicity); **-meisje** nurse-maid; **-moord** infanticide; **-oppas** baby-sitter; **-praat** childish prattle; (*fig*) childish talk; **-rechter** juvenile court magistrate; **-rijmpje** nursery-rhyme; **-roof** kidnapping; **-schoen** child's shoe; *nog in de* ~*en staand* (industry) still in its infancy; **-slot** childproof lock; **-speelgoed** children's toys; **-spel** child's play (*ook fig:* it is mere ... (to him)); **-sterfte** infant(ile) mortality; **-stoel** baby-chair, high chair; **-tehuis** children's home; **-verlamming** infantile paralysis, poliomyelitis, (*fam*) polio; **-versje** nursery rhyme; **-wagen** perambulator (*fam:* pram); **-weegschaal** baby balance; **-wereld** children's world; **-werk** child's (children's) work; **-ziekte** childhood disease; (*fig*) growing pains; **-zorg** child (infant, baby) welfare (*of:* care), infant welfare work

kindje baby, babe; *zie* kind

kinds doting, childish, senile; ~ *worden* grow childish, lapse into second childhood; **kindsbeen:** *van* ~ *af* from a child, from childhood

kindsheid 1 childhood, infancy; *eerste* ~ early childhood; *allereerste* ~ babyhood; 2 second childhood; dotage

kindskind grandchild

kinetisch kinetic

kinine quinine

kink: *er is een* ~ *in de kabel* there is a hitch somewhere

kinkhoest (w)hooping-cough

kin|riem chin-strap; **-steun** (*van viool*) chin-rest

kiosk id; (railway-)bookstall, newspaper stall

kip hen, fowl, chicken; (*sl*) bird, chick; (*als gerecht*) chicken; ~*pen houden* keep fowls; ~, *ik heb je* I have you there! I've caught you!; *redeneren als een* ~ *zonder kop* talk through one's hat; *met de* ~*pen op stok gaan* go to bed with the chickens; *er als de* ~*pen bij zijn* be down on it in a flash, be quick to seize one's opportunity; *je ziet er geen* ~ you don't see a (living) soul there

kippe|boutje drumstick; -''**ei** hen's (chicken's) egg; **-gaas** wire-netting

kippen|boer chicken-, poultry-farmer; **-dief** poultry-thief, -stealer; **-fokkerij** *a*) poultry-farming; *b*) poultry-farm; **-hok** hen-, chickenhouse; **-loop** fowl-, chicken-run

kippe|vel hen-skin; (*fig*) goose-flesh; *ik heb helemaal* ~ I am goose-flesh all over; *ik krijg er* ~ *van* it makes my flesh creep; (*fam*) it gives me the creeps; **-voer** chicken-food, chickenfeed

kippig near-sighted, short-sighted

kirren coo; (*van klein kind*) coo, gurgle

kist (packing-)case; chest (bin) (of tea, rubber, etc), box (of cigars); (*dood-*) coffin, (*Am*) casket; (*luchtv, sl*) kite, bus, (*Am*) ship; **kisten** (*lijk*) place in a coffin; **kistje** box (of cigars)

kit (*kolen-*) (stove-)filler, coal-hod; (*opium-*) (opium-)den; (*bindmiddel*) lute

kittig smart, spruce; **kittigheid** ...ness

klaaglied (song of) lamentation, dirge

klaaglijk plaintive, doleful

klaag|schrift plaint; **-stem** plaintive voice; **-toon** plaintive tone (*op een* ~ in a ...); **-zang** (song of) lamentation

klaar (*helder*) clear, limpid; (*duidelijk*) clear, evident; (*om te beginnen*) ready; (*af*) completed, finished; *klare cognac* brandy neat, neat brandy; *klare jenever* raw gin; ~ *is Kees* that job is jobbed, that is that, there you are!; *ik ben* ~: *a*) I am ready; *b*) I have (am) finished (done); *ben je* ~? (*met werken, spreken, enz*) have you done? are you through?; *we zijn ermee* ~ we are done with it; *ze is (half)* ~ *met* ... she is (half-way) through (with) her task; *zo* ~ *als een klontje* as clear (as plain) as day-light, as plain as a pike-staff; ~ *wakker* broad (wide) awake

klaarblijkelijk *bn* evident, obvious, clear, manifest; *bw* ...ly

klaarheid clearness, clarity; *tot* ~ *brengen* clear up

klaar|houden keep (it) ready (handy); **-komen** get ready; get (be) done; **-krijgen** *a*) get (it) ready; *b*) get (it) done; *vgl* ~; **-leggen** put (a towel) ready; (*kleren, enz*) lay out, lay ready; **-licht:** *op* ~*e dag* in broad daylight; **-liggen** lie ready; **-maken** get ready, prepare; dress (the salad); cook (dinner); mix (a salad, a grog); coach (a p. for an examination); *geneesmiddelen* (*een recept*) ~ make up (dispense) medicines (a prescription); *zich* ~ get ready; prepare (for departure); **--overs** school (crossing) patrol (*in Eng volwassenen*); **-spelen:** *het* ~ manage (it), work it, pull (bring) it off, fix it up, do the trick; **-staan** be ready; (*om hulp te verlenen, eig scheepv*) *ook:* stand by; *voor ieder moeten* ~ be at everybody's beck and call; **-stomen** (*leerlingen*) cram, force; **-zetten** place (set, put) ready, set out (cups, plates, supper, the tea-things); lay (out) (breakfast, supper)

klacht complaint (*over* about); *een* ~ *indienen tegen iem* lodge (make) a complaint against a p.; **klachtenboek** complaint-book

klad (ink-)blot, stain; (*ruwe schets*) rough draught (*of:* copy); *de* ~ *erin brengen* spoil the trade; *de* ~ *is erin* (*in zijn zaak*) the bottom has fallen out of his business; *schrijf het in het* ~ make a rough copy (*of:* draft), write it out rough; *iem bij de* ~*den pakken* catch hold of a p., collar a p.

klad|blok scribbling-block; **-boek** wastebook, memorandum book

kladden blot, stain; (*met verf, enz*) daub;

(*krabbelen*) scrawl, scribble; **kladje** rough draught

klad|papier scribbling-paper; **-schilder** dauber; **-schilderen** daub; **-werk** rough copy

klagen complain (*over* of; *bij* to; *wegens* for); (*weeklagen*) lament; *het is godgeklaagd* it cries to Heaven; *hij klaagde mij zijn nood* (*leed*) he poured out his troubles to me; *ik heb geen* (*reden tot*) ~ I have no cause to complaint (for complaint); **klagend** plaintive; **klager** complainer; (*jur*) plaintiff

klagerig complaining

klakkeloos I *bw* suddenly, off-hand; gratuitously; **II** *bn* groundless (accusation), gratuitous (lie)

klakken clack (one's tongue *met de tong*)

klam damp, moist, clammy; *zie* zweet

klamboe mosquitonet

klamp clamp; **klampen** clamp

klandizie (*abstr*) custom, connection, patronage; (*collectief*) clientele, customers

klank sound (a dull ...), ring (there was a peculiar ... in his voice, the phrase has a familiar ...); *zijn naam heeft een goede* ~ he is held in high repute

klank|beeld sound-picture; **-bodem** soundboard; **-bord** sound(ing)-board; **-kast** resonance-box; **-kleur** timbre; **-leer** phonetics; **-nabootsend** sound-imitating; **-rijk** sonorous, full- sounding, rich (voice); **-teken** phonetic symbol; **-vol** *zie* klankrijk

klant customer, client

klanten|binding *a*) registration of customers; *b*) customer relations; **-kaart** customer-card, client-card; **-kring** clientele; **-service** customer-service (department)

klap slap, blow, smack; (*met zweep*) lash, stroke; (*knal van zweep*) crack; *de eerste* ~ *is een daalder waard* the first blow is half the battle; *in één* ~ at (with) a (one) blow; *iem een* ~ *geven* strike a p. a blow; (*om de oren*) box a p.'s ears; slap (smack) (a child); *hij voert geen* ~ *uit*, (*fam*) he doesn't do a darn(ed) thing (a stroke of work)

klap|band blow-out, tyre-burst ((*Am*) tire burst); **-bankje** tip-up seat; **-caravan** trailer-tent; **-deur** swing-door; **-hek** swing-gate; **-loper** sponger; **-loperij** sponging, scrounger

klappen smack, clap; (*met de tong*) click one's tongue; (*met de zweep*) crack a whip; *in elkaar* ~ collapse, give up; *in de handen* ~ clap one's hands; *hij kent het* ~ *van de zweep* he knows the ropes

klapper (*register*) (subject) index, register; (*vuurwerk*) squib, firecracker

klapperboom coconut tree (*of:* palm)

klapperen rattle; (*van deur, zeil, enz*) flap; (*van tanden*) chatter

klapper|pistool toy pistol; **-tanden**: *hij ~tandt* his teeth chatter (*van kou* ... with the cold)

klappertje (*van pistooltje*) cap

klap|roos (corn-)poppy; **-sigaar** explosive cigar; **-stoel** folding-chair; (*in theat, enz*) tip-up seat; **-tafel** fold-away table; **-wieken** clap (flap) the wings; **-zoen** smack(ing kiss), smacker

klaren (*zuiveren*) clear, clarify; (*goederen, schip*) clear; (*anker, touw, enz*) clear; *ik zal het wel* ~ I'll manage (it)

klarinet clarinet; **klarinettist** clarinettist

klaring (*zuivering*) clearing, clarification, purification; (*door douane*) clearance

klaroen clarion

klas *zie* klasse; **klasgenoot** classmate

klasse (*algem*) class; (*van school*) class, form, (*Am*) grade; (*van loterij*) section; *in de* ~ in class; *in de* ~ *zitten bij* be under (a master)

klasse|bewustzijn class-consciousness; **-boek** form book; **-justitie** class-justice; **-leraar** form-master; **-lokaal** classroom

klassement classification

klassenstrijd class-war(fare)

klasseonderwijzer class-teacher

klasseren class; **klassering** placing

klassevertegenwoordiger (*ongev*) form captain

klassiek classic(al); ~*e muziek* classical music; ~*e talen* classical languages; *de* ~*en* the classics; **klassieker** (*sport*) classic

klassikaal class (teaching, etc)

klateren (*van water*) splash

klatergoud tinsel

klauteraar(ster) clamberer; **klauteren** clamber, scramble

klauw (*van roofdier, roofvogel*) claw; (*van ander dier*) paw; (*van roofvogel ook*) talon; *in de* ~*en van een geldschieter vallen* fall into the clutches (the grips) of a money-lender; **klauwen** scratch, claw; **klauwhamer** claw-hammer

klavecimbel harpsichord

klaver clover, shamrock

klaver|blad clover leaf, trefoil- leaf; (*fig*) trio; (*verkeer*) clover -leaf; **-bladvormig** trefoil(ed)

klaveren clubs

klaver|enaas, -boer, -heer, -vrouw, -zeven ace (knave (*of* jack), king, queen, seven) of clubs; **-vier** four-leaved (four-leaf) clover

klavier *a*) (toetsenbord) keyboard; *b*) piano

kleden (*op bepaalde wijze, naar zekere mode, de kleren aantrekken*) dress; (*het lichaam bedekken*) clothe; *zich* ~ dress; *zichzelf* ~ dress o.s.; *zich jong* (*oud*) ~ dress young (old); *dat kleedt u goed* that suits you, becomes you

klederdracht costume

kleding clothes, dress; (*soms*) clothing

kleding|magazijn clothes shop, (a) clothing-stores, outfitter's (shop); (*voor dames*) dress-shop; (*mil*) clothing-store; **-stoffen** dress materials; **-stuk** article of dress (clothing)

kleed garment, dress; (*japon*) dress, gown; (*vloer-*) carpet; (*tafel-*) table-cloth, table-cover; *de kleren maken de man* the fine coat makes the fine gentleman, fine feathers make

kle

fine birds; *dat raakt mijn koude kleren niet, dat laat ik langs mijn kleren glijden* it leaves me stone cold; *zo iets gaat je niet in je koude kleren zitten* a thing like that gets you

kleed|geld dress-money, -allowance; **-hokje** cubicle

kleedje (*vloer-, haard-*) rug; (*tafel-*) table-centre

kleed|kamer dressing-room (*ook van acteurs*); (*voor gymnast, mijnwerkers, enz*) changing-room; (*in kantoor, voor publiek in theat, enz*) cloakroom

kleef|kracht adhesive power; **-middel** adhesive; **-pleister** sticking- (*of:* adhesive) plaster; **-stof** adhesive

kleer|borstel clothes-brush; **-hanger** coat-hanger; **-kast** wardrobe

kleermaker tailor

kleermakers|firma tailoring-firm; **-werkplaats** tailor's shop

kleerscheuren: *er zonder ~ afkomen* get off with a whole skin (without a scratch, scot-free)

klef doughy, sodden (bread), clammy, sticky

klei clay; *uit de ~ getrokken* boorish (person); **kleiaardappelen** dark-soil potatoes

kleiachtig clayish, clayey

kleiduif clay pigeon

kleien (do) clay modelling

klei|grond clay-soil, clay-ground; **-laag** clay-bed, clay-layer

klein little (*zelden pred, behalve in de betekenis van jong:* since she was quite little; *in dit geval ook:* small); small (*in relatieve zin:* this little boy is small for his age; *ook: op ~e schaal:* a ... farmer, tradesman); *heel ~, ook:* tiny, diminutive; (*van gestalte ook*) short, undersized (boy); (*gering*) slight (mistake, misunderstanding); (*~zielig*) small, little-minded, petty; *~ beetje* little bit; *de ~e kas* the petty cash; *~e letter* small letter, small type; (*typ*) *hoofd- en kleine letters* upper and lower case; *~e stappen* short steps; *een ~ uur* a little under an hour; *een ~e drie weken, ook:* a short three weeks; *over een ~e week* inside a week; *~ maar dapper* small but tough; *~ en groot* great and small; *iem ~ houden* keep s.o. in his place; *zich ~ voelen* feel small; *van ~ af aan* from a little boy (girl); *in het ~* in little; *de wereld in het ~* the world in a nutshell; *in het ~ verkopen* retail, sell (by) retail; *in het ~ beginnen* begin (start) in a small way

Klein-Azië Asia Minor, Lesser Asia

klein|bedrijf small business; **-beeldcamera** 35 mm camera; **-burgerlijk** lower-middle-class, petty-bourgeois; **-dochter** granddaughter

Kleinduimpje Tom Thumb

kleine: *de ~* the little one, the baby

kleineren belittle, disparage; **kleinering** belittlement, disparagement

kleingeestig petty, narrow-minded

klein|geld (small) change; **-goed** small fry;

-handel retail trade; **-handelaar** retail dealer, retailer; **-handelsprijs** retail price

kleinhartig pusillanimous

kleinheid smallness, littleness

kleinigheid small thing (matter, affair); *30 mijl per dag is voor hem een ~* he thinks nothing of 30 miles a day; *hij stuift op bij iedere ~* he explodes at any little thing; *het komt op de kleinigheden aan* it's the little things that matter

klein|industrie light industry; **-kind** grandchild

klein|krijgen bring (a p.) to his knees (to heel), break (a p.'s) spirit; **-kunst** (art of the) cabaret; **-maken** cut up, cut small; (*wisselen*) change; *zich ~,* (*fig*) humble o.s.

kleinood jewel, gem (*beide ook fig*), trinket

kleinschalig small-scale

kleinsteeds provincial, parochial

kleintje little one, baby; *een ~ cognac* a small brandy; *veel ~s maken een grote* many a little makes a mickle; *alle ~s helpen* every little (*of:* bit) helps; *ik moest op de ~s letten* I had to count my pennies; *hij is voor geen ~ vervaard* he is not easily frightened

kleinzerig frightened of pain; *niet ~ zijn* be brave, be a brave little fellow

kleinzielig little-, small-, petty-minded, petty (spite, quarrels, excuse); **kleinzieligheid** little-mindedness, pettiness

klei|tablet, -tafel(tje) clay tablet

klem I *zn* (*om te vangen*) (man-)trap; (*tegen konijnen, enz*) gin-trap; (*instrument*) clip, holdfast; (*elektr*) terminal; (*mond-*) lockjaw; *met veel ~ spreken* speak with great emphasis, speak emphatically; (*geducht*) *in de ~ zitten* (*raken*) be in (get into) a tight place, a hole, a (devil of a) fix, a scrape; II *bn:* ~ *raken* jam

klem|band spring-back binder; **-bord** clipboard

klemmen I *tr* pinch, jam (one's finger in the door), pin (...ned beneath a car); *op elkaar ~* clench, set (one's teeth), tighten (one's lips); *aan zijn hart ~* clasp (press) to one's heart; II *intr* (*van deur*) stick, jam; **klemmend** (*fig*) forcible, convincing, conclusive, cogent (argument)

klem|rijden force into the kerb; **-schroef** clamping-screw; (*elektr*) terminal (screw); **-toon** stress, accent

klep (*in machine, hart, enz*) valve; (*van hoorn, enz*) key; (*van zak, tafel, tas, enveloppe, enz*) flap; (*van vliegt*) flap; (*van pet*) peak; (*van kachel*) damper

klepel (*van bel*) clapper, tongue

kleppen clatter, clapper; (*van klok*) toll

klepper (*ratel*) rattle; (*paard*) steed; **klepperen** clapper, rattle

kleptomaan kleptomaniac

kleren *zie* kleed

klerk clerk; *eerste ~* chief (*of:* head) clerk

klets (*slag*) smack, crack (on the head), slap

(in the face); (~*koek*) twaddle, rot; ~*!* smack! bang!; **kletsen** (*met de zweep*) crack (the whip); (*van regen*) splash, swish (down); (*smijten*) pitch, dash, heave; (*praten*) chatter, gossip; (*onzin praten*) talk rot, talk rubbish; **kletser** twaddler; (*babbelaar*) chatterer

klets|kous chatter-box, rattle; **-majoor** *zie* ...er; *ook:* chattering fool; **-nat** wet through, soaking (wet); **-praat(je)** small talk, (idle) gossip

kletteren (*van wapens, enz*) clang, clash; (*van regen, enz*) patter, pelt, clatter

kleumen feel chilled, shiver

kleunen hit out hard, fight; *ernaast* ~ be well wide of the mark

kleur colour; (*Am*) color (*ook van pers:* healthy colour, he never had any colour); (*tint*) hue; (*gelaats*~) complexion; (*kaartspel*) suit; (*fig*) colour, complexion (the political colour (*of:* complexion) of a newspaper); ~ *bekennen* (*kaartspel*) follow suit; (*fig*) show one's colours (hand); *ze had een* ~ *van opwinding* she was flushed with excitement; *een* ~ *krijgen* colour (up), flush, go red in the face; *zij voelde, dat ze een* ~ *kreeg* she felt herself flushing; *in heldere* ~*en schilderen* paint in bright colours; *van* ~ *veranderen*, (*politieke*) change sides; *van* ~ *verschieten* change colour

kleur|boek painting-book, colouring-book; **-doos** paint-box, box of paints; **-echt** fast-dyed; **-echtheid** colour fastness

kleuren *tr* colour; (*Am*) color; (*fot*) tone; *te sterk* ~ overcolour, overdraw, overpaint (the picture); *zie* gekleurd; *intr, zie:* een kleur krijgen; ~ *bij*, (the shoes) tone with (the dress); *met daarbij* ~*de* ... with flowers to match, with matching flowers

kleuren|blind colour-blind; **-dia** colour slide; **-druk** colour-print(ing); **-film** colour-film; **-foto** colour photograph; **-pracht** riot (orgy, feast, blaze) of colour(s); **-rijkdom** wealth of colour(s)

kleur|filter colour-filter; **-gevoelig** colour-sensitive; **-houdend** fast-dyed

kleurig many-coloured, colourful (garments), gay

kleurkrijt coloured chalk

kleurling coloured person

kleurloos colourless; (*fig*) drab (life), colourless; **kleurloosheid** ...ness; drabness; *vgl het vorige*

kleurrijk richly coloured, colourful (scene)

kleur|schakering shade (of colour), nuance, hue; **-shampoo** tinting shampoo; **-stof** colouring (*in voedsel*), pigment

kleurtje colour, tint

kleurvast fast-dyed

kleuter toddler, kid(dy)

kleuter|klas, **-school** kindergarten, nursery class (school); **-leidster** (*ongev*) infant school teacher; **-zorg** baby-care

kleven cling, stick, adhere (*aan* to)

kleverig sticky (fingers, *ook fig*), viscous, gluey; **kleverigheid** stickiness, viscosity

kliederen make a mess

kliek (*groep*) clique, junta, coterie; (*van eten*) leavings, left-overs

klier gland; (~*gezwel*) scrofulous tumour; ~ *van een vent* twerp, rotter; **klierachtig** *a*) glandular; *b*) scrofulous; **klieren** pester; make a nuisance of o.s.

klierziekte scrofula

klieven cleave (the waves, the air)

klif cliff, bluff

klikken tell tales, sneak; *van iem* ~ tell upon a p.; **klikspaan** tell-tale, tale-bearer, (*sl*) sneak

klim climb; *een* ~ *van een uur* an hour's climb

klimaat climate; **klimatiseren** air-condition; **klimatologisch** climatic (*bw:* -ally)

klimijzer climbing-iron

klimmen I *ww* climb, mount, ascend, go up; *de zon klimt aan de hemel* the sun rises in the sky; ~ *in een boom* climb up a tree; *over een muur* ~ get over (scale) a wall; II *zn: een uur* ~ an hour's climb; *bij het* ~ *der jaren* as we advance in years, with advancing years; **klimmend** climbing; ~*e belangstelling* growing (increasing) interest; **klimmer** climber; **klimming** climbing, ascension

klimop ivy; *met* ~ *begroeid* ivy-grown, -mantled

klim|paal climbing-pole; **-plant** climbing-plant, climber; **-rek** climbing rails; **-touw** climbing-rope

kling: *over de* ~ *jagen* put to the sword

klingelen tinkle, jingle

kliniek clinic; **klinisch** clinical

klink (*van deur*) latch, catch; *op de* ~ *doen* latch; *van de* ~ *doen* unlatch

klinken I *intr* sound, ring; (*hard metaalachtig*) clang; (*met glazen*) clink (touch, click) glasses; *dat klinkt goed* that sounds well; vals (*echt*) ~, (*van munt, ook van woorden, enz*) ring false (true); *het zal u vreemd in de oren* ~ it will sound strange to you; *er klonk een schot* a shot rang out; II *tr* (*vastmaken*) rivet, clinch, nail; **klinkend** resounding (slap, speech), resonant (voice), ringing (laugh), (high-, fine-) sounding (titles, words); ~*e munt* hard cash; **klinker** 1 vowel; 2 (*steen*) clinker, brick

klink|hamer riveting-hammer; **-klaar** pure (butter, gold); ~*klare onzin* sheer (downright) nonsense, pure rubbish, stuff and nonsense; **-nagel** rivet

klip rock, crag, reef; *blinde* ~ sunken rock; *tussen de* ~*pen door zeilen* steer clear of the rocks; *tegen de* ~*pen aan* (*op*), (*liegen*) lie shamelessly (prodigiously); (*drinken*) drink like a fish (immoderately); (*werken*) work for all you are worth

klipper (*schip*) clipper

klit (*haar*) tangle

klitten *ww* be (*of:* get) tangled; *aan elkaar* ~ stick (hang) together; **klittenband** barbed tape, vel-tape

klodder clot, blob, dab; **klodderen** clot; (*met verf*) daub

1 kloek *zn* clucking-hen

2 kloek *bn* brave, stout, manly, bold; substantial (volume *boekdeel*)

kloek|moedig stout-hearted, brave, valiant, bold; **-moedigheid** bravery, valour, boldness, fortitude

klojo bungler

klok (*uurwerk*) clock; (*bel*) bell; (*stolp*) bell-glass; (*chem, enz*) bell-jar; (*van luchtpomp*) receiver; *hij heeft de ~ horen luiden, maar hij weet niet waar de klepel hangt* he has heard something about it, but has no real knowledge of the matter; *het aan de grote ~ hangen* noise (blaze, spread) it abroad; *een stem als een ~* a voice as clear as a bell; *dat klinkt als een ~* that is splendid (capital, first rate, A 1); met *de ~ mee* clockwise; *tegen de ~ in* anti-clockwise counter-clockwise; op *de ~ af* to the minute; *hij kan nog niet op de ~ zien* he can't tell the time (read the clock) yet

klok|gelui bell-ringing, chiming; (*voor dode*) tolling; **-huis** core

klokje little clock; (*bloem*) harebell, bell-flower

klokken cluck, chuck; (*van kalkoen*) gobble

klokken|gieter(ij) bell-founder(-dry); **-maker** clockmaker; **-spel** chimes, peal (of bells); carillon

klokketoren bell-tower, steeple, belfry

klok|luider bell-ringer; **-slag** stroke of the clock; *om ~ twaalf* on the stroke of twelve, at twelve sharp; **-vormig** bell-shaped

klomp (*klont*) lump; (*schoeisel*) clog, wooden shoe; *~ goud* nugget of gold; *nou breekt mijn ~!* Good Lord! what next, I wonder!; **klompvoet** club-foot

klonen *ww* clone

klont lump (of sugar, etc), clod (of earth), daub (of paint), dollop (of butter); **klonter** clot (of blood), dab (of mud, etc), lump (in porridge, etc); **klonteren** clot, curdle; **klonterig** clotted, clotty, lumpy (sauce); **klontje** lump (of sugar)

kloof cleft, chasm, gap; (*in de huid*) chap; (*fig*) cleft, rift, gap, split (in the Cabinet), gulf; *de ~ overbruggen* (*verbreden*), (*fig*) bridge (widen) the gulf

kloon clone

klooster religious house; (*mannen*) monastery; (*vrouwen*) nunnery; (*gew vrouwen*) convent; *in een ~ gaan* go into a monastery, etc

klooster|broeder friar; (*lekebroeder*) lay brother; **-cel** monastery (convent) cell; **-gang** cloister; **-gelofte** monastic vow; **-kerk** monastic church; **-leven** monastic (convent) life; **-ling** monk; nun; **-orde** monastic (religious) order; **-overste** superior; **-regel** monastic rule; **-school** convent-school; **-wezen** monasticism; **-zuster** nun

kloot ball, sphere, globe; **klootzak** (*plat*) rotter

klop knock, tap, rap; throb (of the heart); *iem ~ geven* whack (whop, lick) a p., give a p. a good drubbing (licking); (*lelijk*) *~ krijgen* be (soundly) beaten, get the worst of it

klop|boor hammer drill; **-geest** poltergeist; **-jacht** beat, drive; (*fig*) round-up; **-partij** scuffle, tussle, scrap

kloppen (*op deur, enz*) knock, tap, rap (at the door); pat (a child on the head); tap (a p. on the shoulder); beat (carpets); beat up, whip (eggs); (*van hart, normaal*) beat, (*bonzen*) throb, thump (*van aandoening* with emotion); (*van motor*) knock; (*klop geven*) beat; (*overeenstemmen*) tally, square, fit (in); *het deed ... sneller ~* it set his heart beating faster; *hij klopte met het potlood op ...* he tapped his pencil on the table; *iem geld uit de zak ~* pick a p.'s purse, put a p. to great expense; *er geld uit ~* make money out of it; *er wordt geklopt* there's a knock (at the door); *binnen zonder ~!* please walk in!; *... klopt niet met ...* that does not square (tally, fit in) with what I say; **klopper** (*van deur*) knocker

klos bobbin, reel, spool; (*elektr*) coil; *hij is de ~,* (*sl*) he's for it

klossen *ww* (*lomp stappen*) stump, clump

klotsen (*golven*) dash, splash; (*biljart*) kiss

kloven (*algem*) cleave, split; (*hout ook*) chop; (*diamant*) cleave, divide, split

klucht farce (*ook: grap*); **kluchtig** farcical, funny, droll, comical; **kluchtspel** farce, low comedy

kluif knuckle of pork (of beef), bone (to pick); *dat is een hele ~* that's a tough job

kluis hermitage, cell; (*van bank*) strong-room, vault, safe-deposit

kluister fetter, shackle; **kluisteren** fetter, shackle; *aan zijn bed gekluisterd* chained to one's bed, bed-ridden

kluit clod, lump; *hij* (*zij*) *is flink uit de ~en gewassen* he (she) is a strapping fellow (girl); **kluit(er)ig** cloddy; *iem met een* **kluitje** *in het riet sturen* put (*of:* fob) a p. off with fair promises; *op een ~* in a heap

kluiven pick (a bone); gnaw, nibble (*aan* at)

kluizenaar hermit, recluse, anchorite

klungel (*pers*) bungler; **klungelaar(ster)** bungler; **klungelen** bungle (one's work), tinker

klusje (*fam*) party, group; (small) job; *~s* odd jobs; **klusjesman** odd-job man

klussen *ww* do odd jobs

kluts *de ~ kwijtraken* lose one's head (one's bearings), get rattled (flurried)

klutsen beat up, whisk, whip (eggs)

kluwen ball (of wool), clew

knaagdier rodent

knaap lad, boy, fellow; *dat is een ~,* (*van vis bijv*) a whopper

knabbelen nibble, gnaw, peck (*aan* at); *~ aan, ook:* nibble (the grass, some chocolate)

knagen gnaw (*ook fig*); *~ aan* gnaw (at); (*fig*)

gnaw at, prey (up)on (a p.'s mind, rest); (*van geweten*) prick

knak crack, snap; ~! crack! snap!; **knakken** crack, snap, break; (*de gezondheid*) injure, impair; **knakworst** frankfurter

knal report, crack (of a gun), peal (of thunder), pop (of a cork), bang (of a tyre), (sonic) boom, detonation, explosion

knal|demper silencer; **-effect** claptrap, stage-effect; **-geel** screaming yellow

knallen (*van geweer, enz*) crack, bark (the barking of machine-guns); (*van schot*) ring out; (*van kanon*) bang; (*van kurk*) pop; (*van zweep*) crack

knalsucces smashing success

knap I *bn* (*lichamelijk*) handsome, good-looking, comely; (*bekwaam*) clever, able, capable, smart; (*in de kleren*) neat, spruce, smart; (*krap*) tight; *zij wordt er niet ~per op* she is losing her (is going off in) looks; *daar is hij ~ in* he is pretty good at it; **II** *bw* cleverly, etc; *dat heb je ~ gedaan* you've managed it cleverly, you've made a nice job of it; *hij was ~ vervelend* he was pretty tiresome; **knapheid** *a*) good looks; *b*) cleverness, skill

knappen I *intr* crack; (*van touw, veer, enz*) snap; (*van vuur*) crackle; (*doen* ~ crack (one's fingers, one's joints); **II** *tr*: *een uiltje ~* take a nap (*of*: forty winks); **knappend** crackling (fire), crisp (biscuit, toast)

knapperd clever fellow

knapperen crackle

knapzak knapsack, haversack

knar: *ouwe* ~ old fog(e)y, old geezer

knarsen creak, grate (a grating voice); (~*d over iets gaan*) grind, crunch; **knarsetanden** gnash (grind, grit) one's teeth

knauw (gnawing) bite; *een lelijke ~ krijgen* (*beschadigd worden*) get badly damaged; **knauwen** *intr* gnaw (*aan* at), munch, mumble; *tr* (*beschadigen*) injure, damage; (*mishandelen*) maul, knock about

knecht (man-)servant, (baker's) man; (*op boerderij*) farm-hand; **knechten** *ww* enslave

kneden knead; (*fig ook*) mould, fashion; **kneedbaar** plastic, kneadable; (*fig*) mouldable, pliable

kneedbom plastic bomb

kneep pinch; (*fig*) dodge, trick, catch (there's a ... in it); *de kneepjes kennen* know the knack of it, know the ropes; *daar zit 'm de ~* there's the rub, that's where the shoe pinches

knekelhuis charnel-house, ossuary

knel: *in de* ~ *zitten* be in a hole (in a tight place)

knellen pinch, squeeze; **knellend** (*fig*) oppressive, irksome (bonds); **knelpunt** bottleneck; main problem

knerpen (s)crunch

knetteren crackle

knettergek (*fam*) crackers

kneusje (*persoon*) misfit; (*artikel*) reject

kneuswond contusion, bruise

kneuzen bruise (*ook van fruit*: peaches bruise easily), squash; (*med*) contuse; **kneuzing** bruise; (*med*) contusion; *inwendige ~en* internal injuries

knevel moustache; (*mondprop*) gag; **knevelen** (*met prop*) gag; (*binden*) pinion, truss up; (*fig*) oppress

knibbelaar haggler; (*vrek*) pincher; **knibbelen** haggle

knie knee; *er zitten* (*komen*) *knieën in je broek* your trousers are bagging at the knees; *door de knieën gaan* knuckle under; *iets onder de ~ hebben* have a perfect command of s.t.; *voor iem op de knieën vallen* go down on one's knees before a p.; *over de ~ leggen* take across one's knee; *tot aan de knieën* knee-deep, up to one's knees

knie|beschermer knee-pad, -guard; **-broek** knickerbockers, knee-breeches; **-buiging** (*voor altaar*) genuflexion; (*van vrouw*) curts(e)y; (*gymn*) knee-bending; **-gewricht** knee-joint; **-holte** hollow of the knee; **-kous** knee-stocking

knielen kneel (*voor* to, before); **geknield** kneeling, on one's knees; **knielkussen** hassock

knieschijf knee-cap, knee-pan, (*wtsch*) patella

kniesoor mope

knieval: *een* ~ *voor iem doen* go down on one's knees before a p.

kniezen mope, fret (o.s.) (*over* about), brood (*over* on), sulk

knijpen pinch, nip; (*zie ook*: kat); **knijper** pincher (*ook*: vrek); (*was*)*knijper* (clothes-)peg; (*van kreeft*) pincer

knijp|fles squeeze bottle; **-tang** (*groot*) pincers, (*klein*) nippers

knik (*hoofd*-) nod; (*in staaldraad, enz*) bend, kink, twist; **knikken** nod; *ja* ~ nod yes; *neen* ~ shake one's head; *mijn knieën knikten* my knees gave way (began to fail, shook)

knikker marble; *het gaat niet om de ~s, maar om het spel* it is not a matter of pence, but of principle; **knikkeren** play (at) marbles; *eruit* ~ chuck out (a p.)

knip (*met schaar*) cut, snip; (*gaatje*) punch-hole; (*van deur, paraplu, enz*) catch; (*van armband*) snap; (*van boek*) clasp

knip|mes clasp-knife; (*groot*) jack-knife; **-ogen** blink (one's eyes), wink; *knipogen tegen* wink at (a p.); **-oogje** wink, twinkle; **-patroon** paper pattern

knippen I *tr* cut (the hair), (*wat bijknippen*) trim (beard); cut (one's nails); cut out (a dress); clip, punch (tickets); *zich laten ~ en föhnen* have a hair-cut and a blow-dry; *kort geknipt haar* close-cropped hair; **II** *intr* (*van ogen*) blink; *met de vingers ~* snap one's fingers; **knipper** cutter; **knipperbol** Belisha beacon

knipperen: *hij stond met de ogen te ~*, (*fig*) he couldn't believe his eyes; (*met de koplampen*) flicker (flash) (the headlights); (*rood*); **knip-**

perlicht flashing (red) light (beacon), (red) flasher

knipsel cuttings, clippings

kniptang *a*) wire-cutter(s); *b*) (ticket-)punch

knobbel bump, knob, knot; (*aanleg*) aptitude, talent; knobbelig knotty (fingers), gnarled; knobbeligheid knottiness, etc

knoeiboel mess; (*bedriegerij*) swindle

knoeien (*morsen*) make a mess, mess (about); (*prutswerk maken*) bungle, muddle; (*bedrieglijk*) swindle, cheat; ~ *aan* mess about with (a wireless set); tinker at; (*bedrieglijk*) ~ *met* tamper with (a contract, etc); knoei(st)er bungler; (*bedrieger*) cheat; knoeierij mess, bungle; (*political*) jobbery, corruption; (*geldelijk*) malversation(s)

knoei|pot messy child; -werk bungling work

knoest knot; knoestig knotty, gnarled, gnarly

knoet knout

knoflook garlic

knokkel knuckle

knokken fight (hard)

knol (*plantk, aardappel, enz*) tuber; (*raap*) turnip; (*paard*) jade, screw; knolgewas tuberous plant

knollentuin: *hij is in zijn* ~ he is in high feather

knoop (*in touw & zeevaart*) knot; (*aan kledingstuk, enz*) button; *een* ~ *leggen* tie a knot; *een* ~ *losmaken* undo a knot; *in de* ~ *maken* (*raken*) knot; (*met zichzelf*) *in de* ~ *zitten* be all mixed up; *uit de* ~ *halen* unravel; knooppunt (*verkeer*) junction

knoopsgat button-hole

knop knob; (*van deur*) knob, handle; (*kapstok*) peg; (*van elektr bel*) button, push; (*van elektr licht*) switch; (*van plant*) bud; *in* ~ in bud

knopen tie, knot, button

knorren (*van varken*) grunt; (*van maag*) rumble; (*brommen*) grumble, growl; ~ *op* scold; knorrepot grumbler

knorrig grumpy, peevish, grumbling; knorrigheid peevishness, etc

knot knot, skein (of yarn)

knots *zn* club, bludgeon; *bn* (*sl*) crazy, crackers

knotten (*boom*) head, top

knuffelen cuddle, hug

knuist fist

knul (*sul*) booby, dolt; (*vent*) fellow, chap

knullig doltish; (*onbeholpen*) clumsy

knuppel cudgel; (*van vliegt*) stick; *zo'n* ~! what a lout!; knuppelen cudgel

knus *bn* snug, (*fam*) comfy; knusjes *bw* snugly

knutselaar amateur carpenter, etc; knutselen potter; ~ *aan* tinker (away) at (the wireless set), fiddle with (a bicycle)

kobalt cobalt; kobaltblauw cobalt blue

kobold id, (hob)goblin

koddig droll; koddigheid drollery

koe cow; *haal geen oude koeien uit de sloot* let bygones be bygones

koe|drek cow-dung; -drijver (cattle-) drover;

-handel wheeling and dealing; -herder cowherd

koeiekop cow's head

koek gingerbread; (*gebak*) cake; (*fig*) cake (of blood, etc); ~ *en ei* (they are) as thick as thieves, hand and (*of:* in) glove (*met:* with); *dat is andere* ~ that is a different kettle of fish; koekebakker pastry-cook; (*fig*) bungler

koeken cake, coagulate

koekepan frying-pan

koekje biscuit; (*Am*) cookie; koekjestrommel biscuit-tin, -box

koekoek cuckoo; *dat haal* (*dank*) *je de* ~! I daresay! you bet!; koekoeksklok cuckoo-clock

koel cool (*ook fig*); cold, chilly; *in* ~*en bloede* in cold blood; *het hoofd* ~ *houden,* (*fig*) keep cool, keep a level head

koel|bloedig cold-blooded, cool(-headed); -cel refrigerator, cold storage container; -emmer ice-pail, cooler

koelen I *tr* cool; (*sterk*) chill; (*in ijs ook*) ice (wine); *gekoeld* in cold storage; II *intr* cool (down) (*ook van vriendschap, enz*); koelheid coolness; (*fig ook*) coldnes; koelhuis cold store, cold-storage building

koelie coolie

koel|inrichting refrigerating-plant; *met* ~ refrigerated (vessel); -kamer cold-storage chamber; -kast refrigerator, ice-box, (*fam*) fridge; -pakhuis cold-storage warehouse; -tas cool box

koelte coolness; koeltjes coolly, coldly

koel|transport cold storage transport; -water cooling-water

koemest cow-dung, cow-manure

koepel dome; koepelgewelf dome(-shaped vault)

koeren coo

koerier courier

koers (*van schip*) course, direction; (*van effecten*) price, quotation; (*van geld*) exchange rate; (*fig*) course (the new ... in politics), policy; ~ *bepalen* plot (lay out) a course; *een nieuwe* ~ *inslaan* embark on a new course; *tegen de* ~ *van* at the rate of; ~ *houden naar de kust* head (stand) for (towards) the coast; *de* ~ *kwijt zijn* be off one's course; ~ *zetten naar* set course for, make (head) for; *uit de* ~ *raken* be driven out of one's course

koers|daling fall in prices; -notering (market-) quotation; -schommeling fluctuation; -verandering change of course (*ook fig*); -verbetering, -verhoging advance, rise in the exchange; -verlaging fall in exchange; -verschil difference in price; -waarde exchange-value; market price (of shares)

koes(t): ~! quiet! down! hush!

koestal cow-house, -shed, byre

koesteren cherish (hope), entertain (desire, suspicion), nurse (an idea), harbour (a grievance); *zich* ~ bask; (*in de zon*) *ook:* sun o.s.; koestering cherishing, etc

koeterwaals gibberish, double Dutch

koetje (little) cow; *over ~s en kalfjes praten* talk (chat) about one thing and another

koets coach, carriage; **koetsier** driver; (*van eigen rijtuig of diligence*) coachman

koevoet crowbar

koffer trunk, box; (*hand-*) handbag, bag, case; (*platte*) suitcase

koffer|ruimte (*auto*) boot, luggage locker; **-schrijfmachine** portable typewriter

koffie coffee; *~ zetten* make coffee

koffie|boon coffee-bean; **-broodje** glazed currant roll; **-dik** coffee-grounds; *zo helder als ~* as clear as mud; **-filter** coffee-percolator, coffee-filter; **-huis** café, coffee-house; **-kamer** refreshment-room; coffee-room; **-kan** coffeepot; **-kopje** coffee-cup; **-maaltijd** (cold) lunch; **-melk** evaporated milk; **-molen** coffee-mill, -grinder; **-plantage** coffee-plantation; **-pot** coffee-pot; **-room** single cream; **-zetapparaat** coffee-maker

kogel (*van geweer*) bullet; (*van kanon & fiets*) ball; *de ~ is door de kerk* the die is cast; **kogelen** throw, pelt

kogel|gewricht (*ook techn*) ball(-and-socket) joint; **-lager** ball-bearing; **-vrij** bullet-, shotproof; **-wond** bullet-wound, shot-wound

kok (man-)cook; *eerste ~* chef; **koken** boil (water, eggs), cook (food); (*voor de keuken zorgen*) do the cooking; (*fig, ook van de zee*) seethe, boil; (*van woede*) *ook: ~ op* cook by (with) (gas, oil, etc); *~ van verontwaardiging* boil (seethe) with indignation; *~d heet* boiling (scalding, piping) hot; **koker 1** (*vooral in sam*) boiler, cooker; **2** case, sheath, socket; (cardboard) container, cylinder; (*stort-, voor graan, enz*) chute

koket coquettish; **koketteren** coquet, flirt

kokhalzen retch, (*Am*) gag (*tegen* at)

kokos *a*) grated coconut; *b*) coconut fibre; (*in sam*) coco

kokos|boom coco(nut) tree; **-melk** coconut milk; **-noot** coconut; **-olie** coconut oil; **-palm** coco(nut) palm

koks|maat cook's mate; **-muts** cook's cap

kolder (*oorspronkelijk studentendwaasheid*) (giddy) nonsense; *hij heeft de ~ in de kop* he is in a mad fit; **kolderiek** nonsensical

kolen coal, coals; *op hete ~ zitten* be on pins and needles

kolen|damp carbon monoxide; **-dampvergiftiging** coal-gas poisoning; **-handelaar** coaldealer; **-hok** coal-shed; **-kit** coal-bucket; **-laag** coal-seam; **-mijn** coal-mine; **-mijnwerker** collier

kolf bat, club; (*van geweer*) butt(-end); (*distilleer-*) receiver; **kolfje**: *dat is een ~ naar mijn hand* that is meat and drink to me

kolom column; *zie* zuil; **kolomnist, kolomschrijver** columnist

kolonel colonel; **kolonel-vlieger** group captain

koloniaal colonial; *koloniale waren* groceries; **kolonialisme** colonialism; **kolonie** colony (*ook:* the Dutch ... in London), settlement; **kolonisatie** colonization; **kolonist** colonist, settler

kolos colossus; **kolossaal** colossal, gigantic, huge; *~sale leugen,* (*sl*) whopping (whacking, thumping) lie

kom basin, bowl; (*was-*) wash-basin; (*~vormige diepte, bassin*) basin; *de ~ der gemeente* the central part of the town

komaan (*aanmoediging*) come! come along!

komaf: *van goede ~* of good family

kombuis galley

komedie (*stuk*) comedy, play; (*gebouw*) theatre, (*fig*) comedy, play-acting; *het is alles* (*louter*) *~* it is all sham

komeet comet

komen I *ww* come; *ook:* call (... tomorrow; he ...ed at my office); *kom, kom!* (*sussend, enz*) there, there!; *kom, kom!* (*= ach wat!*) come now!; *ik kom al* (I am) coming!; *hij komt er wel* he will make good (succeed); *laten ~* send for (the doctor); *ik had het niet zover moeten laten ~* I shouldn't have let things go so far; *is het zo ver gekomen?* has it come to this?; *kom je nu haast?* aren't you ever coming?; *hoe kwam dat?* how did it come about?; *hoe kom ik daar* (*aan het station, enz*)? how do I get there (to the station, etc)?; *hoe komt het dat ...?* how is it that ...?; *hoe ben je het te weten gekomen?* how did you come (get) to know it?; *hij kwam te vallen* he happened to fall, he fell; *we kwamen te spreken over ...* we came to speak of ...; *~ bezoeken* come and see; *kom hier zitten* come and sit here; *~ halen* come for; *hoe kwam hij aan het geld?* how did he come by the money?; *aan een baantje ~* get a job; *daar kom ik zo aan toe* I'm coming to that; *achter de waarheid* (*feiten*) *~* get at (find out) the truth (the facts); *~ bij* arrive at; *je moet dadelijk bij moeder ~* mother wants you right away; *kom vanavond bij mij* come round to my place (rooms), come to me this evening; *door een examen ~* get through an examination; *zijn tenen ~ door zijn sokken* his toes are showing through his socks; *we kwamen door Dover* we passed through D.; *het komt alles door u* it's all your doing; *in het huis ~* come into (enter) the house; *hij kon niet in het huis ~* he could not get into the house; *met tien pond kom je een heel eind* ten pounds will go a long way; *hij kwam naar mij toe* he came up to me; *ik kwam op het denkbeeld ...* the idea struck me ...; *zij kon er niet toe ~* she could not bring herself to (do) it; *hoe kwam u ertoe ...?* how did you come to call yourself Mrs. R.?; *daar komt voorlopig niets van* that's off for the present; *dat komt van je mopperen* that's what comes of your grumbling; *er zou niets dan last van ~* nothing but trouble would come of it; *van die reis is nooit iets gekomen* that trip has never materialized; *om vijf uur van zijn werk* ~ get off work at five; **II** *zn: een voortdurend* ~ *en gaan* a perpetual coming and going; *de* ~*de week* next week

komiek *bn* comical; *zn* comic; **komisch** *a)* comic (songs, etc); *b)* zie komiek

komkommer cucumber

komkommer|salade cucumber-salad; **-schaaf** cucumber-slicer; **-tijd** dull season

komma comma; (*in breuk: in Eng punt*) decimal point; *drie* ~ *twee* (*3,2*) three point two (3·2, 3.2); *nul* ~ *twee* (nought) point two

kommer distress, trouble, misery; **kommervol** distressed (in ... circumstances), wretched

kommetje (little) cup, bowl

kompas compass

kompas|naald compass-needle; **-roos** compass-card; **-streek** point of the compass

komplot plot, intrigue, conspiracy

kompres compress

komst coming, arrival; *op* ~ *zijn* be at hand (great changes are ...); *er is regen op* ~ it is going to rain

konijn rabbit; *het is bij de* ~*en af,* (*fam*) it's properly aggravating

konijne- rabbit-:

konijne|hol rabbit-burrow; *groep konijneholen* rabbit warren; **-jacht** rabbit-shooting; **-vel** rabbit-skin

koning king (*ook in kaart-, schaak-, kegelspel*); *de drie* ~*en* the three Magi (*zie ook drie*); **koningin** queen (*ook in kaart- & schaakspel*); **koningsblauw** royal blue

koningschap kingship

konings|gezind royalist; **-gezinde** royalist; **-huis** royal house; **-kroon** royal crown; **-macht** regal (kingly) power

koninklijk royal, regal; ~ *besluit* Order in Council; ~*e houding* kinglike (kingly) bearing

koninkrijk kingdom

konkelaar(ster) schemer, plotter; **konkelen** plot

kont (*plat*) arse, bum, ass

konterfeitsel portrait, likeness

konvooi convoy; **konvooieren** convoy

kooi (*vogels, leeuwen, enz*) cage; (*schapen*) pen, fold; (*scheepv*) bunk; *naar* ~ *gaan* turn in

kook: *aan de* ~ *brengen* (*komen*) bring (come) to the boil; *van de* ~ *zijn,* (*fig*) be indisposed; (*in de war*) be all at sea

kook|boek cookery-book; **-kunst** culinary art, cookery; **-punt** boiling-point; **-toestel** cooker; **-wekker** timer

kool 1 coal; 2 (*plant*) cabbage; *de* ~ *en de geit sparen* sit on the fence; *groeien als* ~ grow very fast; *iem een* ~ *stoven* play a person a trick

kool|borstel (carbon) brush; **-dioxyde** carbon dioxide; **-hydraten** carbohydrates; **-monoxyde** carbon monoxide; **-stof** carbon; **-stronk** cabbage-stalk; **-veld** cabbage-field; **-waterstof** hydrocarbon; **-zuur** carbon dioxide; **-zuurhoudend** aerated (bread, waters)

koon cheek

koop bargain, purchase; *een goede* ~ *doen* make a good bargain; *te* ~ (house) for sale; *te* ~ *lopen met,* (*fig*) show off; *te* ~ *staan* be for sale; *weten wat er in de wereld te* ~ *is* know what is what; *op de* ~ *toe* into the bargain

koop|akte title-, purchase-deed; **-contract** contract of sale (of purchase); **-handel** trade

koopje bargain; *op een* ~ on the cheap; *op* ~*s uit zijn* be (out) bargain-hunting

koop|kracht (*van pers & geld*) buying-power; (*van pers ook*) spending-power, spending-capacity; **-man** merchant, dealer; (*op straat*) street-seller, hawker; ~ *worden* go into business, become a merchant; **-manschap** trade, business; *dat getuigt van weinig* ~ that does not show much business acumen; **-mansfamilie** (a wealthy) merchant family; **-penningen** purchase-money; **-prijs** purchase price; **-som** purchase-money

koopvaardij merchant service, mercantile marine; *bij de* ~*, ter* ~ (officers) in the merchant service, etc

koopvaardij|kapitein merchant captain; **-schip** merchantman; **-vloot** merchant navy

koopwaar merchandise

koor (*zangers, ook vogels*) choir, (*in het klassieke drama*) chorus; (*plaats in de kerk*) chancel, choir; *in* ~ (sing) in chorus; **koorbank** choir-stall

koord cord, string, (*dik:*) rope

koord|dansen rope-dancing; **-danser(es)** rope-dancer

koordje bit (piece, length) of string

koor|hek choir-screen; **-hemd** surplice; **-knaap** chorister, choir-boy; **-stoel** choir-stall

koorts fever; *ik heb* (*de*) ~ I have (a, the, a touch of) fever, am in a fever; **koortsaanval** attack of fever, fever-fit

koortsachtig feverish; (*fig ook*) hectic, frenzied (haste), (his) fevered (fancy); **koortsig** feverish, in a fever; **koortsthermometer** clinical thermometer

koosjer kosher

kootje (*van vinger*) phalanx

kop head (*ook van speld, spijker, enz en fig*); (*boven kranteartikel*) head-line; (*bovenaan pagina*) header; (*kom*) cup, bowl; (*van pijp*) bowl; (*wolk*) thunder-cloud; *ik kan er* ~ *noch staart aan vinden* I can make neither head nor tail of it; ~ *dicht!* (*volkstaal*) shut your trap!; ~ *op!* keep your chin up!; *de* ~ *indrukken* put down (a rebellion); *het anarchisme stak de kop op* anarchism raised its (ugly) head; *hij kreeg een* ~ *als vuur* he got as red in the face as a turkey-cock; *een probleem bij de* ~ *nemen* tackle a problem; *iem op zijn* ~ *geven* punch a p.'s head; *de wereld staat op de* ~ the world has turned topsy-turvy; *iets op de* ~ *tikken,* (*kopen*) pick up; *laat je niet op de* ~ *zitten* don't be bullied; *op de* ~ *af* exactly

kopbal (*voetbal*) header

kopen buy (van of, from), purchase; iem een cadeau~ buy a p. a present

1 koper buyer, purchaser

2 koper copper (rood, element), brass (geel); zie ook ~blazers

koper|blazers brass; -**draad** copper-, brass-wire

koperen copper; brass; **koperkleur(ig)** copper-, brass-colour(ed); ~kleurig, ook: brazen (sky)

koperslager copper-smith, brazier

kopersstaking shoppers' strike

kopie copy (ook = manuscript), duplicate; **kopieerapparaat** copier

kopiëren copy, xerox; (akte) engross (a deed)

kopij copy

kopje 1 head; 2 cup; ~duikelen turn somersaults; hij ging ~-onder he took a header, got a ducking; een ~ vol thee a cupful of tea

kop|lamp head-light; -**loper** front runner

koppel a) (riem) (sword-)belt; b) (paar) couple (of hounds), brace (of partridges); **koppelaar(ster)** match-maker; **koppelbaas** labour-only sub-contractor

koppelen tr couple (dogs, railway-carriages, people); dock (space-craft); **koppeling** coupling; (van auto ook) clutch; **koppelingspedaal** clutch-pedal

koppel|teken hyphen; -**verkoop** tie-in sale; package deal

koppig obstinate, headstrong; **koppigheid** obstinacy

kop|schuw: iem ~ maken head a p. off; -**stuk** headpiece; (pers) big man; -**telefoon** headphone(s); -**zorg** worry

koraal 1 (stof) coral; (kraal) bead; 2 (zang) chorale, choral; (pers) chorister

koraal|eiland coral-island; -**gezang** choralsong; -**rif** coral-reef, atoll

koralen bn coral(line)

koran Koran; van de ~ Koranic (law)

kordaat bold, resolute, firm, plucky

kordon cordon; een ~ trekken om post a cordon round

koren corn; (inz Am) grain; dat is ~ op mijn molen that is grist to my mill

koren|aar ear of corn; -**schoof** sheaf of corn; -**schuur** granary

korf basket; (bijen~) hive; **korfbal** korfball

kornuit comrade, crony, companion

korporaal corporal

korps corps (kɔ:), mv: corps (kɔ:z)

korpus corpus; (menselijk lichaam) body, anatomy

korrel grain; pellet; **korrelig** granular; **korreltje** grain, granule; met een ~ zout with a grain of salt; **korreltjeskoffie** instant coffee

korset corset

korst crust; (kaas) rind; (op wond) scab

kort short, brief; ~ en bondig short but to the point, concise, terse; (kortaf) curt (reply); ~er maken (worden) shorten; iem ~ houden (gelde-lijk) keep a p. short; maak het ~ make (cut) it short; alles ~ en klein slaan smash everything to smithereens; in het ~ in brief; na ~er of langer tijd sooner or later; zich te ~ gedaan voelen, ook: feel frustrated; we komen 4 gulden te ~ we are four guilders short; tijd te ~ komen be pressed for time; te ~ schieten in be lacking in (courtesy); **kortademig** short of breath

kortaf short (tegen with), curt (to a p.)

kortelings recently, lately, the other day

korten shorten (a rope); (loon, enz) deduct from; de tijd ~ while away the time

kortheid shortness (of memory, etc), conciseness; **kortheidshalve** for briefness' sake, (Benjamin, called Ben) for short

korting reduction; (overeengekomen) discount; ~ voor contant cash discount

korting|kaart discount card; -**zaak** discount shop

kortom in short, in brief, in fine, in a word

kortsluiten short-circuit; **kortsluiting** short-circuit(ing); ~ veroorzaken cause a short-circuit

kort|stondig of short duration; -**weg** in short, summarily (dismissed afgewezen); -**wieken** clip the wings (of); -**zichtig** short-sighted

korzelig crabbed, cross-grained

kosmisch cosmic; ~e stralen cosmic rays

kost food, board; livelihood; halve (volle) ~ partial (full) board; ~ en inwoning board and lodging; de ~ verdienen earn one's bread and butter; de ~ geven feed (a p.); (zijn ogen) keep one's eyes open; werken voor de ~ work for a living

kostbaar (veel kostend) expensive (dress); costly (= very expensive), (waardevol) valuable (time), precious (stones)

kostbaas landlord

kostelijk exquisite (food, wine), glorious (a … time), delightful (caricature)

kosteloos I bn free (school, seats); II bw gratis, free of charge

kosten I zn (wat iets kost) cost; (van aantekening, enz) fee; (gerechts-) costs; (uitgaven) expense(s), expenditure; (in rekening gebrachte uitgaven) charges; ~ maken incur expenses; op uw ~ at your expense; ~ noch moeite sparen spare no pain nor expense; II ww cost; wat kost dit? how much is this?; het kostte hem … it cost him his life; het kostte me veel moeite it gave me a great deal of trouble; het kost tijd it takes time; **kostenberekening** calculation of expenses

koster sexton, verger

kost|gang(st)er boarder; -**geld** board; -**huis** boarding-house

kostje: zijn ~ is gekocht he is a made man

kost|prijs tegen ~ (at) cost price; -**prijsberekening** costing; -**school** boarding-school; grote ~ public school

kostuum suit; (voor gekostumeerd bal) fancy-dress; in ~, (bal, enz) in character; **kostuumnaaister** dress-maker

kost|winner breadwinner; **-winning** livelihood

kotelet cutlet, chop

kotsen spew, puke; **kotsmisselijk** *ik ben er ~ van*, (*fig*) I am sick and tired of it

kotter cutter; *als ~ opgetuigd* cutter-rigged

kou cold; *~ vatten* catch (a) cold; *in de ~ laten staan*, (*fig*) leave out in the cold; **koud** cold (*ook fig*); *ik heb het ~* I am cold; *dat laat mij ~* it leaves me cold; *iem ~ maken*, (*fig*) do a p. in; **koude** cold; **koudheid** coldness; **koukleum** chilly person

kous stocking; *hij kwam met de ~ op de kop thuis* he came away with a flea in his ear

kouseband garter; *Orde* (*Ridder*) *van de K~* Order (Knight) of the Garter

kousenwinkel hosier's (shop)

kout chat, (small-)talk; **kouten** talk, chat

kozen talk sweet nothings; (*liefkozen*) fondle, caress

kozijn window-frame; (*vensterbank*) windowsill

kraag collar; *iem bij de ~ pakken* seize a p. by the collar; *hij heeft een stuk in zijn ~* he is tipsy (oiled)

kraai crow; **kraaien** crow (*ook van kind*); *zie* haan

kraak crack; (*luchtv*) crash; *een ~ zetten*, (*sl*) crack a crib

kraak|been cartilage; **-pand** squat; **-zindelijk** scrupulously clean

kraal *zie* koraal; bead(ing); **kraaloog(je)** beady eye

kraam booth, stall, stand; *dat komt niet in zijn ~ te pas* that does not suit him

kraam|bed childbed; **-inrichting** maternity home; **-kamer** delivery room; **-kliniek** maternity hospital

kraampje stall

kraamvrouw woman in childbed

kraan 1 (*van buis enz*) tap, cock, (*Am*) faucet; (*hijstoestel*) crane, derrick; *drijvende ~* floating crane; 2 (*persoon*) dab; (*Am*) crackerjack; *een ~ in het rekenen, enz* a dab hand at sums

kraan|drijver crane-driver; **-wagen** breakdown lorry

krab 1 crab(-fish); 2 scratch

krabbel (*schram*) scratch; (*schrift, enz*) scrawl, scribble; **krabbelaar(ster)** *a*) scratcher; *b*) scrawler; **krabbelen** *a*) *tr & intr* scrawl, scribble; (*willekeurig*) doodle; *b*) zie krabben; *weer overeind ~* scramble up; **krabbelschrift** scrawl(s)

krabben scratch; **krabber** scratcher

krabbetje spare rib

kracht strength (*gew passief*), force (*actief*: collect one's strength to strike with force); vigour (*lichamelijke of geestelijke ~*); power (*bijv*: of lightning); (*van wind, enz*) force, intensity; (*van geneesmiddel, enz*) virtue, potency; *zijn ~en herkrijgen* recover one's strength; *dat is boven mijn ~en* beyond my strength; *met alle ~* (work) with might and main; *op ~en komen* regain one's strength; *van ~ zijn* be in force; *van ~ worden* come into force

kracht|bron source of power; **-dadig** energetic (*bw*: -ally), vigorous

krachteloos powerless; (*van wet, enz*) invalid

krachtens by virtue of (my office *ambt*)

krachtig strong (man, wind), powerful (language, battery), potent (drug), high (wind); *zich ~ uitdrukken* express o.s. forcibly

kracht|meting (*fig*) trial of strength; **-proef** trial of strength

krachtsinspanning effort

krachtverspilling waste (dissipation) of energy

krak crack; *~!* crack!

krakelen quarrel, wrangle

kraken I *intr* crack; (*van trap, schoenen, enz*) creak; (*van zand, sneeuw, enz*) (s)crunch; II *tr* crack (nuts; *ook techn*: petroleum); (*vernielen*) wreck; (*afmaken*) slash (a book, an author); *een huis ~* squat a house; **kraker** cracker; (*van huis*) squatter; (*med*) chiropractor, osteopath

kram staple, (*groot*) cramp(-iron); timber dog

kramp cramp, spasm; *hij kreeg ~* he was seized with cramp; **krampaanval** fit (*of*: attack) of cramp; **krampachtig** spasmodic

kranig clever, smart; (*dapper*) plucky; *zich ~ houden* put up a brave fight

krankzinnig insane, mad, crazy; *~ worden, ook*: go out of one's mind; **krankzinnige** lunatic; **krankzinnigengesticht** mental hospital; **krankzinnigheid** insanity, lunacy

krans wreath, garland; **kransslagader** coronary artery

krant (news)paper

krante|artikel newspaper-article; **-knipsel** press-cutting; **-kop** headline

krap *bn & bw* narrow(ly), tight(ly) (money is, times are, tight), sparing(ly), scanty (scantily); *we zitten ~* we are cramped for room; (*in het geld*) we are short of cash; **krapte** (*schaarste*) scarcity

kras I *zn* scratch; II *bn* (*van pers*) strong, vigorous, (*vooral van oud pers*) hale and hearty; (*van maatregel*) strong, drastic

krassen scratch, scrape; (*van stem*) grate

krat crate

krater crater; **kratermeer** crater-lake

krats (*fam*) mere trifle, (bought it for a) song

krediet credit; *~ hebben* have credit

krediet|beperking credit restriction; **-gever** lender; **-nemer** borrower; **-waardig** solvent

kreeft (*rivier~*) crawfish, crayfish; (*zee~*) lobster; **kreeftskeerkring** tropic of cancer

kreek creek

kreet cry, scream, shriek; (*loze ~*) slogan

kregel peevish, petulant

krek (*fam*) exactly, precisely, just

kreng carrion; (*fig, fam*) rotter, nasty piece of work; (*vrouw*) bitch

krenken offend, injure (a p.'s health), hurt (a p.'s pride); *gekrenkte trots* wounded pride; **krenkend** offending, insulting; **krenking** injury, hurt

krent (dried) currant; (*gierigaard*) skinflint

krenten|bol currant bun; **-brood** *a*) currant-bread; *b*) currant-loaf

krenterig mean (with money), niggardly

kretologie slogan-mongering

kreukel crease, wrinkle; **kreuk(el)en** crease; **kreukelig** (c)rumpled, creased; **kreukher-stellend** crease-resistant

kreunen groan, moan

kreupel lame (*aan ... of* one leg); *hij is* (*loopt*) ~ he is lame, limps (with the left leg)

kreupelhout thicket, underwood

krib(be) (*voederbak*) manger, crib; (*slaapplaats*) crib, cot; (*dam*) jetty, groyne (head)

kribbig peevish, testy

kriebel itch(ing); *ik kreeg er de* ~ *van* it got under my skin; **kriebelen** *intr* tickle, itch; *tr* tickle; **kriebelhoest** tickling cough; **kriebelig** tickling, itching; (*fig*) nettled (*over* at); *je wordt er* ~ *van* it gets under your skin

kriebelschrift crabbed hand(writing)

krieken: *bij het* ~ *van de dag* at the crack of dawn

krijgen get (money, the thief, etc), receive (an answer, a reward), catch (a cold), have (can I ... my dinner now? she was going to ... a baby); (*verkrijgen*) acquire (riches), obtain; *een ongeluk* ~ meet with an accident; *hoeveel krijgt u van me?* how much do I owe you?; *ik kreeg het gedaan* I got it done; *ik krijg het koud* I am getting cold

krijger warrior; **krijgertje**: ~ *spelen* play tag

krijgs|gevangene prisoner of war, P.O.W.; **-gevangenschap** captivity; **-haftig** warlike, martial; **-haftigheid** valour; **-macht** (military) force; **-plan** plan of campaign; **-raad** (*mil rechtbank*) court-martial; *voor de* ~ *roepen* court-martial; **-tucht** military discipline

krijs(en) scream, shriek, screech, cry

krijt (*om te schrijven*) chalk; (*om te tekenen*) crayon, chalk; *in het* ~ *staan* be in the red; **krijtstreep** pin-stripe; *een kostuum met* ~ a pin-stripe suit

krik (*voor auto*) (screw-)jack

krikkemikkig rickety

krimp I *bn* crimp; II *zn* (*krimping*) shrinkage; (*geen*) ~ *geven* (not) give in; *ze hebben geen* ~ they are well off; **krimpen** (*van stof*) shrink; (*van wind*) back; (*van pijn*) writhe (with pain); **krimpvrij** unshrinkable, non-shrink(able)

kring circle (*ook fig*: financial ...s, etc); *de hoogste* ~*en* the highest circles; *meisjes in haar* ~ girls in her set, (*fam*) of her crowd; **kringelen** curl, coil, wreathe

kring|loop circular course; (*fig*) circle, cycle (things move in ...s); **-loopglas** recycled glass

krioelen swarm

kriskras criss-cross

kristal crystal (*ook* ~*werk*); **kristalhelder** crystal-clear, (as clear as) crystal; **kristallen** crystal(line)

kristalsuiker granulated sugar

kritiek I *zn* criticism (*op* of); (*literatuur ook*) review, notice; *ze is altijd vol* ~ she is always finding fault; II *bn* critical, crucial; *de toestand komt in een* ~ *stadium* is coming to a head; **kritisch** critical; **kritiseren** criticize; (*afkeurend ook*) censure; (*scherp*) slate; (*boek*) review

kroeg public-house, pub; **kroeghoud(st)er** public-house keeper; (*-er*) *ook:* publican

kroelen make love, dally

kroes I *zn* (*drink-*) mug, cup; (*smelt-*) crucible; II *bn* crisp, frizzy; **kroesharig** crisp-haired

kroket(je) croquette

krokodil crocodile

krols in heat

krom crooked (back, fingers), bent (back), curved (line); ~ *van het lachen* doubled up with laughing; **kromheid** crookedness

krom|liggen pinch (o.s.); **-lopen** (*van pers*) (walk with a) stoop; (*van weg, enz*) be crooked, curve

kroniek chronicle; **kroniekschrijver** chronicler

kroning coronation

kronkel twist(ing), coil; (*in touw, geest*) kink; **kronkelen** (*ook: zich* ~) wind, twist, meander; (*van slang*) squirm, wriggle; *een beekje* ~*de door het dal* a brook wound its way through the valley; **kronkelig** winding, twisting, meandering

kroon crown (*ook munt; ook van kies*); *dat spant de* ~ that caps (tops) everything

kroon|getuige chief witness for the Crown (the prosecution); **-kurk** crown-cap; **-prins(es)** crown-prince (-princess)

kroos (*eende-*) duck-weed

kroost issue, offspring; *zonder* ~ *na te laten* (die) without issue

krop (~*gezwel*) goitre; (*van sla, enz*) head; **kropsla** cabbage-lettuce; *een* ~ a (head of) lettuce

krot hovel, den; **krottenbuurt** slum

kruid herb; (*genees-*) medicinal herb; *er is geen* ~ *voor gewassen* there is no cure for it; **kruiden** season, spice (*ook fig*); *sterk gekruid,* (*fig*) spicy (stories)

kruidenier grocer

kruideniers|politiek narrow-minded policy; **-waren** groceries; **-winkel** grocer's (shop)

kruidenthee herb-tea

kruiderij spice(s), condiment(s); **kruidig** spicy, spiced; **kruidnagel** clove

kruien *a*) wheel; trundle (push) a wheel-barrow; *b*) (*van ijs*) drift, break up; **kruier** (*voor bagage*) (luggage) porter

kruik stone bottle, pitcher; *warme* ~ hot-water bottle

kruimel crumb; *geen* ~, (*fig*) not a crumb

kruimel|dief petty thief; **-diefstal** petty thieving

kruimelen 174

kruimelen crumble; kruim(el)ig crumbly; (van aardappelen) mealy, floury

kruin (van berg, dijk, hoofd) crown, top; (van boom) top

kruipen creep (ook van plant), crawl; (van tijd) drag; (kruiperig zijn) cringe (voor to, before); op handen en voeten ~ go on all fours; kruiperig cringing, fawning, servile; kruipspoor crawler lane

kruis cross; (muz) sharp; (van mens) crotch; (van broek) seat; (fig) cross (bear one's ...), burden (every man thinks his own ... heaviest); ~ of munt heads or tails; het Rode K~ the Red Cross; een ~ slaan make the sigh of the cross; kruisbeeld crucifix

kruisen cross (one's arms, plants); (dieren, enz ook) interbreed; (planten ook) cross-fertilize; zich ~ make the sign of the cross; kruiser cruiser

kruis|gang cloister; -gewelf cross-vault

kruisigen crucify; kruisiging crucifixion

kruising (van wegen) crossroads

kruiskop|schroef cross-point screw; -schroevedraaier cross-point screwdriver

kruis|punt intersection, crossing; (knooppunt) (railway-) junction; -steek cross-stitch; -tocht (hist) crusade; -verhoor cross-examination; een ~ afnemen cross-examine; -vormig cruciform; -woordraadsel cross-word (puzzle)

kruit gunpowder; hij heeft al zijn ~ verschoten he is at the end of his tether

kruiwagen (wheel)barrow; ~s, (fig) (have) powerful patrons

kruk (van kreupelen) crutch; (van deur) handle; (van machine) crank; (zit-) stool; (knoeier) bungler; krukas crankshaft

krukje stool

krukken (sukkelen) be ailing; wat zit-ie weer te ~ how clumsily he's doing it

krul (algem) curl; (hout-) shaving (gew mv); (met pen) flourish; krulhaar curly hair; krullen tr curl; krulletje ringlet

kubus cube; kubusvormig cubical, cube-shaped

kuch (dry) cough; kuchen cough

kudde herd (of cattle, elephants), flock (of sheep); (fig) common herd

kuieren stroll, saunter

kuif (van mens) forelock

kuiken chick(en)

kuil pit, hole; (in wegdek) pothole; kuiltje dimple

kuip tub, barrel; (voor gisten, verven, enz) vat; ik weet welk vlees ik in de ~ heb I know who(m) I am dealing with

kuiperij (fig) intrigue

kuipstoel bucket seat

kuis chaste; kuisheid chastity

kuit (van been) calf; (van vis) spawn; kuitbeen splint-bone

kukeleku cock-a-doodle-doo

kul: da's flauwe ~ (stuff and) nonsense, rubbish

kundig clever, able; ~ in versed in; hij is ter zake ~ he is an expert; kundigheid skill

kunnen be able to; (slechts in ott & ovt) can, may; je kunt nu gaan you can go now; hij kan heel aardig (koppig, enz) zijn he can be very nice (obstinate, etc); ik kan niet verder I cannot go on; ik kan verklaren ... I am in a position to state ...; ik kan wel wachten I can afford to wait; hij kon soms dagen achtereen verdwijnen he would disappear for days together; ik had hem wel ~ vermoorden I could have wrung his neck; het zou ~, dat ik ... I might want some more; dat kan ermee door that may pass

kunst art; (kunstje) trick; ~en en wetenschappen arts and sciences; dat is juist de ~ that's the whole secret; hij verstaat de ~ om he knows how to ...; kunst- (tegenover natuur-) artificial, synthetic, man-made

kunst|academie academy of arts; -been artificial leg; -beoordeling art criticism; -criticus art critic

kunstenaar artist

kunst|gebit dentures; -geschiedenis art-history; -greep trick; -handel a) art trade; b) picture-, print-shop; -handelaar art-dealer

kunstig ingenious, clever

kunstje trick (with cards)

kunst|kenner art connoisseur; -licht artificial light; -maan (artificial) satellite; -matig artificial; ~e ademhaling artificial respiration; -mest fertilizer; -nijverheid applied art; -schilder painter, artist; -stof synthetic material; -stuk masterpiece; (kranig stukje) (clever) feat; -vezel synthetic fibre; -voorwerp art-object; -werk work of art; -zinnig artistic

kurk cork; iets onder de ~ hebben have drinks (spirits) going; kurkdroog bone-dry; zie droog

kurketrekker corkscrew

kus kiss

kussen I ww kiss; II zn cushion; (bed-) pillow

kussen|overtrek cushion-cover; -sloop pillow-case, -slip

kussentje (little) cushion

1 kust: te ~ en te keur in plenty, galore

2 kust coast, shore; attr dikwijls: coastal; aan de ~ on the coast; eilanden voor de ~ off-shore islands; de ~ is veilig (schoon, vrij) the coast is clear

kust|gebied coastal area; -stad coast-town; -streek coastal district; -vaart coastal navigation; -wacht coastguard

kut (plat) cunt

kuur 1 whim, caprice, freak; 2 (genees-) cure; een ~ doen take a cure

kwaad I bn (slecht) bad (not a ... idea), ill, evil, wicked; (boos) angry; (kwaadaardig) malignant (disease), nasty (dog); iem ~ maken make a p. angry; ~ worden get angry; hij is niet *zo* ~ *als hij zich voordoet* his bark is worse than his bite; **II** *bw* badly; *hij heeft het niet* ~ he is not badly off; ~ *kijken naar* scowl at; *het te* ~ *krijgen* break down; **III** *zn* (*het slechte*) evil, wrong; (*nadeel, letsel*) harm, injury, wrong; *het kleinste* ~ the lesser evil; *het kan geen* ~ it can do no harm; *u hebt* ~ *gedaan* you've done wrong; *van* ~ *tot erger vervallen* go from bad to worse

kwaad|aardig ill-natured, malicious; **-aardigheid** malice; **-denkend** suspicious

kwaadheid anger

kwaadschiks unwillingly

kwaad|spreken talk scandal; **-spreker, -spreekster** backbiter; **-sprekerij** backbiting, scandal(-mongering)

kwaadwillig malevolent

kwaal complaint, disease

kwadraat *bn & zn* square; *x* ~ x square(d)

kwajongen mischievous boy, urchin; **kwajongensachtig** boyish, mischievous; **kwajongensstreek** boyish prank (trick)

kwak: (*slag*) ~! flop! smack!

kwaken (*kikkers*) croak; (*fig*) quack

kwakkelen be ailing; **kwakkelwinter** fitful winter

kwakken I *tr* pitch, hurl, slap, flop (down); **II** *intr* bump, come down with a thud

kwakzalver quack; **kwakzalversmiddel** quack medicine

kwal jelly-fish

kwalificatie qualification; **kwalificeren** qualify

kwalijk 1 ill; ~*e zaak* disgraceful affair; ~ *nemen* take ill, resent (an intrusion); *hij nam het mij* ~ he took it ill of me; *neem me niet* ~ I beg your pardon; *neem me niet* ~, *maar* ... forgive me, but ...; **2** (*nauwelijks*) hardly, scarcely; **kwalijkriekend** evil-smelling

kwalitatief qualitative; **kwaliteit** quality; (*handel*) quality, grade (medium ...s); *in zijn* ~ *van* ... in his capacity of (as) ...

kwaliteits|artikel quality article; **-beheersing** quality control; **-krant** quality paper

kwanselen truck, barter

kwant chap, fellow

kwantiteit quantity

kwark curd(s)

kwart quarter; ~ *over* (*voor*) *drie* a quarter past (to) three; *een* ~ *mijl* a quarter of a mile; *één en een* ~ ... a minute and a quarter

kwartaal quarter (of a year); *per* ~ quarterly; **kwartaalblad** quarterly (magazine)

kwartet quartet(te)

kwartier quarter of an hour (*zie ook* kwart); (*stadswijk, her, van maan*) quarter; *drie* ~ three quarters of an hour; *vrij* ~, (*school*) break

kwartnoot crotchet

kwarts quartz; **kwartsklok** quartz clock

kwast (*van schilder, enz*) brush; (*sieraad*) tassel; (*in hout*) knot; (*pers*) coxcomb; (*citroen-*) lemon-squash

kwebbelen rattle, chatter, cackle

kweek|plaats nursery (*ook fig*); **-school** (teacher) training-college

kweken grow (plants), cultivate (plants, feelings), breed (animals); *gekweekt* cultivated (plant); *gekw parel* culture(d) pearl; **kweker** grower; **kwekerij** nursery(-garden); (*van vis*) hatchery

kwelder salting(s), mud-flat, marsh

kwelgeest tormentor

kwellen harass, torment; *zijn hersens* ~ rack o.'s brains; *een* ~*d probleem* an agonizing problem; **kwelling** vexation

kwestie question, matter; issue (fresh ...s are demanding a solution); (*twist*) quarrel; *geen* ~ *van* that's out of the question; *de* (*zaak in*) ~ the point in question (at issue); *dat is de* ~ *niet* that is not the question; *de* ~ *is* ... the point is ...

kwetsbaar vulnerable; **kwetsbaarheid** vulnerability; **kwetsen** injure, wound, hurt; **kwetsuur** injury

kwiek spry, nimble, bright, sprightly

kwijl slaver, slobber; **kwijlen** slaver

kwijnen (*van pers*) languish, pine (away); (*van gesprek*) drag, flag; **kwijnend** languishing, etc

kwijt: *ik ben mijn geld* (*goede naam, enz*) ~ I have lost my money (good name, etc); *hij is zijn verstand* ~ he is off his head; *ik was blij, hem* ~ *te zijn* I was glad to be rid of him

kwijt|raken (*verliezen*) lose; (*afkomen van*) get rid of; **-schelden** remit (taxes, a debt, punishment), forgive (sins, a debt); **-schrift** (*Belg*) receipt

kwik mercury

kwik|thermometer mercury thermometer; **-vergiftiging** mercury poisoning

kwinkslag witticism, jest, joke

kwint fifth

kwis quiz

kwispelstaarten wag the tail

kwistig lavish, liberal, unsparing (*met* of); *met* ~*e hand schenken* give with a lavish hand

kwitantie receipt

kwi

L1*l*

la (*lade*) drawer

laad|boom derrick; -brug loading-bridge; -kist container; -klep (*auto*) tail-board; -ruim cargo-hold; -vermogen carrying capacity; (*scheepv ook*) dead-weight capacity

laag I *zn* layer, stratum (*mv:* strata: the lowest ... of society), bed; (*dun, van steenkool*) seam; (*van verf, enz*) coat, coating; (*van ijs*) sheet; in *lagen* in layers, layered, stratified (rocks); *de vijand de volle ~ geven* give the enemy a broadside; II *bn, bw* low; (*fig*) low, base, mean; *lager* lower, inferior; *lager onderwijs* (*lagere school*) primary (elementary) education (school); *~ van prijs* low-priced; *lager stellen* reduce (the price); *zijn eisen lager stellen* lower one's demands; *~ houden* keep down (expenses); *op zijn ~st* at (its) lowest

laag-bij-de-grond(s) pedestrian (joke)

laag|bouw low-rise (building); -geschoold (*Belg*) unskilled

laag(hartig)heid baseness, meanness

laagje film (of dust, ice, etc), thin layer

laags(ge)|wijs, -wijze in layers, in strata

laagspanning low tension

laagte lowness (of prices, etc), low level; (*lage plaats*) depression (in the ground), dip, hollow

laag|veen peat-bog, bog-peat; -vlakte low-lying (lowland) plain; -water low water, low tide (*bij ~* at low tide)

laaie: *in lichter ~* in a blaze, ablaze; laaien blaze, flare, flame

laakbaar reprehensible, blamable

laan avenue; *ik heb hem de ~ uitgestuurd* I've sent him packing, fired him; *hij moest de ~ uit* he got the sack

laars boot; *hoge ~* jack-boot; *hij lapt het aan zijn ~* he does not care a bit

laat late; *hoe ~ is het?* what's the time? what time is it?; *hoe ~ heb jij het?* what time do you make it?; *ik weet al hoe ~ het is,* (*fig*) I know how matters stand; *kunt u me zeggen hoe ~ het is?* can you tell me the time?; *hoe ~ eten we?* what time do we dine (is dinner)?; *op de late avond* late in the evening; *tot ~ in de avond* till late at night; *daar kom je wel wat ~ mee aan* it is rather late in the day to say so; *boete voor te ~ komen* fine for late attendance; *te ~ zijn (komen)* (*over tijd*) be late; *te ~ zijn voor het eten* (*voor school*) be late for dinner (for school); *de trein is 5 minuutte ~* is five minutes late (*of:* overdue), behind schedule

laat|bloeiend late-flowering; -bloeier late developer

laatdunkend conceited; laatdunkendheid conceitedness, arrogance

laatkomer late comer

laatst (*volgorde*) last, (*tijd*) latest, last; (*onlangs*) lately, the other day; *het ~e stadium, ook:* the final stage (of a disease); *zijn ~e werk,* (*vóór zijn dood*) his last work, (*jongste*) his latest (his last) work; *de ~e berichten* the latest reports; *ik ben er de ~e dagen niet geweest* the last few days; *in de ~e jaren* in the last few years, of late (of recent) years; *ik heb hem in de ~e tijd niet gezien* I have not seen him of late (lately, recently); *van de ~e tijd* recent (his ... successes); *de ~ aangekomene* the latest comer; *de ~e uitvindingen ...* the latest discoveries have proved it; *hij is de ~e om het te zeggen* he is the last man (person) to say so; *de ~e(n) =~genoemde(n),* (*van twee*) the latter; (*van meer*) the last(-named, -mentioned); *morgen op zijn ~* tomorrow at (the) latest; *op het ~* at last; *ten ~e,* (*in de ~e plaats*) lastly, last, in the last place; *tot het ~* to (till) the last; *voor het ~* for the last time; (he kept the peach) to the last; laatstleden last; *~ maandag* Monday last, last Monday

laattijdig (*Belg*) late, tardy

labeur (*Belg*) labour

labiel labile, unstable (equilibrium)

laborant laboratory worker (*of:* chemist)

laboratorium laboratory; (*fam*) lab

labyrint labyrinth; labyrintisch labyrinthine

lach laugh, laughter; *in een ~ schieten* burst into a laugh; lachbui fit of laughter; lachen laugh; (*glim-*) smile; *inwendig ~* chuckle; *luid ~* laugh aloud; *laat me niet ~,* (*fam*) you're making me laugh, how absolutely ridiculous; *zich dood ~* split one's sides with (die of) laughing, double up with laughter; *hij lacht als een boer die kiespijn heeft* he laughs on the wrong side of his face (mouth); *wie het laatst lacht, lacht het best* he laughs best who laughs last; *ik kon mijn ~ niet houden* I could not help laughing; *hij maakte ons aan het ~* he set us off laughing; *iem doen ~* make a p. laugh; *in zichzelf ~* laugh to o.s., laugh inwardly; *~ om* laugh at, laugh over; *het is niet om te ~* it's no laughing matter; *het is om te ~* it's ridiculous; *~ tegen iem* smile at a p.; lachend smiling, laughing; lacher laugher

lachgas laughing-gas

lachje little laugh, half (-)laugh; half(-)smile

lach|lust inclination to laugh; *de ~ opwekken* raise a laugh, provoke laughter; -spiegel distorting mirror; -spier laughing-muscle; *op de ~en werken* raise a laugh, tickle a p.'s fancy; -stuip convulsion of laughter; -wekkend (*belachelijk*) ridiculous

laconiek laconic (*bw:* -ally); easy-going

lacune gap, lacuna (*mv:* -ae), vacancy, void

ladder id (*ook fig*); ladderauto motor fire-escape; ladderen (*van kous*) ladder

lade drawer; (*geld-*) till; (*van geweer*) stock

laden I *tr* load; (*accu, enz*) charge; **II** *intr* load, take in cargo

ladenkast chest of drawers; (*hoog*) tallboy

lader loader, charger; **lading** (*van schip*) cargo; (*van wagon, enz*) load; (*elektr & vuurwapen*) charge

laf (*flauw*) insipid; (*lafhartig*) cowardly; **lafaard** coward

lafenis refreshment, comfort, relief

lafheid insipidness, insipidity; (*lafhartigheid*) cowardice, cowardliness

lagedrukgebied area of low pressure

lager (*mach*) bearing(s)

Lagerhuis House of Commons

lagune lagoon

lak (*zegel-*) sealing-wax; (*op brief, wijnfles*) seal; (*~verf*) enamel; *ik heb ~ aan hem* I don't care a rap for him; *ik heb er ~ aan* (a) fat lot I care

lakei footman, lackey; (*smalend*) flunkey

laken I *ww* blame, censure, find fault with; **II** *zn* (*stof*) cloth; (*bedde-*) sheet; (*tafel-*) cloth; (*fig*) sheet (of snow, etc); *de ~s uitdelen* boss the show; **lakenzak** sheet sleeping-bag

lakken (*met lak vernissen*) lacquer, japan, varnish; (*brief, wijnfles, enz*) seal

lakleer patent leather

lakmoes litmus; **lakmoespapier** litmus-paper

laks lax, slack, indolent; **laksheid** laxity, laxness, slackness, indolence

lak\|spuit spray gun; **-stempel** wax stamp; **-verf** enamel (paint); **-vernis** lacquer; **-werk** japanned goods, lacquered ware; **-zegel** wax seal

lallen speak thickly

lam I *zn* lamb; **II** *bn* paralysed, paralytic

lama id

lambrizeren wainscot, panel; **lambrizering** wainscot, panelling

lamel lamella; (*mv:* lamellae)

lamheid paralysis

lamlendig wretched (feel ...)

lammeling wretched (rotten) fellow, rotter

lamp id; (*elektr ~je*) bulb; *hij liep tegen de ~* he got into trouble, came to grief

lampe\|glas lamp-chimney; **-kap** lamp-shade

lampion Chinese lantern

lams\|bout leg of lamb; **-kotelet** lamb chop

lamstraal rotter, bounder

lamsvlees lamb

lanceer\|plaats, **-platform** launching site, launching pad

lanceren launch (a torpedo, rocket, plan); **lancering** launching, lift-off, blast-off

lancet lancet

lancier lancer

land (*tegenover water*) land; (*staat*) country; (*platte-*) country; (*stuk ~*) field; (*grond, grondbezit*) land (own a great deal of ...), estate(s); (*landstreek*) country; (*fig*) land; *'s ~s wijs, 's ~s eer* do in Rome as the Romans do;

hij heeft het ~ he is annoyed; *ik heb er het ~ aan* I hate it, it is hateful to me; *ik heb het ~ aan de vent* I hate (dislike) the fellow, I cannot stand him; *het ~ krijgen* get annoyed (over at); **aan** ~ ashore (go ...); *aan ~ komen* land, reach the shore; *aan ~ zetten* put on shore (ashore); **door** ~ *ingesloten* land-locked; **naar** ~ to the shore; **op** *het* ~ (live) in the country, (work) on the land, in the fields; **over** ~ *reizen* travel by land, overland

land\|aanwinning land reclamation; **-adel** landed nobility; **-arbeider** agricultural labourer; **-bezit** landed property; **-bouw** arable farming; (*en veeteelt*) agriculture, husbandry

landbouw- (*in sam gew*) agricultural:

landbouw\|bedrijf agricultural industry, agriculture; **-consulent** advisory agricultural expert

landbouwer farmer

landbouw\|gereedschappen agricultural implements; **-grond** farming-land; **-hogeschool** agricultural college; **-kunde** agriculture, agricultural science; **-machines** farm machinery; **-produkten** agricultural produce, farm produce; **-school** agricultural school; **-werktuig** agricultural implement; **~en** agricultural equipment

land\|dag diet; (*van politieke partij, enz*) field-day; **-edelman** country nobleman; **-eigenaar** landowner

landelijk *a*) rural; (*dikwijls boers*) rustic; *b*) national (daily *dagblad*); **landelijkheid** rurality; rusticity

landen I *intr* land, disembark, go ashore; (*van vliegt*) land, descend, touch down; **II** *tr* land, disembark

landengte isthmus

landerig bored, in the dumps; **landerigheid** the blues (dumps)

landerijen landed property (*of:* estates), farmlands

land\|genoot (fellow-)countryman; **-genote** (fellow-)countrywoman; **-goed** country-seat, (landed) estate, property; **-heer** landowner; (*in betrekking tot pachter*) landlord; **-huis** country-house, villa; **~je** cottage; **-ijs** ice sheet, ice cap

landing landing, disembarkation; (*van vliegt*) descent, landing, touch-down

landings\|baan (*van vliegt*) runway; **-gestel** (*van vliegt*) undercarriage, landing-gear; **-troepen** landing-forces; **-vaartuig** landing-craft

land\|inwaarts inland, up-country; **-jonker** (country-)squire; **-kaart** map; **-leven** country-life, rural life; **-lo(o)p(st)er** vagabond, vagrant, tramp; (*Am*) hobo; **-macht** landforces; **-meten**, **-meting** surveying; **-meter** surveyor; **-ontginning** land reclamation

landschap landscape (*ook schilderij*); scenery (imposing ... *een indrukwekkend landschap*); **landschapschilder** landscape painter

lan (side tab)

landschaps|park (*ongev*) national park; **-schoon** scenic beauty

lands|grens national frontier, border; **-heer** sovereign lord, ruler of the country; **-kampioen** national champion; **-taal** vernacular (language), mother tongue

land|streek part of the country, region, district, quarter; **-tong** spit (tongue, neck) of land; **-verhuizer** emigrant; **-verraad** (high-) treason; **-voogd** governor, viceroy; **-waarts** landward(s); **-weg** country-road, lane; **-wind** landwind

lang long; (*van gestalte, enz*) tall (person, grass); *bw ook:* a long time, (it won't satisfy him) for long; *nogal* (*vrij*) ~ longish (a ... ride); *een ~ gezicht*, (*fig*) a long face (I hate long faces), a face as long as a fiddle; *een ~ gezicht zetten* pull a long face; *hij is 6 voet ~* six feet high (tall); *~ zal hij leven!* long life to him; *een tijd* (*een jaar*) *~* for a time (a year); *10 jaren ~* for a period of 10 years; *zijn leven ~* all his life; *~e uren werken* work long hours; *hoe ~ zal je het nog verdragen?* how much longer are you going to stand it?; *ik kan geen uur ~er wachten* I cannot wait another hour; *~ van stof* long-winded; *hij blijft ~ uit* he is long in coming; *~ bezig zijn over iets* be long over s.t.; *hij is al ~ dood* (*weg*) he has been dead (gone) a long time; *ben je hier al ~?* have you been here long?; *iets ~ en breed bespreken* discuss a thing at great length; *ik heb u in ~ niet gezien* I have not seen you for a long time; *~ niet, bij ~e* (*na*) *niet* not nearly (so old as you), not by a long way; *~ niet allen* not nearly all, by no means all; *het is ~ niet kwaad* not at all bad; *~ niet groot genoeg* far from big enough; *hij is ~ niet zo rijk* not nearly so rich; *~ niet zoveel als ...* nothing like what I needed; *we zijn er nog ~ niet,* (*ook fig*) we have a long way to go; *de tijd viel hun ~* time hung heavy on their hands; *~er worden* lengthen; *op zijn ~st kan het tot morgen duren* at the furthest (utmost, outside) it can only last till to-morrow

langbenig long-legged

langdradig long-winded, tedious

langdurig long (war), lasting (friendship), long-established (relations), prolonged (stay, absence), lengthy (business), long-term (sentence *vonnis*); **langdurigheid** length, long duration

lange-afstand(s)- long-distance (runner)

lange-termijnpolitiek long-term policy

langgerekt long-drawn (out) (tone, negotiations), protracted (hearing *verhoor*)

langjarig of long standing

langlaufen *zn* cross-country skiing

langlopend long-term (credits)

langorig long-eared

langparkeerder long-term parker

langs along (houses ... the road); *~ mijn huis* (he came) past my house; *~ een andere weg* (return) by another route; *~ de hele weg* all along the road; *hij komt hier dikwijls ~* he often passes (comes) this way; *~ elkaar heen praten* talk (be) at cross-purposes; *even ~ lopen bij iem* drop in on s.o.; *ik gaf hem er van ~* I gave him what for, let him have it; *hij kreeg er van ~* he got it hot, got what for

langslaper late riser

langspeelplaat long-play(ing) (L.P.) record

langstlevend longest-lived; **langstlevende** longest liver, survivor

langszij alongside

languit (at) full length

langverwacht long-expected

langwerpig oblong

langzaam slow (*ook fig*); *~ maar zeker* slow but (and) sure; *zeer ~ dead slow; ~ aan!* easy! *steady!* *~-aan-actie* go-slow strike; *~ aan, dan breekt het lijntje niet* easy does it; *langzamer gaan rijden* (*werken, enz*) slow down; **langzaamheid** slowness, tardiness; **langzamerhand** little by little, by degrees, gradually; *ik word het ~ beu* I'm getting (beginning to get) tired of it

lankmoedig(heid) long-suffering

lans lance; **lansier** lancer; **lansiers** (*Belg*) tank regiment

lantaarn lantern; (*fiets-, straat-*) lamp; (*zak-*) (pocket)torch; **lantaarnpaal** lamppost

lanterfanten loiter, idle, loaf, lounge (about)

lap piece (of cloth), length (of cloth); (*afgescheurd*) rag; (*op kledingstuk*) patch; (*om te wrijven, enz*) cloth; (*grond*) patch; (*vlees*) slice; (*baanronde*) lap; *het werkt op hem als een rode ~ op een stier* it is a red rag to him, it's like a red rag to a bull; *de ~pen hangen erbij* it is in rags; *lapje zie* lap; (*runder-, enz*) steak; *~ grond* patch of ground; *iem voor het ~ houden* make fun of a p., pull a p.'s leg; **lapjeskat** tortoise-shell (cat)

lapmiddel makeshift

lappen patch, piece, mend; patch (up); (*geld bijeenbrengen*) have a whip-round; *hij lapt het hem wel* he'll manage it, he'll do the trick; *wie heeft me dat gelapt?* who let me in for this? who played me that trick?; *iem erbij ~* cop a p.

lappen|deken patchwork blanket; (*doorgestikt*) patchwork quilt; (*fig*) patchwork; **-mand:** *in de ~ zijn* be under the weather; **-pop** ragdoll

larderen lard

larie(koek) stuff and nonsense, humbug

larve larva (*mv:* larvae)

las joint, weld

laser id

lassen weld; **lasser** welder

lasso id

lasstaaf welding-rod

last (*vracht*) load, burden; (*lading*) load, (*van schip*) cargo; (*wat drukt*) burden, weight, load; (*hinder*) trouble, nuisance (the noise ...), bother, bore; (*opdracht*) instruction(s), order, command, (*jur*) injunction; *~ (instructies) ge-*

ven give instructions, instruct; *ik heb ~ van mijn rug* my back is troubling me; *ik heb geen ~ van hen* they don't give me any trouble; *zorg dat men geen ~ van je heeft* don't be a nuisance; *ze had ~ van verkoudheid* she was troubled with a cold; *hij had er een hoop ~ mee* he had a lot of trouble with it; *~ (opdracht) krijgen* receive instructions, be instructed; *daar krijg je ~ van* it will get you into trouble; *~ veroorzaken* cause trouble, make o.s. a nuisance (to everybody); *op ~ van* by order (the orders) of; *hij zit op zware ~en* his expenses are very high; *ten ~e komen van* be chargeable to; *onkosten (komen) te uwen ~e, (handel)* charges are for your account; *hij legde het mij ten ~e* he charged me with it; *hij was zijn moeder tot ~* he was a burden on his mother; **last-dier** beast of burden

lastenverlichting easing of taxes (rates)

laster calumny, slander, backbiting; *een aanklacht indienen wegens ~* bring an action for defamation of character; **lasteraar(ster)** slanderer; **lastercampagne** smear-campaign; **lasteren** slander, defame; **lastering** slander; (*gods~*) blasphemy; **lasterlijk** slanderous; defamatory (statement); (*gods-*) blasphemous; **lasterpraatje** (piece of) scandal; *~s* scandal, malicious gossip

lastgeving instruction(s), mandate

lasthebber mandatary, agent

lastig (*moeilijk*) difficult, hard; embarrassing (position); (*netelig*) delicate (question); (*moeilijk te regeren*) difficult, troublesome (child); (*ongelegen*) inconvenient, awkward; (*vervelend*) annoying; (*veeleisend*) exacting, hard to please; *wat ben je ~!* what a bother (*of:* nuisance) you are!; *ze zullen het haar niet ~ maken* they won't make it difficult for her; *~ worden* become troublesome; *~ vallen* trouble (*met* about), annoy; pester (he was always ...ing her to marry him)

lastpost nuisance, bore

lat lath; (*doellat*) cross-bar; (*van jaloezie*) slat

laten (*toelaten*) let, permit, allow; (*in een toestand ~, ergens ~*) leave (... things as they are; ... it here); (*nalaten, ophouden met*) stop, leave off; (*zorgen, dat iets gebeurt*) have, make, cause, get; *men zal hem ~ betalen* he will be made to pay; (*gelasten*) order, command, tell; *iem tijd ~ give* (allow) a p. time; *het drinken (roken) ~* leave off (give up) drinking (smoking); *ik kan het niet ~* I cannot help it; I cannot break myself of the habit; *we zullen het hierbij ~* we'll leave it (let it go) at that; *hij liet het daarbij niet* he did not stop at that; *doe wat je niet ~ kunt* do your worst; *laat dat!* stop it! don't!; *laat maar* (*= het hoeft niet*) don't trouble; *waar zal ik het ~?* where shall I put it?; *laat meneer in mijn kamer* show the gentleman into my room; *iem ver achter zich ~* leave a p. far behind; *men liet hem in de tuin werken* he was made to work in the garden; *laat hij maar*

oppassen he'd better look out; *een huis ~ bouwen* have a house built; *de lamp ~ branden* leave the lamp burning; *~ maken* have ... made (where do you have your clothes made?); *ik heb mijn paraplu bij u ~ staan* I left my umbrella at your house; *hij liet het vallen* he dropped it, let it fall; *~ vragen* send to inquire (to ask); *ik zal het je ~ weten* I'll let you know; *~ zien* show; produce (one's ticket)

latent latent

later I *bn* later; **II** *bw* later; (*naderhand*) afterwards, later on, subsequently; *even ~* presently; **latertje**: *dat wordt een ~* it will be late before we are finished

Latijn Latin; **Latijns** Latin

latwerk lath-work, lathing

laurier laurel, bay; **laurierblad** laurel-, bay-leaf

lauw tepid; lukewarm (*ook fig*), half-hearted

lauwer laurel, bay (*gew mv*); *~en behalen* reap laurels; **lauwerkrans** laurel-wreath

lauwheid tepidness, lukewarmness, half-heartedness (*vgl* lauw)

lava id

laveloos (*fam*) soaked, sodden (with drink)

lavement enema

laven: *zich ~* refresh o.s., slake one's thirst

lavendel lavender

laveren tack (about); (*fig*) tack, shift

lawaai noise, din, tumult, uproar; (*kouwe drukte*) swank; **lawaai(er)ig** uproarious, tumultuous, noisy; **lawaaimaker** noise-maker, (*opschepper*) swanker

lawine avalanche, snow-slip, snow-slide

laxeermiddel laxative; **laxeren** purge; **laxerend** laxative

lazarus: *hij is ~* he is blotto

lazer: *op z'n ~ geven* give a hiding

lector (*univ*) reader (in biochemistry)

lectuur reading; reading-matter

ledematen limbs, members (of the body)

leden|lijst list of members; **-tal** membership; **-vergadering** (members') meeting

leder leather; **lederachtig** leathery; **lederen** leather; **lederwaren** leather goods, leather articles, leather ware

ledig empty; (*leeggelopen*) flat (tyre); (*fig*) empty (words), vacant (place); (*nietsdoend*) idle; *met ~e handen* (return) empty-handed; **ledigen** empty; **lediggang** idleness; **ledigheid** emptiness; idleness (*zie* ledig)

ledikant bed(stead); **ledikantje** (*voor kind*) cot

leed I *zn* (*smart*) grief, sorrow; (*letsel*) harm, injury; *het doet me ~ dat* ... I am sorry that ...; **II** *bn*: *met lede ogen* with envious eyes

leed|vermaak malicious pleasure; **-wezen** regret; *tot mijn ~ moet ik zeggen* ... I regret (am sorry) to say ...

leefbaar liv(e)able (surroundings); **leefbaarheid** liv(e)ability

leef|klimaat social climate; **-milieu** (*Belg*) environment; **-regel** regimen, diet

lee

leeftijd (*ouderdom*) age; (*levensduur*) lifetime; *op de ~ van* at the age of; *op ~ komen* get on in years; *op mijn ~* at my age; *een man op ~* an elderly man; *van dezelfde ~* of an age, (of) the same age; **leeftijdsgrens** age-limit

leeftocht provisions, victuals

leefwijze manner (way, mode, style) of life

leeg *zie* ledig

leeg|drinken empty, drain; **-eten** clear (one's plate); **-gieten** empty; **-goed** (*Belg*) gratis ~ no-deposit packing; **-halen** clear out; (*plunderen*) loot

leeghoofd rattle-brain; **leeghoofdig** empty-headed, rattle-brained

leeg|lopen empty (the room begins to ...), become empty; (*fietsband*) go flat; (*nietsdoen*) idle (about), loaf; (*bad*) drain; **-loper** idler, loafer; **-maken** empty; clear (a dish); **-staan** stand (be) empty, be unocupied (uninhabited)

leegte emptiness; (*fig ook*) blank, void

leek layman (*ook fig*); *de leken* the laity

leem loam

leem|groeve loam-pit; **-grond** loam(y soil)

leemte gap, flaw (in the law)

leen (*hist*) fief; *in ~ hebben* have borrowed (s.t.), have the loan of (s.t.); *te ~ geven* lend, grant the loan of; *te ~ krijgen* get the loan of, get (s.t.) on loan; *te ~ vragen* ask for the loan of

leen|bank loan-office; **-goed** feudal estate, fief; **-heer** feudal lord; **-man** vassal, (feudal) tenant; **-stelsel** feudal system

leep cunning, sly; **leepheid** slyness, cunning

leer 1 leather; *van ~ trekken* go at it, hit out; 2 ladder; 3 (~*stelsel*) doctrine; (*theorie*) theory; *in de ~ gaan* (*zijn*) *bij* be apprenticed (articled) to; **leerachtig** leathery

leer|boek text-book, coursebook; **-gang** course (of instruction); (educational) method; **-gast** (*Belg*) apprentice; **-gebied** area of learning; **-geld**: *ik heb ~ betaald*, (*fig*) I've learned by (bitter) experience; **-gierig** studious, eager to learn; **-jaar** year's course, (1st etc) form, class; **-jongen** apprentice; **-kracht** teacher, master

leerling pupil; (*in opleiding*) trainee; **leerling-verpleegster** student nurse

leerlooien tan; **leerlooier** tanner; **leerlooierij** tannery

leer|meester teacher, master; **-middelen** educational appliances (media); **-plan** curriculum, syllabus; **-plicht** compulsory education; **-plichtig**: *~e leeftijd* school-age; **-stelling** tenet; (*kerkelijk ook*) dogma; **-stof** subject-matter of teaching; **-stuk** dogma, doctrine; **-tijd** time to learn, pupil(l)age; (*van leerjongen*) apprenticeship, period of training; **-vak** subject (of instruction)

leerzaam instructive

leesapparaat (*voor microfilms e.d.*) reader

leesbaar (*naar inhoud*) readable, worth reading; (*van schrift*) legible, readable

lees|beurt turn to read; (*van spreker*) lecturing-engagement, lecture; **-boek** reading-book, reader; **-bril** reading-glasses; **-kamer** reading-room; **-lamp** reading-lamp; **-oefening** reading-exercise; **-onderwijs** reading-lessons; **-stof** reading-matter

leest last; (*om de vorm te bewaren*) (boot-)tree; (*van pers*) figure, waist; *slanke ~* slender waist

lees|teken punctuation mark, stop; **-vaardigheid** reading ability; **-zaal** reading-room; *openbare ~* public library

leeuw lion

leeuwe- lion:

leeuwe|deel lion's share; **-jacht** lion-hunt(ing); **-kooi** lion's cage; **-kuil** lion's den

leeuwentemmer lion-tamer

leeuwerik (sky)lark

leeuwewelp lion's cub; **leeuwin** lioness

lef pluck, grit, nerve; (*airs*) swank

legaat 1 legacy, bequest; 2 (*pauselijk ~*) legate

legalisatie legalization; **legaliseren** legalize

legatie legation, embassy

legen empty

legendarisch legendary; **legende** legend

leger 1 army; 2 bed; (*van wild dier*) lair

leger|afdeling body of troops; **-bed** camp-, field-bed; **-commandant** commander-in-chief

legeren encamp (troops)

le'geren alloy; **le'gering** alloy

leger|kamp army camp; **-macht** armed forces; **-plaats** camp, encampment; **-predikant** army-chaplain; **-stede** couch, bed

leges legal charges (*of:* dues), fee

leggen lay (*ook van kippen:* laying hens), put, place; (*sp*) throw

legger (*balk*) ledger; (*van spoorw*) sleeper; (*register*) register; (*van krant, enz*) file; (*van brug bij gymnastiek*) bar

legio legion; *hun aantal is ~* their number is legion

legioen legion (the Legion of Honour)

legitiem legitimate; **legitimatie** legitimation; **legitimatiebewijs** identification (identity) paper (*of:* card); **legitimeren** legitimate; *zich ~* prove one's identity; **legitimiteit** legitimacy

leg|kast (linen-)cupboard; **-penning** medal; **-puzzel** jig-saw (puzzle)

lei slate; (*Belg*) avenue; **leiachtig** slaty

lei|dak slate(d) roof; **-dekker** slater

leiden lead (a p., a bad life), conduct (a campaign, an investigation), manage (a business), guide (a p.'s steps, a missile), direct (a work, etc); (*sp*) lead, be in the lead; *een eenvoudig bestaan ~* lead a simple existence; *een bijeenkomst ~* conduct a meeting; *~ tot* lead to (a discovery, a good result); *tot niets ~* lead nowhere, (arguments that) serve now purpose; *iets ~ via ...* channel s.t. through ...; *zich laten ~ door* be guided by, go by (one's feelings); **leidend** *beginsel* guiding principle; **leider** leader, conductor, guide; **leiding** conduct (of the war), guidance (under my ...), lead (follow a p.'s ...), leadership (aspire to the ...), direction (under the ... of), management (*vgl* leiden), control; (*van waterleiding, enz*) conduit-pipe(s), service-pipe(s), (*hoofd*-) main(s); *iem van de* ~ someone in authority; ~ *geven aan* give guidance to, lead (the conversation); *P. gaf zijn ploeg de* ~ put his team into the lead; *de* ~ *hebben* have (be in) control, (*bij rennen*) be in the lead; *de* ~ (*op zich*) *nemen* take the lead, take charge (command); *onder* ~ *van* under the leadership of

leiding|gevend executive (staff *personeel*); **-water** tap-water

leidraad guide, key; guide-line

leidsel rein

leidsman guide, mentor

leien slate; *alles ging van een* ~ *dakje* everything went smoothly, swimmingly

leisteen slate; shale; **leisteenachtig** slaty, shaly

lek I *bn* leaky; (*van fietsband*) punctured; ~ *zijn* (*van schip*) make water; **II** *zn* leak, leakage

lekbakje drip-cup

leke|broeder lay brother; **-zuster** lay sister

lekkage leakage, leak; **lekken** leak, have a leak, be leaky; (*van schip*) make water

lekker (*van eten, enz*) nice, delicious, good, tasty; (*van weer*) nice; (*van geur*) nice (smell ...), sweet; *ik ben niet* ~ I am out of sorts, don't feel quite the thing (quite fit, up to the mark), am a bit under the weather; ~ *eten: a*) enjoy one's meal; *b*) have an excellent dinner; *iem* ~ *maken* rouse expectations in a p.; *het smaakt* ~ it tastes nice; ~ *vinden* enjoy; *het is hier* ~ *warm* it is nice and warm here; *ik doe het* ~ *niet!* nothing doing! not me, thank you!; ~*!* serve you (him, her) right!

lekker|bek gourmet; epicure; **-bekje** fried fish fillet

lekkernij dainty, titbit, delicacy; **lekkers** sweets, sweetmeats, goodies

lekstroom leakage current

lel (*van oor*) lobe; (*van pluimvee*) wattle, gill; (*slet*) slut; (*klap*) clout

lelie lily; **lelietje(-van-dalen)** lily of the valley

lelijk ugly (monster, building); plain (women); (*fig*) ugly (practice, sea), nasty (taste, cut, fellow), bad (I've got a ... cold, be ...ly burnt, ~ *worden,* (*van pers*) go off in one's looks; *dat ziet er* ~ *uit,* (*fig*) that looks ugly; *hij zei een* ~ *woord* a bad word; **lelijkerd** ugly fellow; (*fig*) nasty fellow; **lelijkheid** ugliness, plainness

lemen *bn* loam, mud (wall, floor, hut)

lemmet blade

lende loin; **lendendoek** loin-cloth

lende|streek small of the back; **-stuk** saddle (of mutton), sirloin (of beef)

lenen (*geven*) lend (to); (*ontvangen*) borrow (from); *ik wil er mij niet toe* ~ I will not lend

myself to it; *zich uitstekend voor het doel* ~ lend itself admirably to the purpose; **lener** *a*) lender; *b*) borrower; *vgl het ww*

lengen lengthen; *de dagen* ~*, ook:* the days are drawing out

lengte length; (*van pers*) height, size; (*geogr* ~) longitude; *in de* ~ (three metres) in length; (cut, saw) lengthwise, lengthways; *in zijn volle* ~ (at) full length; *over de* ~ *van* ... (the wire runs) the length of the room; *ter* ~ *van* the length of, in length; *tot in* ~ *van dagen* for many years to come

lengte|as longitudinal axis; **-cirkel** meridian; **-doorsnee** longitudinal section; **-graad** degree of longitude; **-maat** linear measure; **-richting:** *in de* ~ lengthways, -wise, longitudinally

lenig supple, lithe, pliant

lenigen relieve, ease

lenigheid suppleness, pliancy

leniging relief

lening loan; *een* ~ *sluiten* contract a loan

1 lens *zn* id

2 lens (*leeg*) *bn* empty, dry; *het schip* ~ *pompen* free the ship from water; *iem* ~ *slaan,* (*plat*) knock a p. senseless

lens|opening diaphragm, aperture; **-pomp** bilge-pump

lente spring (*ook fig:* the spring of life)

lente|bloem spring-flower; **-dag** spring-day

lepel (*eet-, thee-, enz*) spoon; (*opschep*-) ladle (soup-, sauce-ladle); ~(*vol*) spoonful

leperd slyboots, shrewd fellow

lepra leprosy; **lepralijder** leper

leraar (assistant) master, teacher; ~ *in de klassieke talen* classics master

leraars|ambt, **-schap** teaching profession; **-kamer** masters' room, common room

lerarenopleiding teacher training (college)

lerares (secondary) schoolmistress, (woman-) teacher; *vgl* leraar

1 leren *bn* leather

2 leren *ww* (*onderwijzen*) teach; (*kennis opdoen*) learn; *ik zal je wel* ~*!* I'll teach you!; *iets van iem* ~ learn s.t. from (of) a p.; ~ *kennen* get acquainted with, get (come, learn) to know; *dat zal de tijd* ~ time will show (*of:* tell)

lering instruction; ~ *trekken uit* learn from

les lesson; *gedurende* (*in, onder*) *de* ~ in class, during lessons (the lesson); ~ *geven* give lessons (in French); ~ *krijgen* have lessons; *iem de* ~ *lezen* read a p. a lecture, lecture a p.; ~ *nemen* take lessons (*bij* from, with; *in* in); *zijn* ~ *opzeggen* say one's lesson; **lesauto** learner car

lesbisch lesbian

les|geld tuition (fee); **-lokaal** classroom; **-materiaal** (*Belg*) educational appliances; **-rooster** time-table

lessen quench, slake, allay, assuage

lessenaar desk

les|uur lesson, period (of 45 minutes); **-vliegtuig** training-plane, trainer

lethargie lethargy; **lethargisch** lethargic
letsel injury; *ernstig ~ bekomen* sustain (suffer) severe injury (injuries); *iem ~ toebrengen* do a p. (an) injury
letten: *let wel!* mark (you)! mind (you)!; *~ op* pay attention to (a p.'s words); mind, attend to (one's business); look after (the children); *let op mijn woorden* mark my words; *gelet op* considering; *zonder op de tijd te ~* heedless of time; *wat let me, of ...* what prevents me from ...ing
letter id, character; (*in drukkerij, ~type*) type; *zich aan de ~ houden* stick to the letter; *in de ~en studeren* study literature (arts); *met duidelijke (kleine, vette) ~ gedrukt* printed in clear (small, bold) type; *naar de ~* to the letter
letter|gieter(ij) type-founder (-foundry); **-greep** syllable; **-kunde** literature; **-kundig** literary; **-kundige** literary man (woman), man of letters
letterlijk *bn* literal; *bw* literally, (carry out instructions) to the letter
letter|slot letter-lock; **-soort** type (-face); **-teken** character; **-zetten** compose, set up type; **-zetter** compositor, typesetter; **-zetterij** composing-room
leugen lie, falsehood; *~(tje) om bestwil* white lie; *het zijn allemaal ~s* it's all lies; *~s verkopen* tell lies; **leugenaar(ster)** liar; **leugenachtig** mendacious, untruthful; (*van zaken ook*) false, untrue; **leugenachtigheid** mendacity, untruthfulness, falseness; **leugendetector** lie detector; **leugentje** fib
leuk (*grappig*) amusing, funny, droll; (*prettig*) nice, pleasant; *dat zou niet erg ~ zijn* that would not be much fun; *die is ~!* that's a good one!; *het ~ste is dat ...* the best thing of all is that ...
leuk(a)emie leukaemia
leukerd a droll fellow
leukweg coolly, drily
leunen lean
leuning rail; (*trapleuning*) banisters; (*van stoel, enz*) back, arm, (elbow) rest; **leuningstoel** arm-chair, easy chair
leuren hawk; *~ met* hawk (about)
leus watch-word, slogan, catch-word
leut *a*) fun; *voor de ~* for fun; *b*) (volkstaal) coffee
leuteraar (*kletser*) twaddler; (*talmer*) dawdler, slow-coach; **leuteren** (*kletsen*) twaddle; (*talmen*) dawdle, loiter; **leuterpraat** piffle, drivel
leven I *zn* life; (*lawaai*) noise, bustle, tumult; (*het levende vlees*) the quick; *het is geen ~* it's no life; *dan heb je geen ~* then life is not worth living; *daar heeft hij zijn ~ lang genoeg aan* it will last him a lifetime; *er zit geen ~ in hem* there is no life (go) in him; *ik zou er mijn ~ voor willen geven* I would give my life for it; *het ~ laten* lose one's life; *een druk ~ hebben* lead a busy life; *~ maken* make a noise; *het ~ schenken (aan)* give birth to; *bij zijn ~ during*

his life, in his lifetime; *zal hij in ~ blijven?* will he live?; *om in het ~ te blijven* to support life (existence); *in ~ houden* keep in life (alive); *in het ~ roepen* call into existence (into being), create; *naar het ~ getekend* drawn from (the) life; *om het ~ brengen* kill; *om het ~ komen* perish; *de bemanning van 5 koppen kwam om het ~* the crew of 5 were killed; *strijd op ~ en dood* life-and-death struggle; *een strijd op ~ en dood voeren met* be at death-grips with; *tijdens zijn ~, zie* bij zijn *~*; *tot in het ~* (cut one's nails) to the quick; *uit het ~ gegrepen* taken from life; *nooit van mijn ~* never in all my life; *heb je (ik) ooit van je (m'n) ~!* well, I never! did you ever! well, I declare!; *voor zijn ~ benoemd worden* be appointed for life; II *ww* live; *hij zal niet lang (geen jaar) meer ~* he has not long (hasn't a year) to live; *~ en laten ~* live and let live; *leve de koning!* long live the King!; *lang zal hij ~!* long may he live!; *op zichzelf ~* live by o.s.; *van zijn rente (inkomen, kapitaal) ~* live on one's means (income, capital); *hij leeft er goed van* he lives well; *daar kan ik niet van ~* I cannot live on that, it won't keep me; *van liefdadigheid ~* subsist on charity; *volgens zijn beginselen ~* live up to his principles; *hij leeft voor zijn werk* he lives for his work; **levend** (*attr & pred*) living (animal, language); (*alleen pred*) alive; *iems nagedachtenis ~ houden* keep a p.'s memory alive; *~ begraven* bury alive; *de ~e natuur* the living (biological) world; *~e talen* modern languages; *de ~en en de doden* the quick and the dead
levendig lively (person, scene, colour), vivacious (person), vivid (colour), bright (eyes), brisk (conversation, trade), animated (discussion); **levendigheid** liveliness, etc, vivacity, animation
levenloos lifeless (body), inanimate (nature); **levenloosheid** lifelessness
levens|avond evening of life; **-behoefte** (*fig ook*) necessary (necessity) of life; **-belang** vital interest; **-bericht** biographical notice; (*van pas gestorvene*) obituary (notice); **-beschouwelijk** ideological (conflicts); **-beschrijver** biographer; **-beschrijving** biography; (candidates send in a) curriculum vitae; **-dagen** days of (one's) life, life-time; **-doel** aim of life, aim in life; **-drang, -drift** life-impulse, vital urge (force); **-duur** duration (*of:* term) of life; life (of a vacuum-cleaner); *een korte (lange) ~ hebben* be short-(long-)lived; **-echt** lifelike, true to life; **-ervaring** knowledge of life; **-gevaar** peril (danger) of life; *met ~* at the peril (risk) of one's life; **-gevaarlijk** perilous; **-gewoonten** way of life; **-gezel(lin)** partner in life, (help)mate; **-groot** life-size(d), as large as life; **-houding** attitude to life; **-kracht** vital strength, vitality; **-krachtig** full of life, vigorous; **-kunst** art of living; **-lang** (imprisonment) for life, lifelong, life-(imprisonment); *tot ~ veroordeelde* person under a life-sen-

tence; **-licht** light (of day); *het ~ aanschouwen* see the light (of day); **-loop** course of life (the course of his life), career; **-lustig** enjoying life, full of life (of animal spirits); **-middelen** provisions, victuals, foodstuffs, food(s); **-moeheid** weariness of life; **-omstandigheden** circumstances in life, conditions of life; **-onderhoud** subsistence, livelihood; *kosten van ~* cost of living; **-overtuiging** philosophy of life; **-standaard** standard of life (living), living-standard; **-stijl** style of living; **-teken** (give a) sign of life; **-vatbaar** viable, capable of living; **-vatbaarheid** viability, vitality; **-verzekering** life-assurance, -insurance; *een ~ sluiten* take out a life-policy; **-verzekeringsmaatschappij** life-assurance (*of:* life-)company; **-verzekeringspolis** life-policy; **-wandel** life, conduct; **-werk** life-work; **-wijs**, **-wijze** manner of life, way of living; **-wijsheid** worldly wisdom

lever liver; *het aan de ~ hebben* have a (touch of) liver; *fris van de ~* frankly, straight from the shoulder; **leveraandoening** liver-trouble

leverancier supplier, purveyor, (ask your) dealer; *(van eetwaren)* caterer; *(neringdoende)* tradesman, *mv ook* tradespeople; *van ~ veranderen* remove (transfer) one's custom; **leverantie** supply, delivery

leverbaar deliverable; *beperkt ~ zijn* be in short supply; **leveren** supply, furnish, provide; *(afleveren)* deliver; *hij zal 't 'em wel ~* he'll pull it off; *bewijsmateriaal ~* produce evidence; **levering** *(af~)* delivery; *(algem)* supply; **leveringsvoorwaarden** terms of delivery

lever|kleur(ig) liver-colour(ed); **-traan** cod-liver oil; **-worst** liver-sausage

lexicograaf lexicographer; **lexicografie** lexicography; **lexicografisch** lexicographical

lexicon id

lezen read *(ook:* music, the future); glean (ears), gather (grapes); *(geregeld) ~* take in (a newspaper); *het stond duidelijk op ieder gelaat te ~* it was written large on every face; *ik kan het niet ~, ook:* I cannot make it out; *het laat zich goed ~* it reads very well, is (makes) good reading; *het laat zich ~ als een roman* it reads like a novel; *je leest over zo iets heen* these things escape you (in reading); *hij houdt niet van ~* he is not a reading man

lezenaar reading-desk; *(op tafel bijv)* book-rest; *(in de kerk)* lectern

lezer reader; **lezerspubliek** reading public

lezing *(het lezen)* reading *(ook van wetsvoorstel);* *(voor~)* lecture, *(van gedicht bijv)* reading; *(wijze van voorstellen)* version; *een ~ houden* read a paper, deliver (give) a lecture

libel *(insekt)* dragon-fly

liberaal liberal; **liberalisatie**, **liberalisering** liberalization (of trade); **liberalisme** liberalism; **liberalist(isch)** liberalist(ic)

libretto id *(mv:* libretti)

licentie licence; *in ~ gebouwd* built under licence; **licentiehouder** licensee

lichaam body *(ook fig:* legislative ..., etc), frame; *naar ~ en geest (ziel)* (weak) in body and mind; *over zijn hele ~* all over

lichaams|beweging (bodily) exercise; **-bouw** build, physique; **-deel** part of the body, limb; **-houding** bearing, carriage; **-ontwikkeling** physical development; **-warmte** animal heat, body-heat

lichamelijk bodily (pain, defect), corporal (punishment); *~e oefening* physical education (training); *~ letsel* bodily harm

licht I *bn (niet donker)* light, light-coloured, bright; *(niet zwaar)* light (diet, task, step, music, sleep(er)); mild (beer, cigar); *(gering)* slight (wound, headache); *~e lectuur* light reading; *~e maaltijd* light meal, snack; *~e vrouw* wanton woman; *~ van gewicht* light in weight; *~ worden* get light; *~ in het hoofd* giddy, light-headed; **II** *bw* lightly, slightly; *(gemakkelijk)* easily; *~ opvatten* make light of, pass lightly over (one's work); *hij vatte het leven nogal ~ op* he took life rather casually, was easy-going; *zulke dingen vergeet men ~* such things are apt to be forgotten; *~ te begrijpen* easy to understand; **III** *zn* light *(ook boven deur, enz);* *groot ~* (he is no) great light; *(auto)* full headlights; *~ en schaduw* light and shade *(ook fig);* *~ brengen in een zaak* let in light upon a business, clear a matter up; *er komt een beetje ~ (in de duisternis),* (*fig*) we (I) can see daylight (the end of the tunnel); *toen ging mij een ~ op* a light dawned upon me; *zijn ~ bij iem opsteken* go to a p. for information; *~ werpen op* throw (shed) light on; *het ~ zien (ook van boek)* see the light; *aan het ~ brengen* bring to light, reveal, make known; *aan het ~ komen* come to light; *in dat ~ gezien* viewed (looked at) in that light; *in het ~ van deze feiten* in the light of these facts; *tegen het ~ houden* hold against the light; *ga mij uit het ~* stand out of my light

licht|baak beacon(-light); **-bak** *a)* dazzle-light; *b)* illuminated sign; **-blauw** light *(of:* pale) blue; **-blond** light(-coloured); **-boei** light-buoy; **-breking** refraction of light; **-bron** source of light; **-bundel** beam of light; **-druk** phototype; **-echt** fast(-dyed); **-effect** effect(s) of light

lichtelijk faintly (amused), mildly (surprised), slightly (embarrassed)

lichten 1 *(op~)* lift, raise (one's hat); *(op de been brengen)* raise (an army); *het anker ~* weigh anchor; *de bus ~* collect the letters; *de hand ~ met* scamp (one's work); palter with (the truth); *iem van het bed ~* lift a p. from his bed; **2** *(dagen)* dawn; *(van zee)* phosphoresce; *(weerlichten)* lighten; **lichtend** shining (a ... example)

lichter *(vaartuig)* lighter

lichterlaaie: *(in) ~* in a blaze, ablaze

lichtgelovig credulous; **lichtgelovigheid** credulity

lichtgeraakt touchy; **lichtgeraaktheid** touchiness

licht|gevend luminous (paint); **-gevoelig** light-, photosensitive; **-gewicht** light-weight

lichtheid lightness, easiness

lichthoofdig light-, feather-headed

lichting 1 levy, draft (of an army); 2 collection (of letters)

licht|installatie lighting equipment; **-jaar** light-year; **-kogel** Ver(e)y light; **-koker** lighting-shaft; **-mast** lamp standard; **-matroos** ordinary seaman; **-meter** exposure meter; **-net** electric(-light) mains, lighting-system; **-pen** light-pen; **-punt** (*elektr*) connection; (*fig*) ray of hope, bright spot; **-reclame** illuminated advertising; (*op dak ook*) sky-sign; **-schip** lightship; **-schuw** shunning (afraid of) the light; shady (elements); **-sein** light-signal; **-sterkte** intensity of light; (*in kaarssterkte uitgedrukt*) candle-power; **-storing** electric-light failure; **-straal** ray (*of:* beam) of light; (*fig*) ray of hope

lichtvaardig rash, thoughtless; **lichtvaardigheid** ...ness

lichtvoetig light-footed, nimble

lichtzijde (look on the) bright side

lichtzinnig frivolous, flighty; (*ongunstiger*) wanton (woman); **lichtzinnigheid** frivolity, flightiness; wantonness

lid (*van lichaam*) limb; (*vingergewricht*) finger-joint; (*persoon & penis*) member; (*van wetsartikel*) paragraph; (*van vergelijking*) term; (*gewricht*) joint; (*deksel*) lid; ~ *worden van* join (a club, society); *zijn arm is uit het* ~ is out of joint, is dislocated; *over al zijn leden beven* tremble in every limb

lid|geld (*Belg*) subscription; **-kaart** (*Belg*) membership card

lidmaat (church-)member; **lidmaatschap** membership; **lidmaatschapskaart** membership card

lied song; (*kerk*~) hymn

lieden people, folk

liederlijk: *een* ~*e vent* a debauchee, a rotter; ~*e taal* low talk, obscene language

liedje song, ditty; *het is het oude* ~ it's the old (the same) song (over again); *het eind van het* ~ the end of the matter; *het eind van het* ~ *was, dat* ... the upshot was that ...

lief I *bn & bw* (*bemind*) dear, beloved; (*beminnelijk, innemend*) dear (she is a ... thing *schepseltje*), sweet (girl); (*aardig*) nice (people); (*vriendelijk*) kind; *lieve Nora!* dear N!; *zijn* ~*ste werk* his favourite work; *een* ~ *huisje* a charming little house; *om de lieve vrede* for the sake of peace; *meer dan me* ~ *is* more than I care for; *ze was erg* ~ *tegen hem* she was very sweet to him; *het voor* ~ *nemen* make shift with it, put up with it; ... *net zo* ~ ... he'd just as soon be dead; II *zn* sweetheart; ~ *en leed* joys and sorrows

liefdadig charitable; **liefdadigheid** charity

liefdadigheids|concert charitable concert; **-instelling** charitable institution, charity

liefde love (*voor* of, for, to); (*naasten*~) *ook:* charity (charity covers a multitude of sins); *de* ~ *tot God, voor de kunst* the love of God, of art; *met* ~ with (the greatest) pleasure; *uit* ~ *for* (*out of, from*) *love; huwelijk uit* ~ love-match

liefde|blijk proof of love, love-token; **-leven** love-life

liefdeloos loveless, uncharitable, unfeeling; **liefdeloosheid** ...ness (*zie* ~loos)

liefderijk loving, affectionate

liefdes|geschiedenis *a*) love-story; *b*) love-affair; **-leven** love life; **-verklaring** declaration (of love), proposal; *hij deed haar een* ~ he proposed to her

liefde|vol loving; **-werk** charitable deed; **-zuster** sister of charity

liefelijk lovely, charming, sweet; **liefelijkheid** loveliness, etc; charm

liefhebben love; **liefhebbend** loving, affectionate; *uw* ~*e* ..., yours affectionately ..., your loving ...

liefhebber lover; (*bij verkoping*) (intending) buyer; **liefhebberen** do amateur work; ~ *in* dabble in (politics, etc), potter ((away) at botany); **liefhebberij** hobby; *er bestaat grote* ~ *voor* it is greatly sought after; *uit* ~ (paint, etc) as a hobby

liefheid sweetness; **liefje** darling; sweetheart; (*minnares*) mistress; **liefjes** sweetly

liefkozen fondle, caress; **liefkozing** caress

liefst: *zijn* ~*e boek* his favourite book; *haar* ~*e bezit* her most treasured possession; *bw* rather; preferably; *ik zou* ~ *blijven* I should prefer to stay; *welke heb je het* ~? which do you like best (do you prefer)?; ~ *niet* rather not

liefste lover; sweetheart; *mijn* ~ my love

lieftallig sweet, attractive; **lieftalligheid** ...ness

liegen lie, tell lies; *hij liegt* (*het*) he lies, is a liar; *het is* (*alles*) *gelogen* it's a lie (all lies); *hij liegt alsof 't gedrukt is* he is a terrible liar, he lies till he is black in the face; *hij trachtte zich eruit te* ~ he tried to lie himself out of it

lier lyre; (*werktuig*) winch; *branden als een* ~ burn like matchwood

lies groin

lieveheersbeestje lady-bird

lieveling darling, dear, pet, favourite; **lievelings**... favourite (book; study); pet (animals)

liever rather, sooner (I'd ... die); *ik heb dit* ~ I like this better (*dan* than), prefer this (*dan* to); *ik wil niets* ~ I ask for nothing better; *ik ga* ~ *niet* I had rather not go; *daar wil ik* ~ *niet van horen* I (should) prefer not to hear anything about it, I don't care to hear about it; *zou je nu niet* ~ *gaan?* hadn't you better go now?; *zal ik het raam opendoen?* ~ *niet* better not; *ik zou veel* ~ *willen, dat je* ... I'd much rather you refused

lieverd darling, etc; *zie* lieveling
lieverle(d)e: *van* ~ gradually, by degrees
lievigheid amenity, endearment
liflafjes kickshaws, titbits (*Am:* tidbits)
lift id; (*inz Am*) elevator; **liftbediende** lift-attendant, liftman
liften hitch-hike; **lifter** hitch-hiker
lift|koker lift-shaft, -well; **-kooi** lift-cage
liga league
lig|dagen lay-days; **-geld** harbour-, dock-dues (*of:* -charges), port-charges
liggen lie; be situated; *lekker* ~ nestle (in a chair, among leaves); *lig je goed?* are you comfortable?; *het ligt hem niet* it does not suit him; *laten* ~ (you may) leave (the fat); *laat dat* ~ leave it; *hij heeft het lelijk laten* ~ he has made a bad job of it; *blijven* ~ remain; remain in bed; (*tot later*) *blijven* ~ stand over, (many advertisements must) be held over (till tomorrow); *blijf* ~ don't get up; *gaan* ~ lie down; (*wegens ziekte naar bed gaan*) take to one's bed; *de wind ging* ~ dropped; *achterover gaan* ~ lie back; *ik heb het geld* ~ I have the money ready; *waar ligt het aan?* what's the cause of it?; *aan wie ligt het?* who is to blame?; *het ligt aan hem* it is his fault; *niet als het aan mij ligt* not if I can help it; *voor zover het aan hem ligt* as far as he is concerned; *dat ligt geheel aan u* that depends entirely on you; *in bed* (*in het ziekenhuis*) ~ be in bed (in hospital); *hij ligt met influenza* he is laid up with influenza; *dit vertrek ligt op het zuiden* faces south, looks towards) the south; **liggend** lying; **ligger** (*van brug*) girder; **ligging** situation (of a country, etc), position
lig|kuur rest-cure; **-plaats** (*van schip*) berth, mooring; **-stoel** reclining-, lounge-chair; (*in tuin, op schip*) deck chair
liguster privet
lij lee; *aan* ~ on the lee-side, to leeward
lijdelijk passive; ~ *verzet* passive resistance; **lijdelijkheid** passiveness, passivity
lijden I *ww* suffer (pain, cold, hunger); (*doorstaan*) endure, bear, stand; *een verlies* ~ sustain (suffer) a loss; *ik mag* ~, *dat hij een blauwtje loopt* I'd like to see him come a cropper; *dat kan niet* ~ I cannot afford it; ~ *aan* suffer from (a disease), be ill with (typhoid fever), be down with (flu); (*schade*) ~ *door* suffer by; ~ *onder* suffer under (a blow); (*nadeel ondervinden*) suffer by; *te* ~ *hebben van* suffer from; II *zn* suffering(s); *iem uit zijn* ~ *helpen*, (*door te doden*) put a p. out of his misery (his pain); **lijdend** suffering; ~ *voorwerp* direct object; ~*e vorm* passive voice
lijdens|week Passion week, Holy week; **-weg** way of the Cross; (*fig*) (his life was one long) martyrdom
lijder(es) sufferer, patient
lijdzaam patient, meek, submissive; **lijdzaamheid** patience, meekness
lijf body; *hij had geen hemd aan het* ~ he had

not a shirt to his back; *hij ondervond het aan den lijve* he found it to his cost; *in levenden lijve* in the flesh, as large as life; *niet veel om het* ~ *hebben* be of little importance; *het heeft niet veel om het* ~, *ook:* there is not much in it, it isn't anything much; *iem op het* ~ *vallen* fall (drop in) upon a p., take a p. unawares; *iem een schrik* (*de stuipen*) *op het* ~ *jagen* give a p. a fright, send a p. into fits; *de rol is hem op het* ~ *geschreven* fits him like a glove, was simply made for him; *iem te* ~ *gaan* go at (*of:* for) a p.; *iem tegen het* ~ *lopen* run up against (run into) a p.; *blijf me van het* ~ don't touch me! keep off! hands off!; *zich iem van het* ~ *houden* keep a p. at arm's length
lijf|arts personal physician; **-blad** favourite paper; **-eigene** serf
lijfelijk bodily
lijfje (*van jurk*) bodice
lijfrente (life-)annuity
lijfsbehoud preservation of life
lijf|spreuk device, motto; **-straf** corporal punishment; **-wacht** life-, body-guard
lijk corpse, dead body; *zo wit als een* ~ as white as a sheet; *over mijn* ~ over my (dead) body; **lijkachtig** cadaverous
lijk|auto hearse; **-baar** bier; **-bezorger** undertaker; **-bleek** pale as death, deadly (deathly) pale
lijken (*gelijken*) resemble, look (be) like; (*schijnen*) seem, appear, look; (*aanstaan*) suit, please; *het lijkt maar zo* it only seems so; *dat lijkt nergens naar* (*naar niets*) that is altogether wrong; ~ *op* look (be) like, resemble; *waar lijkt het op?* what is it like?; *dat lijkt er helemaal niet op* that is not a bit like it; *dat begint erop te* ~ that's better; that's something like it at last; (*hij slagen?*) *het lijkt er niet op!* … not a bit of it!; *het lijkt, of het gaat vriezen* it looks like freezing
lijken|dief body-snatcher; **-huis(je)** mortuary
lijk|kist coffin; **-kleur** livid (cadaverous) colour; **-krans** funeral wreath; **-rede** funeral oration; **-schennis** violation of the dead; **-schouwer** coroner; **-schouwing** autopsy; (*gerechtelijke*) (coroner's) inquest (into a p.'s death); **-verbranding** cremation; **-wa(de)** shroud; **-wagen** hearse; **-wit** white as death (as a sheet); **-zang** dirge, funeral song
lijm gum; glue; **lijmachtig** gluey, glutinous; **lijmen** glue; (*fig*) patch (up) (a split in the Cabinet); *iem* ~ talk a p. over; **lijm(er)ig** sticky; **lijmsnuiver** glue sniffer
lijn (*streep, spoor-, tram-, afstamming*) line; (*koord*) line, string, cord, rope; *een hond aan de* ~ *houden* keep a dog on the lead (leash); ~ *3,* (*van bus, enz*) route three, number three; *blijft u aan de* ~*?* (*telef*) hold on, please! hold the line, please!; *de grote* ~*en* the main lines; *opgaande* (*neergaande*) ~, (*fig*) upward (downward) tendency (trend); *ze doet aan de slanke* ~ she is slimming; ~*en trekken op* rule

(paper); één ~ *trekken* pull together, present one common front; *dat ligt niet in mijn* ~ that is not in my line; *afstammelingen in de rechte* ~ lineal descendants; *in grote* ~*en* in broad outline; *op één* ~ in (a) lijn; *op één* ~ *stellen* put on a level, bracket together (with); *over de hele* ~ (score) all along the line; *de bal ging over de* ~ the ball went out

lijn|boot liner; **-dienst** regular (scheduled) service

lijnen *a*) rule, line; *b*) slim, watch one's weight

lijn|recht (dead) straight, diametrical; ~ *staan tegenover* be diametrically opposed to; ~ *in strijd met* in flat contradiction with; ~ *ingaan tegen* cut right across; **-rechter** linesman; **-tekenen** linear (*of:* geometrical) drawing

lijntje line; *iem aan het* ~ *houden* keep a p. on a string

lijntrekken slack, go slow; **lijntrekker** slacker, shirk(er), skulk(er); **lijntrekkerij** slacking, shirking

lijn|vliegtuig (air-)liner; **-vlucht** scheduled flight; **-werker** (*telef*) line(s)man, wireman

lijnzaad linseed

lijst list, register, roll; (*om schilderij, enz*) frame; (*kroon~*) cornice; *op de* ~ *plaatsen* place on the list; list; schedule; *no. 3 op de* ~ third down on the list; **lijstenmaker** frame-maker, picture-framer

lijster thrush

lijstwerk frame-work; (*bouwk*) moulding(s)

lijvig corpulent; bulky (volume); **lijvigheid** corpulency, bulk(iness)

lijzig drawling

lik lick; ~ *op stuk geven* give tit for tat

likdoorn corn; **likdoornpleister** corn-plaster

likeur liqueur

likkebaarden (smack) one's lips

likken lick (*ook van vlammen*)

lila *zn & bn* lilac; *zacht* ~ lavender

lillen quiver, shake, palpitate, dither

limiet limit; **limitatief** limitative; **limiteren** limit

limonade lemonade

linde lime(-tree)

lineair linear (expansion)

lingerie id; (women's) underwear

linguïst linguist; **linguïstiek** linguistics; **linguïstisch** linguistic (*bw:* -ally)

liniaal ruler; *met de* ~ *trekken* rule (lines)

linie line; *mannelijke* ~ male line, spear side; *vrouwelijke* ~ female line, distaff side; (*evenaar*) equator

liniëren rule

link (*fam*) sly, cunning; risky

linker left (*ook in pol*); *ook:* left-hand (side, road, etc); ~ *beneden-* (*boven*)*hoek* bottom (top) left-hand corner

linker|arm left arm; **-kant** left(-hand) side; (*van auto, enz*) near side (the car was damaged on the ...); **-vleugel** left wing (*ook in pol*); *lid van de* ~ left-winger

links I *bn* left-handed; (*fig ook*) awkward; (*pol*) left, left-wing; II *bw* to (on, at) the left; (*fig*) in a left-handed way, clumsily, awkwardly; *naar* ~ (turn) left; *iem* ~ *laten liggen* ignore a p., give a p. the cold shoulder

linksom to the left; (*mil*) left turn!

linnen linen; *in* ~, (*van boek*) in cloth; ~ *stoffen* linens

linnen|goed linen; **-juffrouw** linen-maid; **-kast** linen-cupboard; **-wever** linen-weaver; **-weverij** linen-factory

linoleum id; **linoleumsnede** lino-cut

linolzuur linoleic acid

lint ribbon; tape; **lintbebouwing** ribbon-building, -development

lintje ribbon, (*ook van orde*)

lint|worm tape-worm; **-zaag** band-, belt-, ribbon-saw

lip id; *aan de* ~*pen brengen* place (raise) (the glass) to one's lips; *aan iems* ~*pen hangen* hang (up)on a p.'s lips; *het lag haar op de* ~*pen* she had it on (at) the tip of her tongue; *geen woord kwam over zijn* ~*pen* not a word passed his lips; **liplezen** *ww* lip-read; *zn* lip-, speech-reading

lippen|dienst (do, give, pay) lip-service (to ...); **-stift** lipstick

lips|sleutel yale key; **-slot** yale lock, cylinder lock

liquidatie winding-up, liquidation; (*effectenbeurs*) settlement

liquidatie|koers settling-price; **-uitverkoop** winding-up sale, closing down sale

liquideren *tr* wind up (a business), liquidate; *intr* go into (be in) liquidation

liquiditeit solvency, liquidity

lispelen lisp, speak with a lisp

list ruse, trick, stratagem

listig sly, cunning, crafty, subtle; **listigheid** slyness, cunning, subtlety; **listiglijk** slyly, etc

litanie litany (*ook fig:* a ... of woes)

liter litre, (*Am*) liter

literair literary

literatuur literature

literatuur|lijst reading list, list for further reading; **-wetenschap** theory of literature

litho id; **lithograaf** lithographer; **lithografie** lithography; (a) lithograph

litteken scar, cicatrice

liturgie liturgy; **liturgisch** liturgical

livrei livery; **livreiknecht** livery-servant, footman (in livery)

lobbes: *een goeie* ~ a big good-natured chap (dog)

locatie location

loco spot, on spot; ~ *station* free station; **loco-burgemeester** acting-, deputy-mayor, -burgomaster

locomotief (locomotive) engine, locomotive; **locomotiefloods** engine-shed

lodderig drowsy; **lodderigheid** drowsiness

loden I *bn* lead, leaden; (*fig*) leaden; II *ww*

(*met schietlood*) plumb; (*scheepv*) sound, plumb, take soundings

loeder (mean) skunk, beast, bastard

loef: *iem de ~ afsteken* take the wind out of a p.'s sails, go one better than a p.; **loefzijde** weather-side

loeien (*van koe*) low; (*van stier*) bellow; (*van wind, vlammen, enz*) roar, (*van sirene*) shriek, wail

loensen have a cast in one's eye

loep magnifying-glass; *onder de ~ nemen*, (*fig*) scrutinize

loer: *op de ~ liggen* lie in wait, lie (be) on the look-out; *iem een ~ draaien* play a p. a nasty trick; **loeren** peer, leer, spy; *~ op* lie in wait for

lof praise, commendation; *eigen ~* self-praise, self-advertising; *ik heb niets dan ~ voor ...* I have nothing but p. for ...; *zijn eigen ~ (de ~ van zijn vriend*) *verkondigen* (*uitbazuinen*) blow one's own trumpet, sound (sing) one's friend's praises; *boven alle ~ verheven* above all praise; *met ~ slagen* pass with credit; **loffelijk** laudable, commendable, praiseworthy; *~ spreken over* speak in flattering terms of; **loffelijkheid** praiseworthiness, commendability

lof|lied song of praise; **-rede** laudatory oration, eulogy; **-trompet**: *de ~ steken* blow the trumpet; *de ~ steken over* sound (sing) the praises of

loftuiting praise

log I *bn* unwieldy (instrument), heavy (step); II *zn* log (*snelheidsmeter en logaritme*)

logaritme logarithm; **logaritmentafel** logarithmic table(s)

logboek log-book

loge (freemasons') lodge; (*schouwburg*) box

logé(e) guest

logeer|bed spare bed; **-kamer** spare (bed-)room, guest-room

logement inn, (cheap) hotel

logen soak (*of:* steep) in lye

logenstraffen give the lie (to), belie (hopes, etc), live down (one's past)

logeren stay, (*fam*) stop; *~ bij iem* stay with a p. (at a p.'s house)

logger lugger, drifter

logies accommodation, lodging(s); *~ met ontbijt* bed and breakfast

logisch logical, rational (think ...ly); *dat is nogal ~* that is only logical, that goes without saying

logistiek logistics

logopedie speech therapy; **logopedist** speech therapist

lok lock, curl

lokaal *zn* room, hall; (*school*) class-room; *bn* local

lokaalspoorweg district railway

lokaas bait, lure

lokaliseren localize; (*plaats bepalen van*) lo-

cate; **lokaliteit** (*plaats*) locality; (*vertrek, enz*) room, premises

lokeend decoy(-duck) (*ook fig*)

loket (*in loketkast*) pigeon-hole; (*in kluis*) (safe-deposit) box, safe; (*in station*) ticket-window, (*kaartenbureau*) booking-, ticket-office; (*van schouwb*) box-office; *aan het ~,* (*van kantoor*) at the counter; **lokettist** ticket-(booking-, counter-)clerk

lokken (al)lure, entice, tempt; **lokker** tempter, allurer

lok|middel lure, bait; **-roep** call-note; **-stem** tempting voice; **-vogel** decoy

lol (*fam*) fun, lark(s); *veel ~ hebben* have a wonderful time; *wat hadden we een ~!* what fun we had!; *voor de ~* for fun, in fun; **lolletje** lark, spree; *zo'n leven is geen ~* such a life is no joke; **lollig** jolly, funny; *zie ook* grappig

lolly (*snoep*) lollipop, lolly

lommerd pawnbroker's (shop), pawnshop; **lommerdbriefje** pawn-ticket

lommerrijk shady, shaded, leafy

lomp I *bn* (*plomp*) ponderous, unwieldy; (*onbehouwen*) ungainly; (*vlegelachtig*) rude; (*onhandig*) clumsy, awkward; II *zn* rag, tatter; *in ~en* in rags; **lompheid** rudeness, etc; *zie* lomp I

Londen London; **Londenaar** Londoner, London man; **Londens** London

lonen pay, repay; *het loont de moeite niet* it is not worth while (worth the trouble); **lonend** paying, rewarding

long lung

long|arts lung specialist; **-kanker** lung cancer; **-ontsteking** pneumonia

longroom (*scheepv*) ward-room

lonken ogle; *~ naar, ook:* make eyes at a p.

lont fuse; *~ ruiken* smell a rat, scent danger

loochenaar(ster) denier; **loochenbaar** deniable; **loochenen** deny; **loochening** denial

lood lead; (*diep-*) (sounding-)lead, plummet; (*schiet-*) plumb-line; *het is ~ om oud ijzer* it is six of one and half a dozen of the other; *ramen met glas in ~* leaded windows; *uit het ~* (one inch) out of plumb; *uit het ~ geslagen: a*) bewildered; *b*) unbalanced

lood|gieter plumber; **-gieterswerk** plumbing

loodje: *het ~ leggen* get the worst of it; *de laatste ~s wegen het zwaarst* it is the last straw that breaks the camel's back

lood|kleurig lead-coloured, leaden, livid; **-lijn** perpendicular (line); (*scheepv*) sounding-line; **-recht** perpendicular; vertical (ascent); sheer (cliffs rise ... from the water)

1 loods shed; (*open, tegen huis enz aangebouwd*) lean-to

2 loods pilot

loods|boot pilot-boat; **-dienst** pilot-service, pilotage

loodsen pilot (a ship into port; *ook fig:* pilot a bill through Parliament); **loodsgeld** pilotage (dues)

loo

lood|vergiftiging lead-poisoning; **-zwaar** (as) heavy as lead, leaden (feet, sky)

loof foliage, leaves

loog lye

looi (tanner's) oak-bark; **looien** tan; **looier** tanner; **looierij** tannery

look leek

loom (*mat*) languid; (*van weer*) close, oppressive; (*van markt*) inactive, dull; **loomheid** languor, lethargy; closeness, etc

loon wages, pay; (*beloning*) reward; *het is je verdiende* ~ it serves you right; ~ *trekken* draw wages; *concurrentie door lage lonen* low-wage competition

loon|arbeid wage-work, hired labour; **-arbeider** wage-earner; **-belasting** wage tax, P.A.Y.E. (= pay as you earn); **-dienst** wage-earning; *in* ~ *zijn* be on the pay-roll; **-eis** pay claim; **-geschil** wage(s)-dispute, -conflict; **-politiek** wages policy; **-ronde** round of wage increases; **-schaal** scale of wages; **-slaaf** wage-slave; **-stop** wage-freeze, pay-pause

loons|verhoging rise in wages, wage-(pay-)increase; **-verlaging** reduction of wages, wage(s)-cut

loonwerk job-work, contract work, custom work

loop (*gang van pers & dier*) walk, gait; (*van dingen*) course (of events, river); (*van vuurwapen*) barrel; *de* ~ *der gebeurtenissen afwachten* await events (developments); ~ *der treinen* train service; *het recht moet zijn* ~ *hebben* the law must take its course; *hij liet zijn gedachten de vrije* ~ he gave his thoughts free play; *in de* ~ *der week* in the course of the week; *op de* ~ *gaan,* (*van paard*) bolt, (*van pers*) take to one's heels, bolt; *op de* ~ *zijn* be on the run

loop|baan career; **-brug** foot-bridge; **-graaf** trench; **-gravenoorlog** trench-war(fare)

loopje (short) run; (*muz*) run; *een* ~ *met iem nemen* make fun of a p., pull a p.'s leg

loop|jongen errand-, messenger-boy; **-lamp** inspection lamp; **-pas** double-quick (time); *in de* ~ *marcheren* march at the double, at double-quick time; **-plank** (*scheepv*) gangway

loops in heat; **loopsheid** heat

loop|tijd (*van wissel, contract, enz*) currency, term; *lening met lange* ~ long-term loan; **-vlak** (*van autoband, enz*) tread; **-vogel** courser, cursorial bird

loos (*niet echt*) blind, dummy, (door) false (alarm); (*listig*) sly, cunning, crafty

loot shoot, cutting; (*fig*) scion, offspring

lopen I *ww* walk, go; (*hard* ~) run; (*van trein, rivier, weg, contract, kraantje, wond, enz*) run; (*van machine, enz*) run, go; (*van trein ook*) travel (75 miles); *op en neer* ~ *in* ... pace (the room); *loop heen!* go (get) along with you! go on! come now!; *het moet al gek* ~, *of* ... it would be surprising if (you didn't pass your exam); *harder* ~ *dan* outrun; *de klok loopt goed* keeps good time; *het boek loopt goed* is

doing very nicely; *je kunt het* ~ it is within walking distance; *zien hoe het loopt* await events; *de zaken laten* ~ let things slide; *het loopt in de duizenden* it runs into thousands; *de straat loopt langs de bank* passes the bank; *de weg loopt langs het bos* the road skirts the wood; *waar loopt dit pad naar toe?* where does this path lead to?; *hij loopt naar de dertig* he is getting (going) on for thirty; ~ *om* go (walk, run) round (the house); *het schip liep op een klip* ran on (struck) a rock; *de trein loopt over Utrecht* runs via Utrecht; *de zolder loopt over de hele lengte van het huis* the attic runs the length of the house; *over iem heen* ~ walk over a p.; *hij liep* (*met zijn hoofd*) *tegen de deur* he knocked up (ran his head) against the door; *het loopt tegen vieren* it is getting on for four o'clock; **II** *zn: het is een uur* ~ it is an hour's walk; *het op een* ~ *zetten* take to one's heels; **lopend** running; ~*e band* conveyor(-belt); assembly-line; *produktie aan de* ~*e band* flow production; ~ *patiënt* out-patient; ~*e rekening* current account; *zich als een* ~ *vuurtje verbreiden* spread like wild-fire; ~*e zaken afdoen* settle current affairs; **loper** runner; (*van kantoor, bank, enz*) messenger; (*sleutel*) master-key; (*schaaksp*) bishop; (*trap, enz*) (stair-)carpet; (*tafel-*) table-runner

lor rag; *het is een* ~ it is trash; *het kan me geen* ~ *schelen* I do not care a hang; *hij weet er geen* ~ *van* he doesn't know a thing about it

lorrie trolley, truck, lorry

los (*niet vast*) loose (tooth, stone, board, page, earth, tea), detachable (cover, roof), false (lining), (*afzonderlijk*) loose (matches, papers), single (copies *afleveringen*); (*onsamenhangend*) stray (notes, remarks); ~! go! play! let go!; *ze zijn* ~, (*wedstrijd, enz*) they are off; ~ *rijden,* (*op fiets*) with both hands off the handle-bar; *erop* ~! at them (him, it)!; *erop* ~ *beuken* pound away (at the door); *er maar op* ~ *kopen* buy things recklessly; *erop* ~ *leven* live from hand to mouth, (*boemelen*) be (out) on the racket, live it up; ~*ser maken* loosen; *erop* ~ *slaan* hit out freely; *er was een knoop* ~ he had a button undone; ~*se feiten* isolated facts; ~ *geld* loose cash (money); ~ *gerucht* floating rumour; ~*se grond* loose soil; *op* ~*se gronden* (maintain) on flimsy grounds; ~ *karwei* casual work; ~*se lading* bulk cargo; ~*se flodder* blank cartridge; ~*se stijl* easy (fluent) style; ~ *werk* casual work; ~ *werkman* casual labourer, odd hand; ~ *in de mond zijn* have a loose tongue, be indiscreet; *hij steelt alles wat* ~ *en vast is* whatever he can lay hands on; ~ *van* apart from (these considerations)

losbandig dissolute, dissipated, licentious; **losbandigheid** dissoluteness, dissipation, licentiousness

los|barsten break (the storm broke), break out, burst (forth), explode; **-binden** unbind, untie, undo (a knot, etc); **-bladig** loose-leaf-

-bol rake, libertine; **-breken** break loose, break away; **-draaien** untwist, unscrew (an electric bulb), twist off; **-gaan** get (come) loose (unstuck); *(van strik, enz)* come undone (untied); **-geld** ransom; **-gooien** *a)* throw loose; *b)* cast off (a rope, boat); **-hangen** hang loose; *~d haar* hanging-down hair; *met ~de (verwarde) haren* (with) dishevelled (hair)

losheid looseness; ease, fluency *(vgl ~)*

losjes loosely; *(luchtig)* lightly

los|knopen *a)* untie; *b)* unbutton; **-komen** get loose, be released, be set free; *(fig)* let o.s. go; *(van vliegt)* get off the ground; **-kopen** ransom, buy off (out); **-koppelen** uncouple, disconnect; **-krijgen** get loose; *geld van iem ~* get (squeeze) money out of a p.; *geld zien ~ te krijgen* try to raise money; **-laten** let (turn) loose, set free, release; *(van verf, enz)* come off; *(iets, iem) ~* let go (of a thing, a p.), abandon; *laat ~! let go!; laat me ~!* let go of me!; *hij liet niets ~, (zei niets)* he did not let out anything, did not give anything away; *de gedachte liet me niet ~* the thought haunted me

loslippig indiscreet; **loslippigheid** indiscretion

los|lopen be at liberty (at large); *dat zal wel ~* that is sure to come right; *(van hond)* stray; **-maken** loosen; undo, untie (a knot); unbutton (a coat); *~ van* detach from; unlink; *zich ~* disengage (free) o.s., shake o.s. free; *zich ~ van* dissociate o.s. from (a colony), break away from (a federation); *ik kan me niet ~ van dat idee* I cannot get away from that idea; **-making** loosening, dissociation, etc; **-prijs** ransom; *er wordt een ~ van £5000 voor hem geëist* he is being held to ransom for £5000; **-raken** get loose (detached), loosen, come loose (undone, untied, unfastened, etc); **-rukken, -scheuren** tear loose; *zich ~* tear o.s. away, break away; **-schroeven** unscrew, loosen

lossen *(schip)* unload; *(schot)* fire; *(sp)* break away from (an opponent); **lossing** discharge, unloading

los|slaan *tr* knock loose; *intr (van schip)* break adrift; **-snijden** cut loose; **-staand** detached (house); **-stormen** *op* rush upon, charge (the enemy); **-trekken** tear (pull) loose; **-weg** loosely, lightly; **-weken** soak off; *(door stoom)* steam open (a letter); **-werken** work loose; *zich ~* disengage o.s., free o.s.; **-wikkelen** unwrap

loszinnig frivolous

lot *(nood-)* fate, destiny; *(levens-)* lot; *(loterijbriefje)* (lottery-)ticket; *(prijs)* prize; *men liet hem aan zijn ~ over* he was left to his fate; **loten** draw (cast) lots (for); *erin ~* draw a bad number; **loterij** lottery; *(fig)* gamble (life is a ...); **loterijbriefje** lottery-ticket

lot|genoot partner in misfortune, fellow-sufferer; **-gevallen** adventures, fortunes

loting drawing of lots, ballot, draw; *bij ~ aanwijzen* assign by lot

lotion id

lotsverbondenheid solidarity (with working-class ideals)

lotto id

louche sinister, nasty, shady

louter mere, pure, sheer (it is ... negligence); *~ uit gewoonte* from sheer force of habit; **louteren** purify, refine; *(fig ook)* chasten; **loutering** purification, refining, chastening

loven praise, commend, extol; *~ en bieden* haggle, bargain

lover foliage; **lovertje** spangle

loyaal loyal; **loyaliteit** loyalty

lozen drain off (away) (water); void, evacuate (excrements); discharge (oil from a ship); *iem ~* get rid of a p.; **lozing** draining, drainage

lucht air; *(uitspansel)* sky; *(reuk)* smell, scent; *ik kreeg er de ~ van* I got wind of it; *het hangt nog in de ~* it is still in the air; *in de ~ vliegen* blow up, be blown up, explode; *dat is uit de ~ gegrepen* that is without any foundation, utterly unfounded; *uit de ~ komen vallen* drop from the skies, appear out of the blue from nowhere

lucht|aanval air-attack, air-raid; **-afweer** anti-aircraft defence; **-alarm** air-raid warning; **-ballon** (air-)balloon; **-basis** air-base; **-bed** inflatable bed, lilo; **-bezoedeling** *(Belg)* air pollution; **-brug** *(met vliegtuigen)* airlift; **-bus** airbus; **-dicht** air-tight, hermetic *(bw: -ally)*; **-druk** *a)* atmospheric pressure; *b)* air-pressure; *(bij ontploffing)* blast; **-drukrem** air brake

luchten air, ventilate; *(fig ook)* vent; *ik kan hem niet ~ (of zien)* I hate the sight of him; *zijn geleerdheid ~* air (show off) one's learning; *zijn gevoel ~* give vent to (relieve) one's feelings

luchter candelabrum; *(lichtkroon)* chandelier

lucht|filter air-filter; **-foto** aerial photograph; **-gekoeld** air-cooled (motor, engine); **-gesteldheid** *a)* condition of the air, atmosphere; *b)* climate

luchthartig light-hearted; **luchthartigheid** ...ness

luchthaven airport

luchtig airy (room, dress); light (cake); *~ opvatten* make light of, treat light-heartedly; **luchtigheid** airiness, lightness

luchtje *zie* lucht; *een ~ scheppen* get a breath of (fresh) air; *er is een ~ aan* it smells; *(fig)* there is s.t. fishy about it

lucht|kartering aerial survey; **-kasteel** castle in the air; **-klep** air-valve; **-koker** air-, ventilating-shaft; **-kussen** air-cushion, -pillow; **-kussenvoertuig** hovercraft; **-laag** layer of air; **-landingstroepen** airborne troops; **-ledig** I *bn* void of air; II *zn* vacuum; **-lijn** airline; **-macht** air-force; **-matras** air-mattress; **-net** *(net van luchtlijnen)* air network; **-pijp** windpipe, trachea; **-pomp** air-pump; **-port** air-mail rate; **-post** *per ~* (by) air-mail

luc

luchtpost|blad air letter; **-brief** air letter

lucht|reis air-voyage; **-reiziger** air-traveller, -passenger; **-rooster** ventilator; **-ruim** atmosphere, air; (French) airspace; **-schip** airship; **-spiegeling** mirage, fata morgana; **-sprong** caper, gambol; **-storingen** (radio) atmospherics, statics; **-streek** climate, zone; **-strijdkrachten** air-forces; **-toevoer** supply of air; **-vaart** aviation; **-vaartmaatschappij** airline(s company); **-verdediging** air-defence; **-verkeer** air-traffic; **-verkenning** air-reconnaissance; **-verontreiniging** air-pollution; **-versing** ventilation; **-vloot** air-fleet; **-waardig(heid)** airworthy(-iness); **-weerstand** resistance of the air; **-ziek(te)** airsick(ness); **-zuiging** (luchtv) backwash

lucifer match

lucifers|doosje match-box; **-houtje** matchstick; **-kop** match-head

lucratief lucrative

luguber sinister

lui I zn people, folk; zeg, ~! (I) say, folks!; II bn lazy, idle; ~e stoel easy chair; hij is liever ~ dan moe he was born tired; **luiaard** lazy-bones

luid I bn loud; II bw loud(ly); spreek ~er speak louder, speak up

luiden I intr (van klok) ring, peal, sound; (kleppen) toll; (van brief, enz) read (a telegram ...ing:), run (the letter ...s as follows); II tr ring, peal; (kleppen) toll

luidkeels at the top of one's voice

luidruchtig clamorous, tumultuous, noisy; **luidruchtigheid** clamorousness, etc

luidspreker (loud)speaker

luier nappy, napkin, (Am) diaper

luieren be idle, idle, loaf, laze (about)

luifel (boven ingang) canopy, (tent) awning, (kerk) porch

luiheid laziness, idleness

luik (scheepv) hatch; (valluik) trap-door; (van drieluik, enz) panel; (van raam) shutter

luilak lazy-bones

luim (stemming) temper, mood; (gril) caprice, whim; (tegenover ernst) humour, fun

luipaard leopard

luis louse (mv: lice)

luister lustre; ~ bijzetten aan add lustre to

luisteraar(ster) listener; **luisteren** listen (naar to); (radio) listen (in); staan ~ eavesdrop; dat luistert nauw it requires the greatest care; ~ naar de naam van answer to the name of; ~ of men ook ... hoort listen for footsteps

luistergeld radio licence fee

luisterrijk brilliant, glorious, splendid

luistervink eavesdropper

luit lute

luitenant lieutenant; **luitenant-kolonel** lieutenant-colonel; (vliegdienst) wing-commander

luitjes people, folk; de oude ~ the old folks

luizen ww louse; iem erin ~ play a p. for a sucker; **luizenbaan** cushy job

luizig lousy, (fig ook) scabby (a ... sixpence)

lukraak haphazard (remark), random (example)

lul (plat) prick, (Am) dick; **lullen** (plat) gas, talk nonsense; **lullig** (plat) stupid (it looks so ...); doe niet zo ~ don't be such a wet

lumineus luminous, bright (idea)

lummel lout, booby; **lummelachtig** loutish, gawky; **lummelen** laze (about), hang (about street-corners), loll, lounge

lunch id, luncheon

lunch|pakket packed lunch; **-pauze** lunchbreak; **-room** snackbar, café, tea-room, teashop; (Am) id

lurken suck audibly

lurven: bij de ~ pakken collar (a p.)

lus (voor knoop, enz) loop; (van touw) noose; (van laars, jas, in tram, enz) strap

lust (genot) delight; (verlangen) desire, mind; (zinnelijke) lust, desire; het is een ~ om te zien, een ~ voor de ogen it is a feast for the eyes, a sight to see, a treat to look at it; ~ hebben (voelen) have a mind; ik heb grote (geen) ~ om te ... I have a great mind (no mind) to ...; ik heb geen ~ om te schrijven I don't feel like writing

lusteloos listless, languid; (van de markt) dull; **lusteloosheid** listlessness, apathy, languor, dullness

lusten like, fancy; ik lust niet meer I can't eat any more; ik zou wel een glas bier ~ I could do with a glass of beer; hij zal ervan ~ I'll give it him, he'll catch it; iem ervan laten ~ give a p. a bad time

lusthof pleasure-garden, -ground

lustig merry, cheerful; ~ zingen sing lustily

lust|moord sex-murder; **-object** object of lust; **-oord** pleasure-ground, delightful spot

lustrum id; **lustrumfeest** lustral feast

lutheraan Lutheran; **luthers** Lutheran

luttel little; (mv) few; zie weinig

luur: iem in de luren leggen take a p. in

luw sheltered; (zacht) mild; **luwen** (van wind) abate, fall, die down; (van opwinding, enz) die down, subside; (van ijver) flag; (van vriendschap, enz) cool down; het zal wel ~, (fig) it is sure to blow over; **luwte** lee, shelter; in de ~ van under the lee of (the wood, etc)

luxe luxury; geen (overbodige) ~ no luxury, not uncalled for

luxe|artikel (article of) luxury; ~en fancy articles, luxury goods; **-brood** fancy bread

luxueus luxurious, sumptuous

lyceum id; (ongev) grammar school, (Am) high school

lymf(e)klier lymph(atic) gland

lynchen lynch

lynx id

lyriek lyric poetry; **lyrisch** lyric(al)

lysol lysol

Mm*m*

maag stomach; (*fam*) tummy; *een goede ~ hebben* have a good digestion; *daar zit ik mee in m'n ~* it worries me; **maagbloeding** h(a)emorrhage of the stomach

maagd virgin; **maagdelijk** virginal, virgin (forest, snow, birth); **maagdelijkheid** virginity

maag|kanker stomach cancer; **-kramp** stomach-cramp; **-kwaal** stomach-complaint; **-pijn** stomach-ache; (*fam*) tummy-ache; **-zuur** gastric acid; **-zweer** stomach ulcer

maaien mow (grass), reap (corn); **maaier** mower, reaper; **maaiveld** surface (level), ground level

maak: *in de ~ zijn* be in the making (another system is in the ...), (*reparatie*) be under repair; **maakwerk** work made to order; custom-made work

maal I time; *een~, twee~, drie~, vier~, enz* once, twice, three times, four times, etc; *twee en een half ~ zo groot* two and a half times as large; *2 ~ 6 is 12* twice 6 is 12; II meal; (*tussendoortje*) snack; *een stevig ~* a square meal

maal|stroom whirlpool, eddy, swirl, vorte; **-teken** multiplication sign

maaltijd meal; *aan de ~ zijn* be at table

maan moon (new, half, full ...); *het is volle ~* it is full moon; *door de ~ verlicht* moonlit; *naar de ~ gaan* go to the dogs; *laat hem naar de ~ lopen!* let him go hang!

maand month; *de 15e dezer ~* the 15th instant; *de ~ juli* the month of July; **maandabonnement** monthly season ticket

maandag Monday

maandblad monthly

maandelijks monthly

maand|geld monthly pay, monthly allowance; **-verband** sanitary towel, (*Am*) sanitary napkin; **-wedde** (*Belg*) monthly salary

maan|lander lunar module; **-landschap** moonscape; **-licht** moon-light

maansverduistering eclipse of the moon

maar *vw* but; yet; *bw* but, only, merely; *ik hoop ~ ...* I only hope ...; *hij doet ~* he does just as he pleases; *~ al te spoedig* all too soon; *~ net* only just; *als ik ~ kon!* if only I could!; *ga nu ~: a)* you may go now; *b)* you had better go now; *geeft u ~ ham* ham will be all right; *was ik ~ in E.* I wish I were in E.; *wacht ~!* (just) you wait!

maarschalk marshal; **maarschalksstaf** marshal's baton

maart March; *~ roert zijn staart* late March can be showery (and April may still bring snow)

maas mesh; (*van wet, enz*) *ook:* loophole

1 maat (*om te meten*) measure; (*afmetingen*) measure, size (of hats, gloves); (*verskunst*) metre, measure; (*muz*) bar; *de eerste maten* the opening bars; *welke ~ schoenen hebt u?* what size shoes do you take?; *maten en gewichten* weights and measures; *zij weten geen ~ te houden* they don't know when to stop; *wilt u mij de ~ nemen voor een jas?* will you take my measure for a coat?; *dat deed de ~ overlopen*, (*sl*) that put the (tin) lid on; *de ~ slaan* beat time; *in zulk een mate, dat ... to such an extent that ...*; *met mate* (drink) in moderation; *met twee maten meten* measure by two standards; *naar ~* (suit) made to measure (to order)

2 maat mate, comrade, companion, partner, (*fam*) chum, pal; (*bij spel*) partner

maat|beker measuring cup; **-gevend** leading; representative (of the average); **-gevoel** sense of rhythm; **-glas** measuring-glass; **-kleermaker** bespoke tailor; **-regel** measure; *~en nemen* (*treffen*) take measures (steps)

maatschap partnership; **maatschappelijk** social; *~ werk* social work; **maatschappij** (*samenleving*) society (*= de ~*); (*genootschap*) society; (*handel*) company; *~ met beperkte aansprakelijkheid* limited liability company; **maatschappijleer** *a*) sociology; *b*) social science

maatstaf measuring-staff; (*fig*) standard; *dat is geen ~, ook:* that is no criterion

machinaal mechanical, automatic (*bw:* -ally); *~ van buiten leren* learn by rote; **machine** (*als beweegkracht*) engine; (*anders*) machine (sewing-machine); (*fig*) machine

machine|fabriek engineering-works; **-geweer** machine-gun

machinerie("en) machinery

machine|schrijven type-writing; **-taal** (*computer*) computer (instruction) language; **-tekenaar** engineering-draughtsman; **-werkplaats** machine-shop

machinist (*op schip*) engineer (*eerste ~* chief engineer); (*spoor*) (engine-)driver, motorman

macht power (*ook in wisk*), might, (paternal) authority; (*heerschappij*) dominion; (*staat*) power (the great ...s); *wereldlijke* (*geestelijke, wetgevende*) *~* temporal (spiritual, legislative) power; *de ~ der gewoonte* the force of habit; *de ~ in handen hebben* be in power (in control); *aan de ~ komen* come into (to) power; *in zijn ~ krijgen* get into one's power, get a hold on; *met (uit) alle ~* with might and main; *de ~ verliezen over* lose control of (one's car); **machteloos** powerless, impotent; **machteloosheid** powerlessness, impotence

machthebber ruler

machtig I *bn* powerful, mighty; (*overweldigend*) stupendous; (*van voedsel*) rich; *dat is mij te ~*, (*prijs, enz*) that is a bit (too) steep; *het wordt me te ~* it's getting too much for me;

hij is die taal ~ he has thorough command of that language; *zijn gevoel werd hem te* ~ his feelings overcame him; **II** *bw* powerfully; ~ *mooi* (*in z'n schik, enz*), (*fam*) mighty fine (pleased, etc); **machtigen** authorize, empower; **machtiging** authorization; ~ *verlenen* authorize (a p. to do s.t.)

machts|evenwicht balance of power; **-middel** means of power; **-misbruik** abuse of power; **-overname** power take-over; **-positie** position of authority; **-sfeer** sphere of influence; **-verhouding:** *de nieuwe* ~*en in Azië* the new balance of power in Asia; **-vertoon** display of power; **-wellust** lust for power

macrobiotisch macrobiotic

made maggot

madeliefje daisy

madonna Madonna

maf *bn* slow, heavy

maffen snooze

magazijn warehouse, storehouse; (*winkel*) store(s); **magazijnmeester** w-, store-keeper

mager (*van pers*) thin; hollow (cheeks); (*van vlees*) lean; (*fig*) meagre (meal); lean (years); *zie ook* schraal; ~*e kaas* skim-milk cheese; ~ *en gespierd* wiry; **magerte** ...ness; **magertjes** poorly

magie magic (art); **magisch** magic(al)

magistraal magisterial, authoritative, masterly

magneet magnet

magneet|band magnetic tape; sound-recording tape; **-kaart** magnetic card; **-naald** magnetic needle

magnesium id

magnetisch magnetic (*bw:* -ally); **magnetisme** magnetism

magnifiek magnificent, splendid

mailen mail

maïs maize; (*Am*) corn

maïs|kolf maize-ear; (*zonder de korrels*) corncob; **-korrel** maize-grain; **-meel** maize flour, (*Am*) corn-meal

maîtresse mistress

majesteit majesty; *Uwe M*~ Your Majesty; **majestueus** majestic (*bw:* -ally)

majoor major; (*vliegdienst*) squadron-leader

mak tame, docile, meek

makelaar broker, house-agent; ~ *in huizen* house-agent; **makelaardij** broker's business, broking

makelaars|firma firm of brokers; **-loon** brokerage

makelij make, making, workmanship

maken make (a coat, laws, a fortune, journey, friends); take (a photograph); do (a sum, an exercise); form (I can ... no idea of his character); (*verdienen*) make (£ 500 a year); (*repareren*) repair, mend, (*fam*) fix; *ik zal* ~, *dat hij het doet* I'll make him do it; ... *maakte dat hij* ... the letter made him hurry home; *hoe maak je het?* how are you?; *het heel goed* ~ *op school*

do very well at school; *hij heeft het ernaar gemaakt* he deserves all he gets; *maak het een beetje!* (*fam*) come off it!; *dat maakt 17* that makes seventeen; *dat maakt verschil* that makes a difference; *maak dat je weg komt!* make yourself scarce! (*Am*) scram; *dat maakt niets uit* that does not matter; *wat heeft hij ermee te* ~? where (*of:* how) does he come in?; *ik heb er niets mee te* ~ it is none of my business; *dat heeft er niets mee te* ~ that has nothing to do with it; *dat is niet meer te* ~ beyond repair; **maker** maker

makkelijk *zie* gemakkelijk

makker comrade, mate, companion

makkie (*fam*) easy job

makreel mackerel

mal **I** *zn* mould, shape; **II** *bn, bw* foolish, mad; silly (you ... boy!); *dat is een* ~*le geschiedenis* an awkward affair; *zij hield hem voor de* ~, (*in de liefde*) she played fast and loose with him; *je bent* ~*! ook:* are you mad?; *ben je* ~? (*Am*) are you kidding?

malaise (trade) depression, slump

malaria id; **malariamug** malaria mosquito

malen grind (corn, coffee); ~*de zijn* be off one's head

maling: *er* ~ *aan hebben* not care a rap (a fig) for it; *ik heb* ~ *aan de grammatica!* hang grammar!; *iem in de* ~ *nemen* make a fool of a p., pull a p.'s leg

malligheid foolishness, nonsense

malloot fool, rattle-brain; **mallotig** silly

mals tender (meat), lush (meadows), mellow (fruit), soft (rain)

malversatie malversation

mam mum; **mam(m)a** mamma

mammoet mammoth

man man; (*echtgenoot*) husband; ~ *van aanzien* man of note; ~ *van betekenis* man of importance; ~ *van de daad* man of action; *hij is een* ~ *van zijn woord* he is as good as his word; *hij is er de* ~ *niet naar om ...* he is not one to ...; ~ *en vrouw* husband and wife; *aan de* ~ *brengen* market; sell (an article); *met* ~ *en macht* with might and main; *op de* ~ *af* (ask) point-blank

manchet (*los of vast*) cuff; **manchetknoop** (cuff-)link

manco shortage

mand basket, hamper; *door de* ~ *vallen: a*) (have to) own up, make a clean breast of it; *b*) show up for what one is

mandaat mandate

mandarijntje tangerine (orange)

mandefles wicker-bottle; (*groot*) demijohn

mandenmaker basket-maker

mandje basket

mandvol basketful, hamperful

manege riding-school

manen **I** *ww* press for payment; *zie ook* aanmanen; **II** *zn* (*v paard*) mane (*steeds ev*)

maneschijn moonlight

mangat man-hole; **mangatdeksel** man-hole cover

mangel mangling-machine, mangle; **mangelen** mangle (linen); (*sp*) sandwich

manhaft(ig) manly, manful; **manhaft(ig)-heid** manliness

maniak maniac, crank

manicure id, manicurist; **manicuren** *ww* manicure

manie mania, rage, craze, fad

manier manner (good ...s); fashion, way; (*kunstje* trick (I know a ... to do it); *denk om je ~en* mind your m...s; *~ van doen* manner; *dat is geen ~ van doen* that is not the way to treat anybody; *op alle mogelijke ~en* in every possible way; *op de een of andere ~* in one way or (an)other

manifest manifesto; **manifestatie** demonstration; **manifesteren** demonstrate

manipuleren manipulate

manisch manic; **manisch-depressief** manic-depressive

mank lame, crippled; *hij gaat ~* he limps; *de vergelijking gaat ~* the comparison will not hold water; **mankement** defect, trouble, s.t. wrong

mankeren fail, be absent; *hij mankeerde nooit* he never failed to come; *wat mankeert je?* what is the matter with you? (*wat bezielt je?*) what has come over you?; *zonder ~* without fail

man|kracht (*inz mil*) man-power; **-lief** hubby; *~!* hubby dear!; **-moedig** manful, manly, bold

mannelijk (*natuurlijk geslacht*) male (*ook van bloem*); (*een man eigen*) masculine (pride, nature); (*flink*) manly; (*krachtig*) virile; (*gramm, rijm*) masculine; **mannelijkheid** masculinity, manliness, manhood

mannen|gek man-crazy (girl, woman); **-taal** manly language; *dat is ~!* that's the stuff (the talk)!

mannequin id, (dress) model

mannetje little man, manikin; (*van dier*) male bull, he; *~ en wijfje* male and female

manoeuvre id; **manoeuvreerruimte** room to manoeuvre; **manoeuvreren** manoeuvre (*ook fig*)

mans: *hij is ~ genoeg om ...* he is man enough to ...

manschappen ratings (officers and ...)

manshoog man-size(d)

mantel (lady's) coat, jacket; *iem de ~ uitvegen* haul a p. over the coals; *iets met de ~ der liefde bedekken* cover s.t. with the cloak of charity

mantel|organisatie under-cover organization; **-pak** costume; **-zak** coat-pocket

manufacturen piece-goods, draper's goods; **manufacturenwinkel** drapery-shop

manuscript id; (*theat*) script

manusje: *~-van-alles* odd-job man

man|uur man-hour; **-wijf** virago

map stationery-case; portfolio, file

marchanderen bargain, higgle, haggle

marcheren march

marconist wireless operator

mare news, tidings, report

marechaussee *ongev* military police

margarine id; (*fam*) marge

marge margin; (*verschil*) difference

Maria|kapel Lady Chapel; **-verering** worship of the Blessed Virgin

marihuana cannabis, marijuana; (*sl*) grass

marine navy; *attr ook:* naval (stores); *hij is bij de ~* he is in the navy

marine|instituut naval college; **-krijgsraad** naval court-martial; **-luchtvaartdienst** Fleet Air Arm; **-officier** naval officer

marineren pickle, marinate

marine|staf navy staff; **-werf** government dockyard

marinier marine; *het korps ~s* the marine corps

marionet puppet (*ook fig*)

markant conspicuous, salient (points), outstanding (features *kenmerken*)

markeren mark; signpost (a route)

markies 1 (*pers*) marquis; 2 (*zonnescherm*) awning; **markiezin** marchioness

markt market; (*~plaats*) market(-place); *de ~ is afgelopen* market is over; *een ~ vinden voor* find a market for; *aan de ~ brengen* put on the market, market (goods); *hij is van alle ~en thuis* he is an all-round man

markt|hal market-hall, covered market; **-kraam** market-stall; **-onderzoek** market research; **-plein** market-place

marmelade marmalade

marmer marble

1 mars: *hij heeft heel wat in zijn ~* he knows a lot

2 mars march

marscolonne column of route

marsepein(en) marzipan

mars|kramer pedlar, (travelling) hawker; **-order** marching-orders; **-tempo** rate of march

martelaar martyr (*van ... to science*); **marteldood** martyrdom; *de ~ sterven* suffer martyrdom; **martelen** torture, torment; **marteling** torture, torment

marxist(isch) marxist

mascotte mascot

masker mask, (*fig ook*) disguise; (*bij schermen*) face-guard; *onder het ~ van vriendschap* under the show of friendship; **maskerade** masquerade; **mas'keren** mask, cover, disguise, camouflage

massa mass (the great ... of the people), crowd; body; a large ... of information); *een ~ dingen* a lot (a multitude) of things; *in ~ geproduceerd* mass-produced; **massaal** wholesale (destruction); massive (building); mass (unemployment)

massage id; **massagesalon** massage parlour

massa|goederen bulk goods; **-graf** mass grave; **-media** mass media

masseren massage; **masseur** id; **masseuse** id
massief I *bn* solid (gold), massive (building); II *zn* massif, chain, group (of mountains)
mast id (*paal*); (*voor elektr, telegraafdraden*) pylon
mat I *zn* (door-)mat; II *bn* (*moe*) tired, weary; (*dof*) mat(t) (gold, photographic paper), dull, frosted (gold); (*van stijl, stem, enz*) flat; (*van klank*) dull; (*van licht*) dim; (*schaaksp*) checkmate
mate: *een zekere ~ van risico* a certain amount of risk
mateloos immoderate, unlimited
materiaal material(s); **materiaalmoeheid** fatigue
materialist id; **materialistisch** materialistic (*bw:* -ally)
materie (subject-)matter; **materieel** *bn* material (damage); *zn* materials; (*tegenover personeel, bedrijf*) materiel; *rollend* ~ rolling-stock; *met groot* (*zwaar*) ~ with heavy equipment
matglas frosted glass; (*fot*) focus(s)ing-screen
matheid weariness; dullness
mathematica mathematics
matig moderate (eater, price); *ik vind het maar* ~ I think it a poor show; **matigen** moderate (one's desires); *zijn toorn* (*zich*) ~ restrain one's anger (o.s.); **matigheid** moderation; **matiging** moderation; ~ *betrachten* use restraint
matinee matinée, afternoon performance
matineus: ~ *zijn* be an early riser
matje (*op tafel, enz*) dinner-mat; *op het* ~ *roepen* carpet
matras mattress
matroos sailor
maturiteitsdiploma (*Belg*) university entrance certificate
mauwen mew
Mavo advanced elementary education
m.a.w. *met andere woorden* in other words
maximaal I *bn* maximum, top (speed); *maximale hoogte 4 meter* clearance 13 feet; II *bw* at most
maximum id
maximum|aantal maximum number; **-snelheid** *a*) (*bijv in kom der gemeente*) speed limit; *b*) maximum speed
mayonaise mayonnaise
mazelen measles; *de* ~ *hebben* have (the) measles
m.b.t. relating to, pertaining to
me me; *het is* ~ *te zuur* it is too sour for my liking (for me); *wat zal* ~ *dat een boek zijn!* what a book it will be!
ME (*mobiele eenheid*) anti-riot police unit
mechanica mechanics; **mechanisch** mechanical; ~ *voortbewogen* mechanically propelled (vehicles)
medaille medal; **medaillon** medallion; (*doosje*) locket
mede also, too; with me (him, etc); *in sam dikwijls* fellow-, co-

mede|beklaagde co-defendant; **-beslissingsrecht** participation; **-bestuurder** co-director; **-burger** fellow-citizen
mededeelzaam communicative; **mededeelzaamheid** communicativeness; **mededelen** communicate (address); impart (happiness, knowledge); (*berichten*) inform (a p. of s.t.); **mededeling** communication, information (*geen mv*)
mede|klinker consonant; **-leerling** fellow-pupil; **-leven**: I *ww*: ~ *met* sympathize with; II *zn* sympathy; **-lid** fellow-member
medelijden pity, compassion; ~ *met zichzelf* self-pity; ~ *hebben* have (take) pity on, feel (sorry) for; *dat wekte mijn* ~ *op* that roused my pity; *uit* ~ out of pity (*met* for); **medelijdend** compassionate; ~*e blik* look of pity; **medelijdenwekkend** piteous, pathetic
mede|mens fellow-man; **-minnaar** rival
medeplichtig accessary (*aan* to); *eraan* (*aan de moord*) ~ *zijn, ook:* be a party to it (to the murder); **medeplichtige** accomplice; (*bij echtscheidingsproces*) co-respondent; **medeplichtigheid** complicity (*aan* in)
mede|reiziger fellow-traveller; **-stander** supporter; **-verantwoordelijk** jointly responsible; **-verantwoordelijkheid** joint responsibility
medewerker co-operator; (*aan krant, enz*) contributor (to a paper); (*bij lit werk, enz*) collaborator (*aan* in); (*bij voorstelling*) performer; *wetenschappelijk* ~ lecturer, staff member (*aan ... of* laboratory, etc); **medewerking** co-operation, assistance, collaboration (*vgl het ww*)
medezeggenschap say (in the matter); (*in bedrijf*) (labour) co-partnership, (employees') participation
media (*pers, radio, televisie*) id
medicijn medicine; ~*en innemen* take medicine; **medicijnman** medicine-man, witch-doctor
medio mid... (~ *april* mid-April)
medisch medical (assistance, etc)
medi|tatie, **-teren** meditation, -tate
mee *zie* mede; *mag ik ook* ~*?* may I come too?
mee|brengen bring (a present), bring (a friend) along; (*fig*) involve (danger, delay), bring with it (a constant strain); *grote onkosten* ~ entail great expense (*voor mij* upon me); **-doen** join (in a game, etc), take part (in a performance), compete (in a match); *ik doe* ~ I will join
meedogenloos pitiless, merciless
meegaan accompany a p., come along (with a p.); (*van kledingstuk of persoon*) last (another year); *lang* ~ wear well; *ga je* ~*?* (are you) coming?; *met zijn tijd* ~ keep pace with the times; *met een voorstel* ~ fall in with a proposal; **meegaand** accommodating, pliant; **meegaandheid** complaisance
mee|geven I *tr* give, send along with; II *intr*

yield, give (way) (the bar gave way a little); **-helpen** assist (*met iets* in s.t.), help (a p. with the luggage); **-komen** come along (with a p.)

meel (*ongebuild*) meal; (*gebuild*) flour

meel|draad stamen; **-fabriek** flour-mill

meelopen accompany (follow) a p.; *het loopt hem altijd ~, alles loopt hem ~* his luck is never out; **meeloper** hanger-on

mee|maken: *veel ~* go through a great deal; *men moet het ~ om het te geloven* it has to be experienced to be believed; **-nemen** take along with one, take (one's umbrella, etc; I cannot ... you); (*laten meerijden*) give a lift; ... *om mee te nemen* (hamburgers) to take away, (meals) to take out, take-away (meals); **-praten** join in the conversation; (*mogen ~*) have a say in the matter; *daar kan ik van ~* I know something about that

meer I *zn* lake; *het ~ van Genève* the Lake of Geneva; II *telw* more; *~ loon* higher pay; *steeds ~* more and more; *wie nog ~?* who else?; £3 *of meer* £3 or over; *hiervan later ~* of this more later on; *zonder ~* simply (he ... turned away); *feiten zonder ~* plain facts; *te ~ daar* the more so as; *geen woord ~!* not another word!; *we hebben geen aardappelen ~, ook:* we're out of potatoes; *wat wil je ~?* what more do you want?; *~ dan, ook:* over (for ... 300 years); *~ dan erg* too bad for words; *er is niets ~* there is nothing left; *niets ~ of minder dan* nothing more nor less than; **meerdere** superior; *mijn ~n* my superiors; **meerderen** *ww* increase, multiply; (*bij het breien*) increase; *twee steken ~* make two (stitches); **meerderheid** (*merendeel*) majority (elected by a majority of 40 votes); (*in bekwaamheid, enz*) superiority; *in de ~ zijn* be in the (a) majority

meerderjarig of age (be ...); *~ worden* come of age; **meerderjarigheid** majority

meerekenen include; *niet ~* exclude

meergegoeden: *de ~* the well-to-do (classes)

meerijden drive (ride) along with a p.; *iem laten ~* give a p. a lift

meerkeuzetoets multiple choice test

meermin mermaid

meeropbrengst: *de wet der verminderende ~en* the law of diminishing returns

meerpaal mooring-post

meerpartijenstelsel multi-party system

meervoud plural

meerwaarde surplus value

meeslepen drag along (with one); *meegesleept door* ... carried away by the general enthusiasm; *~d* gripping (story)

meesmuilen laugh scornfully; **meesmuilend** with a wry smile

meespelen take part (join) in a game

meest most; (*meestal*) mostly; *op zijn ~* at most; *de ~e mannen* most men; *wat ik het ~ nodig heb* what I want most; *ik houd van deze het ~* I like this one best; **meestal** mostly, usually; **meestbiedende** highest bidder

meester master; *~ kleermaker, enz* master tailor, etc; *hij is ~ in de rechten* he has a degree in Law; *hij is het Frans volkomen ~* he has a thorough command of French; *men is de toestand* (*de brand*) *~* the situation is well in hand (the fire is under control); *zichzelf weer ~ worden* get control of o.s. again; *zich ~ maken van* seize (power, control), take possession of; **meesteres** mistress; **meesterlijk** I *bn* masterly; *~e zet* master-stroke; II *bw* with consummate skill; **meesterwerk** masterpiece

meet: *van ~ af* (*aan*) from the beginning

meetbaar measurable

meetband tape measure

meetellen: *dat telt niet mee* that does not count

meet|instrument measuring-instrument; **-kunde** geometry

mee|trekken drag along; **-tronen** coax along, entice away

meetstok measuring-staff

meeuw (sea-)gull

meevallen exceed one's expectations; *dat zal je ~* you'll be agreeably surprised; *het valt nog ~* it might have been worse; **meevaller(tje)** piece (bit) of good luck, windfall

meevoelen: *met iem ~* feel (*of*: sympathize) with a p.

meewarig compassionate; **meewarigheid** compassion

mee|werken co-operate (in a scheme), contribute (*tot* to(wards)); (*in letterkundig werk, enz*) collaborate (in ...); **-zenden** send along with a p. (*of*: s.t.); **-zingen** sing (in the choir); (*beginnen*) *~ te zingen* join in (the singing)

megafoon megaphone

mei May

meid (maid-)servant, maid; (*meisje*) girl; *een aardige ~* a jolly nice girl; *doe het, dan ben je een beste ~* do it, there's a good girl

meineed perjury; *een ~ doen* forswear o.s., commit perjury

meisje girl (*ook: dienst~*); (*verloofde*) fiancée; (*fam*) sweetheart; (*fam*) (my, his) young lady

meisjesachtig girl-like, girlish

meisjes|jaren girlhood; **-kleren** girl's (girls') clothes; **-naam** girl's name; (*van getrouwde vrouw*) maiden name

mejuffrouw (*zonder naam*) Madam; (*met naam, ongetrouwd*) Miss; (*met naam, getrouwd*) Mrs.

melancholie melancholy; **melancholiek** melancholy

melange blend, mixture, mélange

melden mention, state, report (ten deaths are ...ed), announce; *iem iets ~* inform a p. of s.t.; *zich ~* report (o.s.); *zich ~ bij* report to (the police, etc); *zich ~* (*op zijn werk*) report for duty; *zich ziek ~*, (*mil, enz*) report sick; **meldenswaardig** worth mentioning; **melding** mention; *~ maken van* mention

melig mealy; (*van aardappel ook*) floury

melk

196

melk milk; **melkachtig** milky
melk|beker milk-mug; **-bezorger** milk-roundsman; **-boer** *a*) milkman; *b*) dairy-farmer; **-bus** milk-can; **-chocolade** milk-chocolate
melken milk (*ook fig:* a p.)
melk|kan milk-jug; **-koe** dairy cow (*fig =~tje*) treat a p. as a milch cow; **-meisje** dairy-maid; **-muil** greenhorn; **-slijter** milk-retailer; **-tand** milk-tooth; **-vee** dairy-cattle; **-weg** Milky Way, galaxy; **-winkel** dairy(-shop)
melodie melody, tune; **melodieus, melodisch** melodious, tuneful
meloen melon
memoires memoirs
memorandum id, *mv:* -da, -dums
memorie (*geheugen*) memory; *hij is kort van ~* he has a short memory; **memoriseren** commit to memory
men *dikwijls vertaald door middel van de lijdende vorm; verder:* people, they, we, you, one, a man; *~ zou het haast geloven* one would almost believe it; *~ zegt* it is said, they say; *~ zegt, dat hij ... he* is said (reported) to ...; *~ heeft mij gezegd* I have been told; *~ wordt verzocht ...* visitors are requested not to touch the exhibits; *~ vroeg zich af wat ...* people wondered what ...
menen (*bedoelen*) mean; (*van plan zijn*) mean, intend; (*denken*) think, suppose; *ik meen het* I am in earnest; *dat meen je niet!* you're not serious!; *hij meent het goed* he means well (*met ons* by us); **menens** serious; *het is ~* it is serious
mengen mix; blend (tea, coffee); (*aanlengen*) dilute; *zich ~ in* meddle with (other people's affairs), interfere in (a quarrel), join in (the conversation); **mengsel** mixture; blend (of teas); compound; **mengsmering** two-stroke mixture
menig many (a); *in ~ opzicht* in many ways; **menigeen** many a man; **menigmaal** many a time, often, frequently
menigte crowd
mening opinion (*de ... opinions differ*), idea; (*voornemen*) intention; *de openbare ~* public opinion; *zijn ~ zeggen* say one's opinion (*over of,* on); (*uitkomen voor zijn ~*) speak one's mind (freely); *bij zijn ~ blijven* hold (stick) to one's opinion; *van ~ zijn dat* be of (the) opinion that; **meningsverschil** difference of opinion
mennen *tr & intr* drive
mens man, human being, human; *~en* men, people; (*bezoek*) people, company, visitors; *het oude ~* the old woman; *het arme ~* the poor soul; *geen ~* nobody; *ik ben geen half ~ meer* I am knocked up; *de ~en* people; *veel ~en* many people; *ik krijg ~en* there are visitors coming
mensa student restaurant

mens|aap man-ape, anthropoid (ape); **-dom:** *het ~* (hu)mankind, humanity
menselijk human; *de ~e natuur* human nature
mensen- *dikwijls* human:
mensen|eter man-eater; **-hater** misanthrope; **-kennis** knowledge of men; **-leven** human life; **-liefde** philanthropy, love of mankind; **-massa** crowd, multitude; **-rechten** human rights; **-schuw** (very) shy, unsociable; **-werk** work of man
mensheid mankind (= *de ~*), human race
mens|lievend humane, philanthropic (*bw:* -ally), charitable; **-onterend** unworthy of man, degrading
menstruatie menstruation
menswaardig worthy of a human being
mentaliteit mentality, mental outlook
menu id, menu card, bill of fare
mep slap, crack, smack, wallop; **meppen** catch a p. a crack, slap (smack, sock) a p.
merci! thank you! thanks! (*fam*) ta!
merel blackbird
meren moor (*aan* to)
merendeel: *het ~* the greater part (number); **merendeels** for the greater (the most) part
merg (*in been*) marrow; *het dringt door ~ en been* it goes to the bone
mergel marl; **mergelachtig** marly
meridiaan meridian; **meridiaancirkel** meridian circle
merk (*merkteken*) mark; (*soort*) brand (of cigars, spirits); (*fabrikaat*) make (of bicycle, etc); (*handels~*) trade-mark; (*keur*) hall-mark; **merkartikel** name brand
merkbaar perceptible, noticeable; **merken** (*van een merk voorzien*) mark (goods, linen, etc); (*bemerken*) perceive, notice; *ik merk beslist vooruitgang* I see (feel) decided progress; *u moet niets laten ~* don't appear to know anything; *zonder het te ~* (you could let me have £ 30) and never notice it
merk|naam brand name; trade-mark; **-waardig** remarkable, curious; **-waardigheid** remarkableness, curiosity
merrie mare; **merrieveulen** filly (foal)
mes knife; *~sen, vorken, enz* cutlery; *het ~ snijdt aan (van) twee kanten* it cuts both ways; *het ~ erin zetten* take drastic measures; **mesheft** knife-handle
messenslijper knife-grinder
messing (*geelkoper*) brass
mes|snede knife-cut; **-steek** knife-stab
mest dung, muck, manure; (*kunst~*) fertilizer; **mesten** (*grond*) manure; (*dier*) fatten
mest|hoop, -vaalt dung-hill; **-varken** porker; **-vee** fatting-cattle
met with; *zak ~ geld* bag of money; *~ de dag* every day; *~ hoevelen zijn jullie? ~ z'n zessen* how many are you? we are six, there are six of us; *de man ~ de bril op* the man in spectacles; *~ Kerstmis* at Christmas; *~ dat al* yet, for all that; *al ~ al* altogether; *~ het spoor* by rail; *~*

de post by post; *hij is* ~ *vakantie* he is on holiday
metaal metal
metaal|bewerker metal-worker; **-draad** metallic wire; **-gaas** wire-gauze; **-industrie** metal industry; **-klank** metallic ring
metalen *bn* metal; **metalliek** metallic
metamorfose metamorphosis
meteen *a)* at the same time; *b)* immediately, presently; *tot* ~*!* see you later!; *ik kom* ~ I shan't be long; *zo* ~ by and by
meten measure; *zich met iem* ~ measure o.s. with *(of:* against) a p.
meteoor meteor; **meteoorsteen, meteoriet** meteorite
meteorologisch meteorological; ~ *Instituut* Meteorological Office, weather-bureau, weather-centre
meter (*pers*) measurer, gauger; (*maat*) metre; (*druk-*) gauge; (*gas-, enz*) meter
metgezel(lin) companion, mate
methode method, plan
meting measuring, measurement
metriek metric (*bw:* -ally); ~ *stelsel* metric system; *overgang op het* ~ *stelsel* metrication, (*fam*) going metric; **metrisch** metrical
metro underground (railway); (*Am*) subway
metropolis id
metselaar bricklayer; **metselen** set (lay) bricks; **metselwerk** brick-work
metten: *korte* ~ *maken met* make short work of
metterdaad indeed, in fact
mettertijd in course of time
meubel piece of furniture; ~*en* furniture
meubel|maker cabinet-maker; **-stuk** piece (*of:* article) of furniture
meubilair furniture; **meubileren** furnish
mevrouw (*met naam*) Mrs.; (*zonder naam*) lady (a, the ...); (*door, en tot bediende*) mistress (the ... is resting, Sir); (*als aanspreking zonder naam*) Madam, (*fam*) mam, 'm (Yes 'm)
miauwen miaow
microfilm id
microfoon microphone; (*fam*) mike
microfotografie microphotography; **microfotografiegolf** (*radio*) microwave
microscoop microscope
middag midday, noon; (*na*~) afternoon; *na de* ~ in the afternoon; *tussen de* ~ at lunchtime; *voor de* ~ before noon, in the morning; *heden*~, *van* ~ this afternoon; *'s* ~*s: a)* at (twelve) noon; *b)* in the afternoon; *om 3 uur 's* ~*s, ook:* at three p.m.
middag|maal dinner; **-uur** noon
middel means (*mv:* id); (*tegen ziekte, enz*) remedy; (*van lichaam*) waist, middle; *het is slechts een* ~, *geen doel* it is only a means to an end; ~ *van bestaan* means of subsistence; ~ *van vervoer* means of conveyance; ~*en, (ter bestrijding van uitgaven)* (discuss) ways and

means; *door* ~ *van* by means of; **middelbaar:** *van -bare leeftijd* middle-aged
middeleeuwen middle ages; **middeleeuws** medi(a)eval
Middellands(e Zee) Mediterranean
middelmaat medium size; **middelmatig** middling; (*tamelijk slecht*) mediocre, so-so; (*gemiddeld*) average, medium (he was under medium height); **middelmatigheid** mediocrity
middelpunt centre
middelste middle (the ... one of five sons)
middelvinger middle finger
midden I *zn* middle (of the room, month), centre (of a town); *in het* ~ *van de kamer* (*de week*) in the middle of the room (the week); *in het* ~ *brengen* put forward; *dat laat ik in het* ~ I offer no opinion on the subject; *te* ~ *van* in the midst of; *te* ~ *van vrienden* among friends; *één uit ons* ~ one from among us; II *bw:* ~ *in de kamer* in the middle of the floor
midden|berm central reserve (in dual carriage-way); **-door** in two, in half; **Middeneuropees** Central European; **-in** in the middle; **-rif** diaphragm, midriff; **-stand** (*soms*) middle classes; (*meestal*) shopkeepers; **-stander** shopkeeper, retailer; **-stip** centre-dot; **-voor** (*sp*) centre forward
middernacht midnight
mid|half (*sp*) centre-half; **-voor** (*sp*) centre forward; **-winter, -zomer** midwinter, -summer
mier ant; **mierenhoop** ant-hill
mietje (*fam*) sissy, homo(sexual), queer
miezeren drizzle, mizzle; **miezerig** *a)* (van weer) drizzly; *b)* (*zwakjes*) scrubby, puny
mij (to) me; *vgl* me & hem
mijden avoid, shun, fight shy of
mijl (*Eng* ~) mile (*ongev* 1609 metres); *zie* zeemijl; **mijlpaal** milestone; (*fig ook*) landmark
mijmeren muse, brood; **mijmering** musing, day-dreaming
mijn I *vnw* my; *ik deed het* ~*e* I did my part; *daar wil ik het* ~*e van hebben* I want to know what is what; II *zn* mine, pit; (*mil, enz*) mine; *op een* ~ *lopen* strike a mine; **mijnbouw** mining (industry)
mijnerzijds on my part
mijnheer (*heer*) gentleman; (*des huizes*) master; (*met naam*) Mr.; (*aanspreking zonder naam*) Sir; ~ *Dinges* Mr. So and So; ~ *de Voorzitter* Mr. Chairman; *had* ~ *nog koffie gewenst?* should you want more coffee, Sir?
mijn|ingenieur mining-engineer; **-opruiming** mine (bomb) disposal (squad); **-ramp** mining-disaster; **-schacht** mine-shaft; **-streek** mining-district; **-werker** miner
mijzelf myself; *vgl* zichzelf
mikken (take) aim (*op* at)
mikmak caboodle (the whole ...)
mikpunt aim; (*fig*) target (for ridicule, etc)
mild (*vrijgevig*) generous; (*zacht*) gentle (rain); (*overvloedig*) plentiful, generous

milicien 198

milicien (*Belg*) conscript
milieu id, environment, surroundings, setting (the social ...); class (people of all classes)
milieu|bederf (environmental) pollution; **-beheer** (environmental) conservation (control); **-vervuiling** (environmental) pollution
militair I *bn* military (service, police); II *zn* soldier; *de ~en* the military
militie (*Belg*) National Service; conscription
miljard milliard; (*Am*) billion
miljoen (a, one) million; *twee ~* two million(s); **miljonair** millionaire
milt spleen
min (*weinig*) little; (*minnetjes*) (the patient is very) poorly; (*slecht*) poor, bad; (*gemeen*) mean, base, low; *~ twee* minus two; *drie ~ twee* three less (*of:* minus) two; *~ of meer* more or less; *dat is mij te ~* that's beneath me
minachten disdain, disregard, be disdainful of; **minachtend** disdainful, contemptuous, scornful; **minachting** contempt (*voor* of, for), disdain (*voor* for, of, to), disrespect
minder less (money), fewer (coins); inferior (quality); (the patient is) worse (to-day); *~ worden* decline (his strength is declining), decrease; *~ dan* less (fewer) than; (*in kwaliteit, enz*) inferior to; *~ dan 3 weken na zijn dood* within three weeks of his death; *niet ~ dan* no less than; *hoe ~ ervan gezegd hoe beter* the less said about it the better; **mindere** inferior; *in dit opzicht is hij uw ~* in this respect he is inferior to you; **minderen** *ww* diminish; (*bij breien*) decrease; **minderheid** (*in aantal*) minority; (*in kracht, enz*) inferiority; *in de ~ zijn* be in the (a) minority; **mindering**: *in ~ brengen* deduct
minderjarig (be) under age; **minderjarige** minor, under age; **minderjarigheid** minority
minderwaardig inferior; poor (quality), low-grade (ore, oil); **minderwaardigheid** inferiority
minderwaardigheids|complex inferiority complex; **-gevoel** sense of inferiority
mineraal mineral; **mineraalwater** mineral water
mineur 1 (*mil*) miner; 2 (*muz*) minor; *in ~* in a minor key; (*fig*) depressed; *a ~* A minor
mini id
miniatuur miniature; *bn = in ~* in miniature
miniem small, slight; marginal (benefits); **minimaal** minimal; **minimum** id (*mv:* minima) (*ook attr:* minimum number, etc); *in een ~ van tijd* in less than no time
minimum|loner minimum wage earner; **-loon** minimum wage
minister minister, secretary (of State); *Eerste ~* Prime Minister; *~ van Binnenlandse Zaken* Minister of the Interior; Home Secretary; *~ van Buitenlandse Zaken* Minister for Foreign Affairs; Foreign Secretary; *~ van Financiën* Minister of Finance; (*in Eng*) Chancellor of the Exchequer; *~ van Marine,* (*in Eng*) First Lord of the Admiralty; **ministerie** ministry, department, Office; *het M~* (= *de regering*) the Cabinet; *een ~ vormen* form a government; *~ van Binnenlandse Zaken* (*in Eng*) Home Office; *~ van Buitenlandse Zaken,* (*in Eng*) Foreign Office; (*in Am*) State Department; *~ van Financiën* (*in Eng*) the Treasury; **ministerieel** ministerial
minister|-president Premier, Prime Minister; **-raad** cabinet council
minkukel pinhead
minnaar lover; **minnares** mistress; **minne** love; *in der ~ schikken* settle amicably; **minnedicht** love-poem
minnelijk amicable, friendly; **minnen** love
minnetjes poorly (*ook van zieke, eetlust, enz*); *de patiënt voelt zich erg ~* feels very low
minst I *bn* least (money), fewest (books); (*geringst*) least (he had ... reason to complain), slightest (not the ... chance); (*slechtst*) worst; *wie heeft de ~e fouten gemaakt?* who has made (the) fewest mistakes?; *als hij maar het ~e bezwaar maakt* if he should object at all; II *zn: ik zal de ~e zijn* I will give way; *bij het ~e of geringste* at the least little thing; *in het ~ niet* not at all; *ten ~e* at least; III *bw* least (happy, etc); *wat hij het ~ verwacht had* what he had least expected, the last thing he'd expected; **minstbedeelden** (*Belg*) *de ~* the destitute
minstens at least
minus id, less
minutieus (*van pers*) scrupulously careful; (*van onderzoek, enz*) minute, close
minuut minute (*ook van document*); *op de ~ af* (at 2.47) to the minute; **minuutwijzer** minute-hand
mis I *zn* mass; *de ~ bijwonen* attend mass; II *bn* wrong, amiss; *~ of raak* hit or miss; *je hebt het ~ zijn* you are mistaken; *je hebt het niet zo ver ~* you are not so far out; *hij is lang niet ~* he is no fool
misbaar I *zn* (*luid protest*) clamour, uproar, hullabaloo; *groot ~ maken* raise an outcry; II *bn* expendable
misbruik abuse (of power, etc); improper use (of safety-brake); *~ van vertrouwen* breach of trust; *~ maken van* take advantage of (the opportunity), abuse (one's power, liberty); **misbruiken** *ww* abuse (one's talents), misuse (one's abilities)
misdaad crime; *zware ~, ook:* felony; **misdadig** criminal (his ... past); **misdadiger** criminal; **misdadigheid** delinquency
misdeeld poor, destitute
misdienaar acolyte, altar-boy
misdragen: *zich ~* misbehave; **misdraging** misdemeanour
misdrijf felony, (criminal) offence
miserabel miserable, wretched, rotten; **misère** misery; *wat een ~* what a wretched business
mis|gooien miss; **-greep** mistake, blunder; **-gunnen** (be)grudge, envy (a p. s.t.)

mishandelen ill-treat, maltreat; *hij werd mishandeld ..., ook:* he was severely handled by the crowd; **mishandeling** ill-treatment, maltreatment

miskennen misjudge, undervalue; **miskenning** want of appreciation, misjudgment

mis|kleun(en) blunder; **-koop** bad bargain; **-kraam** miscarriage

misleiden deceive; **misleidend** deceptive; **misleiding** imposture, deceit

mislopen I *intr* go wrong; (*fig*) go wrong (*of:* awry) (everything went ...); II *tr* miss (a p., s.t., each other); *ik had het niet graag willen ~* I would not have missed it for anything

mislukkeling failure, misfit; **mislukken** miscarry, fail; (*van plan ook*) fall through (flat); (*van onderhandelingen*) break down; *het plan mislukte totaal* was a complete failure; **mislukking** failure; *totale ~* complete failure

mismaakt deformed

misnoegen displeasure

misplaatst misplaced (faith), mistaken (pity)

mispunt (*pers*) rotter, stinker

misrekening miscalculation

missaal missal, mass-book

misschien perhaps; maybe; *zoals u ~ (niet) weet* as you may (not) know; *is u ~ meneer B.?* are you by any chance Mr. B.?

misselijk sick; (*fig*) sickening, disgusting, beastly; *je wordt er ~ van* it makes you sick (*ook fig*); **misselijkheid** nausea, sickness

missen I *tr* (*niet treffen, enz*) miss (the train, boat, an opportunity *kans*); (*kwijt zijn*) miss (one's keys); (*niet hebben*) lack (wisdom), be without (his father's sense of humour); (*het gemis voelen van*) miss (an old friend); *zijn uitwerking ~* fail of its effect; *kunt u dit boek een uurtje ~?* can you spare (me) this book for an hour?; II *intr* miss; fail (of one's purpose); (*sp*) give a miss; *het schot miste* the shot went wide; *dat kan niet ~* it is bound to happen; **misser** miss; mistake, failure, blunder

missionaris missionary

mis|slaan miss; **-staan** (*van kleding*) not become, not suit (a p.); **-stand** abuse, evil

mist fog; (*nevel*) mist; *de ~ ingaan,* (*fig*) come to nothing; **mistbank** fog-bank, patch of fog; **misten:** *het mist erg* there is a thick (dense) fog; **mistig** foggy, misty

mistroostig disconsolate, dejected

mis|vatting misunderstanding; **-verstaan** misunderstand; **-verstand** misunderstanding

misvormd misshapen, deformed

mitrailleur machine-gun

mits provided (that)

mobilisatie mobilization; **mobiliseren** mobilize

mobiliteit mobility

mobilofoon car phone

modaal modal

modder mud, sludge; (*sneew~*) slush; *door de ~ halen* drag (a p.'s name) in the mud; **modderig** muddy

modder|plas puddle; **-vet** as fat as a pig

mode fashion; *de ~ aangeven* set the fashion; *~ worden* become the fashion

model model (*ook van kunstenaar*), (*van kunstenaar ook*) sitter; pattern, cut; *attr* (*voorbeeldig*) pattern, model (mother, landlord); *uit z'n ~ raken* lose its shape; **modelactie** work-to-rule

modelleren model, mould

modern modern; **moderniseren** modernize

mode|show dress parade, dress show; **-woord** vogue word; **-zaak** fashion-house; (*dames*) dress-shop; (*heren*) gentlemen's outfitter's (shop)

moe tired; *~ in de benen* leg-weary; *zo ~ als een hond* dog-tired; *~ maken* tire (out)

moed courage; *met nieuwe ~* with fresh courage; *~ vatten* take courage; *de ~ verliezen* lose courage; *~ geven* (*inspreken*) encourage

moedeloos dejected, out of heart; **moedeloosheid** dejection

moeder mother; (*aanspreekvorm*) mother, mum(my); (*van gesticht*) matron

moeder|land mother (*of:* home) country; **-liefde** maternal love, mother love

moederlijk motherly, maternal

moeder|melk mother's (*of:* breast) milk; *met de ~ gevoed* breast-fed; **-schap** motherhood; **-schoot** mother's lap; (*baar~*) womb

moederskindje mother's darling

moeder|taal mother (*of:* native) tongue; **-vel** master (sheet); **-vlek** birthmark, mole; **-ziel** *alleen* quite alone

moedig courageous

moedwil: *met ~* on purpose; *uit ~* from love of mischief, wantonly; **moedwillig** wanton; (*opzettelijk*) wilful (commit ... damage)

moeheid fatigue, weariness

moeilijk I *bn* difficult (task), hard (times); (*~ begaanbaar*) heavy (road); *het ~e kind, ook:* the problem child; *wij hebben het ~ gehad* we've been hard put to it; *~ doen* make difficulties (*over* about); *het ~ vinden te ...* find it difficult to; II *bw* with difficulty; **moeilijkheid** difficulty, trouble; *dat is juist de ~* that's the snag; *in ~ verkeren* be in trouble; *in ~ geraken* get into trouble

moeite trouble; *het is de ~ waard* it is worth while; *de ~ waard om te zien* worth seeing; *het is de ~ niet (waard)* don't mention it! (*Am*) you're welcome!; *~ doen* take pains; *geef er u niet te veel ~ voor* don't take too much trouble over it; *~ hebben te ...* have difficulty in ...ing; *de ~ nemen* take the trouble; *met ~* with difficulty; *ik kon haar slechts met de grootste ~ bijhouden* it was all I could do to keep up with her; *zonder ~* without difficulty

moeizaam laborious, tiring, fatiguing

moer (*van schroef*) nut; *naar z'n ouwe ~,* (*sl*) to blazes; *geen ~* not a damn

moeras marsh, swamp; (*fig*) morass; **moerasland** marshland; **moerassig** marshy, swampy

moeren wreck, spoil
moersleutel spanner
moes pulp, mash, jelly
moestuin kitchen-garden, vegetable garden
moeten be obliged (forced, compelled) to, have to; (*soms*) do (where do I sit? how do I use it?); (*afspraak, schikking*) be to (I am to meet him to-night); (*in niet-samengestelde tijden*) must, should, ought to; *wat moet je?* what do you want?; *ik moet ... hebben* I want a pound of sugar; *ik moèt ... hebben, (heb beslist nodig)* I've got to have £ 50; *hoe lang moet dit nog duren?* how long is this to last?; *het moet* there is no help for it; *ik moest (wel) lachen* I couldn't help laughing; *je moest nu maar gaan* you had better go now; *het moest niet mogen* it ought not to be allowed; *de trein moet ... is* due to leave at five; *hier ~ we zijn* (= *hier zijn we er*) here we are; *ik moet niets van die nieuwigheden hebben* I don't hold with those innovations; *het is geen ~* it's not a case of must
moetje (*gedwongen huwelijk*) shotgun marriage
mogelijk *bn* possible; potential (customers); *bw* possibly; (*wellicht*) possibly, perhaps; *~ heeft hij me gezien* he may have seen me; *al het ~e doen* do all that is possible; *het is best ~* it is quite possible; *hoe is het ~!* well, I never!; *het is me niet ~* it is impossible to (for) me; *zo ~* if possible; *zoveel ~* as much (many) as possible; *ik sukkelde zo goed ~ voort* I jogged on as best I could
mogelijkheid possibility; (*mogelijke gebeurtenis*) *ook:* eventuality; *mogelijkheden om een vak te leren* facilities ...
mogen be allowed (permitted); (*ott*) may; (*houden van*) like, be fond of; *wat er ook moge gebeuren* happen what may; *ik mag hem graag* I am very fond of him; *ik mocht hem wel* I rather liked him; *je mag wel voortmaken* you had better hurry; *je mag hier niet roken* you may not (*sterker:* must not) smoke here; *dat mag niet* you cannot do that; *het heeft niet ~ zijn* it was not to be; *mochten er brieven voor me komen, ...* should any letters come for me, please send them on; *mocht dat het geval zijn, ook:* if so
mogendheid power (the Great Powers)
Mohammed id; **Mohammedaan(s)** Mohammedan
mok (*beker*) mug
moker (*smids-*) sledge(-hammer); **mokeren** hammer
mokken sulk, pout, nurse a grievance
1 mol (*muz*) *a*) flat; *b*) (= *kleine terts*) minor
2 mol (*dier*) mole
molecule id
molen mill; *de ambtelijke ~s malen langzaam* the mills of government grind slowly; **molenaar** miller; **molensteen** mill-stone; **molentje** little mill; *hij loopt met ~s* he has bats in the belfry

molenwiek wing of a mill
molest id; **molesteren** importune, annoy (women), molest; (*en beroven op straat*) mug
mollig plump, chubby, soft; (*& stevig*) buxom
molm mould; (*turf-*) peat-dust
mols|gang mole-track; **-hoop** mole-hill
mom mask; *onder het ~ van* under the cloak of
moment id (*ook nat*); **momenteel** *bn* momentary; *bw* at the moment
mompelen mutter (*in zichzelf* to o.s.), mumble
monarch id; **monarchie** monarchy; **monarchist** id
mond mouth (*ook van rivier, haven, enz*); (*van vuurwapen*) muzzle; *een grote ~ hebben, (fig)* have plenty of jaw; *geen grote ~! (sl)* none of your cheek!; *z'n ~ houden* hold one's tongue; (*niet over iets spreken, ~je dicht*) keep one's mouth shut; *hou je ~! ook:* shut up!; *zijn ~ voorbij praten* blab; *iem de ~ snoeren (stoppen)* shut a p. up; *hij gaf het mij in de ~* he put it into my mouth; *iem naar de ~ praten* play up to a p.; *hij legde de vinger op de ~* he put his finger to his lips; *~ op ~ beademing* mouth-to-mouth resuscitation, kiss of life; *ik heb het uit zijn eigen ~* I have it from his own mouth; **monddood** gagged; *~ maken* gag
mondeling I *bn* oral; *~ examen* oral examination; **II** *bw* ...ly, by word of mouth
mondharmonika mouth-organ
mondiaal world-wide, global
mondig(heid) emancipated (-pation)
monding mouth; (*van vuurwapen*) muzzle
mondje (little) mouth; *zij is niet op haar ~ gevallen* she has a ready tongue; **mondjesmaat** scanty measure
mond|stuk mouthpiece; **-vol** mouthful (*ook fig:* what a ...!); **-voorraad** provisions
monetair monetary (policy)
mongool (*fam*) mongol
monnik monk
monniken|klooster monastery; **-orde** monastic order; **-werk** tedious drudgery
monniks|kap cowl; (*plant*) aconite; **-pij** monk's habit
mono id
monogamie monogamy
monogram id
monoloog monologue, soliloquy
monopolie monopoly
monotheïsme monotheism
monotoon monotonous
monster 1 monster; **2** (*handel*) sample, specimen; *volgens ~ zijn* be up to s; **monsterachtig** monstrous; **monsterachtigheid** monstrousness, monstrosity; **monsterboek** pattern-book, book of samples
monsteren muster
montage assembling, assembly, fitting; (*film*) editing
montage|hal assembly hall; **-woning** prefabricated house
monter brisk, lively, sprightly

monteren (*machine, enz*) assemble (a motor-car), mount, set (put) up, erect; (*film*) edit; **monteur** mechanic

montuur frame, mount; (*van steen*) setting; *met gouden* (*hoornen*) ~ gold-, horn-rimmed (spectacles); *zonder* ~ rimless (eye-glasses)

monument id (*voor ... to Lord K.)

mooi handsome, fine, pretty, beautiful, lovely; ~ *zo!* good! (all) right!; ~ *weer* fair (fine) weather; ~*e woorden* fine (fair) words; *dat is allemaal heel* ~, *maar* ... that is all very fine (very well), but ...; *dat heb je hem* ~ *gelapt* you've managed it cleverly; ~ *maken* beautify; *het is te* ~ *om waar te zijn* it is too good to be true; ~ *zitten*, (*van hond*) beg; *wat een* ~*e!* what a beauty!; *dat is wat* ~*s!* that's a pretty business!; *nu nog* ~*er!* well I never!; *maar het* ~*ste komt nog* but the best part is yet to come

moord murder; (*sluip*~) assassination; *de* ~ *op ...* the murder of ...

moord|aanslag (charged with) attempted murder; **-dadig I** *bn* murderous (weapon, etc); (*fig*) cut-throat (competition); **II** *bw* terribly, awfully

moorden commit murder, kill; **moordenaar** murderer; **moordzuchtig** murderous, homicidal

moot fillet (of salmon, etc), slice, cut

mop (*grap*) joke; *ouwe* ~ stale joke; *een goede* (*schuine*) ~ a capital (smutty) joke

mopperaar grumbler; **mopperen** grumble (*over* about)

moppig funny

moraal moral (of a fable); *deze fabel bevat een* ~ carries a moral; **moraliseren** moralize; **moralist** id

moreel I *bn* moral; **II** *zn* (*mil*) morale

mores: *iem* ~ *leren* teach a p. manners

morfine morphine

morgen I *zn* morning; **II** *bw* to-morrow; ~ *komt er weer een dag* to-morrow is another day; ~ *over een week* to-morrow week; *'s* ~*s in* the morning; *om 10 uur 's* ~*s* at 10 a.m.; *op een* ~ one morning; *tot* ~*!* see you to-morrow!; *van* ~ this morning

morgen|avond to-morrow evening; **-ochtend** to-morrow morning; **-schemering** dawn; **-stond** early morning; *de* ~ *heeft goud in de mond* the early bird catches the worm

mormel monster, freak

mormoon Mormon

morrelen fumble (*aan de deur, slot, enz* at ...)

morren grumble, murmur, fret (*over* at)

morsdood stone-dead, as dead as a door-nail

morsen spill (milk, wine), slop (water, tea)

morsig dirty, grimy; **morsigheid** dirtiness, griminess

mortel mortar

mortier mortar (*in beide bet*)

mos moss; *met* ~ *begroeid* moss-grown; **mosachtig** mossy; **mosgroen** moss-green

moskee mosque

mos|lem, -lim Muslim

mossel mussel; **mosselschelp** mussel-shell

mossig mossy; **mossigheid** mossiness

mosterd mustard; *zijn komst was* ~ *na de maaltijd* he came too late to be of use

mot (clothes-)moth; *de* ~ *zit erin* it is moth-eaten; ~ *hebben*, (*sl*) have a tiff (with a p.); ~ *krijgen* fall out (with a p.); **motecht** moth-proof (*ook* = ~ *maken*)

motel id

motie motion, vote; ~ *van afkeuring* vote of censure; ~ *van wantrouwen* motion of no-confidence

motief motive; (*beeldende kunst*) design, pattern; **motivatie** (actuating) motive, impulse, inducement; **motiveren** state one's reasons for, account for (one's vote); **motivering** motivation

motor id; (= *motorfiets*) motor-cycle; (*van vliegtuig, auto*) engine

motor|boot motor-boat, -launch; **-defect** motor-trouble; **-fiets** motor-cycle

motoriseren motorize (the army)

motor|jacht motor-, power-yacht; **-kap** bonnet; **-ongeluk** motoring accident; **-pech** engine trouble; **-rijder** motor-cyclist; **-rijtuig** motor-vehicle; **-rijtuigenbelasting** road tax; **-rijwiel** motor-cycle; **-voertuig** motor-vehicle

motregen drizzle; **motregenen** drizzle

motteballen moth-balls

motto id

motvrij moth-proof (*ook* = ~ *maken*)

mousserend effervescent, sparkling (wine); *niet* ~ still

mout malt

mouw sleeve; *ik kan er geen* ~ *aan passen* it's beyond me; *iem wat op de* ~ *spelden* gull a p.

mozaïek mosaic (work)

mudvol crammed

muf musty, fusty; stuffy, fuggy; stale (tobacco-smoke)

mug mosquito, gnat; **muggebeet** mosquito-bite

muggennet mosquito-net

muggeziften split hairs (*of:* straws); **muggezifterij** hair-splitting

muil 1 (*pantoffel*) slipper; (*zonder hiel, ook:*) mule; 2 (*bek*) mouth, muzzle

muis *a*) mouse; *b*) (*van de hand*) ball of the thumb; **muisgrauw** mouse-grey; **muisje** little mouse; *dat* ~ *zal een staartje hebben* this won't be the end of the matter

muisstil as still (quiet) as a mouse

muiten mutiny, rebel; **muiter** mutineer; **muiterij** mutiny

muize|gat mouse-hole; **-nest** mouse-nest

muizenissen: ~ *in het hoofd hebben* have cobwebs in one's brain; *haal je geen* ~ *in het hoofd* don't worry

muizenvergif rat-poison, mouse-poison

muizeval mouse-trap

mui

mul loose (sand)

multinationaal multinational

mum: *in een ~ van tijd* in no time

munitie ammunition

munster(kerk) minster

munt 1 (*geldstuk*) coin; 2 (*geld*) coin(s), coinage (bronze …), money; (*valuta*) currency (in English …); 3 head, *kruis of munt?* heads or tails?; *~ slaan uit* make capital out of; *iem met gelijke ~ betalen* pay a p. in his own coin

munt|biljet currency-note, treasury note; **-eenheid** monetary unit

munten coin, mint

munt|stelsel monetary system; **-stuk** coin; **-telefoon** pay-phone; **-verzamelaar** coin collector

murmelen murmur; (*van beekje ook*) gurgle

murw soft, tender; (*fig*) all in; *~ maken* soften up; *iem ~ slaan* beat a p. to a jelly

mus sparrow

museum (*in Eng niet van schilderijen*) museum; (art-, picture-)gallery; **museumstuk** museum piece

musiceren make music; **musicienne, musicus** musician

muskiet mosquito; **muskietengaas** mosquito-netting

mutatie mutation; (*in personeel, enz*) change

muts cap; (*plat*) bonnet; *thee~* tea-cosy

mutualist, mutualiste (*Belg*) (*ongev*) National Health patient

muur wall; *de muren hebben oren* walls have ears

muur|krant wall poster; **-schildering** mural (*of:* w-)painting; **-vast** as firm as a rock, deep-rooted (conviction)

muziek music (*ook: geschreven, gedrukte ~*); (*melodie*) tune (the tune is by …; words by Pope, music by Handel); *op ~ zetten* set to music; *~ maken, zie* musiceren

muziek|blad sheet of music; **-boek** music-book; **-handel** music-shop; **-instrument** musical instrument; **-noot** musical note; **-onderwijs** music teaching; **-papier** music-paper; **-stuk** piece of music; **-winkel** music-shop; **-zaal** concert-room

muzikaal musical; *~ zijn* be musical; **muzikaliteit** musicality; **muzikant** musician

mv *meervoud* pl. (plural)

Mw *mevrouw of mejuffrouw* Ms

mysterie mystery; **mysterieus** mysterious

mythologie mythology

mytylschool school for the physically handicapped

Nn*n*

na I *vz* after (he came … me, … dinner); on (… arrival); *het was ~ 12 uur* it was past midday; **II** *bw* near; *de kinderen zijn mij allemaal even ~* are all equally dear to me; *allen op één ~* all except one; *de kamer was leeg op M.* ~ the room was empty but for M.; *op één ~ de jongste* the second youngest; *op één ~ de laatste* the last but one; *op een enkele uitzondering ~* with a single exception; *dat is mijn eer te ~* I have my pride; *… niet te ~ gesproken* with all due deference to …

naad seam (*ook van timmerwerk, enz*); **naadje:** *het ~ van de kous weten* know the ins and outs of the matter

naaf hub

naaidoos sewing-box

naaien sew; (*plat*) screw; *ze zat te ~ aan een japon* she was sewing at a dress; (*als zn*) sewing

naai|garen sewing-cotton, -thread; **-machine** sewing-machine

naaister seamstress, dressmaker

naakt naked (*ook fig:* rocks, etc), bare, nude; (bathe) in the nude; *~e feiten* naked (bare) facts

naakt|cultuur nudism; **-figuur** nude

naaktheid nudity

naaktstrand nudistbeach

naald needle (*ook magneet-, denne-, obelisk*); (*van grammofoon*) stylus; *zij kan goed met de ~ omgaan* she is a good needlewoman; *door het oog van een ~ kruipen* have a narrow escape

naald|boom conifer; **-bos** pine-forest; **-bosje** pine-grove; **-hak** stiletto heel

naam name (*ook reputatie*); *de ~ Smith* the name of Smith; *haar eigen ~* her maiden name; *de ~ van haar man, ook:* her married name; (*van boek*) title; *hoe is uw ~?* what is your name?; *~ hebben* have a great reputation; *het mag geen ~ hebben* it isn't worth mentioning; *~ krijgen* (*maken*) make a name (for o.s.); *zijn ~ zetten in …* sign one's name in the (visitors') book; *met name* particularly, notably; *bekend staan onder die ~* go (pass) by (under) that name; *de rekening staat op haar ~* stands in her name; *vrij op ~* no law costs; *te goeder ~ bekend staan* have a good reputation; *het huis staat ten name van …* stands in the name of; *zeg hem dat uit mijn ~* from me; *zonder ~* without a name; anonymous

naam|genoot namesake; **-lijst** list of names; **-loos** nameless, anonymous; *~loze vennoot-*

schap limited liability company; **-plaat(je)** name-, door-plate; **-stemming** (*Belg*) voting by call

naams|verandering change of name; **-verwarring** confusion of names

naam|val case (nominative, genitive, dative, accusative); **-valsuitgang** case ending

naäpen mimic, imitate; **naäper** imitator; **naaperij** imitation

1 naar *bn* unpleasant, disagreeable; (*sterker*) hateful (people), horrible, abominable (habit, etc); nasty (smell, fellow, weather); (*triest*) dreary; (*bedroefd*) sad; (*onlekker*) unwell, queer

2 naar I *vz* to (go … London); towards (*in de richting van*); for (leave … Paris); at (throw a stone … a p.); after (named … his father); (*volgens*) according to; in (… my opinion); ~ *boven* upstairs; ~ *huis* home; ~ *ik meen* as I believe; II *vw* as; ~ *men zegt* it is said; ~ *wij vernemen* it is reported that …

naargeestig gloomy, melancholy

naarling odious fellow

naarmate according as, (in proportion) as (you earn more as you learn more)

naast I *vz* next (to), by the side of; *die opmerking is er*~ is beside the mark; *er*~ *grijpen* miss the bus (boat); II *bw* nearest; *hij staat mij het* ~ he is nearest to me; III *bn* next, next-door; *~e bloedverwant* nearest relation, next of kin; *~e buurman* next-door neighbour

naast|bestaande next of kin; **-bijgelegen** nearest

naaste fellow-man

naasten nationalize

naastenliefde neighbourly love

naasting nationalization

nabehandeling after-treatment

nabeschouwing review, summing-up

nabestaande relation, relative

nabestellen give a repeat order (for); **nabestelling** repeat order

nabij near, (be) near at hand, close by (he is …); *het ~e Oosten* the Near East; *van* ~ from close by; *van* ~ *kennen* know intimately; *de dood* ~ at death's door; ~ *komen* (*ook fig*) approach

nabijgelegen neighbouring; **nabijheid** nearness (of death), vicinity; *in de* ~ nearby; *in de* ~ *van* near (London); **nabijzijnd** nearby (street-lamp)

nablijven stay behind; (*school*) stay in (after school)

nablussen damp down (a fire)

nabootsen imitate; **nabootser** imitator; **nabootsing** imitation

naburig neighbouring, nearby

nacht night; ~ *en dag* day and night; *de gehele* ~ all night (long); *de* ~ *van zaterdag op zondag* Saturday night; *goede* ~! good night!; *bij* ~ by night; *'s* ~*s* at (by) night; *van*~, (*verleden*) last night; (*toekomstig*) to-night

nacht|boot night-boat; **-braken** turn night into day; **-dienst** *a*) (van boot, enz) night-service; *b*) night-duty (~ *hebben* be on …)

nachtegaal nightingale

nachtelijk *a*) (*elke ~ plaatshebbend*) nightly; *b*) nocturnal (visit), night (sky)

nacht|goed night-things, -clothes; **-kastje** bedside cabinet; **-kluis** night-deposit; **-kus** goodnight kiss; **-leven** night-life; **-merrie** (*ook fig*) nightmare; **-ploeg** night-shift; **-rust** night's rest; **-slot**: *op het* ~ *doen* double-lock; **-verblijf** accommodation for the night; **-wacht** night-watchman; (*van Rembrandt*) the Nightwatch, **-wake** night-watch; **-zoen** good-night kiss; **-zuster** night-nurse

nadat after

nadeel disadvantage, handicap; (*schaduwzijde*) drawback; (*schade*) injury, harm, (*geldelijk*) loss; *tot uw eigen* ~ to your disadvantage; **nadelig** injurious (to health), harmful, ill (effects); ~ *gevolg* adverse effect

nadenken I *ww* think (*over* about), reflect (*over* upon), consider; *erover* ~ think about it, think it over; *als je er goed over nadenkt* when you come to think of it; II *zn* reflection, thought; *tot* ~ *stemmen* give food for thought; *na een ogenblik van* ~ after a moment's reflection; **nadenkend** thoughtful

nader I *bn* nearer; (*uitvoeriger*) further; *~e bijzonderheden* (*inlichtingen*), *iets ~s* further particulars (information); *bij* ~ *inzien* on reflection; on second thoughts; II *bw* nearer; ~ *aanduiden* specify; ~ *leren kennen* get better acquainted with; **naderbij** nearer, closer

naderen *intr* approach; *tr* approach, draw near to; *niet te* ~ unapproachable

naderhand afterwards, later on

nadering approach

nadien since

nadoen *zie* nabootsen

nadruk (*klem*) emphasis, accent, stress; *de* ~ *leggen op,* (*eig*) accent, stress; (*fig*) stress, emphasize; *met* ~ emphatically; ~ *verboden* copyright, all rights reserved; **nadrukkelijk** *bn* emphatic; *bw* emphatically, expressly

nagaan 1 (*volgen*) follow; (*in het oog houden*) keep track of; (*van politie*) dog, shadow; *voor zover ik kan* ~ as (so) far as I can ascertain; 2 (*toezien op*) keep an eye on; 3 (*onderzoeken*) check, examine; 4 (*bedenken*) *als ik dat alles naga* if (when) I consider all that; 5 (*zich voorstellen*) imagine, fancy

nagedachtenis memory, remembrance

nagel nail (*ook spijker*); (*klink-*) rivet; (*kruid-*) clove; **nagelen** nail

nagel|knipper (pair of) nail-clippers; **-lak** nail polish; **-nieuw** brand-new; **-schaartje** (pair of) nail-scissors; **-schuier** nail-brush; **-vijl** nail-file

nagemaakt imitation, counterfeit; forged (cheque, etc), faked (banknotes); artificial (flowers)

nag

nagenoeg almost, nearly, all but, next to
nagerecht dessert
nageslacht: *het* ~ posterity; *zijn* ~ his off-spring
nahouden (*school*) keep in (after hours); *er op* ~ have (ideas of one's own), hold (a view, peculiar ideas)
naïef naïve, naive, artless, ingenuous
najaar autumn; (*Am*) fall
najagen chase, pursue (an animal, a criminal); (*fig*) chase (shadows)
nakaarten discuss might-have-beens, hold a post-mortem
nakijken 1 look after; 2 look (go) over (one's lessons); (*aandachtig*) peruse; 3 correct (exercises), mark (papers); go over (a motor-car); *zich laten* ~ have a medical check-up; 4 (*opzoeken*) look up
nakomeling descendant; **nakomelingschap** posterity
nakomen *intr* follow, come later on; *tr* 1 follow, come after (a p.); 2 keep fulfil, make good (a promise); observe (rules); *bij het niet* ~ *waarvan* … failing which …; **nakomer** late comer; ~(*tje*) (*kind*) afterthought; **nakoming** fulfilment; compliance (with the provisions of an act); *vgl het ww*
nalaten 1 (*sporen, enz; ook bij overlijden*) leave; 2 (*in gebreke blijven*) omit (doing, to do), fail (he never …ed to come); 3 (*verzuimen*) neglect (one's duties); 4 (*ophouden met*) leave off; 5 *ik kon niet* ~ *te zeggen* I could not help saying; **nalatenschap** estate; (*erfenis*) inheritance
nalatig neglectful, negligent; **nalatigheid** negligence
naleven live up to (a principle), fulfil, observe (the regulations)
nalopen I *tr* (*ook fig*) run after; II *intr* (*van uurw*) lose (two minutes a day); (*achter zijn*) be (two minutes) slow
namaak imitation; *wacht u voor* ~ beware of imitations; **namaken** imitate; forge (banknotes); **namaker** imitator, forger
namelijk (*voor opsomming*) namely, viz (*uitspr gew* 'neimli); (*redengevend*) for, because; *ik had hem* ~ *gezegd* … for I had told him …
nameloos nameless
namens on behalf of
nameten check the measurements
namiddag afternoon; *des* ~*s* in the afternoon
naoorlogs post-war (prices), after-war (period)
nap (drinking-)cup, bowl
napluizen investigate, sift, thresh out
napraten: *iem* ~ parrot a p.
nar fool, jester
narcis (*wit*) narcissus, (*geel*) daffodil
narcose: *onder* ~ under an anaesthetic
narcoticum narcotic, anaesthetic; **narcotisch** narcotic; **narcotiseur** anaesthetist
narekenen check, verify

narigheid misery
naroepen call after; (*uitjouwen*) hoot (at)
narrig peevish, cross; **narrigheid** …ness
nascholing refresher course
naschrift postscript
naslaan look up, look out (a word, a train); consult (a dictionary); verify (a quotation)
nasla(g)werk book of reference
nasleep train, *het had als* ~ it brought in its train …; aftermath (of the war)
nasmaak after-taste; *het heeft een bittere* ~, (*ook fig*) it leaves a bitter taste
naspelen play (a piece of music) after a p.; (*op het gehoor*) repeat by ear
naspeuren track, trace
nasporing investigation; (*wetenschappelijke*) ~*en doen* research, make researches
nastreven pursue (an object *doel*)
nasynchroniseren (*film*) dub
nat I *bn* wet; (*vochtig*) damp, moist; ~*!* w paint!; ~ *maken* wet; II *zn* wet, liquid; (*vlees-*) gravy
natekenen copy
natellen count over (again), check
natie nation; *de gehele* ~ *omvattend* nation-wide
nationaal national; *-ale feestdag* national (*of:* public) holiday; **nationalisatie** nationalization; **nationaliseren** nationalize; **nationalisme** nationalism; **nationalistisch** nationalist(ic); **nationaliteit** nationality; *personen van Britse* ~ (*in den vreemde*) British nationals
natje: *hij lust zijn* ~ *en zijn droogje* he is fond of his food and his drink
natrekken (*verifiëren*) check, verify
natrium sodium
nattig damp, wettish; **nattigheid** wet (*ook* = *regen*) damp, wetness; ~ *voelen* smell a rat
natura: *in* ~, (*niet in geld*) in kind
naturalisatie naturalization; **naturaliseren** naturalize; *zich laten* ~ take out letters of naturalization (naturalization papers); **naturalistisch** *bn* naturalist(ic); *bw* naturalistically
naturisme naturism, nudism
natuur nature; (*landschap*) (natural) scenery (the scenery is wonderful here), (the) countryside; *in de vrije* ~ in the country
natuur|behoud conservation; **-geneeswijze** naturopathy; **-getrouw** true to nature; ~ *weergeven* reproduce faithfully
natuurkunde physics; **natuurkunde|leraar**, **-lerares** science master (mistress); **natuurkundig** physical; **natuurkundige** physicist
natuurlijk I *bn* natural (behaviour, history, etc); *het is* ~ *dat hij* … he naturally wants to go; II *bw* of course; (*op* ~*e wijze, overeenkomstig de natuur*) naturally; **natuurlijkheid** naturalness, simplicity, artlessness
natuur|monument nature reserve; **-pad** nature trail; **-ramp** catastrophe; **-reservaat** (nature) reserve; **-schoon** natural beauty; **-speling** freak of nature; **-verschijnsel** natural

phenomenon (*mv:* -mena); **-vriend** nature-lover; **-wet** law of nature; **-wetenschap-(pen)** natural science, science; **-wonder** prodigy (of nature); **-zijde** natural silk

nauw I *bn* (*smal*) narrow; (*-sluitend*) tight (boots); (*fig*) close (ties, co-operation); *~e ingang, (van straat, enz, ook:)* bottle-neck (entrance); **II** *bw* ...ly; (*nauwelijks*) scarcely; ~ *verwant* closely related; *het ~ nemen* be very particular; *het niet ~ nemen met* play, trifle with (the truth); *hij neemt het zo ~ niet* he is very easy-going; **III** *zn: het ~ van Calais* the Straits of Dover; *in het ~ zijn (zitten)* be in a scrape; *iem in het ~ brengen* press a p. hard

nauwelijks scarcely, hardly; ~ *had hij ... of* scarcely ... when, no sooner ... than

nauwgezet scrupulous (care); (*stipt op tijd*) punctual; **nauwgezetheid** ...ness, punctuality

nauwkeurig accurate, exact; close (watch); ~ *onderzoek* close examination; ~ *tot op ...* correct to a millimetre; **nauwkeurigheid** accuracy, exactness

nauwsluitend close-, tight-fitting

n.a.v. *naar aanleiding van* in connection with

navel id

navel|sinaasappel navel orange; **-streng** umbilical cord

navenant in proportion, in keeping

navertellen retell; *hij zal het niet ~,* (*fig*) he won't live to tell the tale

navigatie navigation; **navigator** id

NAVO NATO

navolgen (*nadoen*) follow, imitate; **navolgend** followin; **navolger** follower, imitator; **navolging** imitation; *in ~ van* after (Rembrandt)

navraag inquiry; *bij ~* on inquiry; ~ *doen naar* inquire about; **navragen** inquire, make inquiries

navullen, navulling refill; **navulpak** refill

naweeën after-pains; (*fig*) evil consequences

nawerken: *lang ~* make itself felt long after

nazeggen repeat, say after (a p.)

nazenden: *zich de brieven laten ~* have one's letters forwarded

nazien 1 follow with one's eyes; **2** (*nagaan*) examine, go through; (*van accountant*) audit (accounts); (*voor reparaties*) overhaul (a ship, motor-car); **3** (*corrigeren*) correct; *zie* nakijken

nazitten pursue, chase

nazorg (*van zieke, enz*) after-care

neder down

neder- down

nederig humble, modest; **nederigheid** humility

nederlaag defeat; *de ~ lijden* be defeated

Nederland The Netherlands, Holland; *de ~en, ook:* the Low Countries; **Nederlander** Dutchman, Netherlander; **Nederlanderschap** Dutch nationality; **Nederlands I** *bn* Dutch, Netherlands (the ... Indies); **II** *zn* Dutch, Netherlandish

nederzetting settlement

nee *zie* neen

neef cousin; (*oom-, tantezegger*) nephew; *ze zijn ~ en nicht* they are cousins

neen no; ~ *maar!* oh, I say!; *wel ~* oh no! certainly not!; ~ *zeggen* say no, say nay, refuse, (*met*) ~ (*be*)*antwoorden* answer in the negative

neer down

neer- down

neer|buigen (*ook: zich ~*) bend down; **-buigend** condescending; **-dalen** descend; (*doen*) ~ *op,* (*van kogelregen, scheldwoorden, enz*) shower down upon; **-gooien** throw down; *het bijltje erbij ~,* (*fam*) chuck it; **-halen** fetch down; strike (a sail); pull down (a wall); bring down (an aeroplane); **-kijken** look down; (*fig*) ~ *op* look down upon; **-klappen** fold downwards; **-komen** come down, descend; *doen ~* bring down; *alles komt op hem ~* he has to do everything; *dat komt op het zelfde ~* it comes to the same thing; *de hele geschiedenis komt hierop ~* the whole thing boils down to this; **-leggen** lay (put) down; *zijn ambt ~* resign one's office; *een hert ~* shoot a deer; *de wapens ~* lay down arms; (*staken*) strike; *zich erbij ~* put up with it; **-schieten** *tr* shoot (down), bring dow (an aeroplane); *intr* dash down; **-schrijven** write (take) down; **-slaan I** *tr* strike down; *ze sloeg de ogen ~, ook:* her eyes fell; *~gesl* downcast (eyes); **II** *intr* fall down

neerslachtig dejected; **neerslachtigheid** dejection

neerslag (*bezinksel*) sediment; (*chem* (*het neerslaan*) & *atmosferisch*) precipitation; (*radioactive*) fall-out

neer|smakken *tr* plump down; **-steken** stab; **-stromen** stream down; **-vlijen** lay down; *zich ~* nestle (down) (in an armchair); **-werpen** throw down; *zich ~* throw o.s. down; **-zakken** sink (drop) down; **-zetten** set (put) down; *zich ~* sit down, (*op zijn gemak*) settle down

negatief negative (*in alle bet, ook zn*); ~ *beantwoorden* answer in the negative

negen nine; **negende** ninth (*ook zn*); **negenmaal** nine times; **negentien(de)** nineteen(th)

negentig ninety; **negentiger** nonagenarian; **negentigste** ninetieth (*ook zn*)

neger Negro; **negerachtig** negroid

'negeren bully

ne'geren ignore

neger|lied(je) negro-song; (*godsdienstig*) (negro-)spiritual; **-slaaf, -slavin** negro-slave; **-zoen** (*fam*) chocolate éclair

neigen bend, bow, incline (one's head); **neiging** inclination, leaning (*tot* towards); tendency (*van prijzen:* upward, downward ...; democratic tendencies)

nek nape of the neck; *stijve ~* stiff neck; *een*

plan de ~ *omdraaien* kill a plan; *met de* ~ *aanzien* give a p. the cold shoulder; *uit zijn* ~ *kletsen* (*plat: lullen*) talk rot; **nekken** kill, break the neck of

nek|kramp cerebro-spinal meningitis; (*fam*) spotted fever; **-slag** death-blow; *de* ~ *geven, ook:* finish (a p.), torpedo (an argument)

nemen take, help o.s. to (a sandwich); take in (the milk, bread); take out (season-ticket); (*voor film*) shoot (a scene); *de dingen* ~ *zoals ze zijn* take things as they are; *nog een glas* ~ have another glass; *iem* ~, (*fam*) have a p. on; *zich genomen voelen* feel one has been taken in; *iets op zich* ~ take s.t. (up)on o.s.; *tot zich* ~ take (food, nourishment); *'t er goed van* ~ do oneself well

nep (*sl*) (it's) a swindle; *'t is allemaal* ~ it's all fake

nerf rib, vein, nerve; (*van leer, hout*) grain

nergens nowhere; *hij geeft* ~ *om* he cares for nothing; ~ *goed voor* good for nothing

nerveus nervous; (*fam*) nervy; **nerveusheid, nervositeit** nervousness

nest nest (*ook van rovers, stel pannen, enz*); (*jongen*) litter (of pups); *in de* ~*en zitten* be in a fix; **nestelen** nest, build; *zich* ~, (*fig*) ensconce o.s.; **nestkastje** nest(ing)-box

1 net *zn* net (*ook voor haar, fruit, tennis, van spin, enz*); (*voor boodschappen*) string bag; (*van spoorw, kanalen, enz*) network; (electric) main(s); (telephone) system; *een* ~ *uitwerpen* cast a net; *achter het* ~ *vissen* miss the bus

2 net I *bn* (*netjes*) tidy (keep your clothes ...), clean; (*van aard*) cleanly; (*er aardig uitziend*) neat; (*fatsoenlijk*) respectable; **II** *zn* fair copy; *in het* ~ *schrijven* make a fair copy of; **III** *bw a*) neatly, decently, etc, *zie het bn*; *b*) exactly; ~ *als jij* just like you; ~ *goed!* serve (him, etc) right; ~ *even slecht* (mine is) just as bad; ~ *toen hij kwam* just when he came; *ik heb het* ~ *zo gedaan* exactly (precisely) like that; *dat is* ~ *wat ik nodig heb* the very thing I want

netelig tricky (affair); (*hachelijk*) critical

netheid neatness, tidiness; **netjes I** *bw* neatly (write, dress ...), (*zindelijk*) cleanly; (*fatsoenlijk*) properly (behave ...); **II** *bn: dat is niet* ~, (*niet betamelijk*) that is bad form, (*onfatsoenlijk*) improper; (*niet eerlijk*) not fair, (*sl*) not cricket

net|nummer area code prefix; **-spanning** (**-stroom**) mains voltage (current)

netto net(t) (price, etc); ~ *contant* net cash; **nettogewicht** net(t) weight

net|vlies retina; **-werk** network

neuken: ~ (*met*), (*plat*) fuck

neuriën hum

neurose neurosis

neus nose (*ook van schip, enz*); (*van schoen*) toecap; *een wassen* ~ a mere formality; *hij doet alsof zijn* ~ *bloedt* he acts dumb; *de* ~ *ophalen voor* turn up one's nose at; *zijn* ~ *in alles steken* put one's nose into everything; *dat zal*

ik jou niet aan de ~ *hangen* that would be telling; *iem bij de* ~ *hebben* pull a p.'s leg; (*vlak*) *onder zijn* ~ right under his nose; *het staat* (*vlak*) *voor je* ~ it's right in front of your nose; *tussen* ~ *en lippen* (*door*) in odd moments

neus|bloeding nose-bleed(ing); *een* ~ *hebben* bleed from (at) the nose; **--keel-oorarts** ear-nose-throat specialist; **-kegel** nose cone; **-klank** nasal (sound); **-slijm** nasal mucus; **-verkoudheid** cold in the nose

neutraal neutral; (*onderwijs, school*) undenominational, secular; ~ *blijven* remain neutral; **neutraliteit** neutrality

neuzen nose; ~ *in* pry into

nevel haze, (*zware*) mist (*beide ook fig*); (*onkruidbestrijding, enz*) spray; **nevelachtig** (*ook fig*) hazy, misty

neven|bedrijf branch business; **-doel** secondary object; **-effect** side effect; **-functie** additional job

nicht (girl, female) cousin; (*oomzegster*) niece; (*homofiel*) homo

nicotine id; **nicotinevergiftiging** nicotine poisoning

niemand nobody, no one; ~ *anders dan* none other than

niemendal nothing at all

nier kidney

nier|kwaal kidney-complaint; **-steen** stone in the kidney

niet I *bw* not; *ik zie* ~ *in dat ... ook:* I fail to see that ...; *hij kwam* ~ *terug, ook:* he failed to return; ~ *beter* no better; ~ *dan met de grootste moeite* ... it was only with the greatest difficulty that ...; *hij bedankte ons* ~ *eens* he did not even thank us; **II** *zn* nothing; (*in loterij*) blank; *in het* ~ *vallen bij* ... pale into insignificance beside; *te* ~ *doen* nullify; *te* ~ *gaan* come to nothing (nought); **niet-bestaand** non-existent

nietig *a*) (ongeldig) (null and) void (the marriage is ...); *b*) (heel klein) puny, diminutive; *c*) (onbetekenend) paltry (the ... sum of £5)

niet-inmenging non-intervention

nietje (*voor papieren*) staple

niet|-lid non-member; **--roker** non-smoker

niets nothing; ~ *dan klachten* nothing but complaints; *het is* ~ *voor jou om ...* it's not like you to forget a friend; ~ *daarvan!* (you'll do) nothing of the sort (kind)!; *het is* ~ *gedaan* it's no good; *er kwam* ~ *van* the plan etc came to nothing; *voor* ~ for nothing; *voor* ~ *en niemendal* free, gratis and for nothing

niets|doen *zn* idleness, inaction; *ww* idle, do nothing; **-nut** good-for-nothing; **-ontziend** unsparing, uncompromising, desperate (criminal); **-zeggend** meaningless

niettegenstaande I *vz* in spite of, notwithstanding; (he trusts me) for all (his jealousy); **II** *vw* although, though

niettemin nevertheless

nieuw new (house, life), fresh (vegetables, supply, give ... food for thought); recent (*van de laatste tijd*); modern (history); *het ~ste op het gebied van* the last word in ...; *het ~e: a*) (love) what is new; *b*) the novelty (*zie* ~tje); **nieuwbouw** new building; newly built houses; **nieuweling** novice, beginner; **nieuwerwets** (*ong*) new-fangled

nieuwjaar New Year; *ik wens u een gelukkig ~* I wish you a happy New Year

nieuwjaars|dag New-Year's day; **-wens** New-Year's greeting

nieuwkomer newcomer

nieuws (*berichten*) news, intelligence; (*nieuwtje*) piece of news, piece of information; *iets ~* s.t. new; *iets geheel ~*, (*artikel*) the latest novelty; *wat is er voor ~?* what('s the) news?

nieuws|agentschap news agency; **-blad** newspaper; **-dienst** news agency; *uitzending van de ~* bulletin of news

nieuwsgierig inquisitive, curious (*wat betreft* about); *ik ben ~ wat hij zal zeggen* I wonder what he will say; **nieuwsgierigheid** inquisitiveness, curiosity

nieuwtje (*bericht*) (piece of) news; *het laatste ~* (have you heard) the latest

niezen sneeze

nijd envy

nijdas cross-patch; **nijdassig** cantankerous

nijdig angry, cross; *ze was verschrikkelijk ~* in a dreadful temper; *iem ~ maken, ook*: put a p.'s back up; *~ worden* get angry, lose one's temper

nijgen (*buigen*) (make a) bow; **nijging** bow

nijlpaard hippopotamus

nijpen pinch, nip; *het begint te ~* the pinch has come; **nijpend** (*van kou, enz*) nipping, biting; **nijptang** (pair of) pincers

nijver industrious, diligent

nijverheid industry (*in beide bet*); **nijverheidsonderwijs (-school)** technical education (school)

niks (*fam*) nothing; *zie* niets; *een vent van ~* a wash-out

nimf nymph

nimmer never

nippel nipple

nippen sip, nip

nippertje: *op het ~* in the nick of time; *dat was net op het ~* it was a narrow squeak

nis niche, recess, alcove

niveau level; *gesprekken op hoog ~* high-level talks; *bijeenkomst op het hoogste ~* summit meeting

nivelleren level, (*naar boven*) level up, (*naar beneden*) level down

n.l. *zie* namelijk

n.m. p. m.

NN: *de Hr. ~* Mr. X, Mr. – (*lees*: Blank, Dash)

NNO NNE., north-north-east

Nobelprijs Nobel prize (... winner)

noch: (~) ..., ~ ... neither ... nor ...

nodeloos needless, gratuitous

nodig I *bn* necessary (*voor* ... to (for) a p., to happiness); *de ~e* ... the necessary ...; ('*n hoop*') heaps of ..., a lot of ...; *zeer ~(e)* much-needed (reforms); *~ hebben* want, need, require; *hij had niet lang ~ om* ... it did not take him long to ...; *ik heb je diensten niet meer ~* I can dispense with your services; *er is moed ~ om te* ... it wants courage to ...; *blijf niet langer weg dan ~ is* don't be longer than you can help; *het is niet ~ dat wij* ... there is no need for us to tell him; *zo ~* if need be, if necessary; **II** *bw* necessarily; **III** *zn*: *het ~e* what is necessary

noemen (*een naam geven*) name, call; (*vermelden, opnoemen*) name, mention; *iem bij zijn naam ~* call a p. by his name; *zich ~de* ... self-styled (prophet, etc); **noemenswaard(ig)** worth mentioning; *geen ~ verschil, ook*: no difference to speak of; **noemer** denominator

noest: *met ~e vlijt* with unwearying industry

nog yet (there is life in him yet); still (it is ... a fortnight to Christmas); further (some ... examples); (*zelfs*) even; *~ altijd* still; *zelfs nu ~* even yet; *~ heden* this very day; *tot ~ toe* up to now; *~ niet* not yet; *~ steeds niet* (he has) still not (come); *ze was ~ geen 30* not (yet) thirty; *~ geen jaar geleden* less than a year ago; *~ een glas* another glass; *is er ~ thee* is there any tea left?; *~ slechts 10 min, en* ... only ten minutes to go, and ...; *... en ~ veel meer* and much else besides; *ik heb er ~ vijf* I have five left; *hoe lang ~?* how much longer?; *~ eens* once more; *~ eens zoveel* as much (many) again; *~ iemand* somebody else; *~ iets* s.t. else; *als je ~ enig verstand hebt* if you have any sense left; *nog pas gisteren* only yesterday; *~ diezelfde avond* that very evening; *~ in de 12de eeuw* as late as the 12th century; *geef me ~ wat* give me some more; *en wat dan ~* so what?; *~ maar* (we are) only (at the beginning); *en ~ wel op jouw leeftijd!* at your age, too!; *~ rijker* still (yet, even) richer

nogal rather, fairly, pretty, (*fam*) jolly; *~ wat ouder dan* ... rather older than ...; *~ warm* a bit warm

nogmaals once more, once again

nok ridge (of a roof)

nomade nomad

nominaal nominal; *nominale waarde* face value

nominatie nomination

non nun

non-alcoholisch non-alcoholic

nonchalance id, casualness; **nonchalant** id, careless

nonnenklooster nunnery, convent

nonsens nonsense, bosh, (*sl*) (tommy-)rot; *~! ook*: rubbish!

nood necessity, need, distress, want; *~ breekt wet* necessity has (knows) no law; *geen ~!* no fear!; *toen de ~ op het hoogst was* when things were at their blackest; *in ~ verkeren* be in distress; *in ~* (ship) in distress; *in geval van ~* in

noo

an emergency; *iem uit de ~ helpen* help a p. out

nood|deur emergency-door, escape; **-gedwongen** by force, perforce, from sheer necessity; **-geval** emergency; **-greep** emergency action, emergency measure; **-landing** (make a) forced landing; **-lijdend** necessitous, distressed (the ... countries, area *streek*)

noodlot fate, destiny; **noodlottig** fatal (*voor* to); ill-fated (an ... day); *een ~e afloop hebben* end fatally

nood|oplossing (*concr ook*) makeshift contrivance; **-rem** safety-brake; *aan de ~ trekken* pull the communication cord; **-sein** distress-signal, SOS (message); **-toestand** state of emergency; **-uitgang** emergency exit; **-weer 1** heavy weather; **2** self-defence; **-zaak** necessity (*uit ~* from ...); **-zakelijk** *bn* necessary (a ... evil); *~e dingen* necessities, essentials; *het hoogst ~e* the barest necessities; *bw* necessarily; *daaruit volgt ~* ...it follows as a matter of course ...; **-zaken** compel, oblige; *zich genoodzaakt zien te ...* be (feel) obliged to ...

nooit never

noord north (the wind is ...); **noordelijk I** *bn* northern; northerly (wind); **II** *bn* northward(s); *~ van* north of; **noordeling** northerner; **noorden** north; *naar het ~* to(wards) the north; **noorder** northern

noorder|breedte north latitude; **-keerkring** tropic of Cancer

Noord-Holland North Holland

noordoost(en) north-east; **noordoostelijk** north-east(erly)

noordpool north pole; **noordpoolcirkel** arctic circle

noordwaarts *bw* northward(s); *bn* northward

noordwest(en) north-west; **noordwest(en)**, **noordwestelijk** north-west(erly)

Noordzee North Sea

Noors Norwegian; **Noorwegen** Norway

noot 1 (*muz*) note; *hele, halve, kwart ~* semibreve, minim, crotchet; **2** (*aantekening*) note; **3** (*vrucht*) nut

nootmuskaat nutmeg

nop: *~(pen)* (*pluisjes*) fuzz; (*op jurk*) polka dot; (*onder schoen*) stud

nopen induce, urge

nopje: (*erg*) *in zijn ~s zijn* be in high feather

nor (*Bargoens*) clink, (*Am*) cooler

norm 1 (*eis*) requirement; *aan de ~en voldoen* meet requirements; **2** (*gemiddelde*) norm

normaal normal; **normaalschool** (*Belg*) teacher training college

normaliseren normalize

nors surly, grumpy; **norsheid** surliness

nota note (*ook in diplomatie*); (*rekening*) account, bill; (*uittreksel rek courant*) statement (of account); (*goede*) *~ nemen van* take (due) note of

notabele notable (citizen), leading resident

nota bene id, mark you

notariaat office of notary; **notarieel** notarial; *-ële akte* notarial act; **notaris** notary (public); **notariskantoor** notary's office

note|boom walnut tree; **-dop** nutshell; **-kraker** (pair of) nutcrackers

noten|balk staff (*mv* staves), stave; **-lezen** *zn* music-reading; **-papier** music-paper; **-schrift** staff-notation

noteren (*aantekenen*) note down, make a note of; (*prijzen*) quote (*op* at), (*in prijslijst ook*) list; (*bestellingen*) book (orders); *punten ~*, (*spel*) score; **notering** (*van prijs*) quotation; (*van effecten*) price

notie notion; *ik heb er hoegenaamd geen ~ van* I have not got the slightest (faintest) notion of it

notitie notice; (*aantekening*) note, jotting; **notitieboek(je)** note-book

notulen minutes; *de ~ goedkeuren* adopt the minutes; **notuleren** take down; **notulist(e)** secretary

nou now; *~, wat wou je zeggen?* well, what were you going to say?; *nou, eh, ...* well, eh, ...

novelle short story

november November

novice id; **noviteit** novelty

Nr. N°, No., number

NT. id, New Testament

nu I *bw* now, at present; *je moest ~ eindelijk ook eens weten ...* you should know by now ...; *~ niet* not (just) now; *~ nog niet* not (just) yet; *wat ~?* what next?; *~ en dan* now and then, occasionally; *tot ~ toe* up to now; *van ~ af* from now (on); *~ (eens) ..., dán (weer) ...* now (here), now (there); **II** *vw* now that

nuanceren shade; *een meer genuanceerde benadering* a more differentiated approach

nuchter 1 *ik ben nog ~* I have not yet breakfasted; **2** (*niet dronken*) sober; *~ worden* sober (up); **3** (*fig*) sober (people, intellect), down-to-earth (common sense), (*zonder fantasie*) unimaginative; **nuchterheid** (*eig & fig*) soberness, sobriety

nucleair nuclear

nuk freak, whim; **nukkig** whimsical, capricious

nul cipher, nought; (*nulpunt*) zero; (*telefoon, koersberichten, enz*) o (*spr* ou): double three o five, 3305); *~ komma zes* 0.6, nought point six; *ze werden met 5-0 verslagen* they were beaten five-nil

nummer number; (*maat*) size; (*op programma*) item; (*in variété, enz*) act; (*sp*) event; (*van krant, enz*) issue (in to-day's ...); (*van auto*) registration number; *~ één*, (*school*) be (at the) top of one's class (form); *iem op zijn ~ zetten* put a p. in his place; **nummeren** number; **nummering** numbering

nummer|plaat (*van auto*) number-plate; (*Am*) license plate; **-schijf** (*automatische telefoon*) dial

nummertje: *een ~ weggeven* put on an act

nut use, utility, benefit, profit; *het kan zijn* ~ *hebben te* ... it may be of some use to ...; *het heeft geen* ~ *om te wachten* it's no good waiting; *heeft het enig* ~ *te* ...? is it any good to tell him?; *zich ten* ~*te maken* avail o.s. of; *van* ~ *zijn voor* be of help to

nutteloos useless; **nutteloosheid** uselessness

nuttig useful (*voor* to a p., for a purpose); ~ *zijn voor, ook:* be helpful to

nuttigen take; *na het* ~ *van het avondeten* after taking supper

nuttigheid utility

NV. *naamloze vennootschap* Ltd. (= Limited *achter naam van firma*)

NW id, North-West

nylon id

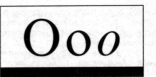

o.a. *onder andere(n)* among other things, among others

oase oasis, *mv:* oases

ober (head-)waiter; *ober!* waiter!

object id, thing; (*doel*) objective

objectief I *bn* objective (judge objectively); **II** *zn* objective, object-glass, -lens; **objectiviteit** objectivity, objectiveness

obligaat *bn & zn* obligato; *bn ook:* prescribed, requisite, obligatory

obligatie debenture, bond

obligatie|houder debenture-, bondholder; **-lening** debenture-loan

obsceen obscene; **obsceniteit** obscenity

obscuur obscure; *een* ~ *zaakje* a doubtful business

obsederen obsess; **obsederend** obsessive, compulsive

observatie observation (keep under ...); **observatiepost** observation-post; **observator** observer; **observatorium** observatory; **observeren** observe

obsessie obsession

obstakel obstacle

obstinaat obstinate

obstipatie constipation

obstructie obstruction; ~ *voeren tegen* obstruct (a bill)

occasion (*gelegenheidskoop*) bargain

occult id; **occultisme** occultism

oceaan ocean; **oceaan|boot**, **-stomer** ocean liner, steamer

oceanisch oceanic; **oceanografie** oceanography

och oh!; ~ *kom!* (*verbazing*) you don't (mean to) say so! not really!; (~ *wat*) oh, come! oh, come now!; ~ *arme!* poor fellow! poor thing!

ochtend morning; *des* ~*s* in the morning

ochtend|blad morning paper; **-gymnastiek** morning exercises; (*fam*) daily dozen

octaaf octave

octaan octane; ~*getal* octane number (rating)

octrooi *a*) patent; *b*) (*handelsmachtiging*) charter

octrooi|houder patentee; **-raad** patent-office; **-wet** patents (and designs) act

oculair *bn* ocular; *zn* ocular, eye-piece

ode id

oecumenisch ecumenical, oecumenical

oefen- *dikwijls* practice

oefenen I *tr* train (a p., the eye, the memory, etc), practise, exercise; *iem* ~ *in* train a p. in (for, to); *zich* ~ train, be in training, practise; II *intr* practise, train; **oefening** practice, exercise; *eerste* ~, *(mil)* first training-period; **oefenmeester** trainer

oefen|schip training-ship; **-wedstrijd** practice match, practice game, training match

oen (*fam*) twit

oer|conservatief ultra conservative; **-gezond** in the pink (of health); **-komisch** wildly funny; **-mens** prehistoric (*of:* primitive) man; **-oud** ancient (civilization); **-taal** primitive language; **-tijd** prehistoric times; **-vorm** archetype, prototype; **-woud** primeval (virgin) forest, jungle

oester oyster

oester|bed oyster-bed; **-plaat** oyster-bank; **-schelp** oyster-shell; **-teelt** oyster-culture, oyster-farming

oever (*van rivier, kanaal*) bank, (*van zee, meer*) shore; **oeverloos** unlimited, interminable (discussions)

of 1 (*nevenschikk*) or (good or bad); ~ *A.* ~ *B.* either A. or B.; ~ *je het leuk vindt* ~ *niet* (whether you) like it or not; *een jaar* ~ *40* some (*of:* about) forty years; *een dag* ~ *twee* one or two days, a day or two; 2 (*in voorwerpszin*): whether, if; *ik vroeg hem* ~ ... I asked him if (whether) ...; *ik weet niet,* ~ ... ~ *niet* I don het know whether it is true or not; *wie weet,* ~ *hij niet ziek is* who knows but (but that) he may be ill; 3 (*in onderwerpszin*): *het duurde niet lang* ~ ... it was not long before ...; 4 (*in bijwoordelijke zin*): *ik zie hem nooit,* ~ *hij heeft een bril op* I never see him without spectacles; *kom niet,* ~ *ik moet je roepen* don't come unless I call you; 5 *hou je ervan? nou, en* ~*!* ~ *ik!* do you like it? rather!

offensief *bn & zn* offensive; ~ *optreden* take (assume) the offensive

offer sacrifice, offering; (*slachtoffer*) victim; *een* ~ *brengen* make a sacrifice; *als* ~ *vallen van* fall a victim (*mv:* victims) to; **offerande** offering, sacrifice; (*deel der mis*) offertory; **offeren** sacrifice (*ook intr:* aan to), offer as a sacrifice, immolate, offer (up) (*bijdragen*) make an offering (for a fund)

offer|feest sacrificial feast; **-plaats** place of sacrifice

offerte offer, quotation; *een* ~ *doen* make an offer, quote, submit a quotation

offer|vaardig liberal; willing to make sacrifices; **-vaardigheid** liberality; readiness to make sacrifices

officieel official, formal

officier officer; ~ *van administratie* paymaster; ~ *van dienst* duty officer; ~ *van gezondheid* army surgeon; (*scheepv*) naval surgeon; ~ *van Justitie* public prosecutor, counsel (*zonder lw*) for the prosecution

officieus unofficial, semi-official, *bw:* -ly

offsetdruk offset printing

ofschoon (al)though

ogenblik moment, instant; *een* ~ *s.v.p.* a moment, please; (*telec*) hold on!; *een* ~*je!* just a minute, please!; *het ene* ~ ..., *het andere* ... one moment ..., the next ...; *een* ~ *daarna* a moment after; *hij kan elk* ~ *komen* he may come at any moment; *op het* (*dit*) ~ at present, at the moment, (I have no time) just now; *op het juiste* ~ at the right moment; *een beslissing op het laatste* ~ a last-minute decision; *van het laatste* ~ last-minute (changes); *voor het* ~ (stop) for the moment, for the present, for the time being; **ogenblikkelijk** *bn* momentary (impression); immediate (danger); *bw* immediately, directly, instantly

ogenschijnlijk *bn* apparent, seeming; *bw* apparently, etc

ogenschouw: *in* ~ *nemen* inspect, review (the situation), have a look at

oker ochre; **okerachtig** ochr(e)ous; **okergeel** *bn* ochr(e)ous; *zn* yellow ochre

oksel arm-pit; **okselholte** arm-pit

oktober October

olie oil; *dat is* ~ *in het vuur* that is pouring oil on the flames; ~ *op de golven gieten* pour oil on the waters; *hij is in de* ~ he is well-oiled (half-seas-over)

olie|bron oil well; **-dom** as stupid as an owl; **-filter** oil filter; **-houdend** oil-bearing (seeds, sediment, district); **-lamp** oil-lamp

oliën oil, lubricate; *het* ~ oiling, lubrication

olieraffinaderij oil refinery

oliesel extreme (*of* holy) unction; *iem het laatste* ~ *toedienen* administer extreme unction to a p.

olie|spuitje oil-syringe; **-stook** oil heating (firing), oil-fired (stove); **-vat** oil-barrel; **-veld** oil-field; **-verf** oil-colours, oil-paint; **-vlek** oil-stain; (*op zee*) oil-slick

olifant elephant; **olifantstand** elephant's tusk

olijf olive

olijk sly, roguish, arch; **olijkerd** rogue, sly-boots

olm (*boom*) elm

olympiade olympiad

Olympisch Olympian (gods); (*sp*) Olympic (games)

om I *vz* 1 (~*heen*) round (the corner, sit ... the table), about (the fragments flew ... my ears), round about (around) (the town); *ik kan ze niet* ~ *mij* (*heen*) I cannot have them about me; 2 ~ *een uur of negen* about nine o'clock; ~ *en bij* in the neighbourhood of, round about, somewhere near (three pounds), (round) about (fifty); 3 (*tijdstip*) at (nine o'clock); 4 (*telkens na*) ~ *de 3 dagen* every three days (third day); 5 (*voor, wegens*) for, on account of, because of; *vragen* (*schrijven, enz*) ~ ask (write, etc) for; *beroemd* ~ famous for; *iem prijzen* ~ praise a p. for; 6 ~ *te* to, in order to, so as to (raise the level of prosperity); *aardig* ~ *te zien* nice to look at; *niet* ~ *te eten* not fit to eat, uneatable; **II** *bw:* *de hoek* ~ round the corner; *het hoekje* ~ *gaan* (*fam*) kick the bucket; *deze weg is* ~ this is a roundabout way; *de wind is* ~ has turned; *voordat de dag* ~ *is* is out; *de tijd is* ~ time is up; *hij heeft hem* ~ he is tight

oma grandmother, grandma, granny

omarmen embrace; **omarming** embrace, hug

ombouwen rebuild, reconstruct, convert

ombrengen (*doden*) dispatch, make away with, kill

ombudsman id; Parliamentary Commissioner

ombuigen bend

omdat because

omdoen put on (a shawl); *er iets* ~ put (*of:* wrap) s.t. round it

omdraaien I *tr* turn, turn round; twist (a p.'s arm); *de hoek* ~ turn the corner; *het om en om draaien* turn it this way and that; *zich* ~ turn round; (*in bed, enz*) turn over; II *intr* (*van wind*) shift, turn; (*van mening veranderen*) change one's mind

omduwen push over, upset, knock over

omelet omelet(te)

omfloersen muffle (a drum); (*fig*) shroud

omgaan 1 (*rondgaan*) go round, go about; *een hoek* ~ turn a corner; 2 (*gebeuren*) happen, take place; *er gaat veel om in die zaak* they do a good deal of business; *dat gaat buiten mij om* I have nothing to do with it; 3 (*voorbijgaan*) pass; *er gaat geen dag om, of* ... not a day passes without my seeing him; 4 ~ *met* associate with, mix with (people), (*vertrouwelijk*) be on familiar terms with; (*met gereedschap*) handle; *met mensen weten om te gaan* know how to deal with people; *met een meisje* ~ be friends with a girl, take a girl out, (*Am*) date a girl; *hij is moeilijk om mee om te gaan* difficult to live (get on) with; *verzoeke*; **omgaande:** *per* ~ *bericht* kindly reply by return (of post); **omgang** (*verkeer*) (social, sexual) intercourse; *veel* ~ *hebben* see a great many people; *lastig* (*gemakkelijk*) *in de* ~ difficult (easy) to live (get on) with

omgangs|taal colloquial language; everyday speech; **-vormen** manners

omgekeerd I *bn & bw* (turned) upside down; reversed (the positions are ...), reverse (the ... side of a coin), inverted (commas); (*van verhouding*) inverse; *de* ~*e wereld* the world turned upside down; *juist* ~ (it is) the other way round; *en* ~ and conversely, and vice versa; II *zn: het* ~*e* the reverse, the contrary

om'geven surround, encircle; (*omhullen*) envelop; **omgeving** neighbourhood, surroundings, environs, environment; (*van pers*) surroundings, environment

omgooien overturn (a chair), upset (an inkpot), knock over (a glass), spill (the salt), shift (the helm)

omhaal ceremony, fuss; (*van woorden*) verbosity; *met veel* ~ *van woorden, ook:* in a roundabout way; *zonder veel* ~: *a*) straight away, right out; *b*) without much ado

omhakken cut (hew) down, fell

omhalen pull down (a wall)

omheen (round) about; *er*~ about (*of:* round) it

omheinen fence in, enclose; **omheining** fence, enclosure

omhelzen embrace (*ook: elkaar* ~); **omhelzing** embrace

omhoog on high, aloft; up (the window is ...); *naar* ~ up(wards); *van* ~ from above, from on high; *het raam wil niet* ~ will not go up

omhoog|gaan (*ook van prijs, enz*) rise, go up; **-houden** hold up; **-schieten** shoot up (*ook van prijzen*), rocket; **-staan** (*van haar*) stand on end; **-vallen** (*iron*) rise through lack of weight; **-zitten** (*fig*) be in a fix; (*financieel*) in desperate straits

omhullen envelop, wrap round, enwrap; **omhulsel** wrapping, wrapper

omkeer (complete) change; turn (in a p.'s fate), reversal (of fortune); (*reactie*) revulsion (of feeling); **omkeerbaar** reversible (coat, process); **omkeren** I *tr* turn (one's head), turn over (a page, hay); turn out (one's pockets), reverse (a policy), convert (a proposition *stelling*); *zich* ~ turn (round); (*in bed*) turn over; II *intr* turn back

omkijken look back (*naar* at), look round; *niet* ~ *naar,* (*fig*) take no notice of; *je hebt er geen* ~ *naar* it needs no looking after

om'kleden clothe (*ook fig:* with glory), drape, invest (*ook fig*); *met redenen* ~ motivate, motive

'**omkleden:** *zich* ~ change one's dress/clothes

omklemmen clasp, grasp (the sword), grip

omkomen 1 (*sterven*) perish (*van* ... with, from, of cold); *het aantal omgekomenen* the death-roll (is given as 150); 2 *de hoek* ~ come (get) round the corner

omkoopbaar corruptible; **omkopen** bribe, buy over, corrupt; **omkoperij, omkoping** bribery, corruption (of witnesses)

omkrijgen: '*m* ~ get drunk

omlaag below, down, down below; *naar* ~ down; *van*~ from below

omlaag|gaan go down; (*van prijs ook*) fall; **-houden** keep down

omleggen 1 (*verband*) apply; 2 (*andersom leggen*) turn (mattress); divert (traffic)

omleiden divert (traffic); **omleiding** diversion

omliggend surrounding, neighbouring

omlijnen outline; box (a name)

omlijsten frame; **omlijsting** frame; (*het omlijsten*) framing

omloop 1 circulation (of the blood, of money); *in* ~ *brengen,* (*geld*) put into circulation, circulate; (*gerucht*) circulate, spread; *in* ~ *zijn* be in circulation, be current; (*van gerucht, enz*) be abroad; 2 revolution (of heavenly bodies), orbit (of a satellite), rotation (of a wheel); 3 (*van toren*) gallery; **omloopsnelheid** (*van geld*) velocity of circulation; (*van hemellichaam*) orbital velocity

oml

omlopen 1 (*lopen om*) walk round (the house); turn (a corner); **2** (*rondlopen*) walk about; **3** *een heel eind* ~ go a long way round; *een eindje* ~ go for a turn (a stroll); **4** (*ronddraaien*) revolve, rotate; (*van wind*) shift (round)

ommetje turn

omme|zien: *in een* ~ in the twinkling of an eye; **-zijde** back; *aan* ~ overleaf; *zie* ~ please turn over, P. T. O.; **-zwaai** *zie* omzwaai

omploegen plough (up); (*door granaat, enz*) plough up

ompraten talk round, talk over

omrasteren rail (fence, *met ijzerdraad:* wire) in

omrekenen convert; **omrekening** conversion

omrijden (vehicles must) go round; *het rijdt een heel eind om* it is a long way round

omringen surround, enclose, encircle; (*van gevaren, vijanden, enz*) *ook:* beset

omroep (*radio*) broadcasting (organization); **omroepbijdrage** TV (and radio) licence fee

omroepen (*radio*) broadcast; **omroeper** (*radio & tv*) announcer

omroep|installatie loudspeaker system, Tannoy; **-station** broadcasting station

omroeren stir (the pudding, tea, etc)

omschakelen change over, convert; **omschakeling** change-over

omscholen retrain; **omscholing** (occupational) retraining

omschrijven define (a word, a p.'s duties, etc); (*beschrijven*) describe; **omschrijving** definition; description

omsingelen surround, encircle; invest (a fortress)

omslaan I *tr* **1** (*omver*) knock down; **2** throw (put) on (a cloak); **3** turn over (a leaf); **4** (*omvouwen, enz*) turn down, turn back, turn up (trousers, sleeves); **5** *de hoek* ~ turn the corner; **6** (*onkosten, enz*) apportion (*over* among); **II** *intr* **1** *rechts* (*links*) ~ turn (to the) right (left); **2** (*van weer*) break; (*van stemming*) turn; **3** (*omkantelen*) capsize, (be) upset, overturn; *doen* ~ upset

omslachtig (*langdradig*) long-winded; ~*e manier* roundabout way

omslag 1 (*omhaal*) ceremony, fuss; **2** (*van kosten*) apportionment; (*belasting*) tax; **3** (*van mouw*) cuff, turn-back; **4** (*van boek*) cover; (*los*) wrapper, jacket; **5** (*van het weer*) break (in the weather); **omslagdoek** shawl

omsluiten enclose, encircle, surround; *door land omsloten* land-locked (port)

omsmelten melt down

omspitten dig (up)

omspoelen *a*) rinse (out), wash out; *b*) rewind (a film, tape)

om'spoelen wash, bathe (islands ...d by the sea)

omspringen jump about; *met iem* (*iets*) *weten om te springen* know how to manage a p. (a thing)

omstander bystander

omstandig *bn* detailed, circumstantial (account); *bw* in detail, circumstantially; **omstandigheid 1** (*uitvoerigh*) circumstantiality, ful(l)ness of detail; **2** circumstance (in poor ...s); in *de gegeven -heden* in (under) the circumstances, as things are; *naar -heden* all things considered, comparatively speaking; *onder normale -heden* under normal conditions

omstebeurt in turn

omstoten overthrow, upset, push over

omstreden disputed, contested (area *gebied*), controversial (topic)

omstreeks about; *zo* ~ *Kerstmis* round about Christmas

omstreken surroundings, environs, neighbourhood

omstuwen crowd (flock, press, swarm) round

omtoveren change (transform) by magic (as if by magic)

omtrek (*algem*) outline; (*van cirkel*) circumference; (*van vlakke figuur*) perimeter; (*buurt*) environs, neighbourhood, vicinity; *in de* ~ in the neighbourhood, round here; *mijlen in de* ~ for miles around

omtrekken (*omver*) pull down; ~*de beweging* enveloping movement

omtrent about

omturnen convert, win over

omvallen fall (*of:* topple) over, (be) upset, overturn; ~ *van vermoeienis* (*slaap*) be ready to drop with fatigue (sleep)

omvang (*omtrek*) circumference; extent (of the damage); girth (of a tree); range (of a voice); width (of the chest); size (of a book); volume (the ... of unemployment); scope (of a work); **omvangrijk** extensive (knowledge, etc); (*lijvig*) bulky

omvatten enclose; (*omspannen*) span; (*fig*) include, comprise (the whole subject)

omver down, over

omver|gooien *zie* omgooien; (*fig*) overthrow (the monarchy), upset (a theory); **-halen** pull down (a wall); *iem;* **-praten** talk a p. down, talk a p.'s head off; **-rijden** run (knock) down

omvliegen (*van tijd*) fly (by, past)

omvormen remodel, transform, convert; **omvormer** converter

omvouwen fold (turn) down (back); double (a page)

omwaaien *tr* blow down; *intr* blow down, be blown down

omwassen (*schotels, enz*) wash up

omweg roundabout way, detour; *langs een* ~ (go, attain one's end) by a roundabout way, (hear s.t.) in a roundabout way; *zonder* ~*en* (ask, etc) point-blank, straight out

omwentelen turn (round); (*om as, ook zich* ~) revolve, rotate; **omwenteling** revolution, rotation, turn; **omwentelingssnelheid** velocity of rotation

omwerken remodel, refashion, reconstruct; (*boek*) rewrite om'wikkelen wrap round, wrap up (*met* in)

omwisselen change

omwoelen (*grond*) root up; (*door granaat bijv*) churn up

omwonend surrounding, neighbouring; omwonenden neighbours

omzeilen (*moeilijkheid*) get round (a difficulty), bypass (obstacles)

omzendbrief (*Belg*) circular (letter)

omzet turnover (the annual ...); (*verkoop*) sale, business done, volume of business; omzetten 1 transpose (words, etc; *ook in muz*); 2 reverse (an engine); 3 convert (iron into steel), turn (a firm into a limited liability company), translate (words into action(s)); transform (heat into energy); 4 (*handel*) turn over

omzichtig cautious; omzichtigheid cautiousness

omzien look back; look out (for another job)

'omzomen hem

om'zomen border, edge, fringe

omzwaai sudden change; (*bij verkiezing, enz*) swing(-over); omzwaaien swing round; (*fig, van studie, beroep, enz*) change over, switch (over)

omzwachtelen bandage

omzwerven wander (rove, roam) about; omzwerving ramble, wandering, roving

onaandoenlijk impassive, stolid

onaangedaan unmoved, untouched

onaangekondigd unannounced

onaangenaam disagreeable, unpleasant, offensive (smell); *het stemde mij* ~ it annoyed me; onaangenaamheid unpleasantness, offensiveness; -*heden krijgen* fall out (with a p.); -*heden ondervinden* have unpleasant experiences

onaangetast untouched, unimpaired; (*door ziekte, het weer, zuren, enz*) unaffected

onaannemelijk (*van voorstel, enz*) unacceptable, intolerable (*voor* to); (*niet geloofwaardig*) incredible, implausible; onaannemelijkheid intolerability, incredibility, implausibility

onaantastbaar unassailable (*ook fig:* ... truth)

onaantrekkelijk unattractive

onaanvaardbaar unacceptable

onaanzienlijk undistinguised; (*onbeduidend*) insignificant; (*van bedrag, enz*) inconsiderable; onaanzienlijkheid insignificance

onaardig unpleasant; unkind, rude; *niet* ~, (*nogal goed*) not bad

onachtzaam inattentive, careless, negligent; onachtzaamheid inattention, carelessness, negligence

onafgebroken uninterrupted, continuous

onafhankelijk I *bn* independent (*van* of); II *bw:* ~ *van* independently of, irrespective of; onafhankelijkheid independence; onafhankelijkheidsoorlog war of independence

onafscheidelijk inseparable (*van* from); onafscheidelijkheid inseparability

onafwendbaar inevitable; onafwendbaarheid inevitability

onafzienbaar interminable, immense; onafzienbaarheid immensity, immenseness

onbaatzuchtig disinterested, unselfish, selfless

onbarmhartig merciless, pitiless, uncharitable

onbebouwd vacant, unbuilt(-)on

onbedaarlijk uncontrollable

onbedacht(zaam) thoughtless, rash; onbedacht(zaam)heid ...ness

onbedekt uncovered, bare

onbedorven unspoiled, unspoilt, innocent; onbedorvenheid innocence

onbedreigd (*sp*) unchallenged

onbedreven unskilful, unskilled, inexperienced

onbeduidend insignificant, trivial

onbedwingbaar uncontrollable

onbegaanbaar impassable

onbegonnen: *een* ~ *werk* an endless (hopeless) task

onbegrensd unlimited, unbounded

onbegrijpelijk incomprehensible, puzzling; (*ondenkbaar*) inconceivable; onbegrijpelijkheid ...ness, incomprehensibility

onbegrip lack of understanding

onbehaaglijk unpleasant, disagreeable; (*niet op zijn gemak*) ill at ease, uneasy; onbehagen discomfort, uneasiness, unease

onbeheerd ownerless, unowned; ~ *staand* unattended (bicycle, motor-car)

onbeheerst violent

onbeholpen awkward, clumsy; onbeholpenheid awkwardness, clumsiness

onbehoorlijk improper, indecent; onbehoorlijkheid impropriety, indecency

onbehouwen (*vlegelachtig*) rude, unmannered

onbekend unknown; *ons* ~ unknown to us; ~ *merk* obscure make; *ik ben hier* ~ I am strange (a stranger) here; onbekende (*pers*) stranger; (*wisk*) unknown (two ...s); onbekendheid *a*) (*het* ~ *zijn van pers*) obscurity; *b*) (*het niet-kennen*) unfamiliarity (*met* with), ignorance (*met* of)

onbekookt ill-considered, rash, wild (schemes)

onbekrompen (*royaal*) unstinted; (*van geest*) liberal, open-minded; onbekrompenheid liberality, ...ness

onbekwaam incapable, unable, incompetent; onbekwaamheid inability, incapacity, incapability, incompetence

onbelangrijk unimportant, insignificant; onbelangrijkheid unimportance, insignificance

onbeleefd impolite, uncivil; onbeleefdheid impoliteness, incivility

onbelemmerd unhindered, unobstructed (view), unimpeded

onbemand unmanned

onbemiddeld without means, impecunious; *niet* ~, *ook:* well off, well-to-do

onbemind unloved, unbeloved; onbemindheid unpopularity

onbenullig inane (person, remark), vapid (conversation); onbenulligheid inanity, vapidity

onbepaald indefinite (ook in gramm), indeterminate; onbepaaldheid ...ness, indeterminacy

onbeperkt unlimited, boundless, unrestrained; unrestricted (submarine warfare); onbeperktheid ...ness

onbeproefd untried, untested

onbereikbaar (ook van pers) inaccessible, unapproachable; (fig) unattainable

onberekenbaar incalculable (ook fig); (van pers) unpredictable

onberijdbaar impassable (road)

onberispelijk irreproachable, faultless; onberispelijkheid ...ness

onbeschaafd ill-bred, unmannerly; (van volk) uncivilized, barbarous; onbeschaafdheid a) ill-breeding, unmanneliness; b) barbarism

onbeschaamd impudent, insolent, shameless; onbeschaamdheid impudence, insolence

onbescheiden immodest, indiscreet; onbescheidenheid immodesty; (an) indiscretion

onbeschoft impertinent, insolent, impudent; onbeschoftheid impertinence, insolence, impudence

onbeschreven a) blank; b) (ongeschreven) unwritten (law)

onbeschrijf(e)lijk indescribable

onbeslist undecided; het spel bleef ~ the game ended in a draw

onbespeelbaar unplayable (ook van terrein)

onbesproken 1 (onderwerp) undiscussed; 2 (plaats) unbooked, unreserved; 3 (gedrag) blameless

onbestaanbaar impossible

onbestelbaar undeliverable, dead (letter); indien ~ retour afzender if undelivered, return to sender

onbestemd indeterminate, vague; onbestemdheid indeterminacy

onbestendig unsettled (weather, etc), inconstant

onbestuurbaar unmanageable, out of control

onbesuisd rash, reckless

onbetaalbaar unpayable (debts); priceless, invaluable (services); (van grap) capital, priceless; onbetaald (bedrag, enz) unpaid

onbetamelijk unseemly, improper, indecent; onbetamelijkheid unseemliness, impropriety, indecency

onbetekenend insignificant, trivial

onbetrouwbaar unreliable; onbetrouwbaarheid unreliability

onbetuigd: hij liet zich niet ~ he acquitted himself well, kept his end up

onbetwist undisputed, uncontested; onbetwistbaar uncontestable

onbevaarbaar in-, unnavigable; onbevaarbaarheid in-, unnavigability

onbevangen 1 unprejudiced, unbias(s)ed; ~ oordelen keep an open mind; 2 (vrijmoedig) unconcerned

onbevlekt unblemished, undefiled; de ~e Ontvangenis the Immaculate Conception

onbevoegd incompetent, unqualified; ~ verklaren disqualify; geen toegang voor ~en no unauthorized person allowed to enter; onbevoegdheid incompetence, incompetency

onbevooroordeeld unprejudiced, unbias(s)ed

onbevredigd unsatisfied; onbevredigend unsatisfactory

onbewaakt unguarded (in alle bet)

onbeweeglijk motionless, immovable, immobile; onbeweeglijkheid immobility

onbewerkt unprocessed; (onbereid) undressed (leather); (onversierd) plain

onbewogen unmoved, impassive (face)

onbewolkt cloudless, unclouded

onbewoonbaar uninhabitable, unfit for habitation; onbewoond uninhabited; (van woning ook) unoccupied, untenanted; ~ eiland desert island

onbewust I bn unconscious (actions); ~ van unaware (unconscious) of; II bw unconsciously, unawares; onbewustheid unconsciousness

onbezet vacant (chair, post), unoccupied

onbezoedeld undefiled, unpolluted, unstained

onbezoldigd (van pers & ambt) unsalaried, unpaid; ~ penningmeester honorary treasurer

onbezonnen thoughtless, rash, inconsiderate, ill-advised; onbezonnenheid thoughtlessness, etc

onbezorgd free from care, care-free (live a ... life), light-hearted, unconcerned; onbezorgdheid light-heartedness, unconcern

onbezwaard (van geweten, enz) unburdened; (van bezit) unencumbered, clear

onbillijk unjust, unfair; onbillijkheid injustice, unfairness, etc

onbrandbaar incombustible, uninflammable, non-flam(mable)

onbreekbaar unbreakable; onbreekbaarheid ...ness

onbruik disuse; in ~ geraken go out of use, fall into disuse; onbruikbaar unfit for use, useless; (van weg) impracticable; onbruikbaarheid ...ness; impracticability

onbuigbaar inflexible; onbuigbaarheid inflexibility

onbuigzaam inflexible; (fig ook) unbending, uncompromising, rigid; onbuigzaamheid inflexibility, rigidity, uncompromising attitude

oncogeen carcinogen

ondank ingratitude; mijns ~s in spite of me (of: myself)

ondankbaar ungrateful; ondankbaarheid ingratitude

ondanks in spite of, despite, notwithstanding

ondeelbaar indivisible; ~ getal prime number

ondenkbaar unthinkable, inconceivable, unimaginable

onder I *vz* **1** (*plaats*) under, underneath, beneath; *van* ~ *de tafel* from under the table; ~ *de brug door* (pass, go) under the bridge; **2** (*fig*) *meest:* under, work under a p., fight under ...; ~ *5 pond* under £ 5; *hij heeft de stukken* ~ *zich* he has the documents in his keeping; **3** (*tussen*) among, amid(st); ~ *vrienden* among friends; ~ *vijanden* amid(st) enemies; ~ *gelach* amidst laughter; ~ *ons* (dine, etc) just among ourselves; ~ *ons* (*gezegd*) between ourselves (you and me); *het moet* ~ *ons blijven* it must not go (get) any further (than ourselves), this is quite between you and me; **4** (*tijdens*) during; ~ *het eten* at dinner, during meals; ~ *een glas wijn* (discuss the matter) over a glass of wine; II *bw* below; *de zon is* ~ the sun is set (is down); *er*~ underneath; *hoe was hij er*~? how did he take it?; **naar** ~(*en*) down, below, downward(s); *van* ~(*en*) (*wet, etc*) underneath; (*richting*) from below; *4de regel van* ~(*en*) fourth line from (the) bottom; *van* ~(*en*) *op* (right) up from below, from the bottom, from the ground up; *van* ~(*en*) *naar boven* from the bottom upward(s); *hij bekeek me van* ~ *tot boven* he looked me up and down; **ten** ~ *gaan* founder; ~ **aan** at the foot of, at the bottom of (the page); ~ *in* at the bottom of (the basket)

onder|aannemer sub-contractor; **-aards** subterranean, underground; **-af:** *van* ~ from the bottom; **-arm** fore-arm; **-bevelhebber** second in command; **-bewust(zijn)** subconscious-(ness); **-bezet** under-manned, under-staffed; **-bouw** substructure, infrastructure; **-breken** interrupt; *de reis* ~ *te A.* stop off (over) at A.; **-breking** break, interruption, intermission; **-brengen** accommodate, lodge (persons), house (persons, things); place, class (in a category); **-broek** (under)pants, panties, (*dames*) (pair of) knickers

onderbuik abdomen; **onderbuiks** ... abdominal

onderdaan subject

onderdak shelter, home, accommodation; ~ *verschaffen* accommodate, shelter

onderdanig submissive

onderdeel part; sub-division; (*van leger*) (army) unit; (*van maatschappij*) branch; fraction (in a ... of a second); **-delen,** (*van machine, enz*) (motor-)parts, accessories

onderdirecteur (**-trice**) assistant manager; (*van school*) assistant headmaster (*vrouw:* headmistress)

onderdoen *a*) tie (put) on (skates); *b*) *niet* ~ *voor* be a match for; *voor niemand* ~ be second to none; *niet voor elkaar* ~ be well-matched

onderdompelen immerse; **onderdompeling** immersion

onderdoorgang subway; (*onder weg*) underpass

onderdrukken oppress (a nation), suppress (a sigh), stifle (a laugh), smother (a yawn), fight

down (an impulse to ...); crush (a revolt); *niet te* ~ irrepressible (feelings); **onderdrukker** oppressor; **onderdrukking** oppression, suppression (*vgl het ww*)

onderduiken (*tijdens bezetting*) go underground, go into hiding

onderduwen push under

ondereinde lower end

'ondergaan go down, sink; (*bezwijken*) go under, perish

onder'gaan undergo (an operation), experience (a similar fate), edure (pain, etc)

ondergang setting (of the sun); (*fig*) (down-)fall (of an empire); ruin, destruction; *zij* (*dat*) *was mijn* ~ she (that) was the ruin of me

ondergeschikt subordinate (*ook van zin*); *van* ~ *belang* of secondary (minor) importance; ~ *punt* minor point; ~ *maken* subordinate (*aan* to); **ondergeschikte** subordinate, inferior; **ondergeschiktheid** subordination, inferiority

ondergetekende: (*de*) ~ the undersigned

ondergoed underclothing, underwear

onder'graven undermine

ondergrond underground; (*ook fig*) subsoil

ondergronds underground; ~*e* (*spoorweg*) underground (railway); ~*e* (*beweging*) underground, resistance (movement)

onderhandelaar negotiator; **onderhandelen** negotiate (*over vrede* for peace); **onderhandeling** negotiation; ~*en aanknopen* enter into n...s (*met* with); ~*en voeren* conduct (carry on) n...s

onderhands private (sale); ~*e worp* underhand throw

onderhavig: *het* ~*e geval* the case in question, the present case

onderhevig: ~ *aan* liable to, subject to; *aan twijfel* ~ open to question (*of:* doubt)

onderhoud (*van pers*) maintenance, support; (*van huis, weg, enz*) upkeep, maintenance, care; (*gesprek*) interview; *voorzien in het* ~ *van* provide for (one's family); *in zijn eigen* ~ *voorzien* be self-supporting (*ook van land*), earn one's keep

'onderhouden keep under (*ook fig* = *er* ~)

onder'houden 1 (*in stand houden*), (*zijn familie, enz*) support, maintain; (*gebouw, enz*) keep in repair; maintain (a road); service (a car); keep up (a correspondence); *zich(zelf)* ~ support (provide for) o.s.; *betrekkingen* ~ *met* maintain relations with; *een dienst* ~ maintain (operate) a service; *goed* ~ ... well-kept (streets, graves), well-preserved; *het huis is goed* (*slecht*) ~ is in good (bad) repair; **2** (*aangenaam* ~) entertain, amuse; **3** *iem* ~ *over* remonstrate with a p. on (his behaviour); **onder'houdend** entertaining (talker, book)

onderhoudskosten cost of maintenance (of upkeep), maintenance cost

onderhuren sub-rent; **onder|huurder, -huurster** subtenant

onderjurk slip
onderkant bottom, underside, lower side
onderkennen distinguish, tell (one thing from another), discern
onderkin double chin
onderkoeld supercooled; unemotional
onderkomen shelter, lodging
onderkruiper wretch, cur
onderlaag substratum
onderlangs along the bottom (*of:* foot)
onderlegd: *goed~ zijn in* be well grounded in
onderlegger underlay; (*balk*) girder
onderliggen lie under; (*fig*) get the worst of it; *~d* underlying; *de ~de partij* the underdog
onderlijf lower part of the body
onderling I *bn* mutual; *met ~ goedvinden* by mutual (common) consent; II *bw* (*wederkerig*) mutually; (*samen*) together, between us (you, them); *~ beraadslagen* consult together; *~ verschillend* different among themselves
onderlip lower lip, underlip
onderlopen be (get) flooded; *laten ~* flood
ondermijnen (*ook fig*) undermine, sap
ondernemen undertake, attempt; ondernemend enterprising; ondernemer (*econ*) entrepreneur; employer; (*bouw-*) contractor; onderneming undertaking, enterprise; (*waagstuk*) venture; (*bedrijf*) concern
ondernemings|geest (spirit of) enterprise; -raad works council
onderofficier non-commissioned officer, NCO
onderonsje *a*) family party, small intimate party; (*ong*) clique; *b*) private affair
onderontwikkeld under-developed
onderpand security
onderricht instruction; onderrichten instruct, teach
onderrok waist slip
onderschatten undervalue, underestimate, underrate; onderschatting undervaluation, underestimation
onderscheid difference; (*het maken van ~*) distinction, discrimination (unfair ...); *jaren des ~s* years of discretion; *~ maken tussen* distinguish (discriminate) between; *geen ~ maken* make no distinction (between rich and poor); *allen zonder ~* all without exception; onderscheiden I *ww* distinguish; (*onderscheid maken, ook:*) discriminate; (*onderkennen*) distinguish, make out (a sail on the horizon); (*met medaille, enz*) decorate; *ik kan ze niet van elkaar ~* I can't tell them apart, can't tell the one from the other; *zich ~* distinguish o.s.; *niet te ~* indistinguishable (*van* from); II *bn* different, distinct; (*verscheiden*) several; (*allerlei*) various; onderscheidenlijk respectively, separately, severally; onderscheiding distinction; decoration
onderscheidings|teken badge; *~s, ook:* insignia; -vermogen discrimination, discernment
onderscheppen intercept; onderschepping interception

onderschrift (*van film, foto, enz*) caption, subtitle
onderschrijven (*fig*) subscribe to, endorse (a view, etc)
ondershands privately, by private contract
onderspit: *het ~ delven* have (get) the worst of it
onderst lowest, bottom (the ... drawer, pane, etc)
onderstaand subjoined, undermentioned, mentioned below (at foot)
onderst(e)boven upside down, wrong side up; *~ halen* turn upside down; *~ gooien* overthrow, upset; *ik was er helemaal van ~* it knocked me sideways
ondersteek bed-pan
onderstel under-carriage (*ook van vliegtuig*)
onderstellen suppose, presume
ondersteunen support; (*armen*) relieve; ondersteuning support; (*vooral armen ~*) relief
onderstrepen underline (*ook fig*)
onderstroom under-current, undertow
ondertekenaar signer; signatory (to a treaty); ondertekenen sign; ondertekening signature; (*het ~*) signing
ondertitelen sub-title (a film)
ondertoon undertone
ondertrouw publication of the banns; notice of (intended) marriage
ondertussen *a*) meanwhile, in the meantime; *b*) (*toch*) yet
onderuit from below; *~ halen* trip up; *~ zakken* sag (in one's chair); *je komt er niet ~ dat* ... you cannot get away from it that ...
ondervangen remove (difficulties); meet (objections, etc); prevent (difficulties)
onderverdelen subdivide
onderverhuren sublet
ondervinden experience, meet with (hospitality, etc); ondervinding experience; *spreken uit ~* speak from experience
ondervoed underfed, under-nourished; ondervoeding under-nourishment, malnutrition
ondervoorzitter vice-, deputy-chairman
ondervragen interrogate, question, examine; ondervraging interrogation, examination
onderweg on the (one's) way, en route
onderwereld underworld
onderwerp subject (*ook gramm*), theme; topic (the ...s of the day)
onderwerpen (*volk, enz*) subject (*aan* to), subdue; *~ aan* (*oordeel*) submit to, (*onderzoek*) subject to; *zich ~* submit (to the law); *zich ~ aan een examen* go in for an examination; onderwerping subjection; submission (*vgl het ww*)
onderwijs education (*= ~ en opvoeding*), instruction; (*school-, ook:*) schooling; *~ geven* (*in*) teach
onderwijs|bevoegdheid qualification to teach; -kunde theory of education; -methode

method of teaching, teaching method; **-wet** education-act

onderwijzen teach (persons & subjects), instruct (persons); *~d personeel* teaching staff; **onderwijzer(es)** (primary school) teacher (*in* of), schoolmaster, -mistress; **onderwijzersakte** teacher's certificate

onderworpen subject (tribe); (*onderdanig*) submissive; ~ *aan* subject (liable) to (income tax, etc); **onderworpenheid** submissiveness, submission

onderzee|boot, -''er submarine

onderzees submarine; sunken (rock)

onderzetter dish-stand, table-mat

onderzoek inquiry (enquiry), examination, investigation (*naar* of, into); (*wtsch*) research; *geneeskundig ~* medical examination; *~ doen, een ~ instellen* make inquiries, set up an inquiry (*naar* into), inquire into a matter; **onderzoeken** examine (*ook med*), inquire (look, go) into, investigate, explore (possibilities); test (have one's eyes (blood) ...ed); (*toetsen*) test (a theory); *nauwkeurig ~* scan, scrutinize; (*streng en vergelijkend*) screen; *~ op* test (examine) (the stomach) for (heroin); **onderzoekend** *ook:* searching (look, look at a p. ...ly), inquiring (mind); **onderzoeker** examiner, investigator, research-worker, researcher; **onderzoeksrechter** investigating judge

ondeugd vice; (*guit*) (little) rogue (rascal), mischief; **ondeugdelijk** unsound (food), inferior (quality)

ondeugend naughty (*ook scherts*), mischievous

ondiep shalllow; **ondiepte** ...ness; (*concr*) shallow; (*in haven-, riviermond*) bar

ondier monster, brute

onding piece of trash

ondoelmatig unsuitable, inappropriate, inefficient; **ondoelmatigheid** ...ness, inefficiency

ondoenlijk unfeasible, impracticable

ondoordacht thoughtless, rash, inconsiderate

ondoordringbaar impenetrable; (*voor water, enz*) impermeable (*voor* to); **ondoordringbaarheid** impenetrability, impermeability

ondoorgrondelijk inscrutable

ondoorzichtig not transparent, untransparent, opaque

ondraaglijk unbearable, intolerable

ondubbelzinnig unequivocal, unambiguous, unmistakable

onduidelijk indistinct (outlines); (*van betekenis*) not clear, unclear

onecht 1 not genuine; false (coin), unauthentic (document), imitation (diamonds); sham, counterfeit, (*sl*) phoney; 2 (*van kind*) illegitimate; **onechtelijk** *onecht* 2

oneens: *het ~ zijn met* disagree with, differ from (with) (a p.); *het ~ zijn over* disagree on

oneerbaar indecent, immodest; *-re handelingen* indecent assault

oneerbiedig disrespectful, irreverent

oneerlijk dishonest, unfair (competition *concurrentie*); *~ spelen* cheat

oneigenlijk figurative, metaphorical

oneindig I *bn* infinite, endless; II *bw* infinitely; *~ klein* infinitely small, infinitesimal(ly) small

onenigheid discord, disagreement; (*mv*) quarrels, (domestic) differences; *~ krijgen* fall out, quarrel

onervaren inexperienced; **onervarenheid** inexperience

oneven odd

onevenredig disproportionate, out of (all) proportion (*aan* to)

onevenwichtig (*ook fig*) unbalanced

onfatsoenlijk indecent, improper

onfeilbaar infallible, unfailing; **onfeilbaarheid** infallibility

onfortuinlijk unlucky

onfris not fresh; (*onlekker*) out of sorts; *~se bedoening* shady affair

ongaarne unwillingly, reluctantly

ongeacht *bn* unesteemed; *vz* notwithstanding, in spite of, regardless

ongebleekt unbleached

ongebreideld unbridled, unfettered

ongebruikelijk unusual

ongedaan undone (leave nothing ...); *~ maken* undo, live down (the past), (*koop, enz*) cancel

ongedeerd unhurt, unharmed, uninjured

ongedekt uncovered (*ook fig:* expenses); open (credit); dud (cheque)

ongedierte vermin

ongeduld impatience; **ongeduldig** impatient (*over* ... at)

ongedurig restless

ongedwongen unconstrained, unrestrained, natural, casual, free and easy (chat), informal (gathering)

ongeëvenaard unequalled, unparalleled, matchless

ongefundeerd ill-based (optimism); unfounded, groundless

ongegeneerd (his) free and easy (ways), unceremonious, informal; *een ~ pak slaag* a thorough hiding

ongegrond unfounded, groundless

ongehinderd unhindered, unimpeded; unhampered

ongehoord unheard(-)of, unprecedented

ongehoorzaam disobedient (to a p.); **ongehoorzaamheid** disobedience

ongeïnteresseerd indifferent, unconcerned; (he participated) half-heartedly; **ongeïnteresseerdheid** lack of interest

ongekend unprecedented (prosperity)

ongekunsteld artless, unaffected, ingenuous

ongeldig invalid, (null and) void; *~ maken* invalidate, render null and void, nullify; **ongeldigheid** invalidity

ongelegen inconvenient, inopportune; *het bezoek kwam mij ~* the visit came at an inopportune moment

ongeletterd illiterate, ignorant

ongelijk I *bn* (*verschillend*) unequal (portions), different, unlike, dissimilar; (*ongelijkmatig*) unequal (step, temper, etc), uneven (progress, temper); (*oneffen*) unequal, uneven; *niet ~ aan* ... not unlike ...; **II** *bw* unequally, unevenly; **III** *zn* wrong; *~ bekennen* admit o.s. to be wrong; *iem ~ geven* put a p. in the wrong; *ik geef hem geen ~* I don't blame him; *~ hebben* be wrong

ongelikt unlicked; *een ~e beer* an ... cub

ongelimiteerd unlimited

ongelofelijk incredible, unbelievable, past (all) belief; **ongelofelijkheid** incredibility

ongelogen *bw* really, actually, positively

ongelood unleaded

ongeloof unbelief, disbelief; **ongeloofwaardig** unworthy of belief; **ongelovig** unbelieving, (*niet op godsdienstig gebied*) incredulous; **ongelovige** unbeliever, infidel

ongeluk (*door omstandigheden*) misfortune; (*ongeval*) accident (*overkomen aan* ... *to* ...); (*het ongelukkige toeval*) ill(-)luck; (*mispunt*) rotter, blighter; *dat was zijn ~* that was his ruin; *hij heeft een ~ gehad* he has had (met with) an accident; *bij ~* by accident, accidentally; *dood door ~* accidental death; *zonder ~ken* without accidents; **ongelukje** (*van ongetrouwde moeder*) slip; **ongelukkig** (*van gevoel*) unhappy; (*door omstandigheid*) unfortunate; (*door toeval*) unlucky; *~e liefde* unrequited love; *~ zijn* (*bij spel, enz*) have bad luck, be down on one's luck; **ongelukkige** (poor) wretch; (*gebrekkige*) cripple; **ongelukkigerwijs** unfortunately

ongeluks|dag black(-letter) day, fatal (unlucky) day; **-getal** unlucky number

ongemak (*ongerief*) inconvenience, discomfort; (*hinder, last*) trouble; **ongemakkelijk** (*stoel, kledingstuk, enz*) uncomfortable; (*ongelegen*) inconvenient; (*lastig te voldoen*) hard to please

ongemanierd unmannerly, ill-mannered, rude

ongemerkt I *bn a*) unperceived, imperceptible; *b*) unmarked (linen); **II** *bw* without being perceived, imperceptibly

ongemoeid unmolested, undisturbed

ongenaakbaar unapproachable, inaccessible

ongenade disgrace; *in ~ vallen bij iem* fall into disgrace with a p.

ongenadig merciless; *~ koud* bitterly cold

ongeneeslijk incurable

ongenegen disinclined, unwilling

ongenietbaar indigestible (talk) (*voor* to); (*persoon*) disagreeable

ongenoegen displeasure

ongenuanceerd oversimplified

ongeoefend unpractised, untrained

ongeoorloofd unallowed, unpermitted, unlawful, illicit; *~ gebruik* improper use

ongeordend unarranged, disorderly

ongeorganiseerd unorganized

ongepast unbecoming, improper; **ongepastheid** unseemliness; impropriety (*ook:* an ...)

ongerechtigheid (*onrechtvaardigheid*) iniquity, injustice; *-heden*, (*iron*) blemishes, faults

ongerede: *in het ~ raken* get out of order, go wrong

ongeregeld irregular (order, life, troops, at ... hours), disorderly; *op ~e tijden, ook:* at odd times (moments); **ongeregeldheden** riots, rioting

ongerept unspoilt (beach); virgin (forest); (*rein*) pure

ongerief inconvenience, trouble; **ongeriefelijk** inconvenient; (*huis, enz*) uncomfortable, incommodious

ongerijmd absurd, preposterous

ongerust uneasy, anxious, worried; **ongerustheid** uneasiness, anxiety, alarm (his condition gave rise to ...)

ongeschikt unfit (for work), unsuited (to the purpose), unsuitable; (*onbekwaam*) inefficient (teachers); (*ongelegen*) inconvenient; **ongeschiktheid** unfitness, unsuitability, inefficiency

ongeschonden undamaged, intact; (*wtsch, eer, enz*) inviolate, unviolated

ongeschoold untrained; unskilled (labour(er))

ongesteld unwell, indisposed; *~ zijn,* (*van vrouw*) have a period

ongestoord undisturbed, uninterrupted

ongestraft unpunished

ongetrouwd unmarried, single

ongetwijfeld *bn* undoubted; *bw* undoubtedly, doubtless, no doubt

ongevaarlijk harmless

ongeval accident; **ongevallenverzekering** accident insurance

ongeveer about, approximately (5 by 4 feet)

ongeveinsd unfeigned, sincere

ongevoelig unfeeling, impassive; callous (remark); *~ voor* insensible to (of); impervious to (music, the cold); **ongevoeligheid** insensibility, impassiveness

ongevraagd (*pers*) unasked, uninvited; (*zaak*) unasked (for), uncalled-for (advice, etc)

ongewapend unarmed

ongewenst unwanted (visitors), undesirable

ongewerveld invertebrate

ongewild unintended, unintentional

ongewis uncertain

ongewoon unusual, uncommon

ongezeglijk disobedient (child)

ongezellig (*pers*) unsociable, uncompanionable; (*vertrek, enz*) cheerless; *een ~e boel* a dull affair

ongezien unseen

ongezond unhealthy (person, climate), unwholesome (food), insanitary (conditions)

ongezouten unsalted; *ik zei hem ~ de waarheid* I gave it him hot, straight from the shoulder

ongezuiverd unrefined, unpurified

ongunstig unfavourable (*in alle bet*), adverse (trade balance); ~ *uitziend* unprepossessing

onguur repulsive, sinister; unsavoury (individual); *een ongure vent* a rough customer

onhandelbaar unmanageable, intractable

onhandig *a*) clumsy, awkward; *b*) (*van ding*) unwieldy, clumsy

onhebbelijk unmannerly, ill-mannered, rude; *een ~e gewoonte* an objectionable habit

onheil calamity, disaster; **onheilspellend** ominous, sinister

onheilstichter mischief-maker

onherbergzaam inhospitable, desolate

onherkenbaar unrecognizable

onherroepelijk irrevocable, past recall

onherstelbaar irreparable (damage), irrecoverable (loss), irretrievable (ruin)

onheuglijk immemorial; *sedert ~e tijden* from time immemorial

onheus discourteous, ungracious, unkind

onhoudbaar untenable (*ook fig:* ... theory)

onhygiënisch unhygienic, insanitary (conditions)

onjuist incorrect, inaccurate, wrong; *~e behandeling* improper handling; **onjuistheid** inaccuracy, ...ness; (*fout*) error

onkerkelijk, onkerks unchurchly, of no religion

onkies indelicate, immodest

onklaar 1 out of order; ~ *worden*, (*van machine, enz*) break down; 2 (*niet helder, ook fig*) not clear, turbid

onknap: *niet ~* rather good-looking

onkosten expenses, charges; ~ *inbegrepen* charges included; **onkostenvergoeding** expense allowance

onkreukbaar unimpeachable (honesty); **onkreukbaarheid** integrity

onkruid weeds; *een ~* a weed

onkuis unchaste; **onkuisheid** unchastity

onkunde ignorance; *zuiver uit ~* from sheer ignorance; **onkundig** ignorant; ~ *van* ignorant of, unaware of

onkwetsbaar invulnerable

onlangs the other day, lately, recently

onledig: *zich ~ houden met* occupy (busy) o.s. with, be engaged in (reading, etc), be busy at

onleesbaar illegible (writing), unreadable (book)

onlogisch illogical

onloochenbaar undeniable, incontestable

onlust: *gevoel van ~* uncomfortable feeling

onlusten disturbances, riots

onmacht *a*) impotence; *b*) (flauwte) swoon

onmatig immoderate, intemperate; ~ *drinken* drink to excess

onmeetbaar immeasurable

onmenselijk inhuman, brutal; **onmenselijkheid** inhumanity, brutality

onmerkbaar imperceptible, insensible

onmetelijk immense; **onmetelijkheid** immensity

onmiddellijk *bn* immediate, prompt, instant; *bw* immediately, directly, at once, promptly, instantly

onmin discord; *in ~ leven* be at variance

onmisbaar indispensable (for), essential (to)

onmiskenbaar unmistakable, undeniable

onmogelijk I *bn* impossible; II *bw* not possibly (I cannot possibly go); **onmogelijkheid** impossibility

onmondig unemancipated; (*minderjarig*) under age; **onmondigheid** minority

onnadenkend unthinking, thoughtless

onnaspeur|baar, -lijk inscrutable, unsearchable

onnatuurlijk unnatural; (*gemaakt, ook:*) affected

onnauwkeurig inexact, inaccurate

onnavolgbaar inimitable, matchless

onneembaar impregnable; **onneembaarheid** impregnability

onnodig unnecessary (expenditure), needless

onnoem|baar, -elijk unnamable; unmentionable; (*talloos*) countless, numberless

onnozel silly (you ... boy! talk silly), simple; (*gemakkelijk beet te nemen*) gullible; (*onschuldig*) innocent, harmless; (*onbeduidend*) beggarly, paltry; **onnozelheid** silliness, simplicity; (*onschuld*) innocence

onnut *bn* useless; *zn* good-for-nothing (fellow)

onofficieel unofficial, off the record (= *niet voor publikatie bestemd*)

onomkoopbaar incorruptible

onomstotelijk incontrovertible, irrefutable, incontestable; ~ *bewijzen* prove beyond any doubt

onomwonden straightforward, frank, plain

onontbeerlijk indispensable

onontkoombaar inescapable, unescapable, inevitable

onontwikkeld undeveloped; (*pers*) uneducated, ignorant

onooglijk unsightly, unpleasant to look at

onoordeelkundig injudicious

onopgehelderd unexplained

onopgemerkt unobserved, unnoticed

onopgevoed ill-bred

onophoudelijk unceasing, ceaseless, incessant

onoplettend inattentive, unobservant

onoprecht insincere; **onoprechtheid** insincerity

onopvallend inconspicuous, unobtrusive

onopzettelijk unintentional(ly), inadvertent(ly)

onovergankelijk intransitive

onoverkomelijk insurmountable, insuperable

onovertroffen unsurpassed, unexcelled

onoverwin(ne)lijk invincible, unconquerable

onoverzichtelijk disordered, confused, unclear

onpartijdig impartial

onpasselijk sick; **onpasselijkheid** sickness

onpeilbaar unfathomable; **onpeilbaarheid** ...ness

duo

onpersoonlijk impersonal
onplezierig unpleasant, disagreeable
onproduktief unproductive
onraad danger, trouble; ~ *merken* take the
alarm; ~ *ruiken* (*fam*) smell a rat
onrecht wrong, injustice, injury; *ten* ~*e*
wrongly, unjustly; *iem* ~ *aandoen* wrong a p.,
do a p. an injustice; **onrechtmatig** unlawful,
illegal, illegitimate; **onrechtmatigheid** un-
lawfulness, illegality
onrechtvaardig unjust, unfair; **onrechtvaardigheid** injustice; *een* ~ an injustice
onredelijk unreasonable; **onredelijkheid**
...ness
onregelmatig irregular; ~ *gebouwd* rambling
(houses, villages); **onregelmatigheid** irregu-
larity (*ook financieel*)
onrein unclean, impure
onroerend immovable; ~*e goederen* immova-
bles, real property (*of:* estate); **onroerend-
goedbelasting** real estate tax; (*Br ongev*)
rates
onrust unrest, disquiet, commotion; (*ruste-
loosheid*) restlessness, unrest; **onrustbarend**
alarming; **onrustig** restless; (*van slaap*)
troubled; (*zenuwachtig*) fidgety
ons I *pers vnw* us; *de overwinning is aan* ~ is
ours; II *bez vnw*, (*bijvoeglijk*) our; (*zelfst*) *de*
(*het*) *onze* ours; *zijn boeken en de onze* ... and
ours; *hij is een van de onzen* he is with us, one
of our party, on our side
onsamenhangend incoherent (sentences),
desultory (remarks), disconnected, rambling
(story, conversation)
onschadelijk harmless, inoffensive; ~ *maken*
render harmless; *iem* ~ *maken* (*doden*) make
away with a p., put a p. out of the way; ~ *maken* defuse (bomb, explosive situation)
onschatbaar invaluable, inestimable, priceless
onschendbaar inviolable; **onschendbaarheid**
inviolability; (*van parlementslid*) parliamentary immunity
onschuld innocence; **onschuldig** innocent
(*aan* of), harmless (pleasure)
onsmakelijk (*ook fig*), unsavoury, unpalatable, unappetizing
onstabiel unstable
onstandvastig inconstant
onsterfelijk immortal; ~ *maken* immortalize;
onsterfelijkheid immortality
onstoffelijk immaterial, incorporeal, spiritual
onstuimig (*pers*) impetuous, boisterous;
(*wind, zee*) tempestuous, boisterous, turbulent
onstuitbaar unstoppable
onsympathiek uncongenial; unlikable
ontaard degenerate; **ontaarden** degenerate (*in*
into), deteriorate
ontberen lack, be in want of; *ik kan het* (*niet*) ~
I can(not) do without it; **ontbering** privation,
want, hardship
ontbieden send for, summon, call

ontbijt breakfast; *ik deed mijn* ~ *met* ... I
breakfasted on a slice of bread; **ontbijten**
breakfast (*met vis* on fish), have (take) breakfast
ontbijt|servies breakfast-service; **-show**
breakfast show; **-televisie** breakfast TV
ontbindbaar decomposable; (*kamer, huwelijk,
enz*) dissolvable, dissoluble; **ontbinden** (*losmaken*) untie, undo; (*lijk, enz, chem*) decompose; (*leger*) disband; (*optocht, organisatie*)
break up, dissolve; (*huwelijk, Parlement*) dissolve; *in factoren* ~ resolve into factors, factor-
(ize); **ontbinding** decomposition; disband-
ment; dissolution; *vgl het ww; in staat van* ~ in
a state of decomposition
ontbladeren strip off the leaves, defoliate;
ontbladeringsmiddel defoliant
ontbloot bare, naked; ~ *van* destitute of, devoid of; **ontbloten** (*lichaam, ding*) bare;
(*hoofd*) bare, uncover
ontboezeming effusion, outpouring
ontbossen dis(af)forest, deforest; clear (land)
ontbrandbaar inflammable, combustible, ig-
nitable; **ontbranden** take fire, kindle, ignite;
(*van oorlog*) break out
ontbreken (*er niet zijn*) be wanting (missing,
lacking) (there is a leaf ...); *dat ontbrak er nog
maar aan!* it only needed that!; *de* ~*de schakel*
the missing link
ontcijferen decipher; decode (a telegram);
puzzle (spell) out (a notice)
ontdaan upset, disconcerted, shaken (*van* by)
ontdekken discover (a country), detect (a mistake); (*erachter komen*) find out; **ontdekking**
discovery; *een* ~ *doen* make a discovery; **ont-
dekkingsreiziger** explorer
ontdoen: ~ *van* strip (a branch of its leaves, a
p. of his clothes, etc); *zich* ~ *van* part with; dispose of (a dead body)
ontdooien thaw (out); defrost (refrigerator,
frozen meat); (*fig*) thaw
ontduiken dodge (a blow), evade (a blow, tax,
the law), shirk (one's duty)
ontegenzeglijk unquestionable, undeniable,
incontestable
onteigenen expropriate (property, the
owner), dispossess (the owner); **onteigening**
expropriation, dispossession
ontelbaar innumerable, countless, numberless
ontembaar untamable, indomitable
onterecht wrong, unjust, incorrect
onteren dishonour, (*verkrachten*) violate, rape
onterven disinherit
ontevreden discontented; ~ *over* dissatisfied
with; **ontevredenheid** discontent (at *over*),
dissatisfaction
ontfermen: *zich* ~ *over* take pity on, have
mercy on
ontgaan escape; *aan de aandacht* ~ escape notice; *het verschil ontgaat me* I fail to see the
difference; *de kans ontging hem* he let the op-

portunity slip; *niets ontgaat hem* nothing escapes him (his notice)

ontgelden pay for, suffer for

ontginnen reclaim (land), clear (forests), exploit (a coal-field, mine)

ontglippen slip from one's hands; (*van zucht*) escape

ontgoochelen disillusion, undeceive; **ontgoocheling** disillusionment

ontgroeien outgrow, grow out of

ontgronden (re)move earth from (a site)

onthaal reception; (*feest*) entertainment, treat; **onthalen** entertain, treat; ~ *op* treat to (a dinner)

onthand inconvenienced

ontharder (water) softener

ontharen depilate; **ontharingscrême** depilatory cream

ontheemde(n) displaced person(s)

ontheffen ~ *van* exempt from (an obligation); *iem van zijn ambt* ~ relieve a p. of his office; **ontheffing** exemption (of tax, *van belasting*); (*van ambt*) discharge, removal

onthoofden behead, decapitate

onthouden 1 *iem iets* ~ keep s.t. from a p.; deny (his birthright was denied him); 2 *zich* ~ *van* abstain from (food), refrain from (smoking); 3 remember (a lesson, etc), bear in mind; *help het mij* ~ remind me (of it); *dat zal ik* ~*!* I'll make a note of that; **onthouding** abstinence; continence (in sexual matters); (*van stemming, enz*) abstention

onthullen unveil (a monument), reveal, disclose (a secret); **onthulling** unveiling (of a statue), revelation, disclosure (of a secret)

onthutst disconcerted, dismayed, upset

ontiegelijk outrageously (clever)

ontijdig unseasonable, untimely (*ook bw*); (*te vroeg*) premature (delivery *bevalling*)

ontkennen deny; *het valt niet te* ~, *dat* ... there is no denying that, it cannot be denied that ...; **ontkennend** negative, (answer) in the negative; **ontkenning** negation, denial

ontkerkelijking secularization (of society)

ontketenen unchain (*ook:* a storm, a war); launch (an attack)

ontkiemen germinate

ontkleden: (*ook: zich* ~) undress, strip

ontknoping denouement, outcome

ontkomen escape, get off, get clear; ~ *aan* escape (one's pursuers)

ontkoppelen uncouple, disconnect; (*auto*) declutch, let in the clutch

ontkrachten enfeeble, enervate

ontkurken uncork

ontladen (*schip, vuurwapen*) unload, (*schip, elektr*) discharge

ontlasten unburden (*ook fig:* one's conscience); relieve (a p. of a parcel); take work off (a p.'s shoulders); *om ... te* ~ a new bridge to relieve Westminster Bridge; **ontlasting** discharge, relief; (*stoelgang*) motion (have two ...s a day); (*uitwerpselen*) stools, motions

ontleden analyse; (*lijk, dier, plant*) dissect, anatomize; (*chem*) decompose; (*redekundig*) analyse; (*taalkundig*) parse; **ontleding** analysis; dissection; decomposition; parsing; *vgl het ww*

ontleed|kunde anatomy; **-kundig** anatomical

ontlenen: ~ *aan* borrow (words from Latin), adopt (words from other languages), derive (name) from, take (data) from (a report); *het ontleent z'n naam aan ...* it takes its name from ...; *een recht* ~ *aan* derive a right from

ontlokken elicit (a reply) from, draw (information) from, provoke (protests) from

ontlopen run away from, escape; (*ontwijken*) avoid, shun; *zij* ~ *elkaar niet veel* they are much the same

ontluiken open, expand; **ontluikend** (*fig*) budding (beauty), dawning (love)

ontluisteren tarnish, dim, mar, disfigure, deface

ontmaagden deflower

ontmaskeren unmask; (*fig ook*) expose; **ontmaskering** unmasking; (*fig ook*) exposure

ontmoedigen discourage, dishearten

ontmoeten meet (*ook: elkaar* ~), (*toevallig*) meet (with), come across (a p., word), fall in with (a p.); (*dikwijls vijandig*) encounter (an enemy, stormy weather); **ontmoeting** meeting; encounter

ontnemen take (away) from, deprive (a p.) of (a right, chance)

ontnuchteren sober, (*fig ook*) disenchant, disillusion; **ontnuchtering** disenchantment, disillusionment

ontoegankelijk inaccessible, unapproachable

ontoelaatbaar inadmissible

ontoereikend insufficient, inadequate

ontoerekenbaar (*pers*) irresponsible, unanswerable for one's actions, unaccountable; **ontoerekenbaarheid** irresponsibility

ontoonbaar unpresentable, not fit to be seen

ontplofbaar explosive (*ook: -bare stof*); **ontploffen** (*ook: doen* ~) explode, detonate; **ontploffing** explosion, detonation

ontplooien unfold (*ook fig*), develop (talents); *grote activiteit* ~ be (become) very active

ontpoppen: *zich* ~ *als* turn out to be, reveal o.s. as

ontraadselen unriddle, unravel

ontraden dissuade (a p.) from (s.t.), discourage

ontrafelen unravel

ontreddderd damaged, battered; (*schip*) disabled

ontregelen upset, unsettle

ontroeren move, touch; **ontroerend** ...ing; **ontroering** emotion

ontroostbaar inconsolable, disconsolate

ontrouw I *bn* unfaithful, disloyal; *zijn woord* ~ *worden* go back on one's word; **II** *zn* unfaithfulness, disloyalty

ontroven: *iem iets* ~ rob a p. of s.t.

ont

ontruimen evacuate (a town), vacate (a house), clear (the park, streets, etc); **ontruiming** evacuation, vacation, clearing; *vgl het ww*

ontschepen disembark (passengers), discharge (goods); *zich* ~ disembark

ontschieten: *dat is me ontschoten* that has slipped my memory

ontsieren deface, disfigure, mar

ontslaan discharge, dismiss; (*fam*) sack, fire; (*tijdelijk*) lay off (workmen); discharge (from hospital); **ontslag** discharge (*ook uit hospitaal, enz*) dismissal (from the Service); (*vrijwillig*) resignation; *zijn* ~ *indienen* send in one's resignation; ~ *geven* dismiss, discharge; ~ *krijgen* be dismissed; (*fam*) get the sack, be sacked (fired); (*zijn*) ~ *nemen* resign (*uit ...* from a post); **ontslagaanvrage** resignation

ontslapen pass away, expire, depart this life

ontsluieren unveil, (*fig ook*) reveal, disclose

ontsluiten open (*ook: zich* ~), unlock

ontsmetten disinfect, decontaminate; **ontsmetting** disinfection, decontamination; **ontsmettingsmiddel** disinfectant

ontsnappen escape, get away; ~ *aan* escape from (one's creditors, etc), escape (observation, a p.'s notice); **ontsnapping** escape

ontspannen unbend (the mind), release (a spring), relax (muscles); *zich* ~ (*van pers*) relax, unbend; **ontspanning** relaxation (*ook fig*); (*opluchting*) relief; (*verpozing*) diversion, entertainment, recreation, relaxation; *gelegenheid voor* ~ recreational facilities

ontspiegeld coated (lenses)

ontspinnen: *daarover ontspon zich een discussie* this led to a discussion

ontsporen be derailed, run off the rails; (*fig*) go off the rails, go wrong; *doen* ~ derail; **ontsporing** derailment; (*fig*) slip, wrong move

ontspringen (*van rivier*) (take its) rise

ontspruiten sprout, spring, bud; ~ *uit*, (*fig*) arise (spring) from

ontstaan I *ww* arise, originate; *doen* ~ cause, occasion, start (a fire); ~ *uit* arise from; ~ (*v dw*) *door* caused by ...; II *zn* origin

ontsteken kindle, light, ignite; (*van wond, enz*) inflame; *doen* ~ (*wond*) inflame; *in woede doen* ~ incense, infuriate; **ontsteking** ignition; (*van wond, enz*) inflammation

ontsteld alarmed, frightened, dismayed; **ontstellen** I *tr* alarm, startle, frighten, terrify; II *intr* be frightened; **ontsteltenis** consternation, alarm, dismay

ontstemd (*eig*) out of tune; (*fig*) put out, displeased, vexed; **ontstemmen** (*eig*) put out of tune; (*fig*) put out, displease; **ontstemming** displeasure, resentment, vexation, annoyance

ontstentenis: *bij* ~ *van* in default of, failing (a successor); in the absence of

ontstoppen unplug

onttrekken withdraw (*aan* from), hide (from view), take (oxygen from the air); *aan het oog*

~ hide from view; *zich* ~ *aan* shirk (one's duty), back out of (one's obligations)

onttronen dethrone

ontucht prostitution, lechery, fornication; ~ *plegen met* assault indecently

ontvallen: *het woord ontviel me* the word escaped me, slipped out; *zich laten* ~ let out; *zijn vrouw ontviel hem* he lost his wife

ontvangen receive; (*in ontvangst nemen*) draw (one's salary); take delivery of (goods); *ontvang mijn dank* accept my thanks; *hij ontving me hartelijk* he made me cordially welcome; *zijn voorstel werd gunstig* ~ was favourably received; **ontvanger** receiver; (*van brief, geschenk, enz*) recipient; (*van goederen*) consignee; (*van belastingen*) tax (*of:* rate) collector; **ontvangst** (*van brief, geld, enz*) receipt; (*van pers*) reception; (*radio*) reception (have a poor ...); ~*en* receipts, takings; *bij* (*na*) ~ on receipt (*van of*); *in* ~ *nemen* receive, accept; **ontvang(st)bewijs** receipt

ontvankelijk susceptible, ~ *voor* susceptible to (flattery), open to (new ideas), alive to; *zijn eis werd (niet)* ~ *verklaard* his claim was admitted (dismissed)

ontveinzen dissemble (one's satisfaction), disguise; *zich de moeilijkheden niet* ~ be fully alive to the difficulties

ontvellen skin, graze; **ontvelling** abrasion, graze

ontvlambaar inflammable (*ook fig*), flammable; **ontvlammen** (*ook fig*) inflame, kindle

ontvluchten escape (from prison), fly, flee; ~ (*aan*) escape (one's pursuers), fly (from), flee (from); **ontvluchting** flight, escape

ontvoerder abductor, kidnapper; **ontvoeren** carry off, kidnap (children, etc); **ontvoering** abduction, kidnap(ping)

ontvreemden steal; **ontvreemding** theft

ontwaken awake, wake up

ontwapenen disarm; **ontwapening** disarmament

ontwaren perceive, become aware of

ontwarren disentangle, unravel (*ook fig:* a problem), straighten out (your affairs)

ontwennen (*iem iets*) break a p. of (a habit); (*iets*) lose (kick) the habit of, forget how to (laugh); **ontwenningskuur** withdrawal course

ontwerp project, plan, design; (*van document*) draft; **ontwerpen** project (a railway, etc), plan (towns), design (an engine), draw up, make (a plan), draft (a document); **ontwerper** projector, planner, designer

ontwijden desecrate, profane, violate

ontwijfelbaar *bn* unquestionable, undoubted; *bw* unquestionably, etc, doubtless, no doubt

ontwijken dodge, evade (a blow, question, difficulty), avoid (a motor-car, place); **ontwijkend** evasive (answer), non-committal (reply)

ontwikkelaar developer; **ontwikkeld** developed (*ook van foto*); (*beschaafd*) educated

(sidebar) ont

(man); **ontwikkelen** develop (the mind, heat, a theory, photograph), generate (heat), improve (the mind); **ontwikkeling** development, education (a man of little ...)

ontwikkelings|hulp development aid; **-landen** developing countries

ontworstelen wrest from; *zich ~ aan* break away from

ontwrichten dislocate (*ook fig*), disrupt (society)

ontzag awe, respect; *~ hebben voor* stand in awe of; *~ inboezemen* (inspire with) awe; **ontzaglijk** awful (...ly clever), formidable (task), vast (crowd), tremendous (increase), immense (like a p. ...ly); **ontzagwekkend** awe-inspiring, majestic

ontzeggen deny; *dit geluk is mij ontzegd* this happiness is denied me; *zich alles ~* deny o.s. everything

ontzenuwen (*argument, enz*) refute, disprove

ontzet I *zn* (*van vesting*) relief; (*van aangevallene*) rescue; **II** *bn* appalled (*over* at, by), horrified; (*van rails*) twisted, buckled

ontzetten 1 relieve (a fortress), rescue (a p. attacked); 2 *iem ~ uit* deprive a p. of (membership, rights), dispossess a p. of (his property); 3 (*ontzetting inboezemen*) appal, horrify; 4 put out of shape, twist, dislocate; **ontzettend** appalling, terrible, dreadful, (*fam*) awful (...ly nice); **ontzetting** 1 relief; rescue; 2 dismissal; deprivation (of civil rights), dispossession; 3 dismay, horror

ontzien (*eerbiedigen*) respect; (*sparen*) spare (no pains, no expense), save (one's clothes), consider (a p.'s feelings); *zich ~* take care of o.s.

onuitputtelijk inexhaustible, unfailing

onuitroeibaar ineradicable

onuitsprekelijk unspeakable (joy), inexpressible

onuitstaanbaar intolerable, insufferable

onuitvoerbaar impracticable, unworkable (plan); **onuitvoerbaarheid** impracticability; unworkability (of an agreement)

onuitwisbaar indelible

onvast unsteady (market, hand), unsettled (weather)

onveilig unsafe; (feel) insecure; *~ sein* danger signal; *het sein staat op ~* the signal is at danger; *~ maken* make unsafe

onveranderd unchanged, unaltered; **onveranderlijk** invariable, unchangeable (affection)

onverantwoord *a)* unjustified, unwarranted; *b)* (van geld, enz) unaccounted for; **onverantwoordelijk** *a)* (niet aansprakelijk) irresponsible; *b)* (onvergeeflijk) inexcusable

onverbeterlijk incorrigible (*ook fig:* ... optimist), inveterate (grumbler)

onverbiddelijk inexorable, relentless

onverbloemd sober, plain

onver|breekbaar, -brekelijk unbreakable

onverdedigbaar indefensible; **onverdedigd** undefended

onverdeeld undivided (*ook fig:* ... attention); unqualified (approval)

onverdraagzaam intolerant; **onverdraagzaamheid** intolerance

onverdroten unwearying, indefatigable

onverenigbaar incompatible (*met* with), irreconcilable (*met* to)

onvergeeflijk unpardonable, unforgivable

onvergelijkbaar not to be compared; **onvergelijkelijk** incomparable, matchless

onvergetelijk unforgettable

onverhoeds *bn* unexpected, sudden; *bw* unawares, unexpectedly, suddenly

onverholen *bn* undisguised, unconcealed, open; *bw* openly, undisguisedly, candidly

onverhoopt unexpected; *indien hij ~ mocht ...* if, unfortunately, he should ...

onverhoord unheard (prayer), ungranted

onverklaarbaar inexplicable, unaccountable

onverkort unabridged (edition); (*eisen, standpunt*) *~ handhaven* refuse to compromise (on ...), make no concessions

onverkwikkelijk unpalatable, distasteful

onverlaat wretch, monster, brute

onverlet unhindered, unimpeded; (*ongedeerd*) uninjured; *dit laat ~ (het feit) dat* this does not detract from (the fact that)

onvermeld unmentioned, unrecorded

onvermijdelijk inevitable, unavoidable

onverminderd undiminished (appetite); (*behoudens*) without detriment to, subject to

onvermoeibaar indefatigable

onvermogen impotence, incapacity; (*behoeftigheid*) indigence; *~ om te betalen* insolvency; **onvermogend** (*machteloos*) impotent, powerless; (*behoeftig*); indigent, poor; **onvermogende** poor person

onvermurwbaar unrelenting, relentless, inexorable

onverricht undone; *wij keerden ~er zake terug* we returned with nothing achieved

onversaagd undaunted, unflinching, fearless

onverschillig indifferent (*voor* to); *het is mij ~* it is immaterial (all the same) to me, I don't care one way or another; *op een ~e manier* (laugh) in an unconcerned way; *~ wie* (*waar, enz*) no matter who (where, etc); **onverschilligheid** indifference, unconcern

onverschrokken *zie* onversaagd

onverstaanbaar unintelligible (*voor* to)

onverstandig unwise, ill-judged, ill-advised, injudicious

onverstoorbaar imperturbable, impassive

onvertaalbaar untranslatable

onverteerbaar indigestible

onvertogen indelicate, improper, indecent

onvervaard undismayed, fearless

onvervalst unadulterated (*ook fig:* ... protectionism) genuine, pure, unalloyed

onvervangbaar irreplaceable

onvervreemdbaar inalienable

onverwacht unexpected; **onverwacht(s)** unexpectedly, unawares

onverwijld *bn* immediate; *bw* ...ly, without delay

onverwoestbaar indestructible, invincible (optimism)

onverzadigbaar insatiable; **onverzadigd** not satiated, unsatiated; *meervoudig* ~ poly-unsaturated (fat)

onverzettelijk immovable; (*fig ook*) inflexible, stubborn, adamant

onverzoenlijk implacable, irreconcilable, uncompromising

onverzorgd (*zonder middelen*) unprovided for; (*van patiënt, enz*) untended; (*slordig*) untidy (hair); uncared(-)for

onvindbaar unfindable, not to be found

onvoldaan unsatisfied, dissatisfied; (*rekening*) unpaid, unsettled

onvoldoend(e) insufficient; inadequate (*voor* to)

onvolkomen imperfect, incomplete

onvolledig incomplete; defective

onvolmaakt imperfect, defective

onvolprezen beyond praise, transcendent

onvoltooid unfinished, incomplete

onvoorstelbaar unimaginable, inconceivable

onvoorwaardelijk unconditional (surrender), implicit (faith, obedience), unqualified (support)

onvoorzichtig imprudent, incautious

onvoorzien unforeseen, unexpected

onvrede discord, dissension

onvriendelijk unkind; **onvriendelijkheid** ...ness

onvriendschappelijk *bn* unfriendly (act *daad*); *bw* in an unfriendly way

onvrij not free

onvrijwillig I *bn* not voluntary, forced, compulsory; II *bw* under compulsion, under coercion

onwaar(achtig) untrue, false

onwaardeerbaar inestimable

onwaardig unworthy; undignified (an ... spectacle); *onze liefde* ~ unworthy of our love

onwaarneembaar imperceptible

onwaarschijnlijk improbable, unlikely; **onwaarschijnlijkheid** improbability, unlikelihood

onweer thunderstorm, storm

onweerlegbaar irrefutable, unanswerable

onweersbui thunder-shower

onweerstaanbaar irresistible

onwel unwell, indisposed

onwellevend impolite, discourteous, ill-mannered, rude

onwennig not feeling at home, feeling out of one's element

onweren thunder; *het onweert* there is a thunderstorm

onwerkelijk unreal

onwetend ignorant (*van* of); **onwetendheid** ignorance

onwettelijk illegal; **onwettig** unlawful, illegal; unauthorized; (*van kind*) illegitimate

onwezenlijk unreal

onwijs foolish (remark); (*fam*) cracked, crazy

onwil unwillingness, obstinacy

onwillekeurig *bn* involuntary; *bw* involuntarily

onwillig unwilling; refractory, recalcitrant

onwrikbaar immovable, unshakable, unwavering

onzacht rough, rude; *in* ~*e aanraking komen met* come into sharp contact with

onzalig unholy, wretched

onze our; *de* (*het*) ~ ours

onzedelijk immoral, obscene (books, etc); **onzedelijkheid** immorality, vice

onzedig immodest

onzeker uncertain; (*onvast*) shaky (hand), unsteady (walk); unsettled (weather); (*onveilig*) unsafe, insecure; (*wisselvallig*) precarious (existence); *in het* ~*e laten* leave (a p.) in doubt; **onzekerheid** uncertainty; unsteadiness; insecurity

onzelfstandig dependent on others

onze-lieve-heersbeestje ladybird

onzent: *te*(*n*) ~ at our house, in our country, over here

onzerzijds on our part

Onze Vader Our Father; *het onzevader* the Lord's Prayer

onzichtbaar invisible; **onzichtbaarheid** ...ness, invisibility

onzijdig neutral; (*gramm*) neuter; **onzijdigheid** neutrality

onzin nonsense, bosh, rot, rubbish; ~ *uitkramen* talk stuff and nonsense, talk rot (rubbish)

onzindelijk unclean, uncleanly, dirty; ~*e redenering* impure reasoning

onzinnig nonsensical, absurd

onzuiver impure; (*van weegschaal*) unjust; (*muz*) out of tune, false (note)

oog eye; (*op dobbelsteen, enz*) pip, spot; *zijn ogen gebruiken* use one's eyes; *hoge ogen gooien*, (*fig*) stand an excellent chance; ~ *hebben voor* have an eye for; *goede ogen hebben* have sharp eyes, have good eyesight; *het* ~ *wil ook wat* appearances also count; *zich de ogen uit het hoofd kijken* stare one's eyes out; *dat heeft me de ogen geopend* that has been an eye-opener to me; *hij had zijn ogen niet in zijn zak* he did not miss much; *een* ~ *in het zeil houden* keep an eye on things, keep a sharp look-out; *zijn ogen sluiten voor* shut one's eyes to; *geen* ~ *dichtdoen* not sleep a wink, not get a wink of sleep; *grote ogen opzetten* open one's eyes wide; *in mijn* ~ in my eyes (opinion); *in het* ~ *houden* keep an eye upon (a p.); *in het* ~ *krijgen* catch sight of; *in het* ~ *lopend* flagrant (error); *in het* ~ *lopen* (*springen*) strike the eye, be obvious, stand out; *in het* ~ *springend* conspicuous, striking, obvious, glaring (mistakes); *met het* ~ *op* in view of (the facts), with a view (an eye) to (the future); *iem*

naar de ogen zien toady to a p.; *hij hoeft niemand naar de ogen te zien* he has no one to consider; *~ om ~ en tand om tand* an eye for an eye and a tooth for a tooth; *iem iets onder het ~ brengen* point out s.t. to a p., draw someone's attention to s.t.; *hij deed het onder mijn ogen* before my eyes (face), under my very nose (eyes); *ik durf hem niet onder ogen te komen* I dare not look him in the face; *onder de ogen krijgen* set eyes on; *de dood, enz onder de ogen zien* face death (a difficulty), face up to (a p., the fact, problem); *op het ~* on the face of it, outwardly; *iets op het ~ hebben* have s.t. in view (in mind); *wat kan hij toch op het ~ hebben?* what can he be driving at?; *uit mijn ogen!* (get) out of my sight!; *uit het ~, uit het hart* out of sight, out of mind; *kijk uit je ogen* look where you are going; *met dit doel voor ogen* with this end in view; *(alleen) voor het ~* (only) for show, for the look of the thing; *voor ogen houden* be mindful of, keep in mind; *iem iets voor ogen houden* hold s.t. before a p., impress a thing upon a p.; *zich een doel voor ogen stellen* set a purpose before one's eyes; *ik kon geen hand voor ogen zien* I could not see my hand before my face

oog|appel apple of the eye, eyeball; (*fig*) the apple of one's eye; **-arts** oculist, eye-surgeon; **-bol** eyeball; **-getuige** eye-witness; **-hoek** corner of the eye; *op*; **-hoogte** at eye-level

oogje (little) eye; *een ~ hebben op* have an eye to (a girl, etc), have one's eye on (the Premiership); *een ~ dicht doen* turn a (the) blind eye to (*of:* on) s.t.; *een ~ houden op* keep an eye on

oog|klep blinker; **-kwaal** eye-disease; **-lid** eyelid; **-luikend:** *~ toelaten* connive (wink) at, condone; **-merk** object in view, design; *met het ~ om* with a view to ...ing; **-opslag** look, glance; *met één ~* at a glance; **-punt** point of view, viewpoint; *uit het ~ van kunst* from an artistic point of view; **-schaduw** eye-shadow

oogst (*het oogsten, oogsttijd, opbrengst*) harvest; (*opbrengst meestal*) crop(s); (*van wijn*) vintage; **oogsten** reap, harvest, gather; (*fig*) reap (glory), earn (gratitude), win (distinction); **oogster** reaper, harvester

oogst|machine harvester, harvesting-machine; **-tijd** harvest-, reaping-time

oogverblindend dazzling

ooi ewe

ooievaar stork; **ooievaarsnest** stork's nest

ooit ever, at any time

ook also, too, as well, likewise; *en het is ~ nog duur* and it is expensive, too; *hij is ziek en ik ~* and so am I; *hij is niet ziek, en ik ~ niet* nor am I; *ik weet het niet, en jij ~ niet* nor (neither) do you; *hij is geen genie, maar jij ~ niet* but no more are you; *ik wist het niet, en het kon me ~ niet schelen* and I didn't care, either; *hij is ~ zo jong niet meer* he is none so (none too) young either; *ze kon een kansje hebben, en ~ wel niet* she might have a chance, and again she might

not; *waarom ging je (dan) ~ niet?* but then, why didn't you go?; *wat je ~ zegt* whatever you may say, say what you like; *wat ik ~ deed* do what I would; *waar hij ~ is* wherever he may be; *ik krijg ~ nooit wat* I never do get anything; *en hij dééd het ~* and he did (it) too; *maar of hij het ~ doet* but whether he will really do it ...; *wanneer was dat ~ (al) weer?* when was that again?; *heeft hij ~ kinderen?* has he any children?; *~ een vraag!* what a question to ask!; *da's óók gek!* (that's) very strange indeed!; *da's óók wat!* what a nuisance!

oom uncle; *hoge ome* great gun, big noise

oor ear; (*van mand, pan, enz*) handle; *het gaat het éne ~ in en het andere uit* it goes in at one ear and out at the other; *ik ben geheel ~* I am all ears; *iem de oren van het hoofd eten* eat a p. out of house and home; *~ (geen ~) hebben voor muziek* have an ear (no ear) for music; *ik heb er wel oren naar* I rather like the idea; *zijn ~ te luisteren leggen* put one's ear to the ground; *de oren opsteken* prick (up) one's ears; *zijn oren sluiten voor* turn a deaf ear to, close (stop) one's ears to; *iem om de oren slaan* box a p.'s ears; *het is op een ~ na gevild* we're on the last lap; *het is mij ter ore gekomen* it has come to my ears; *kleuren tot achter de oren* colour up to one's ears; *tot over de oren in het werk* up to one's ears in work; *tot over de oren verliefd* over head and ears in love; **oorarts** ear specialist, aural surgeon

oorbaar becoming, proper, decent

oorbel ear-ring

oord region, province, place, (holiday) resort

oordeel judg(e)ment, opinion, (*jur*) judg(e)ment, sentence; (*van jury; ook van dokter, het publiek, enz*) verdict; *het was een leven als een ~* the noise was enough to raise the dead; *zijn ~ voor zich houden* keep one's counsel; *zijn ~ uitspreken* express one's opinion (*over* on), give one's verdict (*over* on); *een ~ vellen* pass judg(e)ment (*over* on); *naar (volgens) mijn ~* in my judg(e)ment (*of:* opinion); *ik ben van ~ dat ...* I am of (the) opinion that ...; **oordeelkundig** judicious, discreet; **oordelen** judge (*over* of); *te ~ naar* (judging) from (his age)

oorkonde charter, deed, document

oorlog war, warfare; *de Zevenjarige ~* the Seven Years' War; *de ~ verklaren* declare war (*aan* (up)on); *~ voeren* wage (make) war (*tegen* against, on); *in staat van ~* in a state of war; *in ~ zijn* be at war (*met* with); *Groot-Brittannië vóór (na) de ~* pre-war (post-war) (Great) Britain

oorlogs|correspondent war-correspondent; **-film** war-film; **-gedenkteken** war memorial; **-handelingen** acts of war, hostilities; **-inspanning** war effort; **-invalide** war-invalid; **-misdadiger** war-criminal; **-pad:** *op het ~* on the war-path; **-schip** war-ship; **-tijd** time of war; wartime conditions; **-verleden** wartime record; **-veteraan** veteran, ex- serviceman; **-zuchtig** bellicose, warlike, war-minded

oorlogvoerend belligerent; *de ~en* the belligerents, the parties at war

oorpijn ear-ache

oorsprong origin, source; **oorspronkelijk** original; *~e bewoners* original inhabitants, natives, aborigines; *hij is ~ uit Mexico* he is of Mexican origin, a native of Mexico; **oorspronkelijkheid** originality

oor|telefoon earphone; **-verdovend** deafening; **-watje** ear-plug; **-worm** earwig

oorzaak cause, origin; *~ en gevolg* cause and effect

oorzakelijk causal

oost east (the wind is ...)

oostblok(landen) Eastern bloc (countries)

oostelijk eastern, easterly; *~ van U.* (to the) east of U.; **oosten** east; *het ~* the East, the Orient; *het verre (het nabije) ~* the Far (the Near) East; *ten ~ van* (to the) east of

Oostenrijk Austria; **Oostenrijker** Austrian; **Oostenrijks** Austrian

oostenwind east wind

oosterlengte east(ern) longitude

oosters eastern, Oriental; *~e talen* Oriental languages

oost|kant east side; **-kust** east coast; **-noordoost** east-north-east; **-waarts** *bw* eastward(s); *bn* eastward

Oostzee: *de ~* the Baltic; **Oostzeehaven** Baltic port

ootje: *iem in het ~ nemen* make fun of a p., pull a p.'s leg

op I *vz* on, upon (the roof); at (school), in (an office); *~ je ...!* here's to your success (your new play, etc)!; *~ gas koken* cook with gas; *~ zijn Hollands* in (after) the Dutch fashion; *hoe heet dat ~ zijn Hollands?* what is that in Dutch?; *ze zag er ~ haar mooist uit* she looked her prettiest; *~ de muziek* (dance) to the music; *een ~ de vijftig* one in fifty (out of every fifty); *één telefoon ~ ...* one telephone to every fifty inhabitants; *(benzineverbr) 1 ~ 12* 35 (miles) to the gallon; *~ dat uur* at that hour; *~ de minuut af* to the very minute; *~ zekere dag* one day; *later ~ de dag* later in the day; *dag ~ dag* day after day; *~ mijn horloge* (it is three) by my watch; *zij ziet er lief uit ~ deze foto* she looks nice in this photo; *~ een kasteel* (live) at a castle; *~ een eiland wonen* live in an island; *~ straat* in the street; *~ zee* at sea; **II** *bw* up; *hij had iets ~* he had been having something; *hij is ~ (uit bed)* he is out of bed (up), *(afgemat)* dead-beat, done (up), *(afgeleefd)* worn out; *het kleed is ~* the carpet is worn (out); *het is ~* there is nothing left; *het bier is ~* we are (have run) out of beer; *~ is ~* when it's gone, it's gone; *de voorraad is ~* the stock is (has) run out, is finished; *mijn geduld is ~* is exhausted; *verder ~* further on; *~ en neer* (pace) up and down; *het is er ~ of er onder* it is kill or cure; *~ en-top* to the fingertips, every inch (a gentleman), all over; *het deksel wil er niet ~* the lid won't go on; *vraag maar ~* ask away!

opa grandad, grand-dad, grandpa

opaal opal

opbakken bake (again), fry (again)

opbaren place (up)on the (a) bier; *opgebaard liggen, (op praalbed)* lie in state

opbellen ring (up); phone (up), give (a p.) a ring

opbergen put away; pack away; *(achter slot)* lock away, lock up; store

opberg|map file; **-systeem** filing system

opbeuren *(fig)* cheer (up), comfort

opbiechten confess, own up

opbieden: *~ tegen* bid against, try to outbid

opbinden bind (tie, do) up

opblaas|baar inflatable; **-boot** inflatable dinghy

opblazen blow up (out), inflate; *(brug, enz)* blow up

opblijven sit (stay, wait) up (for a p.)

opbloei flourishing (of art, etc); (economic) prosperity; **opbloeien** flourish; prosper

opbod: *verkoop bij ~* sale by (at) auction

opboksen struggle *(tegen* against, with); *moeten ~ tegen* have to contend with (against)

opborrelen bubble *(of:* well) up

opbouw building, construction; build-up (of a programme); **opbouwen** build up; **opbouwend** constructive (policy); *(stichtelijk)* edifying (reading)

opbreken I *tr* tear up (the street); take down, strike (tents); *(beleg)* raise (the siege); *opgebroken rijweg* road up; **II** *intr* strike (break) camp, break up; *dat zal je ~* you will suffer for it, *(bedreiging)* you shall pay for it

opbrengen *(opleveren)* bring in (one pound a week), yield (profit); *(bij verkoop)* realize (£100), fetch (a price); *(betalen)* pay (taxes); *(arresteren)* run in (a thief); *(schip)* seize; *begrip ~ voor* show understanding of; **opbrengst** *(produktie)* output, produce; *(van oogst, enz)* yield (the ... per acre); *(geldelijk)* proceeds *(steeds mv)*

opdagen: *komen ~* turn *(of:* show) up, come along

opdat (so) that, in order that; *~ niet* that ... not; lest

opdelen divide up

opdelven dig up

opdienen serve (up), dish up

opdiepen *(fig)* unearth, hunt out, dig up

opdirken dress up, *(fam)* doll up; *opgedirkt, (ook:)* overdressed

opdissen serve (up), dish up

opdoeken *(fig)* do away with; *(zaak)* shut up shop

opdoemen loom (up)

opdoen *(verkrijgen)* obtain, get; pick up (information), gain (experience); *(ziekte)* catch (a disease)

opdonder *zie* opstopper; **opdonderen** get lost!, piss off!, get to hell out of here!

opdraaien turn up; *ergens voor ~, (sl)* take the

rap; *iem ervoor laten* ~ let a p. in for it; *ik moest ervoor* ~ I had to pay the piper

opdracht (*last*) charge, instruction, order; (*taak*) task, assignment; (*van boek, enz*) dedication; (*geschreven*) presentation inscription; ~ *geven* instruct; *in* ~ *van* by order of, (built) to the order of; **opdragen** (*gelasten*) charge, instruct; (*boek, enz*) dedicate (a book to a p.); *de mis* ~ celebrate mass

opdraven (*fig*) put in an appearance, present o.s., attend; *iem laten* ~ send for a p.

opdreunen rattle (*of:* reel) off, drone (a lesson)

opdrijven force up, inflate (prices); (*effecten*) boom

opdringen I *intr* press (push) on (forward); **II** *tr: iem iets* ~ thrust (force, press) s.t. upon a p.; impose (a policy) on a p.; *zich* ~ *aan* intrude upon, obtrude o.s. upon (a p., a p.'s company), (*sterker*) inflict o.s. upon; **opdringerig** obtrusive, intrusive

opdrinken drink, drink up, finish, empty

opdrogen dry up, desiccate

opdruk (*op postzegel*) overprint; **opdrukken** impress (*of:* imprint) on

opduiken emerge; (*fig ook*) turn (pop) up; (*van gerucht, onderw*) crop up again; (*van onderzeeër, enz*) surface

opduwen push (up)

opdweilen mop up

opeen together, one upon another

opeen|drijven drive together, round up (cattle); **-dringen** crowd together; **-hoping** accumulation (of work), (traffic) jam; crowd, mass (of people); **-pakken** pack up, pack together; *dicht* ~*gepakt* (tightly-)packed, crowded (houses)

opeens all at once, suddenly

opeen|staan stand (close) together; **-volgend** successive, consecutive (for ten … days); **-volging** succession, sequence (of events)

opeisen claim (money), demand

open open; (*van kraan*) on; ~ *en bloot* openly; ~ *dak*, (*van auto*) sliding roof, sunroof; ~ *haard* open fire; *in de* ~ *lucht* in the open (air); *met* ~ *ogen* with open eyes; (~*liggend*) exposed place; ~ *plek* (*wond*) sore, (*in bos*) clearing, glade; *in de* ~ *zee* on the high seas

openbaar public; *-bare lagere school* (state) primary school; *-bare gelegenheden* places of public resort; ~ *lichaam* public authority; ~ *nutsbedrijf* public utility service; *de -bare weg* the public road; ~ *maken* make public, publish, disclose; *in het* ~ in public; **openbaarheid** publicity (give … to the speech); **openbaarmaking** publication, disclosure

openbaren reveal, disclose; **openbaring** revelation, disclosure

open|breken break open, prize open (a packing-case), crack (a safe), prize (the lid) off; **-doen** *tr* open; *intr* answer the door (bell)

openen open (a door, meeting, shop, etc), open up (new fields of trade); *iem de ogen* ~ open a p.'s eyes (*voor* to); **opener** id

open|gaan open; **-gooien** throw open (the door, etc); **-halen** tear (one's hand)

openhartig outspoken, frank, straight (be … with one another); heart-to-heart (talk)

openheid openness, frankness, sincerity

openhouden keep open; hold (the door) open (for a p.)

opening id; aperture; interstice (…s between the teeth), gap (in a hedge)

open|krabben scratch open; **-krijgen** get open; **-laten** leave open; leave (the tap *kraan*) on; *ruimte* ~ leave a blank; **-leggen** lay open (*ook fig*); **-liggen** lie open (*voor* before)

openlijk open, public

openlucht- open-air (school, theatre); outdoor (sports)

open|maken open, unlock (the door); **-slaan** open (a book), knock open; ~*de deur* folding door(s); (*tegelijk raam*) French window; **-sperren** open wide, distend (the eyes); **-springen** burst (open); (*van huid*) chap (…ped hands); **-staan** be (stand) open; (*van rekening*) be unpaid; **-stellen** open, throw open (to the public); **-vallen** fall open; cut (one's knee); (*van betrekking*) fall (become) vacant; **-vouwen** unfold, open out (a newspaper)

opera *a*) id; *b*) (gebouw) opera house; **opera-gezelschap** opera-company

operatie operation (*aan* … on (*of:* to) one's eyes); **operatief** operative, surgical (treatment); **operatie|kamer**, **-tafel** operating-theatre, -table; **operationeel** operational (research)

operazanger(es) opera-singer

opereren operate (*ook mil*); *iem* ~ operate (up)on a p.

operette operetta, musical comedy

opeten eat, eat up, finish (up) (one's soup)

opfleuren *tr & intr* brighten (up), cheer up

opflikkeren flare up, (*sterker*) blaze up

opfokken breed, rear; (*van motor*) tune up

opfrissen (*verkwikken*) refresh, freshen (up); (*kennis, enz*) rub (brush) up (one's English)

opgaaf (*mededeling*) statement, report; (*voor belasting*) return (make false …s); (*taak*) task; (*oefening*) exercise; (*vraagstuk*) problem; (*op examen*) paper, question

opgaan (*zon*) rise; (*bestijgen*) go up (the stairs), ascend (a hill); (*voor examen*) go in (for an examination); (*van deling*) terminate (the division does not …); *dat gaat niet op* that won't do (*bij mij* with me); *die redenering gaat niet langer op* that argument will no longer serve; *dat gaat niet in alle gevallen op* that doesn't hold in all cases; *hij gaat geheel in zijn werk op* he is absorbed in his work, is quite taken up with …; *geheel in elkaar* ~ be all in all to (be wrapped up in) each other; (*van onderneming*) be merged (merge) (with in) another); **opgang** (*fig*) rise, growth, success; *vrije* ~ direct access from front door

opgave *zie* opgaaf

opgeblazen puffy, swollen; (*fig*) puffed up, swollen (with pride)

opgelaten: *zich ~ voelen* feel had

opgeld: ~ *doen* be in great demand, be the vogue

opgeruimd cheerful, good-humoured, in high spirits

opgeschoten: ~ *jongen* strapping lad

opgetogen enraptured, elated (*over* at, about)

opgeven (*afgeven*) hand over; (*braken*) spit (blood), cough up; (*taak, enz*) set (a p. a task, homework), ask (a riddle); (*vermelden*) give (a false name); (*reden*) state, give (the reason); (*laten varen*) give up (hope, a plan, smoking), abandon (the attempt, a position), resign (control), drop (a plan); (*schaaksp*) resign, give up; *het ~* (*bezwijken*) give out (his strength, eyes, boots, gave out); *hoog ~ van* speak highly of, make much of; *een bestelling ~* give an order; *zich ~* apply (for a job), come forward (as a witness), present oneself (as a candidate)

opgewassen: ~ *zijn tegen* be a match for (a p.), be equal (be up) to (the task); *tegen elkaar ~ zijn* be well matched; *hij toonde zich tegen de moeilijkheden ~* he rose to the occasion

opgewekt cheerful

opgewonden excited

opgezet stuffed (animals); swollen (cheek, face)

opgooien throw up, toss (up); *zullen wij erom ~?* shall we toss (up) for it?

opgraven dig up, unearth; exhume (a dead body); excavate (an old town)

opgroeien grow up; ~ *tot* grow (up) into

ophaalbrug drawbridge

ophalen (*omhooghalen*) draw up, pull up, raise (the blind), hoist (a flag), run up (the curtain at the theatre, a flag); shrug (one's shoulders); (*inzamelen*) collect (money, rent, refuse); (*goedmaken*) repair (a loss), make up (a loss); (*bij wedren*) pull up; *het anker ~* weigh anchor; *zijn Frans ~* brush up one's French

ophangen hang, hang up (*aan een spijker* on a nail), suspend (*aan het plafond* from the ceiling); (*telefoon*) hang up, replace the receiver; *hij werd opgehangen* he was hanged; *iem ~ aan* make a p. answer for (his words)

ophebben have on (a hat); (*het eten, enz*) have eaten, have finished (one's meal); *hij heeft te veel op* he has had a drop too much; *veel ~ met iem* make much (be very fond) of a p.; *ik heb niet veel met hem* (*ermee*) *op* I don't care for him (for it)

ophef fuss; *met veel ~* with a great deal of fuss

opheffen (*gewicht, hoofd, enz*) lift (up), raise (*ogen*) raise; (*afschaffen, te niet doen*) abolish, repeal (a law), close (a school), discontinue, close (down) (a business), raise (the blockade); (*geleidelijk*) phase out; *de staking ~* declare (call) the strike off; *de zitting werd op-gehouden* the meeting was adjourned; *zijn hand ~ tegen* raise one's hand against; **opheffing** lifting (up); raising; abolition, repeal; closing (down); *vgl* opheffen; *uitverkoop wegens ~* closing-down sale

ophelderen *tr* clear up (a misunderstanding), explain; *intr* (*van weer, gezicht*) clear (up), brighten (up); **opheldering** explanation, clarification; clearing (up), brightening (up)

ophemelen extol, praise to the skies, cry up, puff (one's goods), boost

ophitsen set on (a dog); (*fig*) incite, stir up

ophoepelen make off, (*sl*) cut it, hop it

ophopen heap up; accumulate; **ophoping** accumulation, heap, pile, drift (of snow)

ophouden I *ww* (*omhooghouden*) hold up (one's head); (*uitsteken*) hold out (one's hand); (*op het hoofd houden*) keep on (one's hat); (*hooghouden*) keep up (a tradition), uphold (one's honour); (*tegen-, terughouden*) hold up (a train, the traffic); (*iem*) detain, keep (a p.); (*uitscheiden*) stop, cease, leave off; houd op! stop (it)!; ~ *te bestaan* cease to exist; ~ *met* stop, leave off (reading), cease (attending church); *waar houdt hij zich op?* where is he staying (where does he live) now?; *niemand weet waar hij zich ophoudt* nobody knows his whereabouts; *zich ~ bij* hang about, loiter near (the house); *ik wil me daarmee niet ~* I will have nothing to do with it; *daar houd ik me niet mee op* that's not my line; **II** *zn*: *zonder ~* uninterruptedly, continuously

opinie opinion; *naar mijn ~* in my opinion, to my mind

opium id

opjagen (*wild*) start, rouse (game); (*iem*) urge on, incite (a p.); (*prijzen*) force (send) up (prices); *iem de trap ~* chase a p. upstairs

opkal(e)fateren *tr* patch up, refurbish; *intr* recover

opkijken look up (*naar* at); *hij zal er* (*vreemd, gek*) *van ~* that will be a surprise for him; *je zult ervan ~* you will be surprised

opkikkeren *tr & intr* pep up

opklapbed wall-bed; **opklappen** fold back

opklaren *tr* clear up (the matter); *intr* (*van weer, gezicht*) clear (up)

opklimmen climb (up), mount, ascend; (*fig*) rise, get on in the world; ~ *tegen* climb up (a waterpipe)

opkloppen beat (whisk) (two egg-whites); (*fig*) embellish (a story)

opknappen I *tr* (*netjes maken*) (make) tidy, tidy up (a room); redecorate (a house); (*zieke*) put right, bring round; (*kleren*) patch up; *een karweitje ~* polish off (do) a job; *iets laten ~* have s.t. done up; **II** *intr* (*van zieke*) pick up (*van uiterlijk*) improve; *het weer knapt op* the weather is looking up

opkomen come up (*ook van plant*); (*van zon enz*) rise; (*van acteur, koorts, storm, onweer, mist, enz*) come on; (*mil: dienst nemen*) join up, (*ontstaan, van steden bijv*) arise, spring up, (*van vraag, enz*) arise, crop up; *de koppeling laten* ~ let in the clutch, declutch; *kom maar op!* come on!; (*de vloed*) *komt op* the tide is coming in; *die gedachte kwam bij hem op* crossed (entered) his mind, occurred (came) to him; *het kwam in mijn gedachten niet op* it never entered my head; *tegen iets* ~ object to (protest against) s.t.; *ik kon niet tegen de wind* ~ I could not make head against the wind; ~ *voor* champion (a cause), stand up for, (*fam*) stick up for (a p., o.s.); **opkomst** rise (of the Republic), origin; (*van vergadering, wedstrijd, enz*) attendance; (*bij verkiezingen*) poll, turnout; *een geringe* ~ a small (poor) attendance; *een bedrijf in* ~ a rising industry

opkopen buy up; **opkoper** buyer-up

opkrabbelen struggle to one's feet, pick o.s. up

opkrassen (*weggaan*) make o.s. scarce, skedaddle

opkrikken jack up (a car); boost (morale)

opkroppen bottle up (one's emotions, anger); *opgekropte woede* pent-up rage

opkunnen: *dat kan ik niet allemaal op* I cannot eat all that; *ik kon mijn plezier wel op* I had a pretty thin time; *daar kan ik niet tegen op* that beats me, that is too much for me; *je kunt niet tegen hem op* you are no match for him

oplaadbaar rechargeable

oplaag impression, printing (the 3rd ... is now available); (*aantal gedrukte exemplaren van blad*) circulation, sale (a ... of over one million)

oplaaien (*ook fig*) flare up, blaze (up)

opladen load (up); (*elektr*) charge

oplappen patch up (*ook fig*)

oplaten (*vlieger*) fly (a kite)

oplazeren (*plat*) fuck (piss) off

opleggen (*op iets leggen*) lay on (paint, etc); (*belastingen*) impose (taxes), (*boete*) impose (a fine), (*straf*) inflict (punishment on ...), (*het zwijgen*) impose (silence), (*geheimhouding*) enjoin (secrecy on a p.), (*iem een taak, enz*) set a p. a task, charge a p. with s.t.; (*schip*) lay up, mothball; *er een gulden* ~ raise the price by one guilder

oplegger trailer

opleiden train, educate; *hij werd voor monteur opgeleid* he was trained for a mechanic; *voor een examen* ~ prepare (*of:* coach) for an examination; **opleider** instructor, teacher, tutor; **opleiding** training, schooling

opletten pay attention, attend (to a p.); *let toch op!* do attend! do pay attention!; **oplettend** attentive, observant; **oplettendheid** attention, attentiveness

opleveren (*resultaat, enz*) produce, give, yield (good results); *gevaar* ~ pose a threat (prove a danger) (to); *verlies* ~ result in a loss; *niets* (*geen resultaat*) ~ be unsuccessful, be without result; **oplevering** (*van werk*) delivery; **opleveringstermijn** term of delivery

opleving revival; (economic) recovery

oplezen read out, call over (the names)

oplichten lift (a table, one's hat), lift up, raise; (*afzetten*) swindle, defraud; *iem* ~ *voor* ... swindle (*of:* do) a p. out of £20; **oplichter** swindler, con-man; **oplichterij** swindle, fraud

oploop (*relletje*) tumult, row, riot; (*menigte*) crowd

oplopen (*de trap, enz*) go (walk) up (the stairs); mount; (*van prijzen*) rise, go up; (*bekomen*) receive (injuries), catch (a cold, a disease), incur (punishment); *een rekening laten* ~ run up a bill; *bij iem* ~ come round, drop in; *samen* ~ walk on together; *ik loop even met je op* I'll come (walk along) with you part (*of:* a bit) of the way; *tegen iem* ~ run into a p.

oplosbaar soluble; (dis)solvable; **oplosbaarheid** solubility, solvability

oplos|koffie instant coffee; **-middel** solvent

oplossen dissolve (in water, *tr & intr*); solve (a problem); *een vergelijking* ~ resolve an equation; **oplossing** (*in vloeistof, van moeilijkheid, enz*) solution (to a problem *voor*), resolution (of an equation, a discord)

opluchten relieve; *zeer opgelucht* greatly relieved; **opluchting** relief

opluisteren grace, adorn; *met z'n aanwezigheid* ~ honour (grace) with his presence; brighten (...ed with music)

opmaak (*van krant*) make-up; lay-out

opmaken (*verbruiken*) eat (*voedsel*), use up; spend (*geld*); (*in orde maken*) dress, do (up) (one's hair); make (a bed); (*schotel*) make up, garnish; (*samenstellen*) draw up (a document, contract), make up (a bill); *zich* ~ make (o.s.) up; *zich* ~ *voor de reis* get ready for the journey

opmars advance

opmerkelijk striking (appearance), remarkable (phenomenon), notable (exception)

opmerken (*bespeuren*) notice, observe, note, mark; (*een opmerking maken*) observe, remark; *iem iets doen* ~ point out s.t. to a p.; **opmerkenswaard(ig)** remarkable, noteworthy, worth notice (noticing); **opmerking** observation, remark, comment (*over* on); *een* ~ *maken over, ook:* remark on; **opmerkzaam** attentive, observant; *iem* ~ *maken op* draw (call, direct) a p.'s attention to; **opmerkzaamheid** attention, attentiveness

opmeten *a*) measure; *b*) (*van landmeter*) survey

opname admission ((in)to hospital); recording (of a speech); (*fot*) exposure (a cartridge of 36 ...s (frames))

opnemen (*boek, karpet, enz*) take up; (*opraken*) pick up (a p., a thing); (*telefoon*) pick up (the receiver), answer (the phone); *er wordt niet opgenomen* there is no answer; (*reizigers*) take up, pick up (... and put down passengers); (*met doek, enz*) mop up (ink with blotting-paper), wipe up; (*van bankrekening*) take out, withdraw, draw (money from the bank); (*patiënt*) admit a p. (in)to hospital; (*in huis*) take (a p.) in; (*in krant, enz*) insert (an article, advertisement); (*op magneetband*) record, tape; (*meten*) survey (land); (*temperatuur*) take (a p.'s temperature); (*gas, enz*) read (the meter); (*voor een film*) film, shoot (a scene); (*bekijken*) survey (a p., the situation); (*schade*) estimate (the damage); (*stemmen*) collect, count (votes); (*namen, enz*) take down; (*bestelling*) take (orders); (*in zich*) ~ take in (I didn't take the words in), pick up (things very fast); absorb (heat, water, the shock); *contact* ~ *met* contact; *iem van het hoofd tot de voeten* ~ look a p. up and down, (*scherp*) scrutinize a p.; *de tijd* ~ (*waarin iem iets doet*) time a p.; *het* (*de zaken*) *gemakkelijk* ~ take it (things) easy; *het kalm* (*in ernst*) ~ take it calmly (seriously); *iets hoog* ~ resent s.t.; *in een zaak* ~ take into partnership, admit as a partner; *het tegen iem* ~ stand up to a p., take a p. on (at billiards); *hij kan het tegen iedereen* ~ he is a match for anyone; *het voor iem* ~ take a p.'s part, stand (*fam*: stick) up for a p.

opnieuw again, once more; (*helemaal*) ~ *beginnen* begin, *of*: start (all) over again; make a fresh start

opnoemen name, mention

opofferen sacrifice (*ook fig*: *voor* to); **opoffering** sacrifice

oponthoud stay, stop, halt (en route); (*gedwongen*) detention; (*vertraging*) delay

oppakken (*opnemen*) take up, pick up; (*bijeenpakken*) pack up, collect; (*inrekenen*) run in, round up

oppas (*bij klein kind*) baby-sitter; **oppassen** (*verzorgen*) take care of; nurse (a patient); (*zich in acht nemen*) take care, be careful (what you say); *pas op!* be careful! take care! mind! look out (for that taxi)! ~ *voor* be on one's guard against, guard against (mistakes); *pas op voor de hond* (*zakkenrollers*)! beware of the dog (pickpockets)!; *pas op voor de drempel!* mind the step!; **oppassend** well-behaved, steady, steady-going; **oppasser** (*in dierentuin, enz*) attendant, keeper; (*lijfknecht*) valet; (*in hospitaal*) orderly

oppeppen pep (liven) up (the proceedings)

opper|arm upper arm; **-best** excellent(ly), capital(ly), (get on) extremely well; **-bevel** supreme command; **-bevelhebber** commander-in-chief, Supreme Commander

opperen propose, suggest; make (a suggestion *idee*)

opper|gezag supreme authority; **-hoofd** chief, chieftain, head; **-huid** epidermis; outer skin; **-machtig** supreme

oppersen press (clothes)

oppervlak *a*) (*bovenvlak*) upper surface; *b*) zie oppervlakte; **oppervlakkig** superficial; ~ *beschouwd* (the facts are,) on the surface, (very

simple); on the face of it (it seems correct); **oppervlakkigheid** superficiality; **oppervlakte** surface (of the water); (*grootte*) area (of land, a triangle, etc); *aan de* ~ on the surface; *aan de* ~ *komen*, (*van onderzeeër, duiker, enz*) surface, break (the) surface; **oppervlaktewater** surface water

oppikken (*van vogels*) peck up; pick up (a drowning person, the bus); (*op de kop tikken*) pick up; (*inrekenen*) run in

opplakken paste (*of*: glue) on; stick on (stamps)

oppoetsen polish

oppompen pump up, inflate

opponent id

opportunisme opportunism; **opportunist(isch)** opportunist, time-server; **opportuun** opportune, well-timed

oppositie opposition

oppotten hoard

oprakelen poke up, stir up (the fire); (*fig*) rake up (the past, an old quarrel)

opraken (*van geld, voorraad, enz*) run out (short); *mijn geduld raakt op* my patience is wearing thin

oprapen pick up, take up

oprecht sincere, genuine (repentance)

oprichten (*overeindzetten*) set up, raise; lift up (one's head); set up, erect (a statue to), establish, found, set up (a business, school, newspaper); start (a club); *zich* ~ straighten o.s., draw o.s. up, stand up, (*in bed*) raise o.s., sit up; **oprichter** founder; erector; *vgl het ww*; **oprichting** foundation, establishment, formation; erection; *vgl het ww*

oprijden ride (drive) up (a hill, etc); (*verder rijden*) move (drive) on; *een weg* ~ (*inslaan*) turn into a road; ~ *tegen* run into

oprijlaan drive

oprijzen rise, get up

oprispen (*fam*) repeat on

oprit slope, ramp; (*van autoweg*) slip road

oproep summons; (*mil*) call-up, call (to arms); appeal (for help); **oproepen** call up (for military training, etc), call (on), summon; call up; call over (the names); *een getuige* ~ call a witness

oproer rebellion, revolt; (*opstootje*) riot; **oproerkraaier** agitator, firebrand; **oproerling** rebel, insurgent; **oproerpolitie** riot police

oproken finish (a cigar); smoke (another p.'s cigars)

oprollen roll up; (*tot een tros*) coil up (a rope)

oprotten (*plat*) piss off

opruien incite (to rebellion), stir up

opruimen (*wegruimen*) clear away (the tea-things, snow), clear (mines); (*uitverkopen*) sell off, clear (off) (one's stock); (*afschaffen*) do away with, abolish; (*kamer, enz*) tidy up, straighten up; clear (the table); **opruiming** clearing away, etc; (*fig*) clean-up; **opruimingsuitverkoop** sale(s)

oprukken advance; march (on)

oprustgesteld (*Belg*) retired; **opruststelling** (*Belg*) superannuation

opschepen: *iem met iets* ~ saddle a p. with s.t.; *ik ben met hem (ermee) opgescheept* I have him (it) on my hands

opscheppen ladle out, serve out (the soup); (*fig*) brag, boast, swank; **opschepper** (*fig*) braggart, swanker; **opschepperij** (it's all) swank

opschieten shoot up (*ook van plant & pers*); (*fig*) get on (time is getting on), make progress, proceed (the work is ...ing satisfactorily; *schiet op!* hurry up!; *we schieten (maar) niet op* we don't seem to make any progress; (*uitstekend*) *met elkaar* ~ get on (*of:* along) (well) together; *daar schieten we niet mee op* that doesn't help things

opschik finery, trappings, frills; **opschikken I** *tr* dress up (out); **II** *intr* move up

opschorten 1 (*omhoog brengen*) tuck up (sleeves); 2 suspend, reserve (one's judg(e)ment), delay, postpone (one's decision), adjourn (a meeting); **opschorting** suspension; stay (of execution); adjournment

opschrift superscription, inscription, lettering; (*van artikel*) heading; (*van plaat, film, enz, ook:*) caption; (*van munt, enz*) legend

opschrijfboek(je) note-book, memorandum (*fam:* memo) book

opschrijven write down; (*bij spel*) (keep the) score

opschrikken start, give a start, be startled; *doen* ~ startle

opschudden shake, stir; shake up (a pillow); **opschudding** commotion, sensation, stir; *een* ~ *veroorzaken* cause a stir (a sensation); *in* ~ *brengen* set (the whole place) in stir and commotion

opschuiven push up, shove up; (*opschikken*) move up

opsieren adorn, embellish; *zich* ~ dress up

opslaan (*omhoogslaan*) strike up; (*kraag, enz*) turn up (one's collar), roll back (one's sleeves); (*ogen*): *a*) open; *b*) raise, turn up (one's eyes); (*boek*) open; (*prijzen, enz*) raise (prices, wages); (*inslaan*) lay in (potatoes); (*in pakhuis*) warehouse, (put into) store, put (one's furniture) into storage; *het brood is opgesl* bread has gone up; *de prijs met 10%* ~ raise the price by 10 per cent.; **opslag** (*van oog*) look; (*verhoging*) rise, advance; (*in pakhuis*) storage, warehousing; **opslagplaats** store, storage yard

opslobberen lap up

opslokken swallow, gulp down

opsluiten lock (shut) up, lock in; lock (a p. in a room); (*mil*) close up, close (the ranks); (*in zichzelf*) withdrawn, turned in upon oneself; *opgesloten* (*na ongeluk*) trapped (miners)

opsnij(d)en cut (up, open), carve; (*fig*) brag, swank, swagger; **opsnij(d)er** braggart, swanker, swank-pot

opsnuiven sniff (in, up), inhale

opsodemieter(en) (*plat*) *zie* opdonder(en)

opsommen enumerate, count up, sum up; **opsomming** enumeration

opspelden pin on

opspelen (*fig*) cut up rough, kick up a row

opsporen track (down), trace, hunt up (*of:* down), run down, seek out

opspraak scandal; ~ *verwekken* cause (a) scandal; *in* ~ *brengen* compromise, get (a p.) talked about

opspreken speak up; (*ronduit*) speak out

opspringen jump (leap) up (*at tegen*); (*van bal*) bounce

opspuiten spout up, spout into the air; *terrein* ~ raise a site (with fluid sand, etc)

opstaan (*van stoel, uit bed, enz*) get up, rise; (*rechtop gaan staan*) stand up; (*in opstand komen*) rise, rebel, revolt (*tegen* against); *het water staat op* the kettle is on; *van tafel* ~ rise from table; *uit de dood* ~ rise from the dead

opstal(len) premises

opstand rising, revolt, rebellion, insurrection, uprising; *in* ~ *komen,* (*ook fig*) rise, rebel (*tegen* against), revolt (*tegen* against, from); **opstandig** rebel(lious)

opstanding resurrection

opstapelen pile up (*ook fig:* accusations, etc), heap up, accumulate; *zich* ~ accumulate, pile up (expenses ...); **opstapeling** accumulation (of difficulties), piling up, etc

opstappen (*de stoep*) go up ..., (*de straat*) go (get) into ...; (*op de fiets stappen*) mount (one's bicycle); (*weggaan*) go away, move on; *ik moet (eens)* ~ I must be getting along

opsteken I *tr* (*omhoogst*) hold (put) up, raise (one's hand); put up (an umbrella); put (do) up (one's hair); (*aanst*) light (a cigar, the lamp); *stemmen met hand* ~ vote by show of hands; *hij heeft er niet veel van opgest* he has not profited much by it, it has not been of much use to him; **II** *intr* (*van wind*) rise, get up

opstel essay, composition, paper; *een* ~ *maken* write an essay (a paper)

opstellen (*ontwerpen*) frame (a charge *aanklacht;* an act *wet;* a petition), draft, draw up (a report, programme, regulations); (*oprichten*) put (set) up, erect, mount (a machine); (*troepen, enz*) draw (line) up; (*ergens*) post, station; *zich* ~ line up; *zich kritisch* ~ adopt a critical attitude (towards *tegen*); **opstelling** framing; drafting; erection; formation (of troops); attitude (on drugs); *vgl het ww*

opstijgen rise, ascend, mount, go up; (*van vliegtuig ook*) take off

opstoken poke (up), stir (up); (*fig*) incite, instigate; set (a p. against ...); **opstoker** instigator, agitator, firebrand

opstomen steam up (a river)

opstootje disturbance, riot, tumult, (*fam*) row

opstopper slap (in the face), punch (on the

nose), smack (in the eye); *iem een ~ geven* (*verkopen*) hit a p. a slap in the eye

opstopping stoppage, (traffic) jam, (road, traffic) congestion

opstrijken twirl up (one's moustache); iron (linen); pocket, scoop in (money); *de winst ~* sweep in the winnings

opstropen tuck up, roll back (one's sleeves)

opstuiven (*van zand, enz*) fly up; (*fig*) fly out, flare up (*bij ...* at my words)

opstuwen drive up, dam up (water); (*lading*) stow; **opstuwing** (*van bloed*) congestion

optakelen rig (a ship)

optekenen note (write, jot, take) down, make a note of, enter (s.t. in a book); (*te boek stellen*) record (in history); (*spel*) (keep the) score

optellen add (up); **optelling** addition; enumeration; **optelsom** addition sum

opticien optician

optie option

optiek: *vanuit deze ~* from this point of view

optillen lift up, raise

optimaal optimum (temperature)

optimisme optimism; **optimist** id; **optimistisch** optimistic (*bw:* -ally)

optisch optical

optocht procession; (historical) pageant

optornen: *~ tegen* beat up against (the wind); cope with, make head against (difficulties)

optreden I *ww* appear (Mr. S. will ... next), (*ten tonele verschijnen*) enter, go on; (*handelend~*) act, take action; *~ in een film* appear in ...; *handelend ~* take action; *streng* (*krachtig*) *~* take strong (drastic) action (a strong line); *flink tegen iem ~* deal firmly with a p.; *gewapend ~ tegen* take up arms against; *voor iem* (*in iems plaats*) *~* deputize for a p.; *als gastheer ~* act the host; **II** *zn* appearance (in public, on the stage); action (police ...), attitude (his ... to(wards) me), behaviour (insulting ...)

optrekje (holiday) cottage

optrekken (*omhoogtr*) pull (draw) up (a blind), raise, lift (one's eyebrows), shrug (one's shoulders), pull up (one's trousers); (*vliegtuig*) pull up; (*bouwen*) run up, raise, erect (a building, wall); (*van auto*) accelerate; (*van mist, enz*) lift, clear; *veel met iem ~* be thrown together a lot with a p.; *samen ~* pull together

optuigen rig (a ship); harness (a horse); (*opdirken*) doll up

opvallen strike (his silence struck me, it struck me that he was silent); (*opzettelijk*) show off; *doen ~* make conspicuous; **opvallend** striking (...ly beautiful), conspicuous, notable; *~ gekleed* showily dressed

opvangcentrum reception centre; **opvangen** catch (a ball, the rain-water, a glimpse of ...), receive (a blow), absorb (a shock), overhear (a conversation), take (a p.) under one's wing, take care of (see to) (problems)

opvaren sail (go, steam) up (a river); *~den* passengers and crew

opvatten (*opnemen, ter hand nemen*) take up (the pen; a subject, science); (*vormen*) conceive (a plan); (*begrijpen*) understand, take; *hij heeft het verkeerd opgevat: a*) he has misunderstood it (me, etc); *b*) he has taken it in bad part; *de dingen gemakkelijk ~* take things easy; *het als een compliment ~* take it as a compliment; *het werk weer ~* resume work; **opvatting** idea, notion, view

opvijzelen jack up; (*fig*) cry up, puff

opvissen fish up; (*fig zie ook* opdiepen); (*lijk*) recover

opvliegen fly up; (*driftig worden*) fly out, flare up; **opvliegend** short-, quick-, hot-tempered

opvoeden educate, bring up, rear; **opvoedend** educative (influence, force); **opvoeding** education, upbringing; *lichamelijke ~* physical training, P. T.; physical education, P. E.; **opvoedkundig** pedagogic(al); **opvoedkundige** education(al)ist

opvoeren (*motor*) tune (*fam*) soup up; (*toneelstuk*) perform, act, produce; **opvoering** performance

opvolgen (*iem in ambt, enz*) succeed (a p.); (*voldoen aan*) obey, take, follow (a p.'s advice), observe (a rule); *elkaar ~* succeed each other; **opvolger** successor (*van* to, of)

opvorderen claim (money, etc)

opvouwbaar folding (bed), foldaway (bed), collapsible (boat), foldable; **opvouwen** fold up, double up

opvragen call in, withdraw, draw out (money from a bank); claim (one's luggage)

opvreten devour, consume greedily, gobble up; *zich ~ van nijd* eat one's heart out with chagrin; *zij wordt opgevreten van de zenuwen* she is a bundle of nerves

opvriezen freeze (up)

opvrolijken cheer (up), brighten (up)

opvullen fill up; stuff (a seat of a chair)

opwaaien *tr* blow up; *intr* be blown up

opwaarderen revalue; **opwaardering** revaluation

opwaarts *bw* upward(s); *bn* upward

opwachten wait for; **opwachting:** *zijn ~ maken bij* pay one's respects to (a p.)

opwarmen warm (heat) up

opwegen: *~ tegen* (counter)balance, be set off by, offset (a loss); *... wegen precies tegen elkaar op* Government and Opposition are evenly matched; *niet ~ tegen, ook:* be outweighed by; *hij weegt niet tegen u op* he is not equal to you

opwekken awake, rouse; (*fig*) awake, rouse, stir up, arouse (admiration), excite (interest), stimulate (the appetite), generate (electricity); **opwekkend** stimulating; *~ middel* tonic, cordial; **opwekking** excitement; stimulation; generation; *vgl het ww;* (*oproep*) appeal, call

opwellen well up (*ook van tranen*); **opwelling** welling-up; outburst (of fury), burst (of generosity), *in de eerste ~* on the first impulse

opwerken work up (a business); touch up (a picture); *zich* ~ work one's way up, work o.s. up

opwerpen *(omhoogw)* throw up (a ball), toss up (a coin); *(dam, enz)* throw up; *(barricade)* erect, raise; *(fig)* raise (a question, difficulty)

opwinden wind (up); *zich* ~ get excited (over s.t.), get worked up; **opwindend** exciting; **opwinding** excitement, agitation

opzadelen saddle (a horse; a p. with s.t.)

opzeggen *(les, enz)* say (a lesson, one's prayers); recite (a poem); *(herroepen)* terminate (a contract), cancel (a purchase), denounce (a treaty), withdraw, recall (capital); *zijn abonnement* ~ cancel one's subscription; *een krant* ~ discontinue (one's subscription to) a paper; *zijn lidmaatschap* ~ resign (from the club, etc); *iem de betrekking* ~ give a p. notice; *de huur* ~ give notice; **opzegging** termination; denunciation (of a treaty); withdrawal; notice; *vgl* opzeggen; *met een maand* ~ at a month's notice; **opzeggingstermijn** term of notice

opzenden send, forward

opzet *(van boek, enz)* plan, framework; *(toeleg)* intention, design; *boos* ~ foul play, malicious intention, *(jur)* criminal intent; *met het* ~ *om letsel toe te brengen* with intent to hurt; *met* ~ on purpose, intentionally, deliberately; *zonder* ~ unintentionally; **opzettelijk I** *bn* intentional, wilful; deliberate, calculated (lie); **II** *bw zie* met ~

opzetten I *tr (overeindzetten)* set up, put up; turn up (one's collar); *(op iets zetten)* put on (one's hat), put (the kettle) on; arrange, place; *(brei-, haakwerk)* cast on; *(beginnen)* open, start, establish (a business); *(inrichten)* plan, organize, set up; *(opstoppen)* stuff (animals); *(ophitsen)* set on; ~ *tegen* set (put) (one person) against (another); **II** *intr (opzwellen)* swell (up); *(komen)* ~, *(van storm, koorts)* come on

opzicht *(toezicht)* supervision; *in alle* ~*en, in elk* ~ in every respect, in all respects; *in technisch* ~ from a technical point of view; *ten* ~*e van* with respect (regard) to, in respect of; **opzichter** overseer, supervisor; *(bij bouwwerken)* surveyor; *(van park, enz)* keeper

opzichtig showy (showily dressed), gaudy, loud, noisy (dress), flashy (flashily dressed)

opzien I *ww* look up *(naar* at); ~ *tegen* look up to (a p.); shrink from (a fight); *hij ziet niet tegen een wandeling van twee uur op* he thinks nothing of a two hours' walk; *hoog tegen iemand* ~ think the world of a p.; **II** *zn:* ~ *baren* make (cause) a sensation; **opzienbarend** sensational, spectacular

opzij aside; *zie* zij(de) 1

opzitten sit up; *(van hond)* (sit up and) beg; *er zit niets anders op dan te gaan* there is nothing for it but to go; *ik heb het er* ~ I've finished, I'm through; *daar zal wat voor je* ~ you'll catch it

opzoeken *(zoeken)* look for (a p., a thing), look up (a word, train); *(bezoeken)* call on (a p.), give (a p.) a call

opzuigen suck in (up), absorb, sip (lemonade)

opzwepen whip up; *(fig ook)* stir up

orakel oracle; **orakeltaal** oracular language

orang-oetan(g) orang-outang, -utan

oranje orange; *(van verkeerslichten)* amber

oratie oration; *(univ)* inaugural (lecture)

oratorium *(muz)* oratorio

orchidee orchid

orde order *(in alle bet)*; *de* ~ *handhaven* maintain order; *hij heeft goede* ~ he is a good disciplinarian; ~ *houden* keep order; *hij kan geen* ~ *houden* he cannot control the class; ~ *op zijn zaken stellen* put one's affairs in order, settle one's affairs; *de (openbare)* ~ *verstoren* break (disturb) the peace; *aan de* ~ *zijn* be under discussion; *de zaak aan de* ~ *brengen* raise the matter; *aan de* ~ *komen* come up for discussion; *dat is aan de* ~ *van de dag* that is the order of the day; *buiten de* ~ *zijn* be out of order; *in dezelfde* ~ *(van grootte)* of the same (order of) magnitude; *in* ~ *bevinden* find to be in order, find correct; *in* ~ *brengen* put (set) in order, put (set) right; *dat komt in* ~ that will come right (will settle itself); I will see to it; *(de radio) is niet in* ~ there's something wrong with ...; *in* ~*!* all right!; *hij is goed in* ~ he is quite well, quite fit; *dat is in* ~, *(afgesproken, enz)* that is settled; *op* ~ *leggen* arrange in proper order; *tot de* ~ *roepen* call to order; *overgaan tot de* ~ *van de dag* pass to the order of the day; *voor de goede* ... for regularity's sake; for the record; **ordebroeder** friar, brother

ordelijk *bn* orderly; tidy; *bw* in good order, in an orderly way; **ordeloos** disorderly; *de kledingstukken lagen* ~ *over de vloer verspreid* littered the floor

ordenen order (one's life, thoughts, etc), arrange (papers, thoughts, etc), put in order; **ordening** arrangement, regulation; ordering (of national life); *(economie)* planning, plan(ned) economy; *ruimtelijke* ~, *(ongev)* town and country planning

ordentelijk *(fatsoenlijk)* decent; *(redelijk)* fair

order order, command; *om* ~*s verzoeken* solicit orders; *tot nader* ~ until further notice; *tot uw* ~*s* (I am) at your service

ordinair common, vulgar; *(van waren)* inferior, low-grade

ordner file

ordonneren order, decree, ordain

oreren orate, hold forth *(over* on), declaim

orgaan *(in alle bet)* organ

organisatie organization; **organisatiebureau** (firm of) management consultants; **organisatorisch** organizing

organisch organic (chemistry); *(bw:* -ally)

organiseren organize

organisme organism

organist id, organ-player

orgasme orgasm

orgel organ; *een* ~ *draaien* grind an organ

orgel|concert organ-recital; (*muziekstuk*) organ concerto; **-draaier** organ-grinder

orgie orgy

oriëntatie orientation; **oriënteren:** *zich* ~ take one's bearings, orient (orientate) o.s. (*naar* … towards independence, government); *ik kan mij niet meer* ~ I have lost my bearings; **oriëntering** orientation; *te uwer* ~ for your information (guidance); **oriënteringsvermogen** sense of direction

originaliteit originality; **origine** origin; **origineel** *bn & zn* original (read a book in the …)

orkaan hurricane

orkest orchestra

orkest|meester leader (of an orchestra); **-partij** orchestral part

orkestreren orchestrate, score

ornaat (*priester*) *in vol* ~ in full pontificals; (*anders*) in full state

ornament id; **ornamenteren** ornament; **ornamentiek** ornamentation

ornitho|logie, -loog ornithology, -logist

orthodox id; **orthodoxie** orthodoxy

orthopedie orthopaedics, orthopaedic surgery; **orthopedisch** orthopaedic (*bw:* -ally)

os ox (*mv:* oxen)

osse|haas fillet of beef; **-staart** oxtail

ostentatief ostentatious

otter id

oud old (man, house), aged (man); stale (bread); (*van de oude tijd*) ancient (history); classical (languages); (*voormalig*) former, ex-(mayor); ~ *nummer* (*van tijdschrift*) back number; *hij is tien jaar* ~ he is ten (years old), ten years of age; *de heer A.,* ~ *40 jaar* … aged forty; *hoe* ~ *bent u?* how old are you? what's your age?; ~ *worden* grow old, age (she is ag(e)ing fast); ~ *en nieuw vieren* see the old year out, see the new year in; **oudbakken** stale **oude** old man (woman); *tehuis voor* ~*n van dagen* home for old people, old people's home; *hij is weer geheel de* ~ he is quite himself (his usual self) again; *hij is niet meer de* ~ he is not what he used to be; *alles bij het* ~ *laten* leave things as they are

oudejaar(savond, -dag) New Year's eve

ouder I *bn* older, elder; *van 50 jaar en* ~ of fifty years and over; ~ *gewoonte* as of old, as usual; **II** *zn* parent; **ouderavond** parents' evening

ouderdom (*leeftijd*) age; (*hoge leeftijd*) old age, age; **ouderdomspensioen** old-age pension

oudere elderly person; *de* ~*n* the elderly; **ouderejaars** senior (student)

ouderlijk parental

ouderloos without parents

ouderpaar parents, father and mother

ouderwets I *bn* old-fashioned; ancient (customs, cottage); **II** *bw* in an old-fashioned way

oudgediende veteran; (*inz uit de wereldoorlogen*) ex-Serviceman; (*fig ook*) old hand, old-timer

oudheid antiquity; *oudheden* antiquities; **oudheidkunde** archaeology; **oudheidkundige** antiquarian, archaeologist

oudje old man, old woman

oud|-leerling old pupil, old boy; **-oom** great-uncle; **-roest** scrap iron

oudsher: *van* ~ (from) of old

oudst oldest (the … inhabitants), eldest (my … brother); ~*e vennoot* senior partner; ~*e in rang* senior-ranking (officer)

oudtijds in olden times

outillage equipment, plant; **outilleren** equip (well-equipped)

ouverture overture

ouvreuse usherette

ouwelijk oldish, elderly

ovaal oval

ovatie ovation; *een* ~ *brengen* give an ovation

oven id; (*van fabriek ook*) furnace

over I *vz* (*boven*) over (the town); (*dwars* ~) across (go … the river, the Channel), over (jump … the brook); (*aan de overzijde van*) beyond (the river, the mountains); (*tegenover*) opposite (the post-office); (*via*) by way of, via (Flushing); (*na*) in (an hour), past (eight (o'clock)); (*meer dan*) over, above (forty); (*omtrent*) about, concerning; ~ … *heen* he looked over his glasses; *5 min* ~ *acht* (*half acht*) five minutes past eight (twenty-five minutes to eight); ~ *de hele lengte* … along the whole length of the house; *hij heeft iets* ~ *zich, dat* … he has s.t. about him that I don't like; ~ *de grens* across the frontier; ~ *land* (*en* ~ *zee*) by land (and by sea); ~ *enige tijd* after some time; ~ *een week* in a week('s time), this day (to-day) week; ~ *vijftig jaar* fifty years hence; ~ *de honderd* upwards of (over, more than) a hundred; **II** *bw* over (the concert is …); left (there is one …); *de hele wereld* ~ all over the world, throughout the world; *hij is* ~ (*niet* ~), (*school*) he went up (didn't go up) to the next class; *mijn kiespijn is helemaal* ~ is quite gone; *als er tijd* ~ *is* if there is any time left; *we hebben 5 minuten* ~ we have 5 minutes in hand; *er was reden te* ~ there were plenty of reasons; ~ *en weer* to and fro; mutually

overal everywhere; *hij denkt* ~ *aan* he thinks of everything; ~ *waar* wherever, everywhere (I went I found them); ~ *in het land* throughout (all over) the country

overal(l) overall(s)

over|bekend generally (universally) known; *zijn naam was* ~ was a household word; **-belasten** overburden; (*mach*) overload; **-beleefd** too polite, (over-)officious; **-belicht** (*fot*) over-exposed; **-beschaafd** over-civilized, -refined; **-bevolking** over-population; (*van stadswijk bijv*) overcrowding, congestion; (*het teveel*) surplus population, overspill

overblijfsel remainder, remnant, remains; ~*en, (na brand, enz)* wreckage; **overblijven** *(overschieten)* be left, be left over, remain; *('s nachts)* stay the night; *(op school)* remain during the midday interval; *in P.* ~ stop over in P.; *er bleef ons niets anders over dan …* nothing was left to us but …, there was nothing for it but to …; ~*de plant* perennial (plant); *de ~den* the survivors, those left behind

overbluffen bluff, face (a p.) down; ~*bluft* dumbfounded, flabbergasted

overbodig superfluous; ~ *te zeggen* … needless to say …

overboeken transfer; **overboeking** transfer

overboord overboard; ~ *slaan (spoelen)* be washed (swept) overboard; *zijn lijk werd ~ gezet* he was buried at sea

overbrengen transport (goods, etc), move (furniture to another room), convey (goods, sound, a disease), take (a message), transfer (a business to …); carry (diseases); *(afgeven)* deliver (a message); remove (a p. to hospital); transmit (heat, light); translate (into English); *(bij optellen)* carry; *(algem)* transpose; **overbrenger** carrier (of diseases, etc); bearer (of a message); **overbrenging** transport, conveyance; transfer; *(thought)* transference; removal; transmission *(ook techn)*; carrying; (blood) transfusion; translation; *vgl het ww*

overbrieven repeat, blab (the whole story)

overbruggen bridge (over); *niet te* ~ unbridgeable; **overbruggingstoelage** price compensation allowance

overburen people opposite

overcompleet surplus

overdaad excess; **overdadig** excessive, exuberant; ~ *drinken* drink to excess

overdag in the day-time, by day

overdekken cover (in, over, up), roof over *(of: in)*; **overdekking** cover; **overdekt** covered in (playground), roofed-in, indoor (swimming-pool)

overdenken reflect on, consider, think (the matter) over; *goed overdacht* well considered (plan)

overdoen do (s.t.) over again; *(afstaan)* dispose of (one's business to …), make over (the house was made over to …), sell

overdraagbaar transferable (vote); **overdracht** transfer(ence), assignment

overdrachtelijk metaphorical

overdragen carry over; carry; transmit (diseases, knowledge); transfer, convey, make over (property); turn over (responsibilities); delegate (authority, duties)

overdreven exaggerated (report), overdone (civility); *(buitensporig)* extravagant, excessive (praise); *(~ in gevoelsuiting)* gushing (woman, speech); ~ *nauwgezet* painfully conscientious

'**overdrijven** *(van onweer, enz)* blow over

overdrijven exaggerate, overdo; *(theat)* overact; **overdrijving** exaggeration

overdruk *(van artikel)* offprint, reprint; *(op postzegel)* overprint

overduidelijk obvious, very distinct

overdwars across (it is 4 ft. …), crosswise

overeenbrengen reconcile (conflicting statements); *met zijn geweten* ~ reconcile (s.t.) to one's conscience

overeenkomen agree (with a p., on a thing); ~ *met* agree with, fit (the theory …s the facts); correspond with (the original); answer (to), conform to (the description); *iets* ~ agree (up)on s.t.; *-gekomen (prijs)* (the price) agreed on; **overeenkomst** *(overeenstemming)* agreement; *(gelijkenis)* resemblance; *(contract)* contract; *(verdrag)* treaty, agreement; **overeenkomstig** corresponding (in the … month of last year); ~ *de feiten* in accordance with the facts

overeenstemmen agree; *dit stemt ~ met …* corresponds with what I said; *de straf stemt niet ~ met het misdrijf* the punishment does not fit the crime; **overeenstemming** agreement, concurrence, harmony; *(van mening)* consensus of opinion; *(gramm)* concord; ~ *bereiken over* reach agreement on; *in ~ met* in conformity (agreement) with; *tot ~ komen* come to terms (to an agreement

overeind upright, on end, erect; ~ *zetten* raise, set (put) up, place on end, up-end; ~ *gaan staan (zitten)* stand (sit) up; ~ *blijven staan* remain erect

overgaan *(straat)* cross (the street); *(van bel)* ring; *(op school)* be moved up; *(van pijn, enz)* pass off; ~ *in* pass (change) into; develop into (pneumonia); ~ *naar* go over to (the enemy), move (from one group) to (another); ~ *tot* pass on to (another subject), turn to (the next case); change over (switch) (from one system) to (another); *tot handelen* ~ proceed to action; **overgang** *(spoorweg)* crossing; change, transition; conversion (to another faith); *(school)* move up to the next form; *(van vrouw)* menopause

overgangs- *ook:* transitional (form, period)

overgangs|bepaling temporary provision; **-examen** qualifying examination, end-of-year examination; **-maatregel** temporary measure

overgankelijk transitive (verb)

overgave handing over, delivery (of a parcel, etc); giving up; *(van stad, van documenten)* surrender; *(overdracht)* transfer; *(toewijding)* devotion, dedication

overgelukkig extremely happy, overjoyed

overgeven *(overreiken)* hand (over), pass; *(afstaan)* give up (over), surrender (a fortress); *(braken)* vomit; *zich ~, (aan vijand, enz)* surrender (o.s.), give o.s. up; *zich ~ (aan drinken, enz)* indulge (in drink)

overgevoelig over-(hyper-)sensitive

overgewicht overweight

'**overgieten** pour (*in* into), decant (wine)

over'gieten water (plants), wet; ~ *met* suffuse with; douse in (petrol); *-goten* suffused (with tears (blushes)), bathed (in sunlight)

overgooien throw (fling) over

overgrootmoeder great-grandmother

overhaast I *bn* precipitate, rash, hurried, hasty (conclusion), headlong (flight); II *bw* ...ly, in a hurry; **overhaasten:** (*zich*) ~ hurry

overhalen (*hefboom*) pull (throw) over (a lever); throw (a switch); (*overreden*) persuade (a p. to do s.t., into doing s.t.); *iem tot een standpunt* ~ bring a p. round; *de trekker* ~ draw the trigger; *zich laten* ~ be persuaded, allow o.s. to be talked over

overhand: *de* ~ *hebben* have the upper hand (*op* of); *die mening heeft thans de* ~ that opinion now prevails

overhandigen hand (over) (hand a p. a letter), deliver; **overhandiging** delivery, handing over

overhangen hang over

overhebben have (no strength, no money) left; have (a few hours) to spare; *zij hebben vrienden over* they have friends staying with them; *ik heb er geen geld voor over* I don't wish to spend anything on it; *ik heb er veel moeite voor over gehad* I've been at great pains to get it (to do it); *dat had ik er wel voor over* (I got fearfully dirty, but) it was worth it

overheen: (*er*) ~ over, across; *ik liet er geen tijd* ~ *gaan, maar waarschuwde hem direct* I lost no time in warning him; *daar ben ik* ~ I've got over that; *ik kan er niet* ~ (*komen*) I can't get over it; *ergens* ~ *stappen*, (*eig*) step over s.t.; *daar zullen we maar* ~ *stappen* we'll pass that over, we'll overlook it

overheerlijk exquisite, choice

overheersen *tr* dominate; *intr* predominate; **overheersing** rule, domination

overheid government, (public) authorities; *plaatselijke* ~ local authority

overheids|bedrijf public enterprise; **-dienst** governmental department; *hij ging in* ~ he joined the Civil Service; **-gelden** public funds; **-uitgaven** public (government) spending (expenditure)

overhellen lean over, hang over, incline; (*scheepv*) list (heel) (to port, to starboard); ~ *naar (tot)*, (*fig*) lean to(wards), tend towards, incline to (conservatism, a different theory); *doen* ~ tilt

overhemd shirt; **overhemdblouse** shirt-blouse

overhevelen siphon over; (*fig*) transfer

overhoop in a heap, in confusion, in disorder; (*fig*) at loggerheads

overhoop|halen turn over, make hay of (a p.'s papers, a room), turn (a room) inside out; **-liggen** (*van kamer, enz*) be in disorder, in a mess; (*fig*) be at variance (at odds) (*met* with); **-schieten** shoot down

overhoren hear (lessons); test

overhouden save (money), have (s.t.) left; *dat houdt niet over* that's no better than it should be

overig remaining; *het* ~*e* the rest, the remainder, (*vooral van geld ook*) the balance; *voor het* ~*e* for the rest; **overigens** for the rest; apart from that; (= *trouwens*) indeed, for that matter; ~ *een verstandig man* an otherwise sensible man

overijld rash (decision)

overjarig old-fashioned

overjas overcoat

overkant opposite (other, far, farther) side; *aan de* ~ *van, ook:* beyond (the river, the mountains), across (the Channel); *aan de* ~ (*van de straat*) *wonen* live over the way, live opposite

over'kappen roof in, cover (in)

overkoepelen cover, overarch; ~*de organisatie* umbrella organization

overkoken boil over

'**overkomen** come over; (*begrepen worden*) (the point did not) get across; *ze komen met Kerstmis over* they are coming to spend Christmas with us

over'komen befall, happen to; *er is hem een ongeluk* ~ he has met with an accident; *ik moet zorgen dat je niets overkomt* I must keep you out of harm's way; *dat is mij nooit* ~ I('ve) never had that happen to me

overkomst coming (over), visit; ~ *noodzakelijk*, (*telegram*) your presence necessary

'**overladen** trans-ship, tranship (*ook van trein*) (*van wagon in wagon*) transfer

over'laden overload (ships, etc); (*fig*) (over)-load (with honours), overburden (a p. with cares), flood, glut (the market); *iem met werk* ~ overtask a p.; *met beleefdheden* ~ shower compliments upon; *zich de maag* ~ overeat (o.s.); ~ *programma* (over-)crowded (over-loaded) programme; ~ *met bloemen* (the coffin was) overladen with flowers

overlangs *bw* lengthwise, endlong; *bn* longitudinal (section)

overlast annoyance, nuisance; *iem tot* ~ *zijn* be a burden on a p.

overlaten leave; *laat dat maar gerust aan mij over* you leave that to me; *laat dat maar aan hem over* trust him to do that

overleden deceased; *de* ~*e(n)* the deceased

overleg (*beraad*) deliberation; (*nadenken*) discretion, consideration; (*ongev: tact, zuinig beheer*) management; (*met een ander*) deliberation, consultation; ~ *plegen met* consult (with); *in* ~ *met* in concert with, in consultation with; *met* ~ (act) with discretion

'**overleggen** hand in, produce (documents, books)

over'leggen consider, deliberate; *ik zal het met hem* ~ I'll consult with him about it; *van tevoren overlegd* premeditated, preconcerted (plan); **overlegorgaan** consultative council

overleven outlive, survive; **overlevende** survivor, longest liver

overleveren hand down (stories, traditions), transmit; (*overgeven*) deliver (up), give up; ~ *aan* give (deliver) (a p., o.s.) up to, turn (hand) (a p.) over to (the police); *overgeleverd zijn aan* be at the mercy of; **overlevering** tradition

overlezen read through (*of:* over)

overlijden I *ww* die, pass away; II *zn* death, decease

overloop (*van water, enz*) overflow; (*van trap*) landing; (*van bevolking*) overspill (from Amsterdam to …); **overlopen** (*vloeistof, vat, enz*) run over, overflow; (*naar vijand, enz*) go over, desert (to the enemy), defect; *de brug* ~ cross the bridge; **overloper** deserter, defector

overmacht superior power, superior forces; (*noodzaak*) force majeure, circumstances beyond one's control; *tegen een grote* ~ *vechten* fight against heavy odds

overmaken (*weer maken*) do (write) over again; (*geld*) remit

overmannen overpower, overcome

overmatig excessive; ~ *drinken* drink to excess

overmeesteren overmaster, overpower

overmoed over-boldness, recklessness; **overmoedig** *a*) over-bold, reckless; *b*) presumptuous

overmorgen the day after to-morrow

overnachten stay (pass) the night, stay (stop) overnight; **overnachting** overnight stay

overnemen take over (a business, a practice, the command); (*overschrijven*) copy, take over; adopt (an idea); (*gewoonte, enz*) adopt; (*kopen*) buy (at cost price)

overpeinzen meditate on, reflect on

overplaatsen transfer; **overplaatsing** transfer

overproduktie over-production, surplus production

overreden persuade, talk (a p.) over (*of:* round); **overreding** persuasion; **overredingskracht** power of persuasion, persuasiveness

'**overrijden** (*ergens over*) ride (drive) over (across)

over'rijden (*pers*) run over, knock down

overrompelen (take by) surprise; **overrompeling** surprise (attack)

overschaduwen overshadow; (*in de schaduw stellen*) eclipse

overschakelen switch over (to London); change over (to the manufacture of …)

overschatten overestimate, overrate; **overschatting** over-estimation, overrating

overschieten 1 remain, be left; 2 shoot (*of:* fire) again; **overschot** remainder, rest

overschreeuwen: *iem* ~ cry (shout) a p. down; *zich* ~ overstrain one's voice

overschrijden (*fig*) exceed (the estimate), overstep (the limits); *zijn tegoed* ~ overdraw one's account

overschrijven write out, copy (out), transcribe; (*opnieuw*) write over again; (*giro*) transfer (from one account to another); **overschrijvingskosten** transfer costs; (*bij koop van huis*) law costs

overslaan (*weglaten*) skip (the details, a word), omit, leave (miss) out; (*iem*) pass over; (*verzuimen*) miss (a concert); (*lading*) transship; (*van stem*) crack; ~ *op*, (*van vlammen*) spread to, attack (the adjacent buildings)

overslag (*aan kleren*) turn-up; (*overlading*) trans-shipment; (*bridge*) overtrick

overspannen I *ww* (*met hand, enz*) span (a bridge …s the river); *zich* ~ overexert o.s.; II *bn* overstrung, overwrought, over-excited; **overspanning** 1 (*van brug*) span; 2 stress

overspel adultery; ~ *plegen* commit adultery

over'spelen overplay (one's hand); (*sp*) outplay

overspelig adulterous

overspoelen wash over (the quay); swamp, inundate, flood

overspringen jump, leap over (a ditch)

overstaan: *ten* ~ *van* before, in the presence of

overstag: ~ *gaan* tack, put a ship about; (*fig*) change one's tack; revise one's views

overstappen change (trains); *reizigers voor B. hier* ~ change here for B.

oversteekplaats (pedestrian) crossing, zebra (crossing); **oversteken** cross (the Channel; crossing here)

overstelpen overwhelm (your kindness …s us); ~ *met* overwhelm with (orders, kindness, etc), shower (compliments) upon (a p.); *overstelpt met* overstocked with (copy), overburdened with (work)

'**overstemmen** vote again

over'stemmen 1 (*bij stemming verslaan*) outvote (by four to one); 2 drown, deafen

'**overstromen** overflow

over'stromen flood, inundate; **overstroming** inundation, flood

overstuur (*ook van de maag*) out of order, upset; *zij was geheel* ~ she was very upset; ~ *maken* upset (a p., the stomach)

overtocht passage; (*kort*) crossing

overtollig superfluous, surplus (funds), redundant

overtreden transgress, break, infringe (the law); **overtreder** transgressor, offender, breaker (of the ten commandments); (*wie op verboden terrein komt*) trespasser; **overtreding** transgression, offence, infringement, breach (of the rules)

overtreffen surpass, excel, exceed, outdo; *in aantal* ~ outnumber; *zichzelf* ~ surpass o.s.; *moeilijk te* ~ hard to beat; ~*de trap* superlative

overtrek cover, slip, case

'**overtrekken** (*rivier, veld*) cross; (*tekening*) trace; (*van onweer, enz*) blow over

over'trekken cover; (*meubelen ook:*) upholster

overtroeven overtrump; (*fig ook*) score off (a p.)

overtuigen convince, satisfy; *zich ~* convince (satisfy, assure) o.s., make sure (*van* of); *overtuigd aanhanger* declared supporter; *overtuigd socialist* convinced socialist; **overtuigend** convincing (reasons); *wettig en ~ bewijs* legal proof; **overtuiging** conviction; *naar mijn ~* in my conviction

overuren overtime (hours); *~ maken* work (do) overtime

overval surprise (attack); (police) raid; (*van trein, enz*) hold up; (*van bank*) raid, hold-up; **overvallen** (*van vijand, enz*) surprise (a p.); hold up (a train); (*zonder vijandige bedoeling*) surprise, take by surprise; (*van storm, nacht, enz*) overtake; *iem ~ met* spring (a question) upon a p.

overvaren *tr* cross (the river); *iem ~* take (ferry) a p. across; *intr* cross (over)

over'varen run down, run into

oververhitten overheat (*ook fig:* the economy); (*stoom*) superheat

over|vermoeid over-fatigued, over-tired; -**vermoeidheid** over-fatigue

overvleugelen surpass, outdo, outstrip; (*mil*) outflank

overvloed abundance, plenty, profusion; *~ van tijd* plenty of time; *in ~ voorkomen* abound; *bewijzen in ~* ample proof; *ten ~e deel ik u mede, dat ...* needless to say that ...; **overvloedig** abundant, plentiful, copious

overvloeien overflow, run over

over'voeren glut, overstock, flood (the market); overcrowd (with work)

overvol (over)crowded, over-full, congested, chock-full; *~ van* crammed with

overvragen overcharge, ask too much

overwaaien blow over (*ook fig:* the affair will ...)

overwaarde surplus value

1 'overweg (*spoorw*) (level) crossing

2 over'weg: *goed met elkaar ~ kunnen* get on well together; *hij kan overal mee ~* he can turn his hand to anything

over'wegen consider, think (a question) out; *de zaak wordt overwogen* is under consideration; *~de dat* considering that ...; **overwegend**: *de bevolking is ~ katholiek* is predominantly ...; *van ~ belang* all-important, of paramount importance; **overweging** consideration; *in ~* (the plan is) under consideration; *in ~ geven* suggest, recommend; *in ~ nemen* take into consideration, consider; *uit ~ van* in consideration of, in view of (his services)

overweldigen overpower (a p.), usurp (the throne), conquer (the country); **overweldigend** overwhelming (majority), overpowering (demand), sweeping (victory); **overweldiger** usurper

overwelven vault (over), overarch; **overwelving** vault(ing)

overwerk overwork; **'overwerken** work over-time; **over'werken**: *zich ~* overwork (o.s.); *ik voel mij ~werkt* I feel overworked

overwicht overweight; (*fig*) preponderance; *zedelijk ~* prestige, moral authority

overwinnaar conqueror, victor; **overwinnen** conquer (the enemy, gain the victory (over), get over (difficulties), break (resistance), surmount (difficulties); **overwinning** victory (*op* over)

overwinteren winter, hibernate; **overwintering** wintering, hibernation

overwoekeren overgrow

overzees oversea(s) (possessions, trade); *~e bezoekers* overseas visitors

overzetten take (put) across; (*in veerboot*) ferry (over, across); (*vertalen*) translate (*in* into)

overzicht survey, (general) view, review, over-all picture; outline, summary; **overzichtelijk** conveniently (neatly) arranged (laid out), well-ordered, well-organized

over'zien survey, overlook; *met één blik ~* take in (a situation) at a glance, sum up (a position) at once

OV-jaarkaart public transport annual pass

oxydatie oxidation

oxyderen oxidize

ozon ozone; **ozonlaag** ozone layer

P p *p*

p.a. c/o, (to the) care of
pa pa, dad, father
paadje footpath, path
paaien 1 appease, soothe, smooth down; 2 (*van vissen*) mate, spawn
paal (telegraph-)pole, (lamp-)post, stake; (*heipaal*) pile; *dat staat als een ~ boven water* that is a(n obvious) fact; *~ en perk stellen aan* check, limit (the evil); **paalwoning** pile-dwelling
paaps popish
paar pair (of shoes, gloves, etc), couple (a married ...); bij *paren* in couples (pairs), two and two; *bij het ~ verkopen* sell in pairs; *gelukkig ~* happy couple; *een ~ dagen* a few days, a day or two, two or three days; *een ~ honderd ...* a hundred or two ...; *een ~ keer* once or twice; *twee paar,* (*schoenen, enz*) two (*of:* a couple of) pairs
paard horse; (*gymn*) (vaulting- *of:* wooden) horse; (*schaakspel*) knight; *werken als een ~* like a (cart-)horse; *~ rijden* ride (on horseback); *~ gaan rijden* go out riding; *'t ~ achter de wagen spannen* put the cart before the horse; *op het verkeerde ~ wedden* back the wrong horse; *hij was over het ~ getild* he had been made too much of; *te ~* on horseback, mounted; *van het ~ stijgen* dismount; *hij viel van het ~, werd van het ~ geworpen* he fell from his horse, was thrown
paarde|bloem dandelion; **-haar** horse-hair; **-kracht** horse-power, horsepower; **-middel** (*fig*) kill or cure remedy, desperate remedy
paarden|fokker horse-breeder; **-slachter** horse-butcher, horse-slaughterer, (horse-)knacker
paarde|ras breed of horses; **-sport** equestrian sport(s), (horse-)riding; **-sprong** (*schaken*) knight's move; **-staart** horse-tail (*ook plant*); (*haardracht*) pony-tail; **-stal** horse-stable
paard|rijden horse-riding; **-rijder** horseman; **-rijdster** horsewoman
paarlemoer mother of pearl
paars violet, purple (dressed in ...)
paarsgewijs in pairs (couples, twos), two and (by) two
paartijd mating-season
paas|best Sunday-best; **-dag** Easter-day; *1e ~* Easter Sunday; *2e ~* Easter Monday; **-feest** Easter; **-vakantie** Easter-holidays
pacht (*contract*) lease; (*geld*) rent; *in ~ hebben* have on lease, rent; *hij denkt dat hij de wijsheid*

in ~ heeft he thinks he knows everything; **pachten** rent; **pachter** (*algem*) lessee, leaseholder; (*van boerderij*) tenant(-farmer)
pacht|som rent; **-wet** agricultural holding act
pacificatie pacification; **pacificeren** pacify; **pacifisme** pacifism; **pacifist(isch)** pacifist
pact id
pad path; (*breed*) walk; (*door prairie, enz*) trail; *op ('t) ~ zijn* be out and about; *op het rechte ~ blijven* keep (go) straight; *vroeg op ~ gaan* make an early start; *iems ~ kruisen* cross a p.'s path
pad(de) toad
paddestoel (*giftig*) toadstool, (*eetbaar*) mushroom
padvinder (boy) scout; **padvinderij** scouting, guilding; **padvindster** (girl) guide
paf bang! pop! crack!; *ik stond er ~ van* I was staggered (dumbfounded, flabbergasted)
paffen (*van roker*) puff; *erop los ~* puff (smoke) away
paff(er)ig puffy, flabby (cheeks); *~ bleek* pasty (face)
pagaai paddle
page id, footboy; (*schildknaap*) squire
pagina page
pak (*handel*) package; (*pakje*) parcel; (*klein*) packet (of candles, matches), pack (of cards); (*baal*) bale; (*kostuum*) suit; *er viel een dik ~ sneeuw* there was a heavy fall of snow; *hij kreeg een flink ~ slaag* he got a sound thrashing; *~ voor de broek* spanking; *dat is me een pak van het hart* that's a load (a weight) off my mind; *ga niet bij de ~ken neerzitten* don't sit down under it! never say die!
pak|ezel pack-donkey, -mule; **-huis** warehouse; **-ijs** pack-ice; (an) ice-pack
pakje parcel, packet, bundle; *een ~ bankbiljetten* a wad of banknotes
pakken (*inpakken*) pack; do (*of:* wrap) up (in brown paper); (*grijpen*) catch, take (a p. round the waist), seize, take hold of, grip (the ...ped me by the arm), grasp; (*boeien*) grip (the book ...s the reader); (*van sleutel, wiel, enz*) bite (the screw did not ...); *hij had het zwaar te ~* he'd got it very badly; *ze hebben je* (*lelijk*) *te ~ gehad* you've been had, (*sl*) they've done you brown; *iem te ~ nemen,* (*bedotten*) take a p. in, (*sl*) do a p. brown, (*voor de gek houden*) pull a p.'s leg; (*sp*) tackle unfairly; *de rechte* (*verkeerde*) *te ~ hebben* (*krijgen*) have (get) the right (wrong) sow by the ear; *ik kreeg hem te ~* I got hold of him; *zijn adres te ~ krijgen* find out his address; *ik moet nog ~* I've my packing still to do; *zijn boeltje ~* pack up
pakker(d) (give me a good) hug
pakket parcel, packet; **pakketpost** parcel post
pakking packing, stuffing; (*voor water- of stoomdichte afsluiting*) gasket
pak|kist packing-case; **-paard** pack-horse; **-papier** packing-, wrapping-paper; **-weg** (*fam*) roughly, say (8 million)

pal I *zn* catch, click; **II** *bn, bw* firm, immovable; ~ *oost* due east; ~ *staan* stand firm
paleis palace; **paleisachtig** palatial
Palestijn Palestinian; **Palestijns** Palestinian, Palestine
palet palette, pallet
paling eel
palissade palisade, stockade
palissanderhout(en) rose-wood
paljas buffoon, clown
palm palm (of the hand); (*boom & tak*) palm
palm|boom palm-tree; **-olie** palm-oil
pamflet (*brochure*) pamphlet
pan pan; (*dakpan*) tile; (*herrie*) row; wat *een ~!* what a mess! what a to-do!; *uit de ~ rijzen* (prices will) go through the roof, skyrocket
pand (*onderpand*) pledge, security; (*van kledingstuk*) (coat-)tail, skirt, flap; (*huis*) house, building; (*huis en erf*) premises (*mv*); ~ *verbeuren* play (at) forfeits
pand|brief mortgage bond; **-huis** pawn shop
paneel panel (*ook schilderstuk*); **paneeldeur** panelled door
paneermeel bread-crumbs
paniek panic ((a) ... broke out), scare (a war ...); *door een ~ bevangen* panic-stricken; **paniekerig** panicky; *in ~ raken* (be seized by) panic; **paniekvoetbal** (*fig*) panicky measures, hasty action
panisch panic; *~e schrik* panic
panne breakdown; *~ hebben* break down, have engine-trouble
pannekoek pancake
panorama id; scenic view
pantalon trousers, slacks, (*Am*) pants
panter panther
pantheisme pantheism
pantoffel slipper; *op ~s* in slippers
pantomime id
pantser (suit of) armour, (*borst-*) cuirass; (*van schepen*) armour-plating; **pantserauto** armoured car; **pantseren** armour, plate; ~ *tegen*, (*fig*) steel (*of:* arm) against
pap porridge; (*van katoen, enz*) dressing; (*papierbereiding*) pulp; (*modder*) slush
papaver poppy
papegaai parrot (*ook fig*)
paperassen papers, (*sl*) bumf
papier paper; *~en* papers; (*effecten*) stock(s); *goede ~en hebben* have good testimonials (certificates); *hij heeft goede (de beste) ~en* he is a likely (the likeliest) candidate; *het loopt in de ~en* it runs into a lot of money; *op ~ zetten* put on paper, commit to paper, set down in writing; **papierachtig** papery, paper-like; **papieren** paper (flower, measure)
papier|fabriek paper-mill; **-geld** paper money; **-snipper** snippet of paper
papiertje bit (*of:* scrap) of paper
papil papilla, *mv* papillae
paplepel pap-spoon; *dat is hem met de ~ ingegeven* he has sucked it in with his mother's milk

pappie daddy
paprika id
paraaf initials
paraat ready (at, to hand), prepared; *parate kennis* factual knowledge; **paraatheid** (*van de vloot, enz*) preparedness; *in ~ brengen* put (troops) on the alert
parabel parable
parabool parabola
parachute id; **parachutist** parachutist, para-trooper (*mil*)
parade parade; (*schermen*) parade, parry; (*fig*) parade, show; ~ *afnemen* take the salute
parade|paardje show-piece; **-plaats** parade-ground
paraderen parade; (*fig*) parade, show off
paradijs paradise; **paradijsachtig, paradijselijk** paradisiacal
paradox id; **paradoxaal** paradoxical
paraferen initial
paraffine paraffin (wax); **paraffinekaars** paraffin-candle
parafrase paraphrase; **parafraseren** paraphrase
paragraaf paragraph, section; (*het teken* §) section-mark
parallel *bn & zn* id (*ook fig:* it is without a ... in history); *een ~ trekken* draw a parallel (*tussen* between); ~ *lopen* run parallel (*met* to, with); **parallellisme** parallelism; **parallellogram** parallelogram
parallel|schakeling parallel connection; **-weg** parallel road
paramedisch paramedic
paranoïde paranoid
paranormaal paranormal (paranormally gifted)
paraplu umbrella; (*fam*) brolly; **paraplubak** umbrella-stand
parapsychologie parapsychology
parasiet parasite; (*fig ook*) toady; **parasiteren** parasitize; (*fig*) sponge (on)
parasol sun-shade
paratroepen paratroops
paratyfus paratyphoid (fever)
parcours (*sp*) course, circuit
pardoes bang, slap, slap, smack; *iem ~ tegen het lijf lopen* run plump (slap, smack) into a p.
pardon id; *~!* I beg your pardon! (so) sorry! excuse me!; *geen ~ hebben met* have no mercy on
parel pearl (*ook fig*); **parelachtig** pearly, pearl-like; **parelen** pearl, sparkle, bead; *het zweet ~de hem op het voorhoofd* beads of perspiration stood on his brow
parel|grijs pearl-grey; **-hoen** guinea-fowl, pearl-hen; **-oester** pearl-oyster; **-snoer** pearl necklace; **-visser** pearl-diver; **-wit** pearl-white
paren pair (dancers, etc), couple; unite, combine, match (*aan* with), join (to); ~ (*van mens, dier, enz*) copulate, mate

pareren (*stoot*) parry, ward off (a blow)
parfum scent, perfume
pari par; *à* ~ at par; ~ *staan* be at par; *beneden* ~ below par
paria pariah
paring mating, pairing, copulation
park id; (pleasure-)grounds
parkeer|bon parking ticket; **-garage** multi-storey car-park, parking garage; **-haven** lay-by; **-klem** wheel lock; **-meter** parking meter; **-plaats** car-park, parking-place, -space; **-schijf** parking disc
parkeren park (motor-cars); *niet ~!* 'parking prohibited', 'no parking'
parket (*theat*) seat(s) between stalls and pit; (*jur*) office of Counsel for the prosecution; *in een lastig ~ zitten* be in a hole; **parketvloer** parquet floor
parkiet budgie, budgerigar
parlement parliament; **parlementair** parliamentary; **parlementariër** parliamentarian
parlements|gebouw(en) Houses of Parliament; **-lid** Member of Parliament, M.P.
parmantig jaunty, smart
parochiaan parishioner
parochie parish; **parochiekerk** parish church
parodie parody, burlesque, travesty; **parodiëren** parody, travesty, burlesque
parool (*wachtwoord*) parole, password; (*leus*) watchword, slogan
part id, share, portion; *voor mijn* ~ for my part, as far as I am concerned, for all I care
parterre (*van theat*) pit; (*van huis*) ground-floor
participant participator; **participatie** participation; **participeren** participate
particulier I *bn* private (school, patient, house etc); *ook:* privately-owned (aeroplane); *in* ~ *bezit* privately-owned; II *zn* private person, individual
partieel partial
partij party (*ook in contract, pol, enz*); (*spel*) game; (*muz*) part (violin ...); (*goederen*) parcel, lot; *de belanghebbende ~en* the parties interested; *een* ~ *geven* give a party, entertain; *beide ~en horen* hear both sides; *beide ~en te vriend houden* hold with both sides; (*geen*) ~ *kiezen* take (no) sides; ~ *kiezen tegen* side against; ~ *trekken van* take advantage of, make the most of; *van de* ~ *zijn: a*) be a party member; *b*) be of the party (company), be in on it
partij|belang party-interest(s); **-congres** party convention
partijdig partial, bias(s)ed, prejudiced
partij|genoot member of the same party, political associate; **-leider** head of a party, party- leader; **-lid** party-member; **-politiek** party politics; **-programma** manifesto
partituur (musical) score
partje (*van sinaasappel, enz*) slice, segment; *in* ~*s verdelen* section

partner id; **partnerruil** exchange of partners; (*Am, fam*) mate-swapping
parvenu id, upstart
pas I *bw* (*nauwelijks*) scarcely, hardly; (*juist*) just (now); new (...-born), newly (...-married, ... arrived), fresh (... from school); ~ *aangekomene* newcomer, new arrival; ~ *gisteren* only (not until) yesterday; ~ *toen hij mij zag* ... it was not till he saw me that ...; II *zn* (*stap*) pace; step (*ook van dans*); (*bepaalde manier van lopen*) gait; (*berg-*) pass; (*paspoort*) passport; *de* ~ *inhouden* step short; *in de* ~ in step; *in de* ~ *lopen* walk in step, keep step; *uit de* ~ (*raken*) (get) out of step; *dat geeft geen* (*komt niet te*) ~ that is not proper; *dat komt altijd te* ~ that will always be useful; *het geld kwam goed te* ~ came in useful; *er komen ... aan* (*bij*) *te* ~ it involves the use of ...; *de regering moest eraan te* ~ *komen* had to step in (to intervene); *het kwam net van* ~ it was just the thing, it was just what we needed; it (the money, etc) came in handy; *het komt me nu niet van* ~ it does not suit me now
Pasen Easter
pas|foto passport photograph; **-geborene** newborn baby; **-kamer** fitting-room; **-klaar** (*fig*) cut and dried (system), pat (formula), ready-made, (find things) ready to hand; *iets* ~ *maken voor* adapt s.t. to (for)
paspoort passport
passaat(wind) trade-wind
passage id (*ook van boek, enz; ook de vracht: pay one's ...*); (*galerij*) arcade; ~ *bespreken* (*boeken*) book a (one's) passage
passage|biljet ticket; **-bureau** booking-office
passagier passenger; **passagieren** (*van matrozen*) be out on shore-leave
passagiers- passenger-
passagiers|boot passenger-steamer; **-lijst** passenger-list
passant (*voorbijganger*) passer-by; *en* ~ in passing, by the way
passen (*van kleren*) fit; (*van klant*) try on (a coat); (*bij kleermaker*) (go to) be fitted, have a (one's) fitting, try on; (*bij kaartspel*) pass; (*betamen*) become, befit; (*schikken*) suit, be convenient (to a p.); *dat past me net,* (*fig*) it suits me down to the ground; *dat past precies* it fits exactly (to a T, to a nicety); *dat past een oud mens niet* that is not becoming for an old (wo)man; *kunt u het niet* ~? couldn't you give me the exact money?; *met wat* ~ *en meten* ... with a bit of juggling (we managed to get twelve chairs in); *aan elkaar* ~ fit together; *het behangsel past niet bij het ameublement* the paper does not match (go with) the furniture; *zij* ~ *goed* (*slecht*) *bij elkaar* they are well- (ill-) matched; *in elkaar* ~ fit into each other; ~ *op* take care of, mind (the shop, the baby), look after, (*op* ~ *voor*) be on one's guard against, beware of (pickpockets); *zij kan heel goed op zichzelf* ~ she is perfectly able to take care of

herself; *op zijn woorden* ~ be careful what one says; *ik pas er voor hem geld te lenen* I refuse to lend him money; **passend** (*fig*) fit (for ...), suitable (to your age, for you), becoming (to the occasion); (a) fitting (end), appropriate (measures); *japon met daarbij ~e schoenen* with shoes to match

passer compasses; *een* ~ a pair of compasses

passeren (*voorbijgaan*) pass (by); (*gebeuren*) happen, occur; *dat kan ik niet laten* ~ I cannot let it pass; (*bij bevordering*) pass over; (*overgaan*) cross (the bridge); (*akte*) execute (a deed)

passie passion (*in alle bet*)

passief passive (trade balance, etc)

passie|spel passion-play; **-tijd** Passion-tide

pasta paste

pastei pie

pastel id

pasteuriseren pasteurize

pastille pastille, lozenge

pastoor (*r-k*) (parish-)priest; (*Am*) pastor; ~ *Jansen* Father J.; **pastoraal** pastoral; *-ale arbeid* pastoral work, parish work; **pastorale** pastoral (play, poem); (*muz*) id; **pastorie** rectory, vicarage, parsonage; (*r-k*) presbytery

pasvorm fit

pat (*schaaksp*) stalemate; ~ *zetten* stalemate

patat(es frites) chips, French fries

patent I *bn* capital, first-rate, excellent; II *zn* (*voor bedrijf*) licence; (*voor uitvinding, enz*) (letters) patent; ~ *aanvragen* apply for a patent; ~ *aangevraagd* patent pending; **patentsluiting** patent lock (*of:* fastening)

pater father

pathetisch pathetic(al); melodramatic

pathologie pathology; **pathologisch** pathological; *~e anatomie* morbid anatomy; **patholoog** pathologist

patience (*spel*) patience (play ...), (*Am*) solitaire

patiënt patient

patriarch id; **patriarchaal** patriarchal

patriciër, patricisch patrician

patrijs partridge; **patrijspoort** porthole

patriot id; **patriottisch** patriotic (*bw:* -ally)

patroon 1 (*beschermheer*) patron; (*baas*) employer, principal, master; 2 (*om te schieten*) cartridge; *losse* ~ blank cartridge; *scherpe* ~ ball cartridge, live cartridge; 3 (*dessin*) pattern, design; *met een* ~ patterned (chiffon); (*naaivoorbeeld*) pattern

patrouille patrol; **patrouilleren** patrol (the streets *in de* ...)

pats slap, box on the ear; *~!* bang! slap! crash!; **patsen** *tr* bang; *intr* come bump (on the ground, against the wall); **patser** cad, waster

pauk kettledrum

paus pope; **pauselijk** papal, pontifical

pauw peacock; **pauwestaart** peacock's tail

pauze pause (in the conversation), interval; (*theat, enz*) interval; (*school*) break; (*muz*) rest; **pauzeren** pause, stop, have a break

paviljoen pavilion, tent, marquee; (*bijgebouw*) cottage

pech bad luck; trouble; (*met auto, enz*) breakdown; ~ *hebben* be down on one's luck, be out of luck; **pechdienst** (*Belg*) (*ongev*) A.A. Road Patrol

pedaal pedal; **pedaalemmer** peadl bin

pedagogie(k) pedagogy, pedagogics; **pedagogisch** pedagogic(al); **pedagoog** pedagogue, education(al)ist

pedant (*waanwijs*) pedantic (*bw:* -ally); (*verwaand*) conceited, stuck-up

peddelen pedal; (*roeien*) paddle

pedicure id, chiropodist

pedofilie p(a)edophilia

pee: *de ~ in hebben* have the hump (the pip)

peen carrot; (*witte*) parsnip

peer pear; (*van elektr gloeilamp*) bulb

pees tendon, sinew, string, (*van boog*) string

peet(vader) godfather

pegel icicle

peil (water-)mark, gauge; (*fig*) level, plane, standard; *het ~ der beschaving* the level of culture; *beneden ~* below the mark; *boven ~* above the mark; *op ~* up to the mark; *op hoger ~ brengen* raise the standard of (football); *op een laag ~* on a low level; *op ~ houden* (*brengen*) keep (bring) up to the mark; *men kan op hem geen ~ trekken* he is quite unpredictable; **peildatum** datum date; ~ *31 dec.* (growth) calculated from ..., (population) as at ...; **peilen** gauge (the contents of a cask, etc); fathom (water); (*scheepv*) sound (the harbour); (*land; ook luchtv*) take bearings; (*fig*) sound (a p.), fathom (the depth(s) of a p.'s misery), gauge (a p.'s character); **peiling** gauging; (*scheepv*) *a*) sounding; *b*) bearing

peillood plummet

peilloos unfathomable

peilstok (*scheepv*) sounding-rod; (*van auto*) dip-stick

peinzen meditate, ponder, muse (*over* on); (*somber*) brood (*over* on, over); **peinzend** meditative, pensive, thoughtful, musing

pek pitch

pekel brine, pickle; **pekelen** brine, pickle, salt

pekel|vlees salt meat; **-wagen** brine sprinkler

pelgrim pilgrim; **pelgrimstocht** pilgrimage

pelikaan pelican

pellen peel (almonds, eggs, shrimps), shell (peas, nuts), husk, hull (rice, maize)

peloton platoon; (*cavalerie*) troop

pels fur; fur coat; **pelsjager** (fur-)trapper

peluw bolster

pen id; (*veer*) feather; (*slagpen*) pinion; (*pin*) peg, pin; (*van egel*) spine, quill; (*brei-, enz*) (knitting-, etc) needle; *heel wat ~nen in beweging brengen* give rise to a good deal of controversy

pendant id, companion piece, counterpart

pendel commuting; **pendelaar** commuter; **pendeldienst** shuttle service; **pendelen** commute

pendule (mantelpiece, *of:* bracket) clock
penetrant penetrating, piercing
penibel painful, awkward (silence)
penicilline penicillin
penis id; **penisnijd** penis envy
pennen pen, write
penne|streek stroke (dash) of the pen; **-strijd** controversy, paper war; **-vrucht** product of the (his, etc) pen
penning penny; (*gedenk~*) medal; (*voor automaat, enz*) token; (*van politieagent*) badge; *hij is erg op de ~* he looks at a penny twice before parting with it
pens paunch; (*voedsel*) tripe
penseel brush
pensioen (retirement) pension; *hem werd ~ verleend* he was granted a pension; *met ~ gaan* retire; *met ~ zijn* be retired
pensioen|fonds pension fund; **-gerechtigd** pensionable, eligible for (a) pension; *~e leeftijd* pensionable (retirement) age; **-regeling** superannuation scheme
pension guest-house, boarding-house; (*kost*) board
pensioneren pension, grant a pension; superannuate; (*vervroegd*) pension off
pension|gast lodger, boarder; **-houd(st)er** boarding-house keeper
pentekening pen-drawing
peper pepper; *gemalen* (*ongemalen*) *~* ground (round) pepper
peper|bus pepper-box, -pot, -castor; **-duur** high-priced, very expensive
peperen pepper
peper-en-zoutstel salt and pepper set
peperig peppery
peper|korrel pepper-corn; **-molen** pepper-mill; **-munt** peppermint
per: *verkopen ~ ...* sell by the yard; *~ post* by post; *~ jaar* per annum; *~ uur* (paid) by the hour; *drie pond ~ week* three pounds a week; *~ schip* by boat; *betaling ~ 3 maanden* payment at three months
perceel (*stuk grond*) lot, parcel; (*huis en erf*) premises (*mv*)
percent per cent.; *er is 50 ~ kans dat ...,* (*fam*) it is a fifty-fifty chance that ...; *5 ~ opbrengen* pay five per cent.; *tegen 5 ~* at five per cent.; **percentage** percentage; **percentsgewijze** proportional(ly)
perfect id; **perfectie** perfection; *in de ~* perfect(ly); **perfectioneren** perfect
perfide perfidious
perforator id; **perforeren** perforate
peri|feer, -ferie peripheral, -ry
periode period; **periodiek** *bn* periodic(al); *zn* periodical
periscoop periscope
perk (flower-)bed; (*grens*) limit, bound (*gew mv*); *binnen de ~en blijven* keep within bounds; *dat gaat alle ~en te buiten* that is beyond all bounds

perkament parchment, vellum; **perkamenten** *bn* parchment
permanent id; **permanenten:** *zich laten ~* have one's hair permed
permissie permission, leave, (*vrijaf*) leave (of absence)
permitteren permit, allow; *zich ~* permit o.s. (a liberty); *ik kan me geen auto ~* I cannot afford a motor-car
perplex perplexed, baffled, flabbergasted
perron platform; *~ van aankomst* (*vertrek*) arrival (departure) platform
pers press; *de ~* the press; *het boek is ter ~e* is in the press
Pers *a*) Persian; *b*) Persian cat; *c*) Persian rug
pers|agent press agent; **-bericht** press-report; press release; **-bureau** press-association, -agency; **-chef** press chief, head of press office; **-conferentie** press (*ook:* news) conference
per se (*eig*) per se; (*noodzakelijk*) necessarily, of necessity; (*met alle geweld*) by all means; *hij wou ~ mee* he was determined to come
persen press, squeeze
pers|foto press photo; **-fotograaf** cameraman
persiflage id, banter
perskaart press-ticket
persluchtmasker pressure equalizing mask
persmuskiet press hound
personage id, person
personeel *I bn* personal; *II zn* staff; (*tegenover materieel, van leger, vloot, enz*) personnel, manpower; *te weinig* (*te veel*) *~ hebben* be understaffed (overstaffed)
personeels|chef personnel manager; **-vereniging** staff association; **-zaken** personnel
personen|auto passenger car; **-lift** passenger lift; **-trein** passenger train; **-vervoer** passenger traffic
personificatie personification; **personifiëren** personify
persoon person; characters (in a play); *één gulden de* (*per*) *~* a head, each; *hij kwam in* (*eigen*) *~* in person, personally; *de ... in ~* kindness personified; *in één ~* (author and film-director) in one, rolled into one; **persoonlijk I** *bn* personal; individual (my ... opinion); private (debts); (*reisbiljet*) not (*of:* non-) transferable; (*op brief*) private; *~e ongelukken* casualties; *II bw* personally, in person; **persoonlijkheid** personality
persoons|bewijs identity card; **-gebonden** (*Belg*) personal; **-verheerlijking** personality cult
perspectief perspective; (*vooruitzichten, ook*) prospects
persvrijheid liberty (freedom) of the press
pertinent positive; *~e leugen* downright lie; *~ weigeren* refuse flatly
pervers perverse; perverted (proposal)
perzik peach
pessimisme pessimism; **pessimist** id; **pessimistisch** pessimistic (*bw:* -ally)

pest plague, pestilence; (*fig*) pest, curse; *attr* pestilential (that ... paper); *schuwen als de ~* shun like the plague; *de ~ hebben aan* hate, loathe (writing letters); *het haten als de ~* hate it like poison; *hij had de ~ in over ...* he was mad over ...; **pesten** tease, bait, rag, nag; **pesterij** ...ing

pest|humeur black mood; **-kop** bully, tease; **-vent** pestiferous fellow, pest

pet (peaked, visored) cap; *dat gaat boven mijn ~(je)* that is beyond me, that beats me; *geen hoge ~ ophebben van* not think much of; *met de ~ ernaar gooien* take a shot at; *het is ~, (sl)* it's trash, rubbish

petekind godchild

peterselie parsley

petitie petition

petrochemie petrochemistry

petroleum (*ruw*) id; (*gezuiverd*) paraffin, (*Am*) kerosene

petroleum|kachel paraffin stove; **-lamp** paraffin lamp

peuk(je) stump (butt, end), fag-end

peul pod, husk, shell; **peuleschil** pea-pod; *het is maar een ~letje* it is a mere flea-bite; it's as easy as shelling peas

peuter infant, tiny tot, chit; *zie* dreumes

peuteren niggle, fumble, tinker (at s.t.), tamper (*aan ...* with a pistol); *in de tanden (de neus) ~* pick one's teeth (one's nose)

peuzelen munch; *~ aan* nibble at, pick (a bone)

pezen race, pace; exert o.s.

pezig tendinous, sinewy, wiry; stringy (meat)

pianist id; **piano** id (*ook muziekterm*)

piano|kruk(je) music-stool; **-les** piano-lesson; **-spel** piano-playing; **-stemmer** piano-tuner

pias clown, buffoon

piccolo (*muz*) id; 2 page(-boy), buttons; (*inz Am*) bell-boy, -hop

picknick(en) picnic

pick-up (*auto*) id

piek (*wapen*) pike, ((*berg*)*top*) peak

piekeraar puzzle-head, -brain; **piekeren** puzzle (over s.t.); (*meer tobberig*) brood (over s.t.), worry, fret (o.s.); *ik pieker er niet over* I won't even consider it; *zich suf ~* puzzle one's head off

piek|fijn spruce, smart, swell; **-uur** peak hour

piemel prick; **piemelnaakt** mother-naked

pienter clever, sharp, smart, bright, shrewd

piep! peep! chirp! squeak!; **piepen** (*van muizen*) squeak; (*van vogels*) chirp, peep; (*van scharnier, enz*) creak, squeak; (*van rem*) screech; (*van adem*) wheeze; (*aardappelen, enz*) roast

piep|jong very young; **-schuim** (*fam*) styrofoam, polystyrene foam

pier 1 (*in zee, op luchthaven*) pier; 2 (*worm*) rainworm; *zo dood als een ~* as dead as a doornail

pierewaaien be on the spree, be on the razzle(-dazzle), go the pace, have one's fling

Piet Peter; *voor p~ snot staan* cut a poor figure; *een hele ~* quite a swell (a toff); *zich een hele ~ vinden* fancy o.s.

piëteit piety, reverence

pietepeuterig (*heel precies*) finicky; (*heel klein*) microscopic

pietlut niggler, piffler; **pietluttig** niggling, piffling, meticulous

pietsje, piezeltje (*fam*) wee bit

pigment id; **pigmentatie** pigmentation

pij (monk's) habit (*of:* frock)

pijl arrow, bolt, dart, shaft; *~ en boog* bow and arrow(s); *als een ~ uit de boog* (go off) like a shot, as swift as an arrow

pijler pillar, column; (*van brug*) pier

pijl|koker quiver; **-snel** (as) swift as an arrow

pijn pain, (*aanhoudend*) ache; (*stekend, van wond bijv*) smart; *~ in de keel hebben* have a sore throat; *~ doen (van lichaamsdeel)* hurt, ache; *mijn ogen doen ~* my eyes smart; *iem ~ doen* hurt a p.; *met ~ (en moeite)* only just, with great trouble

pijn|bank rack; **-boom** pine-tree

pijnigen torture, torment, rack (one's brains); **pijniging** torture

pijnlijk painful, sore; embarrassing (question), awkward (silence); *met ~e zorg* with scrupulous care, scrupulously

pijnloos painless

pijnstillend soothing, pain-killing, sedative; **pijnstiller** sedative, pain-killer

pijp pipe (of an organ, for smoking, etc); (*buis*) tube, (water-)pipe, spout; (*van schip*) funnel; (*van broek*) leg; (*fluit*) fife; (*lak, drop, kaneel*) stick; *de ~ uitgaan, (sl)* kick the bucket

pijpe|kop pipe-bowl; **-rager** pipe-cleaner; **-steel** pipe-stem

pijp|leiding pipe line(s), piping; **-orgel** pipe organ; **-sleutel** box-spanner, box-wrench

pik: *hij heeft de ~ op mij* has a pique (a spite) against me, has his knife in me, (*sl*) has a down on me, is always down on me; (*penis*) prick

pikant piquant (sauce, remarks), spicy, pungent, highly seasoned, savoury (dishes), racy (style), fruity (story); (*al te ~*) spicy (stories), risky (joke)

pikdonker *bn* pitch-dark; *zn* pitch darkness

pikeur riding-master; horse-breaker; (*jacht*) huntsman

pik|haak hook; **-houweel** pickaxe

pikken (*met snavel*) peck (*naar* at), pick; (*prikken*) prick; (*stelen*) pinch, pilfer

pikzwart pitch black, inky black

pil pill (*ook = 'de' ~:* be on the pill); chunk (of bread)

pilaar pillar, column, post

piloot (air-)pilot; *2de ~* co-pilot; **piloot-school** (*Belg*) pilot school

pils(ener bier) lager (beer)

pimpelen tipple, bib, booze, lift the elbow

pimpelpaars purple

pin peg, pin; *zie ook* pen
pincet (pair of) tweezers
pincode personal code number
pinda peanut
pinda|kaas peanut-butter; **-saus** peanut sauce
pingelen higgle, haggle, chaffer; (*van automotor*) pink; (*sp*) hold on to the ball too long
ping-ping (*fam*) cash, lolly
pingpong ping-pong, table tennis
pinguïn penguin
pink 1 little finger; 2 (*rund*) yearling
Pinkster Whitsuntide; *attr:* Whitsun (excursions, etc)
Pinkster|dag Whit Sunday; *tweede* ~ Whit Monday; **-tijd** Whitsuntide; **-vakantie** Whitsun(tide) holidays
pint id; **pintfles** pint-bottle
pion pawn (at chess)
pionier pioneer; **pionieren** pioneer; **pionierswerk** pioneering, pioneer work
pipet pipette
pips (*fig*) under the weather, off colour
piraat pirate
piramide pyramid
pis (*plat*) piss, urine
pis|blaas urinary bladder; **-pot** (*volkstaal*) piss-pot
pissen (*plat*) piss, make water
piste (*van circus*) ring
pistool pistol; **pistoolmitrailleur** sub-machine-gun
pit (*eetbaar*) kernel (of a nut); (*van perzik, kers, druif, enz*) stone; (*van appel, sinaasappel*) pip; (*van vijg, rozijn, druif*) seed; (*van lamp, kaars*) wick; (*van petroleumstel, enz*) burner (a four-burner oil-stove); (*fig*) pith, spirit; *zonder ~ten* stoneless (raisins); *er zit geen ~ in hem* he has no go in him; *op een laag* (*zacht*) ~*je staan* (*zetten*) be (keep) simmering; (*fig*) tick (keep ticking) over; **pittig** pithy (speech), racy (wine, speech, story), crisp (style), full-flavoured (wine, cigar); *een ~e kerel* a plucky fellow, a game one
pittoresk picturesque
plaag plague (insect ...), nuisance (the fly ...), scourge, pest
plaag|geest tease, teaser; **-ziek** (fond of) teasing
plaat (*deur-, metaal-, glas, elektr, fotografie van kunstgebit, enz*) plate; (*marmer, enz*) slab; (*metaal, dun*) sheet (*of iron*); (*gedenk-*) tablet; (*bak-*) griddle; (*afbeelding*) picture, print, plate; (*ondiepte*) shallow, shoal, flat; *de ~ poetsen* sling (take) one's hook; **plaatijzer** sheet-iron
plaats place; (*ruimte*) room, place; (*pleintje*) court, yard; (*bij huis*) yard; (*zit-*) seat (show a p. to his ...), place; (*plek*) spot, place; (*betrekking*) post, place; *de ~ der handeling* the scene of action; ~ *bepalen* locate; (*scheepv*) fix the exact position of one's ship; ~ *grijpen* (*hebben, vinden*) take place, happen; *iems ~ innemen*

take (supply) a p.'s place; *de eerste ~ innemen* rank first (*onder* among); *geen ~ kunnen krijgen* be crowded out, be turned away; ~ *maken* make room; ~ *maken voor* make way (*of:* room) for; ~ *nemen* take a seat, sit down; *neemt u ~* take a seat, please; *er is ~ genoeg voor allen* there is plenty of room for all; *zijn ~ weten*, (*fig*) know one's place; *in* ~ *van* instead of, in place of; *in ~ daarvan* instead; *in de eerste ~* in the first place, primarily, first of all; *in de laatste ~*, (*opsomming*) lastly; *in uw ~* in your place; *stel u in mijn ~* put yourself in my place; *uw opmerking was niet op zijn ~* was out of place, uncalled for; *op de ~ zelf* on the spot, there and then; *op de ~ rust!* stand easy!; *op uw ~!* (*sp*) on your marks!; **ter** ~*e* (study the position) on the spot
plaats|bespreking (advance) booking; **-bestemming** destination; **-bewijs** ticket
plaatschade bodywork damage
plaatselijk local; ~ *bestuur* local-government; ~*e verordening* by(e)-law
plaatsen place, put, sit (a p. in a chair); hang (a door, bell); set (put) up, erect (a machine); (*op post ~*) station, post (sentries); (*advertentie, enz*) insert, put; (*kranteartikel*) print (a story); (*deponeren*) deposit (*bij* with); (*aanstellen*) appoint (*bij ...* to the General Staff); (*contract*) place a contract; (*rennen*) place (*geplaatst worden* be placed); (*tennistournooi*) seed; *hij is boven u geplaatst* he is set over you, is your superior; *voor moeilijkheden geplaatst* (be) up against difficulties
plaats|gebrek lack (want) of space (*wegens ~ for ...*; **-kaart** (seat-)ticket; **-kaartenautomaat** ticket-machine; **-kaartenbureau** (*station*) booking-office; (*theat*) box-office; **-naam** place-name; **-ruimte** room, space; ~ *aanbieden voor* accommodate, provide accommodation for, seat (500 persons); **-vervangend** deputy (manager), acting (mayor), supply (teacher); **-vervanger** substitute, deputy; (*van acteur*) understudy; **-vervanging** substitution, replacement
plaatwerk *a*) illustrated work; *b*) (*techn*) plating
plafond ceiling (*ook: hoogtegrens*)
plag(ge) sod, turf
plagen (*kwellen*) tease, vex; worry (flies ... a horse); (*sarren*) badger; (*goedaardig*) tease, chaff, banter, rally (*met* on); *iem met iets ~* tease a p. about s.t.; **plager** tease, teaser; **plagerij** teasing, nagging, bantering, rallying, chaff; *vgl* plagen
plagiaat plagiarism; ~ *plegen* plagiarize; **plagiëren** plagiarize
plaid id; (*reisdeken*) (travelling-)rug
plak (*ham, brood, enz*) slice; (*spek*) rasher; *hij zit onder de ~ van zijn vrouw* he is (a) henpecked (husband)
plak|band adhesive tape; **-boek** scrap-book
plakkaat placard, poster

plakken I *tr* paste, stick, gum; (*haar*) plaster; **II** *intr* stick, cling; *blijven ~,* (*fig*) stick on, sit on (till midnight), outstay one's welcome; **plakker** paster, sticker; (*fig*) sticker

plak|middel adhesive; **-pleister** sticking-plaster; adhesive plaster

plaksel adhesive

plamuren prime, ground; **plamuur** priming; **plamuurmes** putty-, stopping-knife; **plamuursel** priming

plan id, scheme, project, intention, design, blueprint; (*plattegrond*) (ground-)plan; *~nen maken* make plans; *~nen maken voor* plan (a trip); *het brengt haar leven op een hoger ~* it lifts her life to a higher plane; *van ~ zijn* intend, be going, propose, have (s.t.) in mind; *van het eerste* (*tweede*) *~* first- (second-)rate; *volgens plan* according to plan

planbord planning-board

plan de campagne plan of campaign (of action)

planeet planet

plank id, (*dunner*) board; (*om iets op te zetten, in kast, enz*) shelf; *de ~ mis zijn* (*slaan*) be beside (wide of) the mark; *op de ~en brengen* stage, put on the stage, put on, produce (a play); *van de bovenste ~* first-rate, of the first rank, (*fam*) top-hole

plankenkoorts stage-fright

plankgas flat out; *~ geven* go flat out

plankier platform, planking

planmatig according to plan, systematic(ally); planned (production)

planologie town and country planning; **planoloog** (town) planner

plant id; **plantaardig** vegetable (dyes, ivory, oil)

plantage plantation, estate

planten plant

planten|etend herbivorous; **-groei** plant-growth, vegetable growth, vegetation; **-leer** botany; **-rijk** vegetable kingdom

planter id

planteziekte plant-disease

plant|kunde botany; **-kundig** botanical; **-kundige** botanist

plantsoen park, public garden(s)

plas pool, puddle; (*uitgestrekte ~*) sheet of water; (*meer*) lake; *een ~ doen* do (have) a pee, (*van kind*) piddle

plasma id; (*plantk ook* plasm)

plasregenen pour, come pouring down, rain cats and dogs

plassen splash, plash, dabble; (*op blote voeten, enz*) paddle (in the water); (*urineren*) make water

plastic id

plastiek plastic art(s); (*work of*) sculpture

plastisch plastic (*bw:* -ally); *~e chirurgie* plastic surgery

plat I *bn* flat (nose, roof); (*horizontaal*) level; (*effen*) even; (*fig*) broad, low, coarse, vulgar (language); (*van dialect*) broad; *~ bord* dinner plate; *~ maken* (*worden*) flatten; *~ drukken* squeeze flat, crush; *~ trappen* trample (*of: tread*) down; **II** *bw* flat; vulgarly, etc; *~ liggen* lie flat; *de fabriek ligt ~* is strike-bound; *~ tegen de muur gaan staan* flatten o.s. against the wall; **III** *zn* flat (of the sword, the hand); (*van dak*) leads, flat; *continentaal ~* continental shelf; **platboomd** flat-bottomed (vessel)

platebon record token

platen|speler record player; **-wisselaar** (*van grammofoon*) record changer

platform id; (*van vliegveld*) tarmac, apron

platina platinum

platte|grond (*van gebouw*) ground-plan, floor-plan; (*van stad*) plan, map; **-land** country, countryside; **-landsbewoner** countryman

plat|trappen trample down; **-vis** flat-fish; **-vloers** pedestrian (joke); **-voet** *~en hebben* have flat feet, be flat-footed

plausibel plausible, colourable (excuse)

plaveien pave; **plaveisel** pavement

plavuis flag(-stone)

plebs: *het ~* the rabble, the riff-raff

plecht forward deck, after-deck

plechtig solemn, ceremonious, stately; *~e opening* official opening; **plechtigheid** solemnity, ceremony, rite

plee (*fam*) loo

pleeg|kind foster-child; **-ouders** foster parents

plegen commit (a crime), practise (fraud); *verzet ~* (*tegen*) resist; *hij placht te zeggen …* he used to say

pleidooi plea(ding); *een ~ houden* make a plea

plein square; *op* (*aan*) *een ~* (play, live) in a square

pleister (*op wond*) plaster; (*kalk*) plaster, stucco; **pleisteren** plaster, stucco

pleister|plaats halting-place, pull-up; (*fig ook*) port of call; **-werk** stucco(-work), plaster-work

pleit (law)suit, plea; *het ~ is beslecht* it's all over, the matter has been decided; **pleitbezorger** (*fig*) advocate, intercessor

pleiten plead, argue; *dat pleit tegen* (*voor*) *je* that tells against you (speaks well for you); *dat pleit niet voor …* that does not say much for his intelligence; **pleiter** pleader; (*advocaat*) counsel

plek spot, place; (*vlek*) stain, spot

plempen fill in, fill up

plenair plenary, full (session, meeting)

plens splash; **plensbui** downpour

plenzen pour (with rain *van de regen*)

pleonasme pleonasm

pletten *tr* flatten, roll (out); *intr* (*van stoffen*) crush (velvet crushes easily)

pletter 1 flatter; 2 *te ~ vallen* smash, be smashed, crash (the aeroplane crashed)

pleuris, pleuritis pleurisy

plezier pleasure; *veel* ~*!* enjoy yourself! have a good time!; *iem* ~ *doen* please a p., do a p. a favour; ~ *hebben* enjoy o.s., have a good (a nice) time; *veel* ~ *hebben* have good (great) fun; ~ *hebben over* be amused at; *daar kun je lang* ~ *van hebben* that will serve you a long time; ~ *krijgen in* take (a fancy) to; ~ *vinden in* take (a) pleasure in; *met* ~ with pleasure; *voor* (*zijn*) ~ (travel) for pleasure; **plezierig** pleasant, pleasing, amusing; **pleziervaartuig** holiday craft

plicht duty (*jegens* to), obligation; *zijn* ~ *doen* do one's duty; **plichtmatig** dutiful(ly); perfunctory, (*bw*) perfunctorily; **plichtpleging** ceremony, compliment; *zonder verdere* ~*en* without more ado

plichts|besef sense of duty; -**getrouw** dutiful (*bw:* -ly)

plichtverzuim neglect of duty, failure of duty

plint skirting(-board), base-board

ploeg plough; (*personen*) gang (of workmen), shift, work party; (*mil enz*) squad (disinfection ...); (*film*) (camera) crew; (*sp*) team; *in* ~*en* (work) in shifts; **ploegen** plough (the land); **ploegendienst** shiftwork

ploeger plougher, ploughman

ploeg|leider team manager; -**schaar** plough-share

ploert cad, skunk; **ploertachtig** caddish; **ploertenstreek** mean (scurvy, caddish) trick

ploeteraar(ster) plodder, drudge; **ploeteren** (*zwoegen*) drudge, toil, plod, slave; (*hard studeren*) mug, swot

plof thud, bump, plop; ~*!* flop! bounce! plump! plop!; **ploffen** plump (down), flop (down), (fall) plop (into the water)

plomp clumsy, heavy, unwieldy; squat (tower); (*ruw*) rude, coarse, blunt; **plompheid** clumsiness, etc

plonzen plop, flop, plunge; (*plassen*) splash, dabble

plooi fold (*ook geol*), pleat; (*in broek, enz*) crease; (*valse*) ~, (*in kledingstuk*) ruck; ~*en gladstrijken*, (*fig*) straighten things out, smoothe the creases out (of); *zijn gezicht in de* ~ *zetten* compose one's face; *hij komt nooit uit de* ~ he never unbends; **plooibaar** pliable; **plooibaarheid** pliability; (*ook pol*) flexibility; **plooien** fold, crease; *een zaak* ~ arrange matters, straighten things out; **plooiing** (*geol*) folding; **plooirok** pleated skirt

plotseling I *bn* sudden; **II** *bw* suddenly, all of a sudden, all at once, abruptly; ~ *stilhouden* pull up short; *hij keerde zich* ~ *om* he turned round sharply

pluche plush; **pluchen** *bn* plush

plug id; (*van vat*) bung

pluim plume, feather; (*aan staart*) tuft (of hair); ~(*pje*), (*fig*) compliment; **pluimage** plumage, feathers

pluim|staart bushy tail; -**vee** poultry

pluis I *bn: het (de zaak) is niet* ~ there is s.t.

wrong (phon(e)y, fishy) about it; *het is daar niet* ~, (*het spookt*) the place is haunted; **II** *zn* fluff; **pluisje** bit of fluff; **pluizen** *tr* (*tot pluis maken*) fluff (a rope); **pluiz(er)ig** fluffy

pluk gathering, picking; *een* ~ *haar* a knot (tuft) of hair; *de eerste* ~ the first crop; **plukken** gather, pick (flowers, etc); pluck (a bird); ~ *aan* pick (pluck) at (the patient picks at the sheets); **pluk|ker**, -**ster** gatherer, reaper, picker

plunderaar plunderer, ransacker, looter; **plunderen** plunder, ransack, loot (a place); **plundering** plundering, pillage, looting

plunje things, togs; *beste* ~ best clothes; **plunjezak** kit-bag

pluriform multiform

plus id; ~ *minus* about, approximately

pluspunt advantage, asset; point in (a p.'s) favour

plussen (*en minnen*) puzzle, break one's head

plusteken plus (*of:* positive) sign

pluvier (*vogel*) plover

pneumatisch pneumatic

p.o. *per omgaande* by return (of post)

pochen boast, brag; ~ *op* boast (brag) of; **pocher** boaster, braggart

pocheren poach (eggs)

pocket(boek) paperback

podium platform, dais

poedel poodle; (*bij het kegelen*) miss, boss

poedelen (*bij het kegelen*) miss, boss; *zich* ~, (*fam*) have a wash

poedel|naakt stark naked; -**prijs** booby prize

poeder powder; *tot* ~ *malen* (*maken*) pulverize, reduce to powder

poeder|chocolade cocoa(-powder); -**suiker** castor sugar, icing-sugar; -**vorm**: *in* ~ in powder form, pulverized

poef 1 ~ *paf!* pop, bang!; **2** pouf(fe)

poeha fuss, to-do, ado; (*opschepperij*) swank

poel pool; (*kleine*) puddle; (*modder-*) slough

poelet knuckle (of veal)

poelier poulterer

poema puma, cougar, mountain lion

poen tin

poenig flashy, spivvy

poep dirt, shit, dung; **poepdoos** (*fam*) loo, john; **poepen** shit, relieve o.s.

poes puss(y), pussy-cat; (*meisje, sl*) bird, puss; *hij is lang niet voor de* ~ he is not to be trifled with; *£ 5000 is niet voor de* ~ £ 5000 is not to be sneezed at; **poesje** pussy(-cat); (*snoes*) ducky, popsy; (*vagina*) pussy; **poeslief** bland; silky (smile, speech), sugary (smile, words)

poespas hotch-potch, farrago; *al die* ~ all that fuss

poet (*sl*) swag

poëtisch poetic(al)

poets trick, practical joke, hoax

poetsen polish (the silver), clean, brush (one's teeth), scour, dry-rub

poets|katoen cotton waste, waste cotton; -**lap** polishing-cloth, cleaning-rag

poe

poëzie poetry

pof thud, bump; *op de ~ kopen* buy on tick

poffen (*op krediet kopen*) buy (*of:* go) on tick; (*braden*) roast (chestnuts, potatoes), pop (corn)

pogen endeavour, try, attempt; **poging** effort, endeavour, attempt (*van* by); try (succeed at the seventh ...); *een ~ doen te* make an attempt to ... (at attempting); *een ~ wagen* have a try (a go), (*fam*) have a shot at

pok pock; (*inentteken*) vaccination-mark; *de ~ken* (the) smallpox; *zich de ~ken werken* slave away

pokdalig pock-marked

poken: *in het vuur ~* poke (*of:* stir) the fire

poker id; **pokeren** play poker

pokken|briefje certificate of vaccination, vaccination paper; **-epidemie** smallpox epidemic; **-weer** pestilential weather

pol tussock, clump (of grass)

polair polar; (*fig*) diametrical; **polarisatie** polarization; **polariseren** polarize

polder id

polemiek polemic(s), controversy; **polemiseren** carry on a controversy, polemize

polemologie (university department of) war studies

poliep (*dier*) polyp; (*gezwel*) polypus

polijsten polish (*ook fig*), burnish

polikliniek out-patient(s') department, out-patient clinic

polio id

polis policy

politicoloog political scientist

politicus politician

politie police; *bij de ~ zijn* be in the police(-force)

politie|agent policeman, constable, police-officer; *vrouwelijke ~* policewoman; **-agente** policewoman; **-auto** police-car, panda car; **-bericht** police-message; **-bureau** police-station; (*hoofd-*) police-headquarters; **-commissaris** police-commissioner

politiek I *zn* (*algem*) politics; (*pol richtlijn*) policy (our foreign ...); *het over de ~ hebben* talk politics; **II** *bn* political; (*fig*) politic

politie|korps police force; **-rechter** (police-)magistrate; **-zaak** police-case; *er een ~ van maken* notify the police, put the matter in the hands of the police

politiseren politicize

politoeren polish, burnish

pollepel ladle

polo (*spel*) polo; (*hemd*) polo-neck sweater

polonaise (*in alle bet*) id

pols wrist; (*polsslag*) pulse

polsen: *iem ~* sound a p. (*over* on, about)

pols|gewricht wrist(-joint); **-horloge** wrist-watch; **-slag** pulsation, pulse; **-stok(hoog)-springen** *ww* pole-vault; *zn* pole-vault(ing)

polygamie polygamy

polytechnisch polytechnic

pomerans (*aan keu*) (cue-)tip

pomp pump; *loop naar de ~!* go and be hanged!; **pompbediende** filling (*of:* service) station attendant

pompen pump; *het is ~ of verzuipen* it is sink or swim (do or die)

pompeus pompous

pompoen pumpkin

pomp|schroevedraaier yankee screwdriver; **-station** (*voor benzine*) filling-station; (*Am*) gas station

pond pound (*Engels:* 453.6 grammes); *het volle ~ geven* pull one's weight, make a one hundred per cent. effort; **pondspondsgewijs** pro rata, proportionally

poneren posit, advance (a thesis)

ponsband punched tape; **ponsen** punch

pons|kaart punched card; **-machine** punching-machine

pont ferry(-boat)

pontificaal pontifical

ponton pontoon; **pontonbrug** pontoon-bridge

1 pony id

2 pony(haar) bang, fringe

pooier pimp

pook poker; (*van auto*) stick

pool 1 pole; **2** (*van tapijt*) pile; **3** (*pot, toto*) id

pool|cirkel polar circle; **-ijs** polar ice; **-reiziger** arctic (antarctic) explorer

poolshoogte: *~ nemen* see how the land lies, take one's bearings, size up the situation

poolstreken polar (*noord:* arctic, *zuid:* antarctic) regions

poort gate, gateway, doorway

poos while, time; **poosje** little while; *een ~(je)* a while, a space

poot paw, foot, leg; (*van tafel, enz*) leg; (*handel*) paw (his large ...), fist; (*homofiel*) queer, gay; *zijn ~ stijf houden* stand firm; *geen ~ aan de grond krijgen* be nowhere, (*sp, ook*) be played off the field; *op zijn ~ spelen, op zijn achterste poten (gaan) staan* stand (get up) on one's hind legs

pootgoed seed-potatoes (-onions, etc)

pootje (little) paw; *met hangende ~s* with one's tail between one's legs, crestfallen; *alles komt op z'n ~s terecht* everything comes right after all

pop doll; (*marionet*) puppet; (*van insekt*) chrysalis

popelen: *hij popelde om te gaan* he was anxious to go; *hij popelde van ongeduld* he could not bear to wait

poppen|huis doll's (dolls') house; **-kast** puppet-show, Punch and Judy show; **-kasterij** tomfoolery; **-spel** puppet-show

popp(er)ig doll-like (face)

populair popular; *~ maken* popularize; *~ worden,* (*van lied, enz*) *ook:* catch on; **populariteit** popularity; vogue (the ... of the short story)

populatie (statistical) population
populier poplar
popzanger pop-singer
por thrust, poke, prod (in the ribs)
poreus porous; **poreusheid** porosity
porie pore
porno porn; **pornografie** pornography
porren (*vuur*) poke, stir; (*iem*) prod (a p. with a stick); (*wekken*) call up; (*aan~*) rouse, spur on
porselein china, china-ware, porcelain; **porseleinen** china, porcelain; **porseleingoed** china-ware
port (*op poststuk*) postage; (*wijn*) port(-wine)
portaal porch; hall; (*trap-*) landing
portefeuille (*van minister, voor tekeningen, enz*) portfolio; (*zak-*) pocket-book, wallet; (*voor tijdschriften*) reading-case
portemon|naie, -nee purse
portie portion, part, share; (*aan tafel*) helping
portiek portico (*met zuilen*), porch; *winkel~* shop doorway
portier 1 door-, gate-keeper, janitor; (hotel-, hall-)porter; (*bij ingang fabriek*) gateman; (cinema-, club-) doorman; 2 (carriage-, coach-)door
porto postage
portofoon walkie-talkie
portret portrait; (*foto*) photo(graph); *een lastig ~* a difficult piece of goods; **portretschilder** portrait-painter, portraitist; **portretteren** portray; *iem ~* paint a p.'s portrait
portvrij post-paid, postage free, exempt from postage
pose id, posture, attitude
poseren sit (for one's portrait); (*fig*) pose, strike an attitude
positie position, (social) status; (*betrekking*) position, post; *zijn ~ verbeteren* better o.s.; *~ kiezen tegen* make a stand against; *in mijn ~* in my position; *in ~ zijn* be in the family way
positief I *bn* positive; *~ beoordelen* form a favourable opinion of; II *zn* positive
positiejurk maternity dress
positieven: *hij is niet bij zijn ~* he is not in his senses; *zijn ~ bij elkaar houden* keep one's head
post (*van deur, enz*) (door-)post;(*van rekening*) item; (*bkh*) entry; (*standplaats*) post; (*schildwacht*) sentry; (*bij staking*) picket; (*ambt*) post, office; (*brieven-*) post, mail; (*~kantoor*) post-office, post; *is er geen ~?* is there no post (mail)?; *een ~ bekleden* hold an office; *een ~ boeken* make an entry; *met de eerste ~ verzenden* send by first post; *op zijn ~ blijven* stick to one's post; *een brief op de ~ brengen* (*doen*) post a letter, take a letter to the post; *op zijn ~ terugkeren* return to duty; *per kerende ~* by return (of post, of mail)
post|adres postal address; **-agentschap** post-office sub-agency; **-auto** mail-van; **-bankrekening** postal giro account; **-bode** postman; **-bus** post-office (P.O.) box; **-cheque- en**

girodienst Post Office Giro, (*Eng*) National Giro; **-code** postcode; **-collo** (*Belg*) (postal) parcel; **-duif** carrier-, homing-pigeon
postelein purslane
posten post (*Am:* mail) (a letter); (*bij werkstakingen*) picket
poster (*bij staking*) picket(er); (*biljet*) id
posteren post, station (o.s.), plant (a spy)
poste-restante poste restante, to be (left till) called for
posterijen: *de ~* the Post Office, the postal service
postiljon postil(l)ion, post-boy
post|kantoor post-office; **-mandaat** (*Belg*) (Post Office) money order; **-merk** postmark
postomat (*Belg*) cash dispenser
post|pakket (postal) parcel; **-papier** notepaper, stationery; **-stempel** postmark, datestamp
postuum posthumous(ly)
postuur shape, figure, stature
post|wissel (Post Office) money order; **-zegel** (postage) stamp; *~ van 5 pence* five-penny stamp; **-zegelautomaat** (automatic) stamp-machine; **-zegelverzameling** stamp-collection
pot id; (*voor inmaak*) jar (preserving-...); (sugar-)basin, bowl; (*bij spel*) stakes, pool; (*lesbienne*) lesbian; *gewone* (*burger*)*~* plain cooking; *in ~ten* potted (begonias); *eten wat de ~ schaft* eat what's cooked; (*voor lief nemen*) take pot luck; *hij kan de ~ op* he can go hang (go to blazes); *je kunt de ~ op* forget it; **potdicht** perfectly closed, air-, water-tight; (*van vliegveld*) thick in fog; (*fig*) like a clam
poteling seedling; (*sterke kerel*) husky
poten plant; (*fam*) put, place
potent id
potentaat potentate
potentie potency, power
poter *a*) planter; *b*) seed-potato
potgrond (potting) compost
potig robust, sturdy, hefty
potje (little) pot; (*geld achter de hand*) nest-egg; *een ~ biljarten* have a game of billiards; *een ~ golf* a round of golf; *je kunt een ~* (*bij hem*) *breken* you are in high favour (with him), you are in his good books; *hij maakt er een ~ van* he is not taking it seriously
potlood pencil; *met ~ geschreven* written in p., pencilled (note); **potloodjes** (*voor vulpotlood*) leads; **potloodslijper** pencil-sharpener
potnat: *het is één ~* it's six of one and half a dozen of the other
potplant pot-plant, potted plant
potpourri pot-pourri, (musical) medley
potsierlijk droll, grotesque
pottenbakker potter, ceramist; **pottenbakkerij** pottery, potter's workshop
potverteren (*fig*) eat up one's capital
potvis sperm-whale
poulet chicken; (*vlees, ongev*) brisket

nod

pousseren (*waren*) push; (*pers*) push (forward, on)

pover poor (a ... crop, ... creature), shabby; meagre (results)

praal pomp, magnificence, splendour

praal|graf mausoleum; **-wagen** (*in optocht*) float

praat talk; *iem aan de ~ houden* hold (keep, detain) a p. in talk; *aan de ~ krijgen* get to talk; (*motor*) get going; *aan de ~ raken met* drop into talk with; *veel ~s hebben* talk big, brag; *hij krijgt te veel ~s* he is getting too forward, is getting above himself; **praatje** talk, chat; *een ~ houden over ...* give a talk on ...; *mooie ~s* soft words, blarney; *iem met een mooi ~ de kamer uit krijgen* coax a p. out of the room; *het ~ ging* it was rumoured, the story went; *een ~ maken* have a chat (*met* with); **praatjesmaker** bit of a humbug; (*klein kind*) prattler; (*eigenwijze*) whipper-snapper, cocky ass

praat|paal emergency telephone (beside motorway, etc); **-stoel:** *hij zit op zijn ~* he is in a talkative mood; **-ziek** talkative, chatty

pracht splendour, magnificence, pomp; *~ en praal* pomp and circumstance

pracht|band de luxe (luxury) binding; **-exemplaar** fine specimen, beauty (*ook iron van pers:* he is a ...)

prachtig splendid, magnificent, lovely, fine; *ze zingt ~* she has a wonderful voice

prachtkerel trump, fine (splendid) fellow

practicum practical work (in laboratory)

prag|matiek, -matisch pragmatic (*bw:* -ally)

prairie id

prak hash; *in de ~,* (*fam*) smashed up

prakken make a mixture

prakkezeren (*fam*) think, muse; (*uitdenken*) contrive; *zich suf ~* puzzle one's head off

praktijk practice; *zonder ~* without practice; *een ~ beginnen* settle down into practice; *in de ~* in practice; *in ~ brengen* put into practice

praktisch I *bn* practical; **II** *bw* practically, for all practical purposes (it comes to the same thing)

pralen: *~ met* make a show of, show off (one's learning)

prat: *~ gaan op* pride o.s. on, take (a) pride in

praten talk, chat; *jij hebt goed (mooi, gemakkelijk) ~* it's all very well for you to talk; *iem aan het ~ krijgen* get a p. to talk, (*om uit te horen*) draw a p. (out); *er valt met hem te ~* one can reason with him, he is open (will listen) to reason; *er omheen ~* talk round (and round) a subject, beat about the bush; *~ over* talk of; *daarover valt te ~* it's a matter for argument (discussion); *praat me niet van ...* don't talk to me of ...

preadvies proposals, report

precair precarious, delicate (situation), uncertain

precedent id; *zonder ~* unprecedented

precies I *bn* precise, particular; **II** *bw* precisely,

exactly; *~ dezelfde* the very same; *te zes uur ~* at six precisely (sharp); *om ~ te zijn* (at 10.14) to be exact; *waar ... ~ ...?* where exactly did you drop your key?; **preciseren** define, state precisely, specify; **precisie-instrumenten** precision instruments

predestinatie predestination

predikaat (*titel*) title; (*rapportcijfer, enz*) mark

predikant clergyman; *zie verder* dominee; **predikantswoning** *zie* pastorie

preek sermon; *een ~ houden* preach (give, deliver) a sermon; **preekstoel** pulpit (*op de ~* in the ...)

preferent preferential; *~ aandeel* preference share

prefereren prefer (*boven* to)

prehistorie prehistory

prei leek

preken preach

prematuur premature

premie premium

premier id, prime minister

première first night, opening performance

prenataal antenatal (care)

prent print, picture, engraving; **prentbriefkaart** picture postcard; **prentenboek** picturebook

preparaat preparation; **prepareren** prepare; *zich ~* prepare, make (*of:* get) ready

present *zn* id; *zie* cadeau; *bn* present; **presentatie** presentation; **presenteren** offer (a cigar), hand (pass) round (refreshments), present (the bill, a new play); (*ter betaling*) present (a cheque etc); (*voorstellen*) introduce, present; *het geweer ~* present arms; **present-exemplaar** presentation (free) copy, inspection copy

presentie|geld attendance fee; **-lijst** roll (sign the ...), attendance list

president id; (*voorzitter*) chairman, president; (*van Lagerhuis*) Speaker; **presidentcommissaris** chairman of (the board of) directors; **presidentieel** presidential; **presidentschap** presidency

pressen press (a p. to ...); **pressie** pressure; *onder ~* (act) under pressure (*van* from); **pressiegroep** pressure group

prestatie performance, achievement; **prestatie|beloning, -loon** merit rating

presteren achieve; *hij zal nooit veel ~* he will never achieve much

prestige id; **prestigeverlies** loss of prestige

pret fun, pleasure; *~ hebben* enjoy o.s.; *~ hebben over* be amused at (an incident); *~ maken* make merry, have a good time; *het is uit met de ~* the fun is over; *voor de ~* for fun

pretendent pretender (*naar ...* to the throne); **pretenderen** pretend, lay claim to; **pretentie** (*aanspraak*) claim, pretension; (*aanmatiging*) pretension; *zonder ~s* unpretentious, unpretending, unassuming; **pretentieloos** unpretentious; **pretentieus** pretentious, assuming

pretje lark, (bit of) fun; *dat is geen* ~ it's no picnic

pret|pakket easy study programme; **-park** pleasure ground

prettig pleasant, nice, enjoyable; ~ *vinden* like, enjoy

preuts prudish, prim; **preutsheid** ...ness, prudery

prevaleren prevail

prevelen mutter

preventie prevention; **preventief** preventive; *-ieve hechtenis* preventive custody

prieel summer-house

priem awl, piercer; **priemen** pierce

priemgetal prime number

priester priest; **priesteres** priestess; **priester-lijk** priestly; **priesterschap** priesthood

prietpraat twaddle

prijken appear (on the menu), be displayed (in the window); ~ (*geuren*) *met* show off, flaunt, parade; *bovenaan* ~, (*op lijst*) be (*of:* figure) at the top of the list

prijs (*wat iets kost*) price; (*in loterij*) prize; (*op tentoonstelling*) award; (*lof*) praise; *de eerste* ~ the first prize; *de gewone* ~ the current price; *onder de* ~ *verkopen* undersell; *op* ~ *stellen* appreciate, value; *tegen de* ~ *van* at the price of, at the rate of; *tegen elke* ~ at any price; *tegen lage prijzen* at low prices; *tot elke* ~ at any cost, at all costs; *voor geen* ~ not at any price, not for the world; *voor de* ~ *van drie gulden* at the price of three guilders

prijs|beheersing price-control; **-bewust** price-conscious; ~ *winkelen* shop around; **-dumping** price dumping; **-geven** abandon (*aan* to), give up; *geheimen* ~ yield up secrets; *terrein* ~ concede ground

prijsje price-tag

prijs|klasse price-bracket; **-lijst** price list; **-niveau** price-level; **-opgave** estimate, quotation; ~ *doen van* quote for (an article); **-peil** price level; **-schieten** shooting-match, **-competition; -uitreiking** distribution of prizes; **-verhoging** price increase, price-rise, rise (*of:* increase) in prices; **-verlaging** reduction, cut; **-vraag** competition

prijzen praise, commend (*wegens* ... a p. for his good work); (*van prijs voorzien*) price, ticket, mark (all goods are ...ed in plain figures), (*in catalogus*) list; *zich gelukkig* ~ consider o.s. fortunate; **prijzenswaardig** praiseworthy, commendable

prijzig high-priced, expensive

prik prick, stab, sting; *ik weet het op een* ~ I know it to a T; *voor een* ~*je kopen* buy for a song

prik|actie selective strike action; **-bord** notice-board; (*Am*) bulletin board

prikkel (*voor vee, enz*) goad; (*van plant, egel, enz*) prickle; (*van insekt, netel, enz*) sting; (*fig*) goad, stimulus, spur, incentive; **prikkelbaar** irritable, touchy

prikkeldraad barbed wire

prikkelen prickle; (*fig*) irritate, excite (a p. sexually); tickle (the imagination); stimulate (the nerves); *iem* ~ *tot* stimulate a p. to (fresh exertions); **prikkelhoest** tickling cough; **prik-keling** prickling; tickling; (*fig*) irritation, provocation, stimulation

prikken I *tr* prick (o.s. with a needle); (*van wesp, enz*) sting; II *intr* (*van wond, lichaams-deel*) tingle

prik|klok time clock; **-pil** contraceptive injection

pril: ~*le jeugd* early youth; *van zijn* ~*ste jeugd af* from his earliest days

prima first-rate, -class, prime, choice (meat, wine), high-grade (wool), tiptop; A 1; ~*!* OK!, fine!, super!; ~ *kwaliteit* first quality

primaat primate (*ook dierk*)

primadonna prima donna

primair primary (colours); *van* ~ *belang* of paramount importance

primeur: *de* ~ *hebben* be the first to get it (to hear the news, etc); (*van krant*) get a scoop

primitief primitive

primula primrose

primus(brander) primus (stove)

principe principle; *in* ~ in principle, essentially; *uit* ~ on principle, as a matter of principle; **principieel** fundamental (difference), essential; *om -ële redenen* for reasons of principle, on principle; *-ële vraag* basic question; ~ *dienstweigeraar* conscientious objector

prins prince; **prinsdom** principality; **prinselijk** princely; **prinses** princess; **prins-gemaal** prince consort

prior id; **priores** prioress

prioriteit priority, precedence

prisma prism; **prismakijker** prism binoculars

privaat *bn* private; *zn* water closet, wc.

privaat|bezit private property; **-recht** civil law

privé private (office, life, account, secretary), personal; **privé-uitgaven** personal spending

privilege privilege

pro id (pro-Boer, -German, etc); *het* ~ *en contra* the pros and cons (of a case)

probaat approved, tried, sovereign (remedy)

probeersel experiment; **proberen** try, test (the ice, a new invention); try out (a new car); *laat hem het eens* ~ let him have a try

probleem problem; **problematiek** problems; issue (the whole ... of the use of atomic energy); **problematisch** problematic(al)

procédé process

procederen be at law (*met* with); *gaan* ~ go to law, take legal action

procedure *a*) (*werkwijze*) procedure; *b*) zie proces

procent *zie* percent

proces action, lawsuit, suit, legal proceedings; (*openbare behandeling*) trial; (*verkoop, procédé*) process; *iem een* ~ *aandoen* bring an action against a p., sue a p. (for damages), take a p. to court

processie (religious) procession

proces-verbaal (*verslag*) official report, minutes, record; (*bekeuring*) (police-)ticket

proclamatie proclamation; **proclameren** proclaim

procuratie procuration, power of attorney, proxy; **procuratiehouder** managing (chief) clerk

procureur solicitor, attorney; **procureur-generaal** attorney-general

producent producer; **produceren** produce, turn out, make; generate (steam); **produkt** product (*ook in wisk*); production; ~*en, (opbrengst)* produce; **produktie** production; (*opbrengst*) output, yield; **produktiecapaciteit** productive capacity, output capacity

produktief productive; **produktiviteit** productivity, productiveness, productive capacity

proef trial, test, experiment; (*fot*) proof; (*natuurk enz*) experiment; (*druk-*) proof(-sheet); (~*je*) sample, specimen; *proeven van bekwaamheid afleggen* pass a proficiency examination (a test); *de ~ doorstaan* stand the test; *de ~ op de som nemen* do the proof; *dat is de ~ op de som* that settles it; *een ~ ermee nemen* give it a trial, try it out; *proeven nemen* make experiments; *proeven nemen op* experiment on (rats); *op ~* on trial; *6 maanden op ~ zijn* on probation for six months; *op de ~ ~ stellen* put to the test; try, tax (a p.'s patience); *bij wijze van ~* by way of trial

proef|boring trial (test, exploration) boring; (*boorgat*) test-hole, test-shaft; **-dier** laboratory animal; **-druk** proof; **-konijn** (*fig*) guinea pig; *ik wil niet als ~ dienen* I don't want to be experimented upon; **-neming** experiment, trial; **-nummer** specimen copy; **-ondervindelijk** experimental, empirical; ~ *vaststellen* find through experience; **-opstelling** experimental set-up; **-proces** test case; **-rit** trial-run, test-drive; **-schrift** thesis (for a doctorate), (doctoral) dissertation; **-station** experimental (testing, research) station; **-terrein** testing ground, testing range; **-tijd** (time of) probation, probationary (trial) period; **-vlucht** test-flight; **-werk** test paper, test

proesten sneeze; ~ *van het lachen* explode with laughter

proeven I *tr* taste; II *intr* taste (I can neither ... nor smell); *ik proef er niets van* I don't taste it; **proever** taster

prof (*in sport*) pro, professional

Prof. id, Professor

profaan profane (history, language)

profeet prophet

professie profession; *van ~* (a story-teller) by profession; **professioneel** professional

professor id (*in ... of* (*soms:* in) divinity, etc)

profeteren prophesy; **profetie** prophecy; **profetisch** prophetic(al) (*bw:* -ally)

profiel profile

profijt profit, gain

profileren profile

profiteren profit; ~ *van* profit by, benefit from; (*gebruik maken van*) avail o.s. of; (*soms in ong zin*) take advantage of; **profiteur** profiteer

pro forma id, for form's sake

prognose prognosis, forecast

program(ma) programme, program; **programmeertaal** (computer) programming language; **programmeren** programm; **programmeur** (computer) programmer

progressie progression; (*van belasting*) graduation (of a tax); **progressief** progressive; (*van belasting*) graduated (income-tax, taxation)

project id; **projecteren** project (roads); **projectie** projection; **projectiedoek** (*fot*) screen

projectiel projectile; *geleide ~en* guided missiles

projectiescherm (*fot*) screen

projectontwikkelaar developer

projector id

prol(eet) prole; **proletariaat** proletariat, proletarians; **proleta|riër, -risch** proletarian

proliferatie proliferation

prolongatie continuation; (*van wissel*) renewal; **prolongeren** continue; (*wissel*) renew (a bill); (*film*) continue

proloog prologue

promenade id; **promenadeconcert** promenade-concert, (*fam*) prom

prominent id

promotie promotion, rise, advancement, preferment; (*univ*) *ongev* graduation (ceremony), (doctoral) degree ceremony; ~ *maken* get promotion; **promotor** (company-)promotor; (*univ*) professor who supervises a student's work for his doctor's degree; **promoveren** *intr* graduate, take one's (doctor's) degree; *tr* confer a doctor's degree on

prompt id (*ook zn*), ready; ~ *betalen* pay promptly; ~ *om 7 uur* prompt(ly) at seven o'clock, at ... sharp

pronken show off; ~ *met* show off (one's learning), make a show (a display) of, parade; **pronkerig** fond of show, showy, flashy

pronk|juweel gem, jewel (*beide ook fig*); **-stuk** showpiece

prooi prey; *ten ~ zijn* (*vallen*) *aan* be (fall) a prey to

prop ball (of paper), plug (*van hout, metaal*), wad (of paper, cotton); (*in de mond*) gag; (*om mee te gooien*) pellet; *ik had een ~ in de keel* I had a lump in my throat; *op de ~pen komen* turn up; *hij durft er niet mee op de ~pen te komen* he dare not come out with it

propaan propane

propaganda id

propeller id

proper neat, clean, tidy; **properheid** tidiness

proppen cram, stuff, squeeze

propvol chock-full, crammed

prospectus id

prostituée prostitute; **prostitutie** prostitution
protectie (*in handel, enz*) protection
protest id; *luid* ~ outcry; ~ *aantekenen tegen* protest against
protestant Protestant
protesteren protest; ~ *tegen* protest against; **protestnota** note of protest
prothese (*concr*) artificial limb (teeth, etc)
protserig showy, flauntingly prosperous
proviand provisions; **provianderen** provision, victual
provinciaal *bn & zn* (*ook r-k*) provincial; **provincie** province
provincie|raad (*Belg*) provincial council; **-stad** provincial town
provisie (*loon*) commission (*over* on)
provisie|kamer pantry (*eig voor brood, enz*), larder (*eig voor vlees, enz*); **-kast** pantry, larder
provisorisch provisional
provoceren provoke; ~*d* provocative
proza prose
pruik wig; *hij draagt geen* ~ he wears his own hair
pruilen pout, sulk; **pruilerig** sulky; **pruilmondje** pout
pruim plum; (*gedroogd*) prune; (*tabaks-*) quid
pruime|boom plum-tree; **-dant** (blue) prune; **-mondje**: *ze trok een* ~ she pursed her lips
pruimen chew (tobacco); *erin* ~ get caught; **pruimepit** plum-stone
prul rubbishy concern (*of*: affair); (*krant, blaadje*) rag; (*ornamentje, enz*) bauble; *het is een* ~, (*van ding*) it is trash; *een* ~ (*van een vent*) a dud, a wash-out; **prullenmand** waste-paper basket
prut *zn* (*van koffie, enz*) grounds; (*modder*) mire, slush; (*sl*) rubbish
prutsen fiddle, tinker (*aan* at, with); **prutswerk** shoddy work
pruttelen grumble; (*op het vuur*) simmer
ps. psalm
P.S. id, postscript
psalm id; **psalmboek** psalm-book
pseudo- pseudo- (intellectuals), would-be
pseudoniem pseudonym
psychedelisch psychedelic
psychiater psychiatrist; (*fam*) shrink; **psychiatrie** psychiatry
psychisch psychic(al)
psychoanalyse psycho-analysis
psychologie psychology; **psychologisch** psychological; **psycholoog** psychologist
puber adolescent; **puberteit** puberty, adolescence
publiceren publish; **publiciteit** publicity; ~ *geven aan* give publicity to, make public, air (a grievance)
publiek I *bn* public; ~ *geheim* open secret; ~ *worden* become known; ~*e vrouw* common prostitute; **II** *bw* publicly, in public; ~ *verkopen* sell by public auction; **III** *zn* public; (*gehoor*) audience; *veel* ~ a large attendance

publikatie publication
pudding (*ongev*) id
puf: *ik heb er geen* ~ *in* I don't feel like it
puffen puff (with the heat)
pui shopfront
puik choice, excellent, prime
puilen bulge, protrude
puimsteen pumice(-stone)
puin rubbish, debris, ruins; (*afbraak*) rubble; *in* ~ *rijden* smash up (a car); **puinhoop** rubbish-heap; (*fig*) flop, mess, wash-out
puist node; ~(*je*) pimple; **puist(er)ig** full of pimples, pimply
pukkel pimple
pul jug, vase, mug, tankard (of beer)
pulken pick; *in de neus* ~ pick one's nose
pulp (sugar-beet, wood) pulp
pummel boor, yokel
punaise drawing-pin, (*inz Am*) thumb-tack; (*voor verkeer*) stud (...-marked crossing-place), (*met reflector*) cat's eye
punctueel punctual
punt *a*) *de* ~: (*spits*) point (of a needle), tip (of the nose, tail, finger, cigar), toe(-cap) (of a shoe); (*van zakdoek*) corner (turn-down ...s); (*leesteken*) full stop, period; *b*) *het* ~: (*van lijn, van weg, bij spel, enz*) point; (*stip*) dot; (*van programma, agenda, enz*) item; ~*en*, (= *cijfer; school, exam*) marks; *dubbele* ~ colon; *het* ~ *onder discussie* the point at issue; *hoeveel* ~*en heb je?* (*sp*) what is your score?; *op veel* ~*en verschillen* differ on many points; *de regering werd op dat* ~ *verslagen* the government was defeated on that issue; *op het* ~ *staan* (*zijn*) *om* ... be on the point of ...ing, be about to ...;
punten point, sharpen (a pencil); trim (have one's hair trimmed); **puntendeling** draw; **puntenlijst** mark(s) list; score sheet
puntgaaf in perfect condition
puntig pointed, sharp (*beide ook fig*); **puntje** point; *daar kun je een* ~ *aan zuigen* match that if you can; *zet de* ~*s op de i* dot your i's and cross your t's; *alles was in de* ~*s* everything was in apple-pie order; **puntlijn** dotted line
pupil (*onmondige*) ward, pupil; (*van oog*) pupil
puree id; (*van aardappelen*) mashed potatoes; *in de* ~ *zitten*, (*fam*) be in the soup
purper purple; **purperen** purple
put (*water-*) well; (*kuil*) pit; *in de* ~ *zitten* be out of heart
putten draw (water; *ook fig*: draw hope from ...); ~ *uit* draw on (one's experience)
puur pure, sheer (nonsense); (*van drank*) neat; *een* ~ *verzinsel* a pure fabrication
puzzel puzzle (*op* over); **puzzelen** puzzle (*op* over); do puzzles
pygmee pygmy
pyjama pyjamas (*mv*)
Pyreneeën: *de* ~ the Pyrenees
pyromaan pyromaniac

Qq*q* Rr*r*

Q Q
qua id, as; ~ *aantal* as far as numbers go
quantumkorting quantity discount
quarantaine quarantine
quasi id; pretended, mock (seriousness)
queeste quest
querulant grievance-monger, grumbler
queue id, line; (*van biljart*) cue; ~ *maken* queue up
quitte (be) quits, even (I mean to be … with you yet); ~ *of dubbel* double or quits; ~ *spelen* break even
qui-vive: *op zijn* ~ *zijn* be on the alert
quota, quote quota, contingent, share
quotiënt quotient
quotum *zie* quota

raad (~*geving*) advice (*een* ~ a piece of advice); (*groep* ~*gevers*) council, board; (~*gever*) counsellor; *de* ~ *vergadert morgen* the council will meet to-morrow; ~ *van commissarissen* Board of Directors; ~ *van toezicht* supervisory board; *dat is een goede* ~ that is good advice; (*iems*) ~ *inwinnen* ask (take) (a p.'s) advice; *neem mijn* ~ *aan* take my advice; *iem* ~ *geven* advise a p. (*over* on); *ik weet geen* ~ (*meer*) I am at my wit's end; *in de* ~ *zitten* be on the council; *met* ~ *en daad bijstaan* assist by word and deed; *met zijn eigen gevoel te rade gaan* consult one's own feelings
raadgevend advisory (body); **raadgever** adviser
raadhuis town hall
raadplegen consult (a p., a book), see (the doctor); **raadpleging** consultation; reference (to one's diary)
raadsbesluit (*van de raad*) decision, decree
raadsel riddle, enigma, puzzle (life is full of …s); *het* (*hij*) *is mij een* ~ it beats me; **raadselachtig** enigmatic(al), puzzling; **raadselachtigheid** mysteriousness
raads|lid councillor, member of the (town-)council; **-lieden** advisers; **-man** adviser; (*advocaat*) counsel; **-zetel** seat on the council; **-zitting** sitting (meeting) of the council
raadzaal council-chamber, -room, -hall
raadzaam advisable, expedient; *het* ~ *achten* see (think) fit; *niet* ~ inadvisable
raaf raven; *witte* ~ black swan, white crow
raak: *zijn opmerkingen zijn* ~ his remarks go home, are to the point; *de slag was* ~ the blow went home; *vraag maar* ~ ask away
raak|lijn tangent; **-punt** (*ook wisk*) point of contact; **-vlak** tangent plane; (*fig*) interface
raam (*venster*) window, (*het schuivende deel*) sash; (*boven deur*) fanlight; (*lijst, enz*) frame; (*van broeikas*) frame; *uit het* ~ *kijken* look out of the window
raam|kozijn window-frame; **-werk** frame
raap turnip; *recht voor zijn* ~ without mincing matters
raar queer, strange, odd; *een rare snijboon* a queer chap; *het is een rare geschiedenis* a queer affair; *zich* ~ *voelen* feel queer; *mijn hoofd wordt soms zo* ~ gets so funny sometimes
raaskallen rave, talk nonsense
raat honeycomb
rabarber rhubarb; **rabarbersteel** stick of rhubarb

rabbi, rabbijn rabbi, rabbin

race id

race|auto racing-car; **-baan** racing-course; (*voor auto's*) circuit; (*voor motoren*) speed-way, dirt-track; **-boot** speed-boat; **-fiets, -jacht** enz, racer

racen race; **racepaard** race-horse

racisme racism; **racist(isch)** racist

racket (*tennis, enz*) id

rad I *bn, bw* swift, nimble; (*van spraak*) voluble, fluent, glib (tongue); *hij is ~ van tong* he has the gift of the gab; II *zn* wheel; *iem een ~ voor ogen draaien* throw dust in a p.'s eyes

radar id

raddraaier ringleader

radeer|gummi eraser; **-mesje** erasing-knife, eraser

radeloos at one's wit's (wits') end; **radeloos-heid** desperation

raden (*raad geven*) advise; (*gissen*) guess; *je hebt het geraden* you've got it; *je raadt het nooit* you'll never guess; *~ naar* guess at; *laat je ~* be advised

radiaalband radial (tyre)

radiateur, radiator radiator

radicaal I *bn* radical (cure, change); *~ tegenge-steld aan* (*gekant tegen*) radically opposed to; II *zn* (*pers*) radical

radijs radish

radio id (*ook toestel*), wireless; *door de ~ horen* hear on (over) the radio; *de ~ stond aan* the radio was on

radio|actief radioactive; **-activiteit** radio-activity

radiografisch radiographic(al)

radiohandelaar radio dealer

radiologie radiology

radio|-omroep broadcast(ing); **-programma** broadcasting programme; **-recorder** radio cassette recorder; **-spreker** broadcaster; **-station** radio-station; **-stilte** radio silence; **-telegrafist** radio (wireless) operator; **-tele-scoop** radio telescope; **-toestel** wireless set; **-verslaggever** radio-commentator; **-zender** radio-transmitter

rafel ravel; **rafelen** *tr & intr* ravel out, unravel, fray; **rafelig** frayed

raffinaderij refinery; **raffineren** refine

rag cobweb

rage craze; *dat is nu een ~* it's all the rage now

ragebol ceiling-mop; (*fig*) mop, shock (of hair)

ragfijn gossamer, filmy

ragoût ragout, stew, hash

raid id

rail id; *uit de ~s lopen* run off the rails; be de-railed

railing railing(s)

rak (river-)reach, straight

rakelen rake

rakelings: *iem (iets) ~ voorbij gaan* brush (skim) past a p. (a thing)

raken (*treffen*) hit (the target); (*aan~*) touch; (*aangaan*) affect, concern; (*ge~*) get (*zie bene-den*); *dat raakt mij niet* that does not concern me; *het raakt u meer dan mij* it concerns you more than me; *elkaar ~,* (*ook in meetk*) touch; *geschiedenis en aardrijkskunde ~ elkaar dik-wijls* history and geography frequently over-lap; *de voorraden ~ uitgeput* ... are getting ex-hausted; *we raakten erover aan de praat* we came to talk about it; *in moeilijkheden* (*ge*)*~* get into difficulties

raket (*projectiel*) rocket

raket|aandrijving rocket propulsion; *met ~* rocket-propelled; **-werper** rocket launcher

rakker rascal, rogue (*beide ook scherts*)

rally id (the Monte Carlo rally)

ram id; (*konijn*) buck(-rabbit)

ramen estimate, compute (*op* at); **raming** es-timate

rammei battering-ram; **rammeien** batter, ram

rammel: *hou je ~!* shut up!; **rammelaar** (*voor kind*) rattle; **rammelen** rattle (at the door); (*van borden enz*) clatter; (*van ketenen*) clank; (*van geld*) jingle; (*kletsen*) rattle; *door elkaar ~* shake; *ik ~ van de honger* I am famished; *doen ~* rattle (the wind rattled the windows); **rammeling** (give a p. a) dressing-down

rammen ram (a ship)

rammenas black radish

ramp disaster, calamity, catastrophe

ramp|gebied afflicted (distressed, disaster) area; **-spoed** adversity; **-spoedig** (*rampspoed ondervindend*) ill-fated; (*onheilvol*) calami-tous, disastrous; **-zalig** disastrous; (*jammer-lijk*) wretched; (*tot ondergang gedoemd*) doomed

rancune rancour, grudge, ill-will; *sans ~* no ill feeling

rand (*van hoed*) brim; (*van papier, blad van boom*) margin; (*van stoel, tafel, bos, enz*) edge; (*van kleed*) border; (*van munt, kopje*) rim; (*van afgrond*) brink; (*vooruitstekende ~*) ledge; *aan de ~ van* on the verge of (a break-down)

rand|apparatuur (*computer*) (input and out-put) devices; **-stad** (*ongev*) conurbation; **-ver-schijnsel** (*ongev*) side-issue; **-voorwaarde** limiting condition

rang rank, degree, grade; *plaatsen op de eerste ~* seats in the stalls (dress circle)

rangeerder shunter; **rangeerterrein** marshall-ing-yard; **rangeren** shunt

rang|lijst (priority) list; (*sp*) (league, etc) table; **-nummer** number; **-orde** order; **-schikken** range, arrange (in order of size); (*classifice-ren*) classify; **-schikking** arrangement, classi-fication; **-telwoord** ordinal (number)

ranja orangeade

rank I *zn* tendril, clasper; II *bn* slender, slim (of stature); **rankheid** slenderness

ransel knapsack; (*slaag*) hiding

ranselen thrash, flog

rantsoen ration, portion; **rantsoeneren** ration; **rantsoenering** rationing

ranzig rancid

rap nimble, quick

rapaille rabble, riff-raff

rapen pick up, gather, collect

rappèl (*herinnering, aanmaning*) reminder

rapport report (*ook op school*), statement; ~ *maken van* report (an offence); **rapportcijfer** report-mark

rapporteren *tr & intr* report (*over* on); **rapporteur** reporter

rapsodie rhapsody

rariteit curiosity, curio; **rariteiten|kabinet, -verzameling** museum (collection) of curiosities

ras race (of men); breed (of animals); *van zuiver* ~ thoroughbred; *van een goed* ~ *zijn* come of a good stock

ras|echt true-, pure-bred, thoroughbred; **-hond** pedigree dog

rasp grater, rasp

raspaard thoroughbred

raspen grate (cheese, etc), rasp (wood, etc)

rassehaat race (racial) hatred

rassen|discriminatie racial discrimination; **-scheiding** (racial) segregation; *opheffing der* ~ desegregation; **-strijd** racial conflict

rassewaan racism

raster lath; (*techn*) screen; (*televisie*) id; **rasterwerk** lattice(-work), grating, wire fence

rasvooroordeel race (racial) prejudice

rat id

rata: *naar* ~ *pro rata*, in proportion

rataplan id, rub-a-dub; *de hele* ~ the whole concern, (caboodle, show)

ratel rattle (*ook = kletser*); *hou je* ~*!* keep your trap shut!; **ratelen** rattle; **ratelslang** rattlesnake

ratificatie ratification; **ratificeren** ratify

rationalist id; **rationalistisch** rationalist(ic); **rationeel** rational

ratjetoe hotchpotch

rats hotchpotch; *in de* ~ *zitten* be in a stew

ratten|gif(t) rat-poison; **-kruit** arsenic; **-plaag** rat nuisance

rauw (*niet bereid*) raw, uncooked; (*van geluid*) hoarse, harsh; **rauwheid** rawness; **rauwkost** uncooked food

ravage havoc; *een* ~ *aanrichten* (*in*) work havoc

ravijn ravine, gorge, gully, clough, canyon

ravotten romp

rayon area; (*van handelsreiziger, ook:*) territory

razen rage, bluster, rave; *het verkeer raast voorbij* roars past; **razend** furious, raving; infuriated (the ... mob); ~ *op* furious with; *ben je* ~*?* are you mad?; *een* ~*e hoofdpijn* a splitting headache; *iem* ~ *maken* drive a p. mad; ~ *verliefd* madly in love (*op* with); **razernij** frenzy; *tot* ~ *brengen* drive to frenzy

razzia id, (police, mass) raid; *een* ~ *houden* raid

reactie reaction (*ook hand*), response

reactionair *bn & zn* reactionary

reageerbuis test-tube

reageren react; ~ *op* react upon (a p., each other; *ook in chem*), react to (a blow, an action), respond to (kindness); *niet* ~ *op, ook:* ignore (a rude remark)

realisatie realization; **realiseren** realize; **realisme** realism; **realist** id; **realistisch** realistic (*bw:* -ally); **realiteit** reality; **realiteitszin** sense of reality

reanimeren resuscitate

rebel id; **rebelleren** rebel; **rebellie** rebellion; **rebels** rebellious

rebus id, picture (pictorial) puzzle

recalcitrant id, refractory

recapituleren recapitulate, sum up

recensent reviewer, critic; **recenseren** review; (*kort aankondigen*) notice; **recensie** review, criticism; (*kort*) notice; *het boek heeft goede* ~*s* is favourably reviewed

recent id; **recentelijk** recently

recept (*keuken*) recipe (*ook fig*); (*van dokter*) prescription

receptie reception; **receptief** receptive

recessie recession

recette takings, receipts; (*sp ook*) gate

recherche detective force, criminal investigation department, C.I.D., (*Am*) F.B.I.; **rechercheren** investigate; **rechercheur** detective; *particuliere* ~ private detective

recht I *zn* (*bevoegdheid, aanspraak*) right, claim; (*gerechtigheid*) right, justice; (*wetten, rechtsgeleerdheid*) law; (*belasting, gew mv*) duties, customs; *in het belang van het* ~ in the interests of justice; *het geschreven* ~ statute law; ~ *van beroep* right of appeal; ~ *van gratie* prerogative of mercy; ~ *van koop* (rent a house with) option of purchase; *geen* ~ *van spreken hebben* have no right to speak; *de* ~*en van de mens* human rights; *het is zijn goed* ~ *om te weigeren* he has a right to refuse; ~ *doen* administer the law; ~ *geven op* entitle to; ~ *hebben op* be entitled to; ~ *verkrijgen* obtain justice; *zichzelf* ~ *verschaffen* take the law into one's own hands; ~ *zoeken* seek justice; *in* ~*en aanspreken* sue (a p. for damages *om* ...); *met* ~ rightly, justly; *met* ~ *boos zijn* be justifiably angry; *tot zijn* ~ *komen* show to full advantage; **II** *bn* (*niet krom*) straight (line); (*juist, goed*) right (the ... word); *de afstand is 40 mijl in* ~*e lijn* as the crow flies; ~ *trekken* straighten (one's neck-tie), adjust (one's clothes); (*iets onbillijks*) set right; ~ *zetten* adjust (one's hat); (*fig*) put (a thing) right; **III** *bw* rightly, quite; *iem* ~ *in het gezicht kijken* look a p. full in the face

recht|bank court of justice (of law), law-court; *de zaak zal door de* ~ *beslist worden* the matter will be settled in court; **-buigen** straighten (out)

rechtens by right(s); *het komt hem ~ toe* it belongs to him by right

rechter I *zn* judge; *~ van instructie* examining magistrate, investigating judge (*geen Eng titels*); *zijn eigen ~ zijn* take the law into one's own hands; *hij werd voor de ~ gebracht* he was put on trial; II *bn* right (leg); right-hand (corner, door); *~ bovenhoek* top right-hand corner

rechter|-commissaris examining magistrate; **-hand** right hand; (*fig*) (my) right-hand man; *aan de ~* on the right

rechterlijk judicial; *de ~e macht* the judicature; *~ vonnis* juridical sentence

rechter|vleugel right wing (*ook van partij*); **-zijde** right hand (side)

rechthebbende rightful claimant

recht|hoek rectangle, oblong; **-hoekig** (*van vorm*) rectangular

rechtmatig rightful, lawful; **rechtmatigheid** rightfulness, lawfulness

rechtop upright, erect (walk …), on end; *~ zitten* sit up (straight); *~ gaan staan* (*zitten*) stand (sit) up; **rechtopstaand** vertical, upright

rechts I *bw* to (on, at) the right; *~ en averechts breien* knit plain and purl; *naar ~* to the right; *~ van …* to the right of the table; *~ houden* (*afslaan*) keep (turn) to the right; II *bn* a) zie **rechter** *bn; het ~e portier, ook:* the off-side door; *b*) right-handed; *c*) (*pol*) (parties) of the Right; **rechtsaf** to the right

rechts|bewustzijn sense of justice; **-bijstand** legal aid; **-binnen** inside right; **-buiten** outside right

rechtschapen honest; **rechtschapenheid** honesty

rechts|gebouw court-house; **-geding** lawsuit; **-geldig** legal; **-geldigheid** legality, validity; **-geleerdheid** jurisprudence; *faculteit der ~* faculty of law; **-gevoel** sense of justice; **-herstel** rehabilitation; **-kracht** force of law, legal effect (force); **-kundig** legal; **-kundige** lawyer, solicitor; **-misbruik** abuse of justice

rechtsom to the right; **rechtsomkeert!** about … turn!; *~ maken* face (to the right) about; (*fig*) turn tail, turn on one's heel

rechts|ongelijkheid inequality before the law; **-orde** legal order; **-persoon** corporate body; **-persoonlijkheid**: *~ hebben* (*verkrijgen*) be incorporated; **-pleging** administration of justice; **-positie** legal status

recht|spraak administration of justice; **-spreken** administer justice

rechtsstaat constitutional state

rechtstandig perpendicular

rechtsterm legal term

rechtstreeks *bw* direct(ly); *bn* direct

rechts|verkrachting violation (perversion) of justice; **-winkel** (free) legal advice centre; *vgl* wetswinkel; **-zaak** lawsuit; **-zaal** court-room; **-zekerheid** legal security; **-zitting** session of the court

recht|trekken straighten, adjust; **-uit** straight on; *al maar ~ lopen* go straight on

rechtvaardig just, righteous; **rechtvaardigen** justify; *niet te ~* unjustifiable; *gerechtvaardigd* justifiable (demands), righteous (anger); **rechtvaardigheid** righteousness; **rechtvaardigheidsgevoel** sense of justice; **rechtvaardiging** justification

rechtzinnig orthodox

recital id; **reciteren** recite

reclame advertising, advertisement; (*opschrift*) special offer; (*concr*) (electric) sign; (*klacht*) complaint; (*tegen belasting*) appeal; *dat is geen ~ voor hun zaak* that is not a good advertisement for their business; *~ maken* advertise

reclame|aanbieding (special) offer; **-artikelen** (*proefbusjes, enz*) advertising matter, publicity material; **-biljet** (advertisement) poster; **-bord** advertisement-board; **-bureau** advertising agency; **-campagne** advertising campaign; **-plaat** picture-poster

reclameren *a*) (*handel*) put in a claim (*bij* with; *wegens* for); *b*) appeal (*tegen een belastingaanslag* against an assessment)

reclame|tekenaar advertisement artist; **-tekst** slogan

reclassering after-care of prisoners, rehabilitation; **reclasseringsambtenaar** probation officer

recommanderen recommend

reconstructie reconstruction; **reconstrueren** reconstruct

record id; *het ~ verbeteren* break the record (*trachten te …* make an attempt on the record); *een nieuw ~ maken* set up (put up) a new record; **recordhouder** record-holder

recreatie recreation; **recreatiezaal** recreation-room

rectificatie rectification; **rectificeren** rectify

rector (*van klooster of gesticht*) id; (*van atheneum, enz*) principal, headmaster; *~ magnificus* Vice-Chancellor; **rectoraat** (*school*) headmastership

reçu (cloakroom) ticket; (*kwitantie*) receipt; (*post*) certificate of posting; (*postwisselstrook als ~*) counterfoil

redacteur editor; **redactie** editorship; (*concr*) editorial staff; (*van artikel, enz*) wording; *onder ~ van* edited by; *van ~wege bekort* abridged by editor; **redactiebureau** editorial office; **redactioneel** editorial

reddeloos past recovery; *~ verloren* irretrievably lost; **redden** save (one's reputation); rescue (a p.); *de dokter heeft u gered* has pulled you through; *de doktoren deden alles om zijn leven te ~* fought for his life; *iem uit een moeilijkheid ~* get a p. out of a difficulty; *zich ~* save o.s.; *ik zal me wel ~* I'll get by; *zich weten te ~* manage to carry on; *ik kan me met 50 gulden ~* fifty guilders will do; *de geredden* those saved; **redder** rescuer, saver

redderen arrange, put in order, do (a room)
redding rescue; (*zaligmaking*) salvation
redding(s)|actie rescue operation(s); **-boei** life-buoy; **-boot** life-boat; **-vest** life-jacket; **-vlot** life-saving raft
1 rede (*voor schepen*) road(stead)
2 rede (*verstand*) reason, sense; *zie ook* ~voering; *naar* ~ *luisteren* listen to reason; *iem in de* ~ *vallen* interrupt a p.
redelijk (*met rede begaafd*) rational (being), (*billijk*) reasonable (terms); (*tamelijk*) passable, tolerable; *het is* ~ *goed* pretty good; **redelijkerwijs** (with)in reason
redeloos irrational; **redeloosheid** irrationality
reden reason, motive; (*verhouding*) ratio; ~ *tot klagen* cause for complaint; *dat is de* ~ (*waarom ik het deed*) that's why (I did it); (*goede*) ~ *hebben om ...* have (good) reason to ...; *er is* (*alle*) ~ *te ...* there is (every) reason to ...; ~ *te meer* all the more reason (why ...); *en met* ~ and with (good) reason; *om die* ~ for that reason
redenaar orator
redeneren reason, argue (*over* about); *er is met haar niet te* ~ there is no arguing with her; **redenering** reasoning
reder (ship-)owner; **rederij** (firm of) ship-owners
redetwist(en) dispute
redevoering speech, address; (*heftig*) harangue; *eerste* ~, (*van nieuw lid bijv in parlement*) maiden speech; *een* ~ *houden* deliver a speech
redigeren edit; (*opstellen*) draw up, draft
redmiddel: *zijn laatste* ~ his last resource
redresseren redress
reduceren reduce; **reductie** reduction
redzaam handy
ree 1 roe; **2** *zie* rede 1
ree|bok roe-buck; **-bruin** fawn
reeds already; ~ *in januari* as early as January
reëel real (value); (*zakelijk*) reasonable
reegeit roe
reeks series (of years, surprises; *mv id*), train (of events, recollections), string (of words, questions); (*wisk*) progression
reep (*touw*) rope; (*strook*) strip; bar (of chocolate); **reepjes:** *in* ~ *snijden* cut to ribbons
reet crevice, chink; (*plat*) arse
referendum id
referentie reference; **referentiekader** frame of reference; **refereren** refer; **referte** reference
reflecteren (*weerkaatsen*) reflect; ~ *op* answer (an advertisement); **reflectie** reflection; **reflector** id
reflex id
reformatie reformation; **reformeren** reform
reformhuis health-food shop
refrein chorus
refugié refugee

regeeraccoord (*ongev*) coalition agreement
regel rule; (*van spel ook*) law; (*lijn*) line; *nieuwe* ~*!* new line!; *geen* ~ *zonder uitzondering* no rule without an exception; *in de* ~ as a rule; *tussen de* ~*s* (read) between the lines; *volgens de* ~*en der kunst* in the approved manner, scientifically; ~ *voor* ~ line by line; *schrijf me een* ~*tje* drop me a line; **regelaar** regulator; **regelapparatuur** controls; **regelbaar** regulable, adjustable
regeldrukker (*computer*) line-printer
regelen arrange (one's affairs), settle (things); control (the traffic); (*afregelen*) adjust (a watch), time (a motor-car); ~ *naar* order (one's life) in accordance with (a p.'s wishes); *zich* ~ *naar* conform to; **regeling** arrangement, settlement; (*traffic-*) control; adjustment; timing; *vgl het ww; een* ~ *treffen* make an arrangement (a settlement)
regelmaat regularity; **regelmatig** regular; **regelmatigheid** regularity
regelrecht straight, right (walk ... up to a p.); ~ *gaan naar, ook:* make a bee-line for; *hij kwam* ~ *op mij af* he went straight to me
regen rain; *de* ~*s van de laatste tijd* the late rains; *van de* ~ *in de drop* from the frying-pan into the fire; *een* ~ *van kogels* a hail of bullets; **regenachtig** rainy, wet
regen|arm deficient in rainfall, dry, arid; **-boog** rainbow; **-boogvlies** iris; **-bui** shower of rain; **-droppel** rain-drop
regenen rain; *het begon* (*net*) *te* ~ it came on to rain; *als het niet begint te* ~ if the rain holds off; *het regende, dat het goot* it was raining cats and dogs
regeneratie regeneration; **regenereren** regenerate
regen|jas rain-coat, mackintosh; **-kapje** rainhood; **-kleding** rainwear; **-periode** rainy spell; **-scherm** umbrella
regent id, governor; (*van weeshuis, enz*) trustee; (*van gevangenis*) (prison) commissioner; **regentes** regent, lady governor
regen|tijd rainy season; **-ton** water-butt
regentschap regency
regen|val rainfall; **-water** rain-water; **-weer** rainy weather
regeren I *tr* reign over, rule; (*van ministers*) govern; *hij is moeilijk te* ~ he is difficult to manage; **II** *intr* reign (*alleen van vorst*), rule, govern; ~ *over* reign over, rule (over); **regerend** reigning; (*party*) in office; **regering** (*van vorst*) reign, rule; (*bestuur*) government; *een* ~ *vormen* form a government; *aan de* ~ *komen* come to the throne, (*van ministers, van partij*) come into power; *de conservatieven zijn thans aan de* ~ the conservatives are in office now; *onder de* ~ *van* in (under) the reign of
regerings|apparaat machinery of government; **-beleid** policy (of the government); **-stelsel** system of government; **-verklaring** (the government's) declaration of policy;

-vorm form of government; **-wege:** *van* ~ officially; **-zetel** seat of government

regie (*theat*) stage-management; (*film*) direction; (*Belg*) (*ongev*) authority Air Traffic A.

regime id, régime, rule

regiment id; **regimentscommandant** regimental commander

regio region; **regionaal** regional

regisseren direct, (*ook fig*) stage-manage; **regisseur** stage-manager, director

register (*boek & lijst*) id; (*van boek*) id, table of contents; *alle ~s opentrekken* pull out all the stops; *in een ~ inschrijven* (enter in a) register; **registeren** (*typ*) *tr & intr* register; **registratie** registration; **registreren** register, record

reglement regulation(s); (*van maatschappij ook*) code; (*zich houden aan het*) ~ *van orde* (comply with) standing orders; **reglementair** *bn* prescribed (by the rules), regulation; *bw* in accordance with the regulations; **reglementeren** give regulations for

reguleren regulate, adjust; straighten (children's teeth)

regulier *bn & zn* (*r-k*) regular

rehabilitatie rehabilitation, vindication; **rehabiliteren** rehabilitate; *zich* ~ vindicate o.s.

reiger heron

reiken I *intr* reach (up to the knees), extend (from … to …); ~ *naar* reach (out) for; II *tr* reach, hand; *iem de hand* ~ hold out one's hand to a p.

reikhalzen: ~ *naar* long for; **reikhalzend** *bw* anxiously

reikwijdte range, reach

rein pure, clean, (*kuis*) chaste; utter (nonsense); *in het* ~*e brengen* put (matters) straight

reïncarnatie reincarnation

reinheid purity, cleanness, chastity

reinigen clean; (*zuiveren*) purify (the blood); **reiniging** cleaning, purification, cleansing

reinigings|dienst sanitation department; **-middel** cleanser, detergent

reis (*algem*) journey; (*ter zee*) voyage; (*uitstapje*) trip; (*rondreis*) tour, trip (round the world); (*overtocht*) passage, crossing; *goede* ~! a pleasant journey!; *een* ~ *ondernemen* undertake a journey; *op* ~ *zijn* be on a journey

reis|benodigdheden travel requisites; **-beschrijving** book of travel(s); **-biljet** ticket; **-bureau** travel agency; **-cheque** traveller's cheque; **-documenten** travel documents; **-doel** destination; **-- en verblijfkosten** travelling and hotel expenses; **-geld** travelling-money; **-genoot** travelling-companion, fellow-traveller; **-gezelschap** party of travellers; **-gids** guide (book); (*van spoor, enz*) timetable; **-kosten** travelling-expenses; *vergoeding van* ~ travelling-allowance; **-kostenforfait** tax deductability of travelling expenses; **-leider** tour manager; *tocht met* ~ conducted (guided) tour; **-pas** passport;

-plan itinerary; **-tas** travelling bag; **-wekker** travel alarm; **-wieg** carrycot

reizen travel, journey; *het* ~ travel (luxurious, cheap …), travelling; **reizig(st)er** traveller; passenger

rek 1 elasticity; 2 (*gymn*) horizontal bar; (*voor pijpen, enz*) rack; (*van auto*) (luggage) grid; (*van kleren*) clothes-horse; (*van handdoek*) towel-horse

rekbaar elastic; **rekbaarheid** elasticity

rekel (*mannetjesvos*) dog fox; (*mannetjeshond*) dog; (*vlegel*) cur, churl

rekenautomaat computer

rekenen I *intr* calculate, do sums; (*vertrouwen*) rely (*op* (up)on); II *tr* (*in rekening brengen*) charge (… five guilders for it); goed (*slecht*) *in het* ~ good (bad) at figures; *iem te veel* ~ overcharge (a p. a guilder); *reken maar!* (I'll do my best,) you bet!; *door elkaar gerekend* on an average; *reken er maar gerust op* depend on it; *reken niet op mij* count me out; *ik reken het mij tot plicht* I consider it my duty

rekenfout mistake in calculation

rekening (*nota*) bill, account; (*Am, in restaurant*) check; ~ *en verantwoording doen* render an account; *een* ~ *hebben bij een bank* have an account with a bank; ~ *houden (de gevoelens van) anderen* consider other people's (feelings); ~ *houden met zijn toestand* make allowance for his condition; *geen* ~ *houden met* (*ook:*) take no account of, leave out of account; *in* ~ *brengen* charge (a pound); *iem iets in* ~ *brengen* charge s.t. to s.b.; *op* ~ *kopen* buy on credit; *een bedrag op iems* ~ *schrijven* charge an amount to a p.('s account), debit a p. for an amount; *zet het maar op* ~ charge it (to my account); *voor eigen* ~ for (on) one's own account; *ik neem de kosten voor mijn* ~ I'll see to the expenses; *de verantwoordelijkheid neem ik voor mijn* ~ I will take the responsibility upon myself

rekening|-courant current account; **-houder** account-holder; **-rijden** road-pricing

reken|kunde arithmetic; **-kundig** arithmetical; **-liniaal** slide-rule; **-machine** calculator

rekenschap account; ~ *afleggen van* render an account of; *iem* ~ *vragen* call a p. to account; *zich* ~ *geven van* realize, be (fully) alive to (the importance of …)

rekken I *tr* draw out (metal), stretch (linen, shoes), crane (one's neck); (*fig*) draw out (investigations), protract (a visit), prolong (an interview), trail (one's words); *zich* ~ stretch o.s.; II *tr* (*van stof, schoenen, enz*) stretch

rekruteren recruit; **rekruut** recruit

rekstok horizontal bar

rekwest petition; **rekwestreren** petition

rekwisieten (stage-)properties; (*fam*) props

relaas account, story

relatie relation, connection; *in voortdurende* ~ *staan met* be in constant touch with; **relatief** relative, comparative; **relativeren** relativize;

tone down (an earlier statement); **relativiteit** relativity; **relativiteitstheorie** theory of relativity

relevant id

reliëf (high, low) relief; ~ *geven aan* set off, bring out in full relief

reliek relic

religie religion; **religieus** religious

relikwie relic

reling (*scheepv*) rail

relletje row, disturbance, riot; *een ~ maken* kick up a row; **relletjesmaker** (*bij onlusten*) rioter

rem brake; (*fig*) drag (on progress); *de ~men aanzetten* apply the brakes

rem|bekrachtiger brake assister; *met ~* with power-brakes; **-blok** brake-block

rembours cash on delivery, C.O.D.

remedie remedy; *daar is geen ~ voor* that is beyond (*of:* past) remedy

remise (*van geld*) remittance; (*bij schaak- en damspel*) draw

remmen I *intr* put on the brake(s), brake; II *tr* brake (a car); (*fig*) (keep in) check, curb; *een ~de invloed* a restraining influence; **remming** (*psych*) inhibition

remonstrants Remonstrant

rempedaal brake pedal

remplaçant substitute

rem|raket retro-rocket; **-schoen** brake-shoe; **-spoor** (*van auto*) skid mark(s); **-voering** brake-lining

ren 1 race, run, trot, gallop; 2 chicken-run

renaissance id

renbaan racecourse; (*voor motoren*) speedway; (*voor auto's en motoren*) motor-circuit

rendabel paying, remunerative; ~ *maken* make (the business) pay

rendement profit; (*nuttig effect*) efficiency

renderen pay; *het rendeert niet* it does not pay

rendez-vous rendezvous, appointment

rendier reindeer

rennen race, rush; (*voor korte afstand*) sprint; **renner** racer, runner

renoveren renovate

renpaard(enhouder) racehorse (owner)

rensport racing

rentabiliteit remunerativeness, earning capacity

rente interest; *op ~ zetten* put out at interest; *hij leeft van zijn ~* he lives on his private means; **renteloos** bearing no interest; interest-free (loan); ~ *kapitaal* dead capital; **rentenier** person of independent means; **rentenieren** live on one's private means; *gaan ~* retire from business

rentevoet rate of interest

rentmeester (estate-)steward

rentree come-back, return

reorganisatie reorganization; **reorganiseren** reorganize

rep: *alles was in ~ en roer* there was a great stir

reparateur repairer, repairman, service man; **reparatie** repair(s), reparation; *in ~* under repair; *~s aan* repairs to; **repareren** repair, mend

repatriëren *intr* go home; *tr* repatriate

repertoire id, repertory; *het stuk werd weer op het ~ gebracht* was revived

repeteren repeat; revise; rehearse (a play); **repetitie** repetition; (*school*) revision; (*theat, enz*) rehearsal; *generale ~,* (*theat*) dress rehearsal

repliek counter-plea; *van ~ dienen* reply

reportage (running) commentary (on a match); **reportagewagen** recording van, mobile studio

reporter id

reppen: ~ *van* mention; *zich ~* hurry (up)

represaillemaatregel reprisal; **represailles** reprisals; ~ *nemen* make reprisals

representatief representative (*voor* of)

reprimande reprimand, rebuke

reproduceren reproduce; **reproduktie** reproduction

reprografie reprography

reptiel reptile

republiek republic; **republikein(s)** republican

reputatie reputation; *een goede* (*uitstekende*) ~ *hebben* be in good repute; *zijn ~ getrouw blijven* live up to one's repute

requiem id; **requiemmis** requiem (mass)

reservaat reserve (for wild animals), (bird) sanctuary; (*van Indianen*) reservation

reserve id (*ook hand*); (*mil*) reserve; *in ~ hebben* (*houden*) have (hold) in reserve; *zonder ~* without reserve, unreservedly

reserve|band spare tyre; **-deel** spare part

reserveren reserve; set aside (money for ...)

reservewiel (*van auto*) spare wheel

reservoir id, tank

residentie royal residence; **resideren** reside

residu residue, residuum; **residuair** (*Belg*) remaining, residual

resolutie resolution; **resoluut** resolute, determined

resoneren resound, reverberate

resp. respectively

respect id, esteem, regard; *met alle ~ voor ...* with all (due) respect for (to) Mr. N; **respectabel** respectable; **respecteren** respect; **respectievelijk** respective(ly), severally

ressort jurisdiction; **ressorteren:** *dat ressorteert niet onder mij* it is outside my province

rest rest (the ... of us); remnant(s of a staircase); *voor de ~* for the rest; *zie ook* restant; **restant** remnant, remainder; *~en* (publisher's) remainders; (*van goederen*) remnants; (*klieken*) scraps, leavings

restaurant id

restauratie *a*) (*herstel*) restoration (the ... of the Stuarts), renovation; *b*) restaurant; (*in station bijv*) refreshment-room, (*kleiner*) buffet (bar)

rel

restauratie|wagen dining-, restaurant-car; (*fam*) diner; **-zaal** refreshment-room

restaureren restore, renovate; (*verkwikken*) refresh

resten be left, remain; *mij restte niets anders dan te …* it only remained for me to …; **resteren** remain, be left

restitueren pay back, refund; **restitutie** refund

restrictie restriction, reservation; **restrictief** restrictive

resultaat result, outcome, upshot; ~ *boeken* produce results; **resulteren** result

resumé summary, synopsis, résumé; **resumeren** sum up, summarize, recapitulate

retorisch rhetorical

retort id

retoucheren touch up, retouch

retour return; *op z'n* ~ past his (its) prime; ~ *Delft* return Delft; **retourbiljet** return-ticket; **retourneren** return

retraite retreat; ~ *blazen* sound the (a) retreat

reu dog (a … and a bitch)

reuk smell; (*van hond, enz*) scent (dogs have a fine …); (*altijd aangenaam*) flavour, fragance; *ergens de* ~ *van hebben* (*krijgen*) get wind of s.t., smell a rat; *in goede (kwade)* ~ *staan* be in good (bad) odour; **reuk(e)loos** (*van gas, enz*) odourless; **reukzin** (sense of) smell

reuma(tiek) rheumatism; **reumatisch** rheumatic (*bw:* -ally)

reünie reunion; **reünisten** *ongev:* old boys, alumni

reus giant; *ouwe* ~, (*fam*) old boy; **reusachtig** gigantic (*bw:* -ally), giant (crane), huge; (*fam*) (*prachtig*) grand (that's …!); ~ *met elkaar opschieten* get on famously together

reuze: (*fam*) *hij was* ~ *in zijn schik* he enjoyed himself hugely

reuzel lard

reuzelekker (*fam*) delicious

reuzenkracht gigantic strength

reuzevent (*fam*) excellent fellow, splendid chap

revalidatie (physical) rehabilitation

revaluatie revaluation

revanche revenge (*ook bij spel*); **revancheren:** *zich* ~ take one's revenge; reciprocate; **revanchewedstrijd** (*sp*) return match

reven *tr* reef (a sail); *intr* reef down

revers lapel, facing

revideren revise; *ook = reviseren*; **reviseren** overhaul (a motor-cycle, etc); **revisie** revision; overhaul (of motor-cycle, etc)

revolutie revolution; **revolutionair** *bn & zn* revolutionary

revolver id

revue review (*ook tijdschrift*); (*theat*) revue; **revue-ster** revue star

riant smiling (landscape); delightful (residence), ample (salary, lead *voorsprong*)

rib id (*ook van blad, stof, enz*); (*van kubus*) edge; *men kon zijn ~ben tellen* he was no more than skin and bone; *een* ~ *uit iems lijf* a considerable expenditure

ribbel rib, ridge

ribbenkast rib cage; (*fam*) body, carcass

ribfluweel velvet corduroy

richel ledge, border, edge, ridge

richtdatum target date

richten (*algem*) direct; (*wapen*) aim, level (*op* at), (*kanon*) point (*op* at); (*kijker*) direct (*op* on, to); (*brief*) direct, address (*tot* to); *zich* ~ *naar* conform to (a custom, etc); *zich naar iem* ~: *a*) conform to a p.'s wishes; *b*) follow a p.'s example; *het oog* ~ *op* bend one's eye (bring one's eye to bear) upon; *aller ogen waren op hem gericht* all eyes were turned towards him; *kritiek* ~ *op* level criticism at; *het stelsel is gericht op …* aims at (the reclamation of young offenders); ~ *tot* address (a warning) to; *zich* ~ *tot* address o.s. to; **richtgetal** (*fot*) guide number

richting direction; school (of thought); (*in de kunst*) school; *ze zijn van onze* (*godsd*) ~ of our persuasion; *hij was de* ~ *geheel kwijt* had lost all sense of direction; *hij vertrok* ~ *Londen* in the direction of London; **richtingaanwijzer** (turn) indicator (light)

richt|kijker telescopic sight; **-lijn** (*algemene aanwijzingen*) directives, guide-lines; **-prijs** recommended price; **-snoer** line of action, rule of conduct

ridder knight; ~ *van de Kouseband* Knight of the Garter; **ridderlijk** chivalrous; **ridderlijkheid** chivalry

ridder|orde order of knighthood; military order; **-schap** knighthood; **-tijd** age of chivalry; **-verhaal** tale of chivalry; **-zaal** hall (of the castle); *de R~* the Knights' Hall

ridicuul ridiculous

rieken smell; (*fig*) savour (*naar* of); *zie* ruiken

riem (*van leer*) strap, thong; (*om middel*) belt, girdle; (*over schouder*) belt; (*van hond*) lead; (*van polshorloge*) (watch-)strap; (*drijf-*) (driving-)belt; (*roei-*) oar; *zie* roeiriem; *roeien met de ~en die men heeft* make the best of it; *iem een hart onder de* ~ *steken* put (some) heart into a p.

riet reed (*ook muz*); (*bamboe*) cane; (*van daken*) thatch; (*bies*) rush; (*voor limonade*) straw (sip lemonade through a …); **rieten:** ~ *dak* thatched roof

riet|mat rush-mat; **-suiker** cane-sugar

rif (*klip*) reef

rij row, range, file, line, tier (of seats); *een* ~ *getallen* (*onder elkaar*) column of figures; (*naast elkaar*) series (row) of figures; *in de* (*op een*) ~ in a row; *in de* ~ *staan* queue (up); *hij heeft ze niet allemaal op een ~tje,* (*fam*) he has a tile loose

rijbaan roadway; carriageway; lane; (*weg met*) *dubbele* ~ dual carriageway; **-bewijs** (driving, driver's) licence; **-broek** riding-breeches

rijden I intr (op dier, op fiets, in trein, tram, bus) ride; (in eigen auto) drive; (mennen) drive; (op schaatsen) skate; (van voertuig zelf) go, run; hij reed zelf he was driving himself; de bus rijdt tussen A. en H. (rijdt dagelijks) plies between … (runs daily); de auto reed hard was travelling fast; gaan ~ go out for a ride; door het rode licht ~ jump the lights; op een paard ~ ride a horse; ~ tegen run into (a lamp-post); **II** tr drive (who has driven you?); (in kinderwagen, ziekenwagentje) wheel; (kruiwagen enz) trundle; **rijder** rider, horseman

rij|dier riding-animal, mount; **-examen** driving test

rijgen (met steken) baste; (met spelden of steken) tack; (met veters) lace (shoes); (kralen) string

rijk I zn state, empire, kingdom; (fig ook) domain (this was her …); het Britse ~ the British Empire; het behoort tot het ~ der mogelijkheden it is within the bounds of possibility; ze hadden het ~ alleen they had it all to themselves; **II** bn (van pers) rich, wealthy; (van zaken) rich (country, soil); een buitengewoon ~(e) jaar (oogst) a bumper year (crop); ~ aan rich in (money, friends); de ~en the rich; **rijkdom** riches, wealth; natuurlijke ~men natural resources; **rijkelijk** bn zie rijk; bw richly, abundantly, plentifully, liberally; (ruim) amply (sufficient); rather

rijkelui rich people; (sl) nobs

rijks… dikwijls government …, (Am) federal …

rijks|ambtenaar government official; (burgerlijk) civil servant; **-archief** Public Record Office; **-belasting** tax; plaatselijke en ~en rates and taxes; **-betrekking** government office, State post; **-dienst**: in ~ in government service; **-eigendom** government-property; **-geld(en)** public funds; **-grens** (national) frontier; **-inkomsten** (public, national) revenue; **-kosten**: op ~ at the public expense, State (funeral); **-museum** national museum; **-politie** state police, (Am) Federal Police; **-school** state school; **-uitgaven** national expenditure; (drukwerk) government publications; **-universiteit** state university; **-vlag** national flag; **-wacht** (Belg) state police; **-wapen** arms of the State; **-weg** national highway; **-wege**: van ~ by authority (of the government)

rijm rhyme; op ~ in rhyme; **rijmelen** write doggerel; **rijmen** rhyme (op to, with); (fig) tally, agree (met with: this does not tally etc with what you told me); hoe rijm je dat met …? how do you reconcile this with …?; niet met elkaar te ~ (the two points of view are) irreconcilable; **rijmloos** rhymeless

Rijn Rhine; **rijnaak** Rhine barge; **Rijndal** Rhine valle; **rijnwijn** Rhine-wine, hock

rij-op-rij-af roll on - roll off (ferry)

rijp I zn hoar- (of: white) frost; **II** bn ripe (fruit, cheese; ook fig: the time is not yet ripe for it; ook van zweer); (gew fig) mature; ~ voor, ook

fit for; na ~ beraad after mature consideration; op ~e leeftijd at a ripe (of: mature) age; ~ worden (maken) ripen (ook van zweer), mature

rijpaard riding-, saddle-horse

rijpen 1 het heeft gerijpt there has been a hoarfrost; **2** intr & tr (ook fig) ripen, mature; (van kaas, ook:) age

rijpheid ripeness, maturity; **rijping** ripening, maturation

rij|proef (pass a) driving-test; **-school** a) riding-school; b) school of motoring

rijshout osiers, twigs, sprigs

rijsnelheid driving speed; (train, etc) speed

rijst rice; **rijstebrij** rice-pudding

rij|strook (traffic) lane; **-tax** (Belg) road tax

rijten tear, rend, rip

rijtijdenboekje (ongev) driver's record book

rijtuig carriage; (huur~) cab

rij|vaardigheid: (bewijs van) ~ (certificate of) driving proficiency; **-vaardigheidsproef** driving test; **-verbod** driving ban; **-verkeer** vehicular traffic; **-weg** carriageway; **-wiel** bicycle; (fam) bike; zie fiets; **-wielstalling** cycle shed

rijzen (van pers, zon, deeg, enz) rise; (van waren & prijzen) rise, go up; er rees een vraag a question cropped up

rijzig tall (stature)

rijzweep riding-whip, -crop, -switch

rikketik: in de ~ zitten be nervous (in a funk)

rillen shiver (van … with cold, fear, etc), shudder (bij … at the sight, etc); het doet me ~ it makes my flesh creep; **rillerig** shivery; **rilling** shiver(s), shudder

rimboe (Ind, Br I) jungle; (Australië, Afrika) bush

rimpel (algem) wrinkle, ruck; (van pers) wrinkle, line; (diep) furrow; (van water) ripple; **rimpelen** tr & intr wrinkle (up); tr ook: knit (het voorhoofd one's brow), line (his face was …d with worry); doen ~ ruffle, ripple (the water); **rimpelig** wrinkled, lined (face), furrowed (cheeks), shrivelled (apple)

ring id (zie ook kring); ~en, (gymn) swinging-rings

ring|baard fringe (of whisker); **-band** ring binder; **-dijk** enclosing dike

ringeloren bully

ringen ring (birds)

ring|sleutel ring spanner; **-vinger** ring-finger; **-vormig** ring-shaped; **-weg** ring road, circular road

rinkelen jingle

rinoceros rhinoceros; (fam) rhino

rins sourish

riolering sewerage; **riool** sewer, drain

riool|journalistiek gutter journalism; **-net** sewer-system; **-water** sewage, effluent

risee butt, laughing-stock

risico risk; ~ lopen run a risk; **risicodragend** risk-bearing (capital)

riskant risky; **riskeren** risk, venture

rist string (of onions, names), bunch (of berries)

rit ride, drive

ritme rhythm; **ritmisch** rhythmic(al)

ritprijs fare

rits zipper, zip

ritselen rustle (*ook = doen* ~)

ritsen (*van sluiting*) zip (*dicht* up)

ritssluiting zip-fastener, (*Am*) zipper; (*fam*) zip

ritueel *bn & zn* ritual

ritus rite, ordinance

rivaal rival; competitor; **rivaliteit** rivalry, competition

rivier river; *de* ~ *de Nijl, enz,* the River Nile, etc; *aan de* ~ (situated) on the river

Rivièra: *de* ~ the Riviera (live on ...)

rivier|bed(ding) river-bed; **-bekken** river-basin; **-kant** riverside; **-mond** river-mouth; (*zeer brede*) estuary; **-oever** river-bank

r-k R. C., Roman Catholic

rob seal; *zie* zeerob

robbedoes romping boy; (*meisje*) tomboy

robbe|jacht seal-hunting; **-jager** seal-hunter

robber (*bij kaartspel*) rubber

robijn ruby

robot id

robuust robust, stalwart

rochelen expectorate; (*vooral van stervende*) rattle (in one's throat); (*van pijp*) gurgle

rococo id; **rococostijl** rococo (style)

roddel(en) gossip

roebel rouble

roede rod; (*tover-*) wand

roei|baan rowing-course; **-boot** rowing-boat

roeien row, pull; **roeier** rower, oarsman

roei|riem, -spaan (*voor 2 handen*) oar; (*voor 1 hand*) scull; **-tochtje** row (take a p. for a ...); **-wedstrijd** rowing-match, boat-race

roekeloos rash, reckless (drive a car recklessly)

roem glory, renown, fame

roemen I *tr* praise; (*sterker*) extol; II *intr:* ~ *op,* (*pochen op*) boast of

roem|loos inglorious; **-rijk** glorious

roep call, cry (*ook van vogel*); (*roem*) fame, reputation

roepen I *intr* call (*ook van koekoek*); (*schreeuwen*) cry, shout; *om iem* ~ call (for) a p.; *hij riep er erg over* he was very enthusiastic about it; II *tr* call (a p.); shout ('no!' he shouted); *ik heb hem laten* ~ I've sent for him; *zich iets te binnen* ~ recall s.t. (to mind); *ik voel me niet geroepen te* ... I don't feel called upon to ...; *je komt als geroepen* as if you had been sent for

roeping call(ing), vocation

roep|letters call sign; **-naam** usual name

roer (*roerblad*) rudder; (*stuurinrichting*) helm; (*van pijp*) stem; *het* ~ *in handen nemen* take the helm; *het* ~ *omgooien,* (*ook fig*) put over the helm

roereieren scrambled eggs

roeren I *tr* stir (one's tea); (*fig*) move (it moved her to the depth of her heart), stir, affect, touch; *zich* ~ *stir, move*; II *intr:* ~ *aan* touch; ~ *in* stir (the water); **roerend** moving, touching

roerganger helmsman

roerig restless, lively; (*oproerig*) turbulent

roerloos motionless; (*fig*) unmoved

roes drunken fit, intoxication (*ook fig*); *zijn* ~ *uitslapen* sleep o.s. sober; *ik leefde als in een* ~ my life was a whirl of excitement

roest rust; *oud* ~ scrap iron; **roesten** rust, get rusty; **roestig** rusty

roest|kleurig rust-coloured; **-vrij** rust-proof; ~ *staal* stainless steel

roet soot; ~ *in het eten gooien* be a spoil-sport; **roetdeeltje** smut; **roet(er)ig** sooty

roffel (*van trom*) roll; **roffelen** roll (the drum); **roffelig** shoddy (work)

rog ray

rogge rye

rogge|bloem ray-flour; **-brood** ray-bread; **-meel** ray-meal

rok (*van vrouw*) skirt; (*onder-*) underskirt, petticoat; (*van man*) dress-coat, (*fam*) tails; *in* ~ in evening dress

roken *tr & intr* smoke (a pipe, fish, ham); *niet* ~ no smoking; *gerookt* smoked; **roker** smoker; **rokerig** smoky; **rokerigheid** smokiness

rokkenjager womanizer

rokkostuum dress-suit

rol roll (of paper); bolt (of cloth); (*perkament*) scroll (of parchment); (*theat*) part; *een* ~ *bezetten* fill a part; *de* ~*len zijn omgekeerd* the tables are turned; *de prijs speelt een grote* ~ is an important factor; *geld speelt geen* ~ money is no object; *aan de* ~ *zijn* (*gaan*) be (go) on the spree

rol|film (*fot*) roll-film; **-gordel** inertia reel seat-belt; **-gordijn** (roller-)blind

rollade collared beef

rollen roll (a ball, etc; the thunder ...s), trundle (a hoop); tumble (into a ditch); *je weet nooit hoe een dubbeltje* ~ *kan* you never can tell; *de zaak aan het* ~ *brengen* set the ball rolling; *iems zakken* ~ pick a p.'s pocket; **roller** id; *deeg*~ rolling-pin

rolletje *zie* ~; *alles ging als op* ~*s* everything went like clockwork

rol|prent film; **-roer** (*van vliegt*) aileron; **-schaats** roller-skate; **-stoel** wheel chair; **-trap** escalator; **-verdeling** cast

roman novel; ~*s, ook:* (they only exist in) fiction; **romanschrijver** novelist

roman|tiek *bn* romantic (*bw:* -ally); *zn* romanticism; romance (of the Highlands); **romantisch** romantic (*bw:* -ally)

Romein Roman

rommel rubbish, litter; (*prullen*) rubbish, trash; ~ *maken* make a mess; *het was een erge* ~ *in de kamer* the room was in a terrible mess; *de hele* ~ the whole lot; **rommelen** rummage (among papers, books); (*van de donder*) rumble; *het rommelt in India* India is in a ferment; **rommelig** disorderly, untidy; **rommelmarkt** flea-market

romp trunk; (*van schip & luchtschip*) hull; (*van vliegt*) fuselage

rompslomp (*drukte*) (fuss and) bother, ado

rond I *bn* round; *in ~e getallen* (*cijfers*) in round numbers; *~e taal* plain speaking; *de zaak is ~* the case is complete; **II** *bw, zie* ~uit; **III** *vz* round (the fire), about (fifty); **IV** *zn* round; *in het ~* round about, (all) around; *mijlen in het ~* (for) miles around

rond|bazuinen broadcast; **-borstig** frank, candid; **-brengen** take round; (*kranten, enz, ook:*) deliver; **-dansen** dance about; **-delen** distribute; **-dienen** hand (serve) round (refreshments); **-draaien I** *intr* turn (about, round), spin round (on one's heels); **II** *tr* turn (round); *~de beweging* rotary motion; **-dwalen** wander (roam) about

ronde round, circuit, tour; (*van politieagent*) beat; (*sp*) round, leg (of a cup competition), (*omloop*) lap

ronden round; (*af-*) round off

rond|gaan go round, go about; (*van beker, ook:*) circulate; *laten ~* pass (hand) round; **-hangen** hang (stand) about

ronding rounding, bulge; (*van kin, enz*) curve

rondje round; *een ~ geven* stand a round (of drinks)

rond|kijken look about (one); **-komen** make (both) ends meet; *ze kunnen nauwelijks ~* they can hardly manage; **-leiden** lead about; *iem ~* show (take) a p. over a place; **-leider** (*door museum, enz*) guide(-lecturer); (*Am*) docent; **-leiding** conducted tour; **-lopen** walk about; *vrij ~,* (*van misdadiger*) be at large; **-neuzen** nose (poke) about; **-om** *a*) *bw* all (a)round; *b*) *vz* (a)round, all round; **-reisbiljet** circular ticket; **-reizen** travel about; **-reizend** itinerant; **-rijden** drive (ride, skate) about; **-rit** tour; **-sturen** send round; **-tasten** grope (feel) about (*naar* for, after); **-trekken** wander about; **-uit I** *bn* straight(forward), forthright; **II** *bw* roundly (express one's views ...), frankly, plainly; *~ spreken* speak one's mind; *iem ~ iets vragen* ask a p. a plain question; *iem ~ zeggen, waar het op staat* talk to a p. straight from the shoulder; **-vaart** circular trip; **-vaartboot** water-bus, excursion boat; **-vertellen** spread, blab (all over the town); **-vliegen** fly about (round), circle (the aeroplane ...d over the town); (*fig*) tear (rush) about; **-vraag** questions before closure of meeting, (*ongev*) any other business (= *wat verder ter tafel komt, ~vraag*); **-wandelen** walk about; **-weg** circular road; **-zenden** send round; **-zwalken** be tossed about; **-zwerven** wander

ronken (*snurken*) snore; (*van motor, enz*) throb; (*van vliegt*) roar

ronselen recruit (volunteers)

röntgenen röntgen, X-ray

röntgen|foto X-ray photograph; **-onderzoek** X-ray examination; **-stralen** X-rays

rood red (*ook in de pol*); *rode hond* German measles; *~ worden* redden, flush; *in de rode cijfers* in the red; **roodachtig** reddish

rood|bruin reddish brown, russet; bay (horse); **-gloeiend** red-hot; **-huid** redskin; **-kapje** Little Red Riding-hood; **-koper(en)** copper; **-vonk** scarlet fever

roof 1 (*op wond*) scab, slough; **2** plunder, robbery; (*buit*) booty, loot; **-bouw** overcropping; *~ plegen* (*op*), (*fam*) drive (people) too hard, work (one's staff) to death

roof|dier beast of prey; **-moord** murder for robbery; **-overval** hold-up; **-tocht** foray, raid; **-vogel** bird of prey

rooien 1 *hij kan het* (*met zijn inkomen*) *niet ~* he cannot make (both) ends meet; *hij zal het wel ~* he is sure to manage (it); **2** (*aardappels*) lift, dig (up); (*bomen*) pull up

rook smoke; *in ~ opgaan* melt

rook|artikelen smokers' requisites; **-coupé** smoking-compartment; **-gordijn** smoke-screen (lay a ...); **-kanaal** flue; **-spek** smoked bacon; **-tabak** pipe-tobacco; **-vlees** smoked beef

room cream; *dikke ~* clotted cream; *geslagen ~* whipped cream; **-boter** butter; **-ijs** ice-cream

rooms-katholiek(e) Roman Catholic

roos rose; (*op hoofd*) dandruff; (*van kompas*) card; (*van schijf*) bull's eye; *onder de ~* under the rose; **rooskleurig** (*ook fig*) rosy

rooster (*in kachel*) grate; (*om op te braden*) grill; (*brood~*) toaster; (*ter afsluiting, enz*) grating; (*werk~*) (duty-)rota, (*op school, enz*) timetable; **roosteren** broil, roast, grill; toast (bread, cheese); (*sneetje*) *geroosterd brood* (slice of) toast

roosvenster rose window

ros *zn* steed

rosbief roast beef

rose *zie* roze

rossig reddish

rot I (*mil*) squad; (*2 man*) file; (*geweren*) stack (of arms); (*het verrot zijn*) rot; (*zeer ervarene*) old hand (in the trade, *in 't vak*); **II** *bn* rotten (*ook fig*); putrid; (*onaardig*) beastly (*doe niet zo ~* don't be ...); *~te tand* bad tooth; *~boek* (*-weer, enz*) rotten book (weather, etc); *dat ~huis, ook:* that wretched house

rotan rattan

rotje fire-cracker; *zich een ~ lachen,* (*volkstaal*) laugh one's head off

rotjoch little pest

rotonde (*verkeersplein*) roundabout

rots rock; (*steil, vooral aan kust*) cliff; (*steil*) crag; **rotsachtig** rocky

rots|blok boulder; **-kloof** chasm; **-tuin** rockgarden; *~vast* firm as a rock; **-wand** rockface; (*aan zee ook:*) bluff

rotten rot, decay

rotvent, rotzak (*plat*) rotter, nasty piece of work

rotzooi mess

roulatie circulation (be out of ... for a month); **rouleren** *a*) circulate; *b*) take turns

route id

routine *a*) experience, practice; *b*) id

rouw mourning; *in de ~ zijn* (*gaan*) be in (go into) mourning (*over* for)

rouw|beklag condolence; **-dienst** memorial service

rouwen mourn; **rouwig**: *ik ben er niet ~ om* I am not sorry for it

rouw|kaart funeral card; **-kamer** funeral (*of:* undertaking) parlour; **-kleding** mourning(-clothes); **-krans** funeral wreath; **-rand** mourning-border; *met ~* black-edged; **-stoet** funeral procession

roven *intr* rob, plunder; *tr* steal, kidnap (children), snatch (a kiss); **rover** robber; (*zee~*) pirate; (*struik~*) highwayman; **roverbende** gang of robbers

royaal (*van pers*) *a*) generous, lavish (*met* of); *b*) handsome (a ... apology); (*van beloning, aanbod, enz*) handsome, generous; (*ruim*) ample (amply sufficient; *een -ale meerderheid* a comfortable majority; *te ~ leven* live beyond one's means

royeren strike off the list, expel (a p. from a club)

roze pink, rose; *oud~* old rose

roze|bottel rose-hip; **-geur**: *het leven is niet alles ~ en maneschijn* life is not all beer and skittles; **-knop** rose-bud

rozenkrans (*r-k*) rosary; *een ~ bidden* tell one's beads

rozet rosette

rozig rosy, roseate

rozijn raisin

rubber id; **rubberplantage** rubber-plantation

rubriceren class (under different heads); **rubriek** head(ing); (*afdeling*) division, category; (*in krant*) column, feature; *onder deze ~ vallen* come (fall) under this head(ing); **rubrieksadvertentie** classified ad(vertisement)

ruchtbaar known, public; *~ maken* make known; **ruchtbaarheid** publicity

rudiment id; **rudimentair** rudimentary (organs)

rug back (of a p., book), ridge (of mountains, of high pressure); *nauwelijks had ik mijn ~ gekeerd, of* ... hardly had I turned my back when ...; *hij deed het achter mijn ~* he did it behind my back; *dat hebben we achter de ~* that's finished with; *met de handen op de ~* (he walked on,) his hands behind his back; *het geld groeit me niet op de ~* I'm not made of money; *iem op de ~ kloppen* pat a p. on the back

rugby id, rugger

ruggegraat backbone (*ook fig:* without ...)

ruggelings *bw* backward(s); *bn* backward

rugge|merg spinal marrow; **-spraak** consultation; *~ houden met iem* consult (with) a p.; **-steun** support, backing

rug|leuning back (of a chair); **-pijn** backache; **-slag** (*zwemmen*) back stroke; **-vin** dorsal fin; **-wervel** dorsal vertebra (*mv:* vertebrae); **-zak** rucksack, (*met lang frame*) backpack; **-zijde** back; **-zwemmen** swim back-stroke

rui moult; **ruien** moult

ruif (stable-, hay-)rack

ruig shaggy (moustache), hairy, bushy (eyebrows); (*ruw*) rough; **ruigharig** shaggy

ruiken I *tr* smell, scent; *de honden ~ het wild* scent the game; *hoe kon ik dat ~?* how could I possibly know?; II *intr* smell; *goed* (*lelijk*) *~* smell good (bad); *lekker ~* smell nice (sweet); *het* (*hij*) *ruikt naar cognac* it (he) smells of brandy; **ruiker** nosegay, bouquet

ruil exchange, barter; (*fam*) swop (swap) (do a ...); *in ~* (*voor*) in exchange (for); **ruilen** exchange, trade (cigarettes for butter), (*fam*) swop; *~ voor* (*tegen*) exchange etc for; *van plaats ~* change places (*met* with)

ruil|handel barter; **-motor** exchange engine; (*tweedehands*) reconditioned (rebuilt) engine; **-verkaveling** re-allotment

ruim I *zn* (*van schip*) hold; II *bn, bw* large (on a ... scale), broad (views), wide (choice), spacious (rooms), roomy (garments, house), liberal (salary); *~ van opvatting* broad-minded; *~ voldoende* amply sufficient, ample; *~ tien jaar* a good ten years; *~ een uur* (well) over an hour

ruimen empty, evacuate; (*weg~*) clear away (the snow); (*van wind*) veer (aft)

ruimschoots amply, abundantly; *~ op tijd* (arrive) in plenty of time

ruimte room, space, capacity; (*ledige ~*) void; (*omsloten ~*) enclosed space; (*tussen~*) interval; *~ van beweging* elbow-room; *geef hem de ~* give him a wide berth; *~ laten voor* leave room for (doubt); *~ maken* make room; *gezwam in de ~* talky-talky

ruimte|besparend space-saving; **-capsule** space-capsule

ruimtelijk spatial; *~e ordening* (town and country) planning

ruimte|schip space ship; **-vaarder** astronaut; **-vaart** space travel; **-vaartuig** spacecraft; **-veer** space shuttle

ruïne ruins, (he is a complete) wreck; **ruïneren** ruin; *zich ~* ruin o.s.; (*gestel*) wreck

ruis (*telec*) noise (filter); **ruisen** (*van kleed, woud, wind*) rustle; (*van zijde, regen, enz ook*) swish; (*van beekje*) murmur

ruit (*van glas*) pane (of glass); (*figuur*) diamond, lozenge; (*patroon & stof*) check

ruiten (*kaartsp*) diamonds

ruitenaas (*~boer, ~tien enz*) ace (knave, ten, etc) of diamonds

ruiter horseman, rider; **ruiterij** cavalry; **ruiterlijk** *bn* frank, plain; *bw* ...ly; *zie ook* ronduit

rui

ruiter|pad bridle-path; **-standbeeld** equestrian statue

ruite|sproeier screenwasher; **-wisser** windscreen wiper

ruitje pane, diamond, etc; *zie* ruit; **ruitje(s-goed)** chequered material; **ruitjespapier** squared paper

ruitvormig diamond-shaped

ruk pull, tug, jerk; (*luchtv*) hop (in one ...); (*afstand*) *een hele* ~ quite a distance; **rukken** pull, tug, jerk; ~ *aan* pull, etc at; *iem iets uit de handen* ~ tear s.t. from a p.'s hands; *uit zijn verband* ~ tear (a passage) from its context; **rukwind** squall, gust of wind

rul loose (sand), friable (soil)

rum id; **rumboon** brandy-bean

rumoer noise, clamour, uproar

rund cow, bull, ox; *mv ook:* cattle; (*fig*) boor; *hij bloedt als een rund* he is bleeding like a pig

runder|lapje beefsteak; **-leer** cowhide; **-rollade** collared beef; **-schijf** round of beef

rund|vee (horned) cattle; **-vet** beef suet; (*gesmolten*) beef dripping; **-vlees** beef

rups caterpillar; **rupsband** caterpillar track; *met* ~*en* tracked (vehicles)

Rus Russian; *r*~, (*sl*) tec (= *detective*); **Rusland** Russia; **Russisch** Russian

rust rest, repose, quiet, calm; (*voetbal*) half-time, interval; *op de plaats* ~! stand easy!; *zich een ogenblik* ~ *gunnen* take a moment's rest; *hij heeft* ~ *noch duur* he is very restless; *de* ~ *herstellen* restore quiet (*of:* calm); ~ *nemen* take a rest; ~ *roest* idleness rusts the mind, to rest is to rust; *in diepe* ~ *zijn* be fast asleep; *laat hem met* ~ leave (let) him alone; *zich ter* ~*e begeven* retire for the night; *tot* ~ *brengen* set at rest, quiet

rust|bank couch; **-dag** day of rest

rusteloos untiring, unremitting (labour), restless (spirit)

rusten rest; *hier rust* ... here lies ...; *laten* ~ rest (one's horse); rest (one's head on one's hands); *de zaak laten* ~ drop the matter; *wel te* ~! good night!; *zijn oog rustte op* ... rested on ...; **rustend** retired (teacher); **rustgevend** restful (scene)

rusthuis rest-home, -house, home of rest

rustiek rustic (*gew ong, behalve in* rustic bridge, etc); (*gunstig*) rural

rustig quiet, calm, uneventful (life); ~ *worden* quiet down; *zich* ~ *houden* keep quiet; **rustigjes** quietly

rust|kuur rest-cure; **-pauze** rest-break; **-verstoorder** disturber of the peace

ruw (*oneffen*) rough, rugged (tree-trunks); (*onbewerkt*) raw (cotton, sugar), crude (oil); (*grof*) coarse; (*fig*) rude, coarse, crude, rough; ~*e woorden* coarse words; **ruwweg** roughly (two million)

ruzie quarrel, row; ~ *hebben* (have a) quarrel (*over* over, about); ~ *krijgen* fall out (over s.t.); **ruzieachtig** quarrelsome; **ruziezoeker** quarrelsome person

Sss

saai *bn* dull, drab (life), tedious (journey); **saaiheid** dullness

saamhorigheid solidarity

sabbat sabbath

sabbats|jaar sabbatical (year); **-rust** sabbatical-rest

sabbelen suck; ~ *op* suck (candy)

sabel sword; **sabelen** sabre, slash; **sabelhouw** sword-, sabre-cut

sabotage id, wrecking; **saboteren** sabotage, wreck; **saboteur** id

sacharine saccharin

sacherijn worry; (*persoon*) curmudgeon; **sacherijnig** churlish

sacrament id; *de* ~*en der stervenden* the last sacraments

sacristie sacristy, vestry

sadisme sadist; **sadist** sadist; **sadistisch** sadistic

safeloket safe deposit box, safe, locker

saffier sapphire; **saffieren** *bn* sapphire

sage legend, tradition, myth

sago id; **sagopalm** sagopalm, -tree

sajet knitting (mending) wool

sakkerloot! the deuce! by Jove! by George! bless my soul!

Saksisch Saxon; ~ *porselein* Dresden china

saladbar salad bar

salade salad; *voor sam zie* sla

salamander id

salariëren pay; *een goed-gesalarieerde betrekking* a well-paid job; *te laag gesalarieerd worden* be underpaid; **salariëring** payment

salaris salary, pay; *op een* ~ *van* at a salary of; *op* ~ *zal minder gelet worden* salary no object

salaris|actie agitation (*of:* campaign) for higher salaries; **-regeling** scale of salary, rate of pay; **-schaal** salary scale; **-verhoging** rise; **-verlaging** reduction of salary

saldo balance; *batig* (*voordelig*) ~ credit balance; *nadelig* ~ debit balance; *per* ~ on balance (*ook fig*)

salon *a*) drawing-room; *b*) (*aan boord & van kapper, enz*) saloon

salon|boot saloon-steamer; **-held** drawing-room lion; **-orkest** light orchestra; **-wagen** saloon carriage, Pullman (car)

salpeterzuur nitric acid

salto-mortale somersault; *een* ~ *maken* turn a somersault

salueren salute; (*met vaandel*) dip the flag; **saluut** salute; ~! good bye! so long!; *een* ~ *bren-*

gen (give a) salute; **saluutschot** salute; ~*en lossen* fire a salute

salvo (*ook fig*) volley, salvo

samen together, (all these causes) combined; *hoeveel* (*geld*) *is dat* ~? how much does that make (come to)?; *50* ~, *ook:* 50 all told; *goede morgen* ~! good morning all (everybody)!; ~ *een taxi nemen* share a taxi; ~ *hebben* share (a room, cabin)

samen|binden bind (tie) together, tie up; -**doen** *tr* put together; *intr* be partners, join hands (in doing it); -**drommen** crowd (together); -**drukbaar** compressible; -**drukken** press together; -**flansen** knock together; -**gaan** go together (*ook fig*), (my affection and admiration) go hand in hand, (theory and practice do not always) tally, agree; ~ *met* go with, stand in with (the Radicals); *dit verschijnsel gaat samen met* ... is accompanied by ...; *zie* gepaard

samengesteld compound (interest); (*ingewikkeld*) complex; ~*e breuk*, (*rekenk*) complex fraction, (*med*) compound fracture; ~*e zin* compound (complex) sentence

samenhang cohesion; (*zinsverband*) context; **samenhangen** cohere, be connected, hang together; ~ *met, ook:* be linked up with; *ten nauwste* ~ *met* be closely bound up with; **samenhangend** connected; *het daarmee* ~*e vraagstuk* the allied problem

samen|klank consonance, concord; -**knijpen** pucker, screw up (one's eyes); -**komen** come together, meet; -**komst** meeting; *plaats van* ~ venue

samenleving society; (*met vrouw*) living together, (*formeel*) cohabitation

samen|loop concurrence; (*van rivieren*) confluence; ~ *van omstandigheden* coincidence; -**pakken** pack up, pack together; (*van onweer*) gather, brew; -**persen** press together, compress (with compressed lips); -**raapsel** hotchpotch; ~ *van leugens* tissue of lies

samenscholen mob, assemble, gather; **samenscholing** gathering, (unlawful, riotous) assembly

samensmelten melt together, fuse; **samensmelting** fusion

samenspannen plot, conspire; **samenspanning** plot, conspiracy

samen|spel combined action (*of:* play), teamwork; -**spraak** dialogue; -**stel** structure, system

samenstellen compose, compile, make up (a programme); *samengesteld uit* composed of, made up of; **samenstelling** composition, structure; (*gramm*) compound (word)

samentellen add (up)

samentrekken contract (pucker, knit) (one's brow); contract (words), concentrate (troops); *zich* ~ contract; (*van troepen*) concentrate; **samentrekking** contraction; concentration

samenvallen (*plaats & tijd, ook meetk*) coincide; (*tijd*) synchronize; *het boekjaar valt* ~ *met het kalenderjaar* the financial year is equal to the calendar year; *gedeeltelijk* ~ overlap

samenvatten (*fig*) sum up, summarize, recapitulate; **samenvatting** summary

samenvloeien unite; (*fig*) merge (*met* in); (*vooral van kleuren*) blend

samenvoegen join, link up; **samenvoeging** junction

samenwerken co-operate; *gaan* ~ join hands; *al deze redenen werken* ~ *om* all these reasons combine to; **samenwerking** co-operation; *geest van* ~ team-spirit; *in* ~ *met, ook:* in conjunction with

samen|wonen live together, live (*met* with); -**zang** community singing; -**zijn** *zn* gathering

samenzweerder conspirator; **samenzweren** plot, conspire; **samenzwering** plot, conspiracy; *een* ~ *smeden* lay a plot

sam-sam: ~ *doen*, (*fam*) go shares

sanatorium id (*mv:* sanatoria), health-resort

sanctie sanction; **sanctioneren** sanction, authorize

sandaal sandal

saneren redevelop (a district), reconstruct (the finances of a country), reorganize; **sanering** redevelopment, reconstruction, (monetary) reform, purge

sanitair I *bn* sanitary; ~*e artikelen* bathroom equipment; II *zn ongev:* plumbing, sanitary fittings (facilities)

santé your health! here's to you! (*fam*) chinchin! cheerio!

santenkraam: *de hele* ~ the whole caboodle

Saoedi Arabië Saudi Arabia

sap (*in plant*) id; (*van vruchten*) juice; **sapje** (*fam*) soft drink

sapperloot *zie* sakkerloot

sappig (*van vrucht*) juicy, luscious; (~ *& vlezig, van plant*) succulent (*alle bet, ook fig*); ~ *vlees* succulent meat; ~ *verhaal* juicy story; **sappigheid** juiciness, lusciousness, succulence

sarcasme sarcasm; **sarcastisch** sarcastic (*bw:* -ally)

sarcofaag sarcophagus, *mv:* sarcophagi

sardine, sardientje sardine; **sardineblikje** sardine-tin

sarren bait, badger, worry, tease

sas: *in zijn* ~ *zijn* be in high feather

satan Satan, the devil; **satanisch, satans** satanic; **satanskind** imp, limb (of the devil)

satelliet satellite

satelliet|foto satellite picture; -**stad** satellite town

satijn satin

satire id; **satirisch** satiric(al)

saucijs sausage; **saucijzebroodje** sausage-roll

sauna id

saus sauce; (*jus*) gravy; (*voor sla*) dressing

saus|kom sauce-boat; -**lepel** sauce-ladle

sau

sauveren (*redden*) save; (*dekken*) shield, screen
savanne savanna(h)
savooiekool savoy (cabbage)
sawa flooded rice-field, paddy-field
saxofonist saxophonist; **saxofoon** saxophone
s-bocht S-bend
scala range (of possibilities)
scalp id; **scalperen** scalp
scandaleus scandalous
scanderen scan; (*soms*) chant
Scandinavië Scandinavia
scenario id, screenplay; **scenarioschrijver** scenario-writer
scène *a*) scene; *b*) scene (make a …), row; *huiselijke* ~ domestic squabble; *iem een* ~ *maken* blow a p. up
scepter sceptre; *de* ~ *zwaaien* wield the sceptre
scepticisme scepticism; **scepticus** sceptic; **sceptisch** sceptical; ~ *staan tegenover* be sceptical of
schaaf plane; (*groente*~) slicer; **schaafwond** gall, graze
schaak check; *partij* ~ game of chess; ~ *spelen* play (at) chess
schaak|bord chess-board; **-mat** checkmate; **-meester** chess master; **-partij** game of chess; **-probleem** chess problem; **-rubriek** chess column; **-stuk** chess-man; **-toernooi** chess tournament; **-zet** chess move
schaal (*graadverdeling*) scale; (*van schaaldier, ei, enz*) shell; (*schotel*) dish; (*voor collecte*) plate; (*weegschaal*) (pair of) scales; *dat doet de* ~ *overslaan* that turns the scales; *in de* ~ *werpen* throw (one's influence) into the scales; *op een* ~ *van 1 : 50* to a scale of 1 to 50; *op* ~ *tekenen* draw to scale; *op grote* ~ large-scale (map, experiments)
schaal|dier crustacean; ~*en* shell-fish, crustacea; **-verdeling** graduation; graduated scale
schaamdelen genitals, privy parts
schaamrood: *die gedachte joeg hem het* ~ *op de kaken* brought a blush to his cheeks
schaamte shame; *zich uit* ~ *niet durven vertonen* hide one's head for shame; **schaamtegevoel** sense of shame
schaamteloos shameless, impudent
schaap sheep (*ook fig*); *onnozel* ~, (*fig*) silly goose; *dat arme* ~! (*kind*) the poor kid!; *verloren* ~ stray sheep; *zwarte* ~, (= *zondebok*) scapegoat; *er gaan veel makke schapen in één hok* there is always room for a good one; *als er één* ~ *over de dam is, volgen er meer* where one sheep goes, follows another; come one, come all
schaapachtig sheepish; **schaapachtigheid** …ness
schaapherder shepherd
schaapje: *hij heeft zijn* ~*s op het droge* he has feathered his nest (made his pile)
schaapskooi (sheep-)fold, pen
schaar (pair of) scissors (*twee -ren* two pairs of scissors); (*voor schapen, heggen, enz*) (pair of) shears; (*van ploeg*) share; (*van kreeft*) pincers, claws, nippers; **schaarbeweging** (*voetbal*) scissor-kick
schaars I *bw* scantily (furnished), dimly (lighted); (*nauwelijks*) scarcely; II *bn* scarce, in short supply; **schaarste** scarcity (*aan* … of money), (paper) shortage
schaats skate; *een scheve* ~ *rijden* act in a regrettable way
schaatsen|rijden *ww* skate; *zn* skating; **-rijd(st)er** skater
schaatswedstrijd (speed) skating-match
schablone, schabloon stencil (plate); (*fig*) pattern
schacht (*van lift, pijl*) shaft; (*van veer*) quill; (*van laars*) leg
schade damage (*aan huizen* to …), harm, injury; (*nadeel*) detriment; (*verlies*) loss; ~ *aanrichten* do damage (no damage was done); *de* ~ *betalen* pay for the damage; *iem* ~ *berokkenen* bring a loss upon a p.; *zijn* ~ *inhalen* make up arrears; ~ *lijden*, (*van pers*) suffer a loss, (*van zaken*) sustain damage; ~ *toebrengen* cause damage to; *door* ~ *en schande wijs worden* learn by (bitter) experience; *tot* ~ *van* to the detriment of (your health); *ik heb het tot mijn* ~ *ondervonden* I experienced it to my cost; **schadelijk** harmful, detrimental, injurious (to health); ~ *dier* pest; **schadelijkheid** harmfulness, unprofitableness; **schadeloos** harmless; *iem* ~ *stellen* indemnify a p.; **schadeloosstelling** compensation, indemnity
schaden harm, hurt, damage; *dat schaadt uw gezondheid* that is injurious (detrimental) to your health
schade|post loss; **-regeling** settlement of damages; **-vergoeding** compensation; ~ *van iem eisen* claim damages from a p.; *hij wilde* ~ *hebben* he wanted to recover damages; **-verhaal** redress; **-verzekering** indemnity insurance (policy); **-vordering** claim (for damages)
schaduw shade (80° in the shade); (*met bepaalde omtrek*) shadow; *iem volgen als zijn* ~ follow a p. like his shadow; *je kunt niet in zijn* ~ *staan* you are not fit to hold a candle to him; *in de* ~ *stellen* eclipse, throw into the shade, overshadow; *een* ~ *werpen op* cast a shadow over
schaduw|beeld silhouette; **-boksen** shadow-boxing
schaduwen shade; (*door politie*) shadow
schaduw|kabinet shadow-cabinet; **-rijk** shady, shadowy, shaded; **-zijde** shady side; (*fig*) drawback; *alles heeft zijn* ~ there are drawbacks to everything
schaften dine; knock off (work) for one's meal; *niets mee te* ~ none of my business
schaft|lokaal canteen; **-tijd** lunch break
schakel link; *ontbrekende* ~ missing link; **schakelaar** switch
schakel|armband curb-, chain-bracelet; **-bord** switchboard

schakelen link (together); (*elektr*) connect (*in serie* in series; (*in*) *parallel* in parallel), switch; (*mech*) couple; (*auto*) change gear; **schakeling** connection, (*elektr*) circuit

schakel|kast switch-cupboard; **-klok** time switch; **-schema** circuit diagram

schaken 1 play (at) chess; 2 run off with; *zij liet zich door hem ~* she eloped with him

schakeren variegate, chequer; **schakering** nuance, shade (*ook fig:* all shades of political opinion)

schaking elopement, abduction

schalk rogue

schalkachtigheid archness, roguishness; **schalks** arch, roguish

schallen sound, resound

schalm link

schamel poor, humble; *~ gekleed* poorly dressed; *een ~ pensioentje* a paltry pension; **schamelheid** poverty, humbleness

schamen: *zich ~* be (feel) ashamed; *schaam je!* shame on you!; *zich ~ over* be ashamed of; *je moest je ~* you ought to be ashamed of yourself; *er is niets waarover ik me hoef te ~* I have nothing to be ashamed of; *ik schaam me voor je (om je)* I am ashamed for you; *ik zou me dood ~* I should die of shame; *zich de ogen uit het hoofd ~* feel heartily ashamed of o.s.

schampen graze, brush (*tegen* against)

schamper scornful; *~e opmerking* sneer

schampschot graze, grazing shot; *hij kreeg een ~* a bullet (just) grazed him

schandaal scandal, shame; *wat een ~!* what a shame!; **schandaaljournalistiek** gutter journalism

schandalig shameful, disgraceful

schanddaad outrage

schande shame, disgrace; *het is ~ hem zo voor de gek te houden* it's a shame pulling his leg like that; *~ brengen over* bring shame upon; *te ~ maken* disgrace (a p., o.s.); *tot mijn ~* (I must confess) to my shame ...; **schandelijk** shameful, disgraceful, outrageous (lie, liar); *~e veronachtzaming* gross neglect; *~ duur* shockingly expensive; *~ hoog* exorbitant (prices); *zich ~ gedragen, ook:* disgrace o.s.; *de dingen ~ in de war sturen* make the most unholy mess of things

schand|merken stigmatize; **-paal** (*aan de*) (in the) pillory; *aan de ~ nagelen* pillory, (*fig*) expose; **-vlek** *hij is de ~ der familie* the disgrace of the family

schape|bout leg of mutton; **-huid** sheepskin; **-kaas** ewe-cheese

schapen|fokker sheep-breeder; **-scheerder** sheep-shearer; **-scheren** *zn* sheepshearing; **-teelt** sheep-breeding

schape|ras breed of sheep; **-schaar** (pair of) sheep-shears; **-stal** sheep-fold; **-vacht, -vel** fleece, sheepskin; **-vlees** mutton; **-wol** sheep's wool

schappelijk fair (treat a p. fairly), moderate (price), decent (work); (*van pers*) decent; *ik zal het ~ met je maken* I'll be reasonable

schar (*vis*) dab

schare (*menigte*) multitude, crowd

scharen draw up; rally (one's party round one); *zich ~* range o.s.; *zich ~ om* gather round (the hearth), (*fig*) rally round, his party rallied round (to) him); *in twee rijen langs de straat geschaard staan* line the street two deep

scharlakenrood scarlet

scharminkel scrag, bag of bones

scharnier hinge

scharrel flirtation; **scharrelaar** (*sjacheraar*) petty dealer; (*met meisjes*) one who is always after the girls, philanderer; **scharrelei** free-range egg; **scharrelen** (*sjacheren*) deal (in second-hand furniture); *met meisjes ~* play about with girls, gallivant; *~ om rond te komen* scrape (jog, scratch) along (on one's income)

scharrel|kip free-range chicken; **-partijtje** flirtation; (*sl*) petting-party

scharreltje popsy, (nice) piece of goods

schat treasure; (*verborgen*) hoard; (he's a perfect) dear, darling; *mijn ~(je)!* my dear!; *~ van bloemen* wealth of flowers; *dit boek bevat een ~ van kennis* is a storehouse (mine) of information

schateren (*van het lachen*) roar with laughter; *hij deed ons ~ van het lachen* he set us in a roar; **schaterlach** loud laughter, burst of laughter

schatgraver treasure-hunter

schatje sweetheart

schat|kamer (*ook fig*) treasure-house; **-kist** (public) treasury; **-rijk** very rich, wealthy; *hij is ~, ook:* he is fabulously rich

schatten (*goederen, enz*) value; *~ op* value at; *op de juiste waarde ~* assess (the results); *hoe oud schat je hem?* how old do you take him to be?; *te hoog ~* overestimate, overvalue, overrate; *te laag ~* underestimate, undervalue, underrate; *verkeerd ~* misjudge

schattig sweet, lovely; (*Am*) cute

schatting (*het schatten*) estimation; (*het resultaat*) estimate; *te hoge (lage) ~* overestimate (underestimate); *naar (ruwe) ~* at a rough estimate (computation); *naar ~ twee miljoen* an estimated two million

schaven plane, smooth; (*scheen, enz*) graze; *geschaafde plek* graze

schavot scaffold

schavuit rascal, scapegrace

schede (*algem*) sheath; (*anat*) vagina

schedel skull; *hij heeft een harde ~*, (*fig*) he has a thick skull

schedel|basisfractuur fracture of the base of the skull; **-breuk** fracture of the skull; **-dak** calvarium, calva

scheef I *bn* wry (face), oblique (line, angle, etc), lopsided (building); leaning (tower), sloping (masts); (*pred*) *ook:* awry; **II** *bw* obliquely, etc, awry (he held his spoon ...), askew (hang ...); *een ~ gezicht zetten* make a wry face (mouth); *scheve verhouding (positie)* (place (put) a p. in a) false position (*tegenover* with); *~ groeien* grow crooked; *dat loopt ~* that's going wrong; *~staand* inclined; *je das zit ~* your tie is crooked; *die zaak zit ~ ...* isn't quite straight; *~ voorstellen* misrepresent; **scheefheid** wryness, crookedness

scheel squinting; *schele hoofdpijn* migraine; *hij is (ziet) ~* he squints; *~ zien van honger* be famished; *~ zien van afgunst* be green with envy; *met schele ogen aankijken* view with a jealous eye; *schele ogen maken* arouse jealousy

scheen shin; *iem tegen de schenen schoppen* kick a p.'s shins; (*fig*) hurt a p.'s feelings, offend a p.; **scheenbeschermer** shin pad, shinguard

scheep: *~ gaan* go on board, embark

scheepje (small) vessel

scheeps|agentuur ship's agency; **-artikelen** ship's articles; **-arts** ship's surgeon, ship's doctor; **-behoeften** ship's provisions; **-bemanning** (ship's) crew; **-berichten** shipping-intelligence; **-bouwer** ship-builder, -wright; **-geschut** naval guns; **-helling** slip(way); **-jongen** ship's boy, cabin-boy; **-journaal** log (-book), ship's journal; **-kapitein** ship-captain, master (of a ship); (*van klein schip*) skipper; **-lading** ship-load, cargo; **-proviand** ship's stores; **-ramp** shipping-disaster; **-roeper** speaking-trumpet, megaphone; **-romp** ship's hull; **-ruim** hold; **-ruimte** tonnage, cargo space; *tekort aan ~* shortage of shipping; **-term** nautical term; **-timmerman** ship's carpenter; **-tucht** discipline on board; **-victualiën** ship's victuals; **-volk** (ship's) crew; **-vracht** ship-load; **-werf** shipyard; (*scheepv*) dockyard

scheepvaart navigation, shipping

scheepvaart|beurs shipping-exchange; **-maatschappij** shipping-company; **-museum** maritime museum; **-route** shipping route; **-verkeer** shipping(-traffic)

scheer|apparaat razor, (*elektrisch*) shaver; **-gerei** shaving-tackle, -things, -set; **-kwast** shaving-brush; **-lijn** guy-rope; **-mes** razor; *~je*, (*veiligheids-*) razor-blade; **-spiegel** shaving-glass; **-wol** (*in textiel*) virgin wool; **-zeep** shaving-soap

scheet (*volkstaal*) fart; *een ~ laten* (let a) fart

schegbeeld figure-head

scheidbaar separable; **scheiden** separate (a river separates the two countries), divide, sever (the head from the body), disconnect; (*het haar*) part; (*gehuwden*) divorce (*uiteengaan*) part, separate; *de vechtenden ~* part (separate) the combatants, pull ... apart; *onderwijs en godsdienst ~* divorce education from religion; *zich ~* part (her lips parted); *hier ~ zich onze wegen* here our roads part; *zich laten ~ van* divorce (one's husband or

wife); *~ van tafel en bed* separate from bed and board; *als (de beste) vrienden ~* part (the best of) friends; **scheiding** separation, division; (*tussenschot, enz*) partition; (*in haar*) parting; (*echt~*) divorce; (*van tafel en bed*) judicial separation, separation from bed and board; *~ der geesten* parting of the ways

scheids|gerecht court of arbitration; **-lijn** dividing line; **-rechter** (*tennis, cricket, enz*) umpire; (*voetbal, enz*) referee, (*fam*) ref; *als ~ optreden* umpire (in a match), referee, (*fam*) ref; **-rechterlijk** arbitral; *~e uitspraak* (arbitral) award

scheikunde chemistry; **scheikundig** chemical; **scheikundige** (analytical) chemist

schel I *bn* shrill, piercing; (*van licht*) glaring; *met een ~le stem, ook:* in a high-pitched voice; **II** *zn* bell

schelden call names (you should not ...); *~ op* abuse, revile; *~ als een viswijf* scold like a fishwife; *~ doet geen pijn* hard words break no bones; *gaan ~* become abusive

scheld|naam nickname, contemptuous term; **-partij** slanging- match; **-woord** abusive word; *~en, ook:* abusive language

schelen (*verschillen*) differ; (*mankeren*) *zie de voorbeelden*; *het kan niet ~* never mind; *wat kan het ~?* what does it matter?; *het kan me niet ~* I don't care, (*ik heb er niets tegen*) I don't mind; *het kon haar niet ~ dat ...* it mattered nothing to her that ...; *wat kan het je ~?* what do you care?; *dat scheelt me fl. 500* that makes 500 guilders' difference to me; *dat scheelt veel* that makes a great difference; *dat scheelde niet veel!* that was a near thing; *het scheelde weinig (niets), of het was vergeefs geweest* it was very near being in vain; *is het tijd?* -- *het scheelt niet veel* pretty nearly; *wat scheelt er aan?* what's the matter?; *wat scheelt eraan?* (*aan dat boek, enz*) what is wrong with it?; *scheelt er iets aan?* is anything the matter?; *hem scheelt niets* there is nothing the matter with him; *zij ~ haast niet in leeftijd* there is hardly any difference in their ages; *ze ~ twee jaar* they are two years apart

schelm rascal, knave, rogue; **schelmenstreek** roguish trick

schelms roguish

schelp shell; **schelpdier** shell-fish

schelpenpad shell-path

schelpvormig shell-shaped

schelvis haddock

schema outline, scheme, diagram; **schematisch** schematic (*bw:* -ally)

schemer twilight; (*het donkerste stadium ervan*) dusk; *zie ~ing*; **schemerachtig** dim, dusky; (*fig*) dim; **schemerdonker** twilight; **schemeren** (*'s morgens*) dawn; (*'s avonds*) grow dusk; (*van licht*) glimmer, (*door~*) filter (through the blinds); *er ~t mij iets van voor de geest* I remember it dimly; **schemering** (evening, morning) twilight, dusk; *in de ~* at twilight, at dusk

schemer|lamp floor-lamp, (*op tafel:* table-) lamp; **-licht** *a*) twilight; *b*) dim light; **-uurtje** twilight (hour)

schenden violate (a treaty, a law, someone's privacy); (*beschadigen*) damage; *geschonden,* (*van boek, enz*) damaged, soiled; **schender** violator; **schending** violation; mutilation; ~ *van vertrouwen* breach of confidence

schenkblad tray

schenken (*water, thee, enz*) pour (out: shall I p. you out a cup of tea?); (*wijn, enz: presenteren*) serve (cocktails), (*verkopen*) sell (beer); (*geven*) give, grant, present with; *iem een schuld~* let a p. off a debt; *de rest schenk ik je* you may keep the rest; (*van verhaal*) we will take the rest for granted; *het ons geschonken vertrouwen* the confidence shown to us; **schenking** gift, grant, donation

schep (*voorwerp*) scoop, shovel; (*hoeveelheid*) spoonful, shovelful; *een ~ geld* heaps (a mint) of money; *een ~je suiker* a spoonful of sugar

schepeling member of the crew, sailor; *de ~en* the crew, the men

schepen sheriff, magistrate, (*Belg*) alderman; **schepencollege** (*Belg*) College of Burgomaster and Aldermen

schep|lepel ladle, scoop; **-net** dip-net

scheppen 1 scoop; ladle (soup into a plate); shovel (snow); *vol ~* fill; **2** create; establish (a tradition); **schepper** creator; **schepping** creation

scheppings|drang creative urge; **-kracht** creative power

scheprad paddle-wheel

schepsel creature (*in alle bet*)

scheren shave (men); shear, clip (sheep); shear (cloth); trim (a hedge); skim (a pebble over the water); *de zwaluw scheert over het watervlak* skims (over) the water; *zich ~* shave (*met ... in cold water*); *zich laten ~* get (be) shaved, have a shave

scherf potsherd; (*van glas*) fragment, (*van granaat*) (shell-)splinter

schering warp; *~ en inslag* warp and woof; *dat is ~ en inslag* that is the order of the day

scherm (*vuur-, tocht-, enz*) screen; (*theat*) (drop-)curtain; (*tegen zon, enz*) awning (*zie* zonne~); (*plantk*) umbel; *achter de ~en* (*ook fig*) behind the scenes; *achter de ~en zitten* pull the strings

schermbeeldonderzoek radiography

schermen fence; *met woorden ~* make great play with (high-sounding) words; **schermer** fencer, swordsman

scherm|kunst art of fencing; **-masker** fencing-mask

schermutseling (*ook fig*) skirmish, brush

schermvereniging fencing-club

scherp I *bn* sharp (knife, turn, frost, tongue, photo), keen (wind, sight, glance); *zie ook* ~zinnig; *~e concurrentie* keen (*sterker:* fierce) competition; *~e hoek,* (*meetk*) acute angle; *de*

twist verloor z'n ~e kanten lost its bitterness; *~e lucht: a*) sharp air; *b*) pungent (acrid) smell; *~ onderscheid* strongly marked difference; *~e patroon* ball cartridge; *~ verstand* keen intellect; **II** *bw* sharply; ..., *zei zij ~* ..., she said with asperity; *iem ~ aankijken* look hard (closely) at a p.; *~ gesteld* strongly worded (protest); *zij hoort ~* she has sharp ears; *~ stellen,* (*fot*) focus; **III** *zn* edge (of a knife); *met ~ schieten* fire live cartridge(s); **scherpen** sharpen

scherp|klinkend shrill; **-rechter** executioner, hangman; **-schutter** sharp-shooter; **-slijper** extremist

scherpte sharpness, edge; (*van kijker, enz*) definition

scherpzinnig acute, discerning, shrewd (judgement); **scherpzinnigheid** acuteness, discernment, sagacity

scherts joke, fun, banter; *als ~ opvatten* treat as a joke; *in ~* jokingly; (*alle*) *~ terzijde* joking apart; **schertsen** jest, joke

scherts|figuur nonentity; **-vertoning** washout

schets sketch, draught; **schetsen** sketch, outline (a programme), trace briefly; (*schilderen*) sketch, paint, picture

schetteren (*van trompet, enz*) blare; (*van stem*) shrill; (*van redenaar, enz*) rant; (*bluffen*) swagger

scheur crack, fissure; (*in stof, kledingstuk, enz*) tear; **scheuren I** *tr* (*kapot-*) tear up (a letter); (*bij ongeluk*) tear (one's clothes), (*uit droefheid*) rend (one's garments); (*met auto*) tear (round corners); *in stukken ~* tear to pieces; **II** *intr* tear; (*van ijs enz*) crack; **scheuring** (*fig*) rupture, split (the Tory ...); **scheurkalender** tear-off calendar

scheut (*van plant*) shoot; dash (of brandy); stab (of pain)

scheutig open-handed; **scheutigheid** open-handedness

schicht flash (of lightning)

schichtig shy, skittish; **schichtigheid** ...ness

schielijk *bn* quick, prompt, sudden; *bw* ...ly

schiereiland peninsula

schietbaan firing-range

schieten I *tr* shoot (a p., an animal); (*af~*) fire (a gun), shoot (an arrow); *de zon ~* shoot the sun; *hij heeft het (goed) geschoten* he has the right idea; **II** *intr* shoot, fire; (*zich snel bewegen*) shoot (*ook van sterren & pijn*), rush; *iem laten ~* drop a p. (*fam:* like a hot brick); *iets* (*koord, enz*) *laten ~* let it go; *het schoot mij door het hoofd* the thought darted through my mind; *in de hoogte ~,* (*groeien*) shoot up; *het bloed schoot haar naar het gezicht* the blood rushed to her face; *~ op* fire at (on); *voorover ~* pitch forward

schiet|oefening(en) target-practice; **-partij** shooting-affray; **-schijf** target, mark; **-stoel** (*luchtv*) ejector seat; **-tent** shooting-gallery, rifle-gallery; **-terrein** artillery-range

schiften sort (out); separate (chaff from wheat); (*uitpluizen*) sift (evidence, facts); **schifting** sorting, sifting; elimination

schijf (*algem*) disc, disk (*ook van zon, enz*); (*plakje*) slice; (*van automatische telefoon*) dial; *dat loopt over veel schijven* it is a complicated procedure; **schijfje** *zie* ~; *in* ~*s snijden* slice (apples); **schijfrem** disc brake

schijn (*licht*) glimmer, shine; (*voorkomen*) appearance; show (treat a p. with some ... of respect), pretence; *die ruwheid is maar* ~ is only on the surface; *attr dikwijls:* sham; ~ *en wezen* shadow and substance; *hij heeft geen* ~ *van kans* not a ghost of a chance; ~ *bedriegt* appearances are deceptive; *het heeft er alle* ~ *van* it looks very much like it; *hij heeft de* ~ *tegen zich* appearances are against him; *in* ~ seemingly; *naar alle* ~ to all appearance, apparently; *voor de* ~ for the sake of appearances; **schijnbaar** seeming (a ... contradiction), apparent

schijn|beweging feint; **-dood** *zn* apparent death, suspended animation; *bn* apparently dead

schijnen (*van zon, enz*) shine (*ook:* the sun is out again); (*lijken*) seem (he does not ... to like it); *het schijnt, dat* ... it (rather) seems that ...; *naar het schijnt heeft hij* ... it appears he has ...

schijn|heilig hypocritical; **-heiligheid** hypocrisy; **-proces** mock trial

schijnsel shine (of a lantern), glow (of headlights), radiance, (*zwak*) glimmer; (*van vuur*) *ook:* firelight

schijntje *zie* schijn; (*het kost*) *maar een* ~ only a trifle; *hij verdient maar een* ~ he earns a mere pittance

schijn|vertoning sham; **-werper** (*zoeklicht*) search-, spot-light, (*fam*) spot; *met* ~*s verlichten* flood-light (London)

schijt (*plat*) shit; **schijten** (*plat*) shit; **schijtlaars** (*volkstaal*) funk

schijventarief graded system of income brackets for tax-assessment

schik: *wij hadden veel* ~ we had great fun; *in z'n* ~ *zijn* be in high spirits

schikken (*ordenen*) arrange, order; (*bijleggen*) settle, make up (a quarrel); (*gelegen komen*) suit, be convenient to; *kunt u het* ~? can you make it convenient?; *zodra het u schikt* at your earliest convenience; *zich* ~ *in zijn lot* resign o.s. to one's fate; *zich zo goed mogelijk in iets* ~ make the best of it, grin and bear it; *zich in het onvermijdelijke* ~ accept the inevitable; *zich naar iems wensen* ~ comply with a p.'s wishes; *zich naar de omstandigheden* ~ adapt o.s. to circumstances; **schikking** arrangement, settlement, agreement; *tot een* ~ *komen, een* ~ *treffen* come to an arrangement (an understanding), reach a settlement, compromise

schil rind (of fruit), peel (of an orange), (*van bessen, bananen, enz*) skin; (*het afgeschilde,*

mv) parings, peelings (of potatoes); *met de* ~ *koken* boil (potatoes) in their jackets

schild shield (*ook fig*); *wat voert hij in zijn* ~? what is he up to?; *hij voert wat in zijn* ~ he is up to no good

schilder *a*) painter, artist; *b*) (house-)painter; **schilderachtig** picturesque; scenic (route); **schilderen** paint; (*fig ook*) picture; ~ *en behangen* decorate (a room); **schilderij** picture, painting; **schilderijenkabinet** picture-gallery

schildering painting, portrayal (of daily life)

schilderkunst (art of) painting

schilders|ezel easel; **-palet** palette; **-penseel** paint-brush

schild|klier thyroid (gland); **-knaap** squire; **-pad** (*land-*) tortoise; (*zee-*) turtle; **-padsoep** turtle(-soup); **-wacht** sentry; ~*en plaatsen* post sentries; **-wachthuisje** sentry-box

schilfer scale, chip; ~*s op het hoofd* dandruff; **schilferen** scale (off), peel (off)

schillen peel (potatoes, oranges); pare (apples); **schilmesje** peeler, paring-knife

schim shadow, shade, ghost, spectre

schimmel 1 grey (horse); **2** mould, mildew; **schimmelen** go mouldy; **schimmelig** mouldy, mildewy

schimmen|rijk spirit world; **-spel** shadow-show

schimp scorn, taunt(s); **schimpen** scoff, gibe, rail; ~ *op* revile, scoff at; **schimpscheut** gibe, jeer

schip ship (*vooral groot zee~*), vessel; (*schuit*) (canal-)barge; (*van kerk*) nave; *schoon* ~ *maken* settle accounts; *zijn schepen achter zich verbranden* burn one's boats

schipbreuk shipwreck; *bij* ~ in case of shipwreck; ~ *lijden* be shipwrecked; (*fig*) fail, miscarry; **schipbreukeling** shipwrecked person; *maatschappelijke* ~ (social) misfit

schipper bargeman; (*gezagvoerder*) skipper, master (of a vessel)

schipperaar trimmer; **schipperen** trim, give and take

schippersknecht barge hand

schisma schism

schitteren glitter, shine (with pleasure), sparkle (diamonds, eyes); ~ *door afwezigheid* be conspicuous by one's absence; **schitterend** (*fig*) brilliant, splendid; *een* ~ *voorbeeld* a shining example; **schittering** glittering, sparkle (of diamonds), lustre, splendour

schlager (smash) hit

schlemiel (*Bargoens*) sap, sucker

schmink grease-paint; (*fam*) make-up

schminken make up; *zich* ~ make up

schoeisel foot-wear

schoen shoe (*ook van rem*); (*hoog*) boot; *de stoute* ~*en aantrekken* pluck up courage; *wie de* ~ *past, trekke hem aan* whom the cap fits, let him wear it; *daar wringt hem de* ~ that's where the shoe pinches; *gooi geen oude* ~*en weg, vóór je nieuwe hebt* don't throw old shoes away before you have new ones; *iem iets in de ~en schuiven* lay s.t. at a p.'s door; *het hart zonk hem in de ~en* his heart sank into his boots; **schoencrème** shoe-polish

schoener schooner

schoen|lapper cobbler; **-leer** shoe-leather; **-maker** shoemaker; **-poetser** bootblack; (*in hotels*) boots; **-reparaties** shoe-repairs; **-smeer** shoe- (boot-)polish; **-veter** shoe-lace; **-winkel** shoe-shop

schoep paddle(-board); **schoepenrad** vaned wheel

schoffel hoe; **schoffelen** hoe

schoft 1 (*van paard*) withers (*mv*); 2 (*schavuit*) scoundrel, scamp; **schofterig** scoundrelly, rascally

schok jerk, jolt (of a bus); (earth-quake, electric) shock; (awake with a) start; *het gaf mij een ~* it gave me a shock; *zijn reputatie heeft een ernstige ~ gekregen* has received a severe blow

schok|beton vibrated concrete; **-breker** shock absorber

schokken I *tr* shake, jerk; (*fig*) shake (a man's resolution, faith); (*sl* = *betalen*) cough up (ten quid); II *intr* shake, jolt, jerk

schokschouderen shrug one's shoulders

schol 1 (*vis*) plaice; 2 (*ijs-*) floe

scholen 1 flock together; (*van vissen*) shoal; 2 school, tutor

scholengemeenschap multilateral (*van twee scholen:* bilateral) school; *brede ~* comprehensive (school)

scholier pupil

scholing schooling; education

schommel swing; *dikke ~* fat woman; **schommelen** I *intr* (*op schommel*) swing; (*van trein, in stoel*) rock; (*van boot*) roll; (*van prijzen, enz*) fluctuate; (*waggelen*) roll, wobble; II *tr* swing, rock; **schommelgang** wobbling gait; **schommeling** swinging, oscillation, fluctuation

schommelstoel rocking-chair

schonkig bony

schoof sheaf; *in schoven binden* sheave

schooien beg; **schooier** beggar; (*landloper*) tramp; (*schobbejak*) blackguard; **schooieren** beg, cadge; **schooierig** raffish

school id (*ook in de kunst, enz*); (*vooral grote kost-, ook opleidings-*) college (naval …, training-…); (*voor bepaald vak*) academy (Military …, dancing-…); *iemand van de oude ~* a man of the old stamp; (*vissen*) shoal, school; *~ met de bijbel* (protestant) denominational school; *lagere ~* primary (*of:* elementary) school; *particuliere ~* private school; *de ~ begint weer op 3 mei* school re-opens on …; *de ~ is uit* school is over; *de ~ verzuimen* be absent from school; *op ~ doen* put to school; *uit de ~ klappen* tell tales (out of school), blab

school|arts school medical officer, school-doctor; **-bank** school-desk (and seat); **-be-**hoeften educational aids; **-blijven** *ww* stay (stop) in (after hours); *moeten ~, ook:* be kept in; **-boek** school-, class-, lesson-book; **-bord** blackboard; **-decaan** (*ongev*) careers master; **-geld** school-fee(s); **-hoofd** headmaster, -mistress; **-jaar** scholastic year, school-year; **-juffrouw** school-teacher; **-krijt** (blackboard) chalk; **-leider** headmaster, principal; **-leiding** headmaster and assistant-head; **-lokaal** classroom; **-makker** school- fellow, -mate; **-meesterachtig** pedantic, priggish, schoolmasterish, -ly; **-onderwijs** school-teaching; **-onderzoek** (*ongev*) internal assessment; **-plein** (school) playground; **-plicht** compulsory school attendance; **-rapport** school-report; **-reis(je)** school-journey, outing

schools scholastic

school|schrift school exercise-book; **-slag** (*zwemmen*) breast stroke; **-tas** satchel; **-tijd** *a*) school-hours (from 9 to 12 and 2 to 4); *b*) (*schooljaren*) (my) school-days; **-toezicht** *a*) school-inspection; *b*) inspectors of schools; **-uitzending** (*radio, tv*) school programme; **-verzuim** non-attendance (at school); **-voorbeeld** classic example; **-wijsheid** book-learning; **-ziek** shamming; **-ziekte** sham illness

schoon (*mooi*) beautiful, handsome; (*zindelijk*) clean (collar, etc); (*zuiver, rein*) pure; *de schone kunsten* the fine arts; *het is ~ op* it's all gone

schoon|dochter daughter-in-law; **-familie** (*fam*) in-laws

schoonheid beauty; *een ~* a beauty

schoonheids|foutje minor flaw; **-instituut** beauty-parlour; **-koningin** beauty-queen; **-salon** beautysalon; **-specialist(e)** beauty specialist; (*Am*) beautician; **-wedstrijd** beauty-contest

schoonhouden keep clean

schoonmaak (house-)cleaning, clean-up (*ook fig*); (*in voorjaar*) spring-cleaning; *~ houden* make a clean-up, clean up; **schoonmaakster** charwoman; **schoonmaken** I *tr* clean, clean out (a stable); give (the kitchen, a statue) a clean-up; II *intr* clean (up); (*in voorjaar*) spring-clean; **schoonmaker** cleaner

schoon|moeder mother-in-law; **-ouders** wife's (husband's) parents (*fam:* people), (*fam*) in-laws; **-rijden** fancy-, figure-skating; **-springen** (competition) diving; **-vader** father-in-law; **-vegen** sweep clean; (*ontruimen*) clear (the streets); **-zoon** son-in-law; **-zuster** sister-in-law

schoor shore, support, prop

schoorsteen chimney; (*van stoomboot*) funnel, smoke-stack

schoorsteen|mantel mantel(piece); **-pijp** chimney-shaft, -stalk; **-veger** chimney-sweep(er)

schoorvoetend reluctantly, hesitatingly

schoot lap (*ook van kledingstuk*); bosom

sch

(church, family); (*scheepv*) sheet; *aan de ~ der aarde toevertrouwen* commit to the earth; *de handen in de ~ leggen*, (*fig*) fold one's arms; *wat de toekomst in haar ~ verbergt* what the future holds in store for us; *op haar ~ in* (on) her lap

schoot|computer laptop computer; **-hondje** lap-, toy dog

schootsveld (*mil*) field of fire

schop 1 shovel (*ook voor kolen*), spade; (*voor graan, meel, enz*) scoop; (*kinderschopje*) spade; (*planteschopje*) trowel; **2** (*trap*) kick; *vrije ~* free kick; **schoppen I** *ww* kick (*naar* at, *tegen iets aan* against); *herrie* (*lawaai*) *~* kick up a row; **II** *zn* spades

schoppen|aas (-heer, -vrouw, -boer, -negen enz) ace (king, queen, knave, nine, etc) of spades

schopstoel: *ik zit hier op de ~* I may be turned (kicked) out at short notice

schor hoarse, husky, raucous (fog-horn)

schors bark, rind; (*hersen~*) cortex

schorsen suspend (hostilities, etc); (*vergadering*) adjourn; *iem als lid ~* suspend a p. from membership; **schorsing** suspension, adjournment

schort apron; **schorteband** apron-string

schorten: *wat schort eraan?* what is the matter?

schot shot; (*knal ook*) report, crack (of a pistol); (*tussen~*) partition; *er viel een ~* a shot rang out; *er komt* (*zit*) *~ in* we're making headway; *buiten ~ blijven*, (*fig*) keep out of harm's way

Schot Scotchman, Scot; *de ~ten* the Scots

schotel dish (*ook het eten*); *kop en ~* cup and saucer; *vliegende ~* flying saucer; **schotelantenne** dish (aerial)

Schotland Scotland

schots I *zn* floe (of ice), ice-floe; **II** *bw: ~ en scheef door elkaar* higgledy-piggledy

Schots *bn* & *zn* Scottish, Scotch; (*vooral door Schotten zelf gebruikt*) Scots

schotwond bullet-wound

schouder shoulder; *de ~s ophalen* shrug one's shoulders; *zijn ~ eronder zetten* put one's shoulder to the wheel, put one's back into it; *iem op de ~s ronddragen* carry a p. shoulder high; *op de ~*(s) *nemen* shoulder

schouder|blad shoulder-blade; **-gewricht** shoulder-joint; **-ophalen:** *er zich met een ~ afmaken* shrug it off; **-tas** shoulder-bag

schout sheriff, bailiff; **schout-bij-nacht** rear-admiral

schouw 1 (*schoorsteen*) fireplace; **2** (*vaartuig*) scow, punt

schouwburg theatre

schouwburg|bezoeker theatregoer; **-kaartje** theatre-ticket

schouwen inspect, survey; *een lijk ~* perform a post-mortem; (*door de 'coroner'*) hold an inquest

schouwspel spectacle, scene

schraag trestle; *tafel op schragen* trestle table

schraal (*algem*) poor (soil *ground*, crop *oogst*), meagre, scanty; needy (existence); (*pers*) thin, gaunt; (*weer*) cold and dry; *schrale beloning voor* ... poor return for one's services; *schrale troost* cold (poor) comfort; **schraalhans:** *~ is daar keukenmeester* they starve you there; **schraalheid** scantiness, poorness

schraapzucht stinginess, covetousness

schragen shore (up), support

schram scratch, graze; **schrammen** scratch, graze

schrander clever, shrewd, intelligent, discerning, smart; **schranderheid** cleverness

schransen gormandize, gorge; **schranser** glutton

schrap I *zn* scratch; *er een ~ door halen* strike it out; **II** *bw: zich ~ zetten* take a firm stand (*tegen* against)

schrapen scrape; (*ook fig*); *bij elkaar ~* scrape together; *zich de keel ~* clear one's throat; **schraper** scraper

schrap|ijzer, -mes scraper

schrapje (*bij inenting*) insertion

schrappen scrape (new potatoes), scale (fish); (*doorhalen*) strike (cross) out, cancel (*ook fig:* debts); delete (letters, words); *hij werd van de lijst geschrapt* his name was struck off the list; **schrapsel** scrapings

schrede step, pace, stride; *de eerste ~ doen* take the first step; *met rasse ~n* with rapid strides

schreef: *over de ~ gaan* exceed the limit

schreeuw shout, cry, scream; **schreeuwen** cry, shout, (*gillen*) yell, shriek; *uit alle macht ~* shout at the top of one's voice; *~ als een mager varken* squeal like a bleeding pig; **schreeuwer** bawler; (*fig*) ranter; **schreeuwerig** screaming (head-lines), loud-voiced (woman); **schreeuwlelijk** bawler; (*huilebalk*) cry-baby

schreien (*wenen*) weep; (*huilen*) cry; *het ~ stond hem nader dan het lachen* he was nearer to tears than to laughter; *het schreit ten hemel* it cries (aloud) to Heaven

schrift *a*) (hand)writing; *duidelijk ~* distinct writing; *b*) exercise-book; *de* (*Heilige*) *S~* Holy Writ; *iets op ~ brengen* put s.t. in writing; **schriftelijk I** *bn* written (examination); *~e cursus* correspondence course; **II** *bw* in writing, on paper; *zowel mondeling als ~* (be examined) both orally and in writing; *zich ~ aanmelden* apply by letter

schrijden stride, stalk

schrijf|behoeften stationery; **-blok** note-pad; **-bureau** writing-table, -bureau; **-fout** slip of the pen; **-gerei** writing-materials; **-letter** script-letter; **-machine** typewriter; **-papier** writing-paper

schrijfster (woman) writer, authoress

schrijf|taal written language; **-tafel** writing-table; -**wijze** spelling; (*van getallen, enz*) notation

schrijlings astride (ride …); ~ *zitten op* straddle

schrijven I *ww* write; *iem* ~ write to a p.; *iem een brief* ~ write a p. a letter; *een recept* ~ write out a prescription; *hij schreef, dat …* he wrote (to say) that …; om *iets* ~ write for s.t.; op *een advertentie* ~ answer an advertisement; *het stond op zijn gezicht geschreven* it was written on (all over) his face; II *zn* (*schrift*) writing; *Uw* ~ *van de 8ste dezer* your letter of the 8th inst; **schrijver** (*van brief, enz*) writer; (*van boek, enz*) writer, author; (*klerk, enz*) clerk

schrik fright, terror, alarm; *ik werd met* ~ *wakker* I started from my sleep, awoke with a start; *met de* ~ *vrijkomen* get off with a fright; *met* ~ *en beven* with (in) fear and trembling; *tot zijn* ~ to his horror; *iem een* ~ *op het lijf jagen* give a p. a fright (a shock, a turn); **schrik-aanjagend** terrifying

schrikachtig easily frightened; (*van paard*) shy; (*van pers, fam*) jumpy

schrikbarend terrific, appalling, dreadful, frightful; staggering (price)

schrik|beeld terror; **-draad** electric fencing

schrikkeljaar leap-year

schrikken be frightened; ~ *van* start at, be startled by (a noise); *ik ben toch zo geschrokken!* I had such a fright!; *doen* ~ frighten, startle

schrik|reactie panic reaction; **-wekkend** terrifying

schril shrill; glaring (light); violent (contrast)

schrobben scrub, scour

schrobbering scolding

schroef screw; (*van stoomboot & vliegtuig*) propeller; (*bank-*) vice; *alles staat op losse schroeven* everything is unsettled (is in the air)

schroef|deksel screw-cap; **-dop** screw-cap, screw-top; **-draad** (screw)thread; **-moer** nut, female screw; **-oog** screw-eye

schroeien I *tr* scorch (one's dress), singe (a p.'s hair); II *intr* be singed; **schroeiplek** scorch(-mark)

schroevedraaier screw-driver

schroeven screw

schrok(op) glutton

schromelijk terrible, gross (grossly exaggerated)

schromen fear, dread

schrompelen shrivel (up)

schroom diffidence; **schroomvallig** diffident, timid

schroot scrap(-iron); **schroothoop** scrap-heap

schrootjeswand wall (partition) of laths

schub scale

schuchter shy, timid; *een ~e poging* a fainthearted attempt; **schuchterheid** coyness

schudden *tr* shake; (*kaarten*) shuffle; *intr* shake; (*van rijtuig*) jolt; (*met*) *het hoofd* ~

shake one's head; *iem de hand* ~ shake hands with a p.; *elkaar de hand* ~ shake hands; ~ *van het lachen* shake (be convulsed, rock) with laughter; *doen* ~ shake; rock (an earthquake rocked the place); (*van het lachen*) send (a p.) off into fits of laughter

schuier brush; **schuieren** brush

schuif (*algem*) slide; (*grendel*) bolt

schuif|dak (*van auto*) sunshine roof; **-deur** sliding-door(s)

schuifelen shuffle, shamble

schuif|maat vernier callipers; **-raam** sash-window

schuilen take shelter, shelter (*voor …* from the rain); (*zich verbergen*) hide (o.s.); *daar schuilt iets achter* there is s.t. behind it; *daar schuilt de moeilijkheid* that is where the difficulty lies

schuil|gaan (*van zon, enz*) go in (behind the clouds); **-hoek** hiding-place; **-houden:** *zich* ~ be in hiding; **-kelder** air-raid shelter; **-naam** (pen-)name, pseudonym; **-plaats** hiding-place, shelter, (*Am*) hide-out; *een* ~ *zoeken* take shelter (*tegen* from), (*in een heilig gebouw*) take sanctuary

schuim (*op golven, enz*) foam; (*op bier, enz*) froth; (*van zeep*) lather; (*op soep, enz*) scum; (*fig*) scum, dregs (of the nation)

schuim|bekken foam at the mouth; **-blusser** fire extinguisher

schuimen foam; froth; lather; *vgl schuim;* **schuimkop** crest (of the waves)

schuimpje meringue

schuim|plastic foam-plastic; **-rubber** foam-rubber; **-spaan** skimmer

schuin I *bn* slanting, sloping, oblique; (*fig*) broad, obscene, smutty (joke); ~*e zijde* (*van driehoek*) hypotenuse; II *bw* slantingly, etc, aslant, awry; ~ *gedrukt* in italics; ~ *houden* slope, slant, tilt (a bottle); ~ *kijken* look askance (*ook fig*)

schuit boat, barge; **schuitje:** *wij varen in het zelfde* ~ we are in the same boat (in the same box); **schuitjevaren** go out boating

schuiven push, shove; slip (a ring on one's finger); (*van deur, over de vloer*) drag; *iem op zij* ~, *ook:* brush a p. aside; *hij schoof het* (*de schuld*) *op mij* he put it on me, put (laid) the blame on me; *de verantwoordelijkheid op een ander* ~ throw the responsibility upon another, saddle another with it; *laat hem maar* ~ he can look after himself all right

schuld (*te betalen* ~) debt (have debts); (*fout, enz*) guilt (*aan* of), fault; ~ *bekennen* confess one's guilt; *het was zijn* ~ it was his fault; *het was zijn eigen* ~, *ook:* he had himself to blame; *hij gaf er mij de* ~ *van* he put the blame on me; ~*en maken* run up debts; *dat is buiten mijn* ~ that's not my fault; *bij iem in de* ~ *staan* be in a p.'s debt (a p.'s books)

schuld|bekentenis *a*) confession of guilt; *b*) I O U (= I owe you); **-besef** consciousness of guilt; **-bewust** guilty (look, smile; smile guiltily); **-eiser** creditor schulde|naar, -nares debtor; schuldenland debtor-country

schuldig guilty (aan ... of a crime); ~ zijn: a) be guilty; b) owe (money, etc; how much do I ... you?); het antwoord ~ blijven make no answer; zich ~ verklaren plead guilty (aan of); de jury sprak het ~ uit brought in their verdict of guilty; zich ~ maken aan commit; hij werd ~ bevonden he was found guilty (aan ... of that crime); schuldige: de ~ the culprit

schulp shell; in zijn ~ kruipen draw in one's horns, climb down

schunnig a) shabby (treat a p. shabbily), mean; b) (laag, gemeen) scurrilous (language); (vuil, schuin) vulgar, foul, obscene

schuren scour (pots and pans); scrub (the floor); (met schuurpapier) sandpaper; chafe (one's skin); rub (against a wall), scrape (against (along) a wall)

schurft (van mens) itch; de ~ aan iem hebben hate a p.'s guts; schurftig scabby

schurk scoundrel, rascal, knave; schurkenstreek knavish trick

schut: voor ~ lopen (staan) look idiotic; iem voor ~ zetten make a p. look a fool; schutkleur (biol) protective colouring

schutsengel guardian angel

schutsluis lift-lock

schutspatroon patron saint

schutten (schip) lock (through)

schutter marksman, shot

schutteren behave (act) clumsily; schutterig awkward, clumsy

schuttersputje foxhole

schutting fence

schutting|taal obscene language; -woorden dirty words, four-letter words

schuur barn (van boerderij), shed

schuur|linnen emery-cloth, abrasive cloth; -machine sander; -middel abrasive; -papier emery-, glass-, sand-paper

schuurtje shed

schuw shy, bashful, timid; schuwen shun, fight shy of; schuwheid shyness, etc, timidity

scorebord (sp) score-board; scoren score; (de score bijhouden, ook:) keep (the) score

scriptie (univ, ongev) essay, paper

scrupule scruple, qualm; scrupuleus scrupulous, conscientious

sculptuur sculpture

seconde second; secondewijzer second(s)-hand

secretaresse (lady, woman, girl) secretary; secretariaat (administratief lichaam) secretariat; (bureau) office; secretarie town clerk's department (of: office); secretaris secretary; (gemeente~) ongev: town clerk

sectie section; (van lijk) autopsy; ~ verrichten make a post-mortem

secundair secondary (interest, education)

secuur accurate, precise; (veilig) safe

sedert I vz (tijdpunt) since; (tijdruimte) for; ~ enige tijd for some time past; ~ 2 jaar for the last two years; II bw since (I have not seen him ...); III vw since

segment id

sein signal; ~en geven make signals; ~ van vertrek signal of departure, starting-signal; iem een ~tje geven warn a p., give a p. a hint; seinen signal

seizoen season; midden in het ~ at the height of the season

seizoen|arbeid(er) seasonal work(er); -opruiming end-of-season sale

seks sex; sekse sex; de schone ~ the fair sex, the sex; seksen sex (day-old chicks)

seksualiteit sexuality; seksueel sexual

sekte sect, denomination

selderij celery

selecteren select; selectie selection; selectief selective

seminarie seminary

senaat senate

senang: zich ~ voelen feel comfortable, feel at ease

senator id

seniel senile; ~e aftakeling senile decay

senior id

sensatie sensation, thrill; (in sam dikwijls) sensational (film); ~ (ver)wekken cause a sensation

sensatie|blad stunt newspaper; -pers sensational press; -roman sensation-novel; -stuk thriller

sensationeel sensational

sensualisme sensualism; sensueel sensual

sentimentaliteit sentimentality, (fam) slush; sentimenteel sentimental, (fam) sloppy

separaat separate (bn & zn); (onder) ~ (couvert) zenden send separately

seponeren dismiss (a charge)

september September

septisch septic (bw: -ally)

sereen serene

serenade id; een ~ brengen serenade (a p.)

sergeant id; sergeant-majoor sergeant-major

serie series (mv id); in ~ vervaardigd quantity-produced (car)

serie|nummer serial number; -produktie quantity production

serieus serious

sérieux: au ~ nemen take seriously

sering lilac

serpent id; (fig) shrew

serpentine (paper) streamer, paper snake

serre a) (voor planten) conservatory, green-, hot-house; b) ongev: sun-lounge, sun-room, glazed verandah

serum id, mv: sera & serums

serveerboy dumb waiter; tea-trolley

serveren serve

servet (table) napkin; tussen ~ en tafellaken at the awkward age; servetring napkin-ring

servies a) tea-set; b) dinner-service; serviesgoed crockery

sexe, sexueel *zie* seks-
sextet sextet(te)
sfeer sphere; (*fig ook*) province; *er heerste een onaangename* ~ there was an unpleasant atmosphere; *een romantische* ~ an air of romance; *binnen de communistische* ~ *getrokken worden* be drawn into the Communist orbit; *in hoger sferen,* (*fig*) in the clouds
sfinx sphinx
s.g. *a) soortelijk gewicht* s.g. (= specific gravity); *b) zie* scholengemeenschap
shag shag-tobacco, cigarette tobacco
sheik sheik(h)
sherry id
showbink, showpik swaggerer
sidderen tremble (*van* ... with fear), shake, quake, shudder; **siddering** shudder, trembling
sier: *goede* ~ *maken* make good cheer
sieraad ornament
sieren adorn, decorate, embellish
sierlijk graceful; **sierlijkheid** elegance, gracefulness
sier|plant ornamental plant; **-tuin** ornamental garden
siësta siesta, nap
sifon siphon
sigaar cigar: *de* ~ *zijn,* (*fam*) be for it
sigare|aansteker (cigar-)lighter; **-bandje** cigar-band; **-knipper** cigar-cutter
sigaren|handelaar tobacconist, dealer in cigars; **-kist(je)** cigar-box; **-koker** cigar-case; **-magazijn** cigarstore(s); **-winkel** tobacconist's (shop)
sigarepijpje cigar-holder
sigaret cigarette, (*sl*) fag
sigaretten|koker cigarette-case; **-papier** cigarette-paper
signaal signal
signalement (personal, police) description
signaleren (*de aandacht vestigen op*) signalize; (*opmerken*) notice; (*vermelden*) mention; (*beschrijven*) describe; **signalisatie** (*Belg*) road marking and signposting
signatuur signature (*ook typ*)
sijpelen ooze, filter
sik (*van geit*) goat's beard; (*van man*) goatee
sikkel sickle; (*van maan*) crescent
sikkeneurig querulous, peevish, testy
sikkepit(je) bit; *geen* ~ not the least bit
silhouet silhouette
silo (*voederkuil & mil*) id; (*graanpakhuis*) (grain) elevator, grain warehouse
simpel simple, mere; (*onnozel*) silly; **simplistisch** simplistic
simulant malingerer, simulator, shammer; **simulatie** simulation, malingering; **simulator** id; **simuleren** simulate, sham, feign (illness)
simultaan simultaneous (play simultaneously)
sinaasappel orange
sinaasappel|limonade orange-squash; **-sap** orange-juice; **-schil** orange-peel

Sinaï Sinai
sinas orangeade
sinds *zie* sedert; **sindsdien** (ever) since
singel (*gordel*) girdle; (*gracht*) moat; (*als wandelplaats*) promenade
sinister id
sint saint; *de S*~ St. Nicholas
sint-bernard(shond) St. Bernard (dog)
sintel cinder; ~*s, ook:* slag; **sintelbaan** dirt-track
Sinterklaas St. Nicholas
sinterklaaspop gingerbread man
sint-jut(te)mis: *met* ~ (*als de kalvers op het ijs dansen*) when two Sundays come together
Sint-Maarten St. Martin; (*11 november*) Martinmas
Sint-Nicolaas St. Nicholas
sip: ~ *kijken* look glum, look blue
Sire your Majesty
sirene siren
siroop *zie* stroop
sisal id
sisklank hissing sound, hiss, sibilant
sissen hiss (*ook van slang*); (*bij het braden*) sizzle; **sisser**: *met een* ~ *aflopen* blow over
sits chintz; **sitsen** chintz
situatie situation; **situatieplan** plan of site, site-plan
situeren set (a play in the 16th century); site (a building)
Sixtijns Sistine (chapel)
sjaal shawl, wrap, scarf
sjablone, sjabloon *zie* scha-
sjacheraar(ster) barterer, huckster; **sjacheren** *a*) barter, chaffer; *b*) *zie* scharrelen
sjah shah
sjalot shallot, scallion, eschalot
sjees gig
sjeik sheik(h)
sjerp sash
sjezen: *een gesjeesd student* a sent-down student
sjilpen, sjirpen chirp, cheep
sjoege: *geen* ~ *geven* keep mum
sjoemelen fiddle (the statistics, with the knob)
sjofel shabby, scruffy; **sjofelheid** shabbiness; **sjofeltjes** shabbily
sjokken trudge, jog; **sjokker** trudger, jogger
sjorren (*binden*), lash, seize; (*slepen*) lug
sjouw: *een* (*hele*) ~ a tough job; *aan de* ~ *gaan* go on the loose; **sjouwen** *tr* carry; (*sleuren*) drag, lug; *intr* (*zwaar werken*) toil, drudge; **sjouwer(man)** porter; dock-hand
skelet skeleton
ski id; **skibaan** ski-run; **skiën** ski; **skiër** skier
ski|laars ski-boot; **-lopen** *ww* ski; *zn* ski-running, ski-ing; **-piste** ski-run
sla salad; (~*plant*) lettuce
slaaf slave; (*techn*) slave (unit); **slaafs I** *bw* slavishly; **II** *bn* slavish, servile; **slaafsheid** servility
slaag drubbing, etc; *zie* pak; ~*s raken* come to blows

sla

slaan (*één of meer slagen toebrengen*) strike; hit; (*herhaaldelijk*) beat; (*met platte hand*) slap (a p. on the shoulder); (*ranselen*) thrash; (*van hart*) beat; (*van klok*) strike; (*van paard*) kick; (*damspel*) take (a man); *een brug* ~ build a bridge, (*over* ...); *de maat* ~ beat time; *de trommel* ~ beat the drum; *het sloeg tien* it struck ten; *zich door de vijand heen* ~ fight (*of:* force) one's way through the enemy; *de bliksem sloeg in de toren* the tower was struck by lightning; *de regen sloeg me in het gezicht* the rain beat in my face; *met de deur* ~ slam the door; ~ *naar* strike (hit out) at; *om zich heen* ~ lay about one; *sla je armen om mij heen* put your arms round me; *met de vuist op de tafel* ~ strike (*of:* bang) one's fist on the table; *dat slaat op mij* that refers to me; *de cijfers* ~ *op het eerste tijdvak* cover the first period; *de jas over* ... ~ sling (throw) the coat over one's shoulder; *de armen* (*benen*) *over elkaar* ~ cross one's arms (legs); *de golven sloegen over het dek* broke over (swept) the deck; *iem tegen de grond* ~ knock a p. down; *de vlam sloeg uit het dak* burst from (shot up through) the roof; *geld* ~ *uit* make money out of; **slaande:** ~ *ruzie* (have a) terrible row; *met* ~ *trom* with drums beating

slaap sleep; (*van hoofd*) temple; *de* ~ *des rechtvaardigen slapen* sleep the sleep of the just; ~ *hebben* be sleepy; *ik kon de* ~ *niet vatten* I could not get to sleep; *in* ~ *zijn* be asleep; *in* ~ *vallen* fall asleep; *in* ~ *sussen* lull (a child, one's conscience) asleep; *in* ~ *wiegen*, (*eig*) rock asleep; (*fig*) put to sleep, lull (a p.('s suspicions)) to sleep; *in* ~ *zingen* sing to sleep

slaap|bank settee-bed; **-dronken** overcome (blind, bemused, heavy) with sleep

slaapje: *een* ~ *doen* take a nap (*of:* forty winks)

slaap|kamer bedroom; ~*ameublement* bedroom suite, ... set; **-kop** sleepy-head; **-liedje** lullaby; **-middel** opiate, sleeping-pill; soporific; **-stad** dormitory town

slaapster sleeper; *de schone* ~ the Sleeping Beauty

slaap|tablet sleeping-pill; **-verwekkend** soporific; **-wagen** sleeping-car; **-wandelaar-(ster)** sleep-walker; **-wandelen** *ww* walk in one's sleep; *zn* sleep-walking; **-weekend** soporific; **-zaal** dormitory; **-zak** sleeping-bag

slaatje salad; *er een* ~ *uit slaan* make a good thing out of it

slabakken (*verslappen*) slacken (in one's duties, etc); (*luieren*) idle, slack; (*treuzelen*) dawdle

slabbetje bib, feeder

slacht *a*) slaughtering; *b*) slaughtered animal(s); **slachten** kill, slaughter; **slachter** butcher; **slachthuis** slaughter-house

slachting slaughter, carnage

slachtoffer victim; *het* ~ *worden van* fall victim to

sladood: *lange* ~ beanstalk

1 slag kind, sort (Dutch boys are a good ...); *mensen van allerlei* ~ all sorts and conditions of men; *van het zelfde* ~ *als de anderen* of the same cut (stamp) with the rest; *het gewone* ~ (*van*) *mensen* the common (general, ordinary, usual) run of people

2 slag (*met vuist, hamer, enz*) blow; (*met zweep, enz*) stroke, lash; (*met hand*) blow, cuff, box (on the ears); slap (in the face); (*van roeiriem, etc*) stroke; (*van hart, pols*) beat; (*van klok*) stroke; (*muz*) beat; (*van donder*) clap; (*geweldige* ~) crash; (*knal*) report; (*plof*) thud, thump; (*van wiel, schroef, enz*) turn; (*in kaartspel*) trick; (*in damspel*) take; (*veld-, zee*~) battle; (*handigheid*) knack; (*zwaar verlies, enz*) blow (*voor mij* to me); *de* ~ *bij* ... the battle of Waterloo, off the Falkland Islands; *een zware* (*verpletterende*) ~ a hard (crushing) blow; *alle* ~*en halen* win (make) all the tricks; *er* ~ *van hebben om* ... have a knack of ...ing; *ik heb er geen* ~ *van* I am no hand at it; *hij heeft er de* ~ *van beet* he has got the hang of it; *hij hield een* ~ *om de arm* he did not (want to) commit himself; ~ *leveren* give battle; ~ *in de lucht* absolute guesswork; empty gesture, fruitless attempt; *zijn* ~ *slaan* make a hit; *er een* ~ *naar slaan* make a random guess, take a shot at it; *een* ~ *toebrengen* deal (*of:* strike) a blow; *een zware* ~ *toebrengen aan* ... deal a heavy blow to ...; *hij zit in de hoek waar de* ~*en vallen* he gets all the blows; *hij voerde nooit een* ~ *uit* he never did a stroke of work, never did a hand's turn; *nu aan de* ~! get cracking! get busy!; *met één* ~ at one (a) blow (stroke), at one fell swoop; *op* ~ *van vijven* on the stroke of five; ~ *op* ~ blow upon blow, stroke upon stroke; *op* ~ *gedood* killed on the spot; *van* ~ *zijn*, (*van klok*) strike wrong; *zonder* ~ *of stoot* without a blow

slagader artery; *grote* ~ aorta; **slagaderlijk** arterial (blood); **slagaderverkalking** arteriosclerosis

slag|bal (*ongev*) softball; **-boom** barrier

slagen succeed; (*voor examen*) pass (an examination); (*voor bevoegdheidsexamen ook*) qualify (*voor* for); *niet* ~, *ook:* be unsuccessful; *erin* ~ *te* ... succeed in ...ing, manage to ...; *er niet in* ~ *te* ..., *ook:* fail to (discover ...); *om de zaak te doen* ~ to make the thing a success

slager butcher; **slagerij** butcher's shop

slag|hout (*sp*) bat; **-instrument** percussion instrument; **-orde** order of battle; *in* ~ *opstellen* draw up in ...; **-regen** downpour; **-regenen** pour with rain; **-room** whipped cream; **-schaduw** cast shadow; **-schip** battleship; **-tand** (*van hond, wolf*) fang; (*van olifant, ever*) tusk; **-vaardig** (*fig*) quick at repartee; alert; **-vaardigheid** alertness; **-veld** battlefield; **-werk** (*van orkest*) percussion instruments; **-werker** percussionist; **-zij:** ~ *maken* (have a) list (to port, to starboard); **-zin** slogan

slak (*met huisje*) snail; (*zonder huisje*) slug;

(*van metaal*) slag; *hij legt op alle ~ken zout* he is always fussing over trifles

slaken (*zucht*) heave; (*kreet*) give (a cry)

slakkegang: *de ~ gaan* go (move) at a snail's pace

sla|kom salad bowl; **-krop** head of lettuce; **-lepel** en **-vork** salad-servers

slalom (*sp*) id

slampamper good-for-nothing

slang snake; (*buis*) tube; (*brandspuit, tuin-*) hose(-pipe); (*van fietspomp*) (rubber-)connection; (*fig*) serpent, viper

slange|beet snake-bite; **-gesis** hissing of snakes; **-gif(t)** snake-poison; **-mens** contortionist

slangenbezweerder snake-charmer

slangetje (*lijntje*) squiggle

slank slender, slim; (*~ en teer*) slight; (*~ en soepel*) willowy (figure); *~ en lenig* svelte; *aan de ~e lijn doen* slim (the art of slimming); **slankheid** slenderness, slimness

slaolie salad oil

slap slack (rope, trade, discipline); soft (collar, hat); flabby (cheeks, muscles); thin (beer); (*van pers*) weak; (*lang en ~*) lanky (youth); (*lusteloos*) limp; *~pe* (*fiets*)*band* flat (soft) tire; *~ aftreksel*, (*fig*) pale imitation; *~pe koffie* weak (wishy-washy) coffee; *ze had de ~pe lach* she had a fit of giggles; *~ neerhangen* droop, flag; *zo ~ als een vaatdoek* as limp as a rag, (feel) as weak as water; *~ van het lachen* helpless (weak, limp) with laughter

slapeloos sleepless; **slapeloosheid** sleeplessness

slapen sleep, be asleep; *mijn voet slaapt* my foot is asleep, has gone to sleep; *gaan ~* go to sleep, (*naar bed*) go to bed, (*fam*) turn in; *~ als een os* sleep like a log; *ik heb goed* (*slecht*) *geslapen* I've had a good (bad) night; *slaap wel!* good night!

slaperdijk back-dike, subsidiary dike

slaperig (*ook fig*) sleepy, drowsy; **slaperigheid** ...ness

slapheid slackness

slapjanus (*fam*) spineless chap

slapjes *bw* slackly; slowly; *bn* slack, dull

slaplant lettuce(-plant)

slappeling weakling, spineless fellow

slapte slackness (in business)

sla|saus salad-dressing; **-schotel** salad-dish

slash (*schuin streepje*) id

slaven|arbeid slavery; (*fig*) drudgery; **-drijver** slave-driver; **-handelaar** slave-trader; **-jager** slave-hunter; **-leven** slavery, life of toil; **-markt** slave-market

slavernij slavery; *afschaffing der ~* abolition of slavery

slavin (female) slave, bondwoman

slecht I *bn* bad (food, health, name); (*moreel ~, ook*) evil, (*sterker*) wicked; ill (effects); II *bw* badly, ill; *~e dag*, (*waarop men niet 'in vorm' is*) off-day; *~e eetlust* (*kwaliteit*) poor appetite

(quality); *~e tijden* bad (hard) times; *hij eet ~* he is a poor eater; *de zaak gaat ~* the business is doing badly; *er het ~st afkomen* come off worst; *het is lang niet ~*, (*fam*) it isn't at all bad; *~ gekleed* badly dressed, ill clothed; *~ betaald* poorly (badly, ill) paid; *~er worden* grow worse, worsen, deteriorate; *~ in* (be) bad at (s.t.); **slechter** worse; **slechtheid** badness, wickedness; **slechthorend** hard of hearing

slechts only, but, merely; *~ tien minuten, ook:* as little as ten minutes; *~ een wonder kan hem redden* nothing short of a miracle ...

slechtst worst

slechtziend with imperfect (poor) eyesight

slede (*algem*) sledge; (*voor pers ook*) sleigh; (*voor goederen ook*) sled; **sledetocht** sledge-, sleigh-drive, -ride

slee *zie* slede; (*auto*) big car, Rolls; **sleeën** sleigh, sledge

sleep train (of a dress, of followers, etc); (*slier*) trail, string; (*opschrift*) on tow; *met een schuit op ~* with a barge in tow

sleep|boot tug(-boat); **-dienst** towing-service; **-kabel** tow-cable; **-touw**: *op ~ hebben* (*nemen*) have (take) in tow (*ook fig*); **-tros** tow-rope, hawser

sleets: *~ zijn* wear out one's clothes in a short time

slem slam; *groot* (*klein*) *~ maken* make a grand (little, small) slam

slenk gully; (*geol*) rift valley

slenteraar saunterer; **slenteren** saunter, lounge, stroll; **slentergang** saunter

slepen I *tr* drag, haul; (*met sleepboot*) tow; *gesleept worden door, ook:* be in tow of; *erbij ~* drag; II *intr* drag, trail (*ook van rok*); *~de blijven* drag on; *~de gang* shuffling (trailing) gait; *~de ziekte* lingering disease; **sleper** carter, (road) haulier, haulage contractor; *zie ook* sleepboot; **slepersfirma** haulage firm

slet slut, drab

sleuf groove, slot, notch

sleur routine, rut; *de dagelijkse ~* the daily round; *de oude ~* the same old way; *iets in de ~ doen* do s.t. by rote; *met de ~ breken* get out of the rut, get out of the old groove; *tot een ~ vervallen* get into a groove

sleuren *tr & intr* drag, trail

sleurwerk routine-work

sleutel key (*ook fig*); (*voor verdeling*) ratio; (*muz*) clef (C, F, G ...); *met de ~ naar binnen gaan* let o.s. in with the (latch) key; *de ~ tot het raadsel, ook:* the clue to the riddle

sleutel|been collar bone; **-bos** bunch of keys

sleutelen tinker

sleutel|gat key-hole; **-geld** key-money; **-hanger** key fob; **-positie** key-position; **-ring** key-ring; **-stelling** key-point, key-position

slib *zie* slijk

slieren slide, glide

sliert streak, (*rij*) string; *ook:* thread (of smoke)

slijk mud, slime, mire, dirt; *het aardse* ~ filthy lucre; *iem door het* ~ *sleuren* drag a p.('s name) through (*of:* in) the mire (the mud); **slijkerig** muddy, miry, slimy, oozy

slijm (*van* ~*vlies*) mucus; (*fluim*) phlegm; **slijmerd** slimy fellow; **slijmerig** slimy (*ook fig*), mucous; **slijmvlies** mucous membrane

slijpen grind, sharpen, whet; (*diamanten*) cut, (*in engere zin*) polish (diamonds); **slijper** grinder (of knives, etc); **slijperij** grindery; **slijpsteen** grindstone, whetstone

slijtageslag (*ongev*) war of attrition

slijten I *tr* wear out (clothes), wear down (shoes); (*doorbrengen*) pass (one's days in quiet); (*verkopen*) retail (wares); II *intr* wear away (out, off), get used up; *uw droefheid zal wel* ~ your grief will wear away; *niet gauw* ~, (*van stof*) wear well; **slijter** retailer; (*van dranken*) licensed victualler; **slijterij** licensed victualler's shop

slijtlaag wearing course (surface), surface dressing

slik mud flat

slikken swallow; *een belediging* ~ swallow an insult; *dat slik ik niet* I won't take that; *ik moest heel wat* ~ I had to put up with a great deal; *iem iets doen* ~, (*ook fig*) force s.t. down a p.'s throat

slim smart, clever, shrewd; (*sluw*) sly, wily; (*erg*) bad; *hij was mij te* ~ *af* he was one too many for me, was too clever (sharp) for me; *wie niet sterk is, moet* ~ *zijn* necessity is the mother of invention; **slimheid** smartness, etc (*zie* slim); **slimmerd** slyboots, sly dog, (*fam*) deep one; **slimmigheid(je)** dodge

slinger (*natuurk, van klok*) pendulum; (*werptuig, draagband*) sling; (*van pomp*) handle; (*guirlande*) garland, streamer; **slingerbeweging** oscillation

slingeren I *intr* (*algem, ook van slinger*) swing, oscillate; (*bengelen*) dangle; (*van dronkaard*) reel, lurch; (*van rijtuig, schip*) lurch; (*kronkelen*) wind, meander; (*ordeloos liggen*) lie about; *jij laat je spullen* (*brieven, enz*) ~ you leave your things (letters, etc) about, let … lie about; II *tr* (*laten* ~) swing (one's legs); (*gooien*) fling, hurl (*naar* at); (*met slinger, of* ~*de beweging*) sling (a stone); … *werd door* … *geslingerd* a brick hurtled through the window; *iem* … *naar het hoofd* ~ fling (a book) at a p.'s head; *zich* ~ (*van rivier, enz*) wind, meander

slingerhoning extracted honey

slingering swing, oscillation; roll; lurch

slingerplant climber, creeper

slinken shrink (to nothing); *het aantal slonk tot* … the number dwindled down to …

slinks sly, cunning, crafty, artful; ~*e streek* cunning move

slip (coat-, shirt-)tail; (*auto*) skid; **slipgevaar!** slippery road!

slipje briefs

slippen slip; (*van auto, enz*) skid

slippendrager pallbearer

slipper(tje): *een* ~ *maken* take French leave

slip|school (*ongev*) skid-pan; **-spoor** skid-marks

slissen lisp

slobberig slovenly, sloppy (trousers)

sloddervos sloven, grub; (*vrouw ook*) slattern, (old) frump, dowdy

sloeber(d) skunk

sloep boat, sloop, (the royal) barge, lifeboat

sloepen|dek boat-deck; **-rol** (life)boat drill

sloerie slut

slof slipper; (*van sigaretten*) carton; *hij doet het op zijn* ~*jes* he is taking it easy; *uit zijn* ~ *schieten* flare up, fly out; **sloffen** shuffle, shamble; *alles laten* ~ let things slide

slok draught, pull, swallow (of water, etc); *hij nam een* ~ *uit* (*van*) … he took a pull at his brandy; *in één* ~ at a draught, at one swallow, at a (one) gulp; *dat scheelt een* ~ *op een borrel* that makes a great difference; **slokdarm** gullet

slokje sip (take a … from one's glass)

slokken swallow, guzzle, gulp

slokop glutton

slons slattern, sloven; **slonzig** slovenly, sluttish

sloof (*pers*) drudge

sloom lethargic, inert, lazy; *slome duikelaar* futile person, dud, stick-in-the-mud

sloop 1 pillow-case, -slip; 2 (*afbraak*) demolition

sloot ditch; *hij loopt in geen zeven sloten tegelijk* he looks before he leaps; *hij was net met de hakken over de* ~ he got through by the skin of his teeth, he scraped through; **slootwater** ditch-water; (*fig*) dish-water

slop blind alley; *in het* ~ *raken* come to a dead end

slopen knock down (a house), demolish, (*om onderdelen te gebruiken*) cannibalize (a car); undermine, sap (a p.'s strength); ~*d werk* back-breaking work; ~*de ziekte* wasting disease; **sloper** demolition contractor

slordig slovenly (*ook van stijl*), slatternly, careless (*op* … of one's clothes); untidy (hair, beard); shoddy (work); sloppy (thinking, style); slipshod (style, English); **slordigheid** slovenliness, etc

slorpen sip audibly (at one's whisky)

slot (*van deur, enz*) lock; (*van armband, enz*) snap; (*kasteel*) castle, hall; (*einde*) conclusion, end; ~ *volgt* to be concluded; *achter* ~ *en grendel* under lock and key; *per* ~ *van rekening* in the end, ultimately; *op* ~ *doen* lock; *ten* ~*te* finally, lastly, eventually, ultimately; *ten* ~*te is hij toch verantwoordelijk?* after all, he is responsible?; *ook = tot* ~ in conclusion, to conclude

slot|akkoord (*muz*) final chord; **-bedrijf** last act; **-beschouwing** concluding observations

slotenmaker locksmith
slotgracht castle-moat
slot|notering closing quotation; (*van effecten*) closing price; -**opmerking** closing (concluding) remark; -**som** result, upshot, (come to the) conclusion (that ...); -**woord** closing (concluding, final) word, peroration (of a speech)
sloven drudge, toil (and moil)
sluier veil; (*fig, ook:*) blanket (a ... of secrecy); (*op negatief*) fog; (*van mist*) blanket (of fog); *de ~ oplichten*, (*fig*) lift the veil (the curtain); **sluieren** veil; (*fot*) fog
sluik (*van haar*) lank, straight; **sluikpers** (*Belg*) underground press
sluimer slumber; **sluimeraar** slumberer; **sluimeren** slumber (*ook fig*), doze; **sluimering** slumber, doze
sluipen steal, slink, sneak; slip (out, through, etc); *er was een fout in ... geslopen* an error had crept into the account
sluip|moord assassination; -**moord(enaar)** assassin; -**schutter** sniper; -**weg** secret route; *langs ~en* by stealth
sluis lock, sluice; *de sluizen der welsprekendheid* the floodgates of eloquence (are open); *de sluizen des hemels werden geopend* the floodgates of heaven were flung wide
sluis|deur lock-gate; -**geld** lock-dues, -toll, lockage; -**wachter** lock-keeper
sluitboom (railway) swing-gate; (*van haven*) boom
sluiten I *ww* (*deur, boek, ogen, enz*) shut, close; seal (up) (a letter); fasten (a door); (*op slot doen*) lock; (*voor het naar bed gaan*) lock up (the house); (*een zaak, 's avonds*) close, (*voorgoed*) close (shut) down (up); (*straat*) close (to traffic); (*contract*) conclude, enter into; (*debat*) close (a debate); (*fabriek*) close down (a factory); (*koop*) strike; (*lening*) contract (a loan); (*verdrag*) conclude (a treaty); close (a meeting); (*verzekering*) effect (an insurance); make (peace); *... gaat nu ~* the Light Programme is now closing down; *de deur sluit niet goed* does not shut (*of:* close) properly; *die redenering sluit niet* that argument is not air-tight; *de markt sloot vast* the market closed firm; *de scholen ~* schools break up (for the holidays); *vandaag ~ alle winkels vroeg* it's early closing day today; *de gordijnen ~* draw the curtains; *iem in de armen ~* lock a p. in one's arms; fold one's arms round a p.; *in zich ~*, (*fig*) include, imply; *zich ~*, (*van wond, ogen*) close; (*van bloem*) close (up); **II** *zn* conclusion (of peace); **sluitend** (*van begroting*) balanced; *een rekening (de begroting) ~ maken* balance an account (the budget); *~e redenering* closely-reasoned argument; *slecht ~e deuren en ramen* ill-fitting doors and windows; **sluiter** (*fot*) shutter; **sluiting** closing(-down); closure (of a debate, of a bridge); break-up (for the holidays); (*concr*) fastening(s), lock, (window-)latch

sluitings|datum closing (cut-off) date, deadline (date); -**plechtigheid** closing-ceremony; -**tijd** closing-time
sluitpost closing entry, balancing item
slungel lout, hobbledehoy, gawk; **slungelen** lounge about; **slungelig** loutish, gawky, lanky
slurf (*van olifant*) trunk
slurpen *zie* slorpen
sluw sly, crafty, cunning, wily; **sluwheid** slyness, craftiness, cunning
smaad contumely, indignity (the ... offered to her *haar aangedaan*), defamation; *proces wegens ~* libel suit
smaak taste (*ook fig*), savour, relish; (*~ en geur*) flavour (a coffee-flavoured cream); *smaken verschillen* tastes differ; *een fijne ~ hebben*, (*van spijs*) have a delicious taste, (*van pers*) have a fine palate, (*fig*) have a fine taste; *een uitstekende ~ hebben* have excellent taste; *hij heeft er de ~ van beet (te pakken) gekregen* he has come to like it; *het getuigt van goede (slechte) ~* it is in good (bad) taste; *bij iem in de ~ vallen* take a p.'s fancy; *met ~ eten* eat with relish; *naar mijn ~* to my taste (liking); *er azijn bijvoegen naar ~* add vinegar to taste; *op ~ brengen* season (to taste); *over de ~ valt niet te twisten* there is no accounting for tastes; **smaakloos** tasteless, insipid
smachten languish, pine (*naar* for, after), yearn (thirst) (*naar ...* for freedom); **smachtend** *ook:* languorous (eyes)
smadelijk humiliating, insulting, scornful (treatment), shameful (death)
smak 1 smack(ing) (of the tongue or lips); (*bons*) heavy fall, thud, crash; **2** *een ~ geld* (*volk*) a mint of money (crowd of people)
smakelijk tasty, palatable, savoury, appetizing; *~ lachen om* laugh heartily at; **smakeloos** tasteless; (*fig ook*) in bad taste
smaken taste; *goed (lekker, eigenaardig) ~* taste good (nice, peculiar); *het smaakt mij niet* I don't like it, I have no taste for it; *de erwtjes ~ lekker* are excellent (delicious); *het smaakte hem heerlijk* he enjoyed it exceedingly; *~ naar* taste of; (*fig*) savour of; *naar de kurk (het vat) ~* taste of the cork, be corked (taste of the cask); *waar smaakt het naar?* what does it taste like?; *dat smaakt naar meer* that causes a desire for more
smakken *tr* fling; *iem tegen de grond ~* fling a p. smash to the ground; *intr* smack; *met de lippen ~* smack one's lips
smal narrow; *Holland op z'n ~st* Dutch narrow-mindedness
smaldeel (*ongev*) task force
smalen rail; *~ op* rail at; **smalend** scornful
smalfilm 8 (16) mm film
smalheid narrowness
smalletjes narrowish; *er ~ uitzien* look peaky
smalspoor narrowgauge railway
smaragd emerald; **smaragdgroen** emerald green

smart sorrow, grief; (*diepe*) anguish; *gedeelde* ~ *is halve* ~ company in distress makes sorrow less; *met* ~ *verwachten* expect anxiously; smartegeld smart-money

smartelijk painful, grievous; smartelijkheid ...ness

smartlap tear-jerker

smeden forge; (*fig*) forge (a lie), hatch (a plan, a plot); smederij smithy

smeek|bede entreaty, appeal (for help); -schrift petition

smeer (cart-, axle-)grease; (*voor schoenen*) polish; (*vlek*) smear (of blood, ink), stain, spot; smeerbaar spreadable

smeer|boel mess; -kaas cheese spread; -kees, -lap *a*) greasing-clout; *b*) dirty fellow, skunk; -lapperij dirt, filth, muck; -middel lubricant; -olie lubricating oil

smeersel ointment; (*vloeibaar*) liniment, (*voor boterham*) paste, sandwich spread

smekeling suppliant; supplicant

smeken beseech, entreat, implore; ~ *om* plead for, implore (forgiveness), beg (o.'s life); ~*de blik, ook:* pleading (appealing) look

smeltbaar fusible, liquefiable

smelten I *tr* melt, fuse; (*erts*) smelt; II *intr* melt (they will ... in the mouth); (*van boter*) melt; ~*d,* (*van toon*) mellow

smelt|kroes melting-pot (*ook fig*), crucible; -veiligheid (*elektr*) fuse

smeren (*leer*) grease; (*machine*) grease, lubricate; (*lichaamsdeel*) embrocate; rub (cream on one's face); (*met boter*) butter (a slice of toast); *'m* ~, (*sl*) skip it, clear off (out); *smeer 'm!* (*sl*) scram!; *boter op het brood* ~ butter (spread butter on) bread, spread bread with butter; *het laat zich* ~ *als* ... it spreads like butter; *zich een boterham* ~ make o.s. some bread and butter; *het gaat als gesmeerd* it goes swimmingly (smoothly), runs on (oiled) wheels; *als de gesmeerde bliksem* like greased lightning

smerig dirty (road), grubby (boys); (*vettig*) greasy; (*fig*) dirty (fellow, story), filthy (habits), sordid (act), shabby (treatment); messy (job); foul (weather); *iem* ~ *behandelen* treat a p. shabbily, do the dirty on a p.

smeris (*sl*) cop(per)

smet spot, stain; (*fig*) stain (on one's character); *dat werpt een* ~ *op zijn nagedachtenis* that reflects (casts reflections) on his memory; smetteloos (*ook fig*) spotless, blameless (life)

smeuïg vivid, racy

smeulen smoulder (*ook fig*: smouldering discontent)

smid (black)smith; *dat is het geheim van de* ~, (*ongev*) that is the trick of the trade

smiecht scamp, rascal

smiezen: (*fam*) *in de* ~ *krijgen* twig; *ik heb je in de* ~ I've got you taped; *houd hem in de* ~! watch him!

smijten throw, fling, dash, pitch, hurl

smikkelen tuck in

smoel mouth; *hou je* ~! shut your trap!

smoesje idle story; (mere) pretext, dodge

smoezelig dingy, soiled, grubby (collar)

smoezen whisper, exchange confidences; jaw

smoking dinner-jacket; (*Am*) tuxedo

smokkel smuggling; smokkelaar(ster) smuggler; *drug* ~ drug courier; smokkelarij smuggling; smokkelen smuggle; (*bij spel*) cheat; smokkelwaar contraband (goods)

smoor|dronken drunk as a lord, thoroughly plastered; -heet sweltering (day)

smoorlijk *verliefd* over head and ears in love (*op* with)

smoren I *tr* smother, strangle, throttle; (*vlees*) stew, braise; (*fig*) stifle (a cry, sigh); *met gesmoorde stem* in a strangled voice; II *intr* stifle

smuk finery; smukken deck out, trim

smullen feast (*van* upon)

smul|paap gastronome; -partij banquet, junketing

smurrie sludge, dirt

snaak wag; *vrolijke* ~ jolly dog; snaaks *bn* waggish, facetious

snaar string; (*van leer*) strap; *een gevoelige* ~ *aanroeren* touch (upon) a tender string, stir a tender chord; snaarinstrument stringed instrument; *de* ~*en* (*in orkest*) strings

snabbel (*sl*) earning(s) on the side

snakken: ~ *naar* yearn for; *naar adem* ~ gasp for breath

snappen (*happen*) snap (*naar* at); (*grijpen*) snatch; (*betrappen*) catch in the act; (*begrijpen*) understand, see (a joke); (*babbelen*) prattle; *gesnapt?* get me?; *ik snap je* (*de vraag*) *niet recht* I don't quite follow you (the question); *dat snap ik niet* that baffles (*fam:* does) me, it's beyond me, I don't get it; *als je het maar eenmaal snapt* (law is a simple thing) when you get the hang of it

snars: (*fam*) *hij weet er geen* ~ *van* he does not know a (the first) thing about it; *het gaat je geen* ~ *aan* it's none of your business

snater: (*fam*) *hou je* ~! shut up!; snateren (*van eend*) chatter; (*van gans*) gaggle; (*van pers*) chatter

snauw snarl, growl; snauwen snarl, snap ('no!' he ...ped), growl; *je hoeft niet zo te* ~ no need to jump down my throat; ~ *tegen* snarl (snap) at; snauwerig snappy

snavel bill; (*sterk & krom*) beak; *hou je* ~, (*fam*) keep your mouth shut

snede, snee cut; (*groter*) gash, slash; (*plak*) rasher (of bacon), slice (of bread, meat, etc); (*scherp*) edge (of a knife, etc); *dikke* ~ *brood* slab of bread

snedig witty, smart (reply); snedigheid ready wit, smartness

snee *zie* snede

sneetje *a*) cut, nick; *b*) slice; *zie* snede

sneeuw snow; (*bagger*~) slush; *natte* ~ sleet; *door* ~ *ingesloten* snow-bound; *met* ~ *bedekt, (van berg)* snow-capped; *het verdwijnt als ~ voor de zon* it disappears like snow in the sun

sneeuw|bal snowball; *~len maken* roll snowballs; *met ~len gooien* pelt (a p.) with snowballs; **-baleffect:** *een ~ hebben* snowball; **-berg** snow-capped mountain; *(zie* sneeuwhoop); **-blind(heid)** snow-blind(ness); **-bril** snow-goggles; **-bui** snow-shower

sneeuwen snow *(ook fig)*; *het ~de bloemen op hen* they were snowed under with flowers

sneeuw|hoop heap *(of:* bank) of snow, snowdrift; **-jacht** driving snow, snow-storm; **-ketting** *(om autoband)* (non-skid, snow) chain; **-klokje** snow-drop; **-ploeg** snow-plough; **-pop** snow-man; **-ruimer** snow-shoveller; **-schoen** snow-shoe; **-storm** snow-storm; *(verblindend)* blizzard; **-val** *a)* snow-fall, (heavy) fall(s) of snow; *b)* zie lawine; **-vlok** snow-flake; **-wit** snowwhite

snel quick (her mind worked quickly), swift (action, calculation), fast (her heart beat …), rapid, speedy; *~le achteruitgang van …* rapid fall of the barometer; *dat ging ~* sharp work that was

snel|buffet quick-lunch bar, snack-bar; **-duik** *(van duikboot)* crash-dive

snelheid velocity (of a bullet, etc), speed (of a train); *met een ~ van …* at the rate of 60 miles an hour; *zie* maximum; **snelheidsmeter** speedometer

snel|kookpan pressure-cooker; **-kraak** *(uit etalage)* smash and grab job

snellen hasten, hurry, rush

snel|trein fast train; **-varend** fast(-sailing), high-speed; **-verkeer** fast traffic; **-voetig** swift-, nimble-, fleet-footed; **-wandelen** walk(ing), (the 10,000 metres) walk; **-weg** motorway; **-werkend** quick-acting, speedy (poison)

snerpen cut, bite; **snerpend** biting

snert *(fam)* pea-soup; *(fig)* trash, muck, tripe

snertvent rotter, blighter

sneu disappointing; *dat vind ik ~ voor hem* I am sorry for him; *dat is ~ voor hem* it is hard on him

sneuvelen be killed, fall (in action); *(fam, on-eig) doen ~* break (a record, teacup)

snibbig snappish, snappy (answer snappily)

snij|bloemen cut flowers; **-boon** French bean; **-brander** oxy-acetylene cutter

snijden cut; *(aan stukken)* cut up; *(voor~)* carve (meat); *(fijn)* mince; *(in repen)* shred; *(snijbonen, ham, enz)* slice; *(graveren)* carve (wood, etc); *(bridge, enz)* finesse; *(van auto)* cut in; *elkaar ~, (van lijnen)* intersect, cut each other, meet; *men kon de rook ~* you could cut the smoke with a knife; *het snijdt mij door de ziel (het hart)* it cuts me to the heart; **snijdend** cutting (wind, tone), biting (sarcasm); *~ koud* stingingly cold; **snijder** cutter, carver

snij|lijn secant, intersecting line; **-machine** cutting (slicing) machine, slicer, cutter; **-punt** (point of) intersection; **-tand** incisor; **-werk** carved work; **-wond** cut; incised wound

snik I *zn* sob, gasp; *de laatste ~ geven* breathe one's last; *tot de laatste ~* to the last gasp; **II** *bn: niet goed ~* not all there, dotty; **snikheet** sweltering; **snikken** sob

snipper *a)* cutting; *b)* piece of candied lemon-(orange-)peel; *geen ~(tje)* not a scrap, not a shred; **snipperdag** day off; **snipperen** snip, cut up, shred

snit cut (clothes of a foreign …); *naar de laatste ~* after the latest fashion

snobisme snobbery; **snobistisch** snobbish

snoeien *(algem van bomen)* lop; prune (fruit-trees); trim (a hedge)

snoei|mes pruning-knife; **-schaar** secateur(s)

snoek pike; **snoekbaars** pike-perch

snoepen eat *(of:* munch) sweets (cakes); *graag ~* be fond of sweets; **snoeper:** *oude ~er* old rake; **snoeperig** lovely, charming

snoep|goed sweets, *(Am)* candy; **-lust** fondness for sweets; **-reisje** trip, jaunt

snoer line (fishing-…), string (of pearls, beads); *(elektr)* flex

snoes darling, duck, ducky

snoeshaan: *vreemde ~: a)* foreign chap; *b) = rare ~* queer customer, odd fish

snoet *(snuit)* snout, muzzle; *(gezicht)* mug; *aardig ~je* pretty face

snoeven boast, brag, swagger, vaunt; *~ op* boast *(of:* brag) of; **snoevend** *ook:* vainglorious; **snoever** boaster, braggart; **snoeverij** brag, boast(ing)

snoezig sweet, lovely, *(Am)* cute

snol *(plat)* tart, bitch

snood base, vile, wicked; **snoodaard** villain; **snoodheid** baseness, etc

snor 1 moustache; **2** *dat zit wel ~* that will be all right

snorkel schnorkel, snort

snorken snore

snorren *(machine, enz)* whirr; *(zacht)* purr; *(pijl, kogel, enz)* whiz(z); *(kachel)* roar; *(taxi)* crawl

snot (nasal) mucus; *(plat)* snot; **snotaap** brat

snotje: *in het ~ krijgen* get wind of (s.t.)

snotneus *(persoon)* brat

snotteren snivel; **snotterig** snotty, snivelling

snuffelen *(met neus)* sniff; *(fig)* nose, pry (into s.t.); *naar iets ~* nose for s.t.; **snuffelpaal** air pollution detector

snufje: *het nieuwste ~* the latest novelty; *met de laatste ~s* sophisticated; *technisch ~* gadget

snugger clever, smart, *(fam)* brainy; *hij is niet van de ~sten* not over-intelligent

snuif snuff; **snuifje** pinch of snuff *(ook:* of salt, etc)

snuisterij knick-knack, trinket

snuit snout, muzzle; *(van olifant)* trunk; *(gezicht)* mug

snuiten: *de neus ~* blow one's nose

snuiter chap, fellow; *rare ~* queer bird, odd fish

snuitje *zie* snoet

nus

snuiven sniff; (*van woede, enz*) snort; *cocaïne* ~ sniff cocaine

snurken snore

sober sober, frugal; (*schraal*) scanty; **soberheid** soberness, frugality

sociaal social (justice, security, etc); -*le uitkeringen* social security; -*le verzorging* welfare work; **sociaal-democraat** social-democrat

socialisme socialism; **socialist** id; **socialistisch** socialist(ic)

sociëteit club(-house)

sociologie sociology, social science; **sociologisch** sociological; **socioloog** sociologist

soda id

soda|fabriek soda-works; **-water** soda-water

sodemieter: ~ *op!* get the hell out of here!

soebatten implore, beseech, whimper (*om* for)

soep soup; (*bouillon*) broth; *in de* ~ *rijden* smash up (a car); *in de* ~ *zitten* be in the soup (a hole, a mess, the cart); *niet veel* ~*s* not up to much, nothing to write home about

soep|balletje force-meat ball; **-blokje** soup-cube

soepel supple, flexible, pliant (*ook fig*)

soep|lepel soup-ladle; (*om mee te eten*) soup-spoon; **-tablet** soup-cube; **-terrine** soup-tureen

soes (*gebak*) puff, puffed cake

soesa bother, worry, worries

soeverein I *bn* sovereign; ~*e minachting* supreme contempt; II *zn* sovereign, ruler; **soevereiniteit** sovereignty

soezen doze; **soezerig** drowsy

sof (*sl*) wash-out

sofa id

sofi-nummer social/fiscal number

soiree soirée, evening party

sojaolie soy bean oil

sok sock; (*techn*) socket; *ouwe* ~ (old) dotard; *op zijn* ~*ken* in one's socks; *held op* ~*ken* funk, coward, pasteboard knight; *er de* ~*ken in zetten* spurt; *iem van de* ~*ken rijden* knock a p. down, bowl a p. over

sokkel socle

solarium id

soldaat soldier; *gewoon* ~ private (soldier); *een fles* ~ *maken* crack a bottle; **soldatenuniform** military uniform

soldeer solder

soldeer|bout soldering-iron; **-tin** (tin-lead) soldering wire, tin-solder; **-werk** soldering(-work)

solderen solder, braze

soldij pay

soleren give a solo performance

solidair solidary; ~ *zijn* stand by each other; *zich* ~ *verklaren met* throw in one's lot with; **solidariteit** solidarity; *staken uit* ~ strike in sympathy (*met* with)

solidariteits|gevoel feeling of solidarity; **-staking** sympathy strike

solide (*stevig*) substantial, solid, strong; (*fat-*

soenlijk*) respectable (firm); (*betrouwbaar*) reliable; (*in staat te betalen*) solvent; ~ *effecten* sound securities; ~ *gebouwd* soundly constructed (*of:* built); **soliditeit** substantiality, solidity; solvability, solvency

solist(e) soloist

sollen romp (with a child); ~ *met* haul about, drag about; (*fig*) make fun (a fool) of; *hij laat niet met zich* ~ he stands no nonsense

sollicitant applicant; ~*en oproepen voor* ... invite applications for; **sollicitatie** application; **sollicitatiebrief** letter of application; **solliciteren** apply; ~ *naar* apply for

solo id

solo|partij solo part; **-zang** solo singing

solutie (rubber) solution

solvabiliteit solvency, solvability

som (*bedrag*) sum; (*vraagstuk*) sum, problem; *een aardig* ~*metje* a tidy little sum; *een* ~ *maken* do a sum

somber gloomy (house, clouds, sky), dull (weather), dreary (landscape), cheerless (house), bleak (future); (*van stemming*) glum, melancholy

sommeren summon, call upon

sommige some; ~*n* some (people)

soms sometimes, now and then; (*misschien*) perhaps (I looked to see if ... it might be there); ~ ..., ~ ... now ..., now ...; *hij kan* ~ *heel aardig zijn* he can be very nice at times; *hij zat er* ~ *uren* he would sit there for hours; *hebt u* ~ *anjers?* have you any carnations?; *als je er* ~ *voorbij gaat* if you happen to pass that way; *hij is ...; of niet* ~? or is he?; *zie* misschien

sonate sonata

sonde probe, sound, explorer

sonnet id

sonoor sonorous

soort kind, sort, species; (*merk*) brand; (*biol*) species; *eerste* ~ *eieren* top-grade eggs; *voor jou of jouw* ~ (I'll not work) for you or the likes of you; ... *of zo'n* ~ *naam* or some such name; ~ *zoekt* ~ like seeks like; birds of a feather flock together; *in zijn* ~ (the speech was a gem, was good) of its kind; *schurk van het ergste* ~ villain of the blackest dye; *mensen van het zelfde* ~ of the same kind (sort, kidney); **soortelijk** specific (gravity *gewicht*)

soort|gelijk similar; **-genoot** one of the same kind; **-naam** class-name, generic (specific) name

soos club; *op de* ~ at the club

sop broth; (*zeep-*) (soap-)suds; *het ruime* ~ *kiezen* stand out to sea; *het* ~ *is de kool niet waard* the game is not worth the candle; *iem in zijn eigen* ~ *laten gaar koken* let a p. stew in his own juice; *met het zelfde* ~ *overgoten* tarred with the same brush; **soppen** sop (bread)

sopraan soprano

sores (*sl*) trouble(s)

sorteerder sorter

sorteerstrook filter lane

sorteren sort; (*naar kwaliteit, ook:*) grade; (*geen*) *effect* ~ be (in)effective; **sortering** sorting, grading; (*collectie*) assortment (*uitgebreide* ~ large …)
souffleren prompt; **souffleur** prompter; **souffleurshokje** prompter's (*of:* prompt) box
souper supper; **souperen** take (have) supper
souteneur ponce, pimp
souterrain basement
souvenir id, keepsake
sovjet, sowjet Soviet; **sovjetrepubliek** Soviet Republic
Sovjetunie Soviet Union, U.S.S.R. (Union of Soviet Socialist Republics)
spa mineral water
spaak spoke; (*van stoel*) rung; *het loopt stellig* ~ it is sure to go wrong; **spaakbeen** radius
spaan chip (of wood); (*schuim-*) skimmer; **spaander** chip; ~*s, ook:* shavings; **spaanplaat** chipboard
Spaans Spanish; ~*e peper* red pepper; *het ging er* ~ *toe* there were wild goings-on there
spaar|bank savings-bank; *geld op de* ~ *zetten* put money into the savings-bank; **-bankboekje** savings-bank book, account book, deposit book; **-bekken** reservoir; **-brander** by-pass burner; **-brief** savings certificate
spaarder depositor, saver
spaargeld savings, nest-egg
spaarlamp energy-saving lamp
spaar|pot money-box; *een aardig* ~*je* a nice little nest-egg; **-varken** piggy-bank
spaarzaam economical (*met* of), thrifty; ~ *verlicht* sparingly (dimly) lighted
spade spade; *de eerste* ~ *in de grond zetten* cut the first sod, turn the first spadeful of earth, break ground
spalk splint; **spalken** splint, put in splints
span team (of horses, oxen); *een aardig* ~ a nice couple
spandoek banner
Spanjaard Spaniard; **Spanje** Spain
spanne ~ *tijds* (our life is but a) span
spannen stretch (a rope across the road); string (a racket); (*strakker* ~) tighten; (*boog*) bend; (*spieren, zenuwen*) strain (one's muscles); (*net*) spread (a net); (*de paarden voor het rijtuig* ~ put the horses to (the carriage); *zich ervoor* ~ take the matter in hand, take up the case; *het zal er* ~ it will be hot work; *het spande erom* it was a near thing; *als het erom spant* at a pinch, at a squeeze; **spannend** exciting (scene, game); (*sterker*) thrilling (story, race); tense (moment, scene); *een* ~*e wedstrijd* a close-fought game; **spanning** (*algem, van spieren, zenuwen, enz*) tension; (*natuurk*) tension, stress, strain; (*druk*) pressure; (*elektr*) tension, voltage; (*van brug, enz*) span; (*fig*) tension (a state of great …), (political) stress; (*onzekerheid*) suspense; *in angstige* ~ on tenterhooks, (look) anxiously; *iem in* ~ *houden*

keep a p. in suspense (on tenterhooks); *met* ~ *verwacht* anxiously (eagerly) expected; **spanningzoeker** voltage tester
spanschroef tightening(-up) screw, stretching screw
spant (*van dak: één balk*) rafter; (*van houten schip*) timber; (*van stalen schip*) frame
spanwijdte span
spar (*van dak*) rafter; (*boom*) spruce-fir; **sparappel** fir-cone
sparen I *tr* save, save up (money); (*ontzien*) spare (a p.('s life), neither time nor money); *geen moeite of kosten* ~ spare no pains or expense; *spaar me* … spare me your remarks; **II** *intr* save (up) (for one's old age)
sparrenbos fir-wood
Spartaan(s) Spartan
spartelen flounder, struggle, squirm
spat (*vlek*) speck, stain, spot; *geen* ~ *uitvoeren* not do a stroke of work
spat|ader varicose vein; **-bord** (*over wiel*) mudguard, (*van auto ook*) wing; (*vóór aan rijtuig*) splash-board
spatel spatula, slice; (*van schilder*) palette-knife, spatula
spatie space; **spatiëren** space
spatje speck
spatten splash, spurt; *vonken* ~ emit sparks
spe: *in* ~, *zie* aanstaande
specerij spice; condiment
specht woodpecker
speciaal special; *speciale commissie* select committee; **specialiseren:** *zich* ~ specialize; **specialisme** specialism; **specialist** id, expert (*in* on); (*med ook*) consulting physician; **specialistisch** specialist(ic), -lized; **specialiteit** speciality
specie (*kalk*) mortar
specificatie specification; **specificeren** specify; *gespecificeerd, ook:* detailed, itemized (account, statement); **specifiek** specific (*bw:* -ally)
spectaculair spectacular
spectrum id
speculant speculator, operator; **speculatie** speculation; **speculeren** speculate; ~ *op* trade on, gamble on (the chance that …)
speeksel saliva, spittle, spit; **speekselklier** salivary gland
speel|bal: *het schip is de* ~ *der golven* is at the mercy of the waves; **-bank** gaming-, gambling-house; **-doos** musical box; **-film** feature film; **-goed** toys; *een stuk* ~ a toy; **-hol** gambling-, gaming-den; **-kaart** playing-card; **-koorts** gaming-fever; **-kwartier** break; *in het* ~ during play(time); **-makker** playmate; **-plaats** playground; **-ruimte** (*fig*) scope, elbow-room, margin
speels playful, sportive
speelschuld gambling-, gaming-, card-debt
speelsheid …ness (*zie* speels)
speel|tafel gambling-, gaming-table; **-tijd**

playtime; (*sp*) *a*) playing time; *b*) period; **-tuin** playing-garden, recreation ground; **-veld** pitch; **-zaal** gaming-room

speen teat, nipple; (*fop~*) dummy, comforter

speen|kruid lesser celandine; **-varken** sucking-pig

speer spear; (*werp~*) javelin

speer|punt spear-head; **-werpen** *zn* javelin-throwing, throwing the javelin; **-werper** javelin-thrower

spek (*gezouten, gerookt*) (fat) bacon; (*vers*) pork; (*van walvis*) blubber; *voor ~ en bonen meedoen* count for nothing; **spekachtig** bacony, bacon-like; **spekglad** extremely slippery; **spekken** (*fig*) (inter)lard (one's conversation with foreign phrases); *zijn beurs ~* line one's purse

spek|nek fat neck; **-slager** pork-butcher

spektakel uproar, racket, hubbub; *~ maken* (*schoppen*) kick up a row (a dust); **spektakel-stuk** spectacular play

spekvet bacon fat

spel (*het spelen*) play; (*een ~*) game; (*theat*) (style of) acting; (*op muzinstrument*) playing; (*kaarten, enz*) pack (of cards), set (of dominoes, of chessmen); *het ~ bederven* mar the game, spoil sport; *goed ~ te zien geven,* (*sp*) put up a good game; *vrij ~ hebben* have free play, have it all one's own way; *iem vrij ~ laten* give a p. free play, leave a p. a free hand; *het ~ gewonnen geven* throw up one's cards, give up the game as lost; *het ~ is verloren,* (*fig*) the game is up; *eerlijk ~ spelen* play the game; *gevaarlijk ~ spelen* play a dangerous game; *hoog ~ spelen* play high, play for high stakes; *laat mij buiten ~* leave me out of it; *er is een dame in het ~* there is a lady in the case; …, *dat er misdaad in het ~ is* the police suspect foul play; *op het ~ staan* be at stake; *wat op het ~ staat* the issue at stake; *alles op het ~ zetten* stake (hazard) everything, stake one's all; *zijn leven op het ~ zetten* stake (*of:* risk) one's life

spel|bederf (*sp*) time-wasting; **-breker** spoilsport, wet blanket

speld pin; *men had een ~ kunnen horen vallen* you could have heard a pin drop; *er is geen ~ tussen te krijgen: a*) you can't get in a word edgeways; *b*) that (his reasoning, etc) is airtight (watertight); **speldek(n)op** pin's head

spelden pin; **speldenkussen** pin-cushion

speldeprik pin-prick (*ook fig*)

speldje pin; (*in het haar, verschuifbaar*) slide; (*van collecte*) flag; (*van club*) badge

spelen play; have a game (of billiards, cards, etc); (*gokken*) gamble; (*theat*) play, act (the play is acted to perfection); *goed ~* (*sp*) put up a good game; *slecht ~* make a bad play; *beter ~ dan* outplay (a p.); *wat wordt er gespeeld?* (*in theat*) what is on?; *we hadden dit anders moeten ~,* (*= aanleggen*) we should have managed (tackled, contrived) this differently;

paardje (*treintje, Indiaantje*) *~* play (at) horses (trains, Red Indians); *piano ~* play (on) the piano; *eerlijk* (*oneerlijk*) *~* play fair (cheat at play); *hij speelt uitstekend* he is a first-rate player; *laten ~* turn on (the gramophone); *dat speelt mij door het hoofd* that is running through my head; *het stuk* (*verhaal*) *speelt in* … the scene is laid in (the story is set in) a little town, the action takes place in …; *ik laat niet met mij ~* I won't be trifled with; *met een idee ~* toy with an idea; *met zijn leven ~* play with one's life, court death; *speel niet met uw geluk* do not trifle with your happiness; *~ om geld* play for money; *om niet* (*niet voor geld*) *~* play for love; *een glimlach speelde om* … a smile was playing round his lips; *op winst ~* play for a win; *op zeker ~* play for safety, play safe; *tegen iem ~* play (against) a p.; *voor Hamlet ~* play (the part of) Hamlet, act Hamlet; *voor gastheer ~* play the host

spelenderwijs: *de zwaarste problemen ~ oplossen* make light work of the most difficult problems; *hij zei het ~* he said so in sport (in fun)

speleoloog speleologist, potholer

speler player; gambler; performer, actor; *vgl het ww; de gezamenlijke ~s,* (*theat*) the cast; (*sp*) the team

spelevaren *gaan ~* go (out) boating

spel|fout spelling-mistake; **-hervatting** resumption of the match; resumption of play

speling play, tolerance; *zie speelruimte; ~ der natuur* freak (*of:* sport) of nature; *door een ~ van het lot* by an ironic freak of fate

spelleid(st)er (*theat, film*) producer, stage-, film-director; (*radio, tv*) producer

spellen spell

spelletje game; round (a … of golf); *een ~ doen* have a game; *hij is nog met het zelfde ~ bezig* he is still at the old game; *dat ~ ken ik ook,* (*fig*) two can play at this game!

spelling id

spelonk cave, cavern

spelregel *a*) rule for spelling, spelling-rule; *b*) (*van enig spel*) rule of the game

spenderen spend (*aan* on); *zullen we er een dollar aan ~?* shall we have a dollar's worth?

spenen wean (*van* from; *ook fig*); *hij is gespeend van ieder gevoel voor humor* he lacks all sense of humour

sperma sperm

sper|tijd curfew; **-vuur** barrage, curtain-fire

sperwer sparrow-hawk

sperzieboon(tje) French bean

spett(er)en splash, spurt

speurder sleuth, detective; **speuren** trace, track; discover, perceive

speur|hond (*ook fig*) blood-, sleuth-hound; **-tocht** search, quest; **-werk** research, detective work (*ook politie*); **-zin** flair, (keen) nose

spichtig lank, weedy, spare(-built); *een ~ meisje* a wisp of a girl

spie pin, wedge, peg
spieden spy
spiegel mirror, looking-glass, glass; (*med*) speculum; (*oppervlak*) surface, level (of the sea); *blinken als een* ~ shine like a mirror
spiegel|beeld image, reflection; *in* ~ in reverse; **-ei** fried egg
spiegelen (*licht terugkaatsen*) shine, reflect; *zich* ~ look at o.s. in the glass (in shop windows, etc); *zich* ~ *aan* take warning from, take example by; *die zich aan een ander spiegelt, spiegelt zich zacht* one man's fault is another man's lesson
spiegel|gevecht sham fight, mimic battle; **-glad** as smooth as a mirror (as glass); (*in de winter*) icy (roads); **-glas** *a*) plate-glass; *b*) piece of mirror
spiegeling reflection; *zie ook* lucht~
spiegel|reflexcamera (single lens) reflex camera; **-ruit** plate-glass window; **-telescoop** reflecting telescope, reflector
spieken crib; **spiekpapiertje** crib
spier muscle; *geen* ~ *vertrekken* not move a muscle, not turn a hair
spiering smelt; *een* ~ *uitwerpen om een kabeljauw te vangen* throw (out) a sprat to catch a whale (a herring, a mackerel)
spier|kracht muscular strength; **-naakt** stark naked, in the altogether; **-pijn** muscular pain(s), aching muscles; **-wit** snow-white, as white as a sheet
spies spear, pike; (*voor grill, barbecue*) skewer
spietsen spear (salmon, etc), pierce, spit (on the bayonet), gore (the bull gored him)
spijbelaar(ster) truant; **spijbelen** *ww* play truant (from school)
spijker nail; *de* ~ *op de kop slaan* hit the (right) nail on the head, strike home; ~*s met koppen slaan* get (come down) to business; ~*s op laag water zoeken* split hairs, carp, cavil; *zo hard als een* ~ as hard as nails; **spijkerbroek** (blue) jeans; **spijkeren** nail
spijker|gat nail-hole; **-jasje** denim jacket; **-pak** denims; **-schrift** cuneiform (characters, writing); **-stof** denim
spijkertje tack (I have a … in my shoe)
spijl bar; (*van stoel*) rung; (*van hek*) spike, pale
spijs food, fare; *verandering van* ~ *doet eten* a change of food whets the appetite, variety is the spice of life; (= *amandel*~) almond paste
spijs|kaart menu, bill of fare; **-vertering** digestion; *slechte* ~ indigestion
spijsverterings|kanaal alimentary canal, food canal; **-stoornissen** digestive upsets
spijt regret; … *ten* ~ in spite of …, notwithstanding …; *tot mijn* ~ to my regret; *tot mijn* ~ *kan ik* … I am sorry I cannot help you; *ik heb er* ~ *van* I regret it, I am sorry for it; **spijten:** *het spijt me* I am sorry (for it); *het spijt me u te moeten melden* I am sorry to inform you …; *het spijt me voor u* I am sorry for you; *u hebt niets gedaan dat u behoeft te* ~ you've done

nothing to be sorry for; … *en dat zou me erg* ~ and I should be very sorry for it; **spijtig** (*met wrok*) spiteful; (*verdrietelijk*) *dat is* ~ that is a pity
spijzigen feed, give to eat; **spijziging** feeding
spikkel spot, speck, speckle; **spikkelen** speckle
spiksplinternieuw bran(d)-new
spil pivot; (*as*) axis, axle(-tree); *vgl* as; (*voetbal*) centre-half; *dat is de* ~ *waar alles om draait* that is the pivot on which everything hinges (*of:* turns)
spillebeen (a) spindle-shanks
spil|ziek extravagant, wasteful, prodigal; **-zucht** extravagance, prodigality
spin spider; *zo nijdig als een* ~ as cross as two sticks; *bij de wilde* ~*nen af* too outrageous for words; **spinachtig** spidery
spinazie spinach
spinet id, virginal(s)
spinnen spin; (*van kat*) purr; *garen* ~ *bij* reap profit from, make a nice thing out of
spinner id; **spinnerij** spinning-mill
spinne|web cobweb, spider's web; **-wiel** spinning-wheel
spin|nijdig as cross as two sticks; **-rag** cobweb
spinsel (*van fabriek*) spinning(s), spun yarn; (*van insekt*) web; (*van zijderups*) cocoon
spint sap-wood, splint-wood
spion spy; **spionage** espionage; **spioneren** spy
spiraal spiral; (*mech*) coil
spiraal|lijn spiral (line); **-matras** spiral spring mattress
spiraalsgewijze spirally
spiraaltje intra-uterine device (IUD)
spiraalveer coiled spring, spiral spring
spirit id; **spiritisme** spiritualism, spiritism; **spiritistisch** spiritualist(ic); ~*e séance* spiritualist seance (*of:* meeting); **spirituaiiën** spirits, alcoholic liquors; **spiritueel** spiritual; **spiritus** spirits
spit (*braad-*) spit; (*in rug*) lumbago, crick (in the back), backache; *aan het* ~ *steken* spit
spits I *bn* pointed (nose, beard), sharp; acute (brain, remark); ~ *gezicht* pointed (peaky) face; ~*e toren* steeple; ~ *toelopen* taper (tapering nails); ~ *maken* point, sharpen; **II** *zn* point; (*toren-*) spire; (*van berg*) peak, top; (*verkeer*) peak hour, rush-hour; *het* (*de*) ~ *afbijten* bear the brunt; *zich aan de* ~ *stellen* place o.s. at the head; *aan de* ~ *staan,* (*fig*) hold pride of place, lead the van; *het op de* ~ *drijven* push matters to extremes, force the issue
spits|baard pointed beard; **-boef** scoundrel, rasca; **-boog** pointed arch
spitsen point, sharpen; *gespitst zijn op iets* pay (much) attention to s.t.
spitsheid pointedness, sharpness; acuteness
spits|muis shrew(-mouse); **-roede:** ~*n lopen* run the gauntlet; **-speler** (*sp*) inside forward, striker; **-uur** rush-hour, peak hour
spitsvondig subtle, over-ingenious; fine-spun (theories)

spitten dig, spade
spleet cleft, crevice, chink, fissure
spleet|oog: *met ~ogen* slit-eyed (Chinese); **-sluiter** (*fot*) focal plane shutter
splijtbaar cleavable, fissile, sectile, (*natuurk*) fissionable; **splijten** split (wood), cleave, rend; (*nat*) *zie* splitsen; *gespleten* split (personality), chapped (hands)
splijt|stof fissionable material; **-zwam** (*fig*) seed(s) of disruption, disintegrating influence
splinter splinter; *ik kreeg een ~ in m'n vinger* I ran a splinter into my finger; *in ~s slaan* smash to smithereens (to matchwood); **splinterbom** fragmentation bomb; **splinteren** splinter
splinter|nieuw bran(d)-new; **-partij** splinter party; **-tangetje** splinter forceps
split slit
split|erwten split peas; **-gevaar** loose chippings; **-pen** split pin
splitsen split (up), divide; (*touw*) splice (rope(s)); (*natuurk*) fission (uranium), split (atoms); *zich ~* split (up); (*van weg*) branch, fork; **splitsing** splitting (up), division; fork, road junction; (*biol, natuurk*) fission
spoed speed (travel with all (possible) …), haste (do it with the necessary …); *~!* (*op brief*) urgent!; *met bekwame ~ behandelen, ~ maken met* press (the matter) forward, hurry up, expedite (the matter); *iem tot ~ aanzetten* hurry up a p.
spoed|cursus crash (intensive) course; **-debat** emergency debate; **-eisend** urgent, pressing
spoeden: (*zich*) ~ speed, hurry, hasten, rush (home)
spoedgeval (case of) emergency
spoedig I *bn* speedy (end, recovery), quick; *een ~ antwoord* an early reply; *de noodzaak van een ~e verkiezing …* for an election soon; **II** *bw* soon, speedily, quickly; *~ daarop* by and by, presently; *zo ~ mogelijk, ook:* at the earliest possible date
spoed|karwei rush job; **-operatie** emergency operation
spoedshalve to expedite matters
spoed|vergadering emergency meeting; **-zending** express parcel
spoel spool, spindle, bobbin; (*van filmapparaat*) reel
spoelbak rinsing-tub; (*fot*) washer
spoelen 1 (*weverij*) spool; (*film, enz*) wind; **2** wash, rinse; *de golven spoelden over het dek* the waves swept over the deck; *door de keel ~* wash down; *het spoelt,* (*van regen*) it's sluicing down; **spoeling** (*voor varkens*) hog-, pig-wash, slop
spoelwater dish-water, slops
spoken haunt; *het spookt daar* the place (house, etc) is haunted
spongat bung-hole
sponning rabbet, groove, notch
spons sponge; **sponsachtig** spongy; **sponsen** (clean with a) sponge

spontaan spontaneous; **spontaneïteit** spontaneity
spook ghost, spectre, phantom; (*pers*) (she is a perfect) horror, (an old) terror; *spoken zien,* (*fig*) see lions in the way; **spookachtig** ghostly, spectral
spook|beeld bogey; **-huis** haunted house; **-schip** phantom ship; **-verhaal** ghoststory; **-verschijning** (ghostly) apparition, spectre
1 spoor spur; *hij gaf zijn paard de sporen* he set spurs to his horse; *hij heeft zijn sporen verdiend* he has won his spurs
2 spoor (*van voet*) footmark, footprint, track, trace, trail; (*'lucht'*) scent; (*van wagen*) rut, track; (*op video/geluidsband*) track; (*overblijfsel*) trace; (*spoorweg*) railway; *enkel (dubbel) ~* single (double) track; *geen ~ van* not a trace of; *er is geen ~ van te vinden* not a trace of it is to be found; *ik zag geen ~ van hem* I did not see a sign (trace) of him; *geen sporen nalaten* leave no traces; *een ~ volgen* follow a track, follow up a clue; *ik ben het ~ bijster* I have lost my way; *hij is bij het ~* he has a job on the railways; *iem in het rechte ~ houden* keep a p. straight; *iem op het ~ komen* trace a p., track a p. down; *op het verkeerde ~ zijn* be on the wrong t(r)ack; *iem (de politie enz) op een vals ~ brengen* lay a false scent; *iem op het ~ zijn* be on a p.'s track; *iets op het ~ zijn* be on to s.t.; *op het verkeerde ~* on the wrong line; *per ~* by rail, by train; *van het ~ raken* get off the track
spoor|baan railway; (*vooral Am*) railroad; **-boekje** (railway) time-table, railway-guide; **-boom** (level) crossing barrier; **-breedte** (*van auto*) track; **-brug** railway-bridge; **-lijn** railway(-line); (*het spoor*) railway-track
spoorloos trackless; *~ verdwijnen* vanish without (leaving) a trace, vanish into space (into thin air)
spoorslags at full speed
spoorstudent *ongev:* non-resident (student), day student
spoor|wagen, -wagon railway-carriage
spoorweg railway, (*vooral Am*) railroad
spoorweg|beambte railway-employee; **-knooppunt** railway junction; **-net** railway-system, network of railways; **-overgang** level (*Am* grade) crossing; *bewaakte ~* gated (guarded) level crossing; *onbewaakte ~* unguarded level crossing; **-personeel** railway-men; **-politie** railway-police; **-tarieven** railway-rates; **-verkeer** railway-traffic; **-wachter** signalman, gate-keeper; level-crossing keeper; (*wisselwachter*) pointsman
spoor|wijdte (railway) gauge; **-zoeker** tracker
sporadisch sporadic, *bw:* -ally
sporen go by rail; *twee uur ~s* a two-hours' train-journey; (*van wielen*) track; (*in overeenstemming zijn*) in conformity (agreement) with; *hij spoort van geen kant* he has a tile loose
sporenelement trace element

sporeplant cryptogam
1 sport (*van ladder, stoel, enz*) rung; *op de hoogste* (*laagste*) ~ *van de maatschappelijke ladder staan* be at the top (the bottom) of the ladder
2 sport id; *hij houdt niet van* ~ he is not a sporting man
sport|artikelen sporting goods; **-auto** sports car; **-beoefenaar** sportsman; **-beoefening** playing games; **-broek**: *korte* ~ shorts; **-club** sporting club; **-hal** sports hall
sportief *a*) fond of (good at) sports; *b*) sporting (offer, conduct; 'that's very sporting!'), sportsmanlike; *c*) casual (shirt); **sportiviteit** sportsmanship
sport|jasje blazer; **-journalist** sports writer; **-kleding** sportswear; **-liefhebber, -man** sporting man, sportsman; **-nieuws** sporting-news, sports news; **-redacteur** sports-editor; **-stuur** drop handlebars; **-terrein** sports-ground, sports-field; **-uitrusting** sports equipment; **-uitslagen** sporting results; **-veld** playground, sports field; **-vlieger** owner (*of:* amateur) pilot; **-vliegtuig** private aeroplane; **-wagen** sports car; **-wereld** sporting-community, -world
1 spot spot(light); (*TV*) spot
2 spot mockery, ridicule, derision; *de* ~ *drijven met* mock (scoff, sneer) at, make game of, poke fun at; *de* ~ *zijn van* be the laughing-stock (the mockery) of
spot|goedkoop dirt-cheap; **-koopje** snip; **-lach** mocking (jeering) laugh (smile); **-naam** nickname, by-word; **-prent** caricature, (political) cartoon; **-prijs** ridiculously low price, bargain price; *voor een* ~, *ook:* for a (mere) song, dirt-cheap; **-schrift** satire, lampoon
spotten mock, scoff, sneer, jeer; ~ *met* mock, etc at, deride; (*fig*) defy; *het is niet om mee te* ~ it's no joking matter; *het spot met alle beschrijving* it beggars (defies) description; *hij laat niet met zich* ~ he is not to be trifled with, stands no nonsense; *~d gejouw* derisive hooting; **spottenderwijs** mockingly, jeeringly; **spotter, spotster** mocker, scoffer; **spotternij** mockery, derision
spouw split, cleft
spouw|isolatie cavity filling; **-muur** cavity wall
spraak speech, language, tongue
spraak|gebrek speech-defect, speech-impediment; **-gebruik** usage; *in het gewone* ~ in colloquial speech; **-kunst** grammar; **-orgaan** organ of speech; **-vermogen** power of speech; **-verwarring**: *Babylonische* ~ confusion of tongues; **-water** talkativeness
spraakzaam talkative, chatty; **spraakzaamheid** ...ness
sprake: *er is* ~ *van* ... there is talk of ...; (*daar is*) *geen* ~ *van!* nothing of the sort! never! certainly not! that is out of the question; *er is geen* ~ *van* ... there is no question of love be-

tween them; *ter* ~ *komen* come up (for discussion), (*toevallig*) crop up; *een onderwerp* (*kwestie*) *ter* ~ *brengen* introduce a subject
sprakeloos speechless; *hij stond* ~, *ook:* he was beyond speech; ~ *van verbazing* flabbergasted
sprankelen sparkle (*van* with)
sprankje spark; *een* ~ *hoop* a gleam of hope; *geen* ~ (there is) not a spark (of good, of generosity in him)
spreek|beurt (lecturing-)engagement, lecture, talk; *een* ~ *vervullen* deliver a lecture, give an address; **-buis** (*fig*) mouthpiece; **-kamer** (*van arts, enz*) consulting-room; **-koor** speaking-chorus, chant; **-taal** spoken language; **-trompet** (*fig*) mouthpiece; **-uur** hours of business (1 to 2); (*van advocaat, enz*) office-hours; (*van dokter*) consulting-hour(s), surgery hour(s); **-vaardigheid** fluency
spreekwoord proverb; **spreekwoordelijk** proverbial; ~ *worden* pass into a proverb, become a by-word; *de* ~ *verstrooide professor* the proverbially absentminded professor
spreeuw starling
sprei bedspread, counterpane
spreiden spread; (*van vakanties*) stagger; **spreiding** spread(ing); dispersal; (*van vakanties, enz*) staggering
spreken speak, talk; *hij is niet te* ~ you can't see him, he is engaged; *voor niemand te* ~ *zijn* not be at home to anybody; *niet goed te* ~ in a bad temper; *hij is slecht over je te* ~ he is annoyed with you; *om maar niet te* ~ *van* to say nothing of, let alone; *ik moet je eens even* ~ I want a word with you; *mag ik mijnheer N even* ~? can I see (speak to) Mr. N for a moment? can I have a word with Mr. N?; *ik spreek je nog wel*, (*ook bedreiging*) I'll see you later; ~ *met* speak (talk) to (with); *met wie spreek ik?* who is (it) speaking?; *u spreekt met ...* (this is) W speaking; *we* ~ *niet met* (*tegen*) *elkaar* we are not on speaking terms; ~ *over* speak (talk) of (about); *over zaken* (*financiën, de kunst*) ~ talk business (finance, art); *laten we over wat anders* ~ let us change the subject; ~ *tot* speak to; *uit iedere regel sprak wantrouwen* distrust was revealed in every line; *van zich doen* ~ make o.s. conspicuous, get talked about; (*gunstig*) make one's mark; *de mensen* ~ *goed* (*kwaad*) *van u* people speak well (ill) of you; *van ... gesproken* speaking (talking) of ..., apropos of ...; *dat spreekt vanzelf* that is a matter of course (goes without saying); *dat feit spreekt voor zichzelf* that fact speaks for itself; ~ *is zilver, zwijgen is goud* speech is silver, silence is gold(en); **sprekend** speaking (*ook fig:* a ... likeness = a close resemblance); *~e ogen* speaking (talking) eyes; *~e cijfers* telling figures; *een* ~ *voorbeeld* a vivid example; *je lijkt* ~ *op je vader* you are the very image of (bear a striking resemblance to) your father; **spreker** speaker, lecturer
sprenkelen sprinkle

spreuk motto, aphorism, maxim; *(spreekw)* proverb

spriet blade (of grass); *(van insekt)* antenna *(mv:* antennae), feeler; *(scheepv)* sprit

springen spring, jump, leap; *(op hand(en) steunend)* vault (... into the saddle); *(huppelen)* skip; *(knappen)* snap; *(van huid)* chap; *(uiteen-)* burst, explode; ~ met aanloop take a running jump; *hij kan hoog of laag* ~ whatever he does; *de snaar sprong* the string snapped; *de band sprong* the tyre burst; *op* ~ *staan, (van zaak, enz)* be on the verge of bankruptcy; *hij zat te* ~ *op zijn stoel* he could hardly keep seated; *in het water* ~ leap (jump, plunge) into the water; *iem naar de keel* ~ jump at a man's throat; *we zitten er om te* ~ we are in urgent need of it; *we zitten te* ~ *om* ... we can't wait to (for) ...; *hij sprong op ons af* he sprang at us; *over een sloot* ~ leap *(of:* clear) a ditch; *ik sprong over het hek* I vaulted over the gate; *uit bed* ~ jump out of bed; *uit een vliegtuig* ~ bail out; *hij sprong van het paard* he leapt from his horse; *gesprongen* burst (motor-tire, waterpipe), chapped (hands); **springer** jumper, leaper; **springerig** fidgety (child); wiry (hair)

spring|-in-'t-veld madcap, colt, romp; *(meisje)* tomboy; **-lading** *(in granaat)* burstingcharge; *(voor rotsen)* blasting-charge; **-levend** alive and kicking, (she is) very much alive; **-middelen** explosives, blasting-materials; **-net** spring-net; *(bij brand)* jumpingsheet; **-paard** jumper; **-plank** jumping-, *(om te duiken:* diving-)board; *(fig)* springboard; **-stof** explosive; **-tij** spring-tide; **-touw** skipping-rope; **-veren** *matras (zitting)* spring mattress (seat); **-vloed** (high) spring-tide

sprinkhaan locust, grasshopper

sprint id; **sprinten** sprint; **sprinter** id

sproeien sprinkle, water; **sproeier** *a) (van gieter)* rose(-head), spray-nozzle; *b) (van motor)* jet; **sproeimiddel** spray

sproet freckle

sprokkelen gather (dry sticks)

sprong jump, leap; *een* ~ *doen* make (take) a spring (a leap); *kromme* ~*en maken* cut capers; *(fig)* give o.s. up to all kinds of extravagances; *de* ~ *wagen* take the plunge; *een* ~ *in het duister (doen)* (take) a leap in(to) the dark; *met een* ~ at a bound *(of:* leap); *met* ~*en* by jumps; *met* ~*en vooruit (omhoog, omlaag) gaan* advance (go up, go down) by leaps and bounds; *de prijs ging met een* ~ *omhoog* went up at (with) a bound; *de kosten van levensonderhoud gaan met* ~*en omhoog* the cost of living is soaring; *ik stond op* ~ *om te* ... I was on the point of ...ing; **sprongsgewijs** abrupt (changes)

sprookje nursery-, fairy-tale; **sprookjesachtig** fairy-like

spruit sprout, shoot; *mijn* ~*en* my kids (offspring); **spruiten** sprout, shoot; *uit een adellijk geslacht gesproten* descended from a

noble race; **spruitjes, spruitkool** (Brussels) sprouts

spruitstuk header; *(meervoudig)* manifold

spugen spit; *zie* spuwen

spuien sluice; *(fig)* let in fresh air; ventilate (one's grievances); **spuigat:** *dat loopt de* ~*en uit* it goes beyond (it passes) all bounds, it is outrageous

spuit syringe, squirt; *(voor verf enz)* spray-gun; *(brand-)* (fire-)engine; ~ *elf geeft modder* hear who's talking, hark at him (at her); **spuitbus** spray (can); **spuiten** spout, squirt; *(inspuiten)* inject; **spuiter** spouter; *(petroleumbron)* spouter, gusher

spuit|gast hoseman, (fire-)engine man; **-water** soda-water

spul *(goedje)* stuff; ~*len, (gereedschap)* implements, tools; *(boeltje)* things, belongings; *mijn zondagse* ~*len* my Sunday togs *(of:* best)

spurten spurt, sprint

sputteren sputter, splutter

spuug spittle, saliva; **spuuglelijk** frightful

spuwen spit (blood, fire); *(braken)* vomit, be sick, bring up; *vuur en vlam* ~*, (ook van pers)* spit fire, be in a towering rage

st! sh! sh-sh! s-s-sh! hush! mum!

staaf bar

staaf|batterij flashlight battery; **-diagram** histogram

staak stake, pole

staal 1 steel; 2 *(monster)* pattern, specimen, sample

staal|blauw steel-(steely)blue; **-borstel** wirebrush; **-draad** steel-wire; **-draadkabel** steel rope; wire rope; **-fabriek** steel-works *(mv id)*; **-gieterij** steel-foundry; **-hard** (as) hard as steel; **-kaart** pattern-card; **-kabel** steel cable, hawser

staaltje sample, etc; *(zie* staal); *een knap* ~ *van bouwkunst, (techn)* an extraordinary feat of engineering; *het is een* ~ *van mijn plicht* it is part of my duty, it is up to me (to see that ...)

staan stand, be; *(blijven* ~) stop; *(van kleren, enz)* become; *er* ~ *veel gegevens in het boek* many data are to be found in the book; *er staat geschreven* it is written; ~ *of vallen met* stand or fall with, by; *die japon staat u lelijk (mooi)* that dress does not become *(of:* suit) you (looks nice, looks well, on you); *er staat 24 voet water* there is a depth of 24 feet of water; *er staat een flinke zee (deining)* there is a considerable sea on; *blijven* ~ remain standing, *(stilhouden)* stop, pull up, halt; *je kunt hier niet langer blijven* ~ you cannot stand about here any longer; *gaan* ~*: a)* get up; *b)* stand, place (station) o.s., take one's stand; *ga daar (in de hoek)* ~ stand there (in the corner); *hij weet waar hij* ~ *moet* he knows his place; *nu weet je wat je te doen staat* now you know what you have to do; *ik zag, hoe de zaken stonden* how the land lay, how things stood; *zoals het nu staat* as things are (stand) now; *de* *zaak staat aldus* the case stands thus; *laat dat ~ hands off*, don't touch it; *de baard laten ~* grow a beard; *de alcohol (vlees, enz) laten ~* keep off alcohol (meat, etc); *laat ~ zijn eigen kinderen* not to mention his …; *niet geschikt voor een beest, laat ~ voor een mens* not fit for a beast, let alone a man; *hoe staat de barometer?* what does the barometer say?; *hoe staat de frank?* what is the franc standing at?; *wat staat er?* what does it say?; *het staat niet aan mij om uit te maken …* it is not for me to decide …; *er aan gaan ~* tackle s.t., do s.t. about it; *ga er maar aan ~* just try it, some job; *achter iem ~,* (*fig*) back a p. (up), be behind a p.; *hij staat er voor 100% achter* he is behind it 100%; *… stond vreemd bij …* his pale face went strangely with his black hair; *boven iem ~* be over a p., be a p.'s superior; *daar sta ik buiten* I've nothing to do with it; *hoe staat het met je?* how are you?; *hoe staat het met uw gezondheid?* how is your health?; *het staat slecht met me* I am in a bad way (in poor health), (*financieel*) I am hard up, things are bad with me; *en hoe staat het nu met …?* and now, what about (of) your brother?; *hoe staat het met mijn geld?* (= *wanneer krijg ik …*) how about my money?; *onder iem ~* be under a p.; *hij stond erop, dat ik het deed* he insisted on my doing it, insisted that I should do it; *op een onmiddellijk antwoord ~* press for an immediate answer; *hij staat erop* insists (on it), is firm on it, he makes a point of it; *hij staat op nauwkeurigheid* he is strict on correctness; *de thermometer staat op 80* stands at (points to) 80; *de klok stond op …* stood at (pointed to, showed) …; *je staat er goed op,* (*foto*) you (have) come out well; *je staat er goed bij hem op* you're in his good books; *er staat boete op* it is liable to a fine; *zeggen waar het op staat* call a spade a spade; *dat komt te ~ op* it works out at …; *waar komt me dat op te ~ op* how much is it going to cost me; *~ te praten met* be talking to; *tot ~ brengen* bring (the car) to a stand (to a standstill), halt (the car); check (s.t.) in its progress; *de brand was niet tot ~ te brengen* the fire got beyond control; *tot ~ komen* come (be brought) to a stand (a standstill); *staat er goed voor* looks promising, promises well; *hij staat (zijn zaken ~) er slecht voor* he is (his business is, his affairs are) in a bad way; *de maatschappij staat er niet te best voor* is not doing any too well; *hij staat voor niets* he sticks (stops) at nothing; *voor de rechter ~* face the judge; *ik sta voor de schade* I'll pay for the damage (bear the loss); **staand** standing; *~e klok* mantelpiece (*of:* bracket) clock; (*lang*) grandfather clock, long case-clock; *~e kraag* upstanding collar; *~e receptie* stand-up reception; *~ schrift* perpendicular writing; *~e uitdrukking* set (stereotyped) phrase (expression); *~e de vergadering* pending the meeting; *iem ~e houden* stop a p.; *~e houden* maintain

(he maintained that I was wrong), stand by (what one has said); *zich ~e houden* keep one's foothold; (*fig ook*) hold one's own (*tegenover … with others*), stand one's ground

staan|geld (*op markt*) stallage, toll; **-plaats** stand; (*voor taxi's*) cab-rank, cab-stand

staar cataract; *groene ~* glaucoma

staart tail (*ook van vlieger & komeet*); (*nasleep, gevolg*) train; *weglopen met de ~ tussen de benen* go off with one's tail between one's legs (tail down, crest-fallen); **staartbeen** tail-bone

staartloos tailless

staart|mees long-tailed tit(mouse); **-stuk** (*van viool enz*) tail-piece; (*vlees*) rump

staat (*rijk*) state; (*toestand*) state, condition; (*rang*) rank; (*lijst*) list, statement; *~ van beleg* state of siege; *de ~ van beleg afkondigen* proclaim martial law; *een goede (slechte, schitterende) ~ van dienst hebben* have a good (bad, brilliant) record (of service); *~ maken op* rely (depend) on; *er is geen ~ te maken op … …* cannot be relied upon; *in goede ~* in good condition; *ze was in alle staten* she was very much excited; *in ~ stellen* enable; *in ~ van beschuldiging stellen* indict; *in (niet in) ~ zijn te …* be able (unable) to …; *het spijt ons dat we niet in ~ zijn om te gaan* we regret our inability to go; *hij is tot alles in ~* he is capable of anything; *ik acht hem er wel toe in ~* I think him quite capable of (doing) it; *in ~ van verdediging brengen* put into a state of defence; **staathuishoudkunde** political economy, economics

staatje statement, list

staat|kunde politics; **-kundig** political

staatloze person without nationality, displaced person

staats|aangelegenheid state concern; **-amateur** state amateur; **-bedrijf** government undertaking; **-begrafenis** state funeral; **-begroting** budget; **-belang** interest of the state; **-bemoeienis** state-interference; **-bestel** form of government; **-betrekking** government office; **-bezoek** state visit; **-burger** citizen; **-burgerschap** citizenship; **-courant** (Official) Gazette; **-drukkerij** government printing office; **-eigendom** (*concr*) public property; (*abstr*) state ownership; **-examen** *a*) state examination; *b*) (*voor toelating tot univ*) matriculation; **-geheim** state-secret; **-gevaarlijk** dangerous to the state; **-greep** coup; **-hoofd** head of state

staatsie state, pomp, ceremony

staatsie|bezoek state visit; **-vertrekken** state-apartments

staats|inkomsten public revenue; **-inmenging** state-interference; **-inrichting** polity, form of government, constitution of the state; **-instelling** public institution; **-kosten:** *op ~* at the public cost, at the expense of the state; **-lening** public loan; **-loterij** state (*of:* national) lottery; **-macht** power of the state; **-man** statesman; **-monopolie** state-monopoly;

-prijs state prize; **-recht** constitutional law; **-schuld** national (of: public) debt; **-secretaris** (ongev) Parliamentary Under-Secretary (for Defence, etc); **-toezicht** state-supervision; **-vijand** public enemy; **-vorm** form of government; **-waarborg** (Belg) government guarantee; **-zaken** state-affairs, affairs of state; **-zorg** government(al) care

stabiel bn stable (equilibrium), steady, stationary; **stabilisatie** stabilization; **stabilisator** (van schip of vliegtuig) stabilizer; **stabiliseren** stabilize; **stabiliteit** stability

stacaravan holiday (non-mobile) caravan, (fixed) site-caravan

stad town; (grote ~, dikwijls: bisschops~) city; ik ga de ~ in I am going into (down) town; naar de ~, (van in de buurt wonende = naar ~) to town, (anders) to the town; uit de ~ gaan go out of (leave) town; ~ en land aflopen voor … search the highways and byways for …; **stadgenoot** fellow-townsman (townswoman)

stadhuis town hall, city hall; **stadhuistaal** officialese

stadion stadium

stadium stage; in dit ~ at this stage; de zaak is nog in het eerste ~ is still in its first stage (in its infancy); in een nieuw ~ treden enter upon a new phase

stads|beeld city scene; **-bestuur** municipality, municipal authorities; **-bus** corporation bus; **-deel** part (district) of town, town district; **-gezicht** town view; (schilderij) town scape; **-gracht** (in stad) canal of a (the) town; **-guerrilla** urban guerrilla(s); **-leven** town-life, urban life; **-lichten** (van auto) parking lights, sidelights; **-mensen** townsfolk, townspeople, city dwellers; **-muur** town-wall; **-nieuws** local news; **-park** town (municipal, corporation, urban) park; **-reiniging** municipal sanitation department; **-schouwburg** municipal theatre; **-uitbreiding** town-development; **-wijk** quarter of a (the) town

stadwaarts townward(s), cityward(s)

staf staff (ook mil); de generale ~ the general staff; Chef~ Chief of Staff

stafkaart ordnance-, survey-map

stage term of probation; practical (work); ~ lopen do (teaching, etc) practice; **stagiair(e)** trainee (teacher, etc)

stagnatie stagnation; hold-up (of traffic); **stagneren** be stagnant, stagnate

sta-in-de-weg obstacle

staken I tr stop (work), abandon (a match); (voor hoger loon enz) strike, go on strike; de betalingen ~ stop (of: suspend) payment; II intr stop, leave off; de stemmen staakten the votes were equally divided; **staker** striker

staket(sel) fence, palisade, wooden railing

staking stoppage; suspension (of hostilities); (werk~) strike; (college~) boycott; ~ van stemmen tie, equality (of votes); in ~ zijn be out (on strike); een ~ afkondigen call (declare) a

strike; de ~ opheffen call off the strike; tot ~ oproepen call out on strike; door ~ getroffen strike-bound (factory, ship); **stakingbreker** strike-breaker, scab

stakings|kas strike-fund; **-leider** strikeleader; **-recht** right to strike

stakker(d) poor devil (fellow)

stal (paarde-) stable; (koe-) cow-shed, -house; (varkens-) (pig)sty

stalactiet stalactite

stalagmiet stalagmite

stalen I bn steel; (fig ook) iron (nerves); ~ geheugen tenacious memory; met een ~ gezicht (as) cool as a cucumber, (Am) dead-pan; ~ meubelen steel-(tube) furniture; met ~ platen steel-plated; II ww (fig) steel (one's nerves, o.s.)

stal|houder stable keeper; **-jongen** stable-boy; **-knecht** stable-hand, groom

stallen stable (horses); garage, put away (one's motor-car)

stalles stalls

stalletje (book-)stall, stand

stalmest stable-, farmyard-manure (of: -dung)

stam stem (ook van woord); (van boom ook) trunk; (afstamming) stock, race (the last of his …), (volk) tribe

stamboek (van pers) genealogical register; (van vee) herd-book; **stamboekvee** pedigree cattle

stam|boom genealogical (family) tree, pedigree; **-café**: zijn ~ his favourite café

stamelaar stammerer; **stamelen** intr stammer; tr stammer (out) (an excuse)

stam|gast regular customer; **-houder** son and heir; **-kaart** master card

stammen zie afstammen; ~ uit de tijd, dat … date from the time when …; uit Portugal ~ be of Portuguese origin (descent)

stamp a) stamp(ing); b) een ~ mensen a lot, crowd (of people); **stampen** ww I intr stamp, thump; (van schip) pitch; (van machines) thump, thud; met zijn voet ~ stamp one's foot; II tr (fijn-) pound; mash (potatoes); iets het hoofd ~ drum s.t. into one's head; uit de grond ~ set up (develop) (an organization) from scratch; **stamper** (pers & ding) stamper; (van vijzel) pounder, pestle; (van bloem) pistil

stamp|pot hotchpotch; **-voeten** stamp one's foot (feet); **-vol** chock-full, packed, crammed

stam|tafel (in sociëteit, enz) ongev: habitués' table; **-vader** ancestor

stand (houding) attitude; (hoogte) height (of the water), state (of the barometer); rate (of the dollar); (bij spel) score(s) (the scores are …); (van maan) phase; (toestand) situation, condition, state, position; (maatschappelijk) rank, (social) position; lagere (hogere) ~en lower (higher, upper) classes; ~ van zaken state of affairs; de ~ der onderhandelingen the (present) position of the negotiations; ~ hou-

den stand one's ground, stand firm, hold one's own; ~ *houden tegen, ook:* stand up against; *dat houdt geen* ~ that cannot last; *zijn* ~ *ophouden* keep up one's (social) position; *beneden (boven) zijn* ~ *trouwen* marry beneath (above) one (one's social position); *boven zijn* ~ *leven* live beyond one's means; *in* ~ *blijven* endure, last; *in* ~ *houden* keep (a building) in repair, maintain; *een winkel op goede* ~ in a good position (situation); *tot* ~ *brengen* bring about, achieve, accomplish; *tot* ~ *komen* come about; come into being; be effected, etc (*vgl* tot ~ brengen); *van hoge* ~ of high rank (station)

standaard, standerd (*vaandel, maatstaf, munt-*) standard; (*om iets op te zetten*) stand; **standaardisatie** standardization; **standaardiseren** standardize; **standaardprijs** standard price

standbeeld statue

standje (*berisping*) scolding; *een opgewonden* ~ a peppery fellow, a regular little tempest; *een* ~ *krijgen* get a scolding; *iem een* ~ *geven* rebuke a p.

stand|licht (*Belg*) sidelight, parking light; **-plaats** stand; (*van taxi's*) (cab-)stand, rank; (*van ambtenaar*) station, post, place of work; **-punt** standpoint, point of view (from his ...); *op het* ~ *staan dat* ... take the position (the line) that ...; *het zelfde (een dergelijk)* ~ *innemen* take the same (a similar) stand (take up ... position)

standvastig steadfast, firm

standvogel resident bird

stang rod, bar, pole; *iem op* ~ *jagen*, (*fam*) get someone's rag out

stank stench, bad smell; *ik kreeg* ~ *voor dank* I got small thanks for it; **stankafsluiter** stench-trap

stansen punch

stap step (*ook fig*); footstep; *een* ~ *in de goede richting* a step (a move) in the right direction, a step forward; *een* ~ *achteruit* a step backward, a backward move; *een stoute* ~ a bold step; *dat brengt ons geen* ~ *verder* that does not carry us a step farther; *een* ~ *doen* take a step; *~pen doen om te* ... take steps to ...; *geen (verdere) ~pen doen* take no (further) action; *de eerste* ~ *doen* take the first step, make the first move, take the initiative; *de* ~ *wagen* take the plunge; *in één* ~ at (in) a stride; *op* ~ *gaan* set out, go (*fam:* push) off; ~ *voor* ~ step by step, progressively

stapel I *zn* pile (of papers), heap; *op* ~ *staan* be on the stocks (on the ways); *op* ~ *zetten* lay down (a new cruiser); (*ook fig*) put on the stocks; *van* ~ *laten lopen* launch (a vessel); (*te*) *hard van* ~ *lopen* go (move) (too) fast; **II** *bn: ben je* ~? are you mad?; **stapelbed** bunk bed

stapelen stack, pile (up), heap; *de ene ... op de andere* ~ heap discomfort on discomfort, pile up one blunder on another, top (*of:* cap) one blunder with another

stapel|gek stark (raving) mad; **-wolk** cumulus (*mv:* cumuli)

stappen step; *op en neer* ~ pace up and down; *een eindje gaan* ~ go for a walk; ~ *op* mount (one's bicycle), board (a tram); *uit de bus* ~ get off the bus

stapvoets (move, go, ride) at a walk(ing-pace), at a foot-pace

star stiff; (*van blik*) fixed; (*fig*) rigid, uncompromisingly, dogmatic

staren stare, gaze (*naar* at); *hij staarde voor zich uit* he stared in front of him

start id

startbaan (*luchtv*) runway

starten start; (*luchtv*) take off; **starter** id

start|klaar ready to start; **-motor** starter motor; **-pistool** starting pistol; **-schot** starting shot

Staten-Generaal States General

statie (*r-k*) Station of the Cross

statief (camera-)stand, tripod, support

statiegeld deposit (on bottles)

statig *bn* stately, solemn; *bw* in a solemn manner, solemnly

station (railway) station; ~ *van aankomst* (*vertrek*) arrival (departure) station

stationair stationary; ~ *draaien* idle

stationcar estate car

stationeren station, place

stationschef station-master

statisch static(al)

statistiek statistics; *Centraal Bureau voor de S~* Central Statistical Office; **statistisch** statistical

status id; **statussymbool** status symbol

statutair according to the articles of association, statutory (meeting); **statuut** statute; *statuten,* (*van club*) regulations (of a club)

stavast: *een man van* ~ a strong, resolute man

staven confirm, bear out (an opinion), substantiate (a charge *beschuldiging*); (*door onderzoek*) verify (a statement); ... *wordt niet gestaafd door de feiten* this legend has no foundation in fact

stedebouw town-planning; **stedebouwer** (*ongev*) town planner

stedelijk town (officials), municipal (government), urban (districts); **stedeling** town-, city-dweller

1 steeds *bw* always, ever, all the time, continually; ~ *door* all along; *nog* ~ still; ~ *lager* lower and lower, ever lower; ~ *weer* again and again; *de gedachte kwam* ~ *weer bij mij op* the idea kept coming back to me; ~ *moeilijker* (become) increasingly difficult

2 steeds *bw* townish, towny

steeg lane, alley

steek (*naaiwerk*) stitch, (*van angel*) sting, (*van dolk*) stab, (*van zwaard, enz*) thrust, (*van pijn*) stitch (in the side); (*hoofddeksel*) three-cornered hat; (*hatelijkheid*) dig; ~ *onder water* sly dig, side-hit; *uw bewering houdt geen* ~ your

steekbeitel 294

assertion will not hold water (cuts no ice); *zie* opgaan (*niet* ...); *een* ~ *laten vallen* drop a stitch; *een* ~ *opnemen* take (pick) up a stitch; *ik kan geen* ~ *zien* I cannot see a thing; *ik begrijp er geen* ~ *van* I cannot make head or tail of it, I do not understand it a bit; *het kan me geen* ~ *schelen* I don't care a fig; *hij heeft geen* ~ *uitgevoerd* he has not done a stroke of work; *hij liet ons in de* ~ he failed us, let us down, deserted us; *zijn kalmte liet hem in de* ~ his coolness deserted him; *een woordenboek dat je nooit in de* ~ *laat* that never lets you down; *hij liet zijn vrouw in de* ~ he abandoned his wife; *het schip in de* ~ *laten* abandon the ship; *daar is een* ~ (*je*) *aan los* there is s.t. wrong about it

steekbeitel paring-chisel
steekhoudend sound, solid, valid
steekje *zie* steek
steek|mug (stabbing) gnat; **-penning** hush-money, bribe; **-proef** random test (check); *-ven nemen* test s.t. at random; **-sleutel** picklock; **-spel** tournament; **-vlam** flash; blowpipe flame; **-vlieg** stable-fly; **-wagen** trolley, hand-truck; **-wond** stab wound
steel (*om aan te pakken*) handle (of a spoon, etc); (*van bloem, pijp, tabak*) stem; **steelpan** saucepan
steels I *bn* stealthy; *hij wierp een ~e blik op haar* he stole a look at her, looked at her out of the corner (the tail) of his eye; II *bw* stealthily
steen stone; (*bak~*) brick; (*bij domino*) piece; (*dobbel~*) die; *met een hart van* ~ stony-hearted; *ik ben niet van* ~ I am not made of stone; *de eerste* ~ *leggen* lay the first stone (foundation-stone); ~ *en been klagen* complain loudly (bitterly); *geen* ~ *op de andere laten* not leave a stone standing; *al gaat de onderste* ~ *boven* come what may; **steenachtig** stony
steen|bok ibex; *de S~bok,* (*in dierenriem*) Capricorn; **-bokskeerkring** tropic of Capricorn; **-boor** masonry drill; **-goed** *bn* first-rate; (*sl*) smashing; **-groeve** quarry, stone-pit; **-hard** as hard as stone, stone-hard, stony; **-kolen** (pit-) coal
steenkolen|engels broken English; **-mijn** colliery, coal-mine
steen|kool *zie* steenkolen; **-koud** stone-cold; **-legging** (*eerste*) ~ (foundation-)stone laying; **-puist** boil; **-rood** brick-red; **-slag** (road) metal, stone-chippings, rubble
steentje *een* ~ *bijdragen* contribute one's mite, do one's bit
steen|vrucht stone-fruit, drupe; **-weg** (*Belg*) main road; **-worp** stone's throw; *op* (*binnen*) *een* ~ at (within) a stone's throw; **-zout** rock-salt
steevast *bn, bw* regular(ly), invariable (-bly)
steiger (*van huis*) scaffolding, staging; (*aanlegplaats*) pier, jetty, landing-stage; **steigeren** rear, prance

steil steep; (*loodrecht*) sheer (a ... cliff); (*fig*) uncompromising, dogmatic, rigid (in ideas); **steilschrift** upright (*of:* perpendicular) writing (*of:* hand)
steilte steepness; (*concr ook*) steep, precipice
stek (*van plant*) slip, cutting; (*hengelsp,* = ~*je*) beat
stekeblind stone blind, (as) blind as a bat
stekel prickle, sting; (*van egel*) spine, quill; (*plantk*) spine; **stekelbaars** stickleback
stekelig prickly, spiny; (*fig*) stinging, caustic
stekelvarken porcupine
steken (*met angel, enz*) sting, prick; (*met dolk*) stab; (*met zwaard, enz*) thrust; (*van wonden*) smart; (*ergens aan of in doen*) put, stick; *wormen* ~ dig for worms; *zoden* ~ cut sods; *dat steekt hem* that stings him, sticks in his throat; *plotseling blijven* ~ come to a dead stop, stop dead, get stuck; *daar steekt wat achter* there is s.t. behind it; *daar steekt meer achter* more is meant than meets the ear (the eye); *de sneeuwklokjes staken hun kopjes boven de grond* thrust their heads above the ground; *zij stak haar arm door de zijne* she slipped her arm under his, hooked her arm into (*of:* through) his; *de handen in de zakken* ~ put (stick, thrust, slip) one's hands into one's pockets; *de sleutel in het slot* ~ put (insert, fit) the key in(to) the lock; (*diep*) *in de schuld* ~ be (deep) in debt; *daar steekt geen kwaad in* there is no harm in it; *er steekt een ... in hem* he has the makings of a ...; *hij bleef in zijn woorden* ~ he broke down in his speech; *in de modder blijven* ~ stick in the mud; *geld* ~ *in* put (invest, sink) money in (an undertaking); *het hoofd uit het raam* ~ put (shove, pop) one's head out of the window
stekje (*van plant*) cutting, slip; (*van hengelaar*) beat
stekken slip (plants)
stekker (*elektr*) plug
stel set (of cups and saucers; *ook van pers:* a ... of fools), lot (they're a queer ...); (*gas-, enz*) (gas-)stove; *hij is de beste van het* ~ he is the best of the bunch; *ze zijn een raar* ~ they are a queer pair; *hij heeft een goed* ~ *hersens* he is a brainy fellow; *op* ~ *en sprong* then and there, abruptly
stelen steal; *het kan me gestolen worden* they can keep it, and welcome!; *een kind om te* ~ a perfect little pet
stellage scaffolding, staging
stellen (*plaatsen*) place, put; put (a question); (*afstellen*) adjust (the brakes); (*vaststellen*) fix (a price); (*veronderstellen*) suppose; *zich* ~ place o.s.; *zich ten doel* ~ make it one's aim; *zich een taak* ~ set o.s. a task; *stel dat het zo was* suppose it were so; *... ~ boven ...* put duty before (above) everything; *in krasse taal gesteld* (the resolution was) strongly worded; *ik kan het er voor het ogenblik mee* ~ it will do for now; *ik heb wat te* ~ *met die jongen* that

boy gives me a lot of trouble; *zich ~ onder de zorg van* put o.s. under the care of; *de prijs ~ op* fix the price at; *het aantal ~ op 40* place (put) the number at 40; *stel het aantal dagen op x* let x be the number of days; *het zich tot plicht stellen te ...* make it one's duty to ...; *hij kon het zonder slaap ~* he could go (do) without sleep

stellig positive (proof); *hij sprak op ~e toon* he spoke in a peremptory tone (*of:* assertively); *hij komt ~* he is sure to come; *ze zullen ~ te laat komen* they will certainly be late; *ik reken er ~ op* I absolutely count on it; *ten ~ste ontkennen* deny flatly; **stelligheid** positiveness; certainty

stelling thesis (*mv:* theses); (*wisk & logica*) proposition; (*mil*) *a*) position (select a ...); *b*) fortress; (*steiger*) scaffolding; *~ nemen tegen* make a (one's) stand against; **stellingname** attitude; *zijn ~ in deze kwestie* the position he adopted ...

stel‖pen stanch, staunch (the bleeding); **-regel** maxim, (fixed) rule; **-schroef** adjusting screw

stelsel system, scheme; **stelselmatig** systematic

stelt stilt; *op ~en lopen* walk on stilts; *... stond op ~en* the house was turned upside down; *de boel op ~en zetten* turn the place (the house, etc) upside down; *overal de boel op ~en zetten* cause trouble everywhere

stem voice; (*bij verkiezing, enz*) vote; (*van muziekstuk*) (voice) part; *de ~ van het bloed* the call of the blood; *één ~ tegen* one dissenting vote; *de meeste ~men gelden* most votes carry the day; *zijn ~ laten horen* be vocal; *ik ben mijn ~ kwijt* I've lost my voice; *slechts een adviserende ~ hebben* act as adviser, but have no vote; *hij heeft er geen ~ in* he has no voice (no say) in the matter; *de meeste (minste) ~men hebben* be at the top (bottom) of the poll; *er gaan ~men op om ...* voices are heard demanding that ...; *zijn ~ verheffen* make one's voice heard, raise one's voice (*tegen* against); *~men winnen* catch votes; *zijn ~ uitbrengen* record (register, cast) one's vote; *zijn ~ uitbrengen op* vote for; *de tweede ~ zingen* sing second; *goed bij ~ zijn* be in (good) voice; *slecht bij ~ zijn* in poor voice; *met luide ~* in a loud voice; *de motie werd met een meerderheid van 14 ~men aangenomen* was carried by fourteen votes; *met algemene ~men* unanimously; *met 10 ~men voor en 8 tegen* by ten votes in favour and eight against

stem‖banden vocal cords; **-biljet** voting-, ballot-paper; **-bureau** polling-booth, -station; (*fig*) poll; **-bus** ballot-box; (*fig*) poll; **-fluitje** tuning-, pitch-pipe; **-geluid** voice; **-gerechtigd** entitled to vote, enfranchised; (*Am*) registered as a voter; **-hokje** compartment (of polling station)

stemmen vote, give (cast) one's vote, go to the poll; tune (instruments); (*van orkest*) tune up;

vrolijk ~ put in a cheerful mood; *het stemt me droevig* it makes me feel sad; *~ met zitten of opstaan* vote either by rising or remaining seated; *~ op* vote for; (*op een*) *liberaal ~* vote liberal; *~ over* vote (up)on; *tot ongerustheid ~* give rise to anxiety; *~ voor* vote for (in favour of, in support of); *~ tegen* vote against; **stemmer** voter; (*muz*) tuner

stemmig quiet (dress, dress quietly), sober

stemming ballot (= *geheime ~*), vote, polling; (*gemoeds-*) frame (*of:* state) of mind, mood; (*van de markt*) tone, tendency; *vaste* (*flauwe*) *~*, (*handel*) firm (weak) tone (*of:* tendency); *schriftelijke ~* vote by ballot; *er heerste een feestelijke ~ in de vergadering* there was a festive air about the meeting; *de algemene ~ was ertegen* the general feeling was against it; *zijn ~ werd beter* his spirits rose; *een ~ houden* take a vote (a ballot, a poll); *~ maken voor* (*tegen*) rouse popular feeling for (against); *de motie werd in ~ gebracht, kwam in ~* was put to the vote; *ik ben er niet voor in de ~* I am not in the mood for it, I don't feel like it; *niet in de ~ zijn om* be in no mood to; *in uitstekende ~* in excellent heart; *tot ~ overgaan* proceed to the vote (to a division)

stemomvang range (*of:* compass) of the voice, vocal register

stempel stamp; (*van bloem*) stigma; *zijn ~ drukken op* put one's stamp upon; *het besluit draagt het ~ van ...* bears the mark (imprint) of; *van de oude ~* of the old stamp; **stempelen** stamp (paper), mark; *dat stempelt hem tot een verrader* this stamps him (as) a traitor

stempel‖inkt stamp-pad ink; **-kussen** ink-pad, inking-pad

stem‖recht (*pol*) vote, suffrage, franchise; (*in vergadering, enz*) right to vote, vote (have no ...); *algemeen ~* universal suffrage; **-verheffing** raising of the voice; *met ~ spreken* raise one's voice; **-vork** tuning-fork

stencil id; **stencilen** stencil, duplicate

stenen *bn* stone, brick (*vgl* steen); clay (pipe); *~ hart* heart of stone; *~ vloer* stone floor, (*van plavuizen*) flagged floor

stengel stalk, stem

stenigen stone (to death)

steno (*fam*) shorthand

stenograaf stenographer; **stenografie** shorthand; **stenografisch** shorthand, stenographic (*bw:* -ally), in shorthand; *~ opnemen* take down in shorthand

stenogram shorthand report

stenotypist(e) shorthand typist

stentorstem stentorian voice

step (*autoped*) scooter

steppe id

ster star; (*onderscheidingsteken*) pip

stereo id; **stereo‖fonie, -fonisch** stereophony, -phonic

stereometrie solid geometry

stereotiep stereotyped (questions), stock (remark); *~e uitdrukking, ook:* cliché

ste

sterfbed death-bed

sterfelijk mortal; **sterfelijkheid** mortality

sterf|geval death; *wegens* ~ (closed) owing to death; **-huis** house of the deceased, house of mourning

sterfte mortality; **sterftecijfer** death-rate, (rate of) mortality

steriel sterile, barren; (*bacterievrij*) sterile, sterilized; **sterilisatie** sterilization

steriliseren sterilize

steriliteit sterility, barrenness

sterk I *bn* strong (man, ice, coffee); powerful (microscope, electric current); *wij zijn 300 man* ~ three hundred strong; *dat is nogal* ~ that's a bit thick; *~e boter* strong (rancid) butter; *~e drank* strong drink, (strong) liquor; *het ~e geslacht* the stronger (sterner) sex; ~ *staaltje* remarkable feat; *~e verhalen* tall stories; **II** *bw* strongly, etc; ~ *vergroot* much enlarged; ~ *gekleurd* highly coloured; ~ *verschillend* widely different; *daar ben ik* ~ *voor* I am quite in favour of it; *ik maak me* ~ *dat* ... I am sure he will come; *hij staat* ~ he has a strong case (position); *wie niet* ~ *is, moet slim zijn* if you are not strong, you must use your wits; *ik twijfel er* ~ *aan of* ... I greatly (much, strongly) doubt whether ...; *ik zal het je nog ~er vertellen* I'll go one better than that; *de tegenstand werd ~er* resistance stiffened; **sterken** strengthen

sterk|gebouwd strongly built; **-stroom** strong current

sterkte strength; power (of a lens); (*vesting*) stronghold (*ook fig*), fortress; *het leger op volle* ~ *houden* maintain the army at full strength; *ik wenste hem* ~ I wished him courage

sterrekijker telescope

sterren|beeld constellation; **-hemel** starry sky; **-kijker** star-gazer; **-kunde** astronomy; **-kundige** astronomer; **-wacht** (astronomical) observatory; **-wichelaar** astrologer

sterretje *a*) little star; *b*) asterisk (*)

sterrit (motor-)rally

sterveling mortal; *geen* ~ not a (living) soul; **sterven** die; ~ *aan een ziekte, door geweld, door verwaarlozing, op het schavot, van dorst, van ouderdom* die of a disease, by violence, through neglect, on the scaffold, of thirst, of old age; *aan de gevolgen* ~ die from the effects; *van honger* ~ die of hunger, starve (to death); *op* ~ *liggen* be dying; **stervend** dying; *de ~e* the dying man (woman, person)

stervormig star-shaped

stethoscoop stethoscope

steun support; (unemployment) benefit, unemployment pay; *tot* ~ *van* in support of, (garden party held) in aid of (the hospital); *ze (het) was hem tot grote* ~ she (it) was a great help to him; ~ *verlenen* support, aid, give assistance; ~ *zoeken bij* seek the support (the aid) of; **steunbeer** buttress

1 steunen (*kreunen*) groan, moan

2 steunen support, prop (up); (*fig*) support, stand by, back (up); second; (*motie*) second, support (a motion); *iems aanspraken* ~ support a p.'s claims (*bij* with); ~ *op* lean on (a stick; *ook fig*: she wanted a man to ...); *ze steunde de ellebogen op tafel* she leaned her elbows on the table; (*gebaseerd zijn op*) based (founded) on, rest on; *op iem* ~ *voor hulp* rely on a p. for help

steun|fonds relief-fund; **-pilaar** pillar (*ook fig*: pillars of society); **-punt** (*mil*) base (naval ,base air base), key-point (English key-points in the Mediterranean)

steuntje (elbow-)rest; *iem een* ~ *geven*, (*fig*) take a p. by the hand, give a p. a leg up

steun|zender booster station; **-zool** arch support

steur sturgeon, (*kleine*) sterlet; **steurgarnaal** prawn

steven prow, stem; *de* ~ *wenden* put (the ship) about; *de* ~ *wenden naar* make (*of*: head) for

stevig solid (table, breakfast), strong (shoes), firm (flesh, legs), big (breakfast), substantial (food, packing-case), hearty (meal), stout (cardboard, plank, stick), stiff (breeze, price, march); (*pers*) well set-up, well-knit, sturdy, ~ *doorstappen* walk on at a brisk pace; ~ *beetpakken* grasp (a p.'s hand) firmly; ~ *drinken* drink deeply (heavily); ~ *staan* stand firm; *houd mij* ~ *vast* hold me tight; ~ *vastbinden* tie securely; *zich* ~ *vastklemmen aan* cling tight to; ~ *op de benen* sure-footed

steward id; **stewardess** id, air-hostess

stichtelijk edifying (sermon); ~ *book* devotional book

stichten found (a business, hospital, an empire), establish (a business), start (a fund), edify (one's audience), make (peace); *brand* ~ raise (start) a fire; *tweedracht* ~ stir up strife; **stichter** founder; **stichting** foundation; (*concr ook*) institution

stief|broeder, -dochter, -kind stepbrother, -daughter, -child; **-moeder** stepmother (*ook fig*); **-moederlijk** stepmotherly (*ook fig*: ... treatment, etc); ~ *behandeld* (*bedeeld*) *worden* be treated in a stepmotherly fashion (as the Cinderella (of the professions)); **-vader, -zoon&, -zuster** stepfather, -son, -sister

stiekem I *bn* underhand, hole-and-corner (marriage, affair); **II** *bw* on the sly, in secret; *er* ~ *van door gaan* sneak off; **stiekemerd:** *een* ~ a slyboots, a deep one, a sneak

stier bull; **stieregevecht** bull-fight

stierlijk: ~ *het land hebben* be fed up to the back teeth; *iem* ~ *vervelen* bore a p. stiff; *zich* ~ *vervelen* be bored stiff

stift peg, pin, (etching-)needle; (*viltstift*) felt(-tip) pen; **stifttand** crowned tooth

stigmatiseren stigmatize

stijf stiff (cardboard, leg; *ook fig*: manners), starched; *-ve nek* stiff (*of*: cricked) neck; *hij* *hield het* ~ *en strak vol* he stoutly persisted (maintained it); *het been* ~ *houden* refuse to give way; ~ *van de koude* stiff (numb) with cold; *alles was* ~ *bevroren* was frozen stiff; *met zijn ogen* ~ *dicht* ... tightly shut

stijf|kop obstinate person; **-koppig** obstinate

stijfsel (laundry) starch; (*om te plakken*) paste

stijfsel|kwast paste-brush; **-pot** paste-pot

stijgbeugel stirrup (*ook in oor*); *de voet in de* ~ *hebben,* (*fig*) be in the saddle

stijgen (*van weg, rivier, barometer, enz*) rise; (*toenemen*) increase; (*van prijzen, enz*) rise, go up; *plotseling sterk* ~, (*van artikel*) boom; *zijn ster is aan het* ~ his star is in the ascendant; *de wijn (het bloed) steeg me naar het hoofd* the wine went to my head (the blood rose, mounted, rushed to my head); *de uitvoer is gestegen* exports are up (*met* ... by £ 5000); *het getij* (*water*) *stijgt* the tide is coming in; *doen* ~ send up (prices, the temperature); *te paard* ~ mount (one's horse); *van het paard* ~ dismount; **stijging** rise, rising; increase; (*zeer sterk*) boom

stijl (*schrijfwijze, trant*) style; (*post*) (door-, bed-)post; *geen* ~, (*fam*) poor show; *van de oude* ~ (aristocrat) of the old style (*of:* stamp)

stijl|figuur figure of speech; **-fout** fault of style; **-leer** stylistics, art of composition

stijlloos styleless, without style

stijl|oefening (exercise in) composition; **-vol** in good style, elegant, (*soms*) stylish

stijven (*algem, ook van prijs & wind*) stiffen; (*linnen*) (clear-)starch; (*fig*) stiffen, back (a p.) up (in s.t.)

stikdonker *bn* pitch-dark; *zn* pitch (*of:* inky) darkness

stikken 1 (*met garen, enz*) stitch; 2 stifle, be stifled, choke, be suffocated, suffocate; *stik!* go to blazes! you may go hang!; *hij stikte van het lachen* he laughed until he choked; *hij stikte van woede* he choked with fury; *het is hier om te* ~ it is stiflingly hot here; *iem laten* ~, (*fig*) let a p. go hang; **stiksel** stitching

stik|stof nitrogen; **-vol** chock-full, packed (crowded, crammed, thronged, jammed) to suffocation; ~ *fouten* bristling with mistakes

stil (*onbeweeglijk*) still; (*zonder geluid*) silent; (*rustig*) calm (a ... place), calm; ~*!* be quiet! silence!; *ze werden* ~ they fell silent; *je bent erg* ~ *vanavond* you are very quiet tonight; ~*le getuige* dumb (silent) witness; ~ *spel* silent action, by-play; ~*le vennoot* limited partner; *een* ~ *verwijt* a silent rebuke; *zo maar, bij* ~ *weer* (it happened) just like that; ~ *gaan leven* retire from business; ~ *leven* live in retirement

stileren (*stellen*) compose; *hij stileert goed* he writes a good style

stiletto stiletto, *mv:* -os, -oes

stilhouden stop, come to a stop, halt; (*van trein, enz, ook:*) pull up; *hij liet de auto* ~ he stopped the car; *zich* ~ keep quiet, be silent; *hou je stil!* keep silent! be silent (quiet)! hold your tongue!, (*fam*) shut up

stillen relieve (pain), satisfy (one's hunger), quench (one's thirst); *de eerste honger* ~ take off the edge of hunger

stilletjes secretly, stealthily

stil|leven still life; **-liggen** lie still; lie up (for the winter); **-staan** stand still; (*van zaken, enz*) be at a standstill; *blijven* ~ stop; *haar hart stond een ogenblik stil* missed (lost) a beat; *mijn horloge staat stil* has stopped; *zijn mond staat geen ogenblik stil* he cannot keep his tongue still for a moment; *de telefoon stond niet stil* the telephone never stopped ringing; ~ *bij* dwell on (a subject); ~ *bij de gedachte* stop at the thought; *even* ~ *bij* touch lightly on (a subject); **-staand** stagnant, dead (water); stationary, standing (train), idle (factory); **-stand** standstill, stoppage; (*in zaken, enz*) stagnation; *tot* ~ *komen* come to a standstill

stilte silence, quiet, stillness; *er heerste een doodse* ~ there was (a) dead silence; *de* ~ *die de storm voorafgaat* the calm (*of:* lull) before the storm; *in* ~ in silence, silently, secretly, in private

stil|zetten stop (a watch), hold up (the traffic); **-zitten** sit still; **-zwijgen** silence; *het* ~ *bewaren* keep silence, be silent; *het* ~ *verbreken* break silence; *het* ~ *opleggen* enjoin silence (*aan* on); **-zwijgend** tacit (consent), implied (condition); ~ *aannemen* assume tacitly; *iets* ~ *aannemen, ook:* take s.t. for granted; ~*e gevolgtrekking* implication; *het contract wordt* ~ *verlengd, tenzij* ... the contract is automatically renewable (renewed) unless ...

stimulans (*prikkelend middel*) stimulant; (*fig*) stimulus (*mv:* stimuli); **stimuleren** stimulate, activate; boost (sales)

stink|bom stink-bomb; **-dier** skunk

stinken stink, smell (bad); ~ *naar* stink of, smell of; *het stinkt een uur in de wind* it stinks to high heaven; *erin* ~, (*sl*) be caught out; **stinkend** stinking, evil-smelling (canals), smelly (a ... pipe); ~ *jaloers* insufferably jealous; **stinker(d)** stinker; *rijke* ~ bloated moneybag; **stinkstok** (*slechte sigaar*) bad, cheap cigar

stip dot, point

stippel speck (a dark ...), dot; **stippelen** dot, speckle; **stippellijn** dotted line

stipt punctual, accurate, prompt, precise; ~*e geheimhouding* strict secrecy; ~ *op tijd zijn* be punctual; ~ *betalen* pay promptly; **stiptheid** punctuality, accuracy, promptness, precision; **stiptheidsactie** work(ing) to rule

stipuleren stipulate

stoeien romp

stoei|partij romp; **-poes** (*ongev*) call-girl

stoel chair; *de Heilige* ~ the Holy (Papal, Apostolic) See; *neem een* ~ take a seat; *het niet onder* ~*en en banken steken* make no bones about it, make no secret of it; *voor* ~*en en banken spelen* play to an empty house; **stoelen:** *deze partijen* ~ *op dezelfde wortel* spring from the same root; **stoelendans** musical chairs

stoel|gang stool(s), motion(s); **-leuning** chair-back; **-poot** chair-leg

stoeltjeslift chair-lift

stoep (flight of) steps, doorstep; (*trottoir*) pavement, (*Am*) sidewalk

stoer sturdy, stalwart; ~ *doen* show off

stoet cortège, procession, train, retinue

stoeterij stud-farm

stoethaspel clumsy fellow (clumsy girl)

1 stof (*materie*) matter; (*voor kleren, enz*) material; (*onderwerp*) subject-matter; *chemische* ~ chemical (substance); ~ *voor een roman* material for a novel; *lang van* ~ long-winded

2 stof dust; ~ *afnemen* (*in*) dust (a room); ~ *opjagen*, (*fig*) raise a (good deal of) dust; *in het* ~ *bijten* bite the dust; *zich in het* ~ *buigen* prostrate o.s. (*voor* before); *onder het* ~ *zitten* be covered with (smothered in) dust

stof|blik dustpan; **stof|bril** goggles; **-doek** duster

stoffeerder upholsterer

stoffelijk material; ~ *aandenken* tangible memorial; ~ *overschot* mortal remains

stoffen: (*stof afnemen*) dust; **stoffer** brush; ~ *en blik* dustpan and brush

stofferen upholster (a room, furniture), furnish (houses); **stoffering** upholstering, upholstery (of a motor-car), furnishing

stof|goud gold-dust; **-jas** dust-coat; **-naam** name of a material, material noun; **-nest** dust-trap; **-omslag** dust-jacket, -wrapper; **-regen** drizzle, drizzling rain; **-wisseling** metabolism; **-wolk** dust-cloud, cloud of dust; **-zak** (*van stofzuiger*) dust-bag; **-zuigen** hoover, vacuum-clean; **-zuiger** vacuum cleaner

stoïcijns stoic(al)

stok stick; (*wandel-*) cane, walking-stick; (*van vogels*) perch, (*van hoenders*) roost; (*van vlag*) pole; (*bij golf*) club, stick; (*aanwijs-*) pointer; (*van kaarten*) stock; *het aan de* ~ *hebben met* be at loggerheads with; *het met elkaar aan de* ~ *krijgen* fall out; *hij had het aan de* ~ *gehad met* ... he had been in trouble with (had fallen foul of, had been up against) the police; *hij is er met geen* ~ *naar toe te krijgen* wild horses won't (nothing will) drag him there; *op* ~ *gaan* go to roost; **stokdoof** stone deaf, as deaf as a post

stoken I *tr* (*brandstof*) burn (wood, oil, etc); (*machine enz*) fire, stoke (an engine); (*drank*) distil (spirits); (*opruien*) stir up strife, cause trouble; **II** *intr* make a fire, have a fire in the room; **stoker** (*van locomotief, fabriek, schip*) fireman; (*scheepv*) stoker; (*van drank*) distiller; (*opruier*) firebrand; **stokerij** distillery

stokje: *er een* ~ *voor steken* stop it, put a stopper on it; *van zijn* ~ *vallen* faint, swoon

stokken (*van bloed*) cease to circulate; (*van spreker*) break down (in a speech); (*van gesprek*) flag, halt; *haar adem stokte* her breath

caught; *haar stem stokte* there was a catch (a break) in her voice

stok|oud very old, ancient; **-paardje** (*fig*) pet (favourite) subject; *op zijn* ~ *rijden* ride one's hobby-horse; **-roos** holly-hock, rose-mallow; **-slag** stroke with a stick; **-stijf** like a statue; ~ *volhouden* maintain obstinately

stola stole

stollen congeal, curdle, clot, coagulate; *de jus stolt* the gravy is setting hard; *het bloed stolde in zijn aderen* his blood ran cold (froze in his veins); *het deed zijn bloed* ~ it made his blood run cold

stom dumb, mute, speechless, (*van verbazing* with amazement); (*dom*) stupid; *tot mijn* ~*me verbazing* to my utter amazement, to my immense surprise; *het* ~*me dier!* poor brute!; ~*me film* silent film; *door* ~ *geluk* by a mere fluke; *hij sprak geen* ~ *woord* he said never a word; ~ *zo te handelen* foolish to do so; **stomdronken** dead (*of:* blind) drunk, soaked

stomen *a*) steam; *b*) dry-clean; **stomerij** dry cleaner's

stomheid *a*) dumbness, etc (*zie* stom); *b*) stupidity; *met* ~ *geslagen* struck dumb, dumbfounded

stommelen clump (down the stairs), clatter (about)

stom|meling, -merd blockhead, fathead, stupid, idiot

stommetje: *voor* ~ *spelen* sit mum

stommiteit stupidity; blunder, howler

stomp I *bn* blunt (weapon), dull (razor), obtuse (angle), snub (nose); ~ *maken* (*worden*) blunt; **II** *zn* (*stuk*) stump, stub; **III** *zn* (*stoot*) push, punch (on the nose), prod; **stompen** push, punch; (*zacht met elleboog*) nudge

stomphoekig obtuse-angled

stompje stump, stub (of a cigar, pencil, etc)

stompzinnig obtuse, dull

stom|verbaasd stupefied, staggered; **-vervelend** deadly dull; *een* ~*e vent* an unmitigated bore

stonde time, moment, hour

stoof foot-warmer, -stove; **stoofpeer** cooking-, stewing-pear

stook|gelegenheid fireplace; **-olie** oil fuel, fuel oil

stoom steam

stoom|boot steamboat; steamer, steamship; **-cursus** intensive course, crash course; **-fluit** steam-whistle, hooter; **-gemaal** steam pumping-station, pumping-engine; **-kracht** steam-power; **-machine** steam-engine; **-trein** steam-train; **-wals** steam-roller

stoornis disturbance, disorder; *zonder* ~ *verlopen* pass off without a hitch

stoorzender jamming station, jammer

stoot (*duw*) push, shove; (*boksen*) punch, blow; (*biljart*) stroke, shot; ~ *op fluit* blast on a horn; *een* ~ *geven* give (a p.) a push; *de* ~ *tot iets geven* give the impulse to s.t., take the initiative to do s.t.; *een ~ geven,* (*fig*) deal a heavy blow (to); aan ~ *zijn,* (*biljart*) be in play

stoot|blok buffer(-stop); **-kussen** buffer; **-troepen** shock troops

stop plug (in a wash-basin, etc); (*van fles*) stopper; (*van vat*) bung; (*elektr*) plug

stop|bord stop sign; **-contact** power-point; plug-socket; (*ingebouwd*) wall socket, ~ *met randaarde* earthed socket; **-fles** (glass) jar, stoppered bottle; **-garen** mending-cotton, mending-wool; **-lap** (*eig*) darning-sampler; (*fig*) stop-gap; **-licht** (*van auto*) stop-light; (*op straat*) traffic-light; **-naald** darning-needle

stoppel stubble

stoppel|baard stubbly (stubby) beard; **-haar** stubbly hair, crew cut

stoppelig stubbly

stoppen (*gat, enz*) stop (up), (*met een stop*) plug up; darn, mend (stockings, etc); (*pijp*) fill (a pipe); (*ergens indoen*) put (where did you … it?), slip (s.t. into one's pocket); *blijven stilstaan* stop (the train stops here), halt (buses … here); (*staande houden*) stop (a p.); *het verkeer* ~ hold up the traffic; *zonder te* ~ (travel, fly) non-stop (to …); *even* ~ make a short halt; *de vingers in de oren* ~ stuff o.'s fingers in(to) o.'s ears; *ze stopte de envelop in haar tas* she tucked the envelope into her bag

stop|plaats stopping-place, (bus-)stop; **-sein** halt sign (signal); **-streep** (*op weg*) halt-line; **-trein** stopping train; **-verbod** stopping prohibition; (*op bord*) no stopping; **-verf** putty; **-woord** stopgap; **-zetten** stop (all traffic); (*fabriek, enz*) shut down

storen disturb (a p.), interrupt (a lesson, the train-service), interfere with; (*radio*) cause interference, (*met opzet*) jam; *gestoorde nachtrust* broken sleep; *stoor ik u?* am I intruding?; *laat ik je niet* ~ don't let me disturb you …; *de lijn is gestoord,* (*telefoon*) the communication is interrupted; *geestelijk gestoord* mentally deranged; *stoor u niet aan mij* do not mind me; …, *maar hij stoorde er zich niet aan* she protested, but he took no notice; *hij stoort zich aan niets en niemand* he is a law unto himself; **storing** disturbance (*ook van het kompas*), interruption; (mental) disorder; (electrical, mechanical) fault; (*radio*) interference, disturbance, jamming; *atmosferische* ~ static; *technische* ~ technical trouble; **storingvrij** (*radio*) trouble-free; without interference

storm gale, (wind-)storm; (*hevige* ~) tempest; ~ *met regen* rain-storm; *door ~en geteisterd* storm-beaten; ~ *in een glas water* storm in a tea-cup; *een* ~ *van toejuichingen* (be received with) a storm of applause (of cheers); **stormachtig** stormy (meeting), tempestuous, tumultuous (reception); *~e toejuichingen, ook:* a storm of applause; **stormen** storm; *het stormt* it is blowing a gale, there is a gale blowing; *de soldaten stormden de heuvel op* stormed up the hill; *naar boven* (*beneden*) ~, (*in huis*) tear (rush) up (down) the stairs; *in* (*uit*) *de kamer* ~ tear into (out of) the room; **stormenderhand:** ~ *veroveren* take by storm

storm|kracht gale force; **-lamp** hurricane-lamp, -lantern; **-loop** rush (*ook fig*); run (on a bank); **-lopen** *op* storm, rush; **-ram** battering-ram; **-rijp** (*mil*) ripe for the assault; **-schade** storm-damage; **-troepen** storm-troops; **-vloed** storm surge; **-waarschuwing** gale warning; **-waarschuwingsdienst** weather intelligence service; **-weer** stormy (tempestuous) weather, (in a) gale

stort|bad shower-bath; *een* ~ *geven,* (*fig*) pour cold water on (a p., his zeal, etc); **-bak** cistern

storten shed (tears); dump, tip (rubbish *puin,* refuse *vuilnis*), pour (concrete *beton*); throw (o.s. out of the window); pay in, deposit (money); *geld* ~ *bij een bank* pay money into (deposit … with) a bank; *in ellende* ~ plunge into misery; *zich* ~ *in* plunge into (the water, war, etc); *zich* ~ *op* fall upon, hurl oneself upon (one's enemy); **storting** shedding, etc, *zie storten*; payment, deposit; (*voor pensioen, enz*) contribution; *een* ~ *doen* make a payment, pay a deposit

stort|koker (rubbish) chute, shoot; **-plaats** dumping-ground; **-regen** heavy shower (of rain), downpour; **-regenen** rain cats and dogs; **-vloed** torrent, flood; **-zee:** *een* ~ *krijgen* ship a sea

stoten (*duwen*) push, give a push; (*schokken*) jolt; bump; *zijn knie* ~ knock one's knee; *zich* ~ knock o.s., bump o.s.; *zich* ~ *aan,* (*fig*) be offended at, take exception to (a p.'s conduct); *het schip stootte op een rots* struck upon (ran on) a rock; *op de vijand* ~ come upon (fall in with) the enemy; *zich* ~ *tegen* knock (bump) o.s. against; *tegen elkaar* ~ bump (knock) against each other; *van de troon* ~ dethrone, drive from the throne

stotteraar(ster) stammerer, stutterer; **stotteren** stammer, stutter, falter

stout bold, daring; wild (it's beyond my …est hopes); (*ondeugend*) naughty (it's very … of you), bad (you … boy!); **stouterd** naughty child (boy, girl); **stoutmoedig** bold, undaunted, daring

stoven stew

straal I *zn* ray, beam (of light); (*van bliksem*) flash; (*van cirkel*) radius (*mv:* radii); (*van water, enz*) jet, spout; *een ~(tje) van hoop* a ray (gleam, glimmer, flicker) of hope; II *bw* (*fam*) ~ *bezopen* dead drunk; *iem* ~ *negeren* cut a p. dead; *ik heb het* ~ *vergeten* I have clean forgotten it

straal|aandrijving jet propulsion; **-breker** (*aan waterkraan*) splash preventer; **-jager** jet-fighter; **-kachel** reflector heater; **-motor** jet (propulsion) engine; **-pijp** nozzle, jet (of a fire-hose); **-vliegtuig** jet plane, (*fam*) jet; **-zender** beam(ed) transmitter

str

straat street, road; (*zee-*) strait(s) (the Strait(s) of Gibraltar); *eerste* ~ *rechts* first turning to the right; *langs de* ~ *lopen* knock about the streets; *op* ~ in the street(s); *er was geen mens op* ~ there was not a soul about; *op* ~ *staan*, (*fig*) be on the streets, be in the gutter; *iem op* ~ *zetten* turn a p. into the street; *van de* ~ *af houden* keep (lads) off the streets

straat|arm as poor as a church-mouse; **-collecte** street-collection, *ongev:* flag-day; **-gevecht** street-fight; **-hoek** street-corner; **-hond** street-dog; **-jeugd** street-urchins; **-jongen** street-boy, guttersnipe; **-lantaarn** streetlamp; **-liedje** street-song, street-ballad; **-maker** road-maker, -mender, paver; **-muzikant** street-musician; **-naam** street-name; **-steen** paving-stone; **-venter** street-hawker, -trader, -vendor; **-verlichting** street-lighting; **-vuil** street-refuse; **-waarde** value in the street; **-weg** highroad

straf I *bn* severe, austere, stern (look); stiff (march, breeze); II *zn* punishment; *zo'n huis is een* ~ living in such a house is a trial (an ordeal); ~ *krijgen* be punished, get punishment; *op* ~*fe van* on (under) penalty of; **strafbaar** punishable (*volgens de wet* by law); ~ *feit, ook:* (it's an) offence; ~ *stellen* make punishable, make (careless driving) an offence, penalize; **strafexpeditie** punitive expedition

straffeloos with impunity; **straffen** punish, (*tuchtigen*) chastise; *dronkenschap kan gestraft worden met boete of gevangenschap* is punishable by fine or imprisonment

straf|gevangenis prison; **-maatregel** punitive measure; **-pleiter** criminal lawyer; **-port** surcharge; **-recht** criminal law; **-rechtelijk** criminal; **-rechter** criminal judge; **-regels** lines; **-schop** penalty kick; **-schopgebied** penalty area; **-tijd** term of imprisonment; **-werk** imposition(s); (*in school te maken*) detention-work; *zie* ~regels; **-wetboek** penal code; **-zaak** criminal case

strak tight, taut (line); set (face); fixed, intent (look); ~ *aankijken* look hard at; *een* ~ *blauwe lucht* a hard blue sky; ~ *gespannen* taut, tight, tightly stretched (rope)

strakjes, straks (*toekomst*) presently, by and by, in a little while, before long; (*kort geleden, zoëven*) just now, a little while ago; *tot* ~! so long! good-bye! see you later!; *wil je me* ~ *even helpen?* will you lend me a hand in a minute?

stralen beam, shine, radiate; (*bij examen*) be ploughed; *zij straalde van geluk* she beamed (was radiant, beaming) with happiness; *een* ~*de dag* a glorious day; **straling** radiation

stram stiff, rigid

stramien canvas; *op het zelfde* ~ *borduren*, (*fig*) harp on the same string

strand beach, sands; *het* ~ *te Margate* the Margate sands; *op het* ~ *lopen* run ashore (aground); *op het* ~ *zetten* run ashore, beach; **stranden** (*ook: doen* ~) strand, run ashore; *al*

hun plannen strandden op zijn onverzettelijkheid all their plans broke down on (foundered on, were defeated by) his intransigence; **stranding** stranding

strand|jut(ter) wrecker; beachcomber; **-stoel** beach-chair; **-vonder** receiver of wreck(s), wreckmaster

strateeg strategist; **strategie** strategy, strategics; **strategisch** strategic(al)

stratenmaker roadman, road mender

stratosfeer stratosphere (ascent into the ...)

'streber' pusher, pushing fellow, careerist

streefdatum target date, deadline

streek 1 (*met pen, penseel, enz*) stroke; 2 point (of the compass); 3 (*oord*) region (*inz met betrekking tot klimaat, bodem, enz*) district, part of the country, area (mining-...); 4 (*list*) trick; *gemene* ~ nasty trick; *streken uithalen* play tricks (*tegen* on); *op* ~ *komen* (*raken*) get into the way of it (into one's stride); *van* ~ upset; (*bedroefd*) distressed; *mijn maag is van* ~ my stomach is out of order; *mijn zenuwen zijn totaal van* ~ my nerves are in a dreadful state; *het verlies had haar geheel van* ~ *gebracht* had quite unsettled (upset) her, thrown her off her balance; *van* ~ (*de kluts kwijt*) *raken* lose one's head

streek|roman regional novel; **-taal** (regional) dialect

streep stripe, streak, stroke, line; *horizontaal* ~*je, aandachtsstreep*) dash; (*schuin streepje*) slash, (*schuin achteroverstaand*) back slash, (*breuk*~) solidus; *een* ~ *halen door* strike out (a word); *daar kun je wel een* ~ *door halen* you can count that out (write that off); *er loopt* (*bij hem*) *een* ~ *door* he has a tile off (a screw loose); *dat is een* ~ *door de rekening* that upsets all our plans (calculations); *we zullen er voor vandaag een* ~ *onder zetten* we'll call it a day; **streepje**: *een* ~ *voor hebben* be privileged; ... *bij iem* be in a p.'s good books (good graces); **streeplijn** dashed line, broken line

strekdam breakwater

strekken stretch, extend, reach (as far as ...); *zolang de voorraad strekt* as long as the stock lasts; *zover als de gegevens* ~ as far as the data go; *zover strekt mijn macht niet* it is beyond my power, my power does not extend so far; *dat strekt u tot eer* that does you credit; *iem, enz tot voordeel* (*zegen*) ~ be beneficial to a p., be to a p.'s advantage, benefit; **strekking** tendency, purport, tenor; *van dezelfde* ~ of the same tenor, of similar purport; (or words) to that effect

strelen stroke, fondle, caress, pet; (*fig*) flatter (flattered by the thought); tickle (the palate), appeal to, gratify (the senses); *het streelde haar ijdelheid* it tickled her vanity; **streling** ...ing, caress

stremmen *intr* (*van melk*) curdle; (*van bloed*) congeal; *tr* obstruct, hold up (the traffic); **stremming** 1 congelation, curdling; 2 obstruction, blocking-up; (*van verkeer ook*) traffic-block, -jam

streng I *bn & bw* severe (master, tone, critic, sentence, climate, winter), hard (frost, winter), stern (look), strict (discipline), rigid (laws, principles, diet), stringent (rules), rigorous (examination, law, climate), close (supervision); (*in godsd*) rigid, strict; ~ *toepassen* rigorously enforce (the law, the penalty clause *strafclausule*); *zich* ~ *aan de regel houden* stick rigidly to the rule; ~ *verboden toegang!* strictly private!; ~ *zijn tegen* be severe upon (strict with); **II** *zn* (*van garen*) skein; (*van touw*) strand

strengelen twist, twine (*beide ook: zich* ~), wind (one's arms round a p.'s neck); (*zich*) *in elkaar* ~ intertwine

strepen stripe, streak

streven I *ww* strive; ~ *naar* strive for (the mastery), strive after (an ideal), aspire to (the throne), aim at (perfection), try for (the impossible), seek (independence); **II** *zn* endeavour(s), effort(s), striving(s); *een* ~ *naar centralisatie* a tendency towards ...; *het* ~ *naar onafhankelijkheid* the movement towards independence

striem weal, welt; **striemen** castigate, lash; ~*de regen* cutting rain

strijd fight (*ook fig:* against disease, etc), struggle; *inwendige* ~ inward struggle; ~ *om het bestaan* struggle for life; *het zal een harde* ~ *geven* it will be a hard fight (*of:* tussle); *de* ~ *opgeven* give up the struggle (the fight); ~ *voeren tegen* wage war against; *in* ~ *met* contrary to (my interests), opposed to (the public interest), in defiance of (the law); *met elkaar in* ~ *zijnde meningen* conflicting views; *totaal in* ~ *met de werkelijke feiten* at complete variance with the real facts; *ten* ~*e trekken* go to war; **strijdbaar** fit for service, able-bodied, warlike; efficient (soldiers); **strijdbijl** battle-axe, tomahawk; *de* ~ *begraven* bury the hatchet

strijden fight, combat, struggle; ~ *met,* (*fig*) conflict with, be contrary to (our interests); ~ *tegen* fight (struggle) against; **strijdend**: *de* ~*de kerk* the Church militant; **strijder** fighter, combatant, warrior

strijdig contrary, incompatible; ~ *met* contrary to, incompatible (inconsistent) with; ~*e belangen* clashing (conflicting) interests

strijd|krachten armed forces; **-kreet, -leus** war-cry; **-lust** combativeness, warlike spirit, fighting spirit; *het had hem de* ~ *benomen* it had knocked the fight out of him; *het wekte haar* ~ *op* it roused her fighting-spirit; **-lustig** bellicose, combative; **-makker** brother in arms; **-perk** lists (*mv*), arena; **-toneel** scene of battle, battle area; **-vaardig** ready to fight, fighting-fit; **-vraag** question at issue, moot point; **-wagen** chariot

strijk: ~ *en zet* again and again, every moment; *dat is* ~ *en zet met hem* that is the order of the day with him

strijk|bout flat-iron; **-concert** concert for strings

strijken (*vlag*) strike, lower (the flag); (*zeil*) lower (a sail); (*linnen*) iron (linen); (*verspreiden*) spread (butter on bread); (*rakelings*) ~ *langs* brush past; *met de vingers door het haar* ~ run one's fingers through one's hair; *met de hand over de ogen* ~ pass one's hand across one's eyes; *met de strijkstok over de viool* ~ draw the bow over the violin; *met de eer gaan* ~ take the credit for; *met de prijs gaan* ~ carry off the prize; *met de winst gaan* ~ pocket the gain (the profits); *zich het haar uit het gezicht* ~ brush one's hair out of one's face

strijk|goed clothes to be ironed, ironing; (*reeds gestreken*) ironed clothes, etc; **-ijzer** (flat-)iron; **-instrument** stringed instrument; *de* ~*en,* (*in orkest*) the strings; **-kwartet** string quartet(te); **-licht** floodlight; **-orkest** string-orchestra; **-plank** ironing-board; **-stok** bow, fiddle-stick; *er blijft veel aan de* ~ *hangen* much sticks to the fingers (of promotors)

strik (*van lint*) knot (of ribbons), bow; (*dasje*) bow(-tie); (*om te vangen*) snare; ~*ken zetten* lay snares; **strikken** (*das, enz*) tie; (*vangen*) snare (birds, hares); (*fig*) ensnare, snare

strikt strict, precise; ~ *verboden* strictly prohibited; ~ *genomen* strictly speaking

strikvraag catch (trap, trick) question

strip strip; (*beeldverhaal*) (comic) strip (cartoon)

stro straw; **stroachtig** strawy

strobloem immortelle, everlasting (flower)

strobreed: *ik wens hem geen* ~ *in de weg te leggen* I do not wish to cross him in any way

stroef stiff (door-handle, etc); (*ruw, oneffen*) rough, uneven; (*fig*) stiff (manners), harsh (style), awkward (interview)

strofe strophe, stanza

stro|halm (blade of) straw; *zich aan een* ~ *vasthouden* catch (clutch, snatch) at a straw; **-karton** straw-board

stroken: ~ *met* tally (agree) with, fit in with (a p.'s views, plans), fit

stroman (*fig*) figurehead

stromen stream, flow, pour; (*snel*) rush (the blood rushed to his head); *brieven* ~ *het kantoor binnen* are pouring into the office; ~*d water* running water; *in* ~*de regen* in pouring (driving) rain

stroming current; (*fig ook*) trend, tendency, (intellectual and social) movement

strompelen stumble, totter, hobble

stronk (*van kool*) stalk; (*van boom*) stump

stront muck, dung, dirt

strontje sty (in the eye)

strooibiljet handbill, leaflet, hand-out

strooien I *bn* straw; ~ *hoed* straw hat; **II** *ww* strew (flowers), scatter; *er wordt gestrooid,* (*bij gladheid*) sanding is in progress

strook strip (of land, cloth, etc), slip (of paper); (*van japon, enz*) flounce; traw; (*van* *kant, enz*) frill; (*van postwissel bijv*) counterfoil; (*van cheque*) stub; (*voor adres*) label; **strookje** (*papier, ook*) tear-off slip

stroom stream (of water, blood, etc); (*in vloeistof, lucht, elektr*) current; (*rivier*) stream, river; (*berg-*) torrent; (*fig*) flood (of light, tears), stream (of people, taxis), flow (of words); ~ *leveren*, (*elektr*) supply electric energy; *de regen viel bij* (*in*) *stromen neer* came down in torrents; *met de* ~ *meegaan* go (swim) with the stream (with the tide); *onder* ~ *staan* be alive (charged); *tegen de* ~ *ingaan*, (*fig*) swim against the stream

stroom|af(waarts) downstream, down the river; **-besparing** saving of current; **-draad** (*elektr*) contact wire, live wire; **-gebied** (river-) basin, drainage-area; **-lijn** streamline; **-lijnen** streamline (a motor-car; *ook fig*); **-op-(waarts)** upstream, up the river; **-sterkte** strength of current; **-verbruik** consumption of current; **-versnelling** rapid; *in een* ~ *geraken*, (*fig*) gain momentum, be accelerated (aggravated)

stroop treacle; *iem* ~ *om de mond smeren* butter a p. up

stroop|likken play the toady (to a p.), butter (a p.) up; **-likker** toady; **-wafel** treacle-wafer

strop (*om iem op te hangen*) halter, (hangman's) rope; (*stropdas*) knot; (*tegenvaller*) set-back, loss; *daar krijgt hij de* ~ *voor* it will mean the rope for him, he'll swing for it; *dat is een lelijke* ~ it's tough luck, a bad loss

stropdas tie

stropen (*wild*) poach; skin (eels, etc); *de bast van een boom* ~ strip a tree of its bark; **stroper** (*wilddief*) poacher

stroperig treacly; syrupy

stroppen snare, wire (rabbits)

strot throat; **strottehoofd** larynx

strovuur (*fig*) nine days' wonder, flash in the pan

strubbeling difficulty, trouble, hitch

structureel structural; **structureren** structure; **structuur** structure

struif contents of an egg

struik bush, shrub

struikelblok stumbling-block, obstacle; **struikelen** stumble (*over* over, at), trip (*over* over); (*fig: een misstap doen*) trip; *iem doen* ~ trip a p. up; *over zijn woorden* ~ stumble over one's words, stumble in one's speech

struik|gewas brushwood, bushes, undergrowth; **-rover** highwayman

struis sturdy, robust; buxom

struisvogel ostrich; **struisvogelpolitiek** ostrich-policy

studeerkamer study

student (university) student, undergraduate; ~ *in* student of (divinity, law, etc)

studenten|decaan student adviser; **-haver** almonds and raisins; **-sociëteit** students' club, (students') union; **-stop** student freeze;

entry-quota (for medical students); **-streek** students' trick (*of:* prank); **-tijd** (his) student (*of:* college) days

studentikoos student-like (behaviour)

studeren study, read (for an examination); (*muz*) practise; (*aan de univ*) be at college; ~ *in de medicijnen* (*rechten, wiskunde*) study medicine (law, mathematics); *op de piano* ~ practise the piano; *ik zal er eens op* ~ I'll think it over; *voor een examen* ~ study (*of:* read) for an examination; **studie** study (*ook van schilder*); *het plan is in* ~ is being studied, is under consideration; *in* ~ *nemen* study (a plan)

studie|beurs scholarship, studentship, bursary; **-boek** text-, study-book; **-financiering** system of study grants; **-fonds** endowment, foundation; **-genoot** fellow-student; **-kop** (have no) head for study; **-oriëntering** (*Belg*) study-guidance; **-prefect** (*Belg*) headmaster; **-reis** study-tour, instructional (educational) tour; **-richting** field of study; **-toelage** grant; **-verlof** study leave; **-verzekering** education insurance; **-vriend** college friend; **-zaal** reading room

studio id

stuf eraser

stug stiff; (*nors*) surly, gruff

stuif|meel pollen; **-zand** drift-sand

stuip convulsion; *een* ~ *krijgen* be seized with a convulsion; *zich een* ~ *lachen* be convulsed with laughter; *het jaagt je de* ~*en op het lijf* it gives you the creeps

stuiptrekken be (become) convulsed, twitch; **stuiptrekking** convulsion, convulsive movement

stuitbeen coccyx, tail-bone

stuiten check (the enemy), hold up (the advance *opmars*), arrest (the flames, etc); (*van bal*) bounce, bound; ~ *op* encounter, meet with, run up against (difficulties, opposition); **stuitend** shocking, revolting, disgusting

stuiven (*snellen*) tear, rush, dash (into the room, etc); *het stuift erg* it is very dusty; *hij stoof woedend de kamer uit* he flung (stormed) out of the room; *naar binnen* ~ rush in; *de kamer uit* ~ flounce out of the room (in a rage); *vooruit* ~ dash forward

stuiver five-cent piece, penny; *een aardige* ~ *kosten* (*verdienen*) cost (earn, make) a pretty penny; *hij bezit geen* ~ he hasn't got a penny to bless himself with

stuk I *zn* piece, fragment (fragments of glass), splinter; (*deel*) part; (*grond*) patch (of ground); (*plank, enz*) length (of board); (*vee*) head (twenty ... of cattle); (*artikel*) article, paper; (*document*) document, paper; (*damsp*) man; (*schaaksp*) piece; (*toneel-*) play, piece; (*schilder-*) piece, picture; (*meisje, sl*) bit; *twee* ~*s bagage* two pieces of luggage; *een stout* ~(*je*) a bold feat; *een mooi* ~ *werk* a beautiful piece of work(manship); ~ *ongeluk* rotter, blighter; *aangetekende* ~*ken* registered mail;

een heel ~ beneden het normale (prices are) a long way below normal; *hij is mij een heel ~ voor* he is well (*fam:* streets) ahead of me; *een heel ~ over 50* well over fifty; *dat brengt me een ~ verder* it helps me a lot; *een ~ (~ken) beter, enz* far better (easier, etc); *een ~ of drie* two or three; *hoeveel ~s zijn er? drie ~s* how many are there? three; *er staat een ~(je) over hem in de krant* there is a paragraph about him in the paper; *uren (drie uur) aan één ~* for hours (three hours) at a stretch (*of:* on end); *aan één ~* (fly, travel) non-stop (to ...); *aan één ~ door* (work) without a break; *aan ~ken slaan, scheuren, vallen* knock (smash), tear, fall, to pieces; *bij ~ken en brokken* bit by bit, piece by piece; *in één ~ doorlezen* read right (straight) through; *op ~ werken* work by the piece, be on piece-work; *op zijn ~ blijven staan* stand firm, stick (keep) to one's (the) point; *op geen ~ken na* not by a long way; *hij begreep op geen ~ken na waar het over ging* he did not begin to understand what it was all about; *tegen 5 gulden per ~* at five guilders each; *(geheel) uit één ~* (all) in (of) one piece, of a piece; *hij is klein (groot) van ~* of a small (tall) stature, short (tall) of build; *iem van zijn ~ brengen* upset a person; *hij was niet van zijn ~ af te brengen* he was not to be put off; *helemaal van zijn ~ zijn* be quite upset, be completely taken aback; *~ voor ~* one by one; II *bn* broken, gone to pieces, (*fam*) bust, (*defect*) out of order, (*gebarsten*) cracked
stukadoor plasterer, stucco-worker
stuk|breken break (to pieces); **-gaan** break (to pieces), go to pieces; **-goed(eren)** (*scheepslading*) (loaded with a) general cargo
stukje: *een ~ eten* have a bite (a bit of dinner, a spot of dinner, etc); *~s en beetjes* bits and pieces; *~ bij beetje, ~ voor ~* bit by bit, piecemeal, inch by inch, by inches
stuk|loon piece-wages; *op ~ werken* work on piece rates; **-scheuren** tear up; **-slaan I** *tr* smash (dash, knock) to pieces, smash (up); (*geld*) chuck (money) about; **II** *intr* be dashed to pieces; **-vallen** fall to pieces; smash (the cup smashed); **-werk** piece-work
stumper(d) poor fellow, poor wretch; (*vrouw, kind*) poor thing
stuntelen flounder, (*stuntelig lopen*) hobble; **stuntelig** feeble, shaky, infirm; (*onhandig*) clumsy
sturen (*zenden*) send; (*besturen*) steer (a ship, motor-car), drive (a car), guide (a p.'s hand); *die auto stuurt erg makkelijk* is easy to handle; *~ om* send for (the doctor)
stut prop, stay, support (*alle ook fig*); **stutten** prop, support, buttress up
stuur (*van schip*) helm; (*van fiets*) handle-bars; (*van auto*) wheel; *de macht over het ~ kwijtraken* lose control; *achter het ~* at the wheel
stuur|bekrachtiging power steering; **-boord** starboard; **-groep** steering committee; **-hut**

(*van vliegt*) cockpit; **-knuppel** (*van vliegt*) control-column; **-kolom** steering-column
stuurloos out of control
stuurman (chief (*of:* first), second) mate, navigating officer; (*sp*) cox; (*roerganger*) helmsman; **stuurmanschap, stuurmanskunst** helmsmanship, steersmanship, (art of) navigation
stuurrad steering-wheel; (*van auto*) steering-, driving-wheel
stuurs surly, sullen, gruff, cross-grained
stuur|slot steering column lock; **-stang** (*van auto*) steering connecting-rod; **-versnelling** column (-mounted gear-)change
stuw weir, barrage, flood-control dam
stuwadoor stevedore
stuwdam weir, barrage, flood-control dam
stuwdruk (*van raket, straalmotor*) thrust
stuwen (*scheepv*) stow (the cargo); (*voortbewegen*) propel; (*keren*) dam up (the water)
stuw|kracht propelling-force; (*opwaarts*) lifting-power, lift (of a balloon); (*fig*) driving-power, -force, (have plenty of) drive; **-meer** reservoir
subcommissie sub-committee
subiet *bn* sudden; *bw* (*dadelijk*) at once, right away; (*plotseling*) suddenly, all at once
subject id; **subjectief** subjective; **subjectivisme** subjectivism; **subjectiviteit** subjectivity
subliem sublime
sublimaat sublimate; **sublimatie** sublimation; **sublimeren** sublimate
subordinatie subordination
subsidiair (a fine of £5) with the alternative (with the option) of (one month's imprisonment)
subsidie subsidy, grant(-in-aid); **subsidiëren** subsidize, endow; *door het rijk gesubsidieerd* State-aided (schools), State-endowed (theatres); **subsidiëring** subsidization
substantie substance, matter; **substantieel** substantial
substantief substantive, noun
substitueren substitute; **substitutie** substitution; **substituut** substitute, deputy; *attr:* deputy
subtiel subtle, delicate; **subtiliteit** subtlety
subtropisch subtropical
succes success; *~!* good luck (to you)!; *~ met je boek!* good luck with your book!; *~ hebben (behalen)* have (achieve) success, be successful; *veel ~ hebben* score a great success (with a song, etc); *het boek had veel ~* was a great success, was the hit of the day; *geen ~ hebben* be unsuccessful, fail; *met ~* successfully, with success; *zonder ~* without success, (try) unsuccessfully; **succesnummer** hit, winner
successie succession; *het derde jaar in ~* in a row
successierechten death-, legacy-, estate-duties
successievelijk successively, gradually

succesvol successful
sudderen simmer
suède suede (gloves)
suf drowsy, dull, sleepy; **suffen** doze, moon, be day-dreaming
suffer(d) dullard, dull fellow, duffer, muff
sufferig, suffig dull, sleepy
suggereren suggest (a plan); **suggestie** suggestion; **suggestief** suggestive; -*ieve vraag* leading question
suiker sugar; **suikerachtig** sugary
suiker|biet sugar-beet; -**brood** sugar-loaf; -**fabriek** sugar-factory, -mill, -works; -**goed** confectionery, sweetmeats; -**klontje** lump of sugar; -**oom** rich uncle; -**patiënt** diabetic (patient); -**plantage** sugar-plantation, -estate; -**pot** sugar-basin, -bowl; -**raffinaderij** sugar-refinery; -**riet** sugar-cane; -**schepje** sugar-spoon; -**spin** candy floss; -**strooier** sugar-caster, -dredger; -**stroop** molasses; -**tang** sugar-tongs; -**tante** rich aunt
suikertje sugar-plum, comfit
suiker|water sugared water; -**zakje** sugar-bag; -**ziek(e)**, -**ziekte** diabetic, -betes
suite suite of rooms; (*muz*) id
suizebollen be (get) giddy (dizzy); *het deed me* ~ it made my head (my brain) reel; *slag, die doet* ~ staggering (reeling) blow
suizelen (*suizen*) rustle
suizen (*van kogels*) whizz; (*van wind*) sough, sigh; (*van regen, boom*) rustle; *mijn oren* ~ my ears sing (ring, tingle)
sujet: (*gemeen*) ~ scamp, skunk; *een verdacht* ~ a shady customer; *een gevaarlijk* ~, (*Am*) a tough guy
sukade candied (lemon-, orange-)peel
sukkel noodle, mug, oaf; **sukkeldraf** jog-trot; *op een* ~*je* at a jog trot
sukkelen be ailing, be in poor health; (~*d lopen*) trudge (from house to house), plod, jog (down the road); *achter iem aan* ~ trudge behind a p.; *met het Frans* ~ be weak in French
sul simpleton, soft(y), mug, muff, duffer
sulfaat sulphate
sulky (*bij harddraverijen*) id, trotting-car
sullig soft, goody-goody
sultan id
summier brief, concise
summum *zie* toppunt
superbenzine four star petrol
superieur *bn & zn* superior; **superioriteit** superiority
superlatief superlative (*ook fig:* speak in superlatives)
supermarkt supermarket
super|sonisch, -soon supersonic
supervisie supervision
supplement id
suppoost door-keeper, usher; (*in museum*) custodian; (*in gevangenis*) warder
supranationaal supranational
suprematie supremacy

Surinaams, Suriname Surinam; **Surinamer** Surinammer
surplus id, excess, overspill (of population etc)
surprise id; (*concr*) surprise (packet)
surrealisme surrealism
surrogaat substitute
surséance: ~ *van betaling* suspension of payment
surveillance id; (*school*) supervision (duty); (*bij examen*) invigilation; **surveillant** id; (*school*) duty-master; (*bij examen*) invigilator; **surveilleren** *tr* keep under surveillance, supervise; *intr* (*bij examen*) invigilate; (*van politie*) patrol
suspect suspected; (*pred ook*) suspect
sussen hush (a child), quiet (a baby), soothe, pacify (a p.), ease, quiet (one's conscience), hush up (a quarrel)
s.v.p. (if you) please
syfilis syphilis
syllabe syllable
syllabus id, *mv:* syllabi, syllabuses
symbiose symbiosis
symboliek symbolism; **symbolisch** symbolic(al); **symboliseren** symbolize; **symbool** symbol
symfonie symphony; **symfonieorkest** symphony-orchestra
symfonisch symphonic
symmetrie symmetry; **symmetrisch** symmetric(al)
sympathie sympathy (*voor* with, for); ~ *voelen voor* feel sympathy for, be in sympathy with (a p., a work); **sympathiek** congenial, nice (man), likable (person), engaging (smile); **sympathiseren** sympathise; ~*d, ook:* sympathetic
symptomatisch symptomatic (*bw:* -ally)
symptoom symptom
synagoge synagogue
synchron|isch, -iseren synchronic, -ize; **synchroon** synchronous (motor)
syncope (*muz*) syncopation, syncope
syndicaal (*Belg*) trade union ...; **syndicaat** syndicate; **syndikeren, zich** (*Belg*) join a trade union
syndroom (*med*) syndrome
synode synod; *generale* ~ church assembly
synoniem *bn* synonymous; *zn* synonym
syntactisch syntactic; **syntaxis** syntax
synthese synthesis
synthetisch synthetic (*bw:* -ally)
systeem system; *er zit* (*geen*) ~ *in* there is (no) method in it; **systeembouw** prefabrication
systematiek systematics, taxonomy; **systematisch** systematic (*bw:* -ally); **systematiseren** systematize

Tt*t*

taai tough (meat, etc), wiry (person); (*fig*) tough (person, constitution *gestel*), tenacious (life); (*saai*) dull; ~*e volharding* (*moed, vasthoudendheid*) dogged persistence (pluck, tenacity); *zo* ~ *als leer* as tough as leather; *hou je* ~*!* never say die!; **taaiheid** toughness; tenacity; dullness

taak task, job; (*school*) assignment; *iem een* ~ *opgeven* set a p. a task; *het behoort niet tot mijn* ~ it is not my business; *het behoort tot de* ~ *van de politie ...* it is the responsibility of the police ...

taak|omschrijving terms of reference (of a committee); job specification; **-uur** nonteaching period; **-verdeling** allocation of tasks

taal language; ~ *noch teken geven* not give a sign of life; *ik zal duidelijke* ~ *spreken* I'll put it quite plainly

taal|bederf corruption of the language; **-beheersing** mastery of (the) language; **-boek** grammar; **-eigen** idiom; **-fout** grammatical mistake; **-gebruik** (linguistic) usage; **-geleerde** linguist, philologist; **-gevoel** linguistic feeling; **-kenner** linguist; **-kunde** linguistics, philology; **-kundig** linguistic, grammatical; ~ (*on*)*juist* grammatically (in)correct; **-lab** (*Belg*) language lab(oratory); **-onderwijs** language-teaching; **-schat** vocabulary; **-vaardigheid** (*mondeling*) fluency; (*schriftelijk*) (written) command (of the language)

taan tan; **taankleurig** tawny

taart tart, cake; *oude* ~ old hag; **taartedeeg** paste

taartenbakker confectioner

taartje fancy cake

taartpunt wedge of cake

tabak tobacco; *ik heb er* ~ *van,* (*fam*) I've had enough of it

tabaks|doos tobacco-box; **-handel** tobacco-trade; **-plantage** tobacco-plantation, tobacco-estate; **-pruim** quid, chew of tobacco; **-walm** (dense) tobacco-smoke; **-winkel** tobacconist's; **-zak** tobacco-pouch

tabel table, index, schedule, chart; **tabellarisch** in tabular form

tablet id (an aspirin ...), slab (of chocolate)

taboe taboo; ~ *verklaren* taboo

tachtig eighty; **tachtiger** *a*) octogenarian; *b*) (*vooral mv*) writer of the eighties; *in de jaren* ~ (*de* ~ *jaren*) in the eighties; **tachtigmaal** eighty times; **tachtigste** eightieth

tact id; **tactiek** tactics; **tactisch** tactical; **tactloos** tactless; **tactvol** tactful, discreet

tafel table (*ook personen aan* ~); (*tabel*) index list; ~ *van vermenigvuldiging* multiplication table; *aan* ~ *gaan* sit down to dinner (to table); *na* ~ after dinner; *ter* ~ *brengen* table (a plan, a motion); *het rapport kwam ter* ~ came up for consideration

tafel|blad *a*) table-top; *b*) (*hangend*) table-flap; **-dame** (his) partner (at table, at dinner); **-dekken** *zn* laying the table; **-dienen** *zn* waiting at table; **-gerei** tableware; **-gesprek(ken)** table-talk; **-kleed** table-cover; *zie ook* ~laken; **-laken** table-cloth; **-manieren** table manners; **-matje** table-mat; place-mat; **-mes** table-knife; **-rede** after-dinner speech; **-servies** dinner-service; **-tennis** table-tennis, ping-pong; **-toestel** (*telefoon*) table apparatus; **-wijn** table-wine; **-zilver** table-silver, (table-)plate, silverware

tafereel scene, picture

tafzijde taffeta silk

taille waist; (*van kleed*) waist-line, waist; **tailleren** cut in (at the waist); *de jas enz is niet getailleerd, ook:* it is a loose-fitting coat, etc

tak branch (*ook van rivier, spoorweg, familie, enz*); (*zware*) bough; (*fig ook*) offshoot (of a family, religion); ~ *van sport* (form of) sport

takel tackle, pulley-block; **takelen** (*ophijsen*) hoist (up); **takelwagen** breakdown lorry

takje twig, sprig (of heather)

takkenbos faggot

takkeweer weather not fit for dogs

taks(hond) dachshund

tal number; ~ *van* a (great) number of, numerous (friends)

talen: *hij taalt er niet naar* he does not care about it in the least

talen|knobbel (*fam*) gift of (flair for) languages; **-practicum** language lab(oratory)

talent id (*in alle bet*); *man van veel* ~ highly gifted man; **talentenjager** talent scout; **talentvol** talented, gifted

talg tallow

talisman id, charm, amulet, mascot

talk (*vet*) tallow; (*delfstof*) talc; **talkpoeder** talcum powder

talloos numberless, countless

talmen linger; *zonder* ~ without delay

talrijk numerous; ~*er zijn dan, ook:* outnumber

talud talus (*mv* tali), slope

tam tame (*ook fig:* a ... author, etc), domesticated, tamed; ~*me kastanje* sweet (Spanish) chestnut

tamboer drummer; **tamboeren:** *daar tamboert hij altijd op* he is always hammering at it, hammering it into our (their, etc) heads; **tamboerijn** (*instrument*) tambourine

tamboer|korps drum band; **--majoor** drum-major

tamelijk *bn* tolerable, fair; *bw* fairly, etc,

rather (... good), pretty (... well, ... cold); ~ *goed Engels* fairly good English; ~ *groot, ook:* biggish, largish

tampon id, plug

tamtam id, tomtom; *met veel* ~ with a flourish of trumpets, with great fanfare

tand tooth (*mv:* teeth; *ook van kam, zaag, enz*), (*tegenover kies*) front tooth; (*van wiel ook*) cog; *de* ~ *des tijds* the wear and tear of time; *de kleine heeft zijn (haar) eerste* ~*je gekregen* baby has cut his (her) first tooth; *een* ~ *laten trekken* have a tooth out; *de* ~*en laten zien* show one's teeth; *iem aan de* ~ *voelen* put a p. through his paces; *op de* ~*en bijten, de* ~*en op elkaar klemmen* set one's teeth, (*fig ook*) bite on the bullet; *tot de* ~*en gewapend* armed to the teeth

tand|arts dentist; **-artsassistente** dental nurse; **-bederf** tooth decay

tandem id (drive ...); (*fiets*) id

tanden|borstel tooth-brush; **-geknars** gnashing of teeth; **-krijgen** *zn* teething

tandestoker tooth-pick

tand|glazuur enamel; **-heelkunde** dental surgery, dentistry; **-heelkundig** dental; ~ *instituut* dental college

tanding perforation (of stamps)

tand|pasta tooth-paste; **-pijn** tooth-ache; **-prothese** dental prosthesis; **-rad** cog-wheel; (*rondsel*) pinion; **-regulatie** straightening of teeth, orthodontics; **-steen** tartar, scale; **-technicus** dental mechanic; **-verzorging** dental care; **-vlees** gums; **-vulling** filling; **-wortel** root of a tooth; **-zenuw** dental nerve

tanen I *tr* tan (fish-nets), bronze (the skin); II *intr* tan; (*fig*) fade; (*van populariteit*) wane (his star is waning)

tang (pair of) tongs; (*nijptang*) pincers; (*ouwe* ~) harridan; *dat slaat (sluit) als een* ~ *op een varken* that is neither here nor there; *iem in de* ~ *nemen* press a p. hard, get one's hook into a p.; **tangetje** (*voor haren, enz*) (pair of) tweezers

tango id

tanig tawny

tank id; **tankauto** tank-lorry

tanken *ww* (re)fuel, tank (up); **tanker** id; **tankstation** filling station; (*Am*) gas station

tante aunt; *lastige* ~ shrew; *maak dat je* ~ *wijs* tell that to the marines; *je* ~*!* my foot!

tantième bonus

tap (*kraan*) tap

tapdans tap-dance

tapijt carpet; *op het* ~ *brengen* bring on the carpet

tapkast buffet, bar

tappelings trickling; *het bloed liep* ~ *langs zijn wangen* trickled down his cheeks

tappen tap (beer); (*verkopen*) sell; **tapperij** public house; **tappils, tappilsje** draught lager

taps: ~ *toelopen* taper

taptemelk skim(med) milk

taptoe tattoo

tap|verbod prohibition; **-vergunning** licence

tarief tariff, rate; *goede kamers, billijk* ~ good rooms on moderate terms

tarra tare

tarten challenge, dare, defy; *het gevaar* ~ brave danger; *het tart alle beschrijving* it beggars description; **tartend** defiant

tarwe wheat

tarwe|bloem wheat-flour; **-brood** wheaten bread; **-korrel** grain of wheat; **-meel** wheatmeal

tas 1 (*hoop*) pile, heap; 2 (*kopje*) cup; 3 bag, pouch; (*schooltas, op de rug gedragen*) satchel; **tasje** (*hand*)bag; (*van dame*) lady's (vanity) bag, (*Am*) purse; (*van fiets*) saddle-bag, toolbag; **tasjesdief(stal)** bag-snatcher (-snatching)

tast: *hij moest zijn weg op de* ~ *vinden* he had to grope his way

tastbaar tangible, palpable (*beide ook fig*); **tastbaarheid** palpability, tangibility

tasten I *tr* touch, feel; *iem in zijn eer* ~ (*aantasten*) injure a p.'s honour; II *intr* grope, fumble; ~ *naar* grope for; *om zich heen* ~, (*van vlammen*) spread (rapidly); **tastzin** (sense of) touch

t.a.v. *ter attentie van* att. (Mr. Jones)

taxateur appraiser, valuer; **taxatie** valuation; **taxatieprijs** valuation (price); **taxeren** value, appraise, assess, weigh (size) up (a p.), estimate (*op* at); *zie* schatten

taxi taxi(-cab)

taxi|chauffeur taxi-driver; **-standplaats** (taxi)cab rank; **-stop** (*Belg*) getting a pre-arranged lift at small cost

t.b.v. *ten behoeve van* in favour of

te I *vz* at, in (*vgl* in); (*met beweging*) to; II *bw* too (old, etc); *een* ~ *hoge prijs* too high a price; *zie* laat, enz; (*dat is*) *een beetje* ~ a bit overdone; (*voor onbep wijs*) to; (*soms onvertaald:* oil level half pint low, clearance slightly tight)

teakhout teak(-wood); **teakhouten** teak

technicus technician, mechanic; **techniek** technics, technology; engineering; (*werkwijze, bedrevenheid*) technique; **technisch** technical, technological; ~*e fouten, ook:* mechanical defects

technologie technology

teder, teer tender (skin, age, years), delicate (child, health); (*minnend*) tender (heart), affectionate, loving, fond (mother); ~ *onderwerp* tender (delicate) subject; ~*e zaak* ticklish (delicate) affair; **tederheid** tender-, affectionate-, lovingness; delicacy

teef bitch; (*fig*) (*slet*) bitch, (*feeks*) vixen

teek tick

teelaarde black earth, humus, soil

teelt (*algem*) cultivation, culture; (*van planten, bijen, zijde, enz*) culture; (*van vee*) breeding; (*ras*) breed; **teeltkeus** selection

teen toe; *de grote* ~ the big (great) toe; *de klei-ne* ~ the little toe; *op de tenen lopen (staan)* walk (stand) on tiptoe; *hij is gauw op zijn te-nen getrapt* he is touchy

teer I *bn zie* teder; II *zn* tar; **teerachtig** tarry

teergevoelig sensitive, susceptible, tender; **teergevoeligheid** sensitiveness, susceptibili-ty, tenderness

teerling die; *de* ~ *is geworpen* the die is cast

tegel tile; *(voor vloer ook)* flag

tegelijk(ertijd) at the same time, (you cannot do two things) at once, (run down the stair-case two steps) at a time; (he was motion, grace, strength) all in one; *(samen)* together; *één* ~ one at a time

tegemoetgaan go to meet; *zijn faillissement* ~ head for bankruptcy; *een drukke tijd* ~ be in for a busy time

tegemoetkomen (come to) meet; *(fig)* meet (a p., complaints); **tegemoetkomend** accom-modating; oncoming (traffic); **tegemoetko-ming** *(vergoeding)* allowance, compensation

tegemoetzien look forward to

tegen I *vz* against (lean … the wall; act … one's conscience); versus, v. *(bij wedstrijd, enz:* Eton v. Harrow); *(tijd)* by (be back … three), towards (he came … three o'clock); *(jegens)* to (be kind, rude etc … a p.); with (be honest … a p.); *met 2 goals* ~ *nul* (win) by two goals to nil; ~ *betaling van* on payment of; *het is* ~ *enen* it is (just) on one o'clock; ~ *de ver-wachting* contrary to expectation(s); *ik ben er* ~ I am against it; *ik heb iets (niets)* ~ *hem* I have s.t. (nothing) against him; *als je er niets* ~ *hebt* if you do not mind; *ik kan daar niet* ~ I cannot stand it; *(van spijs, enz)* it does not agree with me; II *bw: we hadden de wind* ~ we had the wind against us; *iem* ~ *krijgen* get on a p.'s wrong side; III *zn: het voor en* ~ the pros and cons; **tegenaan** against

tegen|aanval counter attack; **-bericht:** *als ik geen* ~ *krijg* unless I hear to the contrary; **-be-zoek** return visit; **-deel** reverse, opposite, contrary; *in* ~ on the contrary; **-gaan** *(fig)* op-pose, counteract; *(minder sterk)* discourage (a custom, a p.); **-gas:** ~ *geven, (fig)* apply counter-pressure; **-gesteld** opposite, con-trary *(aan* to); *het* ~*e effect hebben* be counter-productive; *het* ~*e* the opposite; **-gif** antidote *(ook fig)*; **-hanger** counterpart; **-houden** stop (a p.), check, hold up (the traffic); **-kandidaat** competing candidate; **-komen** meet, come across (a p., an expression); **-kracht** counter force; **-lachen** smile at; **-ligger** *(auto)* on-coming car; ~*s* oncoming traffic; **-lopen:** *het liep hem* ~ things went against him; **-maatre-gel** counter measure; **-natuurlijk** against na-ture; **-offensief** counter-offensive

tegenover opposite (to), facing (the door … the landing); face to face with, up against (a difficulty); in front of (he made me look a fool … the others); (900) (as) against (14,000 dur-ing the war); to (his obligations … us); to-wards (his sentiments … us); *hij woont hier* ~ across the road (from us); ~ *elkaar staan (zit-ten)* face each other; *daar staat* ~*, dat hij* … on the other hand, he …; *eerlijk zijn* ~ *iem* be honest with a p.

tegenover|gelegen opposite; **-gesteld** oppo-site, contrary; *zie* tegengesteld

tegen|partij opponent *(ook bij spel)*, adver-sary; **-prestatie** quid pro quo, compensation, (s.t. offered in) return; *als* ~ in return; **-scoren** score in reply; **-slag** misfortune, set-back; **-spartelen** kick and flounder, struggle (the child cried and struggled), resist; **-speler** *(sp)* opponent; *(theat)* opposite number; **-spoed** adversity, ill-luck; **-spraak** contradiction; *(lijnrecht) in* ~ *met* in (flat) contradiction with; *geen* ~ *duldend* peremptory (order); *zonder* ~ without contradiction; *(ontegenzeggelijk)* in-contestably, indisputably; **-spreken** con-tradict, deny; *spreek niet* ~*, ook:* don't argue; *zich* ~ contradict o.s.; **-sputteren** mutter (ob-jections); **-staan:** *het idee stond hem* ~ the no-tion was revolting to him; *de hele zaak staat me* ~ I am sick of everything

tegenstand resistance; ~ *bieden* offer resist-ance; **tegenstander** adversary, opponent

tegen|stelling contrast, contradistinction; *in* ~ *met* in contradistinction to; **-stemmen** vote against it (a proposal, etc); **-stemmers** *(La-gerhuis)* noes; **-streven, -stribbelen** resist; **-strijdig** contradictory (reports), conflicting (views); **-strijdigheid** contradiction, discrep-ancy; **-vallen** be disappointing, fall short of one's expectations; **-valler** disappointment; **-verzekering** *(Belg)* legal aid insurance; **-voe-ter** antipode; **-voorstel** counter proposal; **-waarde** equivalent; **-werken** counter(act), *(fig)* oppose, cross; **-werking** opposition, ob-struction; **-werpen** object; **-werping** objec-tion; ~*en maken* raise objections (to s.t.); **-wicht:** *een* ~ *vormen tegen* counterbalance, neutralize; **-wind** adverse wind

tegenwoordig I *bn* present; present-day (girls, English); *de* ~*e tijd* the present time, *(gramm)* the present (tense); ~ *zijn* be present; *van* ~ of to-day; II *bw* at present, nowadays; **tegen-woordigheid** presence; ~ *van geest* presence of mind

tegen|zin dislike, aversion; *met* ~ reluctantly; **-zitten:** *het zit hem tegen* things are going against him

tegoed (bank) balance; **tegoedbon** credit note

tehuis home; *(stil, afgezonderd)* retreat

teil (zinc) pan, tub; **teiltje** basin

teint complexion

teisteren afflict, ravage, harass; *het geteisterde gebied* the stricken area

teken sign, mark; indication; *(vastgesteld)* sig-nal; *(ziekte-)* symptom; *er zijn* ~*en, die erop wijzen dat* … there are indications that …; *een goed (slecht)* ~ a good (bad) omen; *een* ~ *des tijds* a sign of the times

tekenaar (*algem*) draughtsman; designer

teken|academie academy of arts; **-behoeften** drawing-materials

tekenen draw, sketch; (*onder-*) sign; *naar de natuur* ~ draw from nature; ~ *voor* sign for (the receipt of ...); (*fig*) three goals); *10 gulden* ~ subscribe ten guilders; **tekenend** characteristic, *bw:* -ally

tekenfilm cartoon(-film)

tekening drawing, sketch; (*ontwerp*) design; (*ter verduidelijking*) diagram (as shown in the ...); (*van huid, zaden, enz*) marking(s); (*onder~*) signature; *er begint ~ in de toestand te komen* the situation is becoming clearer

teken|kunst art of drawing; **-leraar** art-master; **-lerares** art-mistress; **-papier** drawing-paper

tekkel dachshund

tekort (*algem*) shortage (a ... of £100, of teachers), deficiency; ~ *op de handelsbalans* trade gap; *een ~ aan ... hebben, ook:* be short of teachers; **tekortkoming** shortcoming

tekst (*verband*) context; (*bij muziek*) words; (*van song*) lyric; (*van film*) script; ~ *en uitleg geven* give chapter and verse (*van* for)

tekst|boekje libretto (*mv:* libretti, librettos), book of words; **-kritiek** textual criticism; **-schrijver** (*reclame*) copywriter; (*film*) scriptwriter; **-verklaring** textual explanation; **-verwerken** word processing

tel count; *de ~ kwijt raken* lose count; *niet in ~ zijn* be of no account; *pas op je ~len* mind your p's and q's, watch out

telaatkomer late comer

telastlegging charge

telecard (*Belg*) phone card

telecommunicatie telecommunication

telefax fascimile telegraph

telefoneren (tele)phone (a p.; *om* for); *bel me even op als* ... give me a tinkle when ...; **telefonisch** telephonic; ~ *onderhoud* telephone conversation; **telefonist(e)** (telephone) operator; **telefoon** telephone, (*fam*) phone; *ze hebben geen* ~ they are not on the telephone; *er is ~ voor u* you're wanted on the telephone; *aan de ~ blijven* hold the line; *per ~* by telephone, over (*of:* on) the telephone

telefoon|abonnee telephone-subscriber; **-beantwoorder** (telephone-)answering machine; **-boek** telephone-directory; **-cel** telephone booth; **-centrale** telephone-exchange; **-gesprek** *a*) telephone conversation; *b*) phone call; **-hoorn** telephone-receiver; **-kaart** phone card; **-kosten** telephone-charges; **-nummer** telephone-number

telegraaf telegraph; **telegraferen** wire; (*overzees*) cable; ~ *om* wire for; **telegrafisch:** ~ *antwoord* wired (cabled) reply; ~*e postwissel* telegraph(ic) money order

telegram id

telegram|formulier telegraph form; **-kosten** telegraph-charges

telelens telephoto lens

telen (*verbouwen*) grow, cultivate; (*dieren*) breed

telepathie telepathy

teler grower, cultivator; breeder

telescoop telescope

teleurstellen disappoint; *je* (*het*) *stelt me teleur, ook:* I am disappointed in you (it); *teleurgesteld over* disappointed with (the result); **teleurstelling** disappointment

televisie television, TV; (*fam*) telly, (the) box; **televisietoestel** TV set

telex id

telg (*van mens*) descendant, scion, (off)shoot

telkens over and over again, every now and again, time and again; ~ *wanneer* whenever

tellen count (he cannot ... above ten; he ...s for two); *dat telt niet* that does not count; *hij stond alsof hij geen tien kon* ~ he looked as if he could not say boo to a goose; *opnieuw* ~ recount; *tot 5* ~ count up to five; *zijn dagen zijn geteld* his days are numbered; **teller** counter; **telling** count

telwoord numeral; *hoofd~* cardinal (number); *rangschikkend~* ordinal (number)

temen drawl, (*huilerig*) whine

temmen tame, subdue, domesticate (a magpie); **temmer** (wild animal) tamer

tempel temple

temperament id; **temperamentvol** temperamental

temperatuur temperature; *iems* ~ *opnemen* take a p.'s temperature

temperen (*verzachten*) temper (heat), damp (fire, sound), allay (pain, grief), mitigate (anger, sufferings); *getemperd licht* subdued light

tempo (*muz*) tempo; (*algem*) pace (the ... of the march; the ... at which expenditure is growing), rate (develop at a rapid ...), tempo (stroll on in a leisurely ...)

temporiseren temporize, defer

ten: ~ *eerste, tweede, derde, elfde, enz* first(ly), secondly, thirdly, in the eleventh place, etc

tendens tendency, trend; **tendentieus** tendentious

teneur tendency, tenor

tenger slight, slender, delicate; (~ *& elegant*) petite; ~ *gebouwd* slightly built; **tengerheid** ...ness

tenlastelegging charge, indictment

tenminste at least, at any rate; ..., ~ *dat zei hij* or so he said

tennis (lawn-)tennis; **tennisbaan** (lawn-)tennis court; **tennissen** play (lawn-)tennis

tenor (*stem, partij, zanger*) id

tent id; (*grote* ~, *bij tuinfeest, enz*) marquee; *bungalow* ~ frame tent; (*op dek*) awning; (*sl = eet- of drinkgelegenheid*) joint; *ergens zijn* ~*en opslaan*, (*fig*) pitch one's tent(s) somewhere; *hij liet zich niet uit zijn* ~ *lokken* he refused to be drawn

tentamen preliminary examination; (*fam*) prelim

tentoonspreiden display; **tentoonspreiding** display

tentoonstellen exhibit, show; **tentoonstelling** exhibition, (*Am*) exposition; (World, British Industries) Fair; (*op kleiner schaal*) (flower-, cattle-)show

tent|pen tent-peg; **-stok** tent-pole

tenue dress, uniform; *in groot* ~ in full dress

tenuitvoer|brenging, -legging execution

tenzij unless

tepel nipple

ter at (the), in (the), to (the) (*vgl* te); for (comparison); by way of (illustration *verduidelijking*); in (fulfilment of his promise)

teraardebestelling burial, interment

terbeschikkingstelling: *met* ~ *van de regering,* (*van misdadiger*) and ordered to be detained during Her Majesty's pleasure

terdege thoroughly

terecht rightly, justly (popular), deservedly (famous), justifiably (proud), truly (as you … say, (it has been said) not without truth; *en* ~ (he was angry,) and justly so; ~ *of ten onrechte* rightly or wrongly; *de sleutel is* ~ has been found

terecht|brengen (*in orde brengen*) put to rights; *er niets van* ~ make a mess of it; **-komen:** *alles komt* ~ everything will come right; *het zal* (*vanzelf*) *wel* ~ things will arrange (adjust) themselves; *de brief kwam niet* ~ the letter miscarried; *wat is er van hem terechtgekomen?* what has become of him?; *in een sloot* ~ land o.s. in a ditch; *ten slotte kwam ze* ~ *in* … she ended up in a mental home; *daar komt niets van* ~ it will come to nothing; **-staan** stand (one's) trial; **-stellen** (*de doodstraf voltrekken aan*) execute; (*door elektr*) electrocute; **-stelling** execution; (*door elektr*) electrocution; **-wijzen** *a*) set right, correct; *b*) (berispen) reprimand; **-wijzing** reprimand; **-zitting** session (of a, the court)

teren 1 (*met teer*) tar; 2 ~ *op* live on; *zij* ~ *op hun oude roem* they are living on their former glory

tergen provoke, badger, (*fam*) aggravate; **tergend** *ook:* provocative (language); ~ *langzaam* snail-like

tering (*ziekte*) consumption; *zet de* ~ *naar de nering* cut your coat according to your cloth

terloops *bw* incidentally, casually; *bn* incidental, casual; *het zij* ~ *opgemerkt* it may be noted in passing

term id; *er zijn geen* ~*en voor* (*aanwezig*) there are no grounds for it; *in de* ~*en vallen voor* be liable to (military service); *hij valt er niet voor in de* ~*en, ook:* he does not meet the requirements

termiet termite, white ant

termijn (*tijdruimte*) term, time; (*gedeeltelijke afbetaling*) instalment (in monthly …s); *een* ~

vaststellen fix a time; *in* ~*en betalen,* (*geld*) pay by (*of:* in) instalments, on the instalment plan; (*goederen*) pay for by (*of:* in) …; *op korte* ~*at* short notice; **termijnmarkt** futures market

termineren terminate

terminologie terminology, nomenclature

ternauwernood scarcely, narrowly (the bullet … missed him); ~ *ontkomen* have a narrow escape

terneergeslagen cast down, dejected

terp id, (artificial) dwelling mound

terpentijn turpentine

terpostbezorging posting

terras terrace; **terrasvormig** terraced

terrein ground (football-…, sports-…); (*van landschap*) terrain; (*stuk grond*) plot (of ground); (*bouw-*) (building-)site; (*fig*) field (work in this …), department; *eigen* ~ (*op bordje*) private; *op gevaarlijk* ~ *zijn* (*komen*) be (get) on dangerous (delicate) ground, be in (get into) deep water(s); *op bekend* ~, (*ook fig*) on familiar ground

terrein|gesteldheid configuration of the ground; **-knecht** (*sp*) groundsman

terreur (reign of) terror

terriër terrier

terrine tureen

territorium territory

terroriseren terrorize, intimidate; **terrorisme** terrorism

tersluiks stealthily, by stealth; *iem* ~ *aankijken, ook:* steal a look at a p.

terstond at once, immediately, straight away

terug back (I'll be … (again) at one), (a considerable step) backward(s); in return (whisper …); *ik ben zo* ~ I shan't be a minute; *hebt u van 25 gulden* ~? can you change a 25-guilder note?; *geld* ~, *indien* … money refunded if not satisfied; *ik moet* … ~ *zijn* I am due back in L. on the 20th

terug|bellen ring back; **-betalen** refund; **-betaling** refund (obtain a …); **-blik** retrospect, retrospective view; **-brengen** bring (take) back; restore to (its original condition), reduce to (a minimum); **-deinzen:** ~ *voor* shrink (flinch; *met afschuw:* recoil) from (a task); **-denken:** ~ *aan* recall; **-doen** put back; *iets* ~ do s.t. in return; **-dringen** drive (push) back, repel; force back (tears); **-gaan** go (get) back, return; **-gave** restoration, return, restitution; **-getrokken** retiring; ~ *leven* lead a retired life; **-geven** give back (give me back the letter), return (a present), restore (stolen property); *iem te weinig* (*geld*) ~ short-change a p.; **-grijpen** revert (*op* to); **-halen** fetch (bring) back; (*gewist computerprogramma*) undelete (a programme); **-hebben:** *ik heb het* ~ I've got it back

terughoudend reserved, reticent; **terughoudendheid** reserve(dness)

terug|kaatsen I *tr* reflect (light, sound); II *intr*

be reflected; (*van geluid*) reverberate; (*van bal*) rebound; **-kaatsing** reflection, reverberation, echo(ing); *vgl het ww;* **-keer** return; (*tot vroegere positie, enz, ook:*) come-back; **-keren** return; (*omkeren*) turn (back); *op zijn schreden* ~ retrace one's steps; **-komen** return, come back; (*voor bezoek, ook:*) call again; (*inz van ziekte*) recur; ~ *op het onderwerp* return to the subject; ~ *op een beslissing* reconsider a decision; ~ *van* go back on (one's promise); **-komst** return; **-krabbelen** back out (of it); **-krijgen**: *een stuiver* ~ receive a penny (in) change; **-kunnen**: *ik kan* (*je kunt*) *niet meer* ~, (*fig*) there is no turning back (for me, for you) now; **-nemen** take back (*ook:* words, a promise), retract; *gas* ~ throttle down; **-reis** return-journey, -voyage; **-roepen** recall (an ambassador, an actor); *in het geheugen* ~ recall (to memory); *de acteur werd dikwijls* ~*geroepen* got (had, received) many (re)calls (curtain calls); **-schakelen** switch back, (*auto*) change down (gear); **-schrikken** start back, recoil; ~ *voor* shrink away from; **-slaan** *intr* hit (strike) back; *tr* strike back, return (a ball); **-slag** (*fig*) reaction, revulsion; **-spoelen** (*band, film, enz*) rewind; **-springen** spring back, (*van afschuw, enz, ook:*) recoil; **-stuiten** rebound, recoil; **-tocht** *a*) retreat; *b*) zie ~*reis*; **-trappen** kick back; (*op fiets*) backpedal; **-traprem** pedal brake; **-treden** step back; (*fig*) retire (*uit de* ... from politics); **-trekken** I *tr* pull back, withdraw; (*fig*) retract (a promise); *zich* ~ retreat, (*uit zaken, enz*) retire (from business); (*bij examen*) withdraw (from an examination); II *intr* fall back (the enemy had to ...; ... on a former position); **-vinden** find again, recover; *die vergelijking vindt men telkens bij die schrijver* ~ ... recurs in that author; **-vorderbaar** recoverable, repayable; **-vorderen** claim (demand) back, reclaim (one's money); **-vordering** (*bij bank*) withdrawal; **-wedstrijd** return match; **-weg** way back; **-werken**: *de loonsverhoging zal* ~*de kracht hebben tot 1 oktober* the pay-rise is backdated to ...; **-werpen** throw back, return (a ball); **-wijzen** refer back (*naar* to); **-zenden** send back, return; **-zetten** put back (the clock); replace (the book on the shelf); **-zien** *a*) ~ *op* look back upon; *b*) (*weerzien*) see again

terwijl I *vw* while, as (she blushed as she spoke); (*met tegenstellende kracht*) whereas; II *bw* meanwhile, in the meantime

terzelfder: ~ *tijd* at the same time

terzijde aside; **terzijdestelling**: *met* ~ *van* putting aside

testament *a*) will; (Mr. Baldwin's political) testament; *b*) (the Old and the New) Testament; *zijn* ~ *maken* make one's will; *hij kan zijn* ~ *wel maken* it is all up with him; *volgens het* ~ *van* ... under his father's will (he receives ...); **testamentair** testamentary

testateur testator; **testatrice** testatrix
testbeeld test pattern
testen test
teug draught, pull; *met volle* ~*en drinken* take deep draughts
teugel rein, (*met gebit & hoofdstel*) bridle; *ze nam dadelijk de* ~*s in handen*, (*fig*) she at once took charge (of affairs); *de vrije* ~ *laten* give (free) rein (to one's passions); *de* ~ *strak houden* keep a tight rein on (*of:* over) a p.
teugje sip; *met kleine* ~*s drinken* sip
teut *zn* slowcoach, dawdler; (*zeurkous*) bore; *bn* sodden; **teuten** dawdle
teveel: *het* ('*n*) ~ the (a) surplus (*aan* of)
tevens at the same time, likewise, besides
tevergeefs in vain; *maar* (*het was*) ~ but it was no use
tevreden (*van aard*) contented (with one's lot); (*voldaan*) satisfied (*over* with); (*genoegen met iets nemend, alleen pred*) content; (*in zijn schik*) well-pleased (*met* with); *ben je daarmee* ~? will that satisfy you?; **tevredenheid** contentment, contentedness, satisfaction; *tot mijn volle* ~ to my entire satisfaction; **tevredenstellen** content, satisfy, please; *zich* ~ *met* content o.s. with
tewaterlating launch, launching
teweegbrengen bring about, bring on, work (miracles, changes), induce (a habit of mind), produce (a reaction)
tewerkstellen employ; **tewerkstelling** employment; **tewerkstellingsdienst** (*Belg*) labour exchange service
textiel textile; ~*e werkvormen,* (*ongev*) textural art
te zamen together
thans at present, now; by this time; *zie* nu
theater theatre; *vgl* schouwburg; **theatraal** theatrical; *een* -*ale houding aannemen* strike an attitude
thee tea; ~ *drinken* have tea; *de familie drinkt juist* ~ are just having tea; *een vriendin op de* ~ *hebben* have a friend to tea
thee|blad tea-tray; **-builtjes** tea-bags; **-busje** (tea-)caddy; **-doek** tea-cloth (-towel); **-kopje** tea-cup; **-lepel(tje)** tea-spoon; **-lichtje** tea-warmer; **-muts** tea-cosy; **-pot** teapot; **-servies** tea-set; **-visite** tea-party, -visit, tea; **-zakje** tea-bag
thema (*oefening*) exercise; (*onderwerp*) theme, subject; (*muz*) theme
theologie theology; ~ *studeren* study divinity; **theoloog** theologian
theoreticus theorist; **theoretisch** *bn* theoretical; *bw* ...ly, in theory; **theoretiseren** speculate; **theorie** theory; *in* ~ in theory
therapeut therapist; **therapie** (X-ray, etc) therapy
thermometer id; **thermometerstand** thermometer-reading
thermosfles thermos (flask), vacuum flask
thermostaat thermostat

thuis I *bw* at home; (*van richting; ook: weer* ~, *terug*) home (come, go ...; glad to be ... again; *handjes* ~! hands off!; ~ *zijn* be at home; *net* ~ just in (from school, etc); *goed* ~ *zijn in een onderwerp* be at home with a subject; *zich niet* ~ (*ge*)*voelen* feel out of place; **II** *zn* home

thuis|basis home base; **-bezorgen** deliver; **-blijven** stay at home; **-brengen** see (a p.) home; *ik kan hem* (*dat geluid*) *niet* ~, (*fig*) I cannot place him (that sound); **-club** (*sp*) home club; (*elftal, enz*) home team; **-haven** home port; **-honk** (*honkbal*) home base; **-horen**: *hij hoort hier* (*daar, te A.*) ~ he belongs here (there, to A.); **-houden** keep (a p.) in (*of*: at home); **-komen** come (get) home; **-komst** home-coming (what a ...!); **-reis** homeward journey; **-wedstrijd** home match

tien ten; *een* ~ full marks (for French); *het is* ~ *tegen één* it is ten to one; **tiende** tenth; **tiendelig** (*breuk*) decimal (fraction)

tien|dubbel tenfold; **-duizend** ten thousand; ~*en* tens of thousands; **-duizendste** ten thousandth

tiener teenager; (*Am ook*) teener; (*in sam*) teen-age

tien|frankstuk (*Belg*) ten franc coin; **-kamp** decathlon; **-maal** ten times; **-rittenkaart** ticket valid for ten journeys; **-tal** ten, decade; *een* ~ *jaren* a decade; *eenheden,* ~*len, enz*, units, tens, etc; **-tallig** decimal; ~ *stelsel* decimal system

tientje ten-guilder note (piece)

tienvoudig tenfold, (pay for it) ten times over

tieren I (*welig groeien*) thrive; (*fig*) flourish (professionalism in football flourishes); **II** (*razen*) rage, storm, rant

tierig thriving, lively; **tierigheid** ...ness

tigst umpteenth

tij tide; *zie* getij

tijd time; (*periode*) period, season; (*gramm*) tense; ~ *is geld* time is money; *de hele* ~ all the time; *een hele* ~ (she talked) for quite a time; *dat is een hele* ~ quite a long time; *een* ~ *geleden* some time ago; *de* ~ *is om* time is up; *er was een* ~ *dat* there was a time when ...; *andere* ~*en, andere zeden* other (different) times, other (different) manners; *de goede oude* ~ the good old days; *ik heb geen* ~ I have no time; *weinig* ~ *hebben, ook*: be (hard) pressed for time; *ik had een heerlijke* ~ I had the time of my life; *heb je de juiste* ~? have you got the right time?; *het wordt onze* ~ it is time for us to go; *ik heb hier een eeuwige* ~ *gestaan* I've stood here for ages; *komt* ~ *komt raad* with time comes counsel; *de* ~ *zal het leren* time will show; *de* ~ *was goed gekozen* the timing was good; *neem de* ~ *ervoor* take your time (over it); ~ *winnen* gain time; *aan* ~ *gebonden zijn* be tied (down) to time; *bij de tijd* up-to-date; *bij* ~ *en wijle* now and then; *gedurende lange* ~ for a long time; *in deze* ~ (*van het jaar*) at this time of year; *in minder dan geen* ~ (the

rumour spread) in less than no time; *in geen* ~*en* (I have) not (seen you) for ages; *in* ~ *van oorlog* (*vrede*) in times of war (peace); *in vroeger* ~ in former times; *in de goede oude* ~ in the good old times; *na korte* ~ presently; *na korter of langer* ~ sooner or later; *morgen om deze* ~ this time to-morrow; *omstreeks die* ~ about that time; *op* ~ in time, (*stipt op* ~) on time; *precies op* ~ just in time; *juist op* ~ just in the nick of time; *alles op zijn* ~ all in good time; *op vaste* ~*en* at set times; *de trein was over* ~ was late (overdue); *te allen* ~*e* at all times; *te rechter* ~ in due time; *tegen die* ~ by then; *ten* ~*e van* at (in) the time of; *dat is uit de* ~ out of date; *problemen van deze* ~ current problems; *dat is niet meer van deze* ~ that is out of date; *van* ~ *tot* ~ from time to time, at times; *koud voor de* ~ *van het jaar* cold for the time of year; **tijdbesparend** time-saving

tijdelijk I *bn* temporary (work, job); *het* ~*e met het eeuwige verwisselen* depart this life; **II** *bw* temporarily

tijdeloos timeless

tijdens during; *zie* gedurende

tijd|gebrek want of time; **-geest** spirit of the age (time, times); **-genoot** contemporary

tijdig *bn* timely, seasonable; *bw* in good time

tijding(en) news; *een goede* ~ a piece of good news

tijdje time, (little) while; *een* ~ *geleden* some time ago, lately; *over een* ~ in a little while; *voor een* ~ for a while

tijd|klok timer; **-lang**: *een* ~ for a while (time, space), for some time; **-limiet** deadline, time-limit; **-melding** (*telefoon*) speaking clock (service); **-nood**: *in* ~ *komen* be pressed for time; **-opname** (*fot*) time-exposure; **-opnemer** timekeeper; **-perk** period, era; **-rit** (*sp*) time trial; **-rovend** time-consuming

tijdsbestek space (length) of time

tijdschema schedule; *op het* ~ *ten achter* behind schedule

tijdschrift periodical, magazine

tijdsein time-signal

tijds|gewricht epoch; *in dit* ~ at this juncture; **-omstandigheid** circumstance

tijdstip point of time; *tot dat* ~ up till then

tijds|verloop course of time; **-verschil** difference in time

tijd|vak period; **-verdrijf** pastime; *voor* ~ as a (by way of) pastime; **-verlies** loss of time; **-verspilling** waste of time; **-waarnemer** timekeeper

tijger tiger; **tijgerin** tigress

tijm thyme

tik touch, pat; (*op deur*) tap, rap; (*drank*) dash (of gin, etc); ~ *op de vingers* a rap on the knuckles

tikfout typing error

tikje *zie* tik; (*fig*) touch (he has a ... of genius); dash (a ... of irritability), hint (there was a ... of emotion in his voice), trace, shade (I put her down as a ... over thirty)

tik

tikkeltje touch; *zie verder* tikje
tikken I *ww* (*van klok, enz*) tick; (*van camera, breinaalden, enz*) click; (*aan raam, enz*) tap (at the window), rap (on the door); (*bij spel*) touch (I ...ed you first); (*op schrijfmachine*) type (the letter was typewritten); *iem op de schouder* ~ tap a p. on the shoulder; *iem op de vingers* ~, (*ook fig*) rap a p.'s knuckles; *getikt schrift* typescript; **II** *zn, zie* getik
tikkertje (*kinderspel*) tag
tikwerk typing
til: *er is wat op* ~ there is s.t. in the wind
tillen lift, heave, raise
timide timid, bashful, shy
timmeren I *intr* do carpenter's work; *goed kunnen* ~ be a good hand at carpentry; *hij timmert niet hoog* he is not overburdened with brains; *erop* ~ hit out freely; *hij timmert graag aan de weg* he is fond of the limelight; **II** *tr* build, construct; (*gauw*) *in elkaar* ~ knock up
timmer|gereedschap carpenter's tools; **-hout** timber; **-man** carpenter
timmermanswerkplaats carpenter's workshop
tin id; (*legering van tin, lood, enz*) pewter
tin|erts tin-ore; **-folie** tin-foil
tingelen tinkle, jingle
tinkelen tinkle
tinnen *bn* pewter
tint id, tingue, hue, shade
tintelen (*van sterren, ogen, enz*) twinkle; (*van geest, wijn*) sparkle; (*van kou*) tingle (with cold); **tinteling** twinkling, etc
tinten tinge, tint; *een politiek getinte roman* a politically slanted novel; **tintje** tinge (*ook fig:* a ... of liberalism), (it has a distinct Australian) flavour
tip, tipje I tip; (*van zakdoek, enz*) corner; **II** (*inlichting*) id, tip-off; *een* ~ *geven* tip (off) (the police)
tipgever informant; (*fam*) grass
tippel (*wandeling*) march; **tippelen** trot; (*van prostituée*) walk the streets
tippen (*inlichten*) tip; *daar kun je niet aan* ~ you cannot touch that
tiptop id, A 1, top-hole, top-notch
tiran tyrant; **tirannie** tyranny; **tiranniseren** bully (a p.)
titel title; (*van hoofdstuk, enz ook*) heading; **titelblad** title-page; **titelen** title
tjilpen chirp, chirrup, twitter
tjokvol chock-, cram-full
TL-buis fluorescent tube
TL-verlichting strip lighting
tobbe tub
tobben (*zwoegen*) drudge, toil; (*tobberig zijn*) worry, fret; ~ *over* worry about; **tob|ber, -ster** worrier
toch 1 (*niettegenstaande dat*) yet, still, for all that, all the same, after all; *zie voorbeeld beneden*; **2** (*immers*) *je weet* ~, *dat* ...? you know that ..., don't you?; *je bent er* ~ *geweest?*

you've been there, haven't you? *je hebt* ~ *geen haast?* you are not in a hurry I hope? (*of:* are you?; *dat meen je* ~ *niet?* you surely do not mean that?; **3** (*opwekking; ongeduld*) *kom* ~! do come!; *ga* ~ *zitten* do sit down; *wees* ~ *voorzichtig!* do be careful!; **4** (*wens*) *o, was hij* ~ *hier!* I do wish he were here; **5** (*onvertaald of:* ever) *wat kan hij* ~ *bedoelen?* what (ever) can he mean!; *waarom deed je dat* ~? what ever made you do that?; *hoe kun je dat* ~ *doen?* how ever can you do that!; *je bent* ~ *zo'n schat!* you're ever such a dear!; ~ *is het waar* yet (even so,) it is true, it is true all the same; *ik heb* ~ *al genoeg werk* I have work enough as it is; *maar* ~ (but) still; yet; *het klinkt vreemd, maar* ~ *is het zo* it sounds odd, but there it is; *ging hij* ~? did he go after all?; *ik hoop* ~, *dat je komt* I do hope you will come; ~ *wel!* (you could not go?) I could, though
tocht I (*zuigwind*) draught; **II** (*reis*) expedition, march, journey, trip, (*auto*) drive; **tochten:** *het tocht hier* there is a draught here
tochtgenoot fellow-traveller
tochtig draughty (house); **tochtigheid** draughtiness
tochtje trip, excursion
tocht|lat draught-stopper; **-latjes** (*bakkebaardjes*) sideboards; **-vrij** draught-proof (window)
toe to, shut; *waar gaat dat* (*ga jij*) *naar* ~? where are you off to?; (*erheen*) to L.; *de deur is* ~ is shut; ... *en pudding* ~ for a sweet; *daar zijn we nog niet aan* ~ we haven't got that far yet; *ik wil weten waar ik aan* ~ *ben* I want to know where I stand; *hij is er slecht* (*treurig*) *aan* ~: *a*) (*financieel*) he is badly off; *b*) (*gezondheid*) he is in a bad way; *ze is erg aan haar vakantie* ~ she needs her holiday badly; *hij is aan een nieuwe broek* ~ he is due for ...; *hij is aan het examen* ~ he is ready for ...
toe|bedelen assign, allot (s.t. to a p.); **-behoren** *ww* belong to; *zn:* *met* ~ with accessories; **-bereiden** prepare; (*met kruiderijen*) season; dress (the salad); **-bereidselen** preparations; **-bijten:** *hij zou niet* ~ he would not bite; *neen, beet hij haar* ~ 'no!' he snapped (at her); **-brengen** deliver (a blow), deal (strike, hit) (a p. a blow); inflict (damage upon a p.); **-dekken** cover up; (*instoppen*) tuck in; **-dienen** administer (medicine, the last sacraments) to (a p.); **-doen I** *ww* (*sluiten*) close; *dat doet er niet toe* that does not matter; *haar naam doet er niet toe* never mind her name; *het doet er niet toe wat* (give me s.t. to eat,) anything will do; **II** *zn: het was alles door zijn* ~ it was all his doing; *zonder uw* ~ but for you (I should not have got it); **-dracht:** *de gehele* ~ *der zaak* how it all happened, all the ins and outs of the affair; **-dragen:** (*grote*) *achting* ~ hold a p. in high esteem; *hoe heeft zich dat toegedragen?* how did it come about?; **-eigenen:** *zich* ~ appropriate; **-fluisteren:** *iem iets* ~ whisper s.t.

to a p.; **-gaan**: *het gaat er raar toe* there are strange goings-on there

toegang admittance, admission (... *5p*, pay for ...), access, entry, entrance; (*ingang*) entrance, way in; *verboden ~, (opschrift)* no admittance, private, trespassers will be prosecuted; *vrije ~* admission free; *zich ~ verschaffen* gain access (admission) (to ...), (*met geweld*) force an entrance (entry)

toegangs|biljet ticket of admission; **-poort** entrance gate, (*ook fig*) gateway (to success); **-prijs** admission; **-weg** approach

toegankelijk (*van pers & zaken*) accessible; *slecht ~* difficult of access; *~ voor het publiek* open to the public; *~ voor nieuwe denkbeelden* open to new ideas

toegedaan: *iem ~ zijn* be attached to a p.

toegeeflijk indulgent; **toegeeflijkheid** indulgence

toegenegen affectionate

toegepast applied (physics)

toegestaan allowed

toegeven *tr* (*op de koop toe*) give into the bargain; (*erkennen*) grant, admit; (*kinderen wat ~*) humour (children should be ...ed a little); *intr* give in (to a p.), give way (to one's feelings); *dat geef ik u toe* I grant you that; *meer dan hij wel wou* ~ more than he cared to admit; *ze geven elkaar niets toe* they are well matched; *niets ~*, (*op zijn stuk blijven staan*) not yield an inch; *ik moet eerlijk ~ dat hij ...* to do him justice, he ...; toegegeven, *dat je gelijk hebt* granting you are right; **toegift** s.t. given into the bargain; make-weight; (*muz, enz*) extra (play an ...)

toehoorder(es) listener; *~s, ook:* audience

toejuichen cheer; welcome (a plan, an inquiry); **toejuiching** applause, cheer

toekennen award (a prize); credit (a p.) with (talents); **toekenning** grant, award

toe|keren: *hij keerde mij de rug toe* he turned his back upon me; **-kijken** look on; **-knikken** nod to; *hij knikte mij veelbetekenend ~* he gave me a significant nod; **-komen**: *dat komt mij ~* that is due to me; *doen ~* send; **-komend**: *het hem ~e deel* his rightful share

toekomst future; *in de ~* in the future; *de ~ behoort aan de jeugd* the future lies with the young; *er zit ~ in die onderneming* the enterprise has great possibilities; **toekomstig** future; **toekomstmogelijkheden** prospects

toekunnen: *ik kan er een week mee toe* it will last me a week; *ze kan lang met haar kleren toe* she makes her clothes last

toelaatbaar(heid) admissible (admissibility)

toelachen smile at (on, upon); *de fortuin lachte hem toe* fortune smiled upon him

toelage allowance, grant

toelaten (*binnenlaten*) admit; (*toestaan*) permit, allow; *als de tijd het toelaat* if time permits; **toelating** *a*) admission, admittance; *b*) permission, leave

toelatings|examen entrance examination (*~ doen* go in for one's ...); **-voorwaarden** conditions of entry

toeleg design, intention, purpose, attempt, plan

toeleggen: *ik moet er geld op ~* I am a loser by it; *het erop ~ om ...* make a point of ...ing; *zich ~ op* apply o.s. to (one's work, etc)

toeleveringsbedrijf subcontractor

toelichten elucidate, explain; (*met voorbeelden*) illustrate; **toelichting** elucidation, explanation

toeloop concourse, run (of customers); (*menigte*) concourse, crowd, throng

toen I *bw* then, at the (that) time; *het is goed dat het ~ juist kwam* it is a good thing that it came when it did; *van ~ af* from then; **II** *vw* when

toenaam (*bijnaam*) nickname

toenadering: *de oorlog bracht ~ tussen hen tot stand* brought them closer together

toename increase, growth (of the population); **toenemen** increase (*met 5%* by 5%) grow; (*van wind*) freshen; *~ in gewicht* gain in weight; *~de belangstelling* growing interest; *in ~de mate* increasingly

toenmalig (authors) of the day (the time), then; *de ~e president* the then president

toentertijd at the (that) time

toepasbaar applicable; **toepasselijk** appropriate; *~ zijn op* apply to; **toepassen** apply (a rule), employ (a method); exercise (a little ingenuity), practise (what one preaches); (*wet*) enforce (a law); *verkeerd ~* misapply

toepassing application; *in ~ brengen* practise, live up to (one's principles)

toer (*reis*) tour, trip, excursion; (*in auto ook*) drive, (*in auto, op fiets*) spin; (*kunststuk*) (clever) feat, (juggling-)trick; (*breien*) round; (*omwenteling*) turn; revolution (*fam:* rev) (of an engine); *~en doen* perform tricks; *over z'n ~en zijn* be overwrought

toerbeurt: *bij ~* in rotation

toereiken *tr* hand, pass, hold out (s.t. to a p.); *intr zie* toereikend zijn; **toereikend** sufficient, adequate, enough; *~ zijn, ook:* suffice, do

toerekenbaar responsible (for one's actions), accountable; **toerekenbaarheid** ...bility

toerekenen: *iem iets ~* impute s.t. to a p.

toeren take a drive (ride), (*in auto*) motor; *gaan ~* go for a drive (ride)

toeren|tal revolutions per minute, (rpm); **-teller** rev(olution)-counter

toerfiets touring cycle, roadster

toerisme tourism; **toerist** tourist; *door ~en bezocht(e) plaats* (*gebouw, enz*) show-place; **toeristenbond** touring-club

toernooi tournament

toeroepen call (out) to

toerusten equip; *zich ~* equip o.s.; *toegerust met, ook:* fitted with

toeschietelijk accommodating, compliant;

niet erg ~ reserved; **toeschietelijkheid** complaisance, accessibility

toe|schieten: ~ *op* rush at; **-schijnen** seem to, appear to; **-schouw(st)er** onlooker; (*toevallig*) bystander; ~*s,* (*in zaal*) audience; **-schreeuwen** cry to; **-schrijven:** ~ *aan* attribute to; *zij schrijven de mislukking toe aan het feit* ... they trace the failure to the fact ...; **-slaan:** *het noodlot sloeg toe* Fate struck; **-slag** (*bijslag*) extra allowance, (war-)bonus; (*het bij te betalene*) additional charge; (*trein*) excess fare; **-snauwen** snarl at (a p.); **-snellen** rush (up) to; **-spelen:** *elkaar de bal* ~ play into each other's hands; **-speling** allusion; ~*en maken op* allude to, hint at; **-spijs** dessert, sweet; **-spitsen:** *zich* ~ become acute; **-spraak** address, speech; *een* ~ *houden* give (make) a speech; **-spreken** speak to, address; **-staan** allow; **-stand** state of things, condition, situation; (*omstandigheden*) circumstances; *in goede* ~ in good condition; **-stappen:** ~ *op* step up to; **-steken** put out (one's hand to a p.)

toestel apparatus (*ook in gymn; mv:* apparatuses), appliance; (*vliegt, enz*) machine; (*radio, TV*) set; (*fot*) camera; *extra* ~, (*telefoon*) extension telephone; ~ *63*, (*telefoon*) extension 63

toestemmen (*toestemming geven*) consent; (*toegeven*) admit, grant; ~ *in* consent to, agree to; **toestemmend** (*tegenover ontkennend*) affirmative; ~ *knikje* nod of assent; **toestemming** consent, permission

toe|stoppen *a*) tuck in (a child); *b*) slip (s.t.) into a p.'s hand; **-stromen** stream to(wards); ~ *om* ... flock to see it

toet *zie* gezicht & schat

toetakelen (*gek* ~) dress out; (*mishandelen*) maul, knock about; *wat heb jij je toegetakeld!* what a fright you have made of yourself!

toetasten (*bij het eten*) fall to, help o.s.

toeter (*claxon*) horn; (*mond*) (*fam*) gob; (*iem die toetert*) tooter; **toeteren** blow one's horn

toetje: (*bij het eten*) sweet; *een aardig* ~ a pretty little face

toetreden: ~ *tot* join (a club, a party); **toetreding** joining, entry

toets (*van piano, schrijfmachine, enz*) key; (*fig*) test; **toetsen** (*fig*) test; **toetsenbord** (*van schrijfmachine, enz*) keyboard

toetsinstrument keyboard (instrument)

toeval accident, chance, luck; (*ziekteverschijnsel*) (epileptic) fit; *dat is* ~, (*ook:*) that is a coincidence; *het* ~ *wilde, dat* ... it so happened that ...; *niets aan het* ~ *overlaten* leave nothing to chance; *bij* ~ by accident, by chance; **toevallig I** *bn* accidental; *een* ~*e bezoeker* a chance visitor; *door een* ~*e samenloop van omstandigheden* by a coincidence; *wat* ~! what a coincidence!; **II** *bw* accidentally, by chance, by accident; *ik ontmoette hem* ~ I happened to meet him; **toevalstreffer** chance hit, stroke of luck

toeverlaat refuge, shield, bulwark

toevertrouwen: *iem iets* ~ (en)trust a p. with s.t.; *aan mijn zorgen toevertrouwd* (put) under my care

toevloed (in)flow, influx

toevlucht recourse; (*onderkomen*) refuge, shelter; *zijn* ~ *nemen tot* resort to; **toevluchtsoord** refuge, sanctuary

toevoegen add (to ...); *iem iets* ~ say s.t. to a p.; *ik heb hieraan niets toe te voegen* I have nothing to add to this; (*belasting op de*) *toegevoegde waarde* value added (tax); **toevoeging** addition; (*stof*) additive; **toevoegsel** addition, supplement

toevoer supply; **toevoeren** supply, provide

toewensen wish; *iem alles goeds* ~ wish a p. well

toewerpen throw (a bone) to (a dog)

toewijding devotion

toewijzen allot (shares), assign (a room to a p.), award (a prize; damages); *het kind werd aan de moeder toegewezen* the mother was awarded (*of:* granted) the custody of the child; **toewijzing** allotment, allocation

toewuiven wave to (a p.)

toezeggen promise; **toezegging** promise

toezenden send, forward

toezicht supervision, care, control (*op* of); ~ *houden* exercise supervision; ~ *houden op* oversee (work-people), police (the streets), look after (the children); *onder* ~ *staan van* be under the supervision (superintendence) of

toezien 1 look on; **2** (*oppassen*) take care (that ...); **3** ~ *op, zie* toezicht houden op

toezwaaien: *iem lof* ~ pay tribute to a p.

toilet id, (*Am*) restroom; (*WC*) lavatory, (*voor dames*) ladies' room; ~ *maken* make one's toilet

toilet|benodigdheden toilet-articles, toiletries; **-tafel** dressing-table

tokkelen pluck (the strings); **tokkelinstrument** plucked instrument

tokken (*kip*) cluck

tol (*op weg, enz, ook fig*) toll; (*in- & uitvoerrechten*) customs, duties; (*speelgoed*) top; ~ *heffen* levy toll (*van* on)

tolerant id

tolk interpreter; **tolken** interpret

tollen spin a top; (*tuimelen*) tumble; *in het rond* ~ whirl round; *de slag deed hem* ~ the blow sent him spinning

tol|vrij free of duty; **-weg** turnpike road

tomaat tomato

tomaten|puree tomato-purée; **-saus** tomato-sauce, tomato-ketchup; **-soep** tomato-soup

tombe tomb

tomeloos unbridled, unrestrained

ton cask, barrel; (*gewicht of maat*) ton; (*metrische* ~) tonne; (*boei*) buoy

tondeuse (pair of) clippers, hair-clippers

toneel ('*planken*', *toneelwezen*) stage; (*voor film*) set; (*onderdeel van bedrijf*) scene; (*fig*) theatre, scene; *het ~ ten tijde van Koningin Elizabeth* the Elizabethan stage; *een vreselijk ~ a* terrible scene; *een stuk ten tonele brengen* produce a play; *van het ~ verdwijnen, (ook fig)* make one's exit, disappear from the stage

toneel|benodigdheden stage-properties; (*fam*) props; **-club** dramatic club; **-criticus** drama(tic) critic; **-gezelschap** theatrical company; **-kijker** opera-glass; **-knecht** stagehand; **-kunst** dramatic art; **-regie** stage-management; **-rekwisieten** stage-properties, (*fam*) props; **-school** drama school; **-schrijver** playwright; **-seizoen** theatrical season; **-speelster** actress; **-spel** *a*) acting; *b*) (stage-)play; **-speler** actor; **-stuk** play; **-stukje** playlet; **-uitvoering** (stage) performance, show

tonen show; (*aan de dag leggen*) *ook:* display; (*aantonen*) *ook:* prove, demonstrate

tong tongue; (*vis*) sole; *het achterste van zijn ~ laten zien* speak one's true mind; *boze ~en beweren dat …* it is maliciously suggested that …; *hij heeft een gladde ~* he has the gift of the gab; *de ~ uitsteken* put (stick) out one's tongue (*tegen* at); *het lag mij op de ~* it was on the tip of my tongue; **tongval** *a*) accent; *b*) dialect

tonic id

tonnage id, burden

tonrond tubby

toog (*bouwk*) arch; (*kleed*) cassock

tooi ornament(s), decoration(s), (rich) attire; **tooien** adorn, decorate, deck (out)

toom bridle, reins; (*kippen*) brood (of hens); *in ~ houden* keep in check

toon 1 tone; (*klank*) sound; (*~hoogte*) pitch; (*klem~*) accent, stress; (*fig*) tone (of a speech, etc), note (a … of fear in her voice); *de ~ aangeven* (*fig*) give the tone; *een ~ aanslaan* strike a note; *een* (*hoge*) *~ aanslaan,* (*fig*) take a high tone (*tegen* with); *een vijandige ~ aanslaan* strike a hostile note; *de juiste ~ treffen* strike the right note; *op vriendelijke ~* in a kind voice; 2 *ten ~ stellen* show, exhibit

toon|aangevend leading, prominent (critic); **-aard** key

toonbaar presentable

toon|bank counter; **-beeld** model, pattern; *een ~ van gezondheid* the (very) picture of health

toonder (*van cheque, enz*) bearer

toon|kop (pick-up) head; tape head; **-ladder** scale

toonloos (*stem*) toneless

toon|regeling tone control; **-soort** key

toontje: *een ~ lager zingen* pipe down; *een ~ lager doen zingen* make a p. sing another tune

toonzaal showroom

toorn anger (*over* at), wrath; **toornen** fulminate (against); **toornig** angry; **toornigheid** anger

toorts torch

toost toast; *een ~ uitbrengen* give a toast

top (*van boom, enz*) top; (*van berg*) top, summit; (*van vinger, neus*) tip; (*van golf*) crest; (*in sam, = hoogste, enz*) top (condition, etc); *het ~je van de ijsberg* (it is merely) the tip of the iceberg; *met de vlag in ~* with the flag at masthead (at full-mast); *de zuinigheid ten ~ voeren* carry economy to extremes; *van ~ tot teen* from head to foot

top|conferentie summit (conference); **-functionaris** senior executive

topografie topography

top|prestatie record; all-out effort; **-punt** (*algem*) *zie* top; *het ~ van dwaasheid* the height of folly, the crowning folly; *het ~ van onbeschaamdheid* the limit of impudence; *het ~ bereiken* reach the pinnacle (of one's fame); *dat is het ~* that's the limit; *op het ~ van …* at the height of (his fame); **-snelheid** top speed; **-vorm** top form; **-zwaar** top-heavy

tor beetle; (*smerig kind*) chimney sweep

toren tower, (*met spits*) steeple; (*klokke~*) belfry; (*grote slot~*) donjon; (*geschut~*) turret; (*schaakspel*) rook, castle

toren|flat tower block; **-hoog** steeple-high, towering; **-klok** *a*) church-bell; *b*) tower-, church-clock; **-spits** spire; **-springen** highboard diving

torentje (*van kasteel bijv*) turret

torn rip, rent, tear

tornen 1 *tr* unsew, unstitch; 2 ~ *aan* meddle (*of:* tamper) with; *daar valt niet aan te ~* it is unalterable

torpederen torpedo, (*fig*) wreck (a plan)

torpedo id; **torpedojager** destroyer

torsen bear, carry (with difficulty)

torso id (*mv:* torsos)

tot I *vz* (*van tijd*) till (… four o'clock), until, to; (*van plaats*) as far as, (up) to; *helemaal ~* right up to (the river); ~ *aan de borst* breast-high (in water); ~ *aan de knieën* (*enkels, enz*) knee-(ankle-, etc)deep, up to one's knees (ankles, etc); ~ *aan het hek* as far as the gate; ~ *boven …* (the thermometer rose) to above 30°; ~ *boven toe* (his coat was buttoned) up to the top; *dat is ~ daar aan toe* but let that pass; ~ *in …* read far into the night; ~ *en met* up to and including (June 5); ~ *nu toe* up to now, till now; *ik heb hem ~ nu toe niet gezien* so far I have not seen him; ~ *op de huid* (wet) to the skin; ~ *morgen* see you to-morrow!; ~ *die tijd* till then; ~ *vrouw* (he had a charming lady) for a wife; II *vw* till, until

totaal I *bn* total; overall (length, width); *een totale mislukking* a complete failure; II *bw* totally, utterly (impossible); ~ *geen begrip van …* no notion at all of …; III *zn* total, sum total; **totaalindruk** general impression

totalisator totalizator, (*fam*) tote

totalitair totalitarian

totaliteit totality

totdat till, until

toto (*fam*) tote; (football) pool(s)

totstandkoming realization; (*van wet*) passage, passing

touperen: *getoupeerd* flick-up (hair-do)

toupet toupee, toupet

touringcar coach, sightseeing coach

tournee tour; *op* ~ (be, go) on tour

touw (*dik*) rope; (*minder dik*) cord; (*dun*) string; (*van hond*) lead (put your dog on the ...); (*weefgetouw*) loom; *ik kan er geen ~ aan vastknopen* I cannot make head or tail of it; *er is geen ~ aan vast te knopen* it does not make sense; *in ~ zijn* be in harness; *op ~ zetten* set (s.t.) on foot

touw|ladder rope-ladder; **-slager** rope-maker

touwtje bit of string; *de ~s in handen hebben* pull the strings; ~ *springen* skip; **touwtje-springen** *zn* skipping (with the, a rope)

touwtrekken *zn* tug of war

tovenaar sorcerer, magician; **tovenares** sorceress

toverachtig magic(al); **toveren** practise witchcraft; (*goochelen*) conjure, juggle

tover|fee fairy; **-fluit** magic flute; **-heks** witch

toverij magic, witchcraft, sorcery; (*goochelarij*) jugglery, conjuring

tover|kracht magic, magic power; **-kunst** magic, magic art, sorcery; **-slag:** *als bij* ~ as (as if) by magic; **-staf** magic wand; **-wereld** enchanted (*of:* fairy) world; **-woord** magic word, spell(-word)

toxicologie toxicology

traag slow; ~ *van begrip* dull (slow) of comprehension, dense; **traagheid** slowness

traan 1 tear; *hij zal er geen ~ om laten* he won't shed a tear over it; *de tranen sprongen haar in de ogen* tears came to her eyes, her eyes filled (with tears); *in tranen uitbarsten* burst into tears; *tot tranen geroerd* moved to tears; 2 fish-, whale-oil

traan|buis tear-duct; **-gas** tear-gas; **-klier** lachrymal gland

tracé proposed route (of a motorway, etc)

traceren trace, plot (a railway, etc)

trachten try, attempt

tractie traction

tractor id

traditie tradition; **traditiegetrouw** true to tradition

traditioneel traditional, customary

tragedie tragedy; **tragiek** tragedy; **tragikomisch** tragicomic; *het ~e ervan* the tragi-comedy of it; **tragisch** (*van het treurspel*) tragic; (*treurig*) tragic(al); *het ~e ervan* the tragedy (tragical part) of it

trailer id

trainen train, coach; *zich* ~ train; **trainer** id, coach

traineren (*van plan, enz*) hang fire, drag (on); *ze* ~ *de zaak* they're dragging their feet

training id; **trainingspak** track-suit

traject (*van weg, enz*) stretch; (*route*) route; (*van spoorweg*) section

traktaat (*verdrag*) treaty; (*godsd*) tract

traktatie treat; **trakteren** treat (*op* to); ~ *op* stand ((a p.) a drink); *ik trakteer* this is on me

tralie bar; *achter de* ~*s* behind bars

tralie|hek *a*) grille (of a lift, etc); (*om gebouw*) railings; *b*) grated door; **-venster** barred window

tram tram(car), (*Am*) streetcar

tram|halte tram-stop(ping-place); (*als opschrift*) cars stop here; **-lijn** tramway, tramline

trammelant (*fam*) a shindy, rumpus

trampoline id

tram|rail tram-rail; **-wagen** tramcar

trance id (be in, go into, a ...)

tranen *ww* water, run with water

tranendal vale of tears

trans battlement; (*omgang*) gallery

transactie transaction, deal (a successful ...); *een* ~ *afsluiten* conclude (effect) a transaction

transatlantisch transatlantic

transcriptie transcription

transformatie transformation; **transformator** (*elektr*) transformer; **transformeren** transform

transfusie transfusion

transistor id (*ook* = ~*radio*); **transistorradio** transistor radio

transito transit; **transitogoederen** transit-goods

transmissie transmission; **transmissietroepen** (*Belg*) signal corps

transparant *bn* transparent; *zn* (*papier*) tracing-paper; (*doorschijnbeeld*) transparency

transpiratie perspiration; **transpireren** perspire

transplanteren transplant

transport id, carriage; (*bkh*) amount carried forward; **transportband** conveyor-belt

transporteren transport, convey

transport|middelen (means of) transport; **-onderneming** transport-concern, -undertaking

trant manner, way, method, style; *in de* ~ *van* in (after) the style (manner) of

trap (*schop*) kick; (*trede*) step; (*al de treden*) stairs, staircase; (*van raket*) stage; (*scheepv*) stairway; (*fig*) step, degree; ~*pen van vergelijking* degrees of comparison; *de* ~ *op* (*af*) *gaan* go upstairs (downstairs); *iem een* ~ *geven* give a p. a kick; *op een hoge* ~ *van beschaving* at a high degree of civilization; *een hele* ~, (*per fiets*) quite a long ride

trapas (*van fiets*) crank axle, bracket axle

trapeze id

trapezium id

trapleuning banisters (*mv*); (*stang, waarlangs de hand glijdt*) hand-rail

trappehuis staircase, stairs

trappelen trample; (*van ongeduld, enz*) stamp

trappen I *tr* tread (water, grapes); (*schoppen*) kick; *kapot* ~ kick to pieces; *hij trapte erin,* (*fam*) he fell for it; **II** *intr* kick (*naar* at); (*op fiets*) pedal; *tegen een bal* ~ kick a ball (about); **trapper** (*van fiets*) pedal

trapsgewijze I *bn* gradual, step-by-step (development); **II** *bw* stepwise, step by step; (*fig*) step by step, gradually, by degrees

travestie travesty; **travestiet** transvestite

trawant satellite, henchman

trawler id; **trawlnet** trawl(-net)

trechter funnel; (*van granaat*) crater, shell-hole; **trechtermonding** estuary

tred step, pace; *gelijke* ~ *houden* keep step (*of:* pace)

trede (*van trap*) step; (*van ladder*) rung; (*stap*) step, pace

treden tread, step; *in de plaats* ~ *van* take the place of; *in bijzonderheden* ~ go (enter) into detail(s); *naar voren* ~ come forward; ~ *uit* withdraw from, resign from

tree *zie* trede; **treeplank** footboard

tref chance, luck; *het is een* ~ *als* … you'll be lucky if you find him; **trefcentrum** (*Belg*) community centre

treffen I *ww* (*raken*) hit, strike; (*fig*) strike (his face struck me), hit (the country was badly … by the flood); (*ontroerend*) move, touch; (*aantreffen*) meet (with), come across; *het doel* ~ hit the mark; *hij heeft het goed* (*slecht*) *getroffen* he has been lucky (unlucky); *we* ~ *het met* … we are lucky with the weather; *zijn dood heeft me zeer getroffen* his death has given me quite a shock; *zij die door deze maatregel getroffen worden* those affected by this measure; *u treft geen schuld* you are not to blame; *iem thuis* ~ find a p. in; *maatregelen treffen* take measures; *door de bliksem getroffen* struck by lightning; *zwaar getroffen* (*gebied*) heavily hit (area); **II** *zn* encounter, engagement, clash, fight; **treffend** (*verrassend juist*) striking (features, etc.); (*hartroerend*) moving, touching; **treffer** hit; *een* ~ *plaatsen* score a hit

tref|punt haunt (of artists); **-woord** catchword, entry, headword; **-zeker** accurate, precise, effective

treiler trawler

trein train; *de* ~ *van 6 uur* the six o'clock train; *het loopt als een* ~ it goes like a bomb; *met de* ~ *gaan* go by train; *iem naar de* ~ *brengen* see a p. to the station, see a p. off (on the train); **treinconducteur** railway-guard

treinenloop train-service

trein|reis train-journey; **-stel** train-unit, coach-unit

treiter(aar, -ster) baiter, teaser; **treiteren** nag, tease

trek (*ruk*) pull, haul, tug; (*in schoorsteen, tocht*) draught; (*gelaatstrek*) feature; (*karakter-*) trait (of character); (*neiging*) mind, inclination; (*eetlust*) appetite; (*het trekken*) migration (of birds; to the towns), drift (to London), rush (to the seaside); *hij kreeg z'n* ~*ken thuis* his chickens came home to roost; ~ *hebben* have an appetite; (*geen*) ~ *in iets hebben* have a (no) mind for s.t.; *ik heb geen* ~ *om* … I have no mind to …; I don't care (like) to …; *aan z'n* ~(*ken*) *komen* come into one's own; (*zeer*) *in* ~ *zijn* be in (great) demand, be very popular (*bij* with); *in grote* ~*ken aangeven* outline (a plan, one's policy)

trek|automaat slot-machine; **-dier** draught-animal, beast of draught; **-haak** draw-hook; (*aan auto, enz*) towing bracket

trekken I *tr* draw (a cart, conclusion), pull, trace (a line); tow (a motor vehicle); (*sleuren*) drag; (*aantrekken*) attract, draw (customers, big crowd); **II** *intr* draw, pull; (*van thee, pijp, toneelstuk, acteur, enz*) draw; (*ergens heen gaan*) go, travel; (*sp*) hike; (*van dieren, volksstammen*) migrate; (*krom* ~) warp, become warped; *een kies* ~ pull out (extract) a tooth; *een pistool* ~ draw a pistol; *een prijs* ~ draw a prize; *het stuk trekt veel publiek* draws big audiences; *steun* ~ draw poor relief; *de thee laten* ~ let the tea draw; ~ *aan* pull (tug) at, pull, give a pull at; *iem aan de haren* (*oren*) ~ pull a p.'s hair (a p.'s ears); *aan zijn pijp* ~ pull at one's pipe; *iem aan zijn mouw* ~ pull a p. by the sleeve; *bij elkaar* ~ knock (two rooms) into one; *door de stad* ~ pass through the town; ~ *in* (*van vloeistof*) soak (sink) into; *een nieuw huis* ~ move into a new house; *ze trokken bij haar ouders in* they moved in with her parents; ~ *langs* file along (the coffin); *met z'n been* ~ drag one's leg; *naar het zuiden* ~ go south; *naar zich toe* ~ draw to(wards) one; ~ *over* cross (a stream); *wij moesten het uit hem* ~ we had to drag it out of him; **trekker** (*sp*) hiker, (youth) hosteller; (*van vuurwapen*) trigger; (*tractor*) tractor; **trekking** drawing, draw

trek|kracht tractive (pulling) power, pull; **-lijn** tow-line, -rope; **-paard** draught-horse; **-pen** drawing-, ruling-, bow-pen; **-pleister** blistering plaster; (*fig*) *toeristische* ~ tourist attraction, (*ong*) tourist trap; **-tocht** hiking tour, hike; **-vogel** bird of passage, migratory bird, migrant; **-zaag** cross-cut saw, whip-saw

trema diaeresis

tres (*boordsel*) braid, lace; (*haar*) tress, braid

treuren mourn, grieve; ~ *over* (*om*) mourn for (over), grieve for (over), mourn (a loss, a p.'s death); *maar daar niet om getreurd* but never mind that; **treurig** sad, mournful, sorrowful; (*jammerlijk*) sad, sorry (a … figure, sight, story), miserable, pitiful

treur|mars funeral march; **-spel** tragedy; **-wilg** weeping-willow

treuzel(aar) dawdler, slowcoach; **treuzelen** dawdle (over one's work), linger (over one's dinner)

triangel triangle

tribunaal tribunal, court of justice

tribune tribune; (*voor publiek, verslaggevers, enz*) gallery; (*bij wedrennen, enz*) stand; *publieke* ~, (*Lagerhuis*) strangers' gallery tricot (*stof*) tricot; (*van acrobaat, enz*) tights

triest melancholy, dejected, gloomy; dreary (weather), dull (day), dismal (landscape), cheerless (room)

trigonometrie trigonometry; (*fam*) trig

trijntje: *van wijntje en ~ houden* love wine, women and song

trilbeton vibrated concrete

triljoen (*1 met 18 nullen*) trillion

trillen tremble (with fear, excitement, etc), quiver (his lips …ed); (*van stem*) tremble; (*natuurk*) vibrate; *de aarde trilde* shook, trembled; *doen ~* shake (the windows), trill (the tip of the tongue); **trilling** vibration, quiver-(ing), tremor (in one's voice); (*bij aardbeving*) tremor; *vgl het ww*

trilogie trilogy

trimbaan training circuit

trimester three months; (*school*) term

trimmen *ww* jog; *zn* jogging

trio (*muz & algem*) id

triomf triumph; **triomfantelijk** *bn* triumphant; *bw* triumphantly, in triumph; **triom-fator** triumphator; **triomfboog** triumphal arch

triomferen triumph (*over* over); **triomftocht** triumphal procession

triplex id; (*algem*) plywood

triplo: *in ~* in triplicate, in threefold

trippelen trip, patter

trippen trip

trits trio, triad, triplet, set of three

triviaal (*alledaags*) commonplace, trite, banal, trivial; (*plat*) vulgar, coarse

troebel turbid (*ook van stijl*), muddy, troubled

troebelen *zn* disturbances, riots

troef trump, trumps, trump-card; *harten is ~* hearts are trumps; *alle troeven in handen hebben* hold all the trumps; (*fig ook*) hold all the winning cards; *nog een ~ achter de hand hebben* have a card up one's sleeve; *het is daar armoede ~* they are hard up; **troefaas** ace of trumps

troep (*menigte*) crowd; body (of soldiers), pack (of wolves), band, gang (of robbers), company (of actors); *~en, (mil)* troops, forces; *wat is het hier een ~!* what a mess!

troepen|beweging troop movement; **-macht** military forces

troetel|kind pet, mother's darling; **-naam** pet-name

troeven trump

trofee trophy

troffel trowel

trog trough (*ook weerk:* a trough of low pressure); (*geol*) trough

trolleybus trolley-bus

trom drum; *met stille ~ vertrekken* leave quietly

trombone id; **trombonist** id

trombose thrombosis

trommel drum; (*doos*) canister, box, (biscuit-)tin; (*techn*) drum, barrel; **trommelaar** drummer; **trommelen** drum (*ook op tafel, venster, enz*)

trommel|rem drum-brake; **-slag** drum-beat; **-stok** drum-stick; **-vlies** ear-drum

trompet trumpet

trompet|blazer trumpeter; **-geschal** sound of trumpets

trompetter trumpeter

tronen 1 sit enthroned; 2 (*verleiden*) allure

tronie face, (*fam*) phiz, mug

tronk (*stam*) trunk; *stronk* stump, stub

troon throne

troon|opvolger, -opvolgster heir(ess) to the throne, successor to the throne; **-pretendent** claimant to the throne; **-rede** speech from the throne, King's (Queen's) speech; **-safstand** abdication (of the throne)

troost comfort, consolation; *~ zoeken bij* seek comfort with; **troosteloos** disconsolate, inconsolable; (*van landstreek, enz*) disconsolate, cheerless, dreary, desolate; **troosten** comfort, console; *zich ~ met* take comfort in; **troostend** comforting, consoling

troost|prijs consolation prize; **-rijk** comforting, consolatory

tropen (*keerkringen & hete luchtstr*) tropics; **tropenkleding** tropical wear; **tropisch** tropical

tros (*vruchten, bloemen*) cluster, (*druiven, bananen*) bunch (of grapes, bananas), (*bessen*) string (of currants); (*touw*) hawser, (*opgerold*) coil (of rope); *in ~sen* in clusters, etc; *het jacht gooide de ~sen los* the yacht slipped her moorings

trots I *zn* pride (in o.s., etc), haughtiness; II *bn* proud, haughty; *~ zijn op* be proud of, take (a) pride in; III *bw* proudly, haughtily

trotseren defy, face (all weather), brave, face (a storm)

trottoir footpath, pavement, (*vooral Am*) sidewalk

trottoir|band kerb(stone), curb(stone); **-tegel** paving-stone

troubadour id

trouw I *bn* faithful (servant, translation, account *verslag*), true (friend), loyal (subjects), regular (visitor), *~ blijven aan* remain true to, stand by (one's party), remain loyal to (one's sovereign), stick to (one's promise), live up to (one's reputation); II *bw* faithfully, loyally; III *zn* fidelity, loyalty (to the King); *~ zweren* swear fidelity; *goede ~* good faith; *kwade ~* bad faith; *volkomen te goeder ~ zijn* be quite honest (sincere); *te goeder* (*kwader*) *~ (act) in good (bad) faith

trouw|akte marriage-certificate; **-dag** *a*) wedding-day; *b*) (verjaardag van de ~) wedding-anniversary

trouweloos faithless, disloyal

trouwen I *intr* marry, be (get) married (*met*

to); **II** *tr* marry; *wie zal hen ~?* who is to marry them?; *zo zijn we niet getrouwd*, (*fam*) that's not in the bargain; *ik ben er niet aan getrouwd* I am not wedded (tied down) to it; *~ (met)* marry (a lawyer); *(een vrouw met) geld ~* marry money

trouwens indeed (in English, or ..., in any other language); (he did not know, I did not either) for that matter; (what does it matter) after all; besides(, I have no money); as a matter of fact (he knew very little English)

trouwerij (*fam*) wedding

trouwhartig true-hearted, candid, frank

trouw|japon wedding-dress; **-kaart** (postal) wedding announcement; **-ring** wedding-ring

truc trick; **trucage** (use of) tricks, trickery

truck *a*) truck; *b*) (motor-)lorry

truffel truffle

trui jersey, (*sport-*) sweater

trust id

trut old frump

tsaar Czar, Tsar, Tzar

tsjirpen chirp, cheep

tuba (*muz*) id

tube tube

tuberculose tuberculosis, TB

tucht discipline; *de ~ handhaven* keep (enforce) discipline

tuchtigen chastise, punish

tucht|recht disciplinary law; **-school** (*ongev*) Borstal

tui guy(-rope)

tuig (*gereedschap*) tools; (*scheepv*) rigging, rig; (*van paard*) harness; *~ (slecht volk)* scum, vermin, rabble; **tuigage** rigging, rig; **tuigen** rig (a ship); harness (a horse)

tuil bunch of flowers, bouquet

tuimelen tumble, topple (downstairs), topple over (to the ground); *van het paard (de fiets, enz) ~ have* a spill; **tuimeling** tumble; (*van paard, fiets*) spill; (*duikeling*) somersault; **tuimelraam** flap-window, hopper window

tuin garden; *iem om de ~ leiden* hoodwink (mislead) a p., lead s.o. up the garden path

tuin|aarde vegetable mould; **-architect** landscape gardener; **-boon** broad bean; **-bouw** horticulture

tuinbouw|gereedschap horticultural implements; **-school** horticultural college

tuinder(ij) market-gardener (-garden)

tuindeur garden door, (*dubbel, van glas*) French window

tuinen: *erin ~* get caught

tuin|feest garden party; **-huisje** summer-house

tuinier gardener; **tuinieren** garden, do (some) gardening

tuin|man gardener; **-plant** garden plant; **-slang** garden hose; **-stoel** garden chair

tuit spout, nozzle; *ze schreide tranen met ~en* she cried bitterly, cried her eyes out

tuiten tingle; *mijn oren ~ ervan* my ears tingle with it, it makes my ears tingle (burn, sing)

tuk: *~ op* keen on, greedy of, eager for

tukje nap; *een ~ doen* take (have) a nap

tulband (*muts*) turban; (*gebak*) raisin cake

tule tulle

tulp tulip; **tulpebol** tulip-bulb

tumor tumour

tumult id, uproar

tuniek tunic

tunnel id; (*van station, verkeers~*) subway

turbine id; **turbineschip** turbine steamer

turbulent id

tureluurs mad, frantic, wild; *men zou er ~ van worden* it is enough to drive one mad

turen peer (*naar* at)

turf peat; *een ~* a square (block, lump) of peat; *in het veen ziet men op geen ~je* have much and spend much

turf|molm peat-dust; **-steken** cut peat; **-strooisel** peat-, moss-litter

Turk id; **Turkije** Turkey

turkoois turquoise

Turks Turkish

turnen do gymnastics; **turner** athlete, gymnast

turven count in fives (tallies), score

tussen (*~ twee*) between; (*~ meer dan twee, te midden van*) among, amidst; *dat blijft ~ ons* that's between you and me; *ik kon er geen woord ~ krijgen* I could not get a word in; *iem er ~ nemen* pull a p.'s leg; *~ de buien door* between the showers; *er ~ door*, (*ermee vermengd*) mixed up with it (them), (*terloops*) incidentally, in passing; **tussenbeide** (*nu en dan*) now and then, once in a while; *~ komen* (*treden*) intervene, step in; (*bemiddelend*) intercede (*bij* with); *er is wat ~ gekomen* s.t. has come between

tussen|dek between-decks; **-deur** communicating (connecting) door

tussendoor (*plaats*) across; *zie verder ~*; **tussendoortje** snack

tussen|handel intermediate trade, commission business; **-in** (*er ~*) in between, between the two; **-klasse** intermediate class; **-kleur** intermediate colour; **-komst** intervention (of the police); *door ~ van* by (*of: through*) the medium of, through; **-landing** stopover, refuelling stop; *zonder ~* non-stop (flight); **-liggend** intermediate; **-oplossing** (*ongev*) compromise; **-persoon** intermediary, middleman, agent; **-poos** interval, break, pause; *bij ~pozen* at intervals; **-ruimte** (*plaats*) intervening space, (*tijd*) interval; **-schot** partition, bulkhead; **-soort** medium sort

tussentijd interim, interval; *in die ~* in the meantime, meanwhile; **tussentijds** between times, (I never eat) in between meals; *~ dividend* interim dividend; *~ examen* intermediate examination; *~e verkiezing* by-election

tussen|uit: *er ~ gaan* (*knijpen*) clear off, scoot; *er een avond ~ gaan* take an evening off; **-vorm** intermediate form; **-weg** course in-between; **-zin** parenthesis (*mv:* parentheses), parenthetic clause

tuthola (old) frump

tutoyeren be on familiar terms (on first names) with (a p.)

tutti-frutti id

t.w. *te weten* to wit, namely, viz

twaalf twelve; *om ~ uur 's middags* at twelve (o'clock) noon, at noon, at midday; **twaalfde** twelfth; **twaalfmaal** twelve times

twaalf|tal dozen, twelve; **-uurtje** midday meal, luch(eon); **-voudig** twelvefold

twee two; *~ aan ~* two and (by) two, by (in) twos; *~ weten meer dan één* two heads are better than one; *brood en brood is ~* there is bread and bread; *in ~ën vallen* (*snijden, enz*) fall (cut, etc) in two (in half)

twee|baans *weg* dual carriageway; **-benig** two-legged; **-daags** of two days, two-day (trip), two days'

tweede second

tweede|hands second-hand; **-kansonderwijs** (*Belg*) adult education; **-rangs** second-rate

tweedracht discord, dissension

tweeërlei of two kinds (sorts)

twee|gesprek duologue; **-gevecht** duel, single combat; **-handig** two-handed; **-hoekig** two-angled, biangular; **-hoevig** cloven-footed, -hoofed; **-honderd(ste)** two hundred(th); **-klank** diphthong; **-kleurig** two-coloured; **-ledig** twofold, double (purpose); (*dubbelzinnig*) ambiguous

tweeling (pair of) twins; (*één van de twee*) twin (child); **tweeling|broer, -zuster** twin-brother, -sister

twee|maandelijks bimonthly (*ook = ~ tijdschrift*); **-motorig** twin-engined; **-persoons** for two, double (bedstead); *~ kamer,* (*één bed*) double(-bedded) room, (*twee bedden*) twin-bedded room; **-slachtig** bisexual, hermaphroditic; (*amfibisch*) amphibious; (*fig*) ambiguous; **-spalt** discord; **-sprong** cross-road(s); *op de ~,* (*fig*) at the (*ook:* a) cross-roads; **-stemmig** for two voices; **-strijd** inward conflict, indecision; *in ~ staan* be in two minds; **-taktmotor** two-stroke motor; **-tal** pair, couple; **-talig** bilingual; **-tallig** binary; *vgl* tientallig; **-voud** double; **-voudig** twofold, double; **-waardig** (*chem*) divalent, bivalent; **-zijdig** two-sided; bilateral (contract, pact)

twijfel doubt; *daar is geen ~ aan, dat lijdt geen ~* there is no doubt of it, there is no question about it; *boven alle ~ verheven* beyond all doubt; *in ~ trekken* (call in) question, have one's doubts, be in doubt (about it); *zonder ~* without doubt, doubtless, undoubtedly, no doubt, unquestionably; **twijfelaar** sceptic, doubter; **twijfelachtig** doubtful, dubious, questionable; **twijfelen** doubt; *ik twijfel, of ...* I doubt whether (if) ...; *ik twijfel niet, of ...* I do not doubt that (but) ..., I have no doubt

(that) (he will come); *~ aan* doubt, have one's doubts about

twijg twig, sprig, (*bloeiend*) spray

twintig twenty; *in de jaren ~* in the twenties

twintig|jarig *vgl* jarig; **-maal** twenty times

twintigste twentieth

twintig|tal score; **-voud** multiple of 20; **-voudig** twentyfold

twist quarrel, dispute, (*fam*) row; *de ~ bijleggen* settle the dispute, make it up; *~ hebben* (have a) quarrel (*over* over, about); *~ zaaien* sow discord; **twisten** quarrel, dispute; *~ om* quarrel etc about (over); *daarover kan men ~* that is a debatable point; **twister** quarreller

twist|gesprek dispute; **-ziek** quarrelsome

tyfoon typhoon

tyfus typhoid (fever); (*vlek-*) typhus (fever)

type id (*ook lettervorm*); figure (a well-known local ...); *wat een grappig ~!* what a funny character!

typekamer typing pool

typen type(write); *getypt schrift* typescript

typeren typify; **typerend** typical (*voor* of); **typering** characterisation, typification

typewerk typing (work)

typisch typical (*voor* of), peculiar (to); *~ Italiaans* typically Italian

typist typist

typograaf typographer; **typografisch** typographic(al)

t.z.t. *te zijner tijd* in due time, in due course

Uu*u*

u *vnw* you
ui onion; **uielucht** smell of onions
uiensoep onion soup
uier udder
uil owl; *elk denkt zijn ~ een valk te zijn* everyone thinks his own geese swans; **uilachtig** owlish; **uilebril** owl-like spectacles
uilskuiken clot, noodle, ninny
uit I *vz* out of (go ... the house), from (drink ... a glass; he took the cup ... my hand); *~ liefde (beleefd-, nieuwsgierigheid)* out of love (politeness, curiosity); *~ vrees* from fear; *~ de kunst* tip top, first rate, A 1; *~ de kust* (six miles) off shore; **II** *bw* out; *Arsenal speelt volgende week ~* A. are playing away next week; *ergens goed (slecht) mee ~ zijn* be well (badly) off with s.t.; *hij is met haar ~ geweest* he has taken her out; *de kaars is ~* the candle is out; *de kachel is ~* the stove has gone out; *moeder is ~* is out; *de school is ~* school is over; *het spel is ~* the game is over; *dat moet ~ zijn* it's got to stop; *het boek is ~: (gepubliceerd)* is out, *(uitgelezen)* finished; *het is helemaal ~ tussen hen* it is all off between them; *ik ben er helemaal ~* I'm utterly out of it, my hand is out (of practice); *er~!* out with him (you, etc)! clear out! get out! out you go!; *de vlek wil er niet ~* the stain won't come out; *en daarmee was het ~* and there the matter ended; *~ en thuis* (do 190 miles) there and back; *hij is erop ~ om te ... he* is out to ..., is bent on ...ing; *erop ~ zijn last (moeite) te veroorzaken* be out for trouble; *geld, dat is waar ze op ~ zijn* money is what they are after
uitademen *tr & intr* breathe out; *(fig)* exhale (fragrance)
uitbaggeren dredge
uitbalanceren balance, equilibrate
uitbannen banish, expel, exile; *(geesten)* exorcize
uitbarsten burst (break) out, explode; *(van vulkaan)* erupt; *in tranen ~* burst into tears; *in lachen ~* burst out laughing; **uitbarsting** explosion, outburst *(beide ook van pers)*; *(van vulkaan)* eruption; *(van oproer, enz)* outbreak (of rebellion)
uitbating *(Belg)* company, enterprise, business
uitbeelden depict; *(rol)* impersonate (a character on the stage)
uitbesteden board out, contract out *(aan, bij* to); *(werk)* put out to contract

uitbetalen pay, pay out; **uitbetaling** payment
uitbijten bite out; *(van zuur, enz)* corrode
uitblazen blow out (a candle), puff out (smoke); *even ~* have a breathing-spell, take a breather (a respite)
uitblijven stay away, stop out (all night), be (I won't ... a moment), fail to come; *(van regen, onweer, enz)* hold off; *dat kan niet ~* it is bound to happen (to come); *de gevolgen bleven niet uit* made themselves felt
uitblinken shine (at school, at languages), excel
uitblussen extinguish, put out
uitbotten bud (forth), sprout, burgeon
uitbouw addition; **uitbouwen** extend, enlarge
uitbraak escape from prison, prison break (escape); *(mil)* breakout
uitbraken vomit, bring *(of:* throw) up; *(fig)* vomit (smoke), belch (out) (clouds of smoke)
uitbranden *tr* burn out; *intr* be burnt out, burn out
uitbrander telling-off, scolding, dressing-down
uitbreiden spread, open (one's arms), enlarge (extend) (a business), widen (the circle of one's friends); *zich ~* extend, expand; *(van brand, ziekte, enz)* spread; **uitbreiding** extension (of the war; to the building), expansion, enlargement, development; spread(ing); *vgl het ww*; **uitbreidingsplan** development plan, expansion-scheme; *(van stad)* town-plan; *(het maken ervan)* town-planning
uitbreken I *ww tr & intr* break out; *(uit de gevangenis)* break out, break (out of) prison; *zou je er niet een uurtje kunnen ~?* couldn't you take an hour off?; **II** *zn: het ~, (van oorlog, enz)* the outbreak; **uitbreker** prison-, jail-breaker
uitbrengen bring out (he could not ... a word); say (this was all he could ...); *(verslag)* make (a report)
uitbroeden hatch (eggs)
uitbuiten exploit; **uitbuiter** exploiter; **uitbuiting** exploitation
uitbundig exuberant (praise), enthusiastic *(bw:* -ally), excessive; *iem ~ prijzen* exalt a p. to the skies
uitdagen challenge; **uitdager** challenger; **uitdaging** challenge; *de ~ aannemen* accept the challenge
uitdelen distribute, deal out (money), hand out, share out; *klappen ~* deal blows
uitdenken devise, contrive, invent
uitdeuken *zn* panelwork, panel beating; *een deur ~* beat out dents from ...
uitdienen serve (one's time)
uitdiepen deepen; *(fig)* study in depth
uitdijen expand, swell, grow into
uitdoen *(lamp, enz)* put out, switch (the lights) off; *(kleren)* take off
uitdossen dress up (out), attire
uitdoven I *tr* extinguish, put out, quench; *(fig)*

extinguish (hopes, etc), quench; **II** *intr* go out; *uitgedoofd* dead (volcano, fire), extinct (volcano)

uitdraai (computer) print-out; **uitdraaien** turn out (the lamp, light, gas); (*elektr licht, ook:*) switch off (out); (*computerlijst e.d.*) print; *zich er ~*, (*fig*) twist o.s. (worm) out of it; *op niets ~* come to nothing

uitdragen propagate (doctrines, opinions)

uitdragerij second-hand shop, (*fam*) junk shop

uitdrijven drive out, expel; (*boze geesten*) cast out, exorcize

uitdrinken finish, empty, drain (one's glass)

uitdrogen *tr* dry up; (*pan, enz*) wipe out; *intr* dry up; *uitgedroogd, (van pers)* dried-up, shrivelled (up); (*van mond, keel*) parched

uitdrukkelijk express (command), explicit, definite (I ...ly forbade it)

uitdrukken squeeze (press) out; (*fig*) express, put (I don't know how to ... it); *hij drukte de hoop uit dat* ... he expressed a hope that ...; *zich goed (slecht) ~* express o.s. well (badly); *om het zo eens uit te drukken* so to speak; *niet uit te drukken* beyond expression; **uitdrukking** expression; *een ~* an expression, a term, a phrase; *~ geven aan* give expression to, voice (one's astonishment); *tot ~ komen* find expression, be expressed

uitdunnen thin (out); (*wildstand ivm kwaliteit*) cull

uitduren: *het zal mijn tijd wel ~* it will last (out) my time

uiteen asunder, apart; *zie ook* vaneen

uiteen|drijven disperse, scatter, break up (a meeting); **-gaan** separate, part; **-houden** keep apart; (I can't) tell (them) apart; **-lopen** diverge (*ook fig*); differ (vary) (opinions ...); *de meningen lopen zeer ~, ook:* there is much diversity of opinion (*wat betreft* as to); **-rafelen** unravel; **-vallen** fall apart, fall (go) to pieces; (*van coalitie, enz*) break up (break apart), disintegrate; **-zetten** explain, expound (one's views)

uiteinde extremity, extreme point, end; (*fig*) end

uiteindelijk *bn* ultimate (result), eventual (success); *bw* ...ly

uiten utter, raise (complaints), express (a wish, an opinion); *zich ~* express o.s.

uit-en-te(r)-na over and over again; thoroughly

uitentreuren continually

uiteraard naturally, in the nature of things

uiterlijk I *bn* outward, external; **II** *bw* ...ly; (*op zijn laatst*) at the latest, not later than (next Friday); (*op zijn hoogst*) at the utmost; **III** *zn* (outward) appearance, exterior, looks (she had got her ... from her mother); *naar het ~ te oordelen* by the look of him (it); *voor het ~* (do s.t.) for the sake of appearances

uitermate uncommonly, excessively, exceedingly, extremely; *zie* uiterst *bw*

uiterst I *bn* (*van plaats*) out(er)most, uttermost, extreme, ultimate (capacity); (*fig*) utmost (the ... limit, of the ... importance), extreme; *het ~e minimum* (£2 is) the very minimum; *~e prijs* utmost price; *zijn ~e best doen* do one's utmost, do one's very best; *in het ~ geval* if the worst comes to the worst; **II** *bw* extremely (vague), (wonderful) to the last degree; **uiterste** *zn* extreme, extremity; *de ~n raken elkander* extremes meet; *in (tot) ~n vervallen* go to extremes; *tot het ~* to the utmost, to the limit; *tot het ~ drijven* drive (a p.) to extremities; *zich tot het ~ verdedigen* defend o.s. to the last; *van het ene ~ in het andere vallen* fall from one extreme to the other

uitfluiten hiss; *uitgefloten worden* be hissed (off the stage)

uitgaaf (*van geld*) expenditure, expense; (*van boek, enz, abstr & concr*) publication; (*druk*) edition, issue; *ontvangsten en uitgaven* incomings and outgoings

uitgaan go out; *de kamer ~* leave (go out of) the room; (*het licht*) *ging uit* gave out; *de kerk (school) gaat uit* church (school) is over; *de vlek gaat er niet uit* the stain won't come out; *vrij ~* come off (get off, go) scot-free; *met een meisje ~* take a girl out; *z'n belangstelling gaat uit naar de cultuurgeschiedenis* his special interest is in cultural history; *op een r ~* end in r; *er samen op ~* set off together; *erop ~ om* ... set out to ...; *ervan ~ dat* take the line (assume, take for granted) that; *~de van* in the light of (on the basis of) (these statistics); **uitgaansverbod** curfew(-order)

uitgang exit, way out; (*van woord*) ending; **uitgangspunt** starting-point (*ook fig*), point of departure

uitgebreid extensive, comprehensive; *~e voorzorgsmaatregelen* elaborate precautions

uitgehongerd famished, starved

uitgelaten elated, exuberant, exultant

uitgeleefd decrepit, worn out

uitgeleide: *iem ~ doen* show a p. out (to the door), (*aan trein, enz*) see him off

uitgelezen select (party, wines), choice (fruit)

uitgemaakt: *dat is een ~e zaak* that point is settled, (*reeds van te voren ~*) a foregone conclusion

uitgerekend calculating (man); *~ op zijn verjaardag* on his birthday of all days

uitgeslapen: (*eig*) *hij is ~* he has his sleep out; (*fig*) wide awake, knowing, shrewd

uitgesloten: *dat is ~* that is out of the question

uitgesproken *zie* uitspreken

uitgestorven extinct (animals); *de plaats was als ~* (quite) deserted

uitgestreken: *~ gezicht* smug (poker) face

uitgestrekt extensive; *zeer ~* vast

uitgeteerd emaciated, wasted

uitgeven (*geld*) spend (*aan voor* on); (*lening, aandelen*) issue (a loan, shares); (*uitdelen*) distribute; (*boek, enz*) publish; *veel geld ~ spend* money like water, spend (money) freely; *zich ~ voor* pass o.s. off as (for), give o.s. out as; **uitgeverij** publishing-firm

uitgewoond: *het huis is ~* in a terribly run-down condition, in a state of disrepair, badly in need of repair

uitgezocht *zie* uitgelezen

uitgezonderd except, with the exception of (your brother); *niemand ~* nobody excepted, without exception; *ongelukken ~* barring (*of:* bar) accidents

uitgieren: *het ~ van de pret (van het lachen)* scream with joy (laughter)

uitgifte issue

uitglijden slip (I (my foot) ...ped (*over* on)), slide, lose one's footing

uitgooien throw out; (*jas, enz*) throw off; *er ~, de deur ~* throw out

uitgraven (*voorwerp, enz*) dig out, dig up, excavate; exhume (a corpse); (*uitdiepen*) deepen

uitgroeien grow (in size), develop; *hij is er uit-gegroeid* he has outgrown it

uitgummen rub out, erase

uithaal (*bij het zingen*) drawing-out

uithakken cut (hew, hack) out

uithalen (*uittrekken*) draw (pull) out, extract; (*bij breien enz*) unpick; (*schoonmaken*) clean out; (*zakken, enz*) turn out; (*streken, enz*) play (tricks); *naar rechts ~* pull out to the right; *er-uithalen wat erin zit* make the most of it; *dat zou niets (niet veel) ~* that would serve no good purpose (that would not be of much use, wouldn't get you anywhere); *wat heeft hij uit-gehaald?* what has he been up to?

uithangbord signboard, (inn-)sign

uithangen hang out (flags); (*fig*) play (the schoolmaster, etc); *waar hangt hij uit?* where does he hang out?

uitharden (*lijm*) cure (epoxy resins)

uitheems foreign (produce, words), exotic (plants); (*vreemdsoortig*) outlandish (fashions)

uithoek out-of-the-way place (*of:* corner)

uithollen hollow (out), excavate; (*fig*) empty of meaning

uithongeren starve

uithoren: *iem ~* pump a p., draw a p. (out)

uithouden bear, suffer, stand; *het ~, (volhouden)* hold out (I can ... no longer), endure, stick it (out); (*verdragen*) stand it; *je kunt het hier zeker wel ~?* I suppose you are quite comfortable here?; **uithoudingsvermogen** staying-power, endurance, stamina

uithuilen have a good cry, have one's cry out

uithuizig gadabout; *ze is erg ~* she is never at home

uithuwelijken give in marriage, marry off (one's daughters)

uiting utterance, expression; *~ geven aan* give expression to, voice (the feelings of ...)

uitje 1 (small) onion; 2 outing

uitjouwen hoot, jeer at, boo

uitkafferen (*fam*) row

uitkammen comb (out)

uitkeren pay (distribute) (dividend); **uitkering** payment; (*bij verzekering*) benefit; (*bij staking*) strike-pay; (*aan werklozen*) unemployment benefit

uitkienen think (figure) out

uitkiezen choose, select, pick out

uitkijk (*uitzicht*) view; (*pers*) look-out (man); *op de ~ staan* be on the (keep a) look-out, keep watch; **uitkijken** look out, be on the look-out (for); *zich de ogen ~* stare one's eyes out; *ik ben erop uitgekeken* I have seen (had) enough of it; *kijk uit!* look out!; *zie* kijken

uitkleden undress, strip; *zich ~* undress, strip

uitkloppen beat (clothes, carpets); knock out (one's pipe)

uitknijpen squeeze (out); *er een dagje ~* steal a day off

uitknikkeren: *iem er ~* bowl a p. out, oust a p.

uitknippen cut out

uitknob(b)elen figure out, puzzle out

uitkomen come out (*ook van bloemen, krant, boek*); (*van ei, enz*) hatch (out); (*van bomen*) come out, bud; (*bekend worden*) get (come) out, become known (public); (*van voorspelling*) come true; (*van som*) come out; (*gebeuren*) turn out (everything turned out as I had hoped), work out (things do not always ... according to plan); (*voor club*) play; (*afsteken tegen*) come out; (*rondkomen*) make (both) ends meet; *ik kan er niet ~, (fig)* I cannot make it out; *ik kom er wel uit* I can find my way out, I'll let myself out; *dat komt uit* that is correct, that is right; *haar verwachtingen waren niet uitgekomen* had not been realized; *dat komt mij prachtig uit* that suits me splendidly; *het (plan, enz) kwam verkeerd uit* it went (turned out) wrong (the plan did not work); *het kwam niet zo goedkoop (kwam duurder) uit* it did not come so cheap (it came more expensive); *doen ~* set off; emphasize; (*scherp*) *doen ~* bring into (strong) relief; *met een troef ~* lead trumps; *ik kan er net mee ~, (het is net genoeg)* it will just do; *~ op (van kamer, enz)* open into, give on (to) (the corridor); *het pad komt bij A. op de weg uit* the path joins the road at A.; *wij kwamen op ... uit* we emerged on the high-road; *~ tegen, (bij wedstrijd)* play (against); *hij kwam er rond voor uit* he frankly admitted it; *voor zijn mening ~* say what one thinks; *voor zijn overtuiging ~* declare one's convictions; **uitkomst** (*resultaat, uitslag*) result; (*van som*) result; *er kwam ~* help came, s.t. turned up

uitkopen buy out (a partner), buy off

uitkotsen (*sl*) *hij wordt overal uitgekotst* he is cold-shouldered everywhere

uitkrabben scratch out (a p.'s eyes, a word)

uitkramen: *zijn geleerdheid ~* show off (display) one's learning; *heel wat onzin ~* talk (reel off) a lot of nonsense

uitkrassen scratch out, erase (a word)
uitkrijgen finish; get off (one's shoes); get out of (one's coat)
uitkristalliseren crystallize out, (*fig*) crystallize
uitkunnen: *de zaak kan niet uit* the business does not pay its way; *ik kan er niet over uit* (*dat hij ...*) I am utterly shocked (that he ...)
uitlaat exhaust; (*van riool*) outfall(-sewer, -pipe)
uitlaat|gassen exhaust-gases, exhaust-fumes; **-klep** exhaust-valve; (*fig*) outlet, safety-valve
uitlachen laugh at
uitladen unload, discharge
uitlaten (*pers, hond*) let out, (*beleefder*) see (show) out (a visitor); see (a p.) to the door; (*kleding*) leave off (one's coat); *hij liet er geen woord over uit* he did not drop a word about it; *zich ~ over* give one's opinion about; *daar wil ik mij niet over ~* I will not express any opinion on that point; *zich waarderend ~ over* speak highly of; **uitlating** (*uiting*) utterance, remark
uitleenbibliotheek lending-library
uitleg explanation, interpretation; *de feiten zijn slechts voor één ~ vatbaar* can bear only one construction; **uitleggen** (*kledingstuk*) let out; (*verklaren*) explain, make clear, explicate; *verkeerd ~* misinterpret, misread
uitlekgewicht drained weight
uitlekken leak out; (*fig ook*) transpire
uitlenen lend (out)
uitleven indulge (one's passions); *zich ~* live one's life to the full, have one's fling
uitleveren deliver up, hand over; (*misdadiger*) extradite; (*tegen elkaar*) exchange (prisoners of war); **uitlevering** extradition
uitlezen finish (a book), read through (*of:* to the end); read out (a computer memory)
uitlokken provoke (war); invite, call forth (comment, criticism, remarks); ask for (trouble; he ...ed for it); *een vergelijking ~ met* challenge comparison with; **uitlokking** provocation
uitlopen run out (*ook van vloeistoffen*), (*uitbotten*) bud, sprout; (*van kleuren*) bleed; (*van schepen*) put out, put to sea; (*van vliegtuig*) taxi; (*van vergadering*) go on longer than expected; (*voorsprong nemen*) draw ahead, gain (10 yards); *het hele dorp liep uit* the whole village turned out; *~ in* (*van rivier*) run into, empty (itself) into; *~ op* (*van straat, enz*) lead to; (*fig*) result (*of:* end) in (disaster); *op niets ~* come to nothing; **uitloper** (*van plant*) offshoot; (*van gebergte*) spur, offshoot
uitloten *tr* draw (out); *intr* be drawn (for repayment); draw a blank (in a lottery)
uitloven offer (a reward), put up (a prize)
uitluiden ring out (the old year, etc); give a (p.) a (his) farewell
uitmaken (*beëindigen*) break off (an engagement); (*uitdoven*) put out (a fire); (*vormen*)

form, constitute; (*beslissen*) decide, settle (a difference, dispute); *de dienst ~* run things; (*uitschelden*) *zie ald & beneden; wat maakt dat uit?* what does it matter?; *dat maakt niet(s) uit* it's of no consequence, it does not matter; *iem ~ voor verrader* call a p. a traitor; *iem ~ voor al wat lelijk is* call a p. all sorts of names
uitmelken strip (a cow), milk out (*of:* dry)
uitmergelen exhaust (the soil); (*pers*) grind down (the poor), squeeze dry, milk; (*uitgemergeld,* (*pers*) emaciated, wasted
uitmesten muck (out) (a stable)
uitmeten measure (a room); measure out (drops); *breed ~* enlarge on, fully emphasize
uitmonden: *~ in* empty (itself) into, flow into (the sea); (*fig*) result in (new procedures); **uitmonding** mouth, outlet
uitmonsteren trim, face (a uniform); **uitmonstering** facing (of a uniform)
uitmoorden: *een stad ~* massacre the inhabitants of a town
uitmunten excel (*in* in, at); *~ boven* excel
uitnemend excellent, first-rate; **uitnemendheid** excellence
uitnodigen invite (*op de thee* to tea); **uitnodiging** invitation; *op ~ van* on (at) the invitation of
uitoefenen exercise (influence); (*vak*) practise (a profession), conduct (one's business *z'n bedrijf*); (*ambt*) hold, occupy (a post); exert (force); *macht ~* wield power (*over* over)
uitpakken unpack; *over iets ~* launch out about s.t., let o.s. go; *het pakte niet goed uit* it did not turn out well
uitpersen press (squeeze) out, squeeze (a lemon)
uitpikken (*uitkiezen*) pick out, single out, select
uitpluizen sift (facts), sift out, go to the bottom of, unravel (a mystery)
uitpraten have one's say; *laat me ~* let me finish; *ben je uitgepraat?* have you done (finished)?; *hij was gauw uitgepraat* he soon dried up; *iem niet laten ~* cut a p. short; *hij probeerde zich eruit te praten* he tried to shuffle out of it
uitprinten print out
uitproberen test, try out
uitproesten: *het ~* burst out laughing
uitpuilen protrude, bulge, goggle (his eyes ...d)
uitputten exhaust; *zich ~* exhaust o.s.; *uitgeput* exhausted (*in alle bet*), (I felt completely) knocked up; worn out (my patience is getting ...; my patience is wearing thin); *een onderwerp ~d behandelen* treat a subject exhaustively; **uitputting** exhaustion
uitrafelen ravel out, fray
uitrangeren shunt out; (*fig*) shelve, put out of action
uitrazen cease raging; (*fig*) blow off steam; *de storm is uitgeraasd* the storm (*of:* gale) has spent itself

uitredden: *zich er* ~ get out of it (out of the difficulty)

uitreiken distribute, present (prizes), issue (passports), give, deliver

uitreis outward journey; *(scheepv)* voyage *(of: passage)* out, outward voyage (passage)

uitrekenen calculate, compute, figure out (the distance)

uitrekken stretch (out); *zich* ~ stretch o.s.

uitrichten do, accomplish

uitrijden ride *(of:* drive) out

uitrijstrook *(van autoweg)* deceleration lane; slip road

uitrijzen: ~ *boven* rise above

uitrit exit

1 uitroeien row out (of the harbour)

2 uitroeien *(eig & fig)* root out; *(fig)* exterminate (wild animals), destroy (rats), stamp out (abuses)

uitroep exclamation; **uitroepen** call (cry) out, exclaim; *(staking)* declare, call (a strike); **uitroepteken** exclamation-mark

uitrukken I *tr* pull out; **II** *intr* march (out); *(van brandweer, enz)* turn out

1 uitrusten rest, take (a) rest, have a rest

2 uitrusten equip (soldiers, etc, o.s. for a journey, a ship with radar); fit out (a ship, a fleet)

uitrusting fitting-out, equipment; *(concr)* equipment, kit; *(voor reis, enz)* outfit

uitschakelen switch off (the engine), disconnect; *(fig)* eliminate, rule out (a possibility); *uitgeschakeld, (van persoon)* out of circulation, laid up

uitschateren: *het* ~ roar with laughter

uitscheiden I *intr* stop, leave off; ~ *met werken* knock off (work); *schei uit!* stop (it)! *(sl)* chuck it! cut that!; **II** *tr* excrete (waste matter), secrete (honey)

uitschelden call (a p.) names, abuse

uitscheuren tear out (a leaf, etc)

uitschieten shoot out (her hand shot out), *(uitglijden, ook van mes)* slip; *(uitbotten)* bud, shoot; **uitschieter** *(fig)* high-flyer

uitschot rejects, refuse, offal; *(bocht)* rubbish, trash; *(personen)* trash, riff-raff

uitschrappen erase, delete, scratch out

uitschreeuwen cry out; shout (an order)

uitschrijven write out (a cheque); make out (an account); *(kopiëren)* copy out; call, convene (a meeting)

uitschudden shake out; *iem* ~ clean a p. out

uitschuiven push *(of:* shove) out; draw out (a table)

uitslaan I *tr* beat (strike) out; knock out (a p.'s teeth); *(sp)* hit (the ball) out; shake out (a duster); stretch out, spread (one's arms, wings); *onzin* ~ talk rot; **II** *intr* *(van vlammen)* break (shoot, burst) out; *(van muur)* sweat; *(van wijzer)* deflect; ~*de brand* blaze

uitslag *(op huid)* eruption, rash; *(van muur)* moisture; *(van wijzer)* deflection; *(afloop)* result (of an examination, etc); *de* ~ *bleef onbeslist* the game ended in a draw

uitslapen sleep one's fill, have one's sleep out

uitsloven: *zich* ~ drudge, work o.s. to death; *zich* ~ *om te* ... lay o.s. out to please; **uitslover** over-zealous person

uitsluiten exclude (a p. from ...), debar (sailors are ...red from this post), disqualify (from holding office); *(buiten sluiten)* shut out; *de politie sluit ... uit* rule out this possibility; **uitsluitend** *bn* exclusive; *bw* ...ly; **uitsluiting** exclusion; *met* ~ *van* exclusive of, (persons under eighteen) excluded; **uitsluitsel** decisive (definite) answer, decision

uitsmelten *(vet)* render, melt down; *(ertsen)* smelt

uitsmeren spread evenly

uitsmijter 1 chucker-out, bouncer; **2** slice of bread with ham or cold meat and a fried egg on top

uitsnijden cut out, cut; *(hout)* carve (out)

uitspannen stretch (a rope, etc); extend (one's fingers); spread (a net); *(paarden)* take (the horses) out, unharness

uitspanning 1 *(pleisterplaats)* inn; **2** garden-restaurant, tea-garden

uitspansel firmament, sky, skies

uitsparen save (money, a lot of trouble)

uitspatting debauch(ery), indulgence

uitspelen *a)* finish (a game); *b)* play, lead (a card); *c)* play away (from home); *ze tegen elkaar* ~ play them off against each other

uitsplitsen analyse, itemize

uitspoelen rinse (out), wash out

uitspoken be up to (what have you been up to?); *wat spoken die jongens uit?* what mischief are those boys up to?

uitspraak pronunciation, enunciation; *(uiting)* pronouncement, utterance; *(van scheidsrechter)* award, arbitrament; *(jur)* judg(e)ment, sentence (of the court), finding (of the court, the jury), verdict (of the jury); *(fig: oordeel)* verdict (the ... of posterity); ~ *doen, (jur)* give (pass, pronounce) judg(e)ment, pass (pronounce) sentence, *(van jury)* return a verdict; ~ *volgt* judg(e)ment was reserved; *een* ~ *op dit punt trachten te verkrijgen* try to obtain a ruling on this point

uitspreiden spread (out), expand, unfold, unfurl (a fan)

uitspreken I *tr* pronounce (a word), enunciate (distinctly); express (a wish, an opinion); *de h's niet* ~ drop one's h's; *moeilijk uit te spreken woord* tongue-twister; *zich* ~ *over* pronounce upon, give one's opinion (verdict) upon; *zich* ~ *voor* pronounce for, advocate; *uitgesproken, (fig)* pronounced, strongly marked (inclination), distinct (preference); *met de uitgesproken bedoeling om te* ... with the avowed object of ...ing; **II** *intr* finish (speaking); *laat mij* ~ let me finish, let me have my say (out); *zich* ~ open one's heart; *zie* uitpraten

uitspringen project, jut out; *het venster* ~ jump (throw o.s.) out of the window; *er goed*

~ come off well (financially); ... *springt er meteen uit* stands out at once

uitspugen, uitspuwen spit out

uitstaan I *tr* stand, endure, bear (I cannot bear spiders); *ik kon het niet langer* ~ I could stand (*fam:* stick) it no longer; *ik kan die vent niet* ~ I cannot stand (*fam:* stick) the fellow (at any price); II *intr* (*van geld*) be put out at interest; *wijd* ~, (*van oren*) stick out; ~*de rekeningen* outstanding accounts

uitstallen display; **uitstalling** display

uitstapje excursion (*ook fig*), outing, trip; *een* ~ *doen* (*maken*) make an excursion, take a trip

uitstappen get out, alight, step out (of the car, etc), get off (the tram); *allen* ~*!* all change!

uitsteeksel projection, protuberance

uitstek: *bij* ~ pre-eminently

uitsteken I *tr* hold (reach) out, extend (one's hand); *iem de ogen* ~, (*eig*) put out a p.'s eyes; (*fig*) make a p. jealous; II *intr* stick out (his ears ...), project, protrude; *hoog boven de anderen* ~ rise (tower) high above the others

uit'stekend excellent (he speaks ... English), first-rate, crack (player), eminent (physician), high-class (work); ~*!* very well!

uitstel delay, postponement; ~ *van betaling* extension of payment; ~ *van dienst*(*plicht*) deferment; ~ *van executie* stay of execution, reprieve; (*fig*) (that is only) putting off the evil day; *van* ~ *komt afstel* delays are dangerous; **uitstellen** put off, postpone, delay; *stel niet uit tot morgen wat je heden doen kunt* never put off till to-morrow what you can do to-day

uitsterven die out; (*van geslacht, dier, titel, enz*) *ook:* become extinct

uitstijgen *zie* uitstappen; ~ *boven* rise above, surpass

uitstippelen map (trace) out (a route, a course of action)

uitstoot emission

uitstorten pour out, empty (the contents of a basket); *zijn hart* ~ pour out (unburden) one's heart; *zich* ~ *in*, (*van rivier*) discharge itself into, empty (itself) into

uitstoten push (thrust) out; (*uit vereniging, enz*) expel, turn out; (*uiten*) utter, let out (cries, etc); emit (pollutants, *vervuilende stoffen*)

uitstralen radiate (light, heat, love, happiness); **uitstraling** radiation

uitstrekken stretch, stretch out (one's hands to the fire), reach out (one's hand); *zich* ~, (*van land, enz*) extend, stretch; (*van onderzoek*) extend; *zich op de grond* ~ lie down at full length

uitstrijken smooth; spread evenly; (*met strijkijzer*) iron (linen), iron out (creases)

uitstrijkje (*med*) smear

uitstrooien strew, scatter; spread, circulate (rumours, lies)

uitsturen send out

uittekenen draw

uittellen count out (*of:* down); *hij was helemaal uitgeteld* completely finished

uitteren pine (waste) away, waste (to a shadow)

uittocht departure, exodus

uittrap (*sp*) goal-kick

uittrappen stamp out (a fire); kick off (one's boots); (*sp, van doelman*) take a goal-kick

uittreden retire (from business), withdraw (from the League of Nations), resign (from a club)

uittrekken I *tr* (*lade, enz*) pull out; (*tand*) extract, pull out; (*kleren*) take off; *een som* ~ *voor* set aside a sum for; II *intr* march out; *erop* ~ *om* ... set out to ..., turn out to ...

uittreksel (*van boek*) abstract, epitome, abridg(e)ment, synopsis

uittrektafel draw-out (pull-out, extending, draw-leaf) table

uitvaagsel scum, riff-raff

uitvaardigen issue (an order), enact (a law)

uitvaart funeral (service)

uitval (*mil*) sally, sortie; (*fig*) outburst

uitvallen fall out; (*bij spel, enz*) drop out; (*uitvaren*) fly out (*tegen* at), flare up; (*gebeuren*) turn out; *het viel in zijn voordeel uit* it turned out to his advantage; *het* ~ *van de elektrische stroom* (power) failure

uitvaren sail (out), put to sea; ~ *tegen* fly at, storm at

uitvechten: *het* ~ fight it out

uitvegen (*uitwissen*) wipe out; *zijn ogen* ~ rub one's eyes

uitvergroting (*fot*) (partial) enlargement (blow-up)

uitverkocht (*van artikel*) sold out, out of stock; (*van boek*) out of print; (*als kennisgeving van theat*) house full; ~*e zaal,* (*theat*) full house; **uitverkoop** (clearance-)sale, bargain sale, sales; *het is* ~ the sales are on; **uitverkopen** sell off, clear

uitverkoren chosen, elect, select; **uitverkorene** chosen one, favourite

uitvinden invent; (*erachter komen*) find out; **uitvinder** inventor; **uitvinding** invention; *een* ~ *doen* make an invention

uitvlakken blot out; (*met vlakgom*) rub out, erase; *dat moet je niet* ~, (*fig*) that's not to be sneezed at

uitvloeien flow out, issue; **uitvloeisel** outcome, consequence, result

uitvloeken swear at

uitvlucht subterfuge, pretext, excuse; *geen* ~*en! ook:* don't run away from it, please!

uitvoegstrook slip road

uitvoer export; (*uitgevoerde goederen*) exports; (*van computer*) output; *ten* ~ *brengen* (*leggen*) execute, carry out; **uitvoerbaar** practicable, feasible, workable; **uitvoerbaarheid** practicability, feasibility, ...ness

uitvoerder (*van bouwwerk*) general foreman

uitvoeren execute (an order, a law, sentence),

carry out (a plan, contract, instructions), fulfil (a promise), perform (a task, a piece of music); (*goederen*) export (goods); *wat heeft hij uitgevoerd?* what has he been up to?; *wat voer je uit!* what are you doing?; *wat heb je uitgevoerd met ...?* what have you done to my hat?; *de ~de macht* the executive (power)

uitvoer|handel export trade; **-haven** port of export(ation)

uitvoerig I *bn* detailed, minute, full (particulars), ample (discussion); **II** *bw* minutely, amply, fully, in detail

uitvoering execution (of plan); performance (of play); enforcement (of an act); design and construction (of a machine); *vgl het ww; (afwerking)* workmanship, finish; *wij hebben dit toestel in twee ~en ...* in two designs (models); *~ geven aan* carry out, carry into effect; *werk in ~* work in progress; (*bord*) road works (ahead)

uitvoerrechten export-duties

uitvogelen find out

uitvouwen unfold, spread

uitvragen *a)* ask out (to tea); *b)* (*godsd*) catechize; question, (*fam*) pump

uitvreten (*sl*) *zie* uitspoken

uitvullen right-justify

uitwas outgrowth, excrescence; (*fig*) *~sen* excesses

uitwaseming exhalation, emanation, evaporation, fume

uitwassen wash (out); bathe, wash (wounds)

uitwatering discharge (of a river), outlet; **uitwateringskanaal** drainage canal

uitwedstrijd away game, a match

uitweg way out (*ook fig:* find a ...; the only ...), (way of) escape

uitweiden digress; *~ over* dwell (enlarge, digress) on

uitwendig *bn* outward, external, exterior; *bw* ...ly

uitwerken I *tr* work out (a plan, notes, etc), elaborate (a theory, point), develop (an idea); (*tot stand brengen*) bring about, effect; **II** *intr* (*van hout*) season; *het verdovende middel is uitgewerkt* the effect of the anaesthetic has ceased (worn off); *de batterij is uitgewerkt* has run out, is exhausted; **uitwerking** working-out; (*resultaat*) effect, result

uitwerpen throw out (ballast, etc); (*uitbraken*) throw up, vomit; *netten ~* shoot (throw, cast) nets

uitwerpselen excrements; (*van dier, ook:*) droppings

uitwijken (*opzij gaan*) turn (step) aside, give way (*voor* to), make room; (*van auto, enz*) pull out, swerve (to avoid a dog); (*uit het land*) go into exile; **uitwijkplaats** passing place, overtaking bay

uitwijzen show, prove; (*uit het land*) expel

uitwisselen exchange; **uitwisseling** exchange

uitwissen (*ook fig*) wipe out; (*computer*) erase

uitwoeden: *de brand heeft* (*is*) *uitgewoed* the fire has burnt itself out

uitwonen ruin (a house) by neglect

uitwonend non-resident (physician, etc)

uitwrijven rub out; *zijn ogen ~* rub one's eyes

uitwringen wring out

uitzaaien sow, (*op grote schaal*) disseminate; **uitzaaiing** (*med*) dissemination

uitzakken sag, bulge out

uitzendbureau (temporary) employment agency

uitzenden send out; (*naar het buitenland*) post (abroad); (*radio*) broadcast, transmit; (*TV ook*) televise; **uitzending** sending out, dispatch; (*radio*) broadcast(ing), transmission (... and reception); **uitzendkracht** temp(orary employee)

uitzet outfit

uitzetraam trap window

uitzetten (*groter maken*) expand, extend; (*doen zwellen*) distend, inflate; (*natuurk*) expand, dilate; (*geld*) invest (money); (*uit het land*) expel (a p. from the country); (*uit woning*) evict, eject; (*boten*) lower (boats); (*wacht*) set (a watch); (*afbakenen*) peg out, stake out; *er ~,* (*uit betrekking*) turn (a p.) out, (*fam*) fire (a p.); **uitzetting** expansion, extension, dila(ta)tion; *vgl het ww;* **uitzettingscoëfficiënt** coefficient of expansion

uitzicht (*eig*) view (*op* of); (*eig & fig*) outlook, prospect; *het ~ hebben op* overlook (the garden); *een mooi ~ hebben op Londen* command a fine view of L.; *in ~ stellen* hold out a prospect of; **uitzichtloos** hopeless

uitzieken: *de kwaal moet ~* the disease must run its course

uitzien look out; *hoe ziet het er uit?* what is it like?; *zij ziet er goed* (*knap*) *uit* she is good-looking; *het ziet er slecht* (*lelijk*) *uit* things look black (*voor hem* for him); *ze ziet er uit als veertig* she looks forty; *wat zie je er uit!* what a sight you are! what a state you are in!; *kijk eens hoe het huis er uitziet* look at the state of the house; *je ziet er goed* (*ziek*) *uit* you look well (ill); *hij ziet er jong uit voor zijn leeftijd* he looks younger than his years (his age); *~ naar* look out for (a p., a place), look forward to (the holidays); *het ziet ernaar uit, alsof ...* it looks as though ...; *het ziet er naar uit dat het gaat regenen* the weather is looking like rain; *dit vertrek ziet uit op de straat* looks into (out upon) the street; *op de tuin ~* overlook the garden

uitzingen: *ik kan het nog wel een paar dagen ~* I can manage for a couple of days

uitzinnig frantic; **uitzinnigheid** frenzy

uitzitten sit out (the concert); *zijn* (*straf*)*tijd ~* serve one's sentence (*fam:* one's time)

uitzoeken select, pick out, choose; (*sorteren*) sort (out); *dat moet je zelf maar ~* better find out for yourself; *jullie zoeken het maar uit!* that's your affair!

uitzonderen except, exclude; *zie* uitgezonderd; **uitzondering** exception (*op de regel* to the rule); *het was eerder ~ dan regel* it was the exception rather than the rule; *bij ~* exceptionally, by way of exception; *bij hoge ~* very rarely; *met ~ van* with the exception of; *zonder ~* without exception, none excepted, invariably; **uitzonderingsgeval** exception(al case)

uitzonderlijk *bn* exceptional; *bw* exceptionally

uitzuigen suck (out); (*fig*) sweat (work-people), bleed (a p.) white, squeeze (a p.) dry

uitzwermen swarm off

uitzweten exude, ooze (*of:* sweat) out

ultimatum id, *mv:* ultimatums & ultimata; *een ~ stellen* (*overhandigen*) state (deliver) an ultimatum

ultra id

ultra|kort: *~e golf* ultra-short wave; UHF (= ultra-high frequency); **-violet** ultra-violet ... (ray treatment)

unaniem unanimous; **unanimiteit** unanimity

unicum *a*) single copy; *b*) unique specimen (event)

unie union

uniek unique, unparalleled

uniform *bn* id; *zn* id; **uniformiteit** uniformity

universeel universal, sole

universitair university ..., college ...; **universiteit** university; *naar de ~ gaan* go to the university (*Am:* to college)

uppie: *in zijn* (*dooie*) *~* on his (very) own

urgent id, pressing

urine id; **urineren** urinate, make water; **urinoir** urinal, public convenience

urn id

usance custom, usage

usurpator usurper; **usurperen** usurp

utilisatie utilization; **utiliseren** utilize; **utiliteit** utility

utopie utopia, Utopian scheme; **utopisch** Utopian

uur hour; *een ~ rijdens per* ... an hour's run by motor-coach; *urenlang* for hours (on end); hour-long (discussion); *binnen het ~* within an hour; *om zes ~* at six (o'clock); *zie* om; *op dat ~* at that hour; *op ieder ~* hourly, every hour; *op elk ~,* (*wanneer ook*) at any hour, (they come) at all hours; *op het ~ af* (she could tell ...) to the (an) hour; *over een ~* in an hour('s time); *van ~ tot ~* from hour to hour, hourly

uur|loon hourly wage(s); **-werk** timepiece, clock; (*het werk*) clockwork

uw your; *het ~e* yours; *u en de ~en* yourself and your family

uwentwege: (*van*) *~* on your behalf, in your name

uwentwil: *om ~* for your sake, in your behalf

uwerzijds on your part

vaag vague, faint, dim (recollection); *~ idee, ook:* hazy (foggy) notion

vaak *bw* often, frequently; *ik heb het al vaker gezegd* I've said it before (more than once)

vaal faded

vaal|bleek sallow (complexion); **-bruin** drab; **-grijs** greyish

vaalt dung-heap; (*vuilnisbelt*) rubbish dump

vaan flag, banner, standard

vaandel colours, ensign, banner; (*van cavalerie*) standard; *met vliegende ~s* with flying colours

vaantje vane; (*weerhaan*) weathercock

vaarboom punt-pole

vaardig skilled, skilful, clever (*in* at); fluent (speech; speak fluently); *~ zijn met de pen* have a fluent pen; **vaardigheid** skill, proficiency; cleverness; fluency

vaargeul channel

vaart (*scheepv*) navigation; (*snelheid*) speed; (*kanaal*) canal; *grote ~* ocean-going trade; *kleine ~* home trade; *de auto had weinig ~* the car travelled slowly; *dat zal zo'n ~ niet lopen* it won't come to that; *~ krijgen* gather pace (speed); *~ (ver)minderen* reduce speed, slow down; *er ~ achter zetten* hurry things up, push things on; *in volle ~* (at) full speed, in full career; *in de ~ brengen* put into service, put on (a steamer); *uit de ~ nemen* take (a ship) off the (out of) service

vaartuig vessel, craft (*mv* id)

vaarwater fairway, channel; *iem in het ~ zitten* thwart a p.

vaarwel *tw & zn* farewell, good-bye; *iem ~ zeggen* say good-bye (to a p.)

vaas vase

vaat: *de ~ afwassen* (*doen*) do the dishes, wash up

vaat|doek dishcloth; **-wasmachine, -wasser** dishwasher; **-werk** dinner things, kitchen utensils; **-ziekte** vascular disease

vacant id; *~ worden* fall vacant; *een ~e plaats bezetten* fill up a vacancy

vacature vacancy; *een ~ vervullen* fill a vacancy

vaccinatie vaccination; **vaccinatiebewijs** vaccination-paper, certificate of vaccination

vacht fleece (of sheep), coat (of dog), fur

vacuüm vacuum

vader father (*ook fig:* the ... of English poetry); (*fam*) dad; (*van viervoeter, vooral paard*) sire; *Heilige V~* Holy Father; *het onze ~* the Lord's prayer; ~ *en moeder,* (*van gesticht*) master and matron; *zo ~ zo zoon* like father like son

vaderland (native) country; *voor het (lieve)* ~ *weg,* (*op goed geluk af*) at random; **vaderlander** patriot; **vaderlandlievend** patriotic (*bw:* -ally)

vaderliefde paternal (fatherly) love

vaderlijk *bn* paternal, fatherly; *bw* like a father

vaderschap paternity (*ook van boek, enz*)

vaderstad native town

vadsig indolent, lazy, inert

vagebond tramp, vagabond; (*Am*) hobo

vagelijk vaguely

vagina id

vak (*hokje, enz*) compartment, partition, pigeon-hole; (*van beschot, plafond, enz*) panel; (*van parkeerterrein*) parking place; (*van onderwijs & studie*) subject; (*beroep*) trade, job; (*van onderwijzer, dokter, enz*) profession

vakantie holiday(s); (*vooral van univ & rechtbank*) vacation; *een paar dagen* ~ a few days' holiday; *wanneer begint de* (*je*) ~? when does school break up?; (*een maand*) ~ *nemen* take a (month's) holiday; *met* ~ (*zijn*) (be) on holiday

vakantie|cursus holiday course; (*in de zomer ook*) summer school; **-dag** holiday, day off; **-drukte** (*aan station, enz*) holiday-rush; **-ganger** holiday-maker; **-oord** holiday-resort; **-reis** holiday-trip; **-spreiding** staggering of holidays, staggered holidays; **-tijd** holiday-season; **-toeslag** holiday allowance; **-verblijf** *a*) holiday-residence; *b*) holiday-resort; **-werk** holiday job

vak|bekwaam skilled; **-bekwaamheid** professional skill; **-beweging** trade unionism; **-blad** trade journal; **-bond** trade union; **-centrale** trade-union federation; **-diploma** professional diploma; **-gebied** speciality; **-genoot** colleague

vakje pigeon-hole, compartment (*ook fig:* the ...s of his mind)

vak|kennis professional knowledge; **-kundig** skilled, competent; **-literatuur** special(ist) (technical) literature; **-man** expert, specialist; (*handwerksman*) craftsman, skilled workman; (*niet handwerksman*) professional (man); **-manschap** (professional) skill; **-opleiding** professional (vocational) training; **-term** technical term; **-verbond** federation of trade unions; **-vereniging** trade union; **-werk** professional job; (*bouwk*) timber framing

val (*het vallen*) fall (from one's bicycle, horse); (*fig ook*) downfall (of a kingdom), overthrow (of a minister); (*van vliegtuig*) crash; (*voorwerp*) trap; *een lelijke* ~ *doen* have a bad fall; *in de* ~ *lokken* lure into a (the) trap; *ten* ~ *brengen* overthrow

val|avond (*Belg*) evening twilight, dusk; **-helm** crash-helmet

valk falcon, hawk

valkuil pitfall

vallei valley; (*nauw*) glen

vallen I *ww* fall (*ook regering, prijzen, avond, enz; ook op slagveld*), drop; *laten* ~ drop (the curtain); shed (trees ... their leaves); (*aanspraken*) give up; *hij liet zijn oog* ~ *op* his eye fell on; *men liet het plan* ~ the scheme was dropped; *er vielen slagen* blows were struck; *het leven valt mij zwaar* life has become a burden to me; *hij kwam te* ~ he lost his feet; *er valt niet aan te denken* it is out of the question; *aan teruggaan valt niet te denken, ook:* there's no going back; *er valt niet veel te vertellen* there is not much to tell; ~ *buiten* be beyond the scope of (the agreement); ... *valt niet onder deze verzekering, ook:* the case is not covered by this insurance; ~ *op* fall on (one's knees); (*sl*) fall for (s.t. or s.b.); *op donderdag* ~ fall on Thursday; *ik viel over een tak I* was tripped up by a branch; *hij viel over dat woord* he took offence at ...; *uit elkaar* ~ fall to pieces; *van de trap* (*pen*) ~ fall (tumble, topple) down the stairs; **II** *zn* (*van de avond*) nightfall; *bij het* ~ *van de avond* at nightfall, at dark

val|luik trapdoor; **-partij** spill (of 20 riders), crash, pile-up

valreep man-rope; *glaasje op de* ~ parting-glass

vals I *bn* false (*ook van kat, enz; van gerucht, alarm, schaamte, hoop, toon, naam, haar, enz*); nasty (dog); (*van bankbiljet, enz*) false, forged, bad (banknote); faked (passport); ~*e dobbelstenen* loaded dice; ~ *geld* counterfeit money; ~*e handtekening* forged signature; ~*e start,* (*sp*) false start; ~*e tanden* false (artificial) teeth; **II** *bw* falsely (he was ... accused); ~ *spelen: a*) cheat (at cards); *b*) (*muz*) play out of tune; **valsaard** false (treacherous) person

valscherm parachute

valscherm|jager paratrooper; **-troepen** paratroops

valsheid falseness; ~ *in geschrifte* forgery

valstrik (*ook fig*) snare, trap; (*fig ook*) pitfall; *iem een* ~ *spannen* set a trap for a p.; **valstrikbom** (*mil*) booby-trap

valuta value; (*koers*) exchange rate; (*munt*) currency (payment in foreign ...)

van (*bezit*): *wordt vertaald door* of, *of uitgedrukt door de 2de naamv;* (*scheiding*) from; (*afkomst*) of (... a good family); (*stof*) (made) of (iron); (*oorzaak*) with (shriek ... horror, wet ... tears), for (he could not speak ... emotion), from (he fell down ... sheer fright); (*onderwerp van gesprek, enz*) of (speak ... s.t.); (*eigenschap*) of (a child ... three); (*datum*) of (your letter ... May 1st); *het potlood viel* ~ *de tafel* fell off the table; *klein* ~ *gestalte* short in (of) stature; ~ *dezelfde grootte* the same size, of a size; *dat is vriendelijk van je* it is kind of you; ~ *1908 tot 1920* from 1908 to (till) 1920; *negen* ~ *de tien* nine out of ten; *een dochter* ~ *mijn vriend* a daughter of my friend's; *een roman* ~ *Priestley* a novel by P.; *de vader* ~ *Jan*

John's father; *een vriend ~ Jan* a friend of John's; *een vriend ~ mij* a friend of mine; *het is ~ mij* it's mine; *~ wie is dat boek?* whose book is that? (*door wie geschreven*) who's that book by?; *~ de week* this week; *ik geloof ~ ja* I think so; *ik geloof ~ niet* I don't think so, I think not; *een eindje ~ de weg af* a little back from the road

vanaf from (to-day), ever since (1885)

vanavond this evening, to-night

vandaag to-day; *de hoeveelste is het ~?* what day of the month is to-day?; *~ of morgen,* (*fig*) sooner or later; *~ over 8 dagen* today week; **vandaags** today's

vandaan: *waar komt hij ~?* where's he from?; *waar komt ... ~?* where's the money coming from?; *blijf van ... ~* keep away from that ladder

vandaar (*plaats*) from there; (*oorzaak*) hence; *o, ~* I see

vandalisme vandalism

vandoor: *hij is er ~* he has cleared off; *ik ga er ~* I am off

vangen catch (a bird, thief, ball); (*verdienen*) make, net (£ 100 a week)

vang|net safety net; **-rail** crash barrier

vangst catch, haul

vanille vanilla

vanmiddag this afternoon

vanmorgen this morning

vannacht (*komende*) to-night; (*afgelopen*) last night

vanouds of old; traditionally

vanuit from

vanwaar from where

vanwege on account of, because of; (*namens*) on behalf of

vanzelf (the door shut) of itself, (the words came) of themselves, of its (their) own accord; *... viel ~* the vase fell off by itself; *dat volgt ~* that follows automatically; *~!* obviously!; **vanzelfsprekend** self-evident; *iets als ~ aannemen* take s.t. for granted; *een;* **vanzelfsprekendheid** a matter of course

varen I *zn* fern, bracken; **II** *ww* sail, run (the steamer will not ... to-day), travel (at a speed of 15 knots), go (8 knots), navigate; (*tussen 2 plaatsen*) ply (between L. & R.); *gaan ~* go to sea; *laten ~* sail (paper boats); drop, give up (a plan), abandon (hope); *er wel bij ~* do well out of it; *je zult er goed bij ~,* (*belofte*) I'll make it worth your while; *langs de kust ~* range (skirt, hug) the coast

variabel(e) variable; **variabiliteit** variability

variant id

variatie variation; *voor de ~* for a change; **variëren** *intr* vary; *de prijzen ~ van 2 tot 6 gulden* prices range from 65p to two pounds; *tr* vary; **variëteit** variety

varken pig, swine (*alle ook fig*); *wild ~* (wild) boar; *lui ~,* (*ook scherts*) lazy pig; *ik zal dat ~ wel wassen* I'll deal with that

varkens|fokker pig-breeder, -farmer; **-fokkerij** *a*) pig-breeding; *b*) pig-farm; **-gehakt** sausage meat; **-haar** hog's hair, hog's bristles; **-karbonade** pork-chop; **-kot** (*ook fig*) pigsty; **-kotelet** pork-cutlet; **-krabbetje** spare-rib; **-lapje** pork-steak; **-leer** pigskin; **-oogjes** pig-eyes; **-poot** (*van geslacht dier*) leg of pork; **-rollade** rolled pork; **-vlees** pork

vaseline id

vast I *bn* fast (the door was ...); fixed (bridge, star, aerial (*antenne*), salary, address); firm (rock, belief); steady (his hand was ...); permanent (appointment); (*niet vloeibaar*) solid; *~ besluit* firm (settled) determination, steady resolve; *~e datum* fixed date; *~e gedragslijn* settled policy; *~e gewoonte* established practice; *~ goed* real estate; *agent in ~e goederen* estate-agent; *~e hand* firm (steady) hand; *~ kleed* wall-to-wall carpet; *~e lasten* fixed (standing, overhead) charges; *~e lezer* regular reader; *~e onkosten* fixed (standing) charges; *~e overtuiging* firm conviction; *~ personeel* permanent staff; *~e prijs* fixed price; *~e stopplaats* compulsory stop; *op ~e tijden* at set (regular) times; *~e wal* shore; *~e wastafel* fitted basin; *~ weer* settled weather; *~ werk* regular work; *zonder ~e woonplaats* of no fixed abode; *dat is ~ en zeker* dead certain; **II** *bw* fast, firmly, etc; *~* (*en zeker*) certainly; *~ beloven* promise positively; *u kunt er ~ op aan, dat ... you may take it as definite that ...; *~ overtuigd* firmly convinced; *~ slapen* be sound asleep; *begin maar ~* you had better begin

vastbakken stick to the pan

vastberaden resolute, firm, determined; **vastberadenheid** resoluteness, determination

vast|besloten (firmly) determined (to go); **-bijten:** *zich ~ in een standpunt* dig in one's heels; **-binden** bind (*of:* tie) fast, tie up, fasten

vasteland continent; *~s* continental

vasten I *ww* fast; **II** *zn: het ~* fast(ing)

vasten|avond Shrove Tuesday; **-dag** fast(ing)-day; **-tijd** Lent

vast|goed real estate; **-grijpen** catch hold of; **-groeien** grow together; **-hebben** have got hold of; **-hechten** attach, fasten (*aan* to)

vastheid firmness; *~ van karakter* firmness of character

vasthouden I *tr* hold (a horse, parcel), hold fast, (*stevig, ook:*) clutch; (*in arrest*) detain; (*niet verkopen*) hold up (goods); *ik hield mijn hart vast* I held my breath; *hou je vast!* hold tight!; *zich ~* (*aan*) hold on (to); **II** *intr: ~ aan* stick to (an opinion); **vasthoudend** tenacious; (*gierig*) stingy; (*behoudend*) conservative; **vasthoudendheid** tenacity

vastigheid certainty

vast|klampen: *zich ~ aan* cling to; **-klemmen** clench, grasp; *het raam was ~geklemd* the window was jammed; **-kleven** *tr & intr* stick; **-knopen** button (up) (a coat); *er een dagje aan ~* stay on for another day; **-leggen** fix, fasten (*aan* to); (*hond*) tie up; (*boot*) moor; (*op film, enz*) record (a scene); (*in de geest, het geheugen*) fix (s.t.) in the mind; *ik wil mij hier niet op* ~ I don't want to tie (pin) myself down to this; **-liggen** (*stevig liggen*) lie firm; (*~gebonden*) be fastened (*aan* to), (*van schip*) be moored, (*van hond*) be tied up; (*van kapitaal*) be tied up; **-lopen** (*van schip*) run aground; (*van verkeer, machine*) jam; (*fig*) get stuck; (*van onderhandelingen, enz*) end in (reach) a deadlock; **-maken** fasten (*aan* to), do up (one's (shoe-)laces, buttons, a dress); **-pinnen** pin down (a p. to s.t. *iem op iets*); **-plakken** *intr* stick (together); *tr* gum down; ~ *aan* paste on to; **-prikken** pin up; **-roesten** rust (the nut has rusted on to the bolt); *vastgeroest in vooroordelen* steeped in prejudice; **-schroeven** screw tight; **-spijkeren** nail (down); **-staan**: *het staat nu ,vast dat …* it is now definitely established that …; *mijn besluit staat vast* I am determined; *dat stond reeds van te voren vast* it was a foregone conclusion (all along); *~d feit* established fact; **-stellen** fix (a day, an amount); diagnose (smallpox); *een gedragslijn* ~ resolve on a course of action; *op woensdag* ~ fix for Wednesday; *op de ~gestelde tijd* at the appointed time; (the train ran in) at the scheduled time; **-zetten** fasten, set tight; (*wiel*) chock; (*venster*) wedge; (*geld*) tie up; *geld* ~ *op* settle money upon; **-zitten** stick (fast) (in the mud, etc); (*van stuurinrichting, enz*) be jammed; (*van schip*) be aground; (*fig*) be nonplussed; (*van geld*) be tied (locked) up; *in het ijs* ~ be jammed (*of*: caught) in the ice, be ice-bound; *ik zit eraan* ~ I'm booked for it, am in for it; … *hoeveel werk eraan ~zit* you have no idea of the amount of work it entails

vat 1 cask, barrel; *~en wassen* wash up; *wat in het ~ is verzuurt niet* it will keep!; *bier van het* ~ beer on draught, draught ale; 2 hold, grip; *ik heb geen ~ op hem* I have no hold over him; *ik kreeg ~ op hem* (*op het probleem*) I got at him (came to grips with the problem)

vatbaar: ~ *voor* capable of (pity), susceptible of (proof), liable to (infection); ~ *voor indrukken* impressionable; *niet voor rede* ~, *ook*: impervious to reason; **vatbaarheid** capacity, susceptibility, liability

vatbier draught beer

Vaticaan: *het* ~ the Vatican; **Vaticaans** Vatican

vatten catch, seize; (*begrijpen*) understand; (*diamant, enz*) set, mount (in gold); *kou* ~ catch cold; *vat je?* (you) see?

vazal vassal

vechten fight (*met* with); ~ *om* fight for; ~ *tegen* fight (against); fight back (one's tears)

vechter fighter; **vechtersbaas** fighter

vecht|lust pugnacity; **-lustig** pugnacious; **-partij** scuffle, tussle

veder feather; *zie* veer

veder|dos plumage; **-licht** light as a feather

vedette id

vee (*rundvee*) cattle (*ook fig*); livestock

vee|arts veterinarian, (*fam*) vet; **-boer** stock-farmer; cattle-breeder; **-fokker** cattle-, stock-breeder

veeg I *bn*: *een* ~ *teken* a bad sign; *het vege lijf redden* make one's escape; II *zn* (*met doek, enz*) wipe; (*met bezem*) whisk; *iem een* ~ *uit de pan geven* give a p. a lick with the rough side of one's tongue

vee|handel cattle-trade; **-handelaar** cattle-dealer

veel I *telw* (*ev*) much; (*mv*) many; (*ev & mv, fam*) a lot; *heel* (*zeer*) ~, (*ev*) a great deal, very much; (*mv*) a great many, very many; (*ev & mv, fam*) quite a lot; *te* ~ (one pound) too much, (one, two, etc) too many; ~ *te* ~: *a*) far too much; *b*) far too many; *te* ~ *om op te noemen* too numerous to mention; *niet al te* ~ not overmuch; *niets was hem te* ~ nothing was too much trouble for him; *hij voelde dat hij te* ~ *was* that he was odd man out, that he was one too many; ~ *hebben van* be very much like; ~ *van elkaar hebben* be very much alike; II *bw* much, far (better, too old, etc); (*dikwijls*) often; ~ *meer* (many) more; ~ *minder* much less, many fewer; ~ *liever* much rather

veel|begeerd coveted (prize); **-belovend** promising (youth); *een* ~ *begin* an auspicious start; **-besproken** much-discussed, much talked-of; **-betekenend** significant, meaning (look); **-betreden** well-trodden (path); **-bewogen** eventful (times)

veeleer rather

veeleisend exacting

veelheid multitude, abundance

veel|hoek polygon; **-jarig** of many years, many years' (experience); **-omvattend** comprehensive; ambitious (plans); **-soortig** manifold; **-soortigheid** variety; **-voud** multiple; **-zeggend** significant, telltale (marks); **-zijdig** many-sided (*ook fig*): man, intellect, activities); (*fig*) *ook*: all-round (abilities), versatile (genius), wide (reading); **-zijdigheid** versatility

veemarkt cattle-market, -fair

veen peat-soil, -moor, -bog, peat

veer 1 (*van vogel*) feather; (*van vuurwerk, enz*) spring; (*van bril*) ear-piece; *men kan geen veren plukken van een kikker* you cannot get blood out of a stone; *in de veren kruipen* go to roost; 2 (*overzetplaats*) ferry; (*pont*) ferry-boat; (*de dienst*) ferry-service

veer|boot ferry, ferry-boat; **-dienst** ferry-service; **-kracht** (*ook fig*) elasticity, resilience; **-krachtig** (*ook fig*) elastic, resilient (mind); **-man** ferry-man

veerooster cattle grid

veer|plank spring-board; **-pont** ferry-boat

veertien fourteen; ~ *dagen* a fortnight, (*Am*) two weeks; *om de* ~ *dagen* every fortnight; *vandaag over* ~ *dagen* this day fortnight; **veertiende** fourteenth

vee

veertig forty

vee|stamboek herd-book; **-stapel** livestock; **-teelt** cattle-breeding, -raising; (*melk~*) dairy farming; **-voe(de)r** cattle-fodder, forage

vegen sweep (the floor), brush (the crumbs from one's lap), wipe (one's feet, one's nose); **veger** (*voorwerp*) brush; (*pers*) sweeper

vegetariër vegetarian

vegetatie vegetation

vehikel (ramshackle) vehicle

veilen sell by auction

veilig safe, secure; *vereniging voor ~ verkeer* safety first association; *zo ~ als wat* as safe as the Bank of England (as houses); *~ voor: a*) safe for (make the world … democracy); *b*) safe (secure) from; *de ~ste partij kiezen* keep on the safe side; *~ en wel* safe and sound; **veiligheid** safety, security; (*techn*) safe device; (*elektr*) fuse; *in ~ brengen* put (place) in safe; *voor de ~* for safety('s sake)

veiligheids|agent (*Belg*) security guard; **-dienst** security police; **-gordel** safety belt, seat-belt; **-halve** for safety('s sake); **-maatregel** measure of precaution; **-marge** safety margin; **-raad** Security Council; **-redenen** reasons of security; **-speld** safety-pin

veiling auction; *in ~ brengen* sell by auction

veiling|huis auctioneer(s); **-meester** auctioneer

veinzen feign, sham; **veinzend** dissembling, hypocritical

vel (*van mens of dier*) skin; (*papier*) sheet; *hij is ~ over been* he is all skin and bone, he is a bag of bones; *iem het ~ over de oren halen* fleece a p.; *hij steekt in een slecht ~* he has a weak constitution; *uit zijn ~ springen van boosheid* be beside o.s. with rage; *het is om uit je ~ te springen* it is exasperating

veld field; *wij moesten het ~ ruimen* (*ook fig*) we had to leave the field; *~ winnen* gain ground; *in het open* (*vrije*) *~* in the open field; *in geen ~en of wegen* nowhere (to be seen); *te ~e trekken tegen*, (*fig*) fight, combat, be up in arms against; *hij was geheel uit het ~ geslagen* he was (completely) taken aback; *uit het ~ sturen*, (*sp*) order off

veld|bed field-bed, camp-bed; **-boeket** bouquet of wild flowers; **-gewas(sen)** produce of the fields; **-heer** general; **-hospitaal** field-hospital; **-keuken** field-kitchen; **-kijker** field-glass(es); **-loop** cross-country run; **-maarschalk** field-marshall; **-post** (*mil*) army post-office, A.P.O., field-post; **-prediker** army-chaplain, (*fam*) padre; **-rit** cross-country ride; **-slag** battle; **-sport** field sport; **-tocht** campaign; **-wachter** village policeman; **-weg** field-track

velen I *ww* stand, endure; *hij kan niets ~* he is very touchy; II *zn* many; *zie* veel

velerlei of many kinds (sorts), all kinds of (things)

velg rim; **velgrem** rim-brake

vellen fell, cut down (trees); (*vonnis*) pass (sentence)

velletje skin, membrane, film; (*in melk, enz*) (bit of) skin; *~ postpapier* sheet of notepaper

ven fen

vendetta id, blood-feud

Venetië Venice; (*provincie*) Venetia

venijn venom (*ook fig*); *het ~ zit in de staart* the sting is in the tail; **venijnig** venomous; (*fig ook*) virulent (remark)

vennoot partner (in a firm); *stille ~* silent (sleeping, dormant) partner; **vennootschap** partnership; *een ~ aangaan* enter into partnership (*met* with)

venster window

venster|bank window-sill; (*zitplaats*) window-seat; **-envelop(pe)** window envelope; **-glas** (*ruit*) window-pane; **-omslag** (*Belg*) window envelope; **-raam** window-frame; **-ruit** window-pane

vent fellow, chap; *~(je)* little fellow; *als je een ~ was* if you were (half) a man

venten peddle, hawk; **venter** hawker; (*fruit-, groente-*) costermonger

ventiel valve; **ventielslang** valve-tube

ventilatie ventilation; **ventilator** id

ventilator|kachel fan heater; **-riem** fan-belt

ventileren ventilate, air (*beide ook fig*: grievances, etc)

ventweg service road

ver far, distant (*ook fig* … likeness), far-away (countries), remote (the … past, future); *~re bloedverwant* distant relative; *van ~re* from afar; *hoe ~ ben je?* how far have you got; *is het nog ~?* is it much further?; *de wetenschap is nog niet ~ genoeg* science is not yet sufficiently advanced; *op ~re na niet* not by far, not nearly (so clever as his brother); *~(re) van gemakkelijk* far from easy; *zich ~re houden van* keep aloof from (politics); *~ weg* far off; *~ in zee* far out at sea; *tot ~ in de nacht* far (well, deep) into the night; *nu zijn we nog even ~* we are still no further forward, are no further than before; *daar kom je niet ~ mee* that won't get you very far; *te ~ gaan* go too far, overstep the mark; *dat gaat te ~* this is going (is carrying things) too far

veraangenamen render agreeable

verachtelijk (*verachting opwekkend*) despicable, contemptible; (*verachting uitdrukkend, minachtend*) contemptuous, scornful; **verachten** despise, hold in contempt, scorn; **verachting** contempt, scorn

verademing relief

veraf far (away); **verafgelegen** remote, distant

verafgoden idolize; **verafgoding** idolization

verafschuwen abhor, loathe

veralgemenen generalize

veranda verandah

veranderen *tr & intr* change, alter; (*een geheel andere vorm, aard, enz geven*) transform (linen into paper); *zijn stem ~, (onkenbaar maken)* disguise one's voice; *dat verandert de zaak* that makes a difference; *(iets aan) een japon ~* alter a dress; *daar is niets meer aan te ~* the thing is done; it cannot be helped now; ~ in change into; *de bibliotheek werd veranderd in ...* the library was turned into ...; *van onderwerp ~* change the subject; *iem van mening doen ~* make a p. change his mind; **verandering** change, alteration, transformation; *~ ten goede (ten kwade)* change for the better (the worse); *alle ~ is geen verbetering* change is not always for the better; *voor de ~* for a change; **veranderlijk** changeable (nature, weather), variable (wind); *(wispelturig)* inconstant

verantwoordelijk responsible (person, position), accountable; *~ stellen* hold responsible *(voor* for); **verantwoordelijkheid** responsibility; *de ~ op zich nemen* accept the responsibility (of ...); *de volle ~ op zich nemen* accept full responsibility; *de (alle) ~ afwijzen* disclaim (repudiate, decline) responsibility (all responsibility); *op eigen ~* on one's own responsibility; **verantwoordelijkheidsgevoel** sense of responsibility

verantwoorden answer for, *(rechtvaardigen)* justify; *verantwoord optreden* responsible behaviour; *hij zal het hard (zwaar) te ~ hebben* he will be hard put to it (have a hard time of it); *zich ~* justify o.s.; **verantwoording** account; *(verantwoordelijkheid)* responsibility; *(rechtvaardiging)* justification; *~ schuldig zijn aan* be accountable (responsible) to

verarmen I *tr* impoverish; **II** *intr* become poor; **verarming** impoverishment

verbaasd astonished, surprised, *(ten hoogste ~)* amazed; *~ over* astonished, etc at

verbaliseren: *iem ~* take a p.'s name and address

verband *(samenhang)* connection; *(zins-)* context; *(betrekking)* relation, connection; *(zwachtel, enz)* dressing, (put on a clean ...); *onderling ~* interrelation(ship); *ik zie het ~ niet* I do not see the connection; *~ houden met* be connected with; *een ~ op een wond leggen* dress a wound; *in ~ met* in connection with; *in ~ hiermede, in dit ~* in this connection; *in ~ brengen met* connect (associate) with; *met elkaar in ~ brengen* co-ordinate (apparently insignificant facts); *in onderling ~ staande* interrelated; *uit zijn ~ rukken* tear (a passage) from its context; *zonder ~, (zonder samenhang)* disconnected

verband|gaas gauze bandage(s); **-kist** first aid kit; **-middelen** dressings

verbannen exile, banish; **verbanning** exile; **verbanningsoord** place of exile

verbastering corruption (of a word)

verbazen astonish, surprise, *(ten zeerste ~)* amaze; *dat verbaast me niets!* I don't wonder!; *zich ~* be surprised (astonished, amazed), marvel *(over* at); **verbazend I** *bn* astonishing,

surprising, amazing; **II** *bw* ...ly, hugely, immensely (I've enjoyed myself ...); **verbazing** astonishment, surprise, *(sterker)* amazement; *met ~* (she looked at me) in astonishment, etc; **verbazingwekkend** amazing, astonishing

verbeelden represent; *zich ~* imagine, fancy; *hij verbeeldt zich veel* he thinks a great deal of himself; **verbeelding** imagination, fancy; *(verwaandheid)* (self-)conceit; *dat is maar ~ (van je)* it's only your fancy, a mere fancy; *heel wat ~ hebben, zie:* zich verbeelden; **verbeeldingskracht** imagination

verbergen hide; *fouten ~, ook:* cover up faults; *~ voor* hide from; *zijn gezicht in zijn handen ~* bury one's face in one's hands; *zich ~* hide o.s.

verbeten tight-lipped (face)

verbeteren make better, improve (one's health, an invention), better (one's position); *(fouten)* correct; *zich ~, (zedelijk)* mend one's ways; *(in positie)* better o.s.; *de toestand is verbeterd* the situation has improved; **verbetering** improvement, change for the better; correction; *~en aan de hand doen* suggest improvements; **verbeteringsgesticht** reform school; borstal school

verbeurd confiscated, forfeited; **verbeurdverklaren** confiscate, seize; **verbeuren** forfeit (a right)

verbeuzelen trifle away, waste (one's time)

verbieden forbid; ban (a film); *iem ~ te ...* forbid a p. to ...; *een krant ~* suppress a newspaper; *tabak is me verboden* I am forbidden tobacco; *zich op verboden terrein bevinden* trespass; *verboden handel* illicit trading; *verboden in te rijden* no entry; *verboden te roken* no smoking

verbijsterd bewildered, perplexed; **verbijsteren** bewilder, perplex, baffle

verbijten stifle (one's anger); *zich ~* bite one's lip(s)

verbinden connect, join (pieces of wood), link (two words); *(med)* dress (a wounded arm); *de verbonden mogendheden* the Allied Powers; *'t spijt me, verkeerd verbonden (telefoon)* sorry, wrong number; *er zijn vele voordelen aan verbonden* it offers many advantages; *aan de Daily Mail verbonden zijn* be on the Daily Mail; *er is enig gevaar aan verbonden* there is some danger attached to it, it involves some danger; *er is een voorwaarde aan verbonden* there is a condition attached to it; *~ met (radio)* (we will now) take (you) over to (London); *een tunnel die Engeland verbindt met Frankrijk ...* connecting E. with F.; *wilt u mij verbinden met de heer X?* could you put me through to Mr X?; *het verbindt u tot niets* it's entirely without obligation; *zich ~, (een verbond sluiten)* enter into an alliance; *(tot iets)* pledge o.s.; *ik wil mij tot niets bepaalds ~* I will not commit myself to anything definite; **verbinding** connection *(ook van treinen)*; *(innige ~)* union; *(elektr)* connection; *(chem)* compound; (*van wond*) dressing; *directe ~, (trein)* through train; ~ *krijgen, (telefoon)* get through; *de ~ tot stand brengen, (elektr)* make the connection; *(telefoon)* put the call(er) through; *de ~ verbreken (elektr)* break the connection; *zich in ~ stellen met* get in(to) touch with, contact

verbindings|deur communicating-door; **-dienst** *(mil)* signal corps; **-streepje** hyphen

verbintenis *(verbond)* alliance; *(overeenkomst)* agreement; *(verplichting, belofte)* commitment; *een ~ aangaan* enter into an alliance

verbitterd embittered, exasperated *(over* at); **verbittering** exasperation

verbleken turn pale, *(van kleuren)* fade

verblijd glad, pleased, delighted; **verblijden** gladden, cheer, rejoice; *zich ~* rejoice *(over* at)

verblijf residence, stay, *(tijdelijk)* stay, sojourn; *(~plaats)* abode, home; *(plaats van oponthoud)* whereabouts (his present ...); *~ houden* reside; **verblijfsvergunning** residence permit

verblijven stay, remain; *(tijdelijk ook)* sojourn; *(brief) ik verblijf, hoogachtend ...* I remain yours faithfully ...

verblind *(ook fig)* blinded, dazzled; **verblinden** blind, dazzle; **verblindheid** blindness; **verblinding** blinding, dazzle

verbloemen disguise, cover up (the facts)

verbluffen stagger; *een ~d groot bedrag* a staggering amount

verbod prohibition; (overtime) ban; *een ~ uitvaardigen* issue a prohibition; **verbodsbord** prohibitory sign

verbolgen incensed, angry; **verbolgenheid** anger

verbond alliance, league; *(verdrag)* treaty

Verbondsark *(bijb)* Ark of the Covenant

verborgen hidden; secret (sins); *~ gebreken* hidden faults; *~ houden voor* keep from (the fact was kept from me); *zich ~ houden* be in hiding; *in het ~* secretly

verbouw cultivation; **verbouwen** *(huis, enz)* rebuild, make alterations; *(kweken)* grow, cultivate

verbouwereerd dumbfounded, flabbergasted; *ze was er ~ van, ook:* it completely bowled her over; **verbouwereerdheid** bewilderment

verbouwing alteration (business as usual during ...s)

verbranden I *tr* burn; burn down (a house); *(lijk)* cremate; *(afval)* incinerate; *(door hete vloeistof of stoom)* scald; *door de zon verbrand gelaat* sunburnt *(of:* tanned) face; **II** *intr* be burnt (to death); *(van huis, enz)* be burnt down; **verbranding** combustion, burning (to death); *(lijk-)* cremation; **verbrandingsmotor** internal combustion engine

verbrassen dissipate, squander

verbreden widen; *zich ~* widen

verbreiden spread (rumours), propagate (a doctrine); *zich ~* spread; **verbreiding** spreading, spread (of learning, religion), propagation (of a doctrine)

verbreken break (one's word, promise), violate (an oath), break (off) (an engagement), cut (off) (an electric current), cut (communications); *zij had alle banden met ... verbroken* she had cut loose from her family

verbrijzelen smash (up), shatter *(ook fig)*

verbroederen fraternize; **verbroedering** fraternization

verbrokkelen *tr* crumble; *(fig)* disrupt; *intr (ook fig)* crumble (to pieces, away)

verbruien: *het bij iem ~* get into a p.'s bad books

verbruik consumption (of foodstuffs, current); *(slijtage & overmatig ~)* waste; **verbruiken** consume (food, current, time), use up (one's strength, reserves); **verbruik(st)er** consumer; **verbruiksgoederen** consumer goods

verbuigen bend, twist (out of shape); *(gramm)* decline, inflect

verchromen chromium-plate

verdacht *(attr & pred)* suspicious (person, place, etc), suspected (person, ship, port), shady (his ... past); *(pred)* suspect (the statement is ...); *een ~ persoon* a suspected person; *~e praktijken* shady practices; *dat ziet er ~ uit* it looks fishy; *dat komt mij ~ voor* it looks suspicious to me; *~ zijn op* be prepared for; *ik was er niet op ~, ook:* it took me by surprise; *de ~e(n), (jur)* the accused; **verdachtmaking** insinuation

verdagen adjourn

verdampen *tr & intr* evaporate; **verdamping** evaporation

verdedigbaar defensible; *(houdbaar)* tenable; **verdedigen** defend *(tegen* from) *(in alle bet),* stand up for (a p., one's rights, a cause); *zo'n gedrag is niet te ~* there is no justification for such conduct; *zich ~* defend o.s.; **verdedigend** defensive (attitude); **verdediger** defender; *(jur)* counsel *(zonder lw)* for the defence; **verdediging** defence *(in alle bet)*

verdedigings|linie line of defense; **-oorlog** war of defense; **-wapen** defensive weapon; **-werken** defences, defensive works

verdeeld divided *(ook fig:* ... attention; opinions are ...); **verdeeldheid** discord

verdeelsleutel ratio of distribution

verdekt: *~ opstellen* place under cover

verdelen divide, distribute; *verdeel en heers* divide and rule, divide and govern; *~ in* divide into; *~ onder* divide among; *de kosten ~ over ...* spread the cost over ...; *de risico's ~* spread one's risks; *zich ~* divide, split up (into four groups)

verdelgen destroy, exterminate; **verdelging** destruction, extermination; **verdelgingsmiddel** insecticide, *(onkruid)* herbicide, etc

verdeling division (of labour, etc); distribution (of land and water), partition (of Poland)

verdenken suspect (*van* of); **verdenking** suspicion; *de ~ viel op hem* suspicion fell on him; *boven ~* above suspicion; *onder ~ staan* be under suspicion

verder further; *~e inlichtingen* further information; *drie regels ~* three lines further down; *hebt u ~ nog iets?* anything else?; *~ niemand* no one else; *ga ~!* go on!; *we gaan ~* we go on; *hoe het X ~ ging* what became of X; *~ lopen* walk along; *~ moet ik zeggen* besides (moreover) I must say; *ik moet nu ~* I must be getting on; *ik kan niet ~* I cannot get on; *dat brengt ons niets (geen stap) ~* that does not carry (get) us any (a step) further

verderf ruin, destruction; *dood en ~ verspreiden* carry death and destruction; *iem in het ~ storten* ruin a p.; **verderfelijk** pernicious; **verderfelijkheid** perniciousness

verdichtsel fabrication; figment (of the imagination)

verdienen earn (money); (*straf, enz*) deserve, be entitled to (careful consideration); *hij verdient niet beter,* (*fig*) it serves him right; *~ (niets ~) op* make a (no) profit on; *£ 100 ~* (*op een partij goederen*) make a profit of £ 100 (on a parcel of goods); *ik heb beter aan u verdiend* I have deserved better at your hands; **verdienste** (*loon*) wages, earnings; (*winst*) profit, gain; (*fig*) merit, desert(s); *lid van ~* honorary member

verdienstelijk deserving

verdiepen deepen; *zich ~ in* lose o.s. in (one's work, etc), go (deeply) into (a problem); *ik zal me niet ~ in de redenen daarvoor* I'll not go into the reasons for this; *verdiept zijn in* be absorbed in (one's studies, etc)

verdieping (*abstr*) deepening; (*van huis*) floor, storey; *benedenste ~* ground-floor; *eerste ~* first floor, the second storey; *op de bovenste ~* on the top floor

verdikke(me)! (*volkstaal*) by gum! by Jove!, (*plat*) shit!

verdikken *tr & intr* thicken

verdisconteren: *deze gegevens zijn erin verdisconteerd* … have been taken into account

verdoemd I *bn* damned; *de ~en* the damned, *die ~e deksel wil er niet af!* that blasted lid won't get off!; **II** *bw* damn (hot); **III** *tw: ~!* damn it!; **verdoemenis** damnation

verdoen squander, waste; *veel tijd ~ aan* waste a lot of time over

verdoezelen blur (impressions), gloss over (objections), obscure (a fact), disguise (the truth)

verdomboekje: *bij iem in het ~ staan* be in a p.'s bad books

verdomd, verdomme *zie* verdoemd

verdommen *zie* vertikken

verdonkeremanen embezzle (money)

verdoofd numb; (*door slag, enz*) stunned

verdoold (*ook fig*) strayed, straying (sheep); (*fig ook*) mistaken, deluded, misguided (man)

verdord withered; (*van landstreek*) parched, arid; (*van plant*) blasted

verdorie damn!, blast!

verdorren wither

verdorven depraved, wicked, perverted; **verdorvenheid** depravity, perversion

verdoven (*pijn, bewustzijn*) deaden; (*door ~d middel*) anaesthetize, (*de geest*) benumb (the mind); *~d middel* anaesthetic, narcotic, drug, (*sl*) dope; *plaatselijke verdoving* local anaesthetic

verdraagzaam tolerant (*tegenover* of); **verdraagzaamheid** tolerance

verdraaid distorted, twisted; *met een ~e hand* (written) in a disguised hand; *~ vervelend* deuced annoying; *wel ~!* hang it all!; **verdraaien** distort (*ook fig*), disguise (one's hand(writing)), pervert (facts); *de waarheid ~* violate the truth; **verdraaiing** distortion; twisting, perversion (of facts, of history)

verdrag treaty, pact; *een ~ sluiten* conclude a treaty

verdragen bear (pain, etc), endure, stand; (*zich laten welgevallen*) (I won't) put up with (it any longer); *ik kan … niet ~* (wine) does not agree with me; *zekere geneesmiddelen niet kunnen ~* be intolerant of certain drugs; *ik kon het niet langer ~* I could stand it no longer

verdriet sorrow, grief (*over* at, over); *~ hebben over* grieve over; **verdrietig** cross, peevish, sullen; (*~ makend*) vexatious; *een ~e uitdrukking* a sorrowful expression; *het maakt me ~* it's very discouraging

verdrievoudigen treble

verdrijven drive away, dispel (cares), expel (*uit* from); while away (the time); *uit zijn huis verdreven worden door overstroming* (*rook, enz*) be flooded (smoked, etc) out

verdringen push aside; (*fig*) drive out; oust (from the market), cut out (a lover, etc); (*psych*) repress (*bewust:* suppress) (thoughts, feelings); *zich ~ om* crowd round (a p.)

verdrinken I *tr* drown; (*geld, enz*) spend on drink; drown (one's sorrow in liquor); *zich ~* drown oneself; **II** *intr* be drowned; **verdrinking** drowning

verdrukken oppress; **verdrukker** oppressor; **verdrukking** oppression

verdubbelen double (a letter, etc), redouble (one's efforts)

verduidelijken elucidate, explain, illustrate (by examples); **verduidelijking** elucidation, explanation, illustration

verduisteren (*ook fig*) darken, obscure; (*geld*) embezzle, secrete; **verduistering** black-out (for air-raids); (*van zon, maan*) eclipse; (*van geld*) embezzlement

verduiveld I *bn: een ~e haast* (be in) a devil of a hurry; *het is een ~e last* it's a confounded nuisance; **II** *bw* deuced (… bad); *hij zit er ~ over in* he is in a terrible stew about it; *~ aardig van je* jolly kind of you; *een ~ goed idee* a

ver

darned good idea; ~ *weinig* precious little (few); ~ *veel* (ask) a devil of a lot; III *tw:* (*wel*) ~*!* the devil! well, dash it (all)!

verdunnen thin (the blood, etc); (*dranken*) dilute; **verdunner** diluter; **verdunning** thinning; dilution

verduren endure, bear; *zie* verdragen; *veel te ~ hebben*, (*van apparaat*) have to stand hard usage

verduurzamen preserve

verdwaald lost (child, dog), stray (sheep, bullet); *het ~e schaap*, (*fig*) the lost sheep (lamb); ~ *zijn* have lost one's way; *bent u ~?* are you lost?

verdwaasd infatuated; **verdwaasdheid** infatuation

verdwalen lose one's way, get lost

verdwazing infatuation

verdwijnen disappear (in, into, the crowd); (*inz snel, totaal, geheimzinnig*) vanish, (*geleidelijk*) fade away, wear off (my headache wore off); *de noodzaak doen ~* eliminate the need; *verdwijn!* scram!; *verdwenen, ook:* vanished (hopes, the ... plane); **verdwijning** disappearance

veredelen: *een ras* (*van vee, enz*) ~ improve, (*Am*) grade up a breed; **veredeling** improvement, grading up

vereelt callous (*ook fig*)

vereenvoudigen simplify; **vereenvoudiging** simplification

vereenzelvigen identify; *zich ~ met* identify o.s. with

vereerder fan, adorer, worshipper, admirer

vereeuwigen perpetuate, immortalize

vereffenen settle, square; *een oude rekening ~* pay off an old score; **vereffening** settlement; *ter ~ van mijn rekening* in settlement of my account

vereisen require, take (time), call for (action); **vereist** required, necessary, essential; **vereiste** requirement; *eerste ~* prerequisite

veren I *bn: ~ bed* feather-bed; **II** *ww* be elastic; *overeind ~* spring to one's feet; **verend** elastic, springy

verenen: *met vereende krachten* with united efforts

verengen narrow (*ook: zich ~*)

verenigbaar compatible; ~ *met, ook:* consistent with; **verenigd** united, combined; **verenigen** unite, combine, join; (*verbinden*) join, link (up); (*verzamelen*) assemble; *in de echt ~* join in matrimony; *hoe kunt u dat ~ met ...?* how can you reconcile it with your principles?; *veel stemmen op zich ~* poll many votes; *zich ~* unite (in prayer), combine, join forces; *zich ~ met* join (a p., etc); (*het eens zijn met*) agree to (a proposal), agree with (a p.); **vereniging** (*het verenigen*) union, link-up; *vgl het ww;* (*genootschap, enz*) union, society, association

vereren honour, venerate, worship, adore; ~

met honour with; *de voorstelling met z'n tegenwoordigheid ~* grace the performance (with one's presence)

verergeren *intr* become worse, deteriorate, worsen; *tr* worsen, aggravate (a situation, a disease); **verergering** worsening, change for the worse, deterioration

verering veneration, reverence, worship

verf paint; (*voor stoffen*) dye; (*voor schilderij*) paint; (*waterverf*) water colour

verfijnen refine; **verfijning** refinement

verfilmen film; **verfilming**: *een ~ van Hamlet* a screen-version of H.

verfje: *hard een ~ nodig hebben* be sadly in need of a coat of paint

verfkwast house-painter's brush

verflauwen (*van ijver, belangstelling*) flag; (*handel*) flag, slacken

verfoeien detest, abhor, loathe; **verfoeilijk** odious, detestable, abominable

verfomfaaien tousle, crumple, rumple

verfraaien embellish, beautify; **verfraaiing** embellishment, beautification

verfrissen refresh; **verfrissing** refreshment

verfroller paint roller

verfrommelen crumple (up)

verf|spuit spray-gun; **-stof** dye(-stuff); **-verdunner** thinner; **-winkel** paint shop

verg. *vergelijk* cf. (*spreek uit:* compare)

vergaan I *ww* (*algem*) perish; (*verteren*) decay; (*vermolmen*) moulder; (*van schip*) be wrecked; (*van vliegtuig*) crash, be wrecked; *het zal hem ernaar ~* he will get his deserts; ~ *van kou* perish with cold; *ik verga van de hoofdpijn* my head is splitting; **II** *bn* wrecked, decayed (wood); **III** *zn* decay; wreck, crash

vergaderen *zie* vergaren; *intr* meet, assemble; **vergadering** meeting, assembly, conference; *algemene* (*buitengewone*) ~ general (special) meeting; *een ~ bijeenroepen* (*houden, openen, sluiten*) call (hold, open, close) a meeting

vergallen (*fig*) embitter (a p.'s life); *de vreugde ~* spoil the game

vergalopperen: *zich ~* put one's foot in it

vergankelijk transitory; *schoonheid is ~* beauty is but skin-deep

vergaren collect, store (up), amass (wealth), gather (riches)

vergassen vaporize (petrol or other liquid); (*met gas doden*) gas

vergasten treat (*op* to); *zich ~ aan* feast upon (*ook fig*)

vergeeflijk pardonable, excusable

vergeefs I *bn* useless, vain, idle; (*pred ook*) in vain; **II** *bw* in vain; *zie* tevergeefs

vergeeld yellowed (leaves)

vergeetachtig forgetful; **vergeetachtigheid** ...ness

vergeetboek: *in het ~ geraken* fall into oblivion

vergelden repay; *iem iets ~* repay a p. for s.t., (*iets kwaad*) retaliate (upon a p.); **vergelding**

requital, retribution, retaliation; **vergeldingsmaatregel** retaliatory measure
vergelen yellow
vergelijk agreement; *tot een ~ komen* come to an agreement
vergelijkbaar comparable *(met, bij* with, to); **vergelijken** compare; *te ~ met (bij)* comparable to (with); **vergelijkend** comparative (philology), competitive (examination); **vergelijking** comparison; *(wisk)* equation; *een ~ maken* make a comparison, draw a parallel; *de ~ doorstaan met* bear comparison with; *in ~ met* compared with
vergemakkelijken make easier, simplify (a task)
vergen require, demand, ask; *van iem ~ dat hij ...* require a p. to ...; *veel ~ van* make great demands on; *te veel ~ van* overtax (one's throat, o.s.); *dat is te veel gevergd* it is too much to ask (asking too much); *weinig ~ van ...* make few demands on a p.'s time
vergenoegd contented, satisfied; **vergenoegen** content; *zich ~ met te ...* content o.s. with ...ing
vergetelheid oblivion; *in ~ geraken* fall into oblivion
vergeten forget; *ik heb mijn boek ~* I've forgotten my book; *ik heb ~ het je te zeggen* I forgot to tell you; *ik ben uw naam ~* I forgot your name; *en niet te ~* and not forgetting, last but not least; *zich ~* forget o.s.
vergeven (*pers, misdrijf, enz*) forgive; *(ambt)* give away; (*vergiftigen*) poison; *~ en vergeten* forgive and forget; *iem iets ~* forgive a p. s.t.; *vergeef me, dat ik het je niet gezegd heb* forgive me for not telling you; *zijn baantje is al ~* his job is already promised; *... is ~ van ...* the place is overrun with mice (vermin); *niet te ~* unforgiveable
vergevingsgezind forgiving; **vergevingsgezindheid** ...ness
vergevorderd (far) advanced; *wegens het ~e uur* owing to the lateness of the hour
vergewissen: *zich ~ van* ascertain, make sure of; *zich ~ dat ...* make sure that ...
vergezellen accompany, (*krachtens ambt, enz*) attend
vergezicht prospect, perspective, vista
vergezocht far-fetched
vergieten shed (blood, tears)
vergiffenis pardon; *iem ~ schenken* forgive a p.; (*iem*) *~ vragen* ask (a p.'s) forgiveness, (*voor een klein vergrijp*) beg a p.'s pardon
vergift poison (*ook fig*); **vergiftig** poisonous; *niet ~* non-poisonous; **vergiftigen** poison (a p., water, the mind, etc); **vergiftiging** poisoning
vergissen: *zich ~* be mistaken; *als ik me niet vergis* if I am not mistaken; *zeg het maar, als ik me vergis* correct me if I am wrong; *zich ~ in* mistake (the road), be mistaken in (about) (the date, etc); *ik kan me ~* I may be mistaken;

~ is menselijk to err is human; **vergissing** mistake, error; *bij ~* in error, mistakenly; *een ~ begaan* make a mistake
vergoeden make good (the damage, a loss, the cost), refund (expenses); *ik zal het u ~* I'll make it up to you; *een onrecht ~* make amends for an injury; **vergoeding** indemnification, compensation, damages
vergoelijken gloss over (a p.'s shortcomings), excuse (a p.'s conduct)
vergokken gamble away
vergooien: *zich ~* throw o.s. away *(aan* on)
vergrendelen bolt; *(techn)* lock (controls)
vergrijp offence, breach (of etiquette); **vergrijpen:** *zich ~ aan* lay violent hands upon (a p.), interfere with (a girl)
vergrijzen become grey; *~de bevolking* ageing population; **vergrijzing** ageing (of the population)
vergrootglas magnifying-glass
vergroten enlarge (a building, a portrait), add to (a p.'s difficulties), increase, *(van glazen)* magnify, (*fot, sterk*) blow up; (*overdrijven*) exaggerate; *~de trap* comparative degree; **vergroting** enlargement (*ook concr*); increase
vergruizen crush, pulverize; **vergruizer** pulverizer
verguld: *~ op snee* gilt-edged; *hij is er ~ mee* he is highly pleased with it
vergunning permission; (*van drankverkoop, enz*) licence; (*het document, ook*) permit; *met ~ van* by permission of
verhaal 1 story, narrative, account (of what happened); *het ~ gaat dat ...* there is a story that ...; 2 *er is geen ~ op* there is no (possibility of) redress; 3 *op zijn ~ komen* come round, recuperate; **verhaalbaar** recoverable (*op* from)
verhaasten hasten (a p.'s death, matters), speed up (the work, inquiries), quicken (one's pace)
verhalen tell, relate, narrate; *schade ~ op* recover a loss from; *zij ~ ... op ...* they pass the extra cost on to the public; **verhalend** narrative (style)
verhandelbaar marketable, salable; **verhandelen** (*handelen in*) deal in; (*verkopen*) sell; (*bespreken*) discuss, debate; **verhandeling** treatise, essay
verhangen change (the pictures); *zich ~* hang o.s.
verhard hardened; (*van weg*) metalled; **verharden I** *tr* harden; metal (a road); **II** *intr* (*ook fig*) harden
verharen lose one's hair; (*van dieren*) *ook:* moult; *de hond verhaart* the dog is shedding his coat
verhaspelen spoil, botch
verheerlijken glorify, exalt; **verheerlijking** glorification
verheffen lift (one's head; a nation out of barbarism), raise (one's eyes), lift up (one's heart

to heaven); *hij werd tot graaf verheven* he was created an earl; *zijn stem ~ tegen* raise one's voice against; *zich ~* rise; *(opstaan) ook:* rise to one's feet; **verheffend** elevating, uplifting; **verheffing** elevation, raising; *~ tot de adelstand* elevation to the peerage

verheimelijken keep secret

verhelderen I *tr* clear (the eyesight), brighten, clear up; *(fig)* clarify (the situation); II *intr (van weer & gezicht)* clear (up), brighten (up); **verheldering** brightening; clarification; enlightenment

verhelen conceal; *ik verheel het niet* I make no secret of it

verhelpen remedy (a defect), redress (a wrong); *niet te ~* past help, irremediable

verhemelte *(van mond)* palate

verheugd glad, pleased, happy; *~ over* glad of; **verheugen:** *het verheugt me* I am glad of it; *het verheugt me te horen ...* I am glad to hear ...; *zich ~* rejoice; *zich ~ in* rejoice in; boast (the town ...s a splendid theatre); *zich ~ in een goede gezondheid* enjoy good health; *zich in de algemene achting ~* be held in universal esteem; *zich ~ op* look forward to; *zich ~ over* rejoice at; **verheugend** gratifying

verheven elevated, exalted; *boven alle lof ~* beyond all praise; *boven verdenking ~* above suspicion

verhevigen intensify

verhinderen prevent (a marriage, etc), hinder; *niet als ik het ~ kan* not if I can help it; *verhinderd te komen, ook:* unable to come; **verhindering** prevention; *(beletsel)* hindrance, obstacle; *bericht van ~* apologies for absence

verhit heated (imagination); **verhitten** heat; *(fig)* heat; **verhitting** heating *(ook fig)*

verhoeden: *dat verhoede God!* God forbid!

verhogen heighten (a dike, the effect), raise (the price), raise (wages, the school-leaving age), add to (a p.'s charms), increase (a bid); *(bevorderen)* promote; *(leerling)* move up to a higher class; *~ met f 5* raise by ...; *verhoogde bloeddruk* hypertension; **verhoging** *(het verhogen)* heightening, raising, promotion; *(van prijs, salaris, enz)* increase, rise; *(school)* remove; *(concr, van de grond)* rise, elevation; *(in zaal, enz)* (raised) platform; *u heeft een beetje ~* you have a (slight) temperature

verhongeren starve (to death); *doen ~* starve (to death); **verhongering:** *de ~ nabij* on the verge of starvation

verhoor hearing (the ... was adjourned), examination, trial, interrogation; *iem een ~ afnemen* interrogate a p.; *(door politie)* take a statement from, question (a p.); **verhoren** hear, answer (a prayer); interrogate (a witness)

verhouden: *hun salarissen ~ zich als ...* their salaries are in the ratio of 4 to 5; **verhouding** *(tussen getallen, enz)* proportion, ratio; *(betrekking)* relation; *hij had een ~ met zijn secre-*

taresse he had an affair with his secretary; *geen gevoel voor ~ hebben* have no sense of proportion; *buiten (alle) ~ tot* out of (all) proportion to; *in hun ware ~* (see things) in their true perspective; *naar ~* proportionately

verhuis|kaart change of address card; **-wagen** removal-van, pantechnicon

verhuizen move, remove, move house; **verhuizer** removal contractor; **verhuizing** removal

verhullen conceal

verhuren let (rooms, a house), let (rent) out (boats, bicycles); *het huis wordt verhuurd tegen ...* lets (is let) at ...; **verhuur** letting (out), hiring (out); *~ van auto's* car rental; **verhuurder** *(algem)* letter (of rooms, horses, etc); *(van huis, kamers)* landlord; **verhuurkantoor** *(verhuur- en verkoopkantoor)* house-agent's office

verificateur verifier, auditor; **verificatie** *(algem)* verification; audit; **verifiëren** verify, check (a statement); audit (accounts); prove (a will), admit (a will) to probate

verijdelen frustrate, baffle, defeat; **verijdeling** frustration, disappointment, defeat

vering spring action; *(concr)* springs

verjaard superannuated, barred by lapse of time

verjaardag birthday; *(van gebeurtenis)* anniversary; *z'n ~ vieren* celebrate one's birthday; *wel gefeliciteerd met je ~* many happy returns (of the day); **verjaarsgeschenk** birthday-present

verjagen drive away; *(door vreesaanjaging)* scare away; expel *(uit* from); dispel (fear)

verjaren *(misdaad e.d.)* become barred by statutes of limitation; **verjaring** *a)* superannuation; *b)* birthday

verjongen rejuvenate; **verjongingskuur** rejuvenation cure

verkalking calcination; *~ van de bloedvaten* arteriosclerosis

verkapt disguised, concealed

verkassen *(fam)* shift, *(sl)* change one's digs

verkeer (passenger, road) traffic; *(omgang)* (social, sexual) intercourse; *doorgaand ~* through traffic

verkeerd I *bn* wrong, bad; false (economy, step, start *begin*); faulty (diagnosis); *ook:* mis... (miscalculation, -information, -translation, -use, etc); *op het ~e been zetten, (sp)* wrong-foot (an opponent); *er viel nooit een ~ woord tussen hen* they never had a cross word; II *bw* wrong(ly); *~ begrijpen* misunderstand; *elkaar ~ begrijpen* misunderstand each other; *je begrijpt het helemaal ~* you've got the whole thing wrong; *~ beoordelen (uitspreken, vertalen, verstaan)* misjudge (mispronounce, mistranslate, misunderstand); *~ doen* do (the sum, everything) wrong; *het liep ~ met hem af* he came to a bad end

verkeers|aanbod volume of traffic; **-ader** (traffic-)artery; **-agent** constable on point-duty;

-bord traffic sign; **-heuvel** traffic-island; **-leider** traffic controller; **-leiding** traffic-control; **-licht** traffic-light; **-ongeval** traffic accident; **-opstopping** traffic-jam; **-overtreding** road offence; **-plein** roundabout; **-politie** traffic-police; **-regel** traffic rule; **-slachtoffer** road victim; **-stremming** traffic-jam; **-strook:** *met 6 verkeersstroken* six-lane (bridge); **-teken** traffic-signal; **-toren** (*luchtv*) control-tower; **-veiligheid** road safety; **-vliegtuig** passenger-plane; **-voorschriften** traffic regulations, (the) highway code; **-weg** thoroughfare; (*grote*) arterial road, highway, motorroad, motorway

verkennen survey, explore, (*mil*) reconnoitre; **verkenner** scout; **verkenning** reconnoitring, exploration, scouting; *een* ~ a reconnaissance; **verkenningvlucht** reconnaissance flight

verkeren (*omgaan*) have intercourse, associate (*met* with); (*veranderen*) change; (*zich bevinden*) be (in danger); *het kan* ~ things will take a turn; **verkering** courtship; *losse* ~ *hebben* go out together; *vaste* ~ *hebben* go steady

verkerven: *het bij iem* ~ incur a p.'s displeasure; *hij heeft het bij zijn chef verkorven* he is in disfavour with his chief

verkiesbaar eligible; *zich* ~ *stellen* offer o.s. as a candidate

verkieslijk preferable (*boven* to); desirable; **verkiezen** (*prefereren*) prefer (*boven* to); (*kiezen*) choose; (*vooral bij stemming*) elect; **verkiezing** (*algem*) choice; (*voorkeur*) preference; (*vooral bij stemming*) election; ~*en voor de gemeenteraad en voor het parlement* municipal and parliamentary elections; *naar* ~ at choice, at pleasure, at will, at discretion

verkiezings|campagne election(eering) campaign; **-dag** polling-, election-day; **-leus** election-cry, slogan; **-plakkaat** election poster; **-program** election-programme, electoral platform; **-strijd** election-contest; **-uitslag(en)** results of the poll

verkijken: *uw kans is verkeken* you've missed the bus; *zich* ~ *op* misjudge

verkikkerd: ~ *zijn op een meisje* be sweet on a girl

verklaarbaar explicable, accountable

verklappen give away (a secret, *de boel* = the show)

verklaren (*uitleggen*) explain, make clear, account for (one's conduct); (*zeggen*) declare; (*officieel*) certify; (*getuigen*) testify; *hierbij verklaar ik, dat* ... I hereby certify that ...; **verklaring** (*uitleg*) explanation; (*afgelegde* ~) statement; (*van getuige*) evidence, deposition; (*attest*) certificate; *beëdigde* ~ affidavit; *een* ~ *afleggen* make a statement; *ter* ~ (say s.t.) in explanation, in elucidation

verkleden: *het kindje* ~ change baby('s clothes); *zich* ~ change (one's clothes; *van vrouw:* one's dress), (*zich vermommen*) dress (o.s.) up

verkleinen reduce; (*fig*) belittle, detract from (a p.'s fame, merits, etc); minimize (the importance of ..., etc); *op verkleinde schaal* on a reduced scale; **verkleining** *a*) reduction; *b*) belittlement; **verkleinwoord** diminutive

verkleumd numb (with cold); *door en door* ~ chilled to the bone; **verkleumen** grow numb (*of:* stiff) with cold

verkleuren fade; *niet* ~ keep colour; *doen* ~ fade

verklikken give away; **verklikker** informer

verknallen (*fam*) spoil, bungle; lose (an opportunity)

verkneukelen: *zich* ~ hug o.s. with delight; *zich* ~ *in* revel (luxuriate) in

verknippen cut up; (*verknoeien*) spoil in cutting; *verknipt persoon* kinky person

verknocht attached, devoted (*aan* to); *een aan elkaar* ~ *paar* a devoted couple; **verknochtheid** attachment, devotion

verknoeien (*bederven*) spoil, bungle; (*verdoen*) waste (time, money); *ik heb de dingen hopeloos verknoeid* I've made a hopeless mess of it

verknollen *zie* verknallen

verkoelen cool (down, off) (*ook fig*); **verkoeling** cooling; (*fig ook*) coolness, chill; *het bracht* ~ *in hun vriendschap* it threw a damp over their friendship

verkoken *intr* boil away; *tr* boil down (to half the quantity)

verkokering (*fig*) tunnel vision

verkolen *intr* get charred (carbonized), char; *tr* char, carbonize

verkommeren sink into poverty, starve, wither

verkondigen proclaim (peace, one's intentions; the God he ...ed), preach (a new religion, the word of God), ventilate (an idea), put forward (a theory); **verkondiging** proclamation, preaching

verkoop sale; *ten* ~ *aanbieden* offer for sale; *in de* ~ *brengen* put on sale

verkoop|afdeling sales department; **-automaat** vending machine

verkoopbaar salable, marketable, vendible

verkoop|bureau selling agency; **-contract** contract of sale; **-datum** sell-by date; **-kantoor** selling-agency; **-leider** sales manager; **-order** selling-order; **-(s)prijs** selling price

verkoopster saleswoman, shop-girl

verkoop(s)waarde market-value

verkopen sell, dispose of; (*aan de deur*) hawk (from door to door); *publiek* ~ sell by (public) auction; *onderhands* ~ sell by private contract; *dit artikel wordt goed verkocht* this article sells well; **verkoper** seller, vendor; (*in zaak*) salesman; **verkoping** (public) sale, auction

verkorten shorten (a rope, a p.'s life, the way), abridge (a book, etc), condense (a report, a novel), abbreviate (a word, story, visit); **verkorting** shortening, abridg(e)ment, abbreviation, curtailment; foreshortening

ver

verkouden: ~ *zijn* have a cold; *snip*~ *zijn* have a streaming cold; ~ *worden* catch cold; **verkoudheid** cold (... in the head, head ...; ... on the chest, chest ...); *een* ~ *opdoen* catch cold; *hij lijdt aan een zware* ~ he has a severe cold

verkrachten violate (a law, rights, justice, one's conscience), violate, ravish, rape (a woman); **verkrachting** violation, ravishment, rape

verkrampt contorted (style)

verkregen: ~ *rechten* vested rights

verkreuk(el)en crumple (up), rumple, crush

verkrijgbaar obtainable (*bij* from), to be had, to be got, (programme) available (at 20p), (foreign papers) on sale (here); *informaties hier* ~ information to be had here, inquire within; *niet meer* ~, (*van artikel*) out of stock, (*van boek*) out of print; ~ *bij* ... can be obtained from (to be had of) all chemists; ~ *stellen* place on sale, offer (for sale); *ze zijn in 4 kleuren* ~, (*ook*) they come in four colours; **verkrijgen** obtain, get, acquire; gain (admission); *informaties waren moeilijk te* ~ information was hard to come by; *ik kon het niet over (van) mij* ~ I could not find it in my heart (to ...), could not bring myself (to ...)

verkroppen swallow (one's anger), bottle up (one's feelings); *zijn leed* ~ stifle one's sorrow, eat one's heart out; *zijn woede* ~, *ook:* chafe inwardly; *hij kan't niet* ~ it sticks in his throat

verkrotten decay, become slummy

verkruimelen (*ook fig*) crumble (away)

verkwanselen barter (*of:* bargain) away, fritter away (one's money)

verkwijnen pine away, languish

verkwikken refresh, freshen up, comfort; **verkwikking** refreshment, comfort

verkwisten squander, throw (*of:* fling) away, waste (money, time), dissipate (money, energy); ~ *aan* waste on; **verkwistend** wasteful, extravagant; **verkwister** spendthrift; **verkwisting** dissipation, extravagance

verladen ship; **verlading** shipment; **verladingsdocumenten** shipping-documents

verlagen lower (a wall, prices, wages, one's pretensions), reduce (cut, bring down) (prices); (*in rang*) demote; (*zedelijk*) lower, debase, degrade; ~ *met* reduce (lower) by (5 %); *zich* ~ lower (debase, degrade, demean) o.s.; *zich* ~ *tot, ook:* stoop (descend) to (dishonest practices); *verlaagd plafond* false ceiling; **verlaging** lowering, reduction, cut (price ...s); flattening; debasement, degradation; cutback (in tourist allowances); *vgl het ww*

verlakken: *iem* ~ gull (spoof, swindle, bamboozle) a p., sell a p. a pup, do a p. brown; **verlakkerij** (*fig*) spoof, bamboozlement, diddle

verlamd paralysed (*ook fig*); *een* ~*e* a paralytic; **verlammen** I *tr* paralyse, (*fig ook*) cripple (industry), throttle (trade), hamstring (be hamstrung by lack of means); *het verkeer* ~ block (*Am* stall) the traffic; II *intr* become paralysed; **verlamming** paralysis (*ook fig*)

verlangen I *tr ww* desire, want, require, have a desire (to ...); *hij verlangt, dat ik ga* he desires (wants) me to go; *ik verlang dat niet te horen* I do not choose (want) to hear it; *betaling* ~ demand payment; *al wat men kan* ~ all that can be desired; *wat verlangt u van me?* what do you want of me?; *hij deed, wat van hem verlangd werd* he did what was asked of him; *de verlangde hoeveelheid* the required quantity; II *intr ww* long; ~ *naar* long for, look forward to (going, the holidays), wish for (solitude); *vurig* ~ *naar* hanker after (for), be dying for (a drink); *ik verlang ernaar u te zien* I long (am anxious, sterker: aching, dying) to see you; ... *waar men zo vurig naar hem verlangde* the home where he was so eagerly expected; III *zn* desire; longing; ~ *naar* desire (longing) for, (sterker) craving for (strong drink), hankering (after power, the sea); *op* ~ (tickets to be shown) on demand; *op* ~ *van* at (by) the desire of; *op mijn* ~ at (by) my desire; *op zijn uitdrukkelijk* ~ by his special wish; *vol* ~ longing; **verlangend** longing; ~ *naar* desirous of, eager (anxious) for (a change); *ongeduldig* ~ *naar* impatient for; ~ *te gaan* anxious (eager) to go, desirous of going; **verlanglijst** list of gifts wanted, list of suggested gifts; ... *staat al lang op mijn* ~*je* has long been on my list of wishes

verlaten I *ww* leave, (*meestal voorgoed, ook:*) quit; (*in de steek laten*) abandon (a sinking ship), desert (one's post, one's wife and children, his courage ...ed him), forsake (God will not ... you); (*ontruimen*) vacate (the room was hurriedly ...d); *zich* ~ *op* rely on; *ik heb mij verlaat* I am late; II *bn* (*van pers*) lonely; (*in de steek gelaten*) abandoned; (*zonder mensen*) deserted; (*afgelegen*) lonely; **verlating** abandonment, desertion

verleden I *bn* last (week, year, night); past (events); ~ *tijd*, (*gramm*) past tense; *dat is* ~ *tijd* that is over and done with; II *zn* past; *zijn* ~ his past; *met een slecht* ~ (man) with a bad record

verlegen (*van aard*) shy; (*op zeker tijdstip*) embarrassed; *zij is niet gauw* ~ not easily put out; *ik was ermee* ~ I did not know what to do with it; *met zijn tijd* ~ *zijn* be at a loose end; ~ *zijn om* be in want of; **verlegenheid** shyness, timidity, self-consciousness, embarrassment (his financial ...s); *in* ~ *geraken* get into trouble

verleggen shift, put elsewhere, remove

verleidelijk tempting, alluring, seductive; **verleiden** (*zedelijk*) seduce; lead (a p.) astray; (*vrouw*) seduce; (*verlokken*) tempt, allure; *ik heb me laten* ~ *het boek te lezen* I have been trapped into reading the book; **verleider** seducer; tempter; *verborgen* ~*s* hidden persuaders; **verleiding** seduction, betrayal; (*verzoeking*) temptation

verlenen grant (credit), allow (a discount), give (permission), accord (he was ...ed the military cross), confer (a title) on (a p.), render (assistance); (*diploma*) grant (*aan* to), confer (*aan* on); *kracht* ~ *aan* lend (impart) force to

verlengen make longer, prolong (a visit); extend (one's credit); renew (passport, subscription, etc); **verlenging** lengthening; extension; renewal

verleppen wilt, fade, wither

verleren unlearn; *om het niet te* ~ in order not to lose one's touch, skill

verleuteren idle away (one's time)

verlevendigen revive (hope, the memory of ...), enliven (the scene, a feast)

verlicht 1 (*door licht*) illuminated; (*fig*) enlightened (person, age); ~ *despoot* enlightened (benevolent) despot; **2** (*van last, enz*) lightened; (*fig*) relieved; **verlichten 1** (*door licht*) light, illuminate; (*met schijnwerpers*) floodlight; (*fig*) enlighten (the mind); **2** (*minder zwaar maken*) lighten (*ook fig:* the heart); simplify (a task); relieve (suffering), alleviate (a p.'s lot), ease (pain); **verlichting 1** lighting, illumination; *TL*-~ strip light; **2** lightening, relief, alleviation

verliefd in love (be ... (*op* with) a man); ~*e blikken* amorous looks; *smoorlijk* ~ *op* over head and ears in love with; ~ *worden* fall in love; ~*en* lovers; **verliefdheid** amorousness, love-sickness

verlies loss; (*door de dood*) *ook:* bereavement; *verliezen,* (*in oorlog*) casualties (suffer heavy ...); *het* ~ *dragen* bear the loss; ~ *aan geld en goed* loss in money and property; ~ *aan menselevens* loss of life; *met* ~ *verkopen* sell at a loss; *hij kan goed tegen zijn* ~ he is a good loser; **verlies|gevend, -lijdend** losing money

verliezen lose (a battle, one's life, a lawsuit); *er is geen tijd te* ~ there is no time to lose (to be lost); *geen tijd* ~ *met schrijven* waste no time in writing; *er niets bij* ~ lose nothing by it; ~ *met 5-0* lose five-nil; *uit het oog* ~ lose sight of (*ook fig:* a fact, etc); **verliezer** loser

verlijden draw up (a deed *akte*)

verloederen go to the dogs

verlof (*permissie*) leave, permission, (*tot afwezigheid*) leave (of absence), (*inz mil*) furlough; *bijzonder* ~, (*wegens ziekte van bloedverwanten, enz*) compassionate leave; (*anders*) special leave; ~ *aanvragen* apply for leave; ~ *geven om* give permission to ...; *alle verloven intrekken* stop all (leave); *met* ~ *zijn* be on leave

verlokken tempt, allure, seduce; *zie* verleiden

verloochenen deny (God, one's faith), renounce; **verloochening** denial, renunciation

verloofd: ~ *zijn* be engaged (*met* to); **verloofde:** *zijn* ~ his fiancée; *haar* ~ her fiancé; *de* ~*n* the engaged couple

verloop (*van tijd, ziekte, enz*) course; (*achter-uitgang*) falling off (of a man's business); (*wisseling*) turnover (in personnel); *de ziekte heeft haar gewone* (*normale, een bevredigend*) ~ the illness is running (taking) its ordinary (normal, a satisfactory) course; *het* ~ *van de zaak afwachten* await developments (events); *na* ~ *van 3 dagen* after three days; *na* ~ *van tijd* in course of time

verloop|stekker adapter plug; **-stuk** (*techn*) adaptor

verlopen I *ww* (*van tijd*) pass (away), go by; (*van pas, enz*) expire; (*van zaak*) go down; *alles verliep rustig* everything passed off quietly; *daar kunnen nog jaren over* ~ it may be years first; *de staking verliep* the strike petered out; **II** *bn* (*van pers*) seedy

verloren lost; *de zaak is* ~ the game is up; *een* ~ *zaak* a lost cause; ~ *dag* (it was a) wasted day; ~ *ogenblikken* spare moments; *de* ~ *zoon* the prodigal son; ~ *gaan* be (get) lost; *geen tijd* ~ *laten gaan* lose (waste) no time; ~ *gaan in de menigte* get lost (lose oneself) in the crowd; *het schip werd als* ~ *beschouwd* was given up for lost

verlos|kamer delivery-room; **-kunde** obstetrics; **-kundige** obstetrician; (*vrouw*) midwife

verlossen deliver, release; (*vooral van Christus*) redeem; (*bij bevalling*) deliver (a woman); *hij sprak het* ~*de woord* he saved the situation by saying ...; **verlosser** deliverer; *de V*~ the Redeemer; **verlossing** deliverance, redemption; (*bevalling*) delivery

verloting raffle, lottery

verloven: *zich* ~ become engaged (*met* to); **verloving** engagement

verluiden: *naar verluidt* it is rumoured that ...

verluieren idle (*fam:* laze) away (one's time)

verlustigen divert; *zich* ~ *in* delight in (reading, etc); *zich* ~ *in de aanblik van* feast one's eyes upon

vermaak amusement; entertainment; ~ *scheppen in* take (a) pleasure in

vermaard famous, celebrated; **vermaardheid** fame, celebrity

vermageren (*als kuur*) reduce, slim; *ik moet* ~ I must get my weight down; *zijn vermagerd lichaam* his emaciated frame; **vermagering** emaciation; (*opzettelijk*) slimming

vermagerings|dieet reducing-diet; **-kuur** slimming-course

vermakelijk amusing; **vermakelijkheid:** *een* ~ an amusement

vermaken 1 amuse; *zich* ~ enjoy o.s.; *zich buitengewoon* ~ have the time of one's life; *zich* ~ *ten koste van* amuse o.s. at the expense of; **2** (*veranderen*) alter (clothes, etc.); **3** (*bij testament*) bequeath, dispose of by will

vermaledijd cursed, damned, darned

vermanen admonish, warn; **vermanend** admonitory; **vermaning** admonition

vermannen: *zich* ~ brace o.s., pull o.s. together

vermeend putative (his ... father); fancied (rights)

ver

vermeerderen I *tr* increase, add to (the difficulties); *zich* ~ increase; **II** *intr* increase (*met* by); **vermeerdering** increase (*vergeleken met* ... on last year)

vermelden mention, report (many accidents are ...ed); **vermeldenswaard** worth mentioning; **vermelding** mention; (*in gids*) (directory) entry; (*in lijst*) listing; *eervolle* ~ honourable mention

vermengen mix; blend (tea, coffee); alloy (metals); *zich* ~ mix; **vermenging** mixture; (*mengsel*) mixture, blend

vermenigvuldigen multiply (*met* by); (*met stencil e.d.*) duplicate; *zich* ~ multiply; **vermenigvuldiging** multiplication

vermetel audacious; **vermetelheid** audacity

vermicelli id

vermijden avoid (a p., place, etc), (*sterker*) shun; (*ontwijken*) evade (a blow, a direct answer); *niet als ik het* ~ *kan, ook:* not if I can help it

verminderen lessen, decrease, diminish, cut down (expenses), reduce (the price), ease (pain, tension) (*zie ook* verlagen); *mijn gezicht vermindert* my eyesight is failing; **vermindering** decrease, reduction; (income tax) cut

verminken mutilate; (*fig ook*) garble (a report, facts), tamper with (a text); **verminking** mutilation (*ook fig*)

vermist missing; ~ *worden* be missing; ~ *raken* get lost; *de* ~*e* the missing person

vermoedelijk presumable, expected (arrival)

vermoeden I *ww* suspect; suppose; *hij kan niet* ~ *wat ik denk* he cannot have an idea of what I think; **II** *zn* supposition, conjecture; (*verdenking*) suspicion; *bang* ~ misgiving, qualm; *een sterk* ~ (have) a shrewd suspicion (that ...)

vermoeid tired, fatigued (*ook techn*), weary; ~ *van* tired with; **vermoeidheid** tiredness; fatigue; **vermoeien** tire, weary, fatigue; *zich* ~ tire o.s.; **vermoeiend** tiring, fatiguing

vermogen I *ww:* ~ *te* be able to; *niets* ~ *tegen* be powerless against; **II** *zn* (*fortuin*) fortune, wealth, riches; (*macht*) power; (*geschiktheid*) ability; (*mech*) power, capacity; *verstandelijke* ~*s* intellectual faculties; *zover in mijn* ~ *ligt* as far as lies in my power (as lies in me); *naar mijn beste* ~ to the best of my ability; **vermogend** wealthy, rich

vermogensaanwas(belasting) capital gains (tax)

vermolmd mouldered

vermomd disguised; **vermommen** disguise; *zich* ~ disguise o.s.; **vermomming** disguise

vermoorden murder, kill; *de vermoorde* the murdered person

vermorsen waste (bread, money, time)

vermorzelen crush, smash (up)

vermurwen soften, mollify; *zich laten* ~ relent; *niet te* ~ inexorable, relentless

vernauwen (*ook: zich* ~) narrow; **vernauwing** narrowing; (*med*) stricture

vernederen humiliate, humble; **vernederend** humiliating; **vernedering** humiliation

vernemen learn, hear, understand; *naar we* ~ *is hij* ... it is understood that he ...

verneuken (*plat*) fool, spoof

vernielen destroy, smash (up); (*mil*) demolish; *zie* vernietigen; **vernieling** destruction; *vreselijke* ~*en aanrichten* cause terrible havoc; *in de* ~, (*sl*) wrecked; **vernielzucht** vandalism

vernietigen (*vernielen*) destroy, wreck; (*te niet doen*) nullify, annul, reverse (a decision); *iem met een blik* ~ wither a p. with a look; **vernietigend** destructive (fire, etc), devastating (criticism), withering (look); **vernietiging** destruction; (*nietigverklaring*) annulment; **vernietigingskamp** death camp

vernieuwbouw renovation

vernieuwen renew (efforts), renovate; **vernieuwing** renewal, renovation; innovation

vernis varnish; **vernissen** varnish

vernoemen name (a child after a p.)

vernuft genius, ingenuity; **vernuftig** ingenious

veronachtzamen neglect (a p., one's duty); **veronachtzaming** neglect, disregard

veronderstellen suppose, assume, presume; (*fam*) expect (I ... it's yours); *ik veronderstel van ja* I suppose so, I suppose he has (it is, etc); *naar verondersteld wordt* supposedly; **veronderstelling** supposition; *in de* ~ *dat* ... supposing that ...; *van de* ~ *uitgaan dat* ... start from (speak on, argue on) the assumption that ...

verongelijken wrong; *een verongelijkt gezicht* an aggrieved expression

verongelukken (*omkomen*) perish, (*schip, vliegtuig*) be wrecked; (*vliegtuig, ook:*) crash; (*een ongeluk krijgen*) meet with an accident; *verongelukt* wrecked (vessel, motor-car)

verontreinigen pollute (a river), soil; *verontreinigde lucht* polluted air; **verontreiniging** pollution

verontrusten alarm, disturb; **verontrustend** alarming; **verontrusting** alarm, disturbance

verontschuldigen excuse (a p.); *zich* ~ apologize (to a p. for s.t.), excuse o.s. (on the ground that ...); *de Heer N laat zich* ~ Mr. N begs to be excused; *het is niet te* ~ there is no excuse (for it); **verontschuldigend** (speak in an) apologetic (tone); **verontschuldiging** excuse; apology; *als* ~ *aanvoeren* plead (a headache) (in extenuation)

verontwaardigd indignant (*over* ... at s.t., with a p.); *ten zeerste* ~ outraged (*over* at); **verontwaardiging** indignation

veroordeelde convict; **veroordelen** (*algem*) condemn; (*jur*) sentence, condemn, (*vooral in civiele zaken*) give judgment against; (*schuldig bevinden*) convict; (*afkeuren*) condemn; *openlijk* (*heftig*) ~ denounce (a p., practices, etc); *ter dood* ~ sentence to death; *tot drie maanden gevangenisstraf* ~ sentence to three months' imprisonment; **veroordeling** condemnation (*ook: afkeuring*), denunciation; (*jur*) conviction; *vgl het ww*

veroorloofd (*niet verboden*) allowed, permitted; (*toelaatbaar*) admissible, permissible; **veroorloven** allow, permit; *zich ~ te ...* take the liberty to ...; *dat kan ik me niet ~* I cannot afford it

veroorzaken cause, bring about; **veroorzaker** originator

verorberen consume

verordenen order, ordain, enact, decree; **verordening** regulation(s); (*van gemeente, enz*) by(e)-law; *volgens ~* by order

verouderd obsolete (word), out of date (machinery), antiquated; **verouderen I** *intr* (*van pers*) grow old, age; (*van woorden, enz*) become obsolete; (*van landkaart, boek, radiotoestel, enz*) get out of date; *die film is verouderd* that film dates; **II** *tr* age

veroveraar conqueror; **veroveren** conquer, capture (*op* from); *land op de zee ~* reclaim land from the sea; **verovering** conquest

verpachten lease; **verpachter** lessor; **verpachting** leasing, lease

verpakken pack, wrap up (in brown paper); **verpakking** packing

verpanden pawn (a watch, etc), pledge (one's word, life), mortgage (one's house); *zijn hart ~ aan* give one's heart to

verpesten infect, poison (the air); (*fig*) infect, contaminate; *iem het leven ~* pester a p. (to death)

verpieterd (*door braden*) frizzled up

verplaatsbaar (re)movable; portable (radio); **verplaatsen** move (troops, chess-men, the table), shift (one's weight from one foot to the other), displace (a quantity of water), give a new place to; *zich ~* move; **verplaatsing** movement, move, removal

verpleegdag (£ 30 per) day of hospitalization

verpleegde patient; *in inrichting ~* in-patient

verpleeg|huis, **-inrichting** nursing-home; **-kunde** nursing

verpleegster nurse, trained nurse; **verpleegstersuniform** nursing uniform

verplegen nurse; **verpleger** (male) nurse; **verpleging** nursing; (*onderhoud*) maintenance; (*mil*) supply

verpletteren crush, shatter; *het vliegtuig werd verpletterd* (was) smashed; *~d bewijs* damning proof; *~de meerderheid* overwhelming majority; *~de nederlaag* crushing defeat

verplicht (*verschuldigd*) due (*aan* to); (*gebonden*) under an obligation (a commitment) (to ...); (*tegenover facultatief*) compulsory, obligatory (subjects *vakken*); *~ stellen* make obligatory; *ik ben u zeer ~* I am much obliged to you; *dat zijn we aan hem ~* we owe it to him; *~ tot geheimhouding* bound over to secrecy; **verplichten** (*noodzaken*) oblige, force; *daarmee hebt u mij aan u verplicht* you have obliged me by this; *het verplicht u tot niets* it

commits you to nothing; *zich ~ te* bind (pledge) o.s. to; **verplichting** obligation; (*verbintenis ook*) commitment; *maatschappelijke ~en* social duties; *zijn ~en nakomen* meet one's obligations

verpraten waste (one's time) talking; *zich ~* (*iets verklappen*) let the cat out of the bag; *zie* verspreken

verraad treachery, treason, betrayal; *~ plegen* commit treason; **verraden** betray, (*fam*) give away (a p., secret); (*fig*) betray; **verrader** (a) traitor, (his) betrayer; (*verklikker, sl*) squealer, (*tegen politie*) grass; **verraderlijk** treacherous

verrassen surprise, take by surprise; *door een regenbui verrast worden* be caught in a shower; *onaangenaam verrast zijn* be taken aback; **verrassend** surprising; **verrassing** surprise; *iem een ~ bereiden* have a surprise in store for a p.

verregaand extreme, gross (ignorance); *dat is ~* that's the limit

verregenen be spoiled by (the) rain

verreisd travel-worn

verrekenen settle; *zich ~* miscalculate; **verrekening** *a*) settlement; *b*) miscalculation

verrekijker telescope, field-glass(es)

verrekken sprain, dislocate (one's arm); *verrek!* (*plat*) shit!, blimey; *verrekt* damn(ed), blasted

verreweg by far, much (the best speech)

verrichten do (a kind action), conduct (business), perform (an operation), execute (one's task)

verrijken enrich (*ook fig*); *zich ~* enrich o.s.

verrijzen (*van gebouwen*) go (spring) up; *uit de dood ~* rise from the dead; **verrijzenis** resurrection

verroeren stir, move, budge (*alle ook: zich ~*)

verroest rusty; *nog zo'n ~e ...*, (*sl*) another blinking schoolmaster!; **verroesten** rust

verrot rotten; *door en door ~* rotten to the core; **verrotten** rot, decay; *doen ~* rot (down)

verruilen exchange (*voor, tegen* for)

verruimen enlarge, widen (one's horizon), broaden (the mind)

verrukkelijk delightful, enchanting; (*van voedsel, enz*) delicious; **verrukken** delight; *verrukt zijn over* be delighted at; **verrukking** delight, rapture, ecstasy

verruwen *tr & intr* coarsen; **verruwing** ...ing

vers I *zn* (*gedicht*) poem; *dat is ~ twee* that's quite another story; **II** *bn* fresh (vegetables, meat, fruit), new (bread)

versagen despond; *niet ~* keep one's end up, never say die!

verschaffen procure (a p. s.t., s.t. for a p.), supply (a p. with s.t.); *zich ~* provide o.s. with

verschansen entrench

verscheiden I *ww* pass away; **II** *zn* passing (away); **III** *bn, telw* (*van aantal*) several; (*verschillend*) various, different; **verscheidenheid** variety, diversity, difference

ver

verschepen ship; **verscheper** shipper; **verscheping** shipment

verscherpen sharpen (*ook fig*: the memory); (*fig*) strengthen, tighten up (regulations); (*verergeren*) aggravate (the situation); **verscherping** sharpening, strengthening, aggravation

verscheuren tear (up) (a letter, etc); (*door wild dier, enz*) tear to pieces; (*fig*) tear; ~*de dieren* savage animals

verschiet distance, (*aan kust ook*) offing; (*fig*) prospect; *in het* ~, (*fig*) in the distance; *dat is voor u in het* ~ that is in store for you

verschieten I *tr* shoot; **II** *intr* (*van pers*) change colour; (*van kleuren*) fade

verschijnen (*algem*) appear; (*zich vertonen*) turn up (for dinner); (*waar iems aanwezigheid vereist is*) attend (be summoned to …); (*van boek*) be published; (*van geest*) materialize; (*verstrijken van termijn*) expire; *niet* ~, *ook*: fail to turn up; *het boek is pas verschenen* is just out; **verschijning** appearance; (*van boek ook*) publication; (*van pers ook*) attendance (*vgl het ww & zie* niet-~); (*geest*~) apparition; (*pers*) figure (a tall …); *een aardige* ~ a pleasant-looking woman (girl); **verschijnsel** phenomenon (*mv*: phenomena); (*symptoom*) symptom

verschil difference (*ook in rekenk*), discrepancy (between words and figures on a cheque); (*onderscheid*) distinction; (*verscheidenheid*) variety; ~ *van mening* difference of opinion; ~ *maken* make a difference; *dat maakt (een groot)* ~ that makes a difference (all the difference); **verschillen** differ; ~ *van*, (*anders zijn dan*) differ from, (*in mening*) differ from (*of*: with); **verschillend** different, distinct (*van* from), other (than); (*verscheiden*) several; (*allerlei*) various; (*ongelijk, ook:*) odd (socks)

verscholen hidden; *zich* ~ *houden* lie low

verschonen put clean sheets on (a bed); change (a child); (*excuseren*) excuse; *zich* ~ have a bath and a change of clothes; **verschoning 1** change of linen/clothes; **2** excuse; ~ *vragen* apologize (*voor* for)

verschoppeling outcast, pariah

verschoten faded

verschrijven: *zich* ~ make a mistake (in writing)

verschrikkelijk terrible, dreadful, horrible

verschrikking fright, terror, horror

verschroeien scorch; (*van zon ook*) parch; *tactiek van de verschroeide aarde* scorched earth policy

verschrompelen shrivel (up)

verschuilen hide, conceal; *zich* ~ hide (*voor* from)

verschuiven I *tr* *a*) shove (away), shift; *b*) put off, postpone; **II** *intr* shift; **verschuiving** *a*) shift(ing), etc.; *b*) postponement

verschuldigd indebted, due; *iem … ~ zijn* owe a p. money; *ik ben hem veel* ~ I owe him much,

am greatly indebted to him; *het ~e* (*bedrag*) the amount due

versgebakken freshly-baked, new (bread)

versie version

versieren adorn, decorate (with flags); *een meisje* ~, (*sl*) chat up a bird; **versier|ing, -sel** adornment, decoration

versjacheren barter away, flog

versjouwen drag away

verslaafd: ~ *aan* addicted to (drink, etc); *aan drugs* ~*e* drug addict; **verslaafdheid** addiction

verslaan defeat, beat; (*inz van journalist*) cover (a meeting); ~ *met 3 tegen 0* beat 3 goals to nil (at football)

verslag report, account; (*radio, enz*) (give a) commentary (*van* on); (*inz van journalist, ook:*) coverage; ~ *doen van* give an account of

verslagen defeated, beaten; (*fig*) dismayed

verslagenheid dismay, consternation; *diepe* ~ prostration; *een blik van* ~ a stricken look

verslag|gever, -geefster reporter; (*radio*) commentator

verslapen sleep away; *zich* ~ oversleep (o.s.)

verslappen (*van spieren, aandacht, enz*) relax

verslaven enslave; **verslavend** addictive; **verslaving** addiction (*aan* to)

verslechteren worsen; **verslechtering** worsening, deterioration

verslepen drag away

versleten worn (out) (gloves, etc), threadbare (clothes, carpet); (*van pers*) worn out (with age); **verslijten I** *tr* wear out (clothes; *ook fig* = use up: … three secretaries in six months); *iem* ~ *voor* take a p. for; **II** *intr* (*ook fig*) wear out

verslikken: *zich* ~ choke (on a piece of meat); (*fig*) bite off more than one can chew

verslinden devour (*ook fig*), gobble up; *iem met de ogen* ~ devour a p. with one's eyes

verslingeren: *zich* ~ *aan* throw o.s. away on

versloffen neglect; **versloffing** negligence, neglect

verslonzen spoil

versluieren veil, disguise (one's intentions)

versmachten (*van dorst*) be parched with thirst

versmaden scorn, despise

versmallen narrow (*ook: zich* ~)

versnapering titbit, dainty, delicacy

versnellen *tr & intr* accelerate; speed up; **versnelling** acceleration; speed(ing)-up (*zie het ww*); (*van fiets, enz*) gear; *rijwiel met 10* ~*en* ten-speed (bicycle); *in de* ~ *zetten* put into gear

versnellings|bak gear-box; **-handel, -hendel** gear-lever

versnijden (*aan stukken*) cut up; (*wijn*) dilute

versnipperen cut into bits, (*oud ijzer*) scrap; fritter away (one's time)

versnoepen spend on sweets

versoberen economize, cut down expenses;

versobering economization; (*van levenswijze*) austerity; simplification

versoepelen relax (restrictive measures)

verspelen gamble away (one's money); forfeit (one's right)

versperren block, bar (the way)

verspieden spy out, reconnoitre; **verspieder** spy, scout

verspillen squander, waste, fritter away (time); *zie* verkwisten; *ik wil er geen woord meer over* ~ I won't waste another word upon it; **verspiller** spendthrift; **verspilling** waste

versplinteren *tr & intr* splinter

verspreid scattered; *het speelgoed lag* ~ *over de vloer* the floor was littered with toys; **verspreiden** spread (news, rumours), give off (heat), scatter (how plants ... their seeds), disperse (the crowd); *verspreide buien* occasional showers; *zich* ~ spread; **verspreiding** spreading, dispersal, scattering; *vgl het ww*

verspreken *zich* ~ make a slip (of the tongue); **verspreking** slip of the tongue

'**verspringen** *zn* long jump

versregel line of poetry

verst farthest, furthest

verstaan understand (French, one's trade, etc), know (one's job *vak*); *versta me goed!* don't misunderstand me!; *verkeerd* ~ misunderstand; *ik heb zijn naam niet goed* ~ I did not quite catch his name; *mij is te* ~ *gegeven* I have been given to understand; *een wenk* ~ take a hint; **verstaanbaar** understandable; *zich* ~ *maken* make o.s. understood; **verstaander**: *een goed* ~ *heeft maar een half woord nodig* a word to the wise is enough

verstand understanding, sense, reason, intellect; (*kennis*) knowledge; *gezond* ~ common sense; *hij heeft een goed* ~ he has brains, is intelligent; *waar hebben ze toch hun* ~? where's their sense?; *hij heeft er helemaal geen* ~ *van* he does not know the first thing about it; *ik kon mijn* ~ *niet bij ... houden* I could not keep my mind on my work; *zijn* ~ *verliezen* lose one's mind; *het* ~ *komt met de jaren* wisdom comes with age; you can't expect an old head on young shoulders; *dat zal ik hem aan het* ~ *brengen* I'll make that plain to him; *hij was bij zijn volle* ~ he was in full possession of his faculties; *dat gaat boven mijn* ~ it's beyond me; *met* ~ *te werk gaan* use (act with) discretion; **verstandelijk** intellectual; ~*e vermogens* intellectual faculties (powers)

verstandhouding understanding; *in goede* (*slechte*) ~ *staan* be on good (bad) terms (*met* with); *een blik van* ~ a look of mutual understanding

verstandig sensible, intelligent, wise; *je kon geen* ~ *woord uit hem krijgen* it was impossible to get any sense out of him; *ze was zo* ~ *om ...* she had the (good) sense to stay away; *je zou* ~ *doen met te ...* you would be wise (well-advised) to ...

verstands|kies wisdom-tooth; -**verbijstering** insanity

verstarren stiffen

versteend petrified, turned to stone (*beide ook fig*); ~ *van kou* stiff with cold

verstek: *de zon laat* ~ *gaan* the sun is not coming out; *hij werd bij* ~ *veroordeeld* he was condemned (sentenced) in his absence

verstekeling stowaway

verstelbaar adjustable (chair, etc)

versteld 1 (*van kleren*) mended; 2 ~ *staan* be taken aback; ~ *doen staan* amaze, confound

verstelgaren darning-wool

verstellen (*instrument, enz*) adjust; (*repareren*) mend, repair (clothes, etc); **verstelling** adjustment; mending; repair

versterken strengthen (the body, the mind), fortify (a town, o.s. with a glass of ...), (*uitbreiden*) reinforce (an army), intensify (sound, light), deepen (impressions); (*radio*) amplify; *ik word in die mening versterkt door ...* I am fortified in that opinion by the fact that ...; ~*de middelen* restoratives; **versterker** (*telec & fot*) amplifier; **versterking** strengthening, reinforcement; (*telec*) amplification; *vgl het ww;* ~*en*, (*troepen*) reinforcements, (*werken*) fortifications

verstevigen consolidate

verstijfd stiff, (*van kou ook*) benumbed (with cold); (*als*) ~ (he stands) rigid; **verstijven** *intr* stiffen, grow stiff; grow numb (with cold); *tr* stiffen, benumb

verstikken *tr* suffocate, choke, stifle; *intr, zie* stikken; *zijn stem verstikt door ontroering* his voice is choking with emotion; **verstikkend** suffocating, stifling (air); ~ *heet* suffocatingly hot; **verstikking** suffocation

verstoken I *bn*: ~ *zijn van* be devoid of, lack (common sense); II *ww* burn; consume

verstokt hardened (sinner), confirmed (smoker, bachelor), inveterate (drunkard)

verstolen furtive, stealthy (glance)

verstomd struck dumb, speechless; ~ *doen staan* strike dumb; **verstommen** I *tr* silence, strike dumb; II *intr* be struck dumb, become speechless

verstoord disturbed; (*ontstemd*) annoyed, cross

verstoppen stop up (the chimney), clog (a tube); block (up) (a passage); (*ingewanden*) constipate (the bowels); (*verbergen*) hide, conceal; **verstoppertje**: ~ *spelen* play at hide-and-seek; **verstopping** obstruction, blockage; **verstopt** stopped up, clogged, stuffed-up (nose), etc; *zie* verstoppen; ~ *raken* become choked (clogged up, etc)

verstoren disturb (the silence, a p.'s rest), upset (a p.'s plans); (*ontstemmen*) vex, annoy; **verstoring** disturbance

verstoteling outcast, pariah

verstoten renounce, disown (one's son)

verstouten: *zich* ~, (*moed vatten*) take heart; (*het wagen*) make bold

verstrekken provide, furnish, supply (free meals to ...); *iem iets* ~ provide a p. with s.t.; *hulp* ~ render aid; *inlichtingen* ~ give information

'**verstrekkend** far-reaching

verstrijken expire, elapse, go by; *naarmate de dag verstreek* as the day wore on; *naarmate de tijd verstreek* with the lapse of time; *zodra de huur verstreken is* as soon as the lease has expired; *de tijd is verstreken* time is up

verstrikken ensnare; *zich ~, verstrikt raken* get entangled (in)

verstrooid scattered; (*fig*) absent-minded; **verstrooidheid** absent-mindedness

verstrooien disperse; **verstrooiing** *a*) dispersal; *b*) entertainment; ~ *zoeken* seek diversion

verstuiken sprain (one's ankle); **verstuiking** sprain(ing)

verstuiven I *intr* be blown away (like dust); II *tr* spray, atomize; **verstuiver** atomizer; (*spuitbus*) spray can; **verstuiving** *a*) dispersion; *b*) atomization

versuft stupefied; (*van oud pers*) doting

versukkeling: *in de* ~ *raken* go to seed; get lost

vertaaloefening translation exercise

vertakken: *zich* ~ branch (here the road ...ed)

vertalen translate; ~ *in* translate into; *in* (*uit*) *het Frans vertaald* translated into French (from the French), *uit het Spaans in het Nederlands* ~ translate from Spanish into Dutch; **vertaler** translator; **vertaling** translation

verte distance; *in de* ~ in the distance; distantly (related *verwant*); *in de verste* ~ *niet* not by far; *ik denk er in de verste* ~ *niet aan om* ... I have not the remotest (slightest) intention of (I am far from, I wouldn't dream of) blaming him

vertederen soften; **vertedering** softening

verteerbaar digestible; **verteerbaarheid** digestibility

vertegenwoordigen represent; *alles wat hij vertegenwoordigt* (I hate him and) all he stands for; **vertegenwoordigend** *ook:* representative (of); **vertegenwoordig(st)er** representative

vertekenen distort

vertellen tell, relate, narrate; *men vertelt van je, dat* ... you are said to ...; *ik heb me laten* ~ I am told (that ...); *hij heeft niet veel te* ~ his word carries no weight; *hij kan me nog meer* ~ I've heard that one before; *zich* ~ miscount; *vertel dat aan je grootje!* tell it to the marines!; **verteller** narrator; **vertelling** story, tale; **vertelseltje** nursery-tale

verteren I *tr* spend (money), consume (the house was ...d by fire), digest (food); *niet te* ~ indigestible (story), unacceptable (behaviour); II *intr* (*van voedsel*) digest; (*vergaan*) decay; *zie verder* vergaan; **vertering** (*van spijs*) digestion; (*uitgaven*) expenses

verticaal vertical; (*in kruiswoord*) down

vertier (*bedrijvigheid*) activity

vertikken refuse flatly; *ik vertik het* I simply won't do it; *mijn auto vertikte het* my car wouldn't budge

vertillen lift; *zich* ~ strain o.s. in lifting; (*fig*) *ik heb me eraan vertild* it was too much for me

vertimmeren alter, make alterations in, rebuild

vertoeven sojourn, stay

vertolken interpret; (*fig*) voice; **vertolking** interpretation; voicing; rendering (of the role), impersonation (of a character)

vertonen show (one's ticket, etc.); produce (documents); (*tentoonstellen*) exhibit, display, show; (*tentoonspreiden*) display; (*theat*) produce; (*in bioscoop*) show, (*voor het eerst*) release (a film); *enige gelijkenis* (*overeenkomst*) ~ *met* bear a slight resemblance to; *zich* ~ appear; (*van pers ook*) show up, turn up; **vertoning** showing, exhibition (of a film), production; (*slide*) presentation; (*theat*) performance; (*schouwspel*) spectacle, show

vertoog remonstrance; (*betoog*) demonstration

vertoon (*het vertonen*) presentation; exhibition (of joy), demonstration (a great ... of enthusiasm); (*praal*) show, display; ~ *maken met zijn geleerdheid* show off one's learning; *op* ~, (*van kaartje, enz*) on presentation; *toegang op* ~ *van kaartje* admittance by ticket

vertoornd incensed, angry; ~ *op* angry with

vertragen I *tr* retard, delay; *de snelheid* ~ slow down; II *intr* slow down; **vertraging** slowing-down; (*achterblijven*) lag; ~ *in produktie* lag in production; *de trein had aanzienlijke* ~ was considerably delayed; *een uur* ~ *hebben* be an hour behind schedule

vertrappen (*ook fig*) trample down; *de vertrapten* the downtrodden

vertreden: *zich* ~ stretch one's legs

vertrek 1 room; 2 departure, (*van boot ook*) sailing; **vertrekken** I *intr* leave (the train ...s from platform 2), start, set out, depart; (*van boot ook*) sail, (*van vliegtuig ook*) take off; ~ *naar* leave (start, sail) for; *de trein moet* ~ *om* ... is due out at 5.40; *haar gelaat vertrok* twitched, (*van pijn*) was twisted by pain; II *tr* distort (one's face)

vertrek|punt point of departure (*ook fig*); **-tijd** time of departure

vertreuzelen idle (*of:* trifle) away

vertroebelen: *de zaak* ~ confuse the issue

vertroetelen spoil, pamper, pet

vertroosten comfort, console; **vertrooster** comforter; **vertroosting** comfort, consolation

vertrossing attenuation

vertrouwd reliable (agents, etc.), trusted, dependable, trusty (friend, etc.); (*veilig*) safe (the ice is not ...); ~ (*raken*) *met* (become) conversant with; *zich* ~ *maken met* make o.s. familiar with, familiarize o.s. with, school o.s.

to (an idea); **vertrouwdheid** familiarity (with a subject); **vertrouwelijk I** *bn* (*familiaar*) familiar; (*geheim*) confidential; **II** *bw* ...ly; **vertrouwelijkheid** familiarity, intimacy

vertrouwen I *zn* trust, confidence, faith; *iems* ~ *genieten* enjoy a p.'s confidence; *ik heb mijn* ~ *in ... verloren* I've lost faith in lawyers; *vol* ~ *op* confident of (success); ~ *stellen in* confide in, trust; ~ *wekken* inspire confidence; *in* (*strikt*) ~ in (strict) confidence; *met* ~ with confidence, confidently; **II** *ww tr* trust; *iem iets* ~ (en)trust a p. with s.t. (*zie* toevertrouwen); *ik vertrouw erop dat je ..., ook:* I rely on you to help me; **III** *ww intr:* ~ *op* rely on (a p., s.t.); *op God* ~ trust in God; *op zijn geheugen* ~ trust to one's memory; **vertrouwenwekkend** inspiring trust

vertwijfeld desperate, despairing; **vertwijfelen** despair; ~ *aan* despair of; **vertwijfeling** despair, desperation

vervaardigen make, manufacture; **vervaardiging** making, manufacture

vervaarlijk tremendous, frightful, awful; ~ *groot,* (*sl*) whacking big

vervagen fade (away); *doen* ~ blur, obscure

verval (*achteruitgang*) decay, deterioration, decline; (*van gebouw, enz*) dilapidation; (*van rivier*) fall; *in* ~ *raken* fall into decay

verval|dag, -datum (*van wissel, enz*) day of maturity; (*van recht, enz*) expiry date

vervallen I *ww* (*in verval raken*) decay, fall into decay; (*van gebouw, enz ook*) fall into disrepair; (*handel*) (*van wissels, enz*) fall due; (*van coupons*) become payable; (*van contract, termijn*) expire; (*van pas, polis, enz*) lapse; *daarmee vervalt ...* that disposes of this theory; *in herhalingen* ~ repeat o.s.; *tot armoede* ~ be reduced to poverty; **II** *zn* (*van recht, enz*) lapse; (*van termijn, enz*) expiry; **III** *bn* (*van gebouw, enz*) dilapidated, ramshackle; (*van schuld*) due; (*van coupons*) payable; (*van contract, termijn*) expired

vervalsen adulterate (liquor), doctor (wine, *fam:* documents), tamper with (a manuscript, cheque), forge (documents, a signature), counterfeit (banknotes); **vervals(t)er** forger; **vervalsing** falsification, forging; (*concr*) forgery

vervangen take the place of, replace (*door* by, with); *margarine vervangt boter* is a substitute for butter; *niet te* ~ irreplaceable; **vervanging** replacement; **vervangingsmiddel** substitute

vervatten: *in treffende bewoordingen vervat* couched in striking terms

vervelen bore; (*ergeren*) annoy; *alles verveelt me* I am bored with everything; *zich* ~ be (feel) bored; *zich dood* (*dodelijk, liederlijk*) ~ be bored to death, *fam* bored stiff; *tot* ~*s toe* over and over again; **vervelend** tiresome (work), boring (person), dull (place); (*langdradig*) tedious (speech); (*hinderlijk*) annoying; *een* ~ *iem* (*iets*) a bore; *wat een* ~*e vent!* what a bore!; **verveling** boredom, tedium

vervellen peel, skin; (*van slangen*) cast the skin, slough

verveloos paintless, discoloured

verven paint (the door green), dye (clothes, the hair); (*pas*) *geverfd!* wet paint

verversen refresh; renew; *olie* ~ oil change; **verversing** refreshment

vervetten turn to fat; **vervetting** (*van hart, enz*) fatty degeneration

vervilten *tr & intr* felt

vervlakken (*van kleuren, enz*) fade (away); (*van karakter, enz*) become superficial

vervliegen (*verdampen*) evaporate; *wat vervliegt de tijd!* how time flies!; *doen* ~ evaporate; blot out (hope); *in lang vervlogen tijden* in days long past, in far-off days

vervloeken curse, damn; **vervloeking** curse; (*banvloek*) anathema; **vervloekt** cursed, damned, (*sl*) darned, dashed; *een* ~ *schandaal* a damned shame; ~*/* damn it!

vervluchtigen evaporate

vervoegen conjugate (verbs); *zich* ~ *bij* report to (the information desk)

vervoer transport, (*Am*) transportation, conveyance; ~ *door de lucht* air-transport; **vervoerbaar** conveyable, transportable; **vervoerder** transporter, conveyer; **vervoeren** transport, convey, carry (the train carried many holiday-makers); *passagiers* ~ carry passengers

vervoering transport, rapture, ecstasy; *in* ~ *brengen* throw into a rapture; *in* ~ *geraken* go into raptures (*over* over, with), be carried away (with s.t.)

vervoermiddel (means of) conveyance, (*Am*) transportation; *openbare* ~*en* public transport

vervolg continuation; (*toekomst*) future; ~ *op een boek* sequel to a book; *in het* ~ in future; ~ *op bl. 5* continued on page five; **vervolgen** (*voortzetten*) continue (a story, one's work, one's way); (*achtervolgen*) pursue, chase; (*kwellen*) persecute; (*gerechtelijk*) prosecute (a crime; a p. for s.t.), institute legal proceedings against, proceed against; *wordt vervolgd* to be continued; **vervolgens** then, further, next; (*naderhand*) afterwards, subsequently; **vervolger** pursuer; persecutor; prosecutor; **vervolging** pursuit; persecution (religious ...); prosecution; *vgl het ww; een* ~ *instellen tegen* bring an action against; **vervolgingswaanzin** persecution mania

vervolgverhaal serial story

vervolmaken perfect

vervormen transform, remodel, recast; (*misvormen*) deform, distort

vervreemd alienated, estranged (*van* from); **vervreemden** (*goederen*) alienate, (*personen*) alienate, estrange (*van* from); *iem van zich* ~ alienate a p.; (*zich*) ~ *van* become a stranger to; **vervreemding** alienation, estrangement; *vgl het ww*

vervroegen fix at an earlier time (hour, date), advance (a date)

vervuilen *intr* become filthy; *tr* make filthy; pollute (a river); **vervuiling** filthiness; (air, river, marine) pollution

vervullen fill (a vacancy, a part *rol*); perform (a function, one's duties); fulfil (one's duties, a prophecy); accomplish (one's task); comply with (a p.'s wish); *hij was er geheel van vervuld* he was full of it; ~ *met* fill with (fear); **vervulling** fulfilment, performance; realization (of one's dreams); *in ~ gaan* be realized (fulfilled), come off

verwaand conceited, stuck-up, (*sl*) swanky; **verwaandheid** conceit

verwaardigen: *zij verwaardigde hem met geen blik* she did not vouchsafe him a glance, did not deign (condescend) to look at him

verwaarloosd neglected (garden etc.); unkempt (appearance), uncared for (children); **verwaarlozen** neglect; **verwaarlozing** neglect

verwachten expect (a p., letter, etc.), anticipate (trouble, success, etc.); *zij verwacht een baby* she is expecting (a baby); *dat had ik wel van je verwacht* it is just what I had expected of (from) you; *ik verwacht van u geen aanmerkingen* I'll stand no critical remarks from you; *te ~* (that was) to be expected; **verwachting** expectation, anticipation; *grote ~en koesteren* nourish (hold) great (high) hopes (of one's son), cherish ambitions (for the future); *aan de ~ beantwoorden* come up to expectations; *boven (alle) ~* beyond (all) expectation; *buiten ~* contrary to expectation; *zij is in blijde ~* she is expecting (a baby), she is in the family way; *tegen alle ~* contrary to (all) expectation, against (all) expectation

verwant I *bn* allied, related, kindred; ~ *aan* allied (related) to; *hij is niet ~ aan ...* he is no connection of ...; *nauw aan elkaar ~* closely allied; *ik ben hem het naast ~* I am his next of kin; II *zn*: ~*en* (my) relatives, relations; **verwantschap** (*algem*) relation(ship), connection; (*van aard, enz*) congeniality; (*familie-*) relationship

verward (*eig*) (en)tangled (foliage, mass), dishevelled (hair), confused (mass), disordered (clothes); (*fig*) confused (language), muddled (thinking), chaotic (thoughts); ~ *raken in* get entangled in; ~ *spreken* talk confusedly

verwarmen heat, warm; **verwarming** heating, warming; *de ~ afzetten* turn off the heater

verwarren (en)tangle (thread, etc.); *iem ~* confuse (confound) a p.; *met elkaar ~* confuse, mix up (names, dates), mistake ((the) one for the other); *niet te ~ met* as distinct from; *het is ~d* it's confusing; **verwarring** confusion, entanglement; (*warboel*) muddle, jumble; (*verlegenheid*) confusion; ~ *stichten* cause confusion; *in ~* in confusion

verwaterd watered (down); **verwateren** di-

lute too much; water (milk, capital), water down (a party programme)

verwedden bet, wager, lay; (*door wedden verliezen*) lose in betting; *ik verwed er ... onder* I'll bet you ten guilders; *ik verwed er mijn hoofd onder (om)* I'll stake my head on it

verweer defence

verweerd weather-beaten (face, signboard), weathered (granite, face)

verweerschrift (written) defence, apology

verwekelijken *tr* enervate, effeminate; *intr* become effeminate (enervated)

verwekken beget (children), raise (a tumult, a storm, a riot, protests), rouse (anger), cause (discontent), create (disorder, a sensation)

verwelken wither, fade (away), droop, wilt; *doen ~* wither, wilt

verwelkomen welcome; **verwelkoming** welcoming, welcome

verwelkt withered, faded, wilted

verwennen spoil; (*vertroetelen*) coddle, pamper

verwensen curse; **verwensing** curse

verweren 1 weather (*ook: doen ~*), erode, disintegrate; *zie* verweerd; 2 zich ~ defend o.s., speak up for o.s.; **verwering** weathering, erosion, disintegration

verwerken process (materials, facts), work up (materials), get through (a quantity of work); (*van voedsel, ook fig*) digest (heaps of evidence); ~ *tot* make into; **verwerking** working (making) up, digestion, assimilation; processing; *vgl het ww*; **verwerkingseenheid** processing unit; *centrale ~* CPU

verwerpelijk objectionable, reprehensible

verwerpen reject, turn down (an offer); (*bij stemming*) reject, defeat (a motion, etc.)

verwerven obtain, acquire, win, earn (a good reputation)

verweven interweave (*ook fig*)

verwezen dazed, dumbfounded, (*fam*) flabbergasted

verwezenlijken realize

verwijden widen, let out (a dress); *zich ~* widen, (*van ogen*) dilate

verwijderd remote, distant; *een mijl van de haven ~* a mile away from the harbour

verwijderen remove; (*van school*) expel (from school); (*van sportveld*) send off (the field); (*vlekken*) remove, take out (stains); *de mensen van zich ~* alienate (estrange) people; *zich ~* withdraw, retire, go away; (*van voetstappen, geluid, enz*) recede; **verwijdering** removal, expulsion, ejection; *vgl het ww*; (*vervreemding*) estrangement, alienation

verwijfd effeminate, womanish, unmanly

verwijsbriefje (*med*) referral note

verwijt reproach, blame, reproof; *iem een ~ maken van iets* reproach a p. with s.t.; *maak er mij geen ~ van* don't put the blame on me; **verwijten** reproach; *iem iets ~* reproach a p. with s.t., reproach a p. for doing s.t.; *ik heb* *mij niets te* ~ I have nothing to reproach myself with

verwijzen refer (*naar* to); *naar de prullenmand* ~ consign (relegate) to the waste-paper basket; **verwijzing** reference; (*in boek ook*) cross-reference; (*med*) referral (to a specialist); *onder* ~ *naar* with reference to, referring to

verwikkelen complicate (an affair); *iem* ~ *in* implicate (involve) a p. in (a plot); *verwikkeld zijn* (*raken*) *in* be (become) implicated (mixed up, involved) in; **verwikkeling** complication; (*van roman*) plot

verwilderd wild, neglected; dishevelled, unkempt (appearance, hair); ~*e blik* haggard look; **verwilderen** run wild; (*moreel*) degenerate

verwisselbaar interchangeable

verwisselen (*omruilen*) exchange; change (one's slippers for shoes); ~ *met* exchange for; *ze met elkaar* ~, (*verwarren*) mistake (the) one for the other; ~ *tegen* exchange for

verwittigen inform, advise, let ... know, notify; ~ *van* inform (notify, advise) of

verwoed furious, fierce (fight), passionate (resistance), ardent (cyclist)

verwoesten (*algem*) destroy; devastate, lay waste (a country, town), wreck (a building, a p.'s career, a p.'s life); ruin (one's health); **verwoestend** destructive, devastating; **verwoesting** destruction, devastation; ~*en aanrichten* make (work) havoc

verwonden wound; (*bezeren*) injure, hurt

verwonderd surprised, astonished; **verwonderen** surprise, astonish; *is het te* ~ *dat* ...? is it any wonder (is it surprising) that ...?; *het is niet te* ~ *dat* ... no (small, little) wonder that ...; *het zal mij* ~ *of* I wonder if (*of:* whether); *het verwondert me* I wonder (I am surprised) at it; *het verwondert me van hem* I am surprised at him (doing it, etc.); *het zou me niet(s)* ~ I should not wonder; *zich* ~ be surprised (astonished), wonder, marvel (*over* at); **verwondering** surprise, wonder, astonishment; **verwonderlijk** astonishing, surprising, wonderful; (*zonderling*) queer, strange

verwonding wound, injury

verwoorden put into words, voice

verworden decay, degenerate, deteriorate; **verwording** decay, corruption, degeneration, deterioration

verworvenheid attainment

verwringen distort (*ook fig:* facts), twist (*ook fig:* words), contort

verzachten soften (*ook fig:* grief, the heart, manners), ease, relieve (pain), relax (measures); **verzachtend** softening (influences, etc.), soothing (syrup, etc.); *zie het ww; ~e omstandigheden* extenuating circumstances

verzadigd satisfied, satiated; (*natuurk, chem*) saturated; **verzadigen** satisfy (one's appetite, one's curiosity); (*natuurk, chem*) saturate; *zich* ~ satisfy o.s.

verzakelijking commercialization

verzaken renounce (one's faith), forsake (a friend), betray (one's principles); *zijn plicht* ~ neglect one's duty

verzakken (*van huis, brug, enz*) sag, subside; **verzakking** subsidence (of the soil), sag(ging); (*med*) prolapsus

verzamelaar collector; **verzamelen** collect (money, stamps, coins); gather (food, honey, information); accumulate (information, a fortune); assemble (one's friends); *zijn krachten* ~ gather one's strength; *zijn moed* ~ muster (summon) up courage; *zich* ~ collect (a crowd of people ...ed); assemble, gather; **verzameling** collection; gathering

verzamel|naam general (collective) term; **-plaats** meeting-place, rendezvous; (*inz mil*) rallying-place; **-woede** collecting mania, collector's mania

verzanden silt up

verzegelen seal (up)

verzeild *hoe ben je hier* ~ *geraakt?* what has brought you here?

verzekeraar insurer (*ook* assurer); **verzekerd** assured, sure; (*geassureerd*) insured; *daarvan ben ik* ~ I am sure of that; **verzekerde:** *de* ~ the insured; **verzekeren** (*betuigen*) assure; (*plechtig*) asseverate; (*assureren*) insure (property, one's life); (*waarborgen*) ensure (success, peace, a p.'s safety), assure (these words assured him the sympathy of his audience); (*vastmaken*) secure; (*beveiligen*) secure (*tegen* against); *dat verzeker ik je!* I'll tell you that much!; *zich* ~ (*assureren*) insure (*tegen* against); *zich* ~ *van* ascertain (the truth), make sure of, (*bemachtigen*) secure; *zich ervan* ~ *dat* ... make sure (make certain, ascertain) that ...; **verzekering** (*assurantie*) insurance, (*levens-*) *dikwijls:* assurance; ~ *tegen brand, inbraak, wettelijke aansprakelijkheid* fire insurance, burglary insurance, third party insurance; ~ *dekt de schade* the loss is covered by insurance

verzekerings|agent insurance agent; **-maatschappij** insurance (*van levens-, ook:* assurance) company; **-polis** insurance-policy; **-premie** insurance-premium

verzenden send (goods, money, telegrams), send off; dispatch; (*per post*) mail; **verzender** sender; **verzending** sending; (*handel*) consignment; **verzendklaar** ready for shipment; **verzendkosten** forwarding-charges, dispatch costs

verzendlijst mailing list

verzengen scorch, singe; *zie* verschroeien

verzet (*tegenstand*) resistance (*tegen* ... to the law), opposition; (*opstand*) revolt; (*ontspanning*) diversion, recreation; *in* ~ *komen* resist, offer resistance, (*sterker*) rebel; (*protesteren*) protest; *in* ~ *komen tegen een vonnis* appeal against a sentence; **verzetje** diversion, recreation; *hij moet een* ~ *hebben* he must have a break; **verzetsbeweging** resistance (movement)

verzetten (*anders zetten*) move (he could not ... a foot), shift, remove; (*werk*) manage, handle, get through (an enormous amount of work); *een vergadering* ~ put off a meeting; *zich* ~: a) (*in verzet komen*) *zie* verzet; (*weerstand bieden*) resist, offer resistance; b) (*zich ontspannen*) take some recreation, have a break; *zich* ~ *tegen, zie:* in verzet komen; *zich tegen een maatregel* ~ oppose a measure

verzieken waste away; become diseased; (*fig*) make a mess of; **verziekt** (*fig*) diseased, messed up

'**verziend** long-, far-sighted

verzilten salt up, salinate

verzilveren silver (over); (*te gelde maken*) (en-)cash (a cheque); **verzilverd** silvered, silver-plated

verzinken I *intr* sink (down), become submerged; *verzonken,* (*in gedachten*) absorbed (lost, sunk) (in thought); II *tr: een schroefbout* ~ countersink a screw-bolt

verzinnen invent, make up (a story, etc.), think up (an excuse), devise (a trick, word), contrive (a plan, machine); **verzinsel** invention, fabrication, make-up

verzitten take another seat, shift one's position; (*opschikken*) move up

verzoek request; (*aan overheid*) petition; *een* ~ *doen* make a request; *op* ~ by request, on request; *op* ~ *van* at the request of; **verzoeken** request, beg; (*uitnodigen*) ask, invite; (*in verzoeking brengen*) tempt; *verzoeke stilte* silence is requested; ~ *om* ask for, request (an interview); **verzoeking** temptation

verzoek|programma request programme; **-schrift** petition

verzoenen reconcile; *zij zijn met elkaar verzoend* they have become reconciled, have made it up; **verzoenend** conciliatory; **verzoening** reconciliation, reconcilement

verzoeten sweeten (*ook fig*); *geld verzoet de arbeid* money lightens labour

verzolen sole

verzorgd 1 (*aan niets gebrek hebbend*) (well) provided for, (left) comfortably off; 2 *goed* ~ well-groomed (figure), well-kept (hands), carefully tended (teeth), well cared-for (garden, children), polished (style); **verzorgen** provide for, attend to, take care of, look after (horses, flowers, a garden, invalids); *zich* ~ take care of o.s.; **verzorging** care (of horses, rifles, the teeth), provision, maintenance, service; *medische* ~ medical attendance

verzorgings|flat service flat; **-staat** welfare state

verzot ~ (*op iets*) fond of

verzuchten *intr* sigh (*naar* for); *tr* sigh away (one's days); **verzuchting** sigh

verzuiling (*ongev*) denominational segregation

verzuim a) omission, oversight, neglect; b) non-attendance (at school), absenteeism (among pupils), (*verwaarlozen*) neglect (one's duty); (*niet doen*) omit, fail (he failed to report the case); stay away from, miss out (school, etc.)

verzuipen I *tr* a) drown; b) spend on drink, booze away (one's money); II *intr* be drowned, drown

verzuren sour (*ook fig:* a p.'s temper), make (*of:* turn) sour; (*chem*) acidify; **verzuring** 1 (*milieu*) acidification; 2 (*voeding*) turning sour

verzustering (*Belg*) twinning

verzwakken weaken; **verzwakking** weakening

verzwaren make heavier; strengthen (a dike); increase (the penalty), enhance (the sentence *vonnis*); ~*de omstandigheden* aggravating circumstances

verzwelgen swallow up (*ook fig*)

verzwijgen conceal, keep (it) a secret, suppress (a fact, a p.'s name)

verzwikken sprain (one's ankle)

vesper vespers, evensong

vest waistcoat; (*Am*) vest; (*gebreid*) cardigan

veste fortress, stronghold; (*muur*) wall, rampart

vestiaire cloakroom

vestibule (entrance-)hall, lobby, vestibule

vestigen establish, set up; *zie* stichten; *de aandacht* ~ *op* call (draw) attention to; *de blik* ~ *op* fix (fasten) one's eyes upon; *zijn hoop* ~ *op* place (set) one's hope(s) on; *zich* ~ settle (down), establish o.s.; (*in praktijk*) set up (as a dentist), start in practice; *de zaak is gevestigd te* ... the business has its seat at ...; **vestiging** establishment, settlement; *plaats van* ~ place of business; **vestigingsvergunning** licence to open a new business; (*huisvesting*) domiciliation permit

vesting fortress; **vestingbouw** fortification

vestzak waistcoat-pocket

vet I *zn* (*algem*) fat; (*smeer*) grease; *ik heb hem zijn* ~ *gegeven* I've given him his gruel, polished him off; *er zit voor jou wat in het* ~ there's a rod in pickle for you; *laat hem in zijn eigen* ~ *gaarkoken* let him stew in his own juice; II *bn* fat; (*vuil*) greasy; *met* ~*te letter* in bold type; **vetachtig** fatty, greasy

vete feud

veter boot-lace

veteraan veteran

veterband tape

veterinair *zn* veterinary surgeon, (*fam*) vet; *bn* veterinary

vetgehalte fat content

vetheid fatness; greasiness

vet|kaars tallow candle, (tallow-)dip; **-klomp** lump of fat; **-le(d)er, -leren** greased leather

vetmesten fatten (up)

veto id; *zijn* ~ *uitspreken* interpose one's veto; *recht van* ~ right of veto

vet|plant succulent (plant); **-puistje** blackhead; **-rijk** high-fat (diet)

vettig fatty, greasy

vet|vlek grease spot; **-vrij** grease-proof (paper); **-zak** fat-guts; **-zucht** fatty degeneration, obesity

veulen foal; (*hengst*) colt, (*merrie*) filly

vezel fibre, thread, filament

vezel|plaat fibreboard; **-stof** fibre, fibrous material; (*biol*) fibrin

via id, by way of

viaduct id; fly-over (crossing)

vibratie vibration(s); **vibreren** vibrate, quaver, shake, undulate

vicaris vicar

vice|-admiraal vice-admiral; **--president** id

vice versa id

vicieus vicious; *-ze cirkel* vicious circle

victorie victory

video id; **videoband** video tape

Videotex (*ongev*) Prestel

vier four; *in ~en vouwen* fold in fours; *met veel ~en en vijven* with a bad grace; *gesprek onder ~ ogen* private talk; *ik moet je even onder ~ ogen spreken* I want a word with you privately

vier|baansweg four-lane (motor-)road; **-benig** four-legged; **-daags** of four days, four days'

vierde *bn* fourth; *zn* fourth (part)

vieren celebrate, keep, observe (Christmas); (*touw*) ease off, veer out, pay out

vierendelen quarter (*in alle bet*)

vierhoek quadrangle; **vierhoekig** quadrangular

viering celebration; observance; *vgl het ww; ter ~ van* in celebration of

vierjarig four years old, etc.; *vgl* jarig

vierkant I *bn* square; II *zn* square; *twee voet in het ~* (it is) two feet square; III *bw* squarely; *ze verzetten zich ~ tegen* ... they stood four-square to the usurper; *~ tegenspreken* contradict flatly; *het is er ~ naast* it is altogether wrong; *ik ben er ~ tegen* I am dead against it

vierkantsvergelijking quadratic equation

vierkwartsmaat quadruple time

vierling (set of) quadruplets; (*één van de vier*) quad(ruplet)

vier|maal four times; **-motorig** four-engine(d); **-sprong** cross-road(s); **-stemmig** (arranged) for four voices, four-part (song); **-tal** (number of) four; **-vlak** tetrahedron; **-voeter** quadruped, four-footer; **-voud** quadruple; *in ~* in quadruplicate; **-voudig** four-fold, quadruple

vies (*vuil*) dirty, grimy (hands); (*walglijk ~*) filthy (habits), nasty (taste, weather), (*van stank*) offensive, nauseating, sickening (smell); (*gemeen*) obscene, filthy (stories); (*kieskeurig*) particular, fastidious; *een ~ ge-zicht zetten* make a wry face, sniff (at s.t.), turn up one's nose; *het ruikt ~* it has a nasty smell; *hij is er niet ~ van* he is not averse to it

viespeuk dirty fellow

viezerik dirty fellow

viezigheid (*abstr*) filthiness, nastiness; (*concr*) dirt, filth; (*vuile taal, enz*) smut, smutty story

vignet vignette

vijand enemy; *een ~ van* ... an enemy to (drinking, lying, etc.); **vijandelijk** (*van de vijand*) (the) enemy('s) (camp), enemy (ship, aircraft), hostile; (*als van een vijand*) hostile (act); **vijandig** hostile; *~ staan tegenover* be hostile to (the project); *iem ~ gezind zijn* be hostile to a p.; **vijandschap** enmity, animosity

vijf five; *veel vijven en zessen hebben* be hard to please; *een van de ~ is op de loop (bij hem)* he has a screw loose; **vijfdaags** lasting five days, five days', five-day (week); **vijfde** *bn* fifth; *~ colonne* fifth column, fifth columnists; *zn* fifth (part)

vijfenzestigplusser senior citizen

vijf|hoek pentagon; **-jarig** *vgl* jarig; **-kamp** (*sp*) pentathlon; **-maal** five times

vijftien fifteen; **vijftiende** fifteenth (part)

vijftig fifty; **vijftiger** man (woman) of fifty (in the fifties); **vijftigste** *bn* & *zn* fiftieth

vijfvoud quintuple

vijg fig

vijge|blad fig-leaf; **-boom** fig-tree

vijl file; **vijlen** file, (*fig ook*) polish

vijver pond

vijzel (*dommekracht*) jack-screw, (screw-, lifting-)jack; (*stampvat*) mortar; **vijzelen** screw up, jack (up), lever (up)

villa id, residence, country house, country seat; *kleine ~* cottage; **villawijk** estate

villen (*ook fig*) flay, fleece, skin

vilt felt; **vilt(acht)ig** felty, felt-like; **vilten** *bn* & *ww* felt

vilt|papier underfelt; **-stift** felt(-tipped) pen

vin fin

vinden find; (*aantreffen*) meet with, come across; (*van mening zijn*) think; *bureau voor gevonden voorwerpen* lost property office; *zij kunnen het samen goed ~* they get on very well together; *elkaar ~*, (*fig*) come to terms; *iem (iets) toevallig ~* chance (happen) upon a p. (s.t.); *als je de tijd kunt ~* if you can spare the time; *ik vind het niet aardig van je* I don't think it nice of you; *vind je het goed?* do you approve of it?; *hoe vind je hem?* how do you like him?; *hoe vind je Londen?* what do you think of London?; *hoe zou je het ~ als ...?* how would you like it if ...; *ik vind er niets (moeilijks) aan* I think there is nothing in it; *het was niet te ~* it was not to be found; *daar ben ik voor te ~* I'm game (for it), I'm on; *ik ben voor alles te ~* I'm game for anything; *hij was er-voor te ~* he was the boy (the man, etc.) for it; **vinding** discovery, invention, device

vindingrijk inventive, resourceful, ingenious; **vindingrijkheid** ...ness, ingenuity

vindplaats find-spot; *~en van uranium* uranium deposits

vinger finger (*ook van handschoen*); *hij heeft lange ~s, kan zijn ~s niet thuis houden* he is light-, sticky-fingered, has sticky fingers; *er staan vuile ~s op* there are finger-marks on it; *zijn ~s branden* burn one's fingers, get one's fingers burnt; *de ~ op de wond leggen* lay (put) one's finger on the spot; *de ~ opsteken* put up one's hand; *een ~ in de pap hebben* have a finger in the pie; *hij stak geen ~ uit* he didn't lift a finger (to help me); *door de ~s zien* overlook, turn a blind eye to; *zich in de ~s snijden* cut one's fingers; (*fig*) burn one's fingers; *iets in de ~s hebben* have a natural aptitude for s.t.; *blijf daar af met je ~s* (keep your) hands off!; *iets met een natte ~ berekenen* make a rough calculation; *hij wordt met de ~ nagewezen* he is pointed at; *ik kan hem om mijn ~ winden* I can twist (turn) him round my (little) finger; *iem op de ~s kijken* keep an eye upon a p.; (*bij het werk*) watch a p.; *voortdurend op de ~s worden gekeken* be kept under constant surveillance; *dat kan men op de ~s natellen* you can count it on your fingers

vinger|afdruk finger-print, -mark; **-breed** *bn* (of) the breadth of a finger; **-hoed** thimble; **-oefening** (*muz*) (five-)finger exercise; (*fig*) preliminary exercise, try-out; **-top** finger-tip; **-wijzing** hint, pointer, cue

vink finch

vinkentouw fowling-line; *op het ~ zitten* lie in wait

vinnig sharp, biting, cutting (answer, tone), close(-fought) (match), biting (cold, wind), smart (blow); *~ koud* bitingly (bitterly) cold; *er ~ op zijn* be keen on it

vinyl id, PVC

violet id

violist violinist, violin-player; **viool** violin; (*bloem*) violet; *eerste ~* first (*of:* leading) violin, leader; (*op de*) *~ spelen* play (on) the violin; **vioolconcert** (*muziekstuk*) violin concerto; (*uitvoering*) violin recital

viooltje (*welriekend*) violet; (*driekleurig*) pansy, heartsease, love-in-idleness

virtuoos virtuoso, *mv* virtuosi; **virtuositeit** virtuosity

virulentie virulence

virus id (*mv* viruses)

vis fish; *als een ~ op het droge* (feel) like a fish out of water; *hij is ~ noch vlees* he is neither fish nor flesh

visaas fish-bait

visachtig fish-like, fishy (smell, etc.)

vis|akte fishing-licence; **-boer** fishman, fishmonger

viscose id; **viscositeit** viscosity

vis|gerei fishing-tackle, -gear; **-graat** fish-bone, (*patroon en stof*) herring-bone; **-haak** fish-hook

visie vision; *ter ~ leggen* (*liggen*) lay (lie) on the table

visioen vision; *~en hebben*, (*fam*) see things; **visionair** *zn & bn* visionary

visitatie (*van bagage, enz*) (customs) examination, inspection

visite visit (*ook van dokter*), call; *~ hebben* have visitors; *we krijgen ~* we have a visitor coming; *de dokter maakt zijn ~s* makes his daily rounds; **visitekaartje** visiting-card

visiteren examine, inspect, search; *zijn bagage laten ~* see one's luggage through the customs

vis|kaart angling permit; **-markt** fish-market; **-meel** fish-meal; **-net** fishing-net; **-rijk** abounding in fish

vissen fish; *naar een complimentje ~* fish (angle) for a compliment; *uit ~ gaan* go out fishing; **visser** (*hengelaar*) angler; (*van beroep*) fisherman; **visserij** fishery, fishing-industry; **vissersboot** fishing-boat

visueel visual

visum visa; *een ~ aanvragen* apply for a visa

visverlof (*Belg*) fishing licence

vitaal vital; **vitaliteit** vitality

vitamine vitamin

vitrage (*stof*) lace; **vitrage(gordijn)** lace curtain

vitrine (glass) show-case, show-window

vitten find fault, carp; *~ op* find fault with, carp at

vivisectie vivisection

vizier (*van helm*) visor; (*van vuurwapen*) sight; *in het ~ krijgen* catch sight of; (*fam*) spot; *met open ~ strijden* fight openly, come out into the open

vla custard; (gooseberry, raspberry) fool; (*gebak*) flan

vlaag (*wind*) squall, gust of wind; (*regen, enz*) shower; (*fig*) fit (of rheumatism, rage), burst (of generosity); *bij vlagen* by fits and starts

Vlaams Flemish; *~e gaai* jay; *~e* Flemish woman; **Vlaanderen** Flanders

vlag flag; (*mil & van schip, ook:*) colours; (*van veer*) vane, web; *de ~ hijsen* (*neerhalen*) hoist (lower) the flag; *de ~ strijken*, (*ook fig*) strike one's flag (*of:* colours) (voor to); *de ~ uitsteken* put out (hang) the flag; *met ~ en wimpel geslaagd* passed with flying colours; *onder valse ~ varen* sail under false colours; **vlaggen** put out the flag (flags); **vlaggendoek** bunting

vlagge|schip flag-ship; **-stok** flag-staff, -pole

vlag|officier flag-officer; **-sein** flag-signal; **-vertoon** showing the flag

vlak I *bn* (*van land, terrein, enz*) flat, level; (*zonder oneffenheden*) smooth; *~ke meetkunde* plane geometry; *met de ~ke hand* with the flat of the hand; II *bw* flatly; (*precies*) right, exactly; *hij zei het je ~ in je gezicht* he told you so to your face; *~ onder de ogen van* (he did it) under the very eyes of ...; *~ onder mijn raam* right under my window; *~ op de neus* full on the nose; *~ achter hem* close behind him; *~ bij* close by; *~ bij het raam* close to the window; *~ bij elkaar* close together; *hij liep ~ langs mij* he brushed past me; *~ naast mij* right next to me; *~ vóór je* right in front of you; *~ in het midden* in the very centre, right in the centre; *er ~ bo-*

ven immediately above it; *ik ben er* ~ *tegen (voor)* I'm dead against it (all for it); **III** *zn* level; *(meetk, mech, enz)* plane; *(van water, enz)* sheet (of water, ice, etc.); *gekleurd* ~ coloured area

vlakgom (ink-, pencil-)eraser, india-rubber

vlakte plain, level; sheet (of water, ice, etc.); *zich op de* ~ *houden* not commit o.s.; *iem tegen de* ~ *slaan* knock a p. down; **vlaktemaat** area (square) measure

vlam flame *(ook fig)*, *(grote vlam)* blaze; *(van hout)* grain; *een oude* ~ *van me* an old flame of mine; ~ *vatten* catch fire, *(fig)* fire up; *in* ~*men uitbarsten* burst into flame; *in* ~*men opgaan* go up in flame(s); **vlammen** flame, blaze (up), be in a blaze; ~*de ogen* flaming (blazing) eyes

vlammen|werper flame-thrower; **-zee** sea of flames, blaze

vlas flax; **vlasachtig** flaxy; flaxen (hair)

vlas|baard flaxen beard; **-blond** flaxen (hair), flaxen- haired (girl); **-haar** flaxen hair; **-kleu-rig** flaxen

vlassen: ~ *op* look forward to

vlecht braid, plait, tress; **vlechten** plait (hair, straw, ribbons, mats, etc.), weave (mats, baskets); **vlechtwerk** basket-, wicker-work; *(fröbelwerk)* mat-plaiting

vleermuis bat

vlees *(algem)* flesh; *(als voedsel)* meat; *(van vruchten)* pulp, flesh; *goed in zijn* ~ *zitten* be in flesh, be well(-)covered; *het gaat hem naar den vleze* he's doing well, getting on nicely

vlees|boom fleshy growth; **-etend** carnivorous, flesh-eating (animal); **-geworden** incarnate; **-haak** meat-hook; **-kleurig** flesh-coloured, -tinted; ~ *e kousen, ook:* nude stockings; ~ *tricot* fleshings; **-klomp** lump of meat; *(pers)* lump of flesh; **-pastei** meat-pie; **-waren** meat-products, meats; *fijne* ~, *(ongev)* meat delicacies; **-wond(e)** flesh-wound

vleet herring-net; *bij de* ~ lots of ...

vlegel flail; *(pers)* insolent fellow; **vlegel-achtig** insolent, impertinent

vleien flatter *(ook fig)*, coax, wheedle; *zich* ~ *met de hoop, dat* ... flatter o.s. with the hope that ...; *zich gevleid voelen door* ... feel flattered by ...; **vleiend** *bw* flatteringly, etc.; **vleierij** flattery

vlek blot, spot, stain; *(smeer)* smear, smudge; *(fig)* stain (on one's character), blot (on one's reputation); **vlekkeloos** spotless, stainless, immaculate; **vlekken** stain, soil; **vlekvrij** stainless (steel)

vlerk wing; *(vlegel)* boor, churl

vleselijk carnal; ~ *e gemeenschap* carnal (sexual) intercourse   **vlet** flat(-bottomed boat)

vleug flicker, spark; *(van geur, enz)* waft, whiff

vleugel *(ook van partij, gebouw, vliegtuig)* wing; *(piano)* grand piano; *met de* ~*s slaan* flap one's wings; *iem onder zijn* ~*s nemen* take a p. under one's wing; *iem van de linker (rechter)* ~, *(pol)* Left (Right) winger

vleugel|boot hydrofoil; **-lam** broken-winged; **-moer** butterfly nut, wing(ed) nut; **-slag** wing-beat; **-speler** wing (-player), (left, right) winger; **-wijdte** wing-span

vlezig fleshy (woman, cattle, part of the arm), plump (woman, arm)

vlieg fly; *hij zou geen* ~ *kwaad doen* he would not hurt a fly; *twee* ~*en in één klap vangen* kill two birds with one stone; *ik zit hier niet om* ~*en te vangen* I am not here for nothing

vlieg|basis air base; **-bereik** flying-range; **-brevet** flying-certificate, pilot's certificate, (get one's) wings; **-dekschip** (aircraft) carrier

vliegen I *ww* fly *(ook in vliegtuig, van vonken, enz)*; *wat vliegt de tijd!* how time flies!; *het vliegtuig wordt gevlogen door* ... is flown *(of:* piloted) by ...; *hoog* ~, *(ook fig)* fly high; *deze artikelen* ~ *weg* go *(of:* sell) like hot cakes; *hij ziet ze* ~ he has a bee in his bonnet; *in stukken* ~ fly into (in) pieces; *naar de deur* ~ fly to the door; *de auto vloog tegen een boom* crashed into a tree, *(fam)* get the sack; *hij vliegt voor me* he is at my beck and call; **II** *zn* flying, flight; **vliegend** flying; ~*e vis* flying fish; *in* ~*e haast* in a tearing hurry

vliegen|gaas flywire; **-mep(per)** fly swatter; **-plaag** fly-nuisance

vliegens(vlug) in less than no time, at top speed

vliegenvanger *(voorwerp)* fly-trap, -catcher

vlieger 1 kite; *een* ~ *oplaten* fly a kite; *die* ~ *gaat niet op, (fig)* that cock won't fight, that won't wash, that's not on; **2** *(mil)* airman, *(burger)* pilot, flyer; **vliegerij** aviation, flying

vlieg|kamp airfield; **-machine** (aero)plane; **-ramp** aircrash; **-sport** aviation

vliegtuig aeroplane, (air)plane, aircraft; *per* ~, *ook:* (arrive) by air; ~*en, ook:* aircraft; **-basis** air-base; **-industrie** aircraft industry; **-kaper** hijacker; **-motor** aero-engine, plane engine; **-ongeluk** aircrash

vlieg|uren flying-hours; **-veld** airport, *(klein)* aerodrome, airfield; **-wiel** flywheel

vlier elder

vliering garret, attic, loft

vlies *(op wond, oog, vloeistof, enz)* film; *(anat)* membrane; *(op melk)* skin; *het meer is met een* ~*(je) ijs bedekt* the lake has a thin film of ice; **vliezig** membranous, filmy

vlijen: *zich* ~ nestle, snuggle (against (to, up to) a p.; into an armchair)

vlijmscherp (as) sharp as a razor, razor-sharp, razor-edged

vlijt diligence, industry; **vlijtig** diligent, industrious

vlinder butterfly *(ook fig)*

vlinder|dasje butterfly-tie; **-slag** butterfly (stroke)

Vlissingen Flushing

vlo flea; *door vlooien gebeten* flea-bitten

vloed *(tegenover eb)* flood *(of:* high) tide;

(overstroming) flood; *(fig)* flood (of tears, words), flow (of words); *bij ~* at high tide

vloed|golf tidal wave; *(fig)* tide; **-lijn** floodmark, high-water mark

vloeibaar liquid, fluid; *~ voedsel* liquid food; *~ maken (worden)* liquefy

vloeiblad blotter, piece of blotting-paper

vloeien flow *(ook fig:* from one's pen, etc.); **vloeiend** flowing, smooth (style); *~ Frans spreken* speak French fluently, speak fluent French

vloei|papier blotting-paper; *(zijdepapier)* tissue paper; *(voor sigaretten)* cigarette-paper; **-stof** liquid, fluid

vloeitje *(voor sigaretten)* cigarette-paper

vloek *(vervloeking)* curse; *(vloekwoord)* oath, swear-word; *er ligt een ~ op dit huis* a curse rests on this house; *in een ~ en een zucht* in a jiffy

vloeken swear, use bad language, curse and swear; *~ tegen* swear at; *deze kleuren ~ met elkaar* clash (with each other)

vloer floor, flooring; *ze zijn altijd bij elkaar over de ~* they are always in and out of one another's houses; *ik heb hem hier liever niet over de ~* I don't care to have him about the place; *daar kun je van de ~ eten* you can eat your dinner off the boards there; **vloerbedekking** floor-covering

vloeren *ww* floor *(alle bet)*

vloer|kleed carpet; *~je* rug; **-mat** floor-mat; **-oppervlakte** floor-space; **-tegel** flag(stone), floor(ing)-, paving-tile; **-verwarming** underfloor heating

vlok flake (of snow), flock (of wool, of cotton), tuft (of hair); **vlokken** *ww* flake; **vlokkig** flocky, flaky, fluffy

vlonder plank bridge; *(op balkon, in douchecel)* platform

vlooiebeet flea-bite

vlooien *ww* flea (a dog)

vlooien|markt flea-market; **-spel** tiddl(e)y-winks

vloot fleet; *(oorlogs- ook)* navy; **vlootbasis** naval base

vlootje (butter-)dish

vlootmanoeuvre naval exercise

vlot I *zn* raft; II *bn (drijvend)* afloat; *(fig)* fluent, smooth; *(in gesprek)* conversable; *(coulant)* accommodating; *vlotte landing, (luchtv)* smooth *(of:* easy) landing; *~ krijgen* set afloat; *~ raken* get afloat; *~ spreker* fluent speaker; *~te stijl* smooth (fluent) style; *~te vent* easy mixer; III *bw* (speak) fluently; *zich ~ bewegen* move easily; *~ van de hand gaan* sell readily; *~ geschreven* fluently written; **vlotheid** fluency; readiness; **vlotten** I *intr* float; *(fig)* go (proceed) smoothly; *het gesprek vlotte niet* the conversation did not flow easily (flagged, dragged); *het werk wil niet ~* we are not making headway; II *tr* raft (wood); **vlottend:** *~e bevolking* floating population; *~ ka-*

pitaal floating capital; **vlotter** *(toestel)* (boiler-)float

vlucht *(het vliegen)* flight *(ook van de verbeelding, enz);* *(het vluchten)* flight, escape; *(van kapitaal, enz)* flight (of capital); *(wilde ~)* stampede; *(afstand tussen vleugeleinden)* wing-spread, -span; *(troep)* flight, flock (of birds); *de ~ uit de werkelijkheid* the escape from reality; *de ~ nemen* take (to) flight; *de ~ nemen* take to one's heels; *deze industrie heeft een hoge ~ genomen* has assumed enormous proportions; *in de ~ schieten* shoot on the wing, shoot flying; *ik zag het in de ~* I caught a glimpse of it; *~ om de wereld* (round-the-)world flight; *op de ~ drijven (jagen, slaan)* put to flight, put to (the) rout; *op de ~ zijn* be in flight, be on the run *(voor* from); **vluchteling** fugitive; *(uitgewekene)* refugee; **vluchtelingenkamp** refugee camp

vluchten fly, flee *(vt & v dw van beide* fled); *uit het land ~* fly (from) *(of:* flee) the country; *~ voor* fly from, fly before

vlucht|heuvel *(in straat)* traffic island; **-huis** *(Belg)* safe haven for ill-treated women

vluchtig *(van stoffen)* volatile; *(van pers)* superficial, volatile; *(van zaken)* cursory (look), hasty (survey), flying (visit), casual (reference *verwijzing);* *~e kennismaking* superficial acquaintance; *~ beschouwen* glance at; *~ doorlezen* glance through, skim (a report); *~ zien* catch a glimpse of, glimpse

vlucht|leiding flight control; **-oord** asylum, refuge; **-schema** flight plan; **-strook** *(van weg)* hard shoulder; **-weg** escape route

vlug *(snel)* quick, fast; *(lenig, behendig)* nimble (fingers); *(vlug van begrip)* quick, smart; *als je er niet ~ bij bent* unless you are quick; *~ in het rekenen* quick at figures; *~ met een antwoord* quick to answer; *~ van begrip* quick(-witted), quick to understand; **vluggerd** smart (sharp) boy (girl, etc.); *hij is geen ~* he is none of the quickest; **vluggertje** *(sp)* quickie; **vlugheid** quickness, rapidity

vlugschrift pamphlet

v.m. *voormiddags* a.m. (at ten a.m.)

V.N. U.N. (United Nations), UNO

vnl *zie* voornamelijk

vocaal I *bn* vocal (music); II *zn* vowel

vocabulaire vocabulary

vocalist(e) vocalist

vocht *(vloeistof)* fluid, liquid; *(sap)* juice; *(natuurk)* moisture, damp; *voor ~ bewaren!* keep dry!; *tegen ~ bestand* damp-proof; **vochtgehalte** percentage of moisture, liquid content

vochtig moist, *(ongewenst ~)* damp (grass, house), *(ongezond ~)* dank; *(wtsch)* humid; *~ maken* moisten, damp, wet; **vochtigheid** *(abstr)* moistness, dampness, dankness, humidity; *(concr)* moisture, damp; **vochtigheidsgraad** (relative) humidity

vocht|maat liquid measure; **-vrij** damp-proof

vod rag (an old ... of a coat), tatter; *het is een ~, (van boek, enz)* it is trash (*of:* rubbish); *iem achter de ~den zitten* keep a p. (hard) at it;
voddenman ragman, rag-and-bone man
voddig ragged, tattered; (*fig*) trashy, shoddy; **vodje** rag; ~ *papier* scrap of paper
voeden feed (*ook van kanaal, rivier, bankrekening, enz*), nourish (a p., animals), cherish (hopes), entertain (doubts); (*zogen*) nurse (a child); *rijst voedt meer dan aardappelen* is more nourishing than ...; ~ *met* feed on (with); *zich* ~ feed (*met* on)
voeder fodder
voeder|bak manger, feeding-, food-trough; **-biet** mange-wurzel
voederen *zie* voeren
voeding (*abstr*) feed(ing) (*ook van machine, kanaal, enz*); *verkeerde* ~ malnutrition; (*concr*) food
voedings|bodem (*formeel*) matrix; (*voor bacteriën*) medium; (*fig*) soil (a fertile ... for disease); **-leer** dietetics, science of nutrition; **-middel** article of food (of diet), food, food-stuff; ~*- en genotmiddelen* foods and allied products; **-waarde** nutritive value
voedsel food; (*fig ook*) fuel (for dissension); *geestelijk* ~ mental food; ~ *geven aan* foster, encourage
voedsel|keten food chain; **-pakket** food-parcel; **-schaarste** food-scarcity, food-shortage; **-vergiftiging** food-poisoning; **-voorraad** food-supply, food-supplies; **-voorziening** food-supply, feeding
voedzaam nourishing, nutritious
voeg joint, seam; *uit de ~en* out of joint; **voegen** (*muur*) point, joint; (*schikken*) suit; ~ *bij* add to; *dit, gevoegd bij* ... combined with ...; *zich* ~ *bij* join (a p., etc); *zich* ~ *naar* comply with, accede to (a p.'s wishes), conform to (the rules); **voeger** pointer, jointer
voegwoord conjunction
voelbaar perceptible; (*tastbaar*) palpable, tangible
voeldraad feeler, palp, antenna (*mv:* antennae)
voelen feel; *het voelt zacht* it feels soft; *hij voelde, dat het zo was* he felt it to be so; *voel je (hem)?* (*fam*) get it? see the point?; *ik voel mijn benen* I (am beginning to) feel my legs; ~ *dat* ... *op komst* is sense danger (a ghost, etc); *ik heb hem goed laten* ~, *wie hier de baas is* I've made it very clear to him ...; *in zijn zak* ~ feel in one's pocket; ~ *naar* feel for (one's pipe); *ik voel wel iets voor het plan* the plan appeals to me; *ik voel wel iets voor een glas bier* I should not mind a glass of beer; *ik voel er niet veel voor* I do not much care for it; *ik voel er niets voor de hele avond thuis te blijven* I do not fancy spending the entire evening at home; *zich* ~ feel (angry, at home; I don't feel well; a fool); *ik voel me een ander mens (weer de oude)* I feel a new man (myself again); *hij voelt zich*

nogal he rather fancies (is rather satisfied with) himself, has a good opinion of himself; **voeling** feeling, touch; ~ *hebben met* be in touch with; ~ *houden met* keep (in) touch with
voelspriet feeler, palp, antenna (*mv:* antennae)
voer (*voeder*) fodder, forage; (*kippen-*) (chicken-)food; **voeren** 1 feed (cattle, a child); 2 (*vervoeren*) convey, transport; (*brengen*) take, bring; (*hanteren*) handle (a pen, etc); conduct (a campaign, one's correspondence); carry on (a conversation); *een krachtige politiek* ~ pursue a vigorous policy; *dat zou me te ver* ~ it would carry me too far; *armoede voert dikwijls tot misdaad* poverty often leads to crime; *ze zaten hem te '~', (fam)* they were baiting (badgering) him; 3 line (a coat, kettle, etc); pad (quilt *doorgestikte deken*)
voering lining; *losse* ~ detachable lining
voer|man driver; (*vrachtrijder*) wag(g)oner, carrier; **-taal** vehicle, medium (of instruction); *de* ~ *van de conferentie is Frans* the conference language is ...
voertuig vehicle (*ook fig:* of ideas)
voet foot (*ook van berg, bladzijde, enz*); (*van piramide*) base; *drie* ~ three feet; *belastingvrije* ~ personal (tax) allowance; *vaste* ~ *krijgen* obtain a foothold (of a footing); *geen* ~ *aan de grond krijgen* make no headway, get nowhere; ~ *bij stuk houden* stick to one's guns, stand firm, stand one's ground; ~ *aan wal zetten* set foot ashore; *geen* ~ *buiten de deur zetten* not stir a step out of the house; *iem de* ~ *dwars zetten* cross a p.; *pijnlijke* ~*en hebben* be footsore; *het heeft veel* ~*en in de aarde* it is a difficult task, (*fam*) it takes some doing; *aan de* ~ *van de bladzijde* at the bottom of the page; *met* ~*en treden* tread under foot; *onder de* ~ *lopen* overrun (the country was ... by the enemy); *onder de* ~ *raken* get off one's legs, be trodden down; *op blote* ~*en* (she had come down) in (her) bare feet; *de zaak zal op dezelfde (de bestaande, de oude)* ~ *worden voortgezet* the business will be continued on the same (on existing) lines (on the old, the same footing); *op goede* ~ *staan met* be on good terms with; *ze staan op geen al te goede* ~ *met elkaar* there is no love lost between them; *op slechte* ~ *staan met* be on bad terms with; *op vriendschappelijke* ~ on a friendly footing (on friendly terms); *op grote* ~ *leven* live in style; *op te grote* ~ *leven, ook:* live beyond one's means, overspend (o.s.); *op staande* ~ then and there, on the spot, at once; *op* ~ *van gelijkheid* on a footing of equality, on an equal footing, (meet) on equal terms; *op* ~ *van oorlog* on a war footing; *op* ~ *van oorlog leven met* ... be at war with ...; *op vrije* ~*en zijn* be at liberty; *hij volgt mij op de* ~ he treads upon my heels, he tags along after me; *te* ~ *gaan* go on foot; (*fam*) foot it, hike it; *dat is Piet ten* ~*en uit* that is Peter all over; *we kunnen weer uit de* ~*en* we have something to

go on with again; *ik ken genoeg Italiaans om uit de ~en te kunnen* to get by; *zich uit de ~en maken* make oneself scarce, take to one's heels; *~ voor ~ foot* by foot; *dat heeft hij mij voor de ~en gegooid* he has cast (flung) that in my teeth, thrown it (up) in my face; *hij loopt me de hele dag voor de ~en* he is under my feet all day

voet|afdruk footmark, footprint; **-angel** man-trap; *hier liggen~s en klemmen, (fig)* there are many pitfalls here; **-bal** (*bal*) football; (*spel*) (association) football, (*fam*) soccer

voetbal|bond football-association, football-league; **-broek** football-shorts; **-club** football-club; **-elftal** soccer team; **-knie** torn cartilage

voetballen play (at) football; (*fam*) play soccer; **voetballer** football- (soccer-)player, footballer

voetbal|schoen football-boot; **-uitslagen** football-results; **-vandaal** (*ongev*) lager lout, hooligan; **-veld** football-ground, football-field; **-wedstrijd** football-match

voet|breed: *geen ~ wijken* not budge an inch; **-brug** foot-bridge

voeten|bankje foot-rest; **-eind(e)** foot(-end) (of a bed)

voetganger pedestrian

voetgangers|gebied pedestrian precinct; **-oversteekplaats** pedestrian crossing, zebra (crossing); **-tunnel** subway

voetje (little) foot; *~ voor ~* foot by foot; *een wit ~ bij iem hebben* be in a p.'s good books

voet|licht footlights; *voor het ~ brengen* put on (the stage), produce (a play); **-noot** footnote, footer; **-pad** foot-path; **-punt** (*van loodlijn*) foot (of a perpendicular); **-reis** walking tour, tramp, (*sp*) hike, hiking-tour; *een ~ maken* hike; **-rem** foot-brake; **-spoor** foot-mark, -print, track, trail; *iems ~ volgen* follow in a p.'s track (steps); **-stap** footstep, foot-print, (*hoorbaar*) footstep, footfall; *iems ~pen drukken, in iems ~pen treden* follow (tread, walk) in a p.'s (foot-)steps

voetstoots out of hand, off-hand, straight away

voet|stuk pedestal; *iem op een ~ plaatsen, (fig)* place a p. upon a pedestal; *van zijn ~ stoten* knock (a p.) off his pedestal; **-titel** (*Belg*) subtitle; **-val** prostration; *een ~ voor iem doen* go down on one's knees before a p.; **-veeg** (*ook fig*) door-mat; *hij behandelde mij alsof ik zijn ~ was* he treated me like the dirt under his feet; **-volk** foot-soldiers, infantry; **-zoeker** (*rotje*) squib, cracker; **-zool** foot-sole

vogel bird, (*snuiter*) fellow (a strange fellow); *een slimme ~* a sly dog, a wily old bird; *zo vrij als een ~ in de lucht* as free as a bird on the wing, as free as air; *beter één ~ in de hand dan tien in de lucht* a bird in the hand is worth two in the bush; *de ~ is gevlogen* the bird is flown

vogel|bescherming: *wet op de ~* Birds Protec-

tion Act; **-huisje**, **-kastje** bird-box, nesting-box; **-kenner** ornithologist; **-kooi** bird-cage; **-nest** bird's nest; *eetbare ~en* edible birds' nests; *het ~jes uithalen* bird's-nesting; **-reservaat** bird-sanctuary; **-stand** avifauna, bird-fauna, bird-life; **-trek** bird-migration; **-verschrikker** scarecrow; **-vlucht** bird's-eye view; *Keulen in ~* a bird's-eye view (an aerial view) of Cologne; **-vrij** outlawed; **-vrijverklaarde** outlaw

voile veil (*zie* sluier); (*stof*) voile

vol full, filled; (*pred*) full of (water, etc); *het terrein was helemaal ~ gebouwd* the ground was completely built over; *in ~le gezondheid* (he returned) in the fulness of health; *in de ~le grond zaaien* sow out of doors; *een ~ jaar* all of a year; *hij staat nog in het ~le leven* he still keeps in touch with things; *~ maken* fill (up); *~le melk* whole (full-cream) milk; *~le neef* (*nicht*) first cousin (*van* to); *hij was ~ ongeduld om ...* he was all impatience to ...; *je kunt met het ~ste recht weigeren* you have a perfect right to refuse; *~le schouwburgen trekken* draw full (*sterker:* packed) houses; *ten ~le* fully, to the full; *tot onze ~le tevredenheid* to our entire satisfaction; *een ~ uur* a full hour; *... ligt ~ ...* the table is littered with papers; *haar ogen staan ~ tranen* are full of (brimming with) tears; *de thema is (zit) ~ fouten* the exercise is full of (bristles with) mistakes; *zijn zakdoek zat ~ bloed* was covered with blood; *een jaar ~ ...* a year crowded with memorable events; *~ met* full of; *~ zijn van iets* be full of s.t.; *de stad is er ~ van* the town is full of it; *ze zien hem niet voor ~ aan:* a) they do not consider him grown-up yet; b) he hardly counts, they do not take him seriously

volbloed thoroughbred (horse), full-blood-(ed) (republican); *een ~ paard, ook:* a thoroughbred

volbrengen fulfil, perform, accomplish, achieve

voldaan satisfied (*over* with), content; (*betaald*) paid, settled; *voor ~ tekenen* receipt (a bill; a ...ed bill); **voldaanheid** satisfaction, contentment

voldoen satisfy; (*betalen*) pay, settle; *in alle opzichten ~* give every satisfaction; *het plan voldeed niet* did not work; *aan zijn belofte ~* fulfil (act up to) one's promise; *~ aan de behoeften van ...* meet the needs of ...; *aan een bevel ~* comply with (obey) a command; *~ aan de eisen* meet (come up to) the requirements; *aan zijn verplichtingen ~* meet one's obligations; *niet ~ aan zijn geldelijke verplichtingen* default; *aan een verzoek ~* comply with a request; *aan iems wensen ~* satisfy (*of:* grant) a p.'s wishes; *aan de verwachtingen ~* answer expectations; *aan de voorwaarden ~* satisfy (*of:* fulfil) the conditions, comply with the terms (of the competition *wedstrijd*); **voldoend(e)** satisfactory, up to the mark; (*toe-*

reikend) sufficient; ~ *zijn, (bij examen bijv)* be up to the mark; *een* ~ a pass (mark); *niet* ~ *onderlegd* not sufficiently grounded (in ...); **voldoening** satisfaction (*over* ... at (with) the results); (*betaling*) settlement

voldongen: ~ *feit* accomplished fact

voldragen mature, full-born, fully developed (child)

volgauto car in procession

volgeboekt booked up, fully booked

volgebouwd built up (area)

volgeling follower, supporter

volgen I *tr* follow (a p., a road, instructions, an example); pursue (a plan, line of action, policy); (*van nabij* ~, *van politie, enz*) dog, shadow; *colleges* ~ attend lectures; *wilt u mij maar* ~ (will you) follow me, please; **II** *intr* follow, ensue (a panic, a silence); *als volgt* as follows; *wie volgt?* who is next?; ~ *op* follow after, follow on, follow (the week that followed his death), succeed (to); *hieruit volgt, dat* ... it follows that ...; **volgend** following, next; succeeding (each ... year); *de ~e maand, (aanstaande)* next month, (*anders*) the next month; *het ~e* (he informed me of) the following, what follows

volgens according to (Mr. P.); (*in overeenstemming met*) in accordance with (the regulations), (carried out) according to (plan), to (made ... the design of ...); ~ *zijn eigen bekentenis* on his own confession; ~ *de tekening* as shown in the drawing; *schuldig* ~ *de wet* guilty in law

volgieten fill (up)

volgnummer rotation (serial) number; (*voor brieven*) reference number

volgooien fill; fill up (a tank)

volgorde order, (orders will be executed in strict) rotation

volgroeid full-grown, fully grown

volgstation tracking station

volgzaam docile, tractable

volharden persevere, persist, (*fam*) stick it out; *bij zijn besluit* ~ stick to one's resolution; **volhardend** persevering, persistent; **volharding** perseverance, persistence

volheid ful(l)ness

volhouden I *tr* maintain (one's innocence, a tradition), keep up (the fight); *ik houd vol, dat* ... I maintain that ...; **II** *intr* persevere, persist, hold out, (*fam*) hang on, stick it out; *hij houdt maar vol* he hangs on, he sticks it out; *houd vol!* stick it out!, keep it up!

volière aviary

volk (*natie*) nation, people (*mv:* peoples); (*mensen*) people (*mv*); (*bijen*) colony; *het gewone* ~ the common people, the common herd; *het mindere* ~ the lower classes; *er was veel* ~ *op de been* there were many people about; ~*!* anybody about? (*in winkel*) shop!; *een man uit het* ~ a man of the people

volken|kunde ethnology, -**recht** international law

volkje: *het jonge* ~ (the) young folks, the youngsters

volkomen (*volmaakt*) perfect, (*totaal*) complete; *een* ~ *mislukking* a complete failure, a flop; ~ *verdiend* richly deserved; ~ *zeker* dead sure (certain); *daarover zijn wij het* ~ *eens* on those matters we are in complete agreement

volkoren wholemeal (bread); **volkorenbrood** wholemeal bread

volks- national, popular

volks|aard national character; -**beweging** national movement; -**buurt** working-class quarter; -**commissaris** (*Rusl*) people's commissar; -**concert** popular concert; -**dans** folkdance, square dance; -**deel** part of the nation; -**democratie** people's democracy; -**front** popular front; -**geloof** popular belief; -**gezondheid** public health; *inspecteur van de* ~ health officer; -**hogeschool** Folk High School; -**huisvesting** housing of the people; -**jongen** working-class boy; -**karakter** national character; -**kunst** folk art; -**lied** popular song, folk-song; *het* ~ the national anthem; -**menner** demagogue; -**mond**: *in de* ~ in popular speech; *zoals het in de* ~ *heet* as it is popularly called (termed); -**oploop** street crowd; -**oproer** popular rising, riot; -**partij** people's party; -**raadpleging** referendum, plebiscite; -**republiek** people's republic; -**soevereiniteit** sovereignty of the people; -**stam** tribe, race; -**stemming** plebiscite, referendum; -**taal** (*taal van het lagere volk*) vulgar speech; -**telling** census; -**tuin(tje)** allotment (garden); -**universiteit** *ongev:* university extension class(es), extramural studies (instruction, classes), adult education courses; -**verhuizing** migration of the nations; -**vertegenwoordiger** representative (of the people); -**vertegenwoordiging** *a*) representation (of the people); *b*) parliament, house (of representatives); -**verzekering** national insurance; -**vijand**: ~ *no 1* public enemy no. 1; -**woede** popular fury

volledig complete (set *stel;* work); full (address, information, list, particulars), full-time (job); ~ *pension* full board; ~*e betaling* full payment, payment in full; *leraar met* ~*e betrekking* full-time teacher; ~ *maken* complete; **volledigheidshalve** for the sake of completeness

volleerd consummate (actor), accomplished (musician), expert (car-driver), fully trained (pilot)

vollemaan full moon; **vollemaansgezicht** moon-face

volley (*sp*) id; **volleybal** volley-ball

vollopen fill (up), get filled

volmaakt perfect; *op* ~*e manier* (she played her part) to perfection; ~ *doen uitkomen* show off to perfection; **volmaaktheid** perfection

volmacht full power(s), power of attorney; *bij* ~ by proxy; ~ *geven* authorize, empower (a p. to act)

volmondig frank, unconditional; *een ~ ja* a whole-hearted yes

volontair trainee, student employee

volop in abundance, in plenty; plenty of; *~ ruimte* ample room; *we hebben ~ tijd, ook:* we are in plenty of time; *er was ~* there was plenty

volproppen stuff (one's pockets with apples), cram, stodge; *zich ~* gorge, guzzle; *volgepropte bus* crowded bus; *volgepropt met* (shops) stacked (packed) with (Christmas gifts)

volslagen complete (failure), total (blindness, darkness), perfect (fool); *~ gek* utterly mad

volstaan suffice; *daar kun je niet mee ~* that is not enough; *laat ik ~ met te zeggen ...* suffice it to say ...; *ze volstonden met een protest* they contented themselves with a protest

volstrekt absolute (...ly necessary); *~ niet* by no means, not at all; *daar moet je ~ heen* you absolutely must go there

volt id; **voltage** id

voltallig complete; *~e bemanning* full complement; *~ maken* complete; *zijn wij ~?* are we all here?

volte (*gedrang*) crowd, press, crush; (*volheid*) ful(l)ness

voltekend (*van lening*) fully subscribed

voltooien complete; **voltooiing** completion; *het werk nadert zijn ~* is nearing completion

voltreffer (*mil*) direct hit; *een ~ plaatsen* score (secure, register) a direct hit

voltrekken execute (a sentence), solemnize (a marriage); *zich ~* come about, be enacted; **voltrekking** execution, solemnization

voluit in full; *~ schrijven* write in full

volume id, bulk, size; **volumeregelaar** (*radio*) volume control

volumineus voluminous, bulky

volvet full-cream (cheese)

volvoeren accomplish, achieve

volwaardig of full value; (*fig*) up to the mark, (physically, mentally) fit; a hundred per cent. ...

volwassen (full-)grown, grown-up, adult; *sedert ze ~ is* since she has grown a woman; *~ worden, ook:* grow to maturity (to manhood, womanhood); **volwassene** adult, grown-up; **volwasseneneducatie** adult education

volwassenheid maturity

volzin sentence

vondeling foundling

vondst find, discovery, invention; *een ~ doen* make a find, strike lucky

vonk spark; **vonken** spark, emit sparks; **vonkvrij** sparkless; (*van lucifers*) impregnated; safety (match)

vonnis sentence, judg(e)ment; (*uitspraak van jury; ook fig*) verdict (the ... of history); *een ~ vellen* pass (pronounce) sentence (*over* on), give (pass) judgment (*over* on); *zijn ~ is getekend* his doom is sealed; **vonnissen** sentence, condemn

voogd(es) guardian (*over* to); **voogdij** guardianship, custody

1 voor *zn* furrow

2 voor I *vz* (*tijd*) before (Monday), (*gedurende*) for (three days), (*geleden*) (three days) ago; (*plaats*) in front of, before; (*ten behoeve van*) for; (*in plaats van*) for, instead of; *hij is ~ zijn leven geborgen* he is booked for life; (*niet tegen*) for, in favour of; *~ het huis* in front of the house; *de kruiser lag ~ Dover ...* lay off Dover; *goed ~ één overtocht* good for one crossing; *hij is ... ~ hen* he is a good father to them; *geen gordijnen ~ ...* no curtains to the windows; *er lag ... vóór hem* there was a good deal of work (a splendid career, etc) in front of him; *het is nog 14 dagen ~ ...* it is still a fortnight to Christmas; *ik ~ mij* I for one; personally, I ...; *~ en achter ons* in front of us and behind us; *~ hem uit* (forty feet) ahead (in front) of him; *recht ~ hem uit* straight in front of him; *10 minuten ~ ze- ven* 10 minutes to seven; *jong ~ een staats- man* young for a statesman, young as states- men go; *klein ~ een kerk* small as churches go; *we hadden het huis geheel ~ ons* we had the house all to ourselves; *dat zou net iets ~ mij zijn* that would suit me nicely; *ik ben er ~* I am for it (in favour of it); *degenen die er ~ zijn* those in favour (of the motion); II *bw* in front; *~ in het huis* (*de lade*) in the front of the house (the drawer); *~ in het boek* at the beginning of the book; *ze is ~ in de twintig* in the (her) early twenties; *~ liggen*, (*sp*) lead, be ahead; *mijn horloge is ~* is fast; *iem ~ zijn* (*de loef afsteken*) steal a march upon a p.; *~ en na* again and again; at different times; *de een ~, de ander na* one after another, successively; *van ~ tot achter* from front to back; *er is heel wat ~ te zeggen* there is a good deal to be said in favour of it, there is a strong case for it; *500* (*stemmen*) *~ 19 tegen* 500 for, 19 against; *wie er~ is ...* those in favour ...; III *vw* before; IV *zn: het ~ en tegen* the pros and cons

vooraan (sit) in front; **vooraanstaand** standing in front; (*fig*) prominent, leading

vooraanzicht front view

vooraf beforehand (you'll have to tell me ...), previously

voorafgaan precede, go before; *laten ~ door* preface (a statement) with (by) (these words); **voorafgaand** preceding; introductory (remarks), preliminary (inquiries); *het ~e* what precedes

vooral especially, above all; *~ dit heeft ertoe bijgedragen* this as much as anything ...; *ga ~* go by all means; *~ niet* by no means, on no account; *vergeet het ~ niet* don't forget whatever you do; *dat moet je ~ niet doen* that's the last thing to do

vooraleer before

vooralsnog as yet, just yet (don't speak of it ...); for the time being (there's no hurry)

voor|arm forearm; **-arrest** detention on remand (awaiting trial), remand custody; *in* ~ *houden* keep under remand; **-avond** *a*) early evening; *in de* ~ early in the evening; *b*) eve; *aan de* ~ *van* … on the eve of the revolution

voorbaat: *bij* ~ (thanking you) in advance, beforehand

voor|balkon (*van tram*) front platform; (*van huis*) front balcony; **-band** front tyre; **-bank** front seat

voorbarig premature, (over)hasty, rash; *je was* (*hiermee*) *wat* ~ you were a little previous (in saying, doing this); *een* ~*e conclusie trekken* rush to a conclusion

voorbedacht premeditated (murder); *met* ~*en rade* of (with) malicious intent

voorbeeld (*ter navolging*) example, model; (*ter illustratie*) example, instance, specimen (a … of his prose); *laat me als een* ~ (*in dit verband*) *vermelden* … as a case in point let me mention …; *als* ~ *aanhalen* instance; *het* ~ *geven* give (*of:* set) the example; *iems* ~ *volgen* follow a p.'s example (*of:* lead); *er moet een* ~ *gesteld worden* somebody must be made an example of; *een* ~ *aan iem nemen* take example by a p., follow a p.'s example; *neem een* ~ *aan je broer*, (*waarschuwend*) let your brother be a warning to you; *bij* ~ for instance, for example, e.g.; *naar* (*op*) *het* ~ *van* after the example of; *maken naar het* ~ *van* model upon; *ten* (*tot*) ~ *stellen* hold up as an example; *tot* ~ *strekken* serve as an example, (*tot afschrikwekkend* ~) act as a deterrent; **voorbeeldig** exemplary, model (husband)

voorbehoedmiddel preservative; (*tegen zwangerschap ook*) contraceptive

voorbehoud reserve, reservation; *een* ~ *maken* make a reservation; *met dit* ~ with this reserve, subject to this; *onder* ~ *dat* provided that; *zonder* (*enig*) ~ without (the least) reserve, unconditionally; **voorbehouden** reserve; *ik wil mij dat recht* ~ I wish to reserve that right to myself; *alle rechten* ~ all rights reserved; *ongelukken* ~ *geloof ik* … barring accidents, I think …

voorbereiden prepare (*op* for), get (make) ready; *op alles voorbereid* prepared for anything; *zich* ~ prepare (o.s.), get ready; *bereid u voor op het ergste* prepare for the worst; **voorbereidend** preparatory; ~*e maatregel* preparative, preliminary (measure); ~ *werk* (*ook:*) spade-work, groundwork; ~ *wetenschappelijk onderwijs*, (*ongev*) secondary education; **voorbereiding** preparation; *als* ~ *voor* in preparation for; ~*en treffen* make preparation(s); **voorbereidselen** preparations

voorbericht preface, foreword

voorbeschikken predestine (be …d to success); **voorbeschikking** predestination

voorbespreking preliminary discussion; (*schouwburg, enz*) advance booking

voorbestemmen predestine

voorbewerkt worked, processed, pre-treated

voorbij I *vz* past, on the other side of, beyond; *tot* ~ *D.* (the plain stretches) to D. and beyond; **II** *bw* past, (it is all) over; *zijn we R. al* ~? have we passed R. yet?; ~*e tijden* bygone times

voorbijdrijven *tr* drive past; *intr* float by; (*of:* past)

voorbijgaan I *intr* pass (by), go by; (*van toorn, zwakheid, enz*) pass away; (*van hoofdpijn, enz*) pass off; *laat die gelegenheid niet* ~ do not let that opportunity slip, do not miss that opportunity; **II** *tr* pass (by), go past; *we kunnen hem niet* ~ we can't leave him out; *we kunnen niet* ~ *aan* we cannot disregard; **III** *zn: in het* ~ in passing; … *met* ~ *van* over the head of …; **voorbijgaand** passing; *van* ~*e aard* of a temporary nature, temporary (blindness); **voorbijgang(st)er** passer-by, *mv:* passers-by

voorbij|komen *intr* come past, pass (by); *hij komt hier dikwijls* ~ he often passes this way; *tr* pass (by); **-kruipen** (*van tijd*) creep by; **-lopen** walk (run) past, pass; **-rijden** *tr & intr* ride (drive) past, pass; (*inhalen & ~rijden*) pass, overtake; **-streven** outstrip, outvie, outdistance (a p.); *het doel* ~ overshoot the mark, defeat one's object; *trachten* ~ *te streven* emulate; **-vliegen:** *wat vliegt de tijd* ~! how time flies!; **-zien** (*fig*) overlook; *dat feit moeten wij niet* ~ we should not lose sight of that fact

voorbode forerunner, herald

voordat before

voordeel advantage, benefit; (*geldelijk*) profit, gain; *voor- en nadelen* pros and cons; ~ *opleveren* yield profit; *hij kent zijn eigen* ~ *niet* he does not know (on) which side his bread is buttered; *zijn* ~ *doen met* take advantage of, turn to (good) account; *zijn eigen* ~ *zoeken* seek one's own advantage; *een* ~ *op iem behalen* gain an advantage over a p.; ~ *trekken uit* profit (benefit) by, take advantage of; ~ *hebben van* profit by; *in uw* ~ to your advantage; *dat is in zijn* ~ that's where he scores; *twee dingen, die zeer in haar* ~ *waren* (she had) two great assets; *in het* ~ *zijn*, (*vergeleken met iem*) have the advantage of (over) a p.; *hij is in zijn* ~ *veranderd* he has changed for the better; *met* ~ with advantage, with profit, (*met winst*) (sell) at a profit; **voordeelpak** economy (size) pack

voordeeltje windfall

voordelig I *bn* profitable, advantageous; (~ *in het gebruik*) economical, cheap; **II** *bw* profitably, etc, (sell) to advantage; *zeer* ~ to great advantage; *zij kwam* ~ (*op haar* ~*st*) *uit* she looked her best

voordeur front door

voordien before this, before, previously

voordoen put on (an apron); *het iem* ~ show a p. (how to do it); *doe het me eens voor* show me; *goed* ~ *doet goed volgen, ongev:* example is better than precept; *zich* ~, *(van moeilijkheid, vraag, enz)* arise (the question arises why ...), crop up, *(van gelegenheid)* offer, occur; *mocht de noodzakelijkheid zich* ~ should the need arise; *de vraag die zich dagelijks aan ons voordoet* the question that daily confronts us; *zich zo goed mogelijk* ~ be on one's best behaviour; *hij weet zich aardig voor te doen (en zich in te dringen), enz* he has a way with him; *zich* ~ *als* pose as, pass o.s. off as (for), represent o.s. as (a doctor)

voordracht *(lezing, enz)* lecture, speech *(zie* lezing); recital (of a poem, piano ...); *(wijze van voordragen)* delivery, *(muz)* execution; *(van kandidaten)* nomination, recommendation; *hij staat nummer drie op de* ~ he is third on the short list; *hij staat op de* ~ *voor die betrekking* he is in nomination (is on the short list) for that place; *op* ~ *van* on the recommendation of

voordrachtkunst declamation, declamatory art; **voordrachtkunste|naar, -nares** reciter

voordragen recite (a poem); execute, render (a piece of music); *(kandidaat)* propose, nominate (for membership); *hij werd voor een decoratie voorgedragen* he was recommended for decoration; *hij werd ter benoeming voorgedragen* his name was submitted for appointment

vooreerst *(voorlopig)* for the present, for the time being

voorgaan go before, precede; *(kerk)* officiate; *(de weg wijzen)* lead the way (into ...); *(de voorrang hebben)* take precedence; *(van uurwerk)* be (five minutes) fast; *gaat u voor!* after you, please!; *zijn werk gaat voor* his work comes first (with him); *dames gaan voor* ladies first; *iem laten* ~, *(ook fig)* give a p. precedence; *interlokale gesprekken laten* ~ give precedence to trunk calls; *zaken laten* ~ put business first; *het belang van het land moet* ~ the interest of the country must come first; ~ *bij een godsdienstoefening* conduct a service; ~ *in gebed* lead in prayer; **voorgaand** preceding, last, former

voorganger predecessor; *(leider)* leader; *(predikant)* pastor, minister

voorgebergte promontory, headland

voorgeleiden bring up (a criminal)

voorgenomen intended (marriage), proposed (flight, attempt)

voorgerecht first course, *(bij banket)* entrée

voorgeschiedenis *(van zaak)* (previous) history; *(van pers)* past history; *(voortijd)* prehistory; *(van ziekte, enz)* case history

voorgeslacht ancestors, forefathers

voorgevel (fore-)front, façade

voorgeven *(bij spel; ook fig)* give points (to ...); *ik geef hem 50 voor,* *(spel)* I give him 50; *ze is niet ... als ze voorgeeft* she is not half so bad as she makes out

voorgevoel presentiment; *(fam)* hunch; *(van iets slechts, ook:)* foreboding, premonition; *angstig* ~ misgiving(s)

voorgoed for good, (she left him) altogether, (he settled there) permanently

voorgrond foreground; *op de* ~ *staan* be in the foreground; *(fig)* be to the fore, be in the limelight; *op de* ~ *treden* come to the front, come to (be to) the fore; *op de* ~ *treden in het openbare leven* be much in the public eye; *op de* ~ *plaatsen (stellen)* put in (thrust into) the forefront, bring into prominence; *zich op de* ~ *stellen* push (thrust) o.s. forward (in the foreground); *zich op de* ~ *dringen* force o.s. (itself) to the front

voorhamer sledge(-hammer)

voorhand *(van paard)* forehand; *aan de* ~ *zitten, (kaartspel)* play first; *op* ~ beforehand, in advance

voorhanden *(in voorraad)* on hand, in stock, in store; *(beschikbaar)* available; *niet meer* ~ sold out, out of stock; *het enige nog* ~ *exemplaar* the only copy left; *in alle kleuren* ~ stocked in all colours

voorhanger clip-on (sunglasses)

voorhebben have on (an apron, etc); *(fig)* intend, purpose; *wie meen je, dat je voorhebt?* who(m) do you think you are talking to?; *wat heb je voor?* what are you up to? what are you after? what is your game?; *ik weet wat hij voorheeft* what he is after; *wat heb je met mij voor?* what do you mean to do with me?; *hij heeft iets (niets) kwaads voor* he is up to no good, means mischief (means no harm); *het goed (slecht) met iem* ~ mean well (ill) by a p., wish a p. well (ill); *iem die het goed met u voorheeft* a well-wisher (many ...s of our country); *het beste met iem* ~ have the best of intentions towards a p.; *iets op iem* ~ have the advantage (have the pull) of (over) a p.; *veel op iem* ~ have many advantages over a p.; *daardoor had ik wat op hem voor* that gave me the pull over him; *dat hebben wij voor* that's where we score

voorheen formerly, in former days (times); *J. W,* ~ *K. Z, (van zaak)* J. W, late K. Z; ~ *hoogleraar te A.* sometime (one-time) professor at A., late of A. University; *van* ~ former, (her) one-time (lover)

voorheffing advance levy

voorhistorisch prehistoric; *de* ~*e tijd* prehistoric times

voorhoede *(ook fig)* advance(d) guard, van, vanguard, spearhead; *(sp)* forward line, forwards; **voorhoedespeler** forward

voorhoofd forehead; **voorhoofdsholte** frontal sinus

voorhouden hold (s.t.) before (a p.); keep on (one's apron, etc); *iem iets* ~, *(fig)* expostulate (remonstrate) with a p. on (his conduct, etc), impress s.t. upon a p.; *(voor de voeten gooien)* cast s.t. in a p.'s teeth; *dat idee werd haar steeds* ~*gehouden* was drummed into her mind; *iem het goede* ~ exhort (admonish) a p. to do what is right

voor|huid foreskin, prepuce; **-huis** (entrance-) hall

voorin (*in tram, enz*) in (the) front; (*in boek*) at the beginning

vooringang front entrance

vooringenomen prepossessed, prejudiced, bias(s)ed; ~ *tegen* prejudiced against

voorjaar spring; **voorjaarsmoeheid** spring-fever

voor|kamer front room; **-kant** front (of a house), face

voorkauwen: *iem iets* ~ repeat (explain) a thing (to a p.) over and over again; *het wordt hun voorgekauwd* they are spoon-fed with it

voorkennis foreknowledge, advance knowledge; *met* (*buiten*) *mijn* ~ with (without) my knowledge

voorkeur preference; *bij* ~ by preference, preferably; *de* ~ *genieten* (*hebben*) be preferred; *de* ~ *verdienen* be preferable (*boven* to); *de* ~ *geven aan* prefer (*boven* to), give preference to (*boven* over); **voorkeursbehandeling** preferential treatment

voorkeur|stem preference vote; **-zender** preselected station

'**voorkomen I** *ww* (*bij wedstrijd*) get ahead, get the start, draw ahead; (*van taxi*) come round, drive up (to the door); (*van getuige, enz*) appear in court, (*van rechtszaak*) come on, come up (for hearing, for trial); (*gebeuren*) occur, happen; (*toeschijnen*) seem (appear) to; *de auto laten* ~ order the car round; *veel* (*geregeld*) ~ be of frequent (regular) occurrence; *het komt mij voor dat zulke dingen niet moesten* ~ it seems (appears) to me that such things should not happen (occur); *het kwam ons gewenst voor* ... we thought it desirable ...; *uw naam komt me bekend voor* your name seems familiar (has a familiar ring); *hij doet* (*laat*) *het* ~ *alsof* ... he pretends that ...; ~ *in iems testament* figure in a p.'s will; **II** *zn* (*uiterlijk*) (personal, outward) appearance, air, look(s); (*het gebeuren*) occurrence (of measles, etc), incidence (of tuberculosis); *dat geeft de zaak een ander* ~ that puts a different complexion on the matter

voor'komen (*vóór zijn*) anticipate, forestall (a p.'s wishes); (*beletten*) prevent, save (a quarrel, trouble, confusion), avert (a disaster)

'**voorkomend** occurring; *zelden* ~ rare; *veel* ~ frequent

voor'komend obliging, attentive

voor'koming prevention; anticipation; *vgl het ww; ter* ~ *van* to avoid (prevent) (disappointment)

voorlaatst last (line) but one; penultimate (syllable); *de* ~*e keer* last time but one

voorland: *dat is je* ~ that is what is in store for you, that's your future

voorleggen lay (put) (a proposal, etc) before (a p., the meeting), submit (a plan, samples, etc) to; *het aan de vergadering* ~ put it to the meeting; *mag ik u deze vraag* ~? may I put this question to you?

voorletter initial (letter); *zijn* ~*s* his initials

voorlezen read to (a p.); read out (a notice); *lees me de brief* ~ read the letter to me; *dol zijn op* ~ be fond of being read to; *hij was bezig* ~ *te lezen* he was reading from a book

voorlichten *ww* enlighten (*omtrent* on), instruct, advise; **voorlichting** enlightenment, instruction(s), advice; information; (*bij beroepskeuze, enz*) guidance; *seksuele* ~ sex instruction (education)

voorlichtings|ambtenaar public relations officer; **-dienst** Information Service

voorliefde predilection, (special) liking (*voor* for), partiality (*voor* to, for); ~ *hebben voor* have a predilection etc for, be partial to

voorliegen lie to (a p.)

voorlijk forward (child), precocious (child), early (plant)

voorlopen go in front; (*van uurw*) be (two minutes) fast; **voorloper** precursor, forerunner, predecessor

voorlopig I *bn* provisional; ~ *dividend* interim dividend; ~ *verslag* interim report; **II** *bw* provisionally, for the present, for the time being

voormalig former, late

voorman foreman; (*fig*) leader, leading man

voormiddag morning, forenoon; ~*s te 10 uur* at ten o'clock in the morning, at 10 a.m.

1 voornaam *zn* Christian (*of:* first), (*Am*) given name

2 voornaam *bn* distinguished (visitor), eminent, prominent; *zie* deftig; (*belangrijk*) important, prominent (occupy a ... place); ~*ste* principal, leading (firms, England's ... pianist), chief; *het* ~*ste vraagstuk* (*punt*) the outstanding problem (point)

voornaamwoord pronoun

voornamelijk principally, chiefly, mainly, primarily

voornemen I *ww: zich* ~ resolve, determine, make up one's mind (to ...); **II** *zn* intention, resolution; *het* ~ *hebben* intend to; *de weg naar de hel is met goede* ~*s geplaveid* the road to hell is paved with good intentions

voornoemd above-mentioned

vooroefeningen preliminary exercises

vooronder forecabin, forecastle

vooronderstellen presuppose

vooronderzoek preliminary investigation

vooroordeel prejudice, bias (against ...); *een* ~ *hebben tegen* have a prejudice (be prejudiced) against

vooroorlogs pre-war (social conditions)

voorop in front; **vooropgaan** lead the way, walk in front (at the head)

vooropgezet: ~*te mening* preconceived opinion, preconception

vooropleiding previous training (schooling)

vooroplopen walk in front, (*ook fig*) lead the way

voorouders ancestors, forefathers, forbears

voorover forward, bending forward, face down; *met het hoofd* ~ head foremost

voorover|buigen bend (stoop) forward; **-bukken** stoop; **-hangen** hang forward; **-hellen** incline forward, lean over; **-leggen** lay prostrate; **-leunen** lean forward; **-liggen** lie prostrate (on one's face, face downward); **-vallen** fall forward (on one's face, headlong, head first)

voor|pagina front page; **-poot** foreleg, forepaw; **-portaal** porch, hall; **-post** outpost; **-proef(je)** foretaste, taste; **-programma** first part of the programme

voorraad stock, supply, store; *aanwezige* ~ stock on hand; *te grote* ~ overstock; *zijn* ~ *is zeer gering* his stock is very small (very low); *in* ~ in stock, on hand; *uit* ~ *leveren* deliver from stock; *van (nieuwe)* ~ *voorzien* (re-)stock

voorraad|kamer store-room, **-kast** store cupboard; **-kelder** store-cellar; **-schuur** storehouse; **-zolder** store-loft

voorrang precedence, priority, (traffic coming from the left has) right of way; *de* ~ *hebben* have priority, take precedence (*boven* of, over); *de* ~ *hebben boven, ook:* rank above; ~ *verlenen* give (right of) way; *om de* ~ *strijden* contend for the mastery

voorrangs|kruising preferential crossing; *(opschrift)* give way; **-weg** major road

voorrecht privilege; *het* ~ *hebben te ..., ook:* be privileged to ...

voorrekenen figure out (s.t. for a p.), show

voorrijden ride (drive) in front (at the head); *(van auto, enz) zie* voorkomen

voor|ronde qualifying round; **-ruit** *(van auto)* windscreen

voorschieten advance (money)

voorschijn *te* ~ *brengen* produce, bring out; *te* ~ *halen* take out (one's watch), bring out (the best wine), pull out (*plotseling:* whip out) (a revolver); *te* ~ *komen* appear, make one's appearance, emerge (the train ...d from the tunnel), pop up (unexpectedly); *te* ~ *roepen* call up, evoke (spirits)

voorschoot apron

voorschot advance, loan; *een* ~ *verlenen* make an advance; ~ *geven op* advance money on

voorschotelen *zie* voorzetten *(iem iets ...)*

voorschrift prescription (*ook van dokter*), direction, instruction; *(van reglement, enz)* regulation; *op* ~ *van de dokter* (he is resting) under doctor's orders; **voorschrijven** prescribe, (*gebiedend*) dictate (terms, conditions of peace); *iem* ~ *hoe hij moet handelen* prescribe (dictate) to a p. how to act; *een patiënt een geneesmiddel (behandeling)* ~ prescribe a medicine (a treatment) for a patient; *een recept* ~ write (out) a prescription

voorshands for the present, for the moment, for the time being

voorsnijden carve; **voorsnijmes** carving-knife

voorsorteren *(verkeer)* filter, preselect; *(opschrift)* get in lane

voorspannen: *zich ergens* ~ take a thing in hand

voorspel *(muz)* prelude; *(theat)* prologue, introduction; *(fig)* prelude (*van ...* to a great struggle)

voorspelbaar predictable

voorspelen play (I'll ... you an example; ... us s.t.; ... to us)

voor|spellen predict, prophesy, foretell, forecast (*vt & v dw:* id *of:* ...ed); *dat voorspelt weinig goeds* that forebodes little good; *de zon voorspelt een warme dag* promises a hot day; *ik heb het je wel voorspeld!* I told you so!; **voorspelling** prediction, prophecy, forecast (weather ...)

voorspiegelen: *iem iets* ~ hold out false hopes to a p., delude a p. with false hopes; *ik spiegel mij er niet veel van voor* I am under no illusion about it

voorspoed prosperity; *voor- en tegenspoed* ups and downs; *in voor- of tegenspoed* in (through) foul and fair, for better for worse; *vrienden in* ~ fair-weather friends; **voorspoedig** prosperous, successful; *het ging hun* ~ they prospered, were successful; *het kindje groeit* ~ is thriving

voorspraak intercession (*bij* with), mediation, advocacy; *op* ~ *van* at the intercession of; *iems* ~ *zijn bij* intercede for a p. with, put in a word for a p. with

voorsprong start; lead (have a ... of ten yards); *(sp & fig)* headstart; *een* ~ *geven* allow a start; *een* ~ *hebben op* have the start (pull) of

voorstaan I *tr* advocate (a view), champion (a cause); **II** *intr* (*vooraan staan*) stand in front; *het staat mij voor alsof het gisteren gebeurde* I remember it as if ...; *er staat me zo iets van voor, dat* ... I seem to have heard it before; *zich laten* ~ *op* pride o.s. on; *niet dat ik mij erop laat* ~ not that I take any credit for it

voorstad suburb; *van de voorsteden* suburban

voorstander advocate, champion, supporter; *een groot* ~ *zijn van* ... be all for (tolerance, employees' participation)

voorste foremost (in the ... ranks), first, front (row)

voorstel proposal; *(van leden van vergadering)* motion; *(wets~)* bill; *(van wagen)* fore-carriage; *een* ~ *doen* make a proposal; *een* ~ *indienen, (door lid)* move (table, hand in) a motion; *een* ~ *aannemen* accept (agree to, accede to) a proposal; *een* ~ *verwerpen* reject a proposal; *op* ~ *van* on the proposal of, on the motion of

voorstelbaar imaginable

voorstellen (*introduceren*) introduce; (*een voorstel doen*) propose; (*opperen*) suggest; (*een voorstelling geven van*) represent (facts, a landscape); (*betekenen*) mean, stand for (nothing at all); ~ *het verslag goed te keuren* move the adoption of the report; *ik stel voor, dat we er vandoor gaan,* (*fam*) I vote we bolt; *hij stelde ons aan elkaar voor* he introduced us; *is het zo slecht als hij het voorstelt?* is it as bad as he makes out?; *die partij stelt niets meer voor* ... has gone to pot; *dat portret moet* ... ~ that portrait is intended (meant) for (is meant to represent) my uncle; *verkeerd* ~ misrepresent; *zich* ~: *a*) introduce o.s.; *b*) picture (to o.s.), imagine, fancy; (*fam*) see (I can't ... myself doing it; *c*) (*van plan zijn*) intend, propose (he ...d to visit A.); *stel je voor!* just fancy!; *ik kan me niet* ~ *wat* ... I cannot think what he means; *dat kan ik me* (*best*) ~ I should imagine so (can quite believe it); *ik kan mij zijn gezicht niet meer* ~ I cannot recall his face; *zich een prettige tijd* ~ promise o.s. a pleasant time; **voorstelling** 1 (*afbeelding*) representation; 2 (*uitvoering*) performance; 3 (*herinneringsbeeld*) image, idea, notion; *verkeerde* ~ misrepresentation; *volgens uw eigen* ~ (*van zaken*) on your own showing; *zich een* ~ *maken van* form an idea of; **voorstellingsvermogen** imaginative faculty

voorstemmen vote for (it), vote in favour, vote affirmatively; **voorstemmer** person voting in favour

voor|steven stem; **-studie** preparatory study

voort (*verder*) on, onwards, forward, forth

voortaan in future, from this day forward, henceforward

voortand front tooth

voort|bestaan I *ww* continue to exist, endure, survive; II *zn* continuance, survival; **-bewegen** move on, propel; *zich* ~ move (on); **-beweging** propulsion; (*het zich ~bewegen*) locomotion; **-borduren** *op* embroider (on), elaborate (a theme); **-bouwen:** ~ *op* build on

voortbrengen produce, bring forth; **voortbrenging** production, generation; **voortbrengsel** product, produce

voortduren continue, last, go on, endure; **voortdurend** (*steeds herhaald*) continual; (*zonder onderbreking*) continuous; (*altijddurend*) everlasting, permanent; *~e bron van moeilijkheden* constant source of trouble; *~e regens* constant rains; **voortduring** continuation, duration, permanence; *bij* ~ continuously

voorteken sign, indication, (a good (evil)) omen

voortgaan go on, continue, proceed (*met* with); *zie* doorgaan; **voortgang** progress; ~ *maken* get on, proceed (*met* with); *er komt* ~ *in de zaak* things are moving

voortgezet secondary (education *onderwijs*); *~te proefnemingen* prolonged experiments

voorthelpen: *iem* ~ help a p. forward (*of:* on)

voortijd: *de* ~ prehistoric times; *de geschiedenis van de* ~ prehistory

voortijdig premature(ly), (his) untimely (death)

voortijds in former times, formerly

voort|kankeren spread like a cancer, fester; **-komen:** ~ *uit* proceed from (a reliable source); stem from (the embarrassment stems from ...); originate from (Africa); spring from (a royal stock); **-maken** make haste, hurry (up), be quick; *maak wat voort!* hurry up!; ~ *met* press on with, speed up (the work)

voortoveren conjure up (before ...)

voortplanten propagate (plants, animals diseases); transmit (diseases, light, sound, electricity); *zich* ~ breed, propagate (o.s.), multiply, (*van geluid, licht, enz*) be transmitted, travel; **voortplanting** propagation, multiplication, transmission; (*biol*) reproduction, procreation; **voortplantingsorganen** reproductive (procreative) organs

voortreffelijk excellent, first-rate; ~ *zingen, enz* sing, etc to perfection

voortrekken: *iem* ~ favour a p. (above others), be prejudiced in a p.'s favour

voorts moreover, besides, farther; *en zo* ~ and so on, et cetera, etc

voort|slepen drag along; *zich* ~ drag o.s. along; (*fig*) drag by (the hours ...), drag on (the war dragged on into its fourth year); **-spruiten:** ~ *uit* arise (spring, result) from; **-stuwen** propel, push (drive) along; **-stuwing** propulsion, drive; **-sukkelen** plod (trudge, jog) on; (*in ziekte*) linger on

voortuin front garden

voortvarend energetic, pushing, (*fam*) pushy, go-ahead; *hij is verbazend* ~ he has plenty of drive; **voortvarendheid** energy, push(fulness), drive

voortvloeien: ~ *uit* result (arise, originate) from; *~d uit* consequent on; *de daaruit ~de hongersnood* the consequent (resulting) famine; **voortvloeisel** result

voort|vluchtig fugitive; (*fam*) (be) on the run; *~e* fugitive, runaway; **-woekeren** fester; **-zeggen:** *zegt het* ~*!* pass it on! please tell your friends (tell others)!

voortzetten continue (a business, etc), go on (proceed) with, carry on (one's work); *wordt voortgezet* to be continued; *de kennismaking* ~ pursue the acquaintance; *een werk krachtig* ~ push on (forge ahead with) a work; **voortzetting** continuation

vooruit forward (*ook scheepv*); (*van tevoren*) before, (book seats) in advance; *recht* ~, (*voor ons uit*) straight in front of us; ~ *maar!* go ahead! carry on!; ~, *naar bed!* off you go to bed; *hij was zijn tijd* (*ver*) ~ he was (far) ahead of his time(s); *een lang* ~ *gemaakte afspraak* a long-standing engagement; *hij kan niet* ~ *of achteruit* he is in a cleft stick (in a fix); *weer* ~ *kunnen* have s.t. to go (to carry on) with

vooruit|bestellen order in advance; **-betalen** prepay, pay in advance; **-blik** preview; **-boeren** get on (do) well; **-denken** think ahead; **-gaan** go on before, lead the way; (*fig*) get on, make progress, progress, improve (the condition has ...d); (*van barometer*) rise; *wij gaan* ~ we are getting on, are on the upgrade (on the up and up); *de patiënt gaat* ~ is improving; *de medische wetenschap gaat steeds* ~ ... goes from strength to strength; *langzaam* ~ make slow progress; **-gang** progress, advance, improvement; *een* ~ *vergeleken met* ... an advance on anything that appeared before; **-helpen** help forward, help on (the work); **-komen** (*ook fig*) get on (in the world), make head-way; **-lopen**: ~ *op* get ahead of (one's story), anticipate (events); *op een zaak* ~, (*in zijn oordeel*) prejudge a case; *maar ik loop* ~, (*bij vertellen*) but I am anticipating; **-schieten** shoot (dart, dash) forward; **-steken** stick out, jut out, protrude

vooruitstrevend progressive

vooruit|werpen cast ahead (great events cast their shadows ahead); **-zetten** advance, put (the clock) forward (on, ahead); **-zicht** prospect, outlook; *een slecht* ~ a bad look-out; *bevordering in het* ~ *stellen* hold out a prospect of promotion; *het* ~ *is niet schitterend* the outlook is not brilliant; *geen* ~*en hebben* have no prospects; ... *biedt geen* ~*en* the job does not lead to anything

vooruitziend forward-looking, far-seeing, provident; ~*e blik* foresight, forethought, prevision

voorvader ancestor, forefather; **voorvaderlijk** ancestral

voorval incident, event, occurrence; **voorvallen** happen, take place, pass, occur

voor|vechter champion, advocate (of free trade); **-verkiezing** primary (election); **-verkoop** forward sale; (*van kaarten*) advance booking; **-voegsel** prefix

voorvoelen sense, anticipate

voorwaar indeed, truly, in truth

voorwaarde condition; ~*n, ook:* terms (our terms are: ...); *een eerste* ~ a prerequisite (precondition); ~*n stellen* make conditions; *zijn* ~*n stellen* state one's terms; *onder geen* ~ on no account; *op* (*onder*) ~ *dat* on (the) condition that, on the understanding that; *op deze* ~ on this condition; *op billlijke* ~*n* on moderate terms; *op zekere* ~*n* (I am willing to participate) on terms; **voorwaardelijk** conditional; ~*e veroordeling* conditional (*of:* suspended) sentence; ~ *veroordeeld worden* be sentenced to (one month's) suspended imprisonment, be put (placed) on probation

voorwaarts I *bw* forward, forwards, onward(s); *één pas* ~*!* one pace forward!; ~*, mars!* quick - march!; ~ *gaan, ook:* push on; **II** *bn* forward, onward

voorwenden pretend (illness, etc), feign, affect, simulate; *voorgewende vriendschap* professed friendship; **voorwendsel** pretext, excuse, make-believe, pretence; *onder* ~ *van* ... on (under) the pretext (the plea) of ..., under pretence of ...

voor|wereldlijk prehistoric; **-werk** prelim-(inarie)s

voorwerp object, thing, article; (*gramm*) object; ~ *van spot* object of ridicule, laughing-stock

voor|wiel front wheel; **-wielaandrijving** front-wheel drive; **-woord** preface; **-zang** introductory song; (*kerk*) opening hymn; **-zanger** precentor, (parish-)clerk

'**voorzeggen** prompt (a pupil, etc), tell (a p.) what to say; *niet* ~ no prompting, please

voorzet first move; (*sp*) centre; *wie heeft de* ~? who has first move?

voorzetlens (*fot*) close-up lens

voorzetsel preposition

voorzetten place in front; *iem iets* ~ place (set) s.t. before a p., dish up (meat, etc) for a p.

voorzichtig careful, cautious; ~*!* be careful!; (*als opschrift*) caution!; ~ *te werk gaan* proceed with caution, tread (proceed) warily, play safe; ~ *gesteld* guarded (letter); **voorzichtigheid** care, caution

voorzichtigheids|halve by way of precaution; **-maatregel** precautionary measure, precaution

voorzien (*vooruitzien*) foresee (it is difficult to ... the end), anticipate; ~ *van* provide with; fit (a bathroom fitted with full-sized bath); *hij is goed van alles* ~ he is well provided (supplied) with everything; *goed* ~ *van orders* well-placed for orders; *zich* ~ *van* provide o.s. with; *ruim* ~ amply provided (*van* with); well-stocked (with game); *goed* ~*e tafel* well-spread (well-supplied) table; *het was te* ~ it was to be expected; ~ *in* meet (the demand), fill (a vacancy), supply (a want), provide for (the education of the poor), attend to (a p.'s wants); *er is in de betrekking* ~ the post is filled; *daarin moet* ~ *worden* that should be attended (seen) to; *hij heeft het altijd op mij* ~ he is always down on me; *hij heeft het op haar geld* ~ it's her money he's after; **voorzienigheid** providence; **voorziening** provision; supply (of a demand); ~*en treffen* make provisions; *sociale* ~*en* welfare facilities

voorzij(de) front (of a house), front side, face

voorzitten preside, be in the chair; *dat heeft bij mij voorgezeten* that was my guiding principle (the end I had in view); **voorzitter** chairman, president, chairperson; Speaker (of the House of Commons), Lord Chancellor (of the House of Lords); ~ *zijn, ook:* be in the chair; *tot* ~ *benoemd worden* be called (voted) to the chair; *Mijnheer de* ~*!* Mr. Chairman!; **voorzitterschap** chairmanship, presidency

voorzorg precaution, provision, care; *uit* ~ by way of precaution; **voorzorgsmaatregel** precaution(ary measure)

voos spongy; (*fig*) rotten (society)

vorderen I *intr* make progress, get on, advance (the afternoon was well ...d); *goed* ~ make good progress; *de zaken zijn zover gevorderd*

... matters have got so far ...; **II** *tr* demand, claim; (*vereisen*) require, demand; **vordering** 1 (*voortgang*) progress, advance; ~*en* progress; 2 claim (*op* on, against), demand

vore furrow (*ook fig* = wrinkle)

voren: *naar* ~ to the front, forward (view *uitzicht*); *naar* ~ *treden* (*komen*) step (come) forward; (*fig*) come to the fore (the front); *naar* ~ *brengen* bring (a p., a question) to the fore; bring out (this aspect is clearly brought out); (*van*) *te* ~ before, previously (his wife had died two years ...); (*vooruit*) beforehand, (book seats two days) ahead, (pay) in advance; *van* ~ (open) in front; *van* ~ *af aan* from the beginning, (*opnieuw*) once more; *weer van* ~ *af aan beginnen* start afresh

vorig former, preceding, previous, last; *de* ~*e zondag*, (*verleden*) last Sunday, (*voorafgaande*) the previous Sunday, the Sunday before; *de* ~*e eeuw* (the) last century; *het* ~*e hoofdstuk* the preceding chapter; *de* ~*e* (*pas afgetreden*) *regering* the late government

vork fork (*ook van fiets, weg, enz*); *ik weet hoe de* ~ *in de steel zit* I know the ins and outs of the matter (how matters stand, how the land lies); **vork(hef)truck** fork (lift) truck

vorm (*tegenover inhoud*) form; (*gedaante*) shape, form; (*formaliteit, enz*) form, formality, ceremony; (*gietvorm*) mould; *de* ~*en in acht nemen* observe the forms; *een bepaalde* (*vaste*) ~ *aannemen* take (definite) shape (form), assume a definite shape; *een vaste* ~ *geven aan* mould into concrete form; *in de* ~ *van* in the shape (form) of; *ik sta niet op* ~*en* I do not stand on ceremony; *uit* ~ *zijn* be out of form; *uit de* ~ *zijn* be out of shape; *voor de* ~ for form's sake, pro forma; *dat is maar voor de* ~ only a matter of form, a mere formality; *zonder* ~ *van proces* (hanged) without trial, summarily (executed); **vormelijk** formal; **vormelijkheid** formality; **vormen** (*een vorm geven*) form, shape, (character), model, mould; (*maken, uitmaken*) form (a government, an opinion), create (a Cabinet), make (dogs ... the best companions); (*r-k*) confirm; ~ *naar* model on (the American government was modelled on the English); *zich* ~, (*van zaken*) form (ice ...ed on the wings); **vormend** (*fig*) educative, formative

vormgeving (artistic) composition, (industrial) design

vorming formation, forming, etc; *vgl het ww;* (*van de geest*) cultivation, education; **vormingswerk** (*ongev*) day-release course

vormloos(heid) shapeless(ness), formless-(ness)

vormsel (*r-k*) confirmation

vormverandering transformation, metamorphosis

vorsen investigate, make inquiries, search; ~*de blik* searching (scrutinizing) look

vorst 1 (*van dak*) ridge; 2 (*het vriezen*) frost; *de* ~ *zit nog in de grond* there is still frost in the ground, the ground is still frost-bound; 3 sovereign, monarch; prince (Indian ...s); *de* ~ *der Engelse dichters* the prince of English poets; **vorstelijk** royal, princely, lordly; *een* ~*e gift* a princely gift; ~ *belonen* reward with princely munificence; **vorstendom** principality

vorstenhuis dynasty

vorstin queen, monarch, sovereign

vorst|periode icy spell; **-verlet** hold-up owing to frost; **-vrij** frost-proof

vos fox; (*paard*) sorrel (horse), bay (horse); (*bont*) fox stole; *slimme* ~ sly old dog; *een* ~ *verliest wel zijn haren maar niet zijn streken* what is bred in the bone will not come out of (will come out in) the flesh

vosse|hol fox-hole; **-jacht** fox-hunt(ing); *op de* ~ *gaan* ride to (follow the) hounds

vossen swot (mug up) (for exams)

vossestaart foxtail, fox's tail

voteren vote (a credit, £ 200,000)

votum vote

vouw (*algem*) fold; (*in kleding*) fold, pleat, crease (in trousers); *uit de* ~ *gaan*, (*van broek*) lose its crease; **vouwbaar** foldable, pliable

vouw|been folder, paper-knife; **-blad** folder; **-deur** folding door(s)

vouwen fold; *de handen* ~ fold one's hands; *in drieën* ~ fold in three

vouw|fiets collapsible (folding) bike; **-stoel** folding chair, camp-chair

voyeur id, peeping Tom

vraag question; (*om iets*) request; (*tegenover aanbod*) demand; (*kwestie*) question; ~ *en aanbod* supply and demand; *een* ~ *met een* (*weder*)~ *beantwoorden* answer a question by asking another, reply to a qounter by a counter-question; *dat is nog de* ~ that's a question, that remains to be seen; *het is de* ~ *of* ... it is highly questionable whether ...; *de* ~ *is niet of* ... the point (the question) is not whether ...; *de* ~ *rijst* the question arises; *een* ~ *doen* (*stellen*) ask (a p.) a question, put a question (to a p.); *er is* ~ (*geen* ~) *naar* ... there is a (no) demand for ...; *er was tamelijk veel* ~ *naar Santos* Santos was in fair request (demand)

vraag|baak vademecum, reference-book; (*pers*) source of information; **-gesprek** interview; **-prijs** price asked, asking price; **-punt** point in question, moot point; **-stuk** problem, question; **-teken** question-mark; *daar zet ik een* ~ *achter* (*bij*) I have my doubts about that

vraatzucht gluttony, voracity, gluttonousness; **vraatzuchtig** gluttonous, greedy, voracious

vracht (~*prijs, te water*) freight; (*te land*) carriage; (*voor pers*) fare; (*scheepslading*) cargo; (*van wagon*) load; ~ *hout* cart-load of wood

vracht|auto (motor-)lorry, truck, van; **-boot** cargo-boat, -vessel, freighter; **-brief** (*per schip*) bill of lading (B/L); (*per spoor*) consignment-note; **-dienst** cargo service; **-goed** goods; (*per schip*) cargo; *als ~ verzenden* send (*of:* forward) by (ordinary) goods train, by goods

vrachtje (*in taxi*) passenger

vracht|rijder (common) carrier, (public) road haulier; **-schip** *zie* -boot; **-tarief** (*te water*) rate of freight, freight-rate; (*per spoor*) rate of carriage; **-vaart** carrying-trade; **-vervoer** freight-traffic; (*over de weg*) haulage; **-wagen** truck, lorry, van

vragen ask; (*in rekening brengen*) charge; (*eisen*) require (time, money); *vraag het aan moeder* ask mother; *als je het mij vraagt* if you ask me; *ik moet u iets ~* I have s.t. to ask of you; *iem zijn naam ~* ask a p.'s name; *een meisje (ten huwelijk) ~* ask (propose to) a girl; *dat is nogal veel gevraagd,* (*fam*) it's a pretty tall order; *het vraagt de aandacht* it asks (for) attention; *er wordt ons gevraagd waarom ...* we are being asked why ...; *laten ~* send to inquire (to ask); *hij liet zich geen tweemaal ~* he did not need to be asked twice; *gevraagd: een monteur* wanted, a mechanic; *wat is gevraagd?* (*kaartsp*) what is the lead?; *wel, daar vraag je me wat!* (*wat ik moeilijk beantwoorden kan*) ah, there you have me! now you're asking me one!; *nu vraag ik je* (*toch*)*!* (now) I ask you!; *vraag dat wel!* you may well ask (that)!; *dat artikel wordt veel gevraagd* there is a great demand for that article, that article is in great demand; *op hoeveel komt je dat, als ik ~ mag?* how much does it cost you, if I may ask?; *naar iemand(s gezondheid) ~* ask after a p.('s health), inquire after (for) a p.; *men vraagt naar u* you are wanted; *naar de weg ~* ask the way; *naar de prijs ~* ask (inquire) the price; *~ om* ask for; *iem om geld (een gunst) ~* ask a p. for money (a favour), ask money (a favour) of a p.; *je hoeft er maar om te ~* you can have it (it is yours, it may be had) for the asking; *hij vraagt erom* he is asking for it (for trouble); *iem op een partij ~* ask (invite) a p. to a party; *te(n) eten ~* ask to dinner; *veel ~ van,* (*fig*) make great demands on; *wat vraag je ervoor?* what do you ask for it?; **vragend** inquiring, questioning (look), interrogative (sentence); **vragenderwijs** interrogatively

vragenlijst questionnaire

vrager inquirer, questioner, interrogator

vrede peace; *~ sluiten* make (conclude) peace; *~ stichten* make peace; *ga in ~* go in peace; *ik heb er ~ mee* I don't object; all right!; *daar heb ik geen ~ mee* I am not content with that; *ik heb er geen ~ mee om te ...* I am not content to ...; *ten laatste had hij er ~ mee* at last he was reconciled to it; **vredelievend** peace-loving, peaceable, pacific

vrederechter (*Belg*) justice of the peace (J.P.), district judge

vredes|beweging peace-movement; **-conferentie** peace conference; **-duif** dove of peace;

-naam: *in ~* for goodness' sake; **-onderhandelingen** peace negotiations; **-paleis** Palace of Peace, Peace Palace; **-pijp** (smoke the) pipe of peace, calumet

vredestichter peacemaker

vredes|tijd peace-time, time of peace; **-verdrag** peace-treaty, peace-pact; **-voorwaarden** conditions (terms) of peace

vredig peaceful, quiet

vreedzaam peaceable; *-ame uitbreiding van de invloedssfeer* peaceful penetration

vreemd (*onbekend, aan anderen toebehorend*) strange (dog); (*buitenlands*) foreign (state, language); (*tot een andere staat behorend*) alien (enemy); (*uitheems*) exotic (plants); (*raar*) strange, queer, odd, funny, (*sl*) rum; *een ~(e) taal* a foreign language; *het werk is mij ~* I am strange to the work, the work is strange to me; *~ zijn aan* be innocent of (trickery); *het is niet ~ dat hij ...* it is not surprising that he ...; *ik ben hier ~* I am a stranger here; *~ dat hij hier is* strange that he should be here; *~ genoeg ...* strangely enough (strange to say) he did not remember me; *iets ~s* something strange; *het ~e van zijn gedrag* the strangeness of his behaviour; *~ gaan* have extramarital relations, sleep around; **vreemde** *zie* vreemdeling; *iem als een ~ behandelen* make a stranger of a p.; *dat heeft hij van geen ~* he is a chip off the old block; *zie ook* vreemd; **vreemdeling** (*onbekende*) stranger (*voor mij* to me); (*buitenlander*) foreigner; (*niet genaturaliseerde*) alien

vreemdelingen|dienst aliens registration office; **-legioen** foreign legion; **-verkeer** tourist traffic, tourism; (*als bestaansmiddel*) tourist industry; *Vereniging voor ~* (*V.V.V.*) Tourist Information; **-wet** aliens act

vreemdewoordentolk dictionary of foreign words (in English)

vreemdsoortig (*zonderling*) singular, odd; **vreemdsoortigheid** singularity, oddity

vrees fear, (*zwak*) apprehension, (*sterk*) dread; *~ aanjagen* strike fear into, intimidate; *geen ~ kennen* not know what fear is, have no fear in one's composition; *met ~ en beven* in fear and trembling; *uit ~ voor* for fear of; *uit ~ dat* for fear that, (for fear) lest; **vreesaanjagend** terrifying

vreesachtig timid, timorous

vreeswekkend fear-inspiring, terrifying

vreetzak greedy-guts, glutton

vrek miser, niggard, skinflint; **vrekkig** miserly, stingy

vreselijk I *bn* dreadful, terrible, horrible, frightful, awful; *het ~e ervan* the dreadfulness (awfulness) of it; **II** *bw* dreadfully, etc; (*verbazend*) awfully, frightfully bad

vreten I *ww* (*van dier*) eat, feed on; (*fig*) eat up (current); *het vreet geld* it eats money; (*van mens*) feed, stuff, gorge; *roest vreet in het ijzer* rust eats into iron; **II** *zn* (*van dier*) fodder; *zulk ~* such stuff

vreugde joy, gladness (*over* at); *ze had niet veel ~ in het leven* she did not get much pleasure out of life; *een reden tot ~* a reason for rejoicing; *~ scheppen in* enjoy (life)

vreugde|betoon rejoicings; **-kreet** shout of joy, whoop of delight

vreugdeloos joyless, cheerless

vreugde|traan tear of joy; **-verstoorder** killjoy, wet blanket, spoil-sport; **-vol** full of joy; **-vuur** bonfire

vrezen (*pers*) fear, be afraid of, (*sterker*) dread; (*iets*) fear, be afraid of, dread; *hij vreesde te worden ontslagen* he was afraid of being dismissed; *men vreest, dat er veel levens verloren zijn gegaan* serious loss of life is feared; *ik vrees van niet* (*wel*) I am afraid not (so), I am afraid he is (isn't), etc; *~ voor* fear for (a p.'s safety); *voor zijn leven wordt gevreesd* his life is despaired of

vriend (male, boy) friend; (*fam*) chum, pal, (*Am*) buddy; *in de nood leert men zijn ~en kennen* a friend in need is a friend indeed; *goede ~en zijn met* be friends with; *goede ~en worden met* make friends with; (*fam*) chum up with; *weer goede ~en worden* make it up, make friends; *even goeie ~en!* no offence! (*fam*) no bones broken!; (*zich*) *~en maken* make friends; *te ~ houden* keep friends (keep on good terms) with; *beide partijen te ~ houden* hold with the hare and run with the hounds

vriendelijk kind, friendly (= *vriendschappelijk*); *~e kamer* cheerful room; *een ~ woord kan heel wat doen* a kind word goes a long way; *wees zo ~ me te laten weten* kindly (be so kind as to) let me know; *mag ik je ~ verzoeken, dat te laten* I'll thank you to stop that; *~ bedankt!* thank you very much! many thanks!; (*Am*) thank you very kindly; *~ van je dat je gekomen bent* kind of you to have come; **vriendelijkheid** kindness, friendliness

vrienden|dienst kind (*of:* friendly) turn (*of:* office); **-kring** circle of friends

vriendin (lady, female) friend; **vriendinnetje** (girl-)friend

vriendje boy-friend, pal; **vriendjespolitiek** favouritism, nepotism, (*Am*) logrolling

vriendschap friendship; *~ sluiten met* make friends with; *ter wille van onze oude ~* for old time's sake; *uit ~* out of (for the sake of) friendship; **vriendschappelijk** friendly, amicable; *bw* in a friendly way, amicably; **vriendschapsband** tie (the bond) of friendship

vries|kist freezer; **-punt** freezing-point; *op (boven, onder) het ~* at (above, below) freezing(-point); **-weer** frosty weather

vriezen freeze; *het begon te ~* the frost set in; *het vriest hard* it is freezing hard; *het vroor 10 graden* there were ten degrees of frost; *het kan ~ en het kan dooien* it may happen or it may not, wait and see

vrij I *bn* free; (*~moedig*) free, bold; (*gratis*) free (passage, seats); (*onbezet, onbesproken*) dis-engaged (chair, room, taxi), (this room, this table is not) free; *~e etage* self-contained flat; *~e opgang* (*van bovenhuis*) separate entrance; *een* (*te*) *~ gebruik maken van* make free with (a p.'s wine, etc); *de lijn is ~* the line is clear; *kost en inwoning ~* board and lodging found, free meals and lodging; *met ~e woning* (a salary of £ 2000) with residence; *onder de ~e hemel* in the open (air), under the open sky; *~ kamperen* wild camping; *de ~e beroepen* the professions; *een ~e dag nemen* take a day off; *~ nemen* take a holiday; *~ vragen* ask off, beg off (from school), ask for a holiday; *~ zijn,* (*geen dienst hebben*) be off duty, be free; *ik heb 8 uur dienst en ben dan 2 uur ~* I am on duty eight hours and then I have two hours off; *~e middag* free afternoon, half-holiday; *mag ik vanmiddag ~ hebben?* may I have the afternoon off?; *een uur ~ hebben* have an hour free; *de ~e natuur* nature, the countryside; *~e oefeningen,* (*gymn*) free movements; *~ reizen hebben* be entitled to travel free (of charge); *op dit kaartje heeft u ~ reizen* this ticket will entitle you to free travel; *~ worstelen* all-in wrestling; *~e ruimte* clear space, clearance; *~e schop* free kick; *~e slag* (*zwemmen*) free style; *~e tijd* leisure (time); spare time, free time (in my ..., I have little ...); *~e verdediger,* (*sp*) sweeper; *zo ~ zijn om te ...* take the liberty to ..., make bold to ...; *ik ben zo ~ dat te betwijfelen* I beg (take the liberty) to question that; *~ van* free from (prejudices, disease, etc); (*niet aanrakend*) clear of (the wall, etc; sit clear of each other); (*vrijgesteld van*) exempt from (duty, military service); *~ van B.T.W.* free of V.A.T.; II *bw* freely; (*tamelijk*) rather, fairly, tolerably (plain), (*sterker*) pretty (good); *weer ~ ademhalen* breathe again; *~ heet* rather (*sterker:* pretty) hot; *het ziet er ~ slecht uit* it looks pretty bad; *een ~ goede chauffeur* quite a passable chauffeur; *~ goed eten* make a tolerably good dinner

vrijaf: *~ hebben* have a (half-)holiday; *ééns per week ~ hebben* have a weekly day off; *een avond ~* an evening off

vrijage courtship, wooing

vrijblijvend without committing o.s. (in any way); non-committal (answer); open-ended (negotiations)

vrijbrief passport, charter, licence, permit; (*mil*) safeguard; (*vrijgeleide*) safe-conduct

vrijbuiter freebooter, privateer; adventurer

vrijdag Friday; *Goede V~* Good Friday; *'s ~s* on Fridays, every Friday; **vrijdagavond** Friday evening

vrijdags *bn* Friday (market); *bw* (he always comes) on Fridays

vrijen court; (*minnekozen*) pet, (*sl*) neck, (*geslachtsgemeenschap hebben*) make love, have sex; *~d paartje* courting couple; **vrijer** lover, sweetheart; (*fam*) boy (friend)

vrijetijds|besteding leisure activities, recreation; **-kleding** casual wear

vri

vrijgeleide (*ook: brief van* ~) safe-conduct

vrijgeven release (goods, a story for publication); (*lijk*) hand over (the body); (*vrijaf geven*) give a (half-)holiday (a day off), let (a p.) go off duty

vrijgevig liberal (*met of*), generous; **vrijgevigheid** liberality, generosity

vrijgevochten undisciplined; *het is daar een* ~ *boel* it is go-as-you-please there

vrijgezel bachelor; ~ *of getrouwd?* single or married?

vrijgezellen|flat bachelor flat; **-leven** a bachelor's life, single life, bachelorhood, (his) bachelor days; (*scherts*) single blessedness

vrij|handel free trade; **-haven** free port

vrijheid liberty, freedom; *dichterlijke* ~ poetic licence; ~ *van godsdienst* religious liberty; ~ *van drukpers* freedom of the press; ~ *van vergadering* freedom of assembly; ~ *van het woord* freedom of speech, right of free speech; *het is hier* ~ *blijheid* you can do as you like here; *hun werd een grote mate van* ~ (*van handelen*) *gelaten* they were given full scope (free play); *de* ~ *nemen om te* ... take the liberty to ..., make free to ...; *zich vrijheden veroorloven* take liberties (*tegenover iem* with a p.); *in* ~ free, at liberty, at large; *in* ~ *stellen, de* ~ *schenken* set free, set at liberty, release, liberate; *voorwaardelijk in* ~ *stellen* release (liberate) on licence; *van zijn* ~ *beroofd* deprived of one's liberty; **vrijheidlievend** freedom-loving

vrijheids|beroving deprivation of liberty, forcible restraint; (*wederrechtelijke*) ~ (unlawful) detention; **-geest** spirit of liberty; **-liefde** love of liberty; **-strijder** freedom fighter

vrij|houden: *die dag* ~ keep that day free; *iem* ~ *pay* a p.'s expenses; *een pad* ~ keep a path clear; **-kaartje** free ticket, complimentary ticket; (*trein, tram, schouwburg, enz*) free pass; **-komen** get off; (*van gevangene*) be set at liberty; (*van betrekking*) fall vacant; (*chem*) be liberated (disengaged); **-laten** release, set at liberty; (*ruimte*) leave clear (unoccupied); *hij werd vrijgelaten, nadat hij beloofd had* ... he was let off on promising ...; **-loop** free wheel; (*van auto*) neutral (gear); **-maken** free, deliver (*van* from); clear (imported goods); free, disengage (one's arm, o.s.); (*van sociale beperkingen, enz*) emancipate (women), liberate; (*chem*) liberate; *zich* ~ (*bijv om uit te kunnen gaan*) disengage o.s.; *zich* ~ *van* get rid of, rid o.s. of (an idea)

vrijmetselaar freemason; **vrijmetselaarsloge** freemasons' (masonic) lodge; **vrijmetselarij** freemasonry

vrijmoedig frank, free, bold, candid, outspoken; **vrijmoedigheid** ...ness, candour

vrijpleiten clear, exculpate (a p., o.s.); *van* from)

vrijpostig bold, forward, saucy

vrijspraak acquittal; **vrijspreken** acquit (a prisoner of a charge); *iem van blaam* (*schuld*)

~ clear a p. of blame, exonerate (absolve) a p. (from blame)

vrijstaan (*geoorloofd zijn*) be permitted; *het staat u* ~ *om te* ... you are free (at liberty) to ...; **vrijstaand** detached (house), self-supporting (wall); *half* ~*d* semi-detached

vrijstellen exempt (from taxation, etc), free (from routine duties); *hij werd vrijgesteld van* ... he was excused (from) his lessons; ~*gesteld van* exempt (from taxation, etc)

vrijster: *oude* ~ old maid, spinster

vrijuit freely, frankly; ~ *gaan* go scot-free; *ik vind dat hij niet* ~ *gaat* I cannot hold him blameless

vrijwaren: ~ *voor* (*tegen*) safeguard against, secure (guard, protect, guarantee) from (against)

vrijwel pretty well, practically, virtually; ~ *het zelfde* (very) much (pretty much) the same; ~ *gelijk,* (*fam*) much of a muchness (in size, etc); ~ *zo groot* (*oud*) *als* ... pretty much as tall (old) as ...; *hij had* ~ *geen geld* he had hardly any money; *er was* ~ *niets over* there was practically nothing left; ~ *onmogelijk* next to (nearly) impossible

vrijwillig I *bn* voluntary; **II** *bw* voluntarily, of one's own free will; *een taak, die men* ~ *op zich neemt* a self-imposed (self-chosen) task; (*zich*) ~ *aanbieden* volunteer; **vrijwilliger** volunteer; **vrijwilligerswerk** voluntary work

vrijzinnig liberal

vrille (*luchtv*) spin, spinning dive; *in* ~ *gaan* go into a spin

vroedvrouw midwife

vroeg early; *een* ~ *dood* an early (premature) death; *te* ~ *geboren* premature (baby); ~ *of laat* sooner or later; ~ *genoeg* in good time; *'s morgens* ~ early in the morning; *het is* ~ *in juni* it is early June; *het is wel wat* ~ (*nog te* ~) *om reeds* ... it is early days yet (too soon yet, it would be premature) to express an opinion on the subject; *te* ~, (*voor het doel*) too early; (*vóór de gestelde tijd*) (we were a few minutes) early, (the train came in two minutes) before (scheduled) time; *niets te* ~ none too soon; *hij stierf te* ~ prematurely, before his time

vroeger I *bn* earlier (there are no ... roses than these); (*vorig, enz*) former (friends, times, etc), previous (his ... presidency), late (his ... master), past (events, experience); *in* ~ *dagen* in former days; **II** *bw* earlier, sooner; (*in* ~ *tijd*) formerly, before (now); *deze kamer was* ~ ... used to be the library; ~ *kwam je steeds op tijd* you always used to come in time; *de heer N,* ~ *redacteur van* ... sometime (one-time) editor of ...; **vroegertje**: *het was vandaag een* ~ we started (finished) early to-day

vroegrijp early-ripe, precocious, premature

vroegst: *op zijn* ~ at the earliest; **vroegte**: *in de* ~ early in the morning; **vroegtijdig** early; ~*e dood* premature death

vrolijk merry, gay, cheerful; ~ *vuurtje* cheerful

fire; ~ *verlicht* gaily lighted; *zich ~ maken over* make merry over, have a joke at (s.o.'s) expense; **vrolijkheid** mirth, merriment, gaiety, cheerfulness; *het verwekte enige ~* it caused some hilarity

vroom pious, devout; *een vrome wens* a pious wish; **vroomheid** piety, devoutness

vrouw woman; *(echtgenote)* wife; *(kaartspel)* queen; *Onze Lieve V~e* Our Lady; *de ~ des huizes* the mistress (lady) of the house; *hoe gaat het met je ~?* how is your wife (Mrs. Smith)?; *onder ~en* among women; *tot ~ nemen* take to wife; **vrouwelijk** *(van het ~ geslacht)* female *(ook van plant)*; *(van een vrouw)* feminine (nature, excuse); *(een vrouw passend)* womanly (tenderness), womanlike; *(gramm)* feminine; *het ~ geslacht: a)* the female sex; *b)* the feminine gender; *~e advocaat (dokter, enz, ook:)* woman barrister (doctor, etc); **vrouwelijkheid** 1 feminity; 2 *(schaamdelen)* female genitals

vrouwen|afdeling *(van ziekenhuis)* women's ward; *(van club)* women's section; **-arts** gynaecologist; **-beweging** women's (women's rights, feminist) movement; **-gek** dangler after women; **-gevangenis** women's prison; **-hater** misogynist, woman-hater; **-jager** woman-chaser, -hunter, womanizer; **-kiesrecht** woman (women's) suffrage; **-kliniek** women's clinic; **-koor** female (female voice) choir; **-kwaal** woman's complaint; **-logica** feminine logic, woman's reason; **-overschot** surplus of women over men; **-praat** women's gossip; **-stem** woman's voice; **-zaal** *(van ziekenhuis)* women's ward

vrouwvolk womenfolk, (my) womenkind

vrucht fruit *(ook fig)*; *(med)* foetus; *allerlei ~en* all kinds of fruit; *van ~en leven* live on fruit; *~en afwerpen (opleveren), (ook fig)* bear fruit, fructify, come to fruition; *de ~en plukken van, (fig)* reap the fruits of; *met ~* with success, successfully; *hij deed met ~ examen, ook:* he was successful in his examination; *zonder ~* fruitless(ly), in vain; **vruchtafdrijving** abortion

vruchtbaar fruitful (soil, tree, woman, idea), fertile (soil, district, imagination); *een -bare bodem vinden* fall on fertile soil; *~ schrijver* prolific writer; **vruchtbaarheid** fruitfulness, fertility

vrucht|beginsel ovary; **-boom** fruit-tree; **-dragend** fruit-bearing; *(ook fig)* fruitful

vruchteloos fruitless, ineffectual, futile, vain

vruchten|bowl fruit-cup; **-gebak** fruit-cake; **-gelei** (fruit)jelly; **-schaal** fruit-dish; **-sla** fruit-salad

vruchte|pers fruit-presser; **-sap** fruit-juice

vrucht|gebruik usufruct *(in ~ geven (hebben)* give (hold) in ...); *het ~ van £ 7000* a life-interest in a sum of £ 7000; **-vlees** pulp; **-water** amniotic fluid

V.S. U.S.(A.), United States (of America)

vuig sordid, base, mean, vile

vuil I *bn* dirty (hands, weather, etc), grimy (hands, fingers), foul (play, weather); *(vies)* filthy (habits); *(fig)* dirty (story, work, trick), filthy (language, novel), smutty (postcards, jokes), obscene (language); *~e was* dirty clothes; *~e was buiten hangen* wash one's dirty linen in public; *~e moppen vertellen* talk smut; *een ~ werkje* a messy business *(of: job)*; *het ~e werk doen* do the dirty work; *een ~ zaakje* a grubby business; **II** *bw* dirty, etc; *iem ~ aankijken* give a p. a dirty look; **III** *zn* dirt; filth; *iem als oud ~ behandelen* treat a p. like dirt; **vuiligheid** dirtiness, filthiness, squalor; obscenity

vuilmaken (make) dirty, soil; *ik zal mijn handen niet aan je ~* I won't soil *(of:* mess) my hands with you; *ik wil er geen woorden meer aan ~* I won't spend any more words over it

vuilnis (house) refuse, dust, dirt, rubbish, *(Am)* trash; *~ ophalen* collect refuse; **vuilnisauto** dustbin lorry, refuse lorry

vuilnisbak dust-, refuse-bin; *(op straat)* (street) orderly-bin; *(Am)* trash can; **vuilnisbakkeras** mongrel breed

vuilnis|belt refuse-, rubbish-dump, -tip; **-hoop** refuse-, dust-, rubbish-heap; **-kar** dust-, refuse-cart; **-man** dustman, refuse collector, *(Am)* trashman; **-zak** waste disposal bag

vuiltje speck of dust, grit (in the eye); *geen ~ aan de lucht* not the slightest danger, all serene

vuilverbranding incineration (destruction) of refuse

vuist fist; *een ~ maken, (fig)* make one's presence felt; *met ijzeren ~* with a mailed fist (a grip (rod) of iron); *met de ~ op tafel slaan* bang the table (with one's fist), bang one's fist on the table; *op de ~ gaan* come to blows; *voor de ~ (weg)* off-hand, extempore; **vuistgevecht** fist-fight

vuistje *in zijn ~ lachen* laugh up one's sleeve; *uit het ~ eten* eat from one's hand

vuist|regel rule of thumb; **-slag** blow with the fist

vulcaniseren vulcanize; retread (tyres)

vulgair vulgar

vulkaan volcano; **vulkanisch** volcanic, igneous (rock); **vulkanisme** volcanism

vullen fill (a glass, etc; *ook van eten:* plum-pudding is ...ing), fill (teeth), stuff (a goose, animals); *zich ~* fill (the room ...ed rapidly; her eyes ...ed with tears); *weer ~* refill (one's glass); **vulling** filling, stopping, stuffing, padding, inflation; *(nieuwe)* refill; *vgl het ww; (van tand)* stopping, filling, plug

vulpen(houder) fountain-pen

vulpotlood propelling pencil

vunsheid mustiness, fustiness; **vunzig** musty, fusty; stale (tobacco-smoke); dirty (trick)

vurehout deal

vuren I *ww* fire, shoot (*op* at, on); II *zn* firing; III *bn* (= *vurehouten*) deal (table)

vurig fiery (*ook fig:* eyes, nature, horse, wine), spirited (horse), ardent (faith, zeal, love, desire, angler), fervent (love, hatred, zeal, hope), warm, earnest, fervid (wish), devout (admirer, hope …ly), keen (sportsman); *mijn ~ste wens, ook:* my dearest (fondest) wish; *hij verlangde ~ naar de vrijheid* he yearned for liberty

vutter early retired person

vuur fire; (*fig ook*) warmth, ardour; (*in hout*) dry rot; (*in koren*) blight; *jeugdig ~* youthful zest; *vol ~* full of fire, all aflame (for …); *een ~ aanmaken* light (make) a fire; *iem een ~tje geven* give (a p.) a light; *het ~ openen,* (*ook fig*) open fire (on); *het ~ staken* cease fire (firing); *iem het ~ na aan de schenen leggen* make it hot for a p., press a p. hard; *haar ogen schoten ~* her eyes shot fire; *hij is ~ en vlam voor de maatregel* he is all in a flame for the measure; *zich het ~ uit de sloffen lopen* run o.s. off one's legs; *hij zou voor u door het ~ gaan* he would go through fire (and water) for you; *in ~ en vlam zetten* set (India) in a blaze; *de reserves in het ~ brengen* throw in the reserves; *in het ~ van het debat* in the heat of the debate; *met veel ~ spreken* speak with great fervour; *met ~ spelen* play with fire; *onder ~* (be) under fire, (*van de vijand*) under the enemy's fire; *op een zacht (klein) ~ koken* cook over a slow (small) fire; *te ~ en te zwaard verwoesten* put to (destroy with) fire and sword; *tussen twee vuren,* (*fig*) between the devil and the deep (blue) sea; *ik heb wel voor heter ~ gestaan* I've been in tighter spots

vuur|bestendig fireproof; **-doop** baptism of fire; **-gevecht** (*mil*) exchange of fire (of shots); **-gloed** glare, blaze; **-mond** gun; **-peloton** firing-squad; **-pijl** rocket; *de klap op de ~* the great surprise, (that tops it all); **-proef** fire-ordeal, trial by fire; (*fig*) crucial test, ordeal; *hij (het) heeft de ~ doorstaan* he (it) has stood the test; **-rood** flaming red; *hij werd ~, ook:* he blushed scarlet; **-spuwend** fire-spitting, fire-breathing (dragon), spitting (vomiting) fire; *~e berg* volcano; **-stoot** (*mil*) burst (of fire)

vuurtje little (small) fire; *zie* vuur

vuur|toren lighthouse; **-vast** fireproof; *~e schaal* baking-mould; *~e steen* fire-brick, fire-tile; **-vreter** fire-eater (*ook fig*); **-wapen** fire-arm; **-werk** firework(s) display; *~ afsteken* let off fireworks; **-zee** blaze; **-zuil** pillar of fire

v.v. vice versa

V.V.V. Tourist Information (Bureau), Tourist Office

V.W.O. *voorbereidend wetenschappelijk onderwijs* university preparatory secondary education

waag (*stads-*) weighing-house; *een hele ~* quite a risky untertaking

waaghals daredevil; **waaghalzerig** reckless; **waaghalzerij** recklessness

waag|schaal: *hij stelde zijn leven in de ~* he risked his life; **-stuk** risky thing, venture

waaien blow; (*van vlag, enz*) fly; *laat (de boel) maar ~!* (a) fat lot I care!; *het waait hard* it is blowing hard; *de wind waait uit het westen* the wind is blowing from the West

waaier fan; **waaiervormig** *bn* fan-shaped

waakhond watch-dog

waaks watchful

waakvlam pilot flame

waakzaam watchful, (on the) alert; **waakzaamheid** watchfulness, alertness

waan delusion; *iem in de ~ brengen dat …* lead a p. to think that …; *iem in de ~ laten dat …* leave a p. under the impression that …; *in de ~ verkeren dat …* be under the impression that …; *iem uit de ~ helpen* undeceive a p.

waan|denkbeeld fallacy; **-voorstelling** delusion

waanwijs (self-)conceited; **waanwijsheid** (self-)conceit

waanzin madness; (*razernij*) frenzy; **waanzinnig** insane, mad, crazy (*van angst* with terror); *~ duur* ridiculously expensive; **waanzinnige** madman, lunatic

waar I *zn* wares, goods, merchandise; *goede ~* good stuff; *slechte ~* bad stuff, stuff, rubbish; *alle ~ is naar zijn geld* you can't expect more than you pay for; II *bw* where; *~ hij ook is* wherever he may be; *~ ga je naar toe?* where are you going?; III *vw* where; (*aangezien*) since, as; IV *bn* true; *dat is ~ zowel van E. als van B.* that is true both of E. and B.; *een ~ genot* a real joy; *hij is ziek, niet ~?* he is ill, isn't he?; *zij moest nu gaan, niet ~?* she ought to go now, oughtn't she?; *hier woont ze, niet ~?* she lives here, doesn't she?; *het is nauwelijks genoeg, niet ~?* it is hardly enough, is it?; *je hebt alleen … gezien, niet waar?* you only saw his brother, did you?; *toch niet ~!* not really!; *dat is ~ ook* that reminds me!; *zo ~ als ik leef (hier sta)* as I live (as I stand here); *~ maken* prove, fulfil (expectations); *zich ~ maken* prove o.s.; *voor ~ aannemen* take for granted; *daar is geen woord van ~* there isn't a word of truth in it; *daar is iets (zit wat) ~s in* there is something (some point, some truth) in that; *dat is je ware* that's the thing

waaraan (*vrag*) to (of, etc) what?; (*betr*) to (of, etc) which (whom); ~ *denkt hij?* what is he thinking of?

waarachtig I *bn* true, real; **II** *bw* truly, indeed; *het is* ~ *waar* it is really true; ~, *hij deed het* he actually did it; *dat weet ik* ~ *niet* I'm sure I don't know; ~ *niet!* not a bit of it!

waarbij (*vrag*) by (near, etc) what?; (*betr*) by (near, etc) which (whom); ~ *men moet bedenken* …, taking into account …; ~ *nog komt dat* … in addition to which …; ~ *vergeleken* … compared with which …

waarborg guarantee, warrant, security; **waarborgen** guarantee; ~ *tegen* secure against

waarborg|kaart (*Belg*) giro card; **-som** security

waard I *zn* landlord, host; *zoals de* ~ *is, vertrouwt hij zijn gasten* one judges other people's character by one's own; *buiten de* ~ *rekenen* reckon without one's host; **II** *bn* worth; ~*e vriend* dear friend; ~*e Heer* Dear Sir; *veel* ~ worth much; *het is het overwegen* ~ it merits consideration; *maar dat was het wel* ~ but it was (well) worth it; *ik voel me niets* ~, (*voel me ellendig*) I'm fit for nothing

waarde I *zie* waard II; **II** value, worth; *de* ~ *van het geld* (know) the value of money; ~ *hechten aan* attach (much, no, little) value (importance) to; ~ *hebben* be of value; *de huizen zijn in* ~ *verminderd* houses have depreciated; *brief met aangegeven* ~ with declared value; *ter* ~ *van* … to (*of:* of) the value of …; *dingen van* ~ valuables; *van grote* ~ of great value; **waardebon** coupon, voucher

waardeloos worthless; *waar-de-loos!* dead loss!

waarde|oordeel judgment of value; **-papier(en)** securities (*maar ook:* banknotes, etc)

waarderen (*taxeren*) value; (*door schatter*) appraise (*op* at); (*schoolwerk, door punten*) mark (papers); (*op prijs stellen*) appreciate, value; *zijn werk wordt niet gewaardeerd* is unappreciated; **waarderend** appreciative(ly); **waardering** valuation; appreciation

waarde|vast stable (money), index-linked; **-vermeerdering** increase in value; **-vermindering** depreciation; **-vol** valuable

waardig worthy; dignified (silence); *een betere zaak* ~ worth (deserving) a better cause; **waardigheid** (*uiterlijk of innerlijk*) dignity; *beneden mijn* ~ beneath me

waardin landlady, hostess

waardoor (*vrag*) through (by) what? what (is it caused) by?; (*betr*) through (by) which

waarheen where

waarheid truth; ~ *als een koe* truism; *de* ~ *spreken* (*zeggen*) speak (tell) the truth; *om de* ~ *te zeggen* to tell the truth, truth to tell; as a matter of fact; *ze zei hem de* ~ she gave him a piece of her mind; *dat is dichter bij de* ~ that is nearer the truth (the mark); *naar* ~ (answer) truthfully; **waarheidlievend** truthful

waarheidsgetrouw faithful, true

waarin (*vrag*) in what?; (*betr*) in which; … ~ *zijn kracht lag* I discovered where his strength lay

waarlijk truly, really, actually; *zo* ~ *helpe mij God almachtig!* so help me God!

waarme(d)e (*vrag*) with what? what (did you beat him) with?; (*betr*) with which, (the train) by which (I leave)

waarmerk stamp; (*op goud, enz*) hall-mark; **waarmerken** stamp, certify; (*doorhaling*) confirm (an erasure); (*goud, enz*) hall-mark; *gewaarmerkt afschrift* certified copy; *door zijn handtekening gewaarmerkt* authenticated by his signature; **waarmerking** stamping, certification

waarna after which

waarnaar (*vrag*) at, etc what?; (*betr*) to which; *waar kijk je naar?* what are you looking at?

waarneembaar perceptible

waarnemen observe; (*plichten, enz*) perform (one's duties, etc); (*behartigen*) look after (a p.'s interests); (*zich iem nutte maken*) avail o.s. of (an opportunity); *een betrekking tijdelijk* ~ fill a place temporarily; *voor iem* ~ replace a p. temporarily; *zijn kans* ~ take one's chance; **waarnemend** deputy, acting (chairman); **waarnemer** *a*) observer; *b*) deputy; **waarneming** observation; performance (of duties)

waarom why; ~ *heb je dat gedaan? ook:* what made you do that?

waaronder (*vrag*) under (among) what?; (*betr*) under (among) which (whom)

waarop (*vrag*) on (for, etc) what?; (*betr*) upon which; ~ *wacht je?* what are you waiting for?

waarover (*vrag*) across (over, about, etc) what?; (*betr*) across (over, about, etc) which

waarschijnlijk I *bn* probable, likely; **II** *bw* probably; *hij komt* ~ *niet* he is not likely (is unlikely) to come; **waarschijnlijkheid** probability; *naar alle* ~ in all probability

waarschuwen warn; (*verwittigen*) notify (the police), tell, let (me) know (if …); *een gewaarschuwd man telt voor twee* forewarned is forearmed; *zich laten* ~ take warning; ~*de stem* warning (cautionary) voice; **waarschuwing** warning (*ook van ziekte*); (*ter herinnering*) reminder; ~! (*als opschrift*) caution!

waartegen (*vrag*) against what?; (*betr*) against which

waartoe (*vrag*) for what? (*fam*) what for?; (*betr*) for which

waaruit (*vrag*) from what?; ~ *bestaat het?* what does it consist of?; (*betr*) from which

waarvan (*vrag*) of what? what (is bread made) of?; (*betr*) of which (whom)

waarvoor (*vrag*) for what? what (have you come here) for?

waarzeggen: *iem* ~ tell a p.'s fortune (by cards); **waarzegster** fortune-teller

waas (*op veld, enz*) haze; (*voor de ogen*) mist, film (he had a … before his eyes); (*fig*) veneer (of civilization), air (of secrecy)

wacht (*één pers*) watchman, guard; (*mil*) sentry, (*collectief*) guard; (*het ~houden*) watch, (*mil*) guard(-duty); *honde~* middle watch; *iem de ~ aanzeggen* give a p. serious warning; *de ~ hebben* be on guard, (*scheepv*) be on watch; (*van dokter in ziekenhuis*) be on duty; *de ~ houden* keep watch; *in de ~ slepen*, (*fig*) pinch; *op ~ staan* stand guard, be on duty; **wachtdokter** (*in ziekenhuis*) doctor in charge

wachten *intr* wait; *tr* wait for; (*verwachten*) expect (I ... you to-morrow); *wacht even, wacht eens* wait a bit!; *wacht even, (telefoon)* hold the line; *iem laten ~* keep a p. (waiting); *verbeteringen laten op zich ~* are delayed, are long (in) coming; *dan kun je lang ~!* catch me at that!; *het moet ~* it will have to wait; *er staat je iets te ~* there is s.t. in store for you; *ik weet wat mij te ~ staat* I know what I am up against; *de taak, die ons wacht* which awaits (confronts) us (which lies ahead); *~ op* wait for; *het ~ is op jou* it's you we are waiting for; *ik wachtte tot ... zou ...* I waited for him to begin; *zich ~ voor* be on one's guard against; *wacht u voor zakkenrollers!* beware of pickpockets!; *hij zal zich wel ~ om ...* he has more sense than to ...; **wachter** watchman, guard

wacht|geld unemployment pay; **-huisje** (*mil*) sentry-box; (*van bus enz*) shelter; **-lijst** (*van op aanstelling, enz wachtende personen*) waiting-list; **-post** watch-post; **-tijd** wait; **-woord** (*algem*) password

wad mud-flat, tidal marsh

waden wade, (*doorwaardbare plaats*) ford

wafel waffle, wafer; *hou je ~!* shut your trap!

wagen I *ww* venture, risk; *ik waag het erop* I'll risk it; *ik waagde het op te merken ...* I ventured to observe ...; *zijn leven* ~ risk one's life; *die waagt die wint* fortune favours the bold; *al zijn geld eraan* ~ stake all one's money on it; *zich ~ aan* venture upon (a task); *ik zal er mij niet aan* ~ I'll not take the risk; II *zn* (*rijtuig*) carriage, coach; (*voertuig*) vehicle; (*vracht-*) wag(g)on, van; (*meest op 2 wielen*) cart; (*tram-*) car; (*auto*) car; (*van schrijfmachine*) carriage

wagen|bestuurder (*van tram, enz*) driver; **-park** fleet (of vehicles, cars, etc)

wagentje (*in zelfbedieningswinkel*) trolley

wagen|vracht cart-load; **-wiel** carriage-, cart-wheel; **-wijd** (very) wide; **-zeil** tarpaulin; **-ziek(te)** car-sick(ness)

waggelen totter, stagger, reel (like a drunken man); (*van dik persoon, eend, enz*) waddle; (*van klein kind*) toddle

wagon (*personen*) (railway-)carriage; (*goederen*) van; (*open*) truck, wag(g)on; **wagonlading** wag(g)on-load

wak (blow-, air-)hole (in ice)

waken wake, watch; *~ bij* sit up with; *~ over, voor* watch over; *~ tegen* (be on one's) guard against; *ervoor ~ dat ...* take care that ..., see

that ...; **wakend** wakeful, waking; (*waakzaam*) watchful; *een ~ oog houden op* keep a watchful eye upon; **waker** (*pers*) watchman, guard

wakker (*eig*) awake; (*flink, levendig*) spry, smart; (*waakzaam*) awake, alert, watchful; *daar zal ik niet van ~ liggen* I shan't lose any sleep over that; *~ maken* wake (up); *~ roepen*, (*fig*) evoke; *~ schrikken* wake (up) with a start; *de natie ~ schudden, ook:* stir the nation into activity

wal (*van vesting*) rampart, wall; (*oever*) bank, shore, coast, waterside; (*kade*) quay(-side), embankment; (*onder de ogen*) bag; *tussen ~ en schip* (fall) between two stools; *aan ~* ashore, on shore; *aan ~ brengen* land; *aan lager ~ geraken* be borne down upon the lee shore; *aan lager ~ zijn*, (*fig*) be on the rocks; *van de ~ in de sloot* out of the frying-pan into the fire; *steek maar eens van ~!* fire away!; *van twee ~len eten* run with the hare and hunt with the hounds, make the best of both worlds

Wales id; *van ~* Welsh; *inwoner van ~* Welshman

walgen: *het walgt mij, het doet me ~, ik walg ervan* I loathe it, I am disgusted with (*of:* at) it, I am sick of it (the scandal, everything); *ik walg van mijzelf* I loathe myself; **walging** disgust (*van* at, for, of); **walglijk** disgusting, loathsome

walkant waterside

walletje: *de ~s* the red-light district (of Amsterdam)

walm (dense) smoke, smother; **walmen** smoke; **walmend** smoky (lamp)

wals (*dans*) waltz; (*wegenbouw*) (road-)roller

walsen (*dansen*) waltz; (*techn*) (*ijzer, weg, enz*) roll (...ed steel)

wals|muziek waltz music; **-tempo** waltz time

walvis whale

walvis|spek blubber; **-traan** whale-oil; **-vaarder** whaler; **-vangst** whale-hunting

wan|begrip fallacy; **-beheer**, **-beleid** mismanagement; **-betaler** defaulter; **-bof** bad (hard) luck; **-boffen** have bad luck; **-boffer** unlucky fellow

wand wall (*ook van lichaamsholte, enz*); face (the north ... of the cliff)

wandaad misdeed, outrage

wandel walk; (*fig = handel en* ~) conduct (of life), behaviour; *aan (op) de ~ zijn* be out for a walk; **wandelaar(ster)** walker, pedestrian; **wandelen** walk; *gaan ~* go for a walk; *ga mee ~* come for a walk; *met de hond gaan ~* take the dog for a run, walk the dog

wandel|gang lobby; *leden in de ~en bezoeken en bewerken* lobby members; **-hoofd** promenade pier

wandeling walk, stroll; *een ~ doen* take a walk; *in de ~* (he was) popularly (called, known as, Grumpy)

wandel|kaart (walking) guide, road-map;

-**pad** foot-path; -**schoenen** outdoor shoes; -**stok** walking-stick; -**tocht** walking-tour; -**wagentje** push-chair; -**weg** walk

wand|kalender wall-calendar; -**kleed** tapestry; -**luis** (bed-, house-)bug; -**versiering** wall-decoration

wang cheek

wangedrag bad conduct, misbehaviour

wanhoop despair (*aan* of); *met de moed der* ~ in desperation; *in* (*uit*) ~ in despair

wanhoops|daad desperate deed; -**kreet** cry of despair

wanhopen despair (*aan* of); *men wanhoopt aan zijn leven* his life is despaired of; **wanhopig** despairing, desperate

wankel unsteady, unstable, (*van meubel, enz*) rickety, wobbly (table); ~ *op zijn benen* uncertain on one's legs; **wankelen** totter, stagger, reel; (*weifelen*) waver, falter (in one's resolution); *aan het* ~ *brengen* shake; (*fig*) make (a p.) waver; **wankelend** tottering, etc

wankelmoedig wavering, irresolute, vacillating

wanklank dissonance; (*fig*) jarring note

wanneer *bw* when; *vw* (*tijd*) when; (*indien*) if; ~ *ook* whenever; ~ *je maar wilt* whenever you like

wanorde disorder; *in* ~ *brengen* (*geraken*) throw (get) into disorder; **wanordelijk** disorderly; **wanordelijkheid** disorderliness

wan|prestatie non-fulfilment; -**smaak** bad taste

want I *vw* for; (less dangerous,) because (less common); II *a*) (*soort handschoen*) mitten; *b*) (*scheepv*) rigging

wanten: *hij weet van* ~ he knows the ropes

wantoestand unacceptable situation, mess

wantrouwen *zn & ww* distrust, mistrust; **wantrouwend, wantrouwig** distrustful, suspicious

wanverhouding disproportion

wapen weapon, arm; (*her*) (coat of) arms; (*legertak*) arm of service; ~*s* arms, weapons; *je geeft hem een* ~ *tegen je* you are giving him a handle against you; *iem met zijn eigen* ~*s bestrijden* fight a p. with his own weapons; *naar de* ~*s grijpen* take up arms; *onder de* ~*en komen* get under arms, join the colours; *onder de* ~*en roepen* call up; **wapenbroeder** brother (companion, comrade) in arms

wapenen arm (soldiers); (*beton*) reinforce; *zich* ~ arm o.s.; *zich* ~ *tegen* arm (o.s.) against

wapen|fabriek arms factory; -**feit** warlike deed; -**geweld** force of arms; -**magazijn** arsenal; -**rusting** armour (*een* ~ a suit of ...); *in volle* ~ in full armour; -**stilstand** armistice, (*tijdelijk*) truce

wapperen wave, fly (out), stream (*boven* over); *laten* ~ fly (a flag)

war: *in de* ~ *brengen* (*maken*) disarrange (a room, a p.'s plans), ruffle (a p.'s hair), make a mess of (things, a p.'s life), mess up; (*iem*) put

(a p.) out, confuse (a p.); (*plannen, ook:*) upset a p.'s plans; *als het mijn plannen niet in de* ~ *stuurt* if it does not interfere with my plans; *je hebt de boel* (*mooi*) *in de* ~ *gestuurd* you've made a (proper) mess of things; *in de* ~ *raken,* (*van pers*) get confused; (*van zaken*) be thrown into confusion; *alles liep in de* ~ everything went awry; *in de* ~ *zijn* (*van pers*) be confused; (*ijlen*) be delirious; (*van zaken*) be in confusion; *hopeloos in de* ~ (my hair is, his affairs are) all in a tangle; *het garen is in de* ~ the string is in a knot; *het weer is geheel in de* ~ we're having very unpredictable weather; **warboel** confusion, muddle, mess, tangle

ware: *als het* ~ as it were; so to speak

waren *zn* wares, goods, commodities

warenhuis *a*) department store; *b*) (*tuinbouw, enz*) greenhouse

warhoofd scatterbrain

warm id (*ook fig:* colour, heart), hot (bath; meal); *als* ~*e broodjes verkocht worden* sell like hot cakes; *het wordt hier nu lekker* ~ the room is warming up now; *de grond werd hem te* ~ *onder de voeten* the place became too hot for him; *het* ~ *hebben* be warm; *de zaak* ~ *houden* keep the question to the fore; ~ *lopen voor,* (*fig*) get warm over (a question); ~ *maken* heat (milk, one's dinner); *iem* ~ *voor iets maken* make a p. enthusiastic about s.t.; *het ging er* ~ *toe* it was hot work (there); ~ *aanbevelen* recommend warmly; **warmen** warm, heat; *zich* ~ *bij het vuur* warm o.s. at the fire; **warmlopen** (*lagers*) (get) overheat(ed); (*sp*) warm up

warmpjes warm(ly); **warmte** warmth; (*benauwd*) frowst; *met* ~ *verdedigen* defend with (great) warmth

warmte|besparing heat-saving; -**bron** source of heat; -**front** (*weerk*) warm front; -**toevoer** heat-supply

warmwaterkraan hot(-water) tap

warnet tangle, maze; ~ *van* (*spoor*)*lijnen* cat's-cradle of lines

warrelen whirl, swirl; *het warrelt me voor de ogen* things swim before my eyes

warrig confused, rambling, muddled

wars: ~ *van* averse to (*of:* from)

wartaal gibberish; ~ *spreken,* (*van zieke*) be delirious

was 1 wax; *hij zit goed in de slappe* ~ he is very well off; 2 (*van water*) rise; 3 wash, laundry; *de* ~ *doen* do the washing; *de* ~ *ophangen* hang out the wash(ing); **wasachtig** waxy; ~ *bleek* waxen (complexion)

wasbaar (machine) washable

was|benzine white spirit, refined petrol; -**borstel** laundry brush; -**centrifuge** spin-drier; -**droger** tumble dryer; -**echt** washable

wasem steam, vapour; **wasemen** steam; **wasemkap** cooker hood

was|gelegenheid wash-place; -**goed** wash(ing), laundry; -**handje, -handschoen** wash-

ing-glove; **-kaars** wax-candle, (*dun*) taper;
-knijper clothes-peg; **-kom** washbasin; **-kuip**
wash(ing)-tub; **-lijn** clothes-line; **-lokaal**
washroom; **wasmachine** washing machine;
-middel detergent; **-poeder** washing powder;
-salon launderette, coin-laundry
1 wassen (*groeien*) grow; (*van rivier*) rise; *de*
~*de maan* the waxing moon, the crescent
2 wassen *ww* wax; *bn* waxen, wax
3 wassen wash; (*afwassen*) wash up (the tea-
things); (*kaarten*) shuffle (the cards); *zich* ~
wash (o.s.); *iem de oren* ~, (*fig*) take a p. to
task
wassenbeeld wax figure
wassenbeelden|museum wax works (Ma-
dame Tussaud's wax works); **-spel** wax-
works
wasserij laundry
was|straat automatic car-wash; **-tafel** wash-
stand; **-tobbe** wash(ing)-tub; **-voorschrift**
washing instructions
wat I (*vrag & uitroepend*) what; ~ *is er?* what is
it?; *een rare snuiter,* ~? rum chap, what?; *ik*
weet niet, ~ *ik zal doen* I do not know what to
do; *wel,* ~ *dan nog?* so what?; *wel,* ~ *zou dat?*
well, what then?; ~ *voor* (= *welke*) *boeken heb*
je gelezen? what books have you read?; ~ *voor*
boeken lees je het liefst? what sort of books do
you prefer?; ~ *is hij voor een man?* what sort of
man is he?; *en* ~ *al niet!* and what not!; ~ *mooi!*
how beautiful!; ~ *een mooi meisje!* what a
beautiful girl!; ~ *lief van je!* how (very) nice of
you!; ~ *een idee!* what an idea! the idea!; ~ *zul-*
len ze weest zijn! won't they be savage!; ~ *is*
het warm! isn't it warm!; **II** (*betr*) what, which,
that; ... *en* ~ *erger is, hij is erg lui* ... and, what
is worse, he is very lazy; *en hij is erg lui,* ~ *nog*
erger is and he is very lazy, which is even
worse; ~ *je maar wilt* anything you like; **III**
(*onbep, zelfst*) something, anything; *zie* iets;
heel ~ quite a lot; *ik zal je eens* ~ *zeggen* I'll tell
you what; (*bijvoeglijk*) some, any; *er is* ~ *van*
aan there is something in that; *geef mij ook* ~
let me have some too; *blijf nog* ~ stay a little
longer; ~ *er ook gebeure, ik* ... whatever may
happen I ...; *zo duidelijk als* ~ (you can see
them) as plainly as plainly; *ze is zo eerlijk als* ~
she is as straight as they make them; **IV** *bw* a
little; (*met klem*) very, (*fam*) jolly; ~ *beter* a
little better; *ik zal wàt blij zijn* ... I shall be
only too pleased (*fam:* jolly glad) to get away
water water (*ook* = urine); *ze zijn als* ~ *en vuur*
they are at daggers drawn; *het* ~ *komt me er-*
van in de mond it makes my mouth water; ~ *in*
zijn wijn doen water one's claims, moderate
one's pretensions, compromise; ~ *geven* (*be-*
gieten) water; ~ *binnenkrijgen* (*van drenke-*
ling) swallow water; *stille* ~*s hebben diepe*
gronden still waters run deep; ~ *naar de zee*
dragen carry coals to Newcastle; *bang zijn*
zich aan koud ~ *te branden* be over-cautious,
be over-anxious not to commit o.s.; *bij hoog*

(*laag*) ~ at high (low) tide (*of:* water); *het*
hoofd boven ~ *houden,* (*ook fig*) keep one's
head above water; *in het* ~ *vallen* fall in(to)
the water; (*fig*) fall through; *zijn geld in het* ~
gooien throw away (waste) one's money;
onder ~ *staan* be flooded; *op* ~ *en brood zetten*
(*zitten*) put (be kept) on bread and water; *te* ~
laten launch (a ship); *diamant van het zuiver-*
ste ~ diamond of the first water
water|afstotend water-repellent; **-afvoer** wa-
ter-drainage, draining; **-ballet** (*fig*) wet affair; **-bekken** water-basin; **-bouwkunde** civil
engineering; **-bron** (water-)spring; **-closet**
water-closet; **-damp** (water) vapour, steam;
-dicht waterproof (material, coat, roof,
road), watertight (shoes, cellar); ~ *zijn, ook:*
hold water; ~*e afdeling* watertight compartment; **-drager** water-carrier; **-druppel** drop
of water; **-emmer** water-bucket, -pail
wateren *tr* (= *water geven*) water; *intr* make
water, urinate
water|gebruik consumption of water; **-gevo-**
gelte waterfowl; **-glas** drinking-glass, tum-
bler; **-golven** set (hair)
waterig watery (tea), sloppy; **waterigheid**
wateriness
water|kan water-jug, ewer; (*van blik, enz*)
water-can; **-kanon** water-cannon; **-kant** (at
the, by the) water-side, water's edge; **-karaf**
water-bottle, carafe; **-kering** dam; **-ketel** wa-
ter-kettle; **-koeling** water-cooling; **-koud**
damp cold; **-kraan** water-tap; **-krachtcentra-**
le hydro-electric station; **-laarzen** jackboots;
-landers tears; **-leiding** waterworks; *het huis*
heeft geen ~ the house has no water laid on;
-leidingbuis (*in straat*) water-main; (*tussen*
straat en huis) service-pipe; **-merk** water-
mark; **-molen** (*door* ~ *gedreven*) water-mill;
(*in polder*) drainage mill; **-ontharder** water-
softener; **-pas** *zn* spirit level; *bn* level; **-peil**
water level; **-plaats** (*urinoir*) urinal; **-plas**
puddle; **-pokken** chicken-pox; **-politie** water-
police; **-polo** water-polo; **-put** well; **-reser-**
voir water-tank, cistern; **-rijk** watery; **-scha-**
de damage (caused) by water; **-scheiding** wa-
tershed; **-ski(ën)** water-ski
watersnood flood(s), inundation
water|spiegel surface of the water; **-spoe-**
ling: *closet met* ~ flushed toilet; **-sport** aquat-
ics, aquatic sports; **-stand** height of the water,
water-level; *bij hoge* (*lage*) ~ at high (low)
water; **-stof** hydrogen; **-stofbom** hydrogen
bomb, H-bomb; **-straal** jet of water; **-tan-**
den: *het doet mij* ~ it makes my mouth water;
-toren water-tower; **-trappen** tread water;
-val waterfall; (*klein*) cascade; **-verfschilde-**
rij water-colour (painting); **-verplaatsing**
(water-)displacement; **-vervuiling** water-pol-
lution; **-vliegtuig** water-plane; **-vogel** water-
bird, aquatic bird; **-voorziening** water-sup-
ply; **-vrees** hydrophobia; **-weg** waterway,
water-route; *de Nieuwe W*~ the New Waterway; **-wild** water-fowl

was

watje piece of cotton-wool; **watten** cotton-wool; (*voor verpakking*) wadding; *in de* ~ *leggen*, (*fig*) coddle, feather-bed

wazig hazy, foggy, blurred; **wazigheid** haziness, etc

WC lavatory, wc; **WC-papier** toilet-paper

web web (*ook fig*)

wedde salary, pay

wedden bet; *ik wed tien tegen een* I'll bet ten to one; ~ *op* bet on (back) (a horse); *hij komt niet, wed ik* he won't come, I'll be bound; **weddenschap** bet, wager; *een* ~ *aangaan* make a bet; **wedder** better

weddeschaal (*Belg*) salary scale

weder I *zn* weather; *zie* weer; II *bw* again, once more, once again; re- (re-light one's pipe, etc); *daar zijn we* ~ here we are again; *hoe heet je ook* ~? what did you say you name was?; *hoe noemen ze dat ook* ~? what do they call that again?; *dat is eens, maar nooit* ~ never again

wederdienst service in return; *een* ~ *bewijzen* do (a p.) a service in return; *altijd tot* ~ *bereid* always ready to reciprocate

wedergeboorte rebirth

we(d)er|helft (my) better half; **-hoor:** *het hoor en* ~ *toepassen* hear the other side (both sides); **-keren** return

wederkerend (*gramm*) reflexive (pronoun, verb)

wederkerig mutual, reciprocal; (*gramm*) reciprocal (pronouns); *ik dank je* ~ in return

we(d)er|komen return; **-komst** return; **-leggen** (*argument, enz & pers*) refute; *door de feiten weerlegd* (this theory had been) falsified by the facts; **-om** again, once more; **-opbouw** rebuilding; **-opbouwen** rebuild; **-opstanding** resurrection; **-opzeggens:** *tot* ~ until further notice

wederrechtelijk unlawful, illegal, unauthorized (reprint); *zich* ~ *toeëigenen* misappropriate; *zich* ~ *bevinden op* trespass on (the railway)

wedervaren I *ww* befall, happen to; *recht laten* ~ do justice to; II *zn* adventure(s), experience(s)

we(d)er|verkoper retailer; **-vinden** find again; **-vraag** counter-question; **-waardigheid** vicissitude (the ...s (the ups and downs) of life); **-woord** repartee; **-zien** *ww* see (meet) again; *zn* meeting again; *tot* ~*s* till we meet again; (*fam*) so long!; see you!

wederzijds I *bn* mutual; *met* ~ *goedvinden* by mutual consent; II *bw* mutually

wed|ijver rivalry, competition; **-ijveren** compete; ~ *om* compete for; **-loop** running-match; (*op korte afstand*) sprint; (*fig*) race (armament ...); **-ren** race

wedstrijd match, contest; (chess, lawn-tennis) tournament; *datum voor* ~ (*ook de* ~ *zelf*) fixture; *aan een* ~ *deelnemen* compete in a match; **wedstrijdleider** tournament (etc) organizer

weduwe widow; **weduwenpensioen** widow's pension; **weduwnaar** widower

wee I *zn* woe; ~*ën* labour (*of:* birth) pains; *o* ~, *o* ~*!* o dear, o dear!; II *bn* (*flauw*) faint (with hunger); (*onwel*) (feel) bad, *het geeft me een* ~ *gevoel* it makes me feel faint; ~*ë lucht* (*smaak*) sickly smell (taste); *ik word er* ~ *van* it makes me feel sick

weef|fout flaw (in texture); **-getouw** loom; **-kunst** textile art

weefsel tissue (*ook biol*), texture; ~ *van leugens* tissue (*of:* web) of lies

weegschaal (pair of) scales, balance

1 week *zn* week; *verleden* (*de volgende*) ~ last (next) week; *door* (*gedurende, in*) *de* ~ during the week; ~ *in*, ~ *uit* week in, week out; *om de* ~ every week; *om de andere* ~ every other week; *over een* ~ in a week's time

2 week I *bn* soft, (*fig*) soft, tender, weak; ~ *maken* (*worden*) soften; II *zn: in de* ~ *staan* (be in) soak

week|blad weekly (paper); **-dag** week-day; **-dier** mollusc

weekend week-end

weekend|kleding casual wear; **-tas** hold-all

weekhartig soft-, tender-hearted

weekkaart weekly ticket

weeklagen wail; ~ *over* bewail

week|loon weekly (*of:* week's) wages; **-overzicht** weekly survey

weelde (*algem*) luxury (all this ...); (*overvloed*) profusion (of fruit and blossom); (*van plantengroei*) luxuriance (of the vegetation); *een* ~ *van kleuren* a riot of colour; *ik kan mij die* ~ *veroorloven* I can afford it; **weeldeartikel** (article of) luxury

weelderig luxurious (apartments, etc); (*van groei, verbeelding, enz*) luxuriant (vegetation, imagination)

weemoed sadness, melancholy; **weemoedig** melancholy, sad

weer I *bw, zie* weder; II *zn a*) weather; *dikwijls:* (a fine, lovely, wet) day (morning, etc); *bij koud* ~ in cold weather; ~ *of geen* ~ in all weather; *wat voor* ~ *is het?* what's it like outside? what sort of a day is it?; *hij speelt mooi* ~ *met mijn geld* he lives in style at my expense; *b*) (*weerstand*) *zich te* ~ *stellen* offer resistance; *in de* ~ *zijn* be busy

weerbaar (*strijdbaar*) able to bear arms; **weerbaarheid** *a*) defensibility; *b*) ability to defend o.s.

weerbarstig unruly, refractory, obstinate

weerbericht weather-report

weerga equal, match, peer

weergalm echo; **weergalmen** resound

weergaloos matchless, unparalleled

weergave reproduction; **weergeven** (= *teruggeven*) restore; (*fig*) render (a passage into English), reproduce (the human voice; the contents of a letter, etc), voice (public opinion), reflect (this article reflects the views of

...); *zijn woorden zijn onjuist weergegeven* he has been incorrectly reported (has been mis-reported)

weerhaak barb, barbed hook

weerhaan (*ook fig*) weathercock, weather-vane; (*fig ook*) time-server

weerhouden hold back, restrain, stop; *iem ~ van ...* keep a p. from ...ing; *laat je daardoor niet ~* don't be put off by that

weerkaatsen reflect, *zie ook* terug-; *ook:* mirror (the play ...s the whole of civilized life); **weerkaatsing** reflection

weer|klank echo; *~ vinden* find (meet with) a respons; **-klinken** resound

weerkunde meteorology; **weerkundig** weather (bureau); **weerkundige** weather-expert

weerlicht lightning; *als de ~* like (greased) lightning; **weerlichten** lighten

weerloos defenceless, helpless; **weerloosheid** ...ness

weerom back

weerom|komen come back, return; **-krijgen** get back; **-stuit**: *van de ~* on the rebound

weeroverzicht weather survey

weerschijn reflection; **weerschijnen** reflect

weersgesteldheid weather conditions

weerskanten: *aan ~* on both sides, on either side

weersomstandigheden weather conditions

weerspannig refractory, recalcitrant, rebellious (*ook fig:* her ... locks); **weerspannigheid** recalcitrance

weerspiegelen (*ook fig*) reflect, mirror

weerstaan resist; **weerstand** resistance (*ook elektr*), opposition, (*radio*) resistor; *~ bieden* offer resistance; *~ bieden aan* resist (temptation, etc); *de weg van de minste ~ kiezen* take the line of least resistance; **weerstander** (*Belg*) resistance fighter; **weerstandsvermogen** (power of) resistance, resisting-power, endurance, stamina; (*uithoudingsvermogen*) staying-power

weerstreven oppose

weersverwachting weather forecast

weervoorspelling weather forecast

weerwil: *in ~ van* in spite of

weerzin repugnance, aversion; **weerzinwekkend** offensive (smell), repugnant

wees orphan

weesgegroet(je) (*r-k*) Ave (Maria), Hail Mary

weet: *het is maar een ~* it's only a knack; *hij heeft er geen ~ van* he is not aware of it; *aan de ~ komen* find out

weetgierig eager to learn

weetje: *hij weet zijn ~ wel* he knows his business

weg I *zn* way, road, path, (overland, sea-) route; (*fig*) way; *zijn eigen ~ gaan* go one's own way, follow one's own path; *nieuwe ~en openen voor ...* open up new avenues for trade; *een andere ~ inslaan* take (strike into)

another road; (*fig*) adopt another course (other measures); *de ~ weten* know the way; *hij weet geen ~ met zijn geld* he does not know what to do with his money; *de enige ~ kiezen die iem open staat* take the only course open to one; *iem de ~ wijzen* show a p. the way; *hij is de hele dag bij de ~*, (*van vertegenwoordiger*) he is on the road all day; *in de ~ staan (zijn),* (*ook fig*) be in the way; (*fig ook*) handicap (his chances of success); *iem in de ~ staan* stand (be) in a p.'s way; *iem iets in de ~ leggen* place (put) obstacles in a p.'s way; *ik heb hem nooit wat, nooit een strobreed, in de ~ gelegd* I've never given him the slightest cause of offence; *iem in de ~ lopen* get in a p.'s way; *langs chemische ~* by chemical process; *langs kunstmatige ~* artificially; *onder ~ (op ~) zijn* be on the (one's) way; *zich op ~ begeven* set out (*naar* for); *het schip is op ~ naar ...* is bound for (to) ...; *op mijn ~ hierheen* on my way here; *dat ligt niet op mijn ~,* (*fig*) it is none of my business; *het ligt op uw ~ om ...* it is up to you to ...; *iem op de rechte ~ brengen,* (*ook fig*) put a p. right; *we zijn een heel eind op ~ naar ...,* (*ook fig*) we are well on our way to ...; *iem uit de ~ blijven* keep out of a p.'s way; *een moeilijkheid uit de ~ gaan* evade a difficulty; *uit de ~!* out of the way there! stand clear! way, way!; *uit de ~ ruimen* eliminate; *van de rechte ~ afdwalen,* (*fig*) stray from the right path; II *bw* (*ergens vandaan, ook:* van huis) away; (*verloren*) gone, lost; (*vertrokken*) gone; *ik moet ~* I have to go; *mijn hoed is ~* is gone; *ze was al een uur ~* she had been gone an hour; *ze waren '~' van de charme van zijn stem* they were swept off their feet by the charm of his voice; *ik was even ~geweest,* (*= in slaap*) I had only just dozed off

weg|bebakening road marking(s); **-bereider** pioneer, forerunner, precursor

weg|bergen put away; **-blijven** stay away; *~ van een les, ook:* cut a lesson; *ze zal niet lang ~* she won't be long; **-borstelen** brush off; **-brengen** take away; (*uitgeleide doen*) see (a p.) off; **-cijferen** eliminate; *zichzelf ~* efface o.s.

wegdek road surface

weg|doen put away; (*van de hand doen*) dispose of; **-dragen** carry away; *iems goedkeuring ~* meet with a p.'s approval; **-duwen** push aside

wegen weigh (*ook fig:* the pros and cons, etc); *zijn woorden ~, ook:* measure one's words; *zwaar ~,* (*eig*) weigh (be) heavy, be of great weight; *dat feit weegt zwaar bij mij* that fact weighs heavily with me; *wat het zwaarst is moet het zwaarst ~* first things must come first

wegen|aanleg road-building; **-belasting** road-tax

wegeniswerken (*Belg*) road works

wegen|kaart road-map; **-net** road-system

wegens on account of, because of, for (remarkable ... his height)

wegenwacht (*ongev*) A.A.-patrol
weggaan go away, leave
weg|gebruiker road-user; **-gedeelten:** *be-vroren* ~ icy patches on the road
weg|geven give away; **-gooien** throw away; *het zou weggegooid geld zijn* the money would be wasted
weggooi|fles one-way bottle; **-luiers** disposable nappies
weg|graaien grab; **-haasten:** *zich* ~ hurry away; **-halen** take away, remove; **-hebben:** *je hebt veel van hem* ~ you are very much like him; *het heeft iets* ~ *van* it is not unlike; *het heeft er veel van* ~ *alsof het zal regenen* it looks like rain; **-jagen** chase away
wegkant roadside, wayside
weg|knippen (*met schaar*) cut (clip) away (off); **-komen** get away; *maak dat je wegkomt!* clear out! scram! get out of here!; *hij maakte dat hij wegkwam* he made himself scarce; **-krijgen** get away (off); (*vlekken*) remove (stains); **-kruipen** creep away; ~ *achter de kast* hide behind …
wegkruising cross-roads
weg|kunnen: *ik kan niet* ~ I cannot get away; **-kwijnen** languish, pine away; **-laten** leave out, omit; **-leggen** lay (put) aside (*of:* by)
wegligging road-holding ability
weg|lokken entice away (from); **-lopen** run away (*of:* off); *ze liep* ~ *met een* … she eloped with a pop-star; **-maken** (*zoekmaken*) lose, mislay; (*verwijderen*) remove; (*iem*) put under an anaesthetic
wegmarkering road markings
weg|moeten: *ik moet* ~ I must be off; … *moet* ~ this system must go; **-moffelen** smuggle (*of:* spirit) away; **-mogen** be allowed to go; **-nemen** take a. (a book, etc); remove (the tea-things, a growth *gezwel,* etc); set (a p.'s doubt, fear, etc) at rest; *gas* ~ throttle down; *dat neemt niet* ~ *dat* … that does not alter the fact that …; *laten* ~ have (one's adenoids *amandelen*) out
wegomlegging diversion
weg|pakken snatch away; *pak je weg* scoot!; **-pesten:** *iem* ~ freeze a p. out, harass a p. out of his job; **-pikken** peck away; (*fig*) snatch away; **-pinken** dash (a tear) away
wegpiraat road-hog
weg|promoveren: *iem* ~ kick a p. upstairs; **-raken** get (be) lost (mislaid); **-redeneren** explain away; *feiten laten zich niet* ~ you can't get away from facts; **-reizen** leave
weg|renner road-racer; **-restaurant** roadside restaurant, road-house; **-reus** (*zware vrachtwagencombinatie*) juggernaut
weg|rijden I *intr* drive (ride) off (away); II *tr* (*pers*) drive away (off); **-roepen** call away; **-rollen** *tr & intr* roll away; **-rotten** rot away (*of:* off); **-ruimen** clear away; **-rukken** snatch away; **-scheren** shave off; *zich* ~ make off; **-schrappen** erase, strike out; **-schuilen** hide

(o.s.) (*voor* from); **-signalisatie** (*Belg*) road marking and signposting; **-slaan** beat (knock) off (*of:* away); *de brug werd ~geslagen, sloeg* ~ was swept away; **-slepen** drag away; (*zwakker*) carry off; **-slijten** wear away (off); **-slikken** swallow; **-sluiten** lock up; **-smijten** fling (throw) away, chuck away (out); **-snellen** hurry off; **-spelen** play off the field; **-splitsing** bifurcation; **-spoeden:** *zich* ~ speed away; **-spoelen** *tr* wash away; *intr* be washed away; **-stemmen** vote down (a measure); vote (the Cabinet) out of office; **-sterven** die out; fade out (the noise …d out), trail off (voice); **-stoppen** put away, hide; **-stuiven** fly away; (*fig ook*) dash (*of:* flounce) away (off); **-sturen** send away; (*bediende, enz*) *ook:* dismiss; (*sp enz*) warn (a p.) off (the field, etc); (*niet toelaten, in ziekenhuis, schouwburg, enz*) turn away; (*taxi enz*) pay off; **-trekken** I *tr* pull away; II *intr:* ~ *uit de stad* (*met vakantie*) leave the town; (*van bui*) blow (pass) over; (*van mist*) clear away, lift; (*van pijn*) get easier, diminish; **-vagen** sweep away (the bridge was swept away)
wegvak strech (of road), road section
weg|vallen fall (drop) off; (*fig*) be left out; *tegen elkaar* ~ cancel (out; each other); **-vegen** sweep away; (*tranen, enz*) wipe away
weg|verkeer road-traffic; **-verlegging** diversion; **-versperring** road-block; **-vervoer** road haulage
weg|vreten eat away; (*van roest, enz*) corrode; (*inz geol*) erode; **-waaien** *intr* be blown away, be carried off by the wind; *tr* blow away
wegwedstrijd road race
wegwerken get rid of (a p.); (*wisk*) eliminate; (*fig*) iron out (difficulties)
wegwijs: *iem* ~ *maken* put a p. up to a thing or two, (*fam, eig Am*) put a p. wise
wegwijzer (*handwijzer*) sign-post; (*boek*) handbook, guide; (*reisgids*) guide-(book)
weg|zakken sink away; sink (he felt the ground … from beneath his feet); **-zetten** put away (*of:* aside); **-zuigen** (*van arbeiders door de industrie*) drain off; **-zuiging** (*van academici naar het buitenland*) brain drain
wei(de) pasture, meadow; *zie ook* weiland
weiden *intr* graze, feed; *tr* graze, pasture
weids stately; **weidsheid** stateliness
weifelaar(ster) waverer; **weifelachtig** wavering; **weifelen** waver, hesitate; *~d, ook:* undecided; *ik ~de daaromtrent* I was in two minds about it; **weifeling** wavering, hesitation
weigeraar refuser; *zie dienst~;* **weigerachtig:** *een* ~ *antwoord* (*krijgen*) (meet with) a refusal; **weigeren** I *tr* refuse (a request, to do s.t., etc), deny (it was hard to … her anything); reject (a picture for an exhibition); (*afslaan*) refuse, (*beleefder*) decline; *iem de toegang* ~ refuse a p. admittance; II *intr* refuse; (*van rem, enz*) fail; **weigering** refusal, denial; *botte* ~ rebuff;

wei

ik wil van geen ~ *horen* I will take no denial, I won't take no (for an answer)

weiland pasture, grazing-land

weinig I *bn* (*ev*) little (money), (*mv*) few (coins); II *bw* little (better, etc); *een* ~ a little (milk); *niet* ~ not a little, no little (derive ... satisfaction from it); (*mv*) not a few; *niet ~en* not a few; *er hoeft maar* ~ *te gebeuren of* ... it takes but little to ...; ~ *trek hebben* have a poor appetite; *te* ~: *a*) too little; *b*) too few; *je gaf mij te* ~ *terug* you have given me short change; *er zijn vijf te* ~ there are five short; ~ *goeds* little good; ~ *bekend* little known; ~ *geloofwaardig* far from credible; ~ *overtuigend* unconvincing; ~ *talrijk* not very numerous

wekelijks *bw & bn* weekly

weken *tr* soften; (*in vloeistof*) soak (in milk, etc); *intr* soften; soak

wekenlang for weeks on end

wekken (a)wake, call; (*fig*) (a)wake, evoke (memories), cause (surprise); **wekker** (*pers*) caller-up; (*klok*) alarm(-clock)

wektoon (*telefoon*) ringing tone

wel I (*bron*) spring, fountain; II *bw* 1 (*goed*) well (treat a p. ...); *als ik me* ~ *herinner* if I remember rightly; 2 (*zeer*) very (kind of you); (thank you) very much!; 3 (*versterkend*): ~ *ja!* yes indeed! to be sure!; ~ *neen!* oh no!; *je hebt* ~ *geboft!* why, you *have* been lucky!; *zeg dat* ~*!* you may w say so!; *ik moet* ~ I must, I have to; 4 (*vermoeden*): *hij zal* ~ *komen* I daresay he'll come; *we mogen* ~ *zeggen, dat* ... we may safely say that ...; *hij zal het* ~ *niet doen* he is not likely to do it; *dat kan* ~ (*zijn*) that may be (so); 5 (*bevestigend*): *dat is hij wél* (he isn't rude); oh but he is!; *je zag me wél* you did see me; *ik heb het wél gedaan* I did do it; *dat deed je* ~ you *did* do it; *dat dacht ik* ~ I thought so; *ik mag hem* ~ I rather like him; *ik geloof* ~, *dat* ... I rather think I know him; 6 (*toegevend* = ~*iswaar*): *hij is* ~ *geen slechte jongen, maar* ... he is not a bad boy it is true but ...; *het is* ~ *klein, maar* ... it is small, certainly, but ...; 7 (*vrag*): *zie je* ~ *dat* ...? do you see he was right?; *hij is niet ziek,* ~? he is not ill, is he?; *je gaat nooit uit,* ~? you never go out, do you?; 8 (*uitroep*): why, well; ~, *jij hier?* why, you here?; ~ *ja, dat geloof ik* ~ why, yes, I think so; ~, *wat zeg je daarvan?* well, what do you say to that?; ~, ~*!* well, I say!; 9 (*getal, maat, enz*): ~ *5 mijlen* as much as five miles; ~ *300* as many as 300; ~ *tweemaal zo oud als zij* quite twice her age; ~ *3 keer per week* as often as three times a week; III *bn* well; *alles* ~ *aan boord* all w on board; *als ik het* ~ *heb* if I am not mistaken; IV *zn* (= *welzijn*) welfare; ~ *en wee* weal and woe

wel|behagen: *in mensen een* ~ good will toward men; *een gevoel van* ~ een sense of well-being; **-bekend** well-known; **-bespraakt** fluent, voluble; (*beschaafd ter taal*) well-spoken; **-bespraaktheid** fluency, volubility, readiness

of speech; **-besteed** well-spent (life); **-bewust** deliberate

weldaad benefit, benefaction; **weldadig** (*pers*) benevolent, (*liefdadig*) charitable, (*milddadig*) munificent; (*gevolgen, enz*) beneficial; (~ *aandoend*) pleasant; **weldadigheid** beneficence, benevolence; (*liefdadigheid*) charity; **weldadigheidsinstelling** (*Belg*) charity, charitable institution

wel|denkend right-minded; sensible; **-doen** *ww* do good; **-doener** benefactor; **-doordacht** well-considered; **-doorvoed** well-fed

weldra soon, before long, shortly, presently

Weledel: *de* ~*e*, ~*geboren*, ~*gestrenge heer C. Bakker C. Bakker,* Esq.; ~*e enz Heer,* (*boven brief*) (Dear) Sir

weleens sometimes, occasionally; *ik zou* ~ *willen weten* ... I should like to know ...

weleer formerly, of old

weleerwaard reverend; *de* ~*e Heer J. Smith* (the) Rev J. Smith

wel|gedaan plump, sleek, portly; **-gelegen** well (*of:* beautifully) situated; **-gemanierd** well-mannered, mannerly, well-bred; **-gemeend** well-meant; **-gemoed** cheerful; **-geschapen** well-made, -shaped; **-gesteld** well-to-do, w(-)off, in easy circumstances; **-geteld** all in all, all told; **-gevallen** I *zn* pleasure, satisfaction; *naar* ~ at (one's) pleasure, at will; II *ww*: *zich laten* ~ put up with, submit to; **-gezind** well-disposed, kindly disposed (towards ...)

welhaast almost

welig luxuriant; ~ *tieren* thrive, (*fig ook*) flourish

welingelicht well-informed

weliswaar it is true, indeed, to be sure; ~ *had hij* ... true, he had never seen her

welk I (*vrag*) what; (*vragend naar een of meer uit bepaald aantal*) which; ~*e boeken?* (*algem*) what books?; (~*e van deze boeken*) which (of these) books?; II (*betr*) (*zaak*) which, that; ~(*e*) *ook* what(so)ever, which(so)ever

welkom I *bn* welcome (*ook van cadeau, nieuws, enz*); ~*!* welcome!; ~ *thuis!* welcome home!; ~ *heten* bid (a p.) welcome, welcome (a p., s.t.); *iem hartelijk* ~ *heten* give a p. a hearty (cordial) welcome; II *zn* welcome; *iem het* ~ *toeroepen* welcome a p.; **welkomstgroet** welcome

welletjes: *het is zo* ~ that will do

wellevend courteous, well-bred, well-mannered; **wellevendheid** courtesy, good breeding

wellicht perhaps, maybe; *zie* misschien

welluidend melodious, harmonious

wellust voluptuousness, lust, sensuality; **wellustig** voluptuous, sensual, lecherous

welnemen: *met uw* ~ by your leave

welnu now then, well then, well

weloverwogen (well-)considered (plan), deliberate, measured (language)

welp cub; whelp; (*padvinder*) (wolf-)cub
welslagen success
welsprekend eloquent; **welsprekendheid** eloquence
welstand well-being, welfare, comfort, prosperity; *in ~ leven* be well off; **welstandsgrens** income qualification (limit)
welste: *van je ~* like anything; (it rained, they fought) like billy-o(h)
weltergewicht welter-weight
welterusten good night; sleep well
welvaart prosperity; *tot ~ komen* rise to prosperity, become prosperous; **welvaartsstaat** welfare state
welvaren I *ww* prosper, thrive, be prosperous; (*gezond zijn*) be quite well, be in good health; II *zn, zie* welstand; **welvarend** *a*) prosperous, thriving; affluent (society); *b*) healthy, in good health
welven (*ook: zich ~*) vault, arch; (*van weg*) camber; **welving** vaulting; (*concr ook*) vault; (*van weg*) camber; *~en* (*van lichaam*) curves
welvoeglijk becoming, seemly, decent, proper
welvoorzien well-provided; well-stocked (shop); well-loaded (table)
welwillend benevolent, sympathetic (I had a … audience), kind (attention); **welwillendheid** benevolence, sympathy
welzijn welfare, well-being; *naar iems ~ informeren* inquire after a p.'s health; *het algemeen ~* the common (public, general) good; **-werker** community worker; **welzijnszorg** (public) welfare, welfare work
wemelen: *~ van* swarm (teem) with (people, fish, fleas, mistakes, etc); *het wemelt van mensen op straat* the streets are swarming (teeming) with people
wendbaar (*van vliegtuig, enz*) manoeuvrable
wenden turn; *hoe hij het ook wendde of keerde* whichever way he turned; *zich ~ tot*, (*fig*) apply to (*om* for), turn to, call on; **wending** turn; swing (a … of popular opinion); *het gesprek een andere ~ geven* give another turn to the conversation; *een ~ nemen* (take a) turn; *het gesprek nam een andere ~* took another turn; *een gunstige ~ nemen* take a favourable turn (a turn for the better)
wenen weep, cry; *~ over* weep for
Wenen Vienna
wenk hint, wink, nod, tip; *iem een ~ geven*, (*eig*) beckon to a p.; (*fig*) give a p. a hint; *een stille ~* a gentle hint; *iem op z'n ~en bedienen* be at a p.'s beck and call
wenkbrauw eyebrow; *op zijn ~en lopen* stagger with fatigue
wenken beckon, motion; *iem ~ beckon* (to) a p., motion to a p.
wennen I *tr* accustom (*aan* to), familiarize (*aan* with); II *intr*: *dat zal wel ~* you will get used to it
wens wish, desire; *een ~ doen* make a wish; *de*

~ te kennen geven te … express a wish to …; *alles gaat naar ~*things are going on well, everything goes smoothly; *mijn beste ~en!* my best wishes! all the best! (*met verjaardag ook*) many happy returns of the day!
wenselijk desirable; **wenselijkheid** desirability
wensen wish (I wish you success); (*verlangen*) want, desire; *het laat veel* (*niets*) *te ~ over* it leaves much (nothing) to be desired; *het is te ~ dat …* it is to be wished that …; *ik wenste* (*= zou willen*) *dat hij ging* I wish he would go; *ik wens dat je gaat* I want (wish) you to go; *hij heeft alles wat hij kan ~, ook:* he has nothing left to wish for; *iem goeden dag, enz ~* wish (bid) a p. good day, etc; *wat wenst u?* what do you wish? (*in winkel*) what can I show (do for) you?; *wenst u nog iets?* anything else?; **wenskaart** congratulatory card
wentelen roll (over), turn about (round), revolve; *zich ~*, (*om zon, de as*) revolve (round the sun, on its axis), rotate (on its axis); **wenteling** revolution, rotation; **wenteltrap** spiral staircase
wereld world, universe; *de gehele ~* the whole (all the) world; *de andere ~* the next (the other) world, the world to come; *de hele ~ door* all through (all over) the world, all the world over; *weten hoe het in de ~ gaat* know the way of the world; *zo gaat het in de ~* that's the way of the world; *naar de andere ~ helpen* launch into eternity, (*sl*) send to kingdom come (to glory); *reis om de ~* voyage round the world, world-tour; *op de ~* in the world; *over de hele ~* the world over, all over the world; *de gelukkigste man ter ~* the luckiest man in the world (alive); *hoe is het Gods ter ~ mogelijk?* how in the world is it possible?; *voor niets ter ~* not for (all) the world, not for anything in the world; *ter ~ brengen* bring into the world, give birth to; *ter ~ komen* come into the world, be born into the world; *uit de ~ helpen* settle (a dispute), dispose of (a rumour); *laten we de zaak uit de ~ helpen* let's have it out once and for all; *bezoekers uit de hele ~* visitors from all over the world; *een man van de ~* a man of the world; *voor* (*het oog van*) *de ~* before the world (she had been nothing to him)
wereld|beker world cup; **-beroemd** world-famous; **-beroemdheid** (*persoon*) world-celebrity; **-beschouwing** world-view, view of (outlook on) life; **-bol** (terrestrial) globe; **-burger** world-citizen, citizen of the world; cosmopolitan, cosmopolite; *de nieuwe ~* the new arrival; **-deel** part of the world, continent; **-handel** world-trade, world-commerce; **-haven** world-port, international port; **-kampioen(schap)** world-champion(ship); **-kundig** universally known; *iets ~ maken* publish; make generally known
wereldlijk worldly (goods), temporal (power), secular (drama)

wer

wereld|literatuur world-literature; **-macht** world-power; **-oorlog** world-war; **-record** world-record; **-reiziger** globe-trotter

werelds worldly(-minded) (people), worldly (pleasures)

wereldschokkend world-shaking (event)

wereld|stad metropolis; **-taal** world-language; **-tentoonstelling** international exhibition, world-fair; **-toneel** stage of the world, world-stage; **-vrede** world- (*of:* universal) peace; **-vreemd** unworldly; **-wijd** worldwide; **-wijs** worldly-wise; **-wonder** wonder of the world; **-zee** ocean

weren avert, prevent; (*iem*) exclude (a p. from …); refuse admittance (to a hotel), (*het ~ van kleurlingen, uit hotel, enz* the colour bar); *zich ~ exert o.s.*, (*tot het uiterste*) strain every nerve

werf shipyard, shipbuilding yard; (*van de marine*) dockyard; (*hout~*) timber-yard

wering prevention; exclusion; *zie* weren; *tot ~ van* for the prevention of

werk work; (*zwaar ~*) labour; (*ambt*) duty; (*van horloge, enz*) works; mechanism; *de ~en van Milton* the works of M., M.'s works; *publieke ~en* public works; *dat is ~ voor een man* it's a man's job; *dat is geen ~* that's no way to do things; *er is heel wat ~ aan de winkel* there is a good deal of work to do; *goed (slecht) ~ doen (leveren)* do good (poor) work; *iem ~ geven* give a p. work, find work for a p.; *500 man ~ geven* employ 500 men; *die jongen geeft mij heel wat ~* gives me a lot of work (of trouble); *~ hebben* be in work (*of:* employment); *geen ~ hebben* be out of work (employment, a job); *hoe lang denk je ~ te hebben?* how long do you think you will be (it will take you)?; *hij heeft lang ~ met het te vinden* he is a long time (in) finding it; *wat heeft hij lang ~!* what a time he takes!; *~ maken van* be after (a place, a girl); *veel ~ maken van* take great pains over (one's work); *~ van de zaak maken*, (*zich ermee bemoeien*) take the matter up; *ik zal er geen ~ van maken* I'll do nothing about it, I'll not do anything in the matter; *je moet er ~ van maken* you must do s.t. about it; *ik zal er dadelijk ~ van maken* I'll see to it at once; *~ zoeken* look for work, seek a job; *aan het ~* at work (on a task); *aan het ~ gaan* set to work, proceed to business; (*fam*) get busy; *iem aan het ~ zetten* set a p. to work; *aan het ~ zijn* be engaged (at work, working) (*aan … on a new novel*); *alles in het ~ stellen* leave no stone unturned, do one's utmost; *hoe gaat dat in zijn ~?* how is it done?; *hoe is dat in zijn ~ gegaan?* how did it come about?; *naar het ~ gaan* go to work; (*goed, verkeerd*) *te ~ gaan* go (the right, wrong, way) to work; *voorzichtig te ~ gaan* go carefully, proceed (move) cautiously; *verschillend te ~ gaan* work on different lines; *te ~ stellen* set to work; *zonder ~* out of work, out of a job; **werkaanbieding** (*Belg*) vacancy

werkbaar workable, practicable

werk|bank (work-)bench; **-bezoek** working visit; **-bij** worker(-bee); **-briefje** job-sheet, worksheet; **-classificatie** job evaluation; **-dag** (a ten-hours') working-day; (*tegenover zondag*) work(ing)-day, week-day

werkelijk I *bn* real, actual, true; *in ~e dienst* in active service; **II** *bw* really, actually; indeed (he played very well …); **werkelijkheid** reality; *de ~ onder de ogen zien* look reality in the face; *in ~* in reality, actually, as a matter of fact; **werkelijkheidszin:** *het getuigt niet van ~* it is unrealistic

werkeloos *zie* werkloos

werken work (*ook van vulkaan, tovermiddel, enz*); (*van medicijn, enz*) work, take effect, be effective; (*van lading*) move; (*van hout*) warp, get (become) warped; *de telefoon werkte niet meer* went dead; *de rem werkte niet* the brake did not act, failed (to work); *als een rem ~ op*, (*fig*) act as a brake upon; *de regeling werkt goed* the arrangement works well; *laten ~* work (a machine; a p. too hard); *zijn hersens* (*verbeelding*) *laten ~* use one's brains (imagination); *aan een vertaling, enz ~* work at (be at work on, be engaged on) a translation, etc; *er wordt aan gewerkt* it is being worked on (seen to), the work is (well) in hand; *~ bij, zie:* werkzaam; *~ door elektriciteit* (be) work(ed) by electricity; *onder iem ~* work under a p.; *het werkt op de zenuwen* it works on (affects) the nerves; *hij werkt op m'n zenuwen* he gets under my skin; *nadelig ~ op* have an injurious effect upon; *op iems gemoed ~* work (play) upon a p.'s feelings; *uit ~ gaan* go out to work; *iem eruit ~* jockey a p. out (of the way); **werkend** working; active (volcano, partner *vennoot*, member *lid*); (*de verlangde uitwerking hebbende*) effective; *~e vrouwen* working women, women workers; **werker** worker

werk|gelegenheid (full) employment; **-gever** employer; *~s en ~nemers* employers and employees

werkgevers|organisatie employers' organization; **-verklaring** employer's certificate

werk|groep workshop; (*univ*) seminar; working party (to study the effects of radiation); **-hypothese** working hypothesis

werking (*het werken*) action (*ook van het hart, enz*), working (*ook van de geest*), operation; (*uitwerking*) effect; *buiten ~ stellen* suspend (an act *wet*); throw (put) (the microphone, telephone) out of action; *in ~* in operation, in action; *in ~ treden* come into operation (force), become operative (effective), take effect (on the 1st of January); **werkingssfeer** sphere of action, scope

werk|kamer work(ing-)room, study; **-kleding** *a*) working clothes; *b*) industrial clothing; **-kracht** energy, power of work; (*pers*) hand, workman, labourer; *gebrek aan ~en* labour shortage, labour-famine; **-kring** field of activity; *passende* ~ suitable post (employment); -**loon** wages, wage, pay

werkloos *a*) idle, inactive; ~ *toezien* look on passively, stand idly by; *b*) unemployed, out of work, out of a job; **werkloosheid** unemployment; **werkloosheidsuitkering** unemployment benefit

werkloze unemployed person, p. out-of-work; *de* ~*n, ook:* the unemployed; **werklozensteun** (*Belg*) unemployment benefit

werk|lust zest for work; -**nemer** employee; -**ongeval** (*Belg*) industrial accident; -**paard** work-horse; -**plaats** workshop, work-room, shop; -**plan** plan of work (of action), workplan, -scheme; -**schuw** work-shy

werkster *a*) (*vrouwelijke werker*) (woman, girl) worker; *b*) (*werkvrouw*) charwoman, daily help, (*fam*) char

werk|student student working his way through college, student with part-time job; -**stuk** piece of work; working paper; (*wisk*) proposition, problem; -**tekening** construction drawing, working-drawing; -**terrein** sphere of work; -**tijd** working-hours, work-time; *lange* ~*en hebben* work long hours; -**titel** provisional title

werktuig tool (*ook fig:* he is your ...), instrument; **werktuigbouwkunde** mechanical engineering

werktuiglijk mechanical, automatic (*bw:* -ally)

werk|verschaffing provision of work (for the unemployed), relief work(s); -**week** (a shorter) working-week; (school) study week; -**wijze** (working-)method, procedure; -**willige** willing worker, non-striker, blackleg; -**woord** verb

werkzaam active, industrious; effective (remedy); ~ *zijn op een kantoor* work in an office; *een* ~ *aandeel nemen in* take an active part in; **werkzaamheid** activity, industry; ~*heden* activities (transfer one's ... from L. to F.), operations, business proceedings; (*functie*) duties; *wegens drukke* ~*heden* owing to pressure of work

werpen throw, cast, pitch, hurl, toss; *zich* ~ throw (fling) o.s. (into a chair, from a rock); **werper** (*sp*) pitcher

werp|hengel casting rod; -**net** cast-net

wervel (*been*) vertebra, *mv* vertebrae; **wervelen** whirl

wervel|kolom spinal (vertebral) column, spine; -**storm** cyclone, tornado; (*Am*) hurricane; -**wind** whirlwind; cyclone

werven recruit, enlist, enrol; (*leden*) bring in (new members); *stemmen* (*klanten*) ~ canvass for votes (for customers)

weshalve wherefore, for which reason

wesp wasp; **wespennest** wasps' nest; (*fig*) hornets' nest; *zich in een* ~ *steken* venture into (stir up) a hornets' nest

wespetaille wasp-waist

west west (the wind is ...); *de W*~ the West Indies; **westelijk** westerly (wind); western (Europe, hemisphere); ~ *van A.* (to the) west of A.; **westen** west; *het W* ~ the West; *ten* ~ *van* (to the) west of; *buiten* ~ *zijn* be unconscious; **westenwind** west wind

westerlengte west(ern) longitude; *op 20 graden* ~ in 20° longitude west

westers western

westerstorm westerly gale

West|-Europa West(ern) Europe; -**europees** West European; --**Indië** the West Indies

west|kant west side; -**kust** west(ern) coast; -**noordwest** west-north-west

westwaarts westward(s), to the westward

wet (*algem*) law; (*bepaalde staatkundige* ~) act; ~ *op het Basis Onderwijs* Primary Education Act; *de* ~ *van Archimedes* the Archimedean principle; ~*ten maken* make laws, legislate; *iem de* ~ *stellen* (*voorschrijven*) lay down the law for a p.; *bij de* ~ *bepalen* enact; *boven de* ~ *staan* be above the law; *buiten de* ~ *stellen* outlaw (war); *handelen tegen de* ~ act against the law; *volgens* (*krachtens*) *de* ~ according to law; in law; (*in overeenstemming met de* ~) in accordance with law; *voor de* ~ in the eye of the law, (equal(ity)) before the law; **wetboek** code (of law); *burgerlijk* ~ civil code; ~ *van strafrecht* penal (criminal) code

weten I *ww* know; *ik weet een uitstekend hotel* I know of an excellent hotel; *ik weet het* I know; *hoe weet je dat?* how do you know?; *iedereen weet het* it is common knowledge; *twee* ~ *meer dan een* two heads are better than one; *dat weet ik nog zo niet* I am not so sure of that; I don't know about that; *ik wist niet wat ik hoorde* I could not believe my ears; *ik zou niet* ~ *waarom* I don't see why; *naar ik zeker weet* ... to my certain knowledge she was there; *wie weet?* who knows?; *je kunt nooit* ~ you never can tell, one never knows; *je weet nooit wat* ... there is no knowing what she'll do next; *de Hemel mag* ~ ... Heaven (goodness) knows ...; *weet ik veel? weet ik het?* how should I know? (*fam*) ask me another; *dat moet hij* ~, (*is zijn zaak*) that's up to him; *hij moet het* (*nu verder*) *zelf maar* ~ he had better find out for himself; *ik zou wel eens willen* ~ *wat* ... I wonder what he is going to do now; *hij wil het niet* ~ he won't own it, he doesn't want it known; *dat zou je wel willen* ~! wouldn't you like to know!; *hij wil het wel* ~ he does not make a secret of it; *weet wat je doet* beware what you are about; *hij weet van geen vermoeidheid* he knows nothing of fatigue; *ik wil niets van hem* ~ I will have nothing to do with him; *ik wil niets meer van hem* ~ I've finished with him; *ik wil er niets van* ~ I won't hear of it, will have none of it; *ik weet het van X* I have it from X; *weet je wat?* I'll tell you what; *ik zal het je doen* (*laten*) ~ I'll let you know; *hij weet overal raad op* he is never at a loss; *te* ~ name-

wet (side tab)

ly, to wit, viz; *te ~ komen* come (get) to know, (*erachter komen*) find out; *zonder dat iem er iets van te ~ kwam* (it might be done) and no one be (any) the wiser; *hij wist te ontsnappen* he managed to escape; *hij moet zelf ~ hoe het te doen* it is for him to decide how to do it; *voordat je het weet* (you'll be ...) before you know it; *zonder dat ik het wist* (he had gone away) unknown to me; *zonder het te ~* unwittingly; II *zn* knowledge; *naar (bij) mijn (beste) ~ to* (the best of) my knowledge, for all I know; *hij deed het tegen beter ~ in* contrary to his better knowledge and judgment, against his (own) better judgment; *buiten (zonder) mijn ~* without my knowledge

wetenschap (*inz exacte wetenschappen*) science; (*inz klassieke talen e.d.*) scholarship; (*inz literatuur, filosofie, enz*) learning; (*het weten*) knowledge; *met de ~ dat hij veilig is* in the knowledge that he is safe; **wetenschappelijk** scientific (*bw:* -ally), scholarly; **wetenschapper** researcher; academic

wetenswaardig worth knowing, interesting **wetgevend** legislative, law-giving; *de ~e macht* the legislature; **wetgeving** legislation **wethouder** alderman

wets|artikel article of a (the) law; **-herziening** revision of a (the) law; **-kennis** legal knowledge; **-ontwerp** bill; **-overtreding** breach (violation, transgression) of a (the) law **wetsteen** whetstone

wets|tekst text of the law; **-verkrachting** violation of the law; **-voorstel** bill; **-winkel** law clinic, legal advice centre

wettelijk legal (portion (*erfdeel*), objection), statutory (period, duties, regulations, nine-hour day); *~e aansprakelijkheidsverzekering* third party insurance

wetten whet, sharpen

wettig lawful, legitimate, legal; *~ betaalmiddel* legal tender; *~ gezag* lawful authority; *~ kind* legitimate child; **wettigen** legitimate, legalize; (*rechtvaardigen*) justify, warrant (a supposition)

weven weave; **wever** weaver **wezel** weasel

wezen I *ww* be; *hij mag er ~* he is presentable; he's up to his job; *wij zijn er even ~ kijken* we had a look round; *niemand was hem ~ opzoeken* nobody had been to see him; II *zn* (*bestaan*) being, existence; (*aard*) nature; (*schepsel*) being, creature; (*het wezenlijke*) essence, substance; *geen levend ~* not a living soul; *in ~* (that is) in essence (his reply); *tot het ~ der dingen doordringen* go to the root of things

wezenlijk real; (*tegenover bijkomstig*) essential, fundamental, substantial; *het verschilt niet ~ van ...* it does not differ materially from ...

wezenloos vacant, blank, stupid (sit down ...ly), expressionless (face)

wezensvreemd out of character, foreign to (one's) nature

wichelarij augury, divination, astrology; **wichelen** practise astrology, augur, divine; **wichelroede** divining-rod

wicht baby, child; *mal ~* (little) fool; chit

wie I *vrag vnw* who(m); *~ kan ik zeggen, dat er is?* what name, please?; *~ bedoel je?* who(m) do you mean?; *van ~ zijn die kamers?* whose rooms are those?; *~ van hen?* which of them?; II (*betr*) a man who, any one who

wiebelen wobble; (*van pers*) fidget

wieden weed

wiedeweerga: *als de ~* quick as lightning

wieg cradle; *daar moet je voor in de ~ gelegd zijn* you must be born to it; *iets in de ~ smoren* stifle a thing in the cradle, nip it in the bud; *van de ~ tot het graf* from the cradle to the grave

wiegelen rock, wobble; (*van bootje*) bob up and down

wiegelied cradle-song, lullaby

wiegen rock; *met z'n heupen ~* roll one's hips

wiek wing; *hij was in zijn ~ geschoten* (*op zijn teentjes getrapt*) he was offended

wiel wheel; *iem in de ~en rijden* put a spoke in a p.'s wheel; **wieldop** (*auto*) wheel cover, hub cap

wieler|baan (indoor *overdekte*) *cycle-track*; **-sport** cycling

wiel|klem wheel clamp; **-ophanging** (wheel) suspension; **-rennen** *zn* cycle-racing; **-rijder** cyclist

wier seaweed

wierook incense (*ook fig*)

wig(ge) wedge; **wigvormig** wedge-shaped; (*plantk*) cuneate

wigwam id

wij we

wijd I *bn* wide (trousers, world, etc), spacious, roomy, ample; II *bw* wide(ly); *~ open* (the door is) wide open; *ze gooide de deur ~ open* she flung the door wide (open); *~ en zijd* far and wide; **wijdbeens** straddle-legged, with legs wide apart

wijden ordain (a priest), consecrate (a bishop, church, bread, etc); *~ aan* dedicate to (the service of God, etc); devote (o.s.) to (study, etc); **wijding** ordination, consecration

wijdlopig prolix, verbose

wijdte width, breadth, space

wijd|vermaard far-famed; **-verspreid** widespread

wijf woman, female; *oud ~* old woman (*ook van man*); **wijfje** (*van dier*) female; cow (of the whale, elephant, etc)

wijk district, quarter; (*van krantenjongen, enz*) round, walk; *de ~ nemen naar* fly (flee) to, take refuge in (England)

wijk|agent (*ongev*) policeman on the beat; **-centrum** community centre

wijken give way (*voor* to), make way (*voor* for), yield (*voor* to); *niet* (*geen duimbreed*) *~, van geen ~ weten* not budge (an inch), stand one's ground, stick to one's guns; *niet van iems zijde* ~ not budge from a p.'s side; *het gevaar is geweken* the danger is past, the patient is out of danger

wijk|gebouw (*ongev*) community centre; **-verpleegster** district-nurse

wijlen late, deceased; ~ *Koning W* the late King W

wijn wine; *goede* ~ *behoeft geen krans* good wine needs no bush; *klare* ~ *schenken* speak openly, speak in plain terms

wijn|azijn wine-vinegar; **-berg** vineyard; **-bouwer** wine-, vine-grower; **-gaard** vineyard; **-glas** wine-glass; **-handelaar** vintner; **-jaar** vintage year; **-kaart** wine-list; **-kelder** wine-cellar, -vault(s); **-oogst** vintage; **-rank** vine-tendril; **-stok** vine; **-vat** wine-cask; (*groot*) wine-butt

1 wijs, wijze manner, way; (*gramm*) mood; (*muz*) tune, melody; (*geen*) ~ *houden* sing in (out of) tune; *bij* ~ *van proef* (*uitzondering, voorbeeld*) by way of trial (exception, example); *bij* ~ *van spreken* in a manner (a way) of speak- ing, so to speak; *op deze* ~ in this way, thus; *op gelijke* ~ in like manner, in the same way; *op enigerlei* ~ in any way; *op generlei* ~ by no manner of means, in no way, nowise, noway(s); *de* ~ *waarop* the manner (way) in which; *van de* ~ *raken,* (*fig*) lose one's head; *iem van de* ~ *brengen* put a p. out, confuse s.o.; *zich niet van de* ~ *laten brengen* keep a level head, keep cool, not lose one's head

2 wijs I *bn* wise; *ben je niet* ~? are you out of your senses (mind)?; *hij is niet goed* ~ he is not in his (right) senses, is crack-brained; *iem iets* ~ *maken* make a p. believe s.t.; *maak dat een ander* ~ you can't tell me! that won't go down with me!; *hij laat zich alles* ~ *maken* he will swallow anything; anything will go down with him; *zichzelf iets* ~ *maken* delude o.s.; *ik kan er niet* ~ *uit worden* I cannot make sense of it, cannot make it out; *hij is er heel* ~ *mee* he is very proud of it; *hij moest wijzer zijn* he ought to know better (than to ...); *wees wijzer!* don't be silly!; *hij zal wel wijzer zijn* he knows better than that; **II** *bw* wisely

wijsbegeerte philosophy

wijselijk wisely; *hij bleef* ~ *thuis* he wisely stayed at home

wijsgeer philosopher

wijsheid wisdom

wijsje air, tune

wijsneus wiseacre

wijsvinger forefinger, index(-finger)

wijten: *iets* ~ *aan* blame (a p.) for s.t., blame s.t. on (the weather); *het ongeluk was aan onvoorzichtigheid te* ~ the accident was owing (*of:* due) to carelessness; *je hebt het aan jezelf te* ~ you have only yourself to blame (for it)

wijwater holy water

wijze 1 *zie* wijs 1; 2 wise man; *de W~n uit het Oosten* the Wise Men of the East, the three Wise Men, the Magi

wijzen point out, show; (*jur*) *vonnis* ~ pronounce sentence; *iem de deur* ~ show a p. the door; *het wijst zich vanzelf* you will see your way as you go along; ~ *naar* point at (to); ~ *op het gevaar* point out the danger; *iem op iets* ~ point out s.t. to a p.; **wijzer** (*van barometer, weegschaal, enz*) pointer; (*van klok, enz*) hand; *grote* (*kleine*) ~ minute- (hour-)hand; **wijzerplaat** dial(-plate), (clock-, etc) face, (control, meter) panel

wijzigen alter, change; **wijziging** modification, alteration, change

wikkel (*van boter enz*) wrapping; **wikkelen** wrap (up), envelop; *in pakpapier* ~ wrap (up) in paper; *draad op een klos* ~ wind thread on a reel; *iem* ~ *in,* (*fig*) involve a p. in; **wikkeling** (*elektr*) winding

wikken weigh (*ook fig:* one's words, etc); ~ *en wegen* weigh the pros and cons; *zijn woorden* ~ *en wegen* weigh (pick, measure) one's words; *de mens wikt, God beschikt* Man proposes, God disposes

wil will, desire, wish; *zijn laatste* (*uiterste*) ~ his last will (and testament); *het was zijn eigen* ~ it was his own wish; *waar een* ~ *is, is een weg* where there's a will there's a way; (*zijn*) *goede* ~ *tonen* show (one's) good will; *zijn* ~ *is wet* his will (word) is law; *elk wat* ~*s* something for everybody; (*wat prijs betreft*) prices to suit all pockets; *buiten mijn* ~ without my consent; (circumstances) over which I have no control; *om God's* ~ for God's (Heaven's) sake; *tegen* ~ *en dank* in spite of o.s., against one's will, willy-nilly; *tegen* ~ *en dank getuige zijn* (*iets aanhoren*) be an unwilling witness (listener); *ter* ~*le van* for the sake of; because of; *iem ter* ~*le zijn* oblige a p., meet a p.'s wishes; *uit vrije* ~ of one's own free will, of one's own accord; *van goede* ~ *zijn* be of good will

wild I *bn* wild (plants, animals, landscape); (*woest, onbeschaafd*) savage (beasts, tribes); (*niet kalm*) wild, unruly (boy); fierce (passions, desire); ~*e staking* unofficial (unauthorized, wildcat) strike; ~*e vrachtvaart* tramp shipping; **II** *bw: ze was er* ~ *enthousiast over* she was wild(ly enthusiastic) about it; **III** *zn* 1 *in het* ~ in natural condition, (the panther) in its natural state; *in het* ~ *groeien* grow wild; *in het* ~ *levende dieren* wild life; *in het* ~ *weg schieten* fire at random; 2 game; *grof* ~ big game; *klein* ~ small game; **wildbraad** venison, game

wilde savage

wildebras wild (romping) boy, romper; (*meisje*) tomboy

wildernis wilderness, waste

wild|groei uncontrolled growth; **-park** game preserve; **-rijk** abounding in game; **-rooster** (*in de weg*) game grid; cattle grid; **-smaak** gamy taste; **-stand** stock of game; **-vreemd** quite strange, (I am) a perfect stranger (here); *een* ~*e* a perfect stranger

wilg willow

willekeur arbitrariness; *naar* ~ at pleasure, at will; **willekeurig** (*eigenmachtig*) arbitrary, high-handed; *in iedere ~e week* in any given week

willen I *ww* (*wensen*) wish, want, like, desire, choose (she could be irresistible when she chose); (*wel genegen zijn iets te doen*) be willing; *hij weet wat hij wil* he knows his own mind; *apen ~ wel eens bijten* monkeys are apt to bite; *doe zoals* (*wat*) *je wilt* please yourself, have it your own way; *zoals je wilt* ('let us stay here';) 'as you like'; *kom eens hier, als je wilt* please come here; just come here, will you?; *als het een beetje wil, komen we vandaag nog klaar* with luck we'll finish to-day; (*aan deze voorwaarden moet worden voldaan*) *wil het systeem succes hebben* for the system to be successful; *je wilt toch niet zeggen …?* you don't mean to say …?; *wou je me vertellen …?* do you mean to tell me …?; *wat wil je?* what do you want?; *wat wou je zeggen?* what were you going to say?; *wat wil je nog meer?* what more would you have?; *ik wil, dat het dadelijk gedaan wordt* I want it (to be) done at once; *ik wou juist de brief gaan schrijven, toen …* I was just going to write the letter when …; *iets niet ~ zien* (= *voorgeven niet te …*) pretend not to see a thing; *hij wil niet* (*hebben*), *dat … genoemd wordt* he won't allow his name to be mentioned; *de ramen ~ niet open* the windows refuse to open, … are stuck; *dat zou je wel ~* I bet you'd like it; wouldn't you just; you would, would you?; *zou je … ~ sluiten?* would you mind shutting the door?; *hij wil er niet aan* he won't hear of it; *je hebt het zelf gewild* you have only yourself to blame, it's what you've asked for; *je zult misschien wel ~ weten …* you may care to know …; *wil je me … even aangeven* (will you) pass me the salt, please?; *het wil mij voorkomen, dat …* it seems to me …; *het gerucht wil dat …* there is a rumour (it is rumoured) that …; *ik wou dat hij gekomen was* I wish he had come; **II** *zn* volition; *dat is maar een kwestie van ~* that is only a question of willing

willens: ~ *en wetens* deliberately, intentionally

willig willing, tractable; (*van markt*) firm, animated, lively

willoos without a will of one's own

wilskracht will-power, strenght of will, energy

wimpel pennant, pennon, streamer

wimper (eye)lash

wind id (*ook med*); *als de ~* (he was off) like the wind, like a shot, before you could say Jack Robinson; *een ~ laten* break wind, (*volkstaal*) (let a) fart; *hij kreeg er de ~ van* he got wind of it; *de ~ mee hebben* have a following wind, go before the wind; *we hadden de ~ tegen* (*van achteren*) we had the wind against

us (behind us); *hij heeft er de ~ onder* he keeps a tight hand (on them); *de ~ waait uit een andere hoek* the wind blows from another quarter; *waait de ~ uit die hoek?* is the wind in that quarter?; *ik gaf hem de ~ van voren* I gave it him hot, (*sl*) gave it him in the neck; *iem de ~ uit de zeilen nemen* take the wind out of a p.'s sails; *bij de ~ houden* sail near the wind; *door de ~ gaan* shift; *met de kop in de ~ brengen*, (*scheepv*) round (her) up in the wind; *in de ~ slaan* fling (throw) (a warning) to the winds, disregard (*sterker:* flout) (a p.'s advice); *met zijn neus in de ~* with one's nose in the air; *hij draait met alle ~en mee* he is a trimmer; *met de ~ mee* before the wind, down (the) wind; *tegen de ~ in* against the wind; *van de ~ kan men niet leven* you cannot live on air; *het ging hun voor de ~* they prospered

wind|buil windbag, gasbag; **-buks** airgun; **-dicht** wind-proof, -tight; **-ei** wind-egg; *het zal hem geen ~eren leggen* it will bring grist to his mill

winden wind, twist (into a wreath); (*met lier, enz*) wind up; *tot een kluwen ~* wind into a ball

winderig windy (*ook van ingewanden*); (*van open ruimte ook*) wind-swept

wind|haan weather-cock; **-hond** greyhound; (*ruigharig*) deer-hound; **-hoos** whirlwind, tornado, (*Am*) hurricane

winding winding; (*van touw, veer, enz*) turn, coil; (*van slang, enz*) coil

wind|jak wind-cheater; **-kracht** wind-force; ~ *acht* gale, force eight; **-molen** windmill; **-richting** direction of the wind; **-scherm** wind-screen; (*heg, enz en op het strand*) wind-break

windsel bandage

wind|snelheid wind-speed, wind-velocity; **-stil** calm; *het is ~* there is no wind; **-stoot** gust of wind; **-streek** point of the compass, quarter; *naar alle ~streken verstrooid* scattered to the four winds (of heaven); **-vaan** weather-vane; **-vlaag** gust of wind, squall; **-wijzer** weathercock, weather-vane

wingerd (*wijngaard*) vineyard; (*wijnstok*) (grape-)vine

winkel shop; (*co-operative*) stores; *de ~ sluiten* close the shop, shut up shop

winkel|bediende shop-assistant; **-centrum** shopping-centre; **-dief** shoplifter; **-diefstal** shoplifting

winkelen shop, go (be) out shopping; *iem die winkelt* shopper

winkelgalerij shopping-arcade

winkelhaak (set-)square; (*scheur*) tear

winkelier shopkeeper

winkel|kar trolley; **-meisje** shop-girl, shop-assistant; **-pand** shop-premises (*mv*); **-personeel** shop-workers; (*van bepaalde ~*) staff of the shop; **-prijs** retail price; **-straat** shopping-street; **-wagen** (*rijdende winkel*) mobile shop; **-wagentje** (*voor boodschappen*) trolley

winnaar winner, victor; **winnen** win (money, a prize, a bet, race, election, a p.'s heart), gain (time, victory, the prize); (*verkrijgen*) gather, harvest (honey), reclaim (land from the sea), win (minerals); *het* ~ win, score, come out on top; *het op zijn gemak* ~ win easily, win hands down, have a walk-over; ~ *op één na* finish second; *aan duidelijkheid* ~ gain in clearness; ~ *met 3 tegen 1,* (*voetbal*) win by three goals to one; *veld* (*terrein*) ~ *op* gain ground upon; ~ *van* win (money) of, win (the Derby) from, gain (a seat) from (the Liberals); *het* ~ *van* get the better of (a p.), outstrip; *iem voor zich* ~ win a p. over; **winning** (*van erts, enz*) id, production; **winst** profit(s), gain, benefit, return(s); (*sp*) win; (*bij spel*) winnings; (*bij verkiezing*) gain (*op ... from* the Liberals); ~ *maken* make a profit (*op* on); ~ *opleveren* yield a profit; *met* ~ (sell) at a profit

winst|bejag pursuit of gain; *uit* ~ from motives of gain; **-cijfer** (margin of) profit; **--en-verliesrekening** profit and loss account; **-gevend** remunerative, lucrative, profitable, paying (investment); **-marge** margin of profit; **-oogmerk** (*Belg*) *vereniging zonder* ~(*en*) non-profit organisation; **-punt** gain; (*sp*) (league) point

winter id; *des* ~*s* in winter; **winterachtig** wintry; **winteravond** winter-evening; **winteren:** *het begint al te* ~ it is getting wintry

winter|goed winter-clothes; **-handen** chilblained hands; **-hard** winter-proof; (*plantk*) hardy; **-jas** (winter-)overcoat; **-kleren** winter-clothes; **-koninkje** wren; **-kwartier** winter-quarters; **-landschap** wintry (winter-) landscape; **-mantel** winter-coat

winters wintry

winter|slaap winter-sleep, hibernation; *de* ~ *doen* hibernate; **-sport** winter-sports; **-tijd** winter-time (*in beide bet*); **-voe(de)r** winterfodder; **-weer** wintry (winter-) weather

winzucht lust of gain

wip: (~*plank*) seesaw; (*sprong*) skip; *het is maar een* ~ it's no distance at all; *in een* ~ in a flash, in a trice, in a jiffy, in no time, in the twinkling of an eye; *op de* ~ *zitten,* (*fig*) *a*) hold the balance (of power); (*fam*) be the tail that wags the dog; *b*) be in danger of getting fired, be in danger of getting the boot

wip|brug draw-bridge, bascule-bridge; **-neus** turned-up nose

wippen I *intr a*) whip, nip, whisk, skip (out of the room); *b*) (*op wipplank*) (play at) seesaw; *met zijn stoel* ~ tilt one's chair; *c*) have sex; **II** *tr* (*van functie ontheffen*) turn (a p.) out

wip|plank seesaw; **-schakelaar** rocking switch

wirwar tangle, muddle; (*doolhof*) maze

wis certain, sure; *iemand van een* ~*se dood redden* save a p. from certain death; ~ *en zeker* as sure as eggs is eggs

wiskunde mathematics, (*fam*) maths; **wis-**

kunde|leraar, -lerares mathematics master (mistress), mathematics teacher

wiskundig mathematical; **wiskundige** mathematician

wispelturig fickle, inconstant, changeable (weather)

wissel (*handel*) bill (of exchange), B/E, draft; (*van spoor: van de rails*) points; *de* ~ *verzetten* shift (reverse) the points; (*verandering*) change (over); *een* ~ *op de toekomst trekken* draw a bill on (make a draft on, draw a cheque on the future

wissel|automaat money changer; **-baden** hot and cold baths; **-beker** challenge-cup

wisselen I *tr* exchange (letters, looks, words); (*geld*) change; (*tanden*) shed (one's teeth); *ze wisselden geen woord* they did not exchange a word, no word passed between them; **II** *intr* change, vary; *ik kan niet* ~ I have no change; *van gedachten* ~ exchange views; ~ (*af~*) *met* interchange with, vary with; **wisselgeld** (small) change

wisseling change, variation; ~ *der jaargetijden* succession of the seasons

wissel|kantoor exchange-office; **-koers** rate of exchange; **-oplossing** (*Belg*) alternative; **-speler** substitute; **-stroom** alternating current (A.C.); **-truc** ringing the changes

wisselvallig precarious (living); uncertain (factors); changeable (weather)

wisselwerking interaction, interplay (of factors)

wissen wipe; (*geluidsband, computerprogramma*) erase; **wisser** (*voorwerp*) wiper, mop, (*voor schoolbord*) duster

wissewasje trifle

wit I *bn* white; ~*te benzine* cut-price petrol; ~*te steenkolen* white coal; water-power; *zo* ~ *als een doek* as white as a sheet (as death); ~ *maken* whiten; **II** *zn* white; *het* ~ *van het oog* the white of the eye; *in het* ~ *gekleed* dressed in white; **witachtig** whitish

wit|boek white paper; **-bont** white-spotted; **-geel** white (whitish) yellow; **-gepleisterd** washed; **-gloeiend** white-hot, incandescent; **-goed** whites

witjes: *hij ziet nog erg* ~ he still looks a bit off colour

wit|kalk whitewash; **-kwast** whitewash (distemper) brush; **-lof** chicory, Belgian endive; **-loof** (*Belg*) chicory

witsel whitewash

wittebrood white bread; *een* ~ a white loaf; **wittebroodsweken** honeymoon

wittekool white cabbage

witten whitewash

witvis whitebait, whiting

witwassen (*zwart geld*) launder

wodka vodka

woede fury, rage; **woeden** rage (*ook van storm, brand, enz*); **woedend** (*fig*) furious (*op* with; *over* at, about), infuriated, (*fam*) wild; ~

aankijken glare at; *iem ~ maken* enrage (infuriate) a p., make a p. wild, send a p. into a rage; *~ worden* fly (work o.s.) into a passion, get into a black temper; *hij werd ~, (fam)* he got his dander up

woekeraar usurer; **woekeren** practise usury; *(van planten)* be (grow) rank; *(van kwaad)* be (grow) rampant (rife), fester; *~ met* make the most of, turn to the best advantage; *met de ruimte ~, ook:* utilize every inch of space; **woekering** *(in het lichaam)* malignont growth

woeker|plant parasitic plant, parasite; **-prijs** extortionate price; **-winst** exorbitant profit, usury

woelen toss (and tumble) about, (turn and) toss (in one's bed); *(wroeten)* grub, root; *zich bloot ~* kick the bed-clothes off

woelig restless (night, child) turbulent (sea, times), choppy (sea)

woelwater fidget, restless boy

woensdag Wednesday; **woensdags** *bw* on Wednesdays *(Am* Wednesdays); *bn* Wednesday

woerd drake

woest *(onbebouwd)* waste (land); *(onbewoond)* desert (island); *(ruw, verwilderd, enz)* wild (boy, waves, weather, scenery, times), savage (dog), fierce (struggle), reckless (driving, chauffeur, drive ...ly); *(nijdig)* wild, savage *(op* with; answer ...ly); **woest|aard**, **-eling** brute, rough, ruffian

woestenij waste (land), wilderness

woestheid wildness, savagery, fierceness, etc; *zie ~*

woestijn desert; **woestijnzand** desert-sand

wol wool; *hij is door de ~ geverfd* he is a double-dyed villain, an engrained villain; *onder de ~* (be, go) between the sheets; **wolachtig** woolly

wolf id; *(van tanden)* caries; *een ~ in schaapskleren* a wolf in sheep's clothing

wolfabriek wool(len) mill

wolfra(a)m tungsten, wolfram

wolfshond wolf-dog, -hound

wol|handel wool-trade; **-industrie** woollen industry

wolk cloud *(ook fig); achter de ~en schijnt de zon* every cloud has a silver lining; *in de ~en zijn* be overjoyed *(over* at); **wolkbreuk** cloudburst

wolkeloos cloudless

wolken|krabber skyscraper; **-veld** cloud-layer, cloud-cover

wolkje: *er was geen ~ aan de lucht, (ook fig)* there was not a cloud in the sky

wollen woollen; *~ stoffen* woollens; **wollengoed** *(stoffen)* woollens; *(kleren)* woollen clothing

wollig woolly

wolvejacht wolf-hunting

wolvin she-wolf

wond I *zn*, *~(e)* wound, injury; *~ in het gezicht*

(aan het hoofd) wound in (on) the face (the head); *~en slaan* inflict wounds; II *bn* sore; *de ~e plek* the sore spot; **wonden** wound, hurt, injure; *aan het hoofd gewond* wounded in (about) the head; *ernstig gewond bij een spoorwegongeluk* severely injured in a railway-accident

wonder wonder, marvel, prodigy; *(bovennatuurlijk)* miracle; *een ~ van geleerdheid* a prodigy of learning; *~ boven ~* for a wonder, wonder of wonders; *geen ~ dat ...* no *(of:* small) wonder that ...; *en geen ~* and no wonder; *~en doen (verrichten)* work (do, perform) wonders (the holiday has done w...s to me; *het geloof doet ~en* faith works miracles; *het is een ~ dat ...* it is a wonder that ...

wonderbaar miraculous; **wonderbaarlijk** wonderful, marvellous, prodigious; *zie ook:* wonderlijk

wonder|dokter quack, unrecognized practitioner, *(bij wilden)* witch-doctor, medicineman; **-groot** prodigious; **-kind** child (infant) prodigy; **-kracht** miraculous power

wonderlijk strange, queer, odd, surprising

wonder|middel wonderful remedy; *(tegen alle kwalen)* cure-all, panacea; **-schoon** exceedingly beautiful, wonderful; **-wel** wonderfully

wond|koorts wound-fever, *(wtsch)* traumatic fever; **-pleister** plaster; **-zalf** healing ointment

wonen live, reside; *hij woont bij ons* he lives with us; *buiten (in een andere buurt) gaan ~* move into the country (into another neighbourhood)

woning dwelling, house, residence

woning|bouw house-building, housing; **-bouwvereniging** housing association; **-bureau** house (estate) agency; **-inrichting** domestic decoration; **-krediet** *(Belg)* mortgage; **-nood** housing-shortage, housing-problem; **-ruil** exchange of houses; **-wetwoning** *(ongev)* council house

woonachtig resident, living

woon|boot house-boat; **-erf** residential precinct (with restricted rights for wheeled traffic); **-huis** private house (residence), dwelling-house; **-kamer** living-, sitting-room; **-laag** storey; **-noodgebied** *(Belg) (ongev)* rehabilitation area; **-plaats** dwelling-place, home, (place of) residence; *(officieel)* domicile; **-ruimte** living accommodation; **-wagen** caravan; **-wagenbewoner** (cara)van-dweller, caravanner; **--werkverkeer** commuter traffic; **-wijk** housing-estate

woord word, term; *grote ~en* big words, *(fam)* hot air; *het ~ nemen* begin to speak, take the floor; *het ~ richten tot* address; *zijn ~ breken* break (go back on) one's word; *iem het ~ geven* call (up)on a p. (to speak); *zijn ~ geven* pass (pledge) one's word (to ...); *ik zou graag het ~ hebben* I should like to say a few words (a word); *~en hebben* have words *(met* with);

het hoogste ~ hebben do most of the talking; *het laatste ~ hebben* have the last (final) word, have the final say in the matter; *het laatste ~ is nog niet gesproken in deze zaak* the last (the final) word in regard to this matter has not yet been spoken, finality has not yet been reached; *het ~ voeren* speak, hold forth (*over* on), be on one's feet; (= *het ~ doen*) be spokesman; *zijn ~ houden* keep (stick to) one's word; keep fait with; *~en krijgen* come (get) to words; *geen ~!* not a word! not a syllable; *ik heb er geen ~ in te zeggen* I have not a word to say (have no say) in the matter; *meer dan ~en kunnen zeggen* (I lover her) beyond (*of:* past) words; *er is geen ander ~ voor* there is no other word for it; *ik kan er geen ~en voor vinden* there just are not words for it, words fail me; *er vielen enkele ~en tussen ons* we had a few words; *het ene ~ haalde* (*lokte*) *het andere uit* one w drew on (led to, brought up) another; *aan het ~ zijn* be speaking, be on one's feet; *ik kon niet aan het ~ komen* I could not get in a word; *iem aan zijn ~ houden* keep (hold) a p. to his word; *bij deze ~en* at these words; *in één ~* in a (one) word; *met een enkel ~* in a few words; *met andere ~en* in other words; *met zoveel ~en* (he told me) in so many words; *onder ~en brengen* put into words; *niet onder ~en te brengen zijn* be beyond words, be past expression; *op mijn ~!* upon my word!; *op mijn ~ van eer* on my word of honour, (*fam*) honour bright!; *ik geloof hem op zijn ~* I believe him on his word; *mijn ~ erop!* my word on it!; *ik wil hem niet meer te ~ staan* I will see (listen to) him no more; *hij kon niet uit zijn ~en komen* he stammered, floundered in his words; *~ voor ~* (it is true) word for word; *zonder een ~ te zeggen* (he left) without a word

woord|accent word accent; **-blindheid** word-blindness, dyslexia; **-breuk** breach of faith (of promise)

woordelijk verbatim (report); literal

woorden|boek dictionary; **-keus** choice of words; **-lijst** word-list, glossary (= *verklarende ~*); **-schat** stock of words, vocabulary; **-spel** word-play, verbal play; **-strijd** dispute, argument; **-vloed** flow (torrent, spate) of words; **-wisseling** altercation, passage of words; *ze hebben een ~* words are passing between them

woordgebruik use of words

woordje word; *ze kan haar ~ wel doen* she has plenty (quite a lot) to say for herself; *een goed ~ voor iem doen* put in a word for a p.; *een ~* (*gaan*) *meespreken* put in a word, put in one's oar, (*fig ook*) take a hand

woord|soort part of speech; **-speling** play upon words, pun, quibble; *~en maken* pun, quibble; **-voerder** spokesman

worden become, grow (old, more and more excited), get (tired, cold, it's ...ting late, dark), turn (pale), go (blind, mad, he went red

in the face), fall (ill, silent), come (of age); (*in lijdende vorm*) be; *soldaat ~* become a soldier, enlist; *hij wordt morgen negen* he'll be nine tomorrow; *het wordt ... it* is going to be a fine day; *wat zal er van hem ~?* what is to become of him?; *ik wil advocaat ~* I am going to be a lawyer; *er wordt heel wat gemopperd* (*gepraat, enz*) there is a lot of grumbling (talking, etc)

wording genesis, birth, origin; *in ~* nascent, (a nation) in the making

worg- *zie* wurg-

worm id; (*made*) grub, maggot; **wormachtig** wormlike

wormsteek worm-hole; **wormstekig** worm-eaten, wormy, maggoty

worp throw; (*jongen*) litter (of pigs, etc)

worst sausage

worstelaar wrestler; **worstelen** struggle; (*sp*) wrestle; (*fig*) struggle, wrestle; *~ met* (*tegen*) struggle against (oppression), struggle with (adversity), wrestle with (against) (temptation), wrestle with (a problem); **worsteling** struggle, wrestle, wrestling; **worstelwedstrijd** wrestling-match

wortel root; (*peen*) carrot; *~ schieten*, (*ook fig*) take (strike) root, root; *de ~ trekken uit* extract the (square, cube, fourth) root of (a number); *het kwaad in de ~ aantasten* strike at the root of the evil; **wortelen** take root; *~ in* be rooted in (fear)

wortel|stok root-stock; **-teken** radical sign; **-trekking** extraction of roots

woud forest, wood; **woud|reus** giant of the forest

wraak revenge, vengeance; *~ nemen* take revenge, revenge o.s., retaliate; *~ nemen op* take revenge (revenge o.s., be revenged) on; *~ nemen over* take revenge for; *uit ~* in revenge (*over* for); **wraakgierig** revengeful, vindictive

wraakneming retaliation, revenge (of a crime)

wraakzuchtig *zie* -gierig

wrak wreck, derelict (*beide ook fig:* a social derelict, he is a mere wreck)

wraken object to, denounce (abuses, etc); (*jur*) challenge

wrak|goederen wreck(age), flotsam and jetsam; **-hout** wreckage; **-stuk** piece of wreckage; *~ken* wreckage

wrang sour, acid, astringent; rough (wine); wry (smile); *een ~e grap* a cynical (sick) joke

wrat wart

wreed cruel, ferocious, barbarous; *de wrede feiten* the grim facts; **wreedaard** cruel man, brute; **wreedheid** cruelty, ferocity, savagery

wreef instep

wreken revenge (a p., an offence); *zich ~* revenge o.s., be revenged, take revenge; *iets op iem ~* revenge s.t. (up)on a p.; *zich ~ op ... over ...* revenge o.s. (be revenged, have one's revenge) on ... for ...; **wreker** avenger, revenger

wrevel spite, resentment, rancour; **wrevelig**

spiteful, resentful, rancorous; (*geïrriteerd*) peevish, testy, grumpy

wriemelen *a*) (friemelen) fumble, fiddle (*met* with); *b*) (door elkaar woelen) crawl; ~ *van* swarm (crawl, teem, be alive) with

wrijf|doek rubbing-, polishing-cloth, flannel rag; **-was** beeswax

wrijven rub; *tegen elkaar* ~ rub together; *tot poeder* ~ rub to powder, pulverize; *door een zeef* ~ mash through a sieve; *zijn ogen* ~ rub one's eyes; *zich* (*in*) *de handen* ~ rub one's hands; **wrijving** friction (*ook fig:* there is some ... between them), rubbing; (*fig ook*) clash (the ... of opinion)

wrikken jerk, shake; scull (a boat)

wringen wring (one's hands), twist (a p.'s arm) wring (out) (clothes, etc); *iem iets uit de handen* ~ wrest (wrench) s.t. from a p.('s hands); *zich* ~ twist o.s., wriggle; *zich in allerlei bochten* ~ wriggle, squirm, (*van pijn*) writhe with pain; *zich door een opening* ~ wriggle through an opening

wroeging remorse, compunction, contrition

wroeten root (in the earth); (*van mol, enz*) burrow (*ook fig*); (*in papieren, enz*) rummage (among papers); *in een zaak* ~ pry into an affair

wrok grudge, rancour, ill-feeling, resentment, spite; *een* ~ *tegen iem hebben* (*koesteren*) bear a p. a grudge, have a grudge (a spite) against a p.

wrokken fret, chafe (*over* at), sulk; *hij wrokt er nog over* he is still very sore about it

wrongel curdled milk, curds

wuft frivolous, fickle, flighty

wuiven wave; ~ *met* wave (one's hand, handkerchief); ~*d gebaar* wave (of the hand)

wulps lewd, lascivious

wurgen strangle; **wurggreep** stranglehold; **wurging** strangulation

wurm worm; *het arme* ~ the poor mite; **wurmen** wriggle, worm, twist; *fig*) drudge, toil, fag; *zich erin* ~ wriggle (worm) into it

X x (*ook in algebra*); *ik heb hem* ~ *keer gewaarschuwd* I've warned him umpteen (ever so many) times

x-benen knock-kneed legs

xenofobie xenophobia

x-stralen X-rays

xylofoon xylophone

Y y *y*

Z zz

yoga id
yoghurt yogurt, yoghourt
ypsilon upsilon

zaad seed; *op zwart* ~ *zitten* be on the rocks
zaad|bal testicle; **-cel** sperm, spermatozoon, *mv:* -zoa; **-handel** seed-trade; **-korrel** grain of seed; **-lozing** ejaculation
zaag saw
zaag|beugel saw-frame; **-blad** saw-blade; **-machine** sawing-machine
zaagsel saw-dust
zaag|snede serrated edge; **-tand** (*ook elektr*) sawtooth
zaaien sow; *tweedracht* (*wantrouwen, verdeeldheid*) ~ sow dissension (distrust)
zaaigoed sowing-seed
zaailing seedling
zaai|tijd sowing-time; **-zaad** sowing-seed
zaak (*aangelegenheid*) business, matter, affair, case; (*jur*) (law)suit; (*idee dat men voorstaat*) cause; (*de eigenlijke* ~) (evade the) issue; (*bedrijf*) business; (*transactie*) transaction; (*sl*) deal; *zaken* affairs, business, matters; *de* (*rechts*)*zaak Robinson* the R. case; ~ *van ondergeschikt belang* matter of detail; *zaken zijn zaken* business is business; *het is* ~ *dat ...* it is necessary that ...; *het is* ~ *snel te handelen* the thing is to act quickly; *de* ~ *is deze* the fact (the point) is this; *dat is mijn* ~ that's my affair; *dat is uw* ~ that's your business; *dat is een andere* ~ that is another thing; *zie* anders (*wat ...*); *hoe staan de zaken?* how do things stand? how are things?; *de* ~ *staat nu zó, dat ...* the position is now that ...; *zoals de zaken staan* as things are; *een* ~ *beginnen* set up in business; *zaken doen* do business; *een* ~ *drijven* carry on (run) a business; *zijn zaken kennen* know one's business; *er een* ~ *van maken* go to law; *de zaken overdenken* think things over; *het is niet veel* ~*s* nothing much; *in zake ...* in the matter of; *niet ter zake dienende* beside the point; *laat ons ter zake komen* let us get down to business; *ter zake!* to the point! come to the facts, please!; *strijden voor een edele* ~ fight in a noble cause; **zaakje** (*winkeltje, enz*) small business; (*ding, enz*) affair (a poor ...); *een voordelig* ~, (*transactie*) a good stroke of business; *ik heb genoeg van het hele* ~ I'm fed up with the whole business; **zaakwaarnemer** proxy, representative
zaal hall, room; (*in ziekenhuis*) ward; (*theat, enz*) auditorium
zaal|juffrouw (*Belg*) usherette; **-sport** indoor sport
zacht (*niet hard*) soft (cushion, bed, cheese,

water, etc); (*niet krachtig*) gentle (breeze, tap at the door), soft (touch, rain ...ly); (*niet luid*) low (murmur, in a ...voice), soft (tread ...ly, sing it ...ly); (*niet ruw*) smooth (skin); (*van klimaat, enz*) mild; (*van kleur*) soft; (*niet snel*) slow (drive ...ly); (*liefelijk*) sweet (music); ~ (*werkend*) mild (medicine); ~ *prijsje* low (favourable) price; ~ *vuurtje* (stew it on a) slow fire; *een ~e wenk* a gentle hint; ~ *aanraken* touch gently; *~er laten spelen* turn down (the wireless); ~ *gekookt ei* soft (lightly) boiled egg; **zachtaardig** gentle, sweet

zachtjes softly, gently, slowly, quietly; *~!* hush!; ~ *aan!* gently!; **zachtjesaan** gradually

zachtmoedig gentle, sweet

zachtzinnig gentle

zadel saddle; *iem in het (de)* ~ *helpen* give a p. a leg up; (*fig ook:*) set a p. in the saddle; *vast in het* ~ *zitten, (ook fig)* have a firm seat; *zonder* ~ *rijden* ride bareback

zadel|makerij saddler's shop; **-pijn:** ~ *hebben* be saddle-sore

zagen saw; *over iets door~* harp on a subject (on the same string); **zagerij** saw-mill

zak (*algem*) bag (paper ...; money-..., etc; *ook-* =*baal:* of coffee, of rice); (*altijd groot*) sack (of corn, flour, potatoes); (*van kledingstuk & biljart*) pocket; (*tabaks-, wijn-*) pouch; (*onder ogen*) bag, pouch; (~ *van een vent*) clot, bore; *de ~ geven* give a p. the sack; *de ~ krijgen* be sacked; *in ~ en as zitten* be in sackcloth and ashes; *steek die in je* ~ put that in your pipe and smoke it; *hij had geen geld op* ~ he had no money about him (with him)

zak|agenda pocket-diary; **-boekje** notebook; **-cent(je)** pocket-money; **-doek** handkerchief

zakelijk (*eig*) real, essential (difference); (*degelijk*) well-informed (article), business-like (management), sound (remarks), factual (speech); (*beknopt*) concise; (*niet persoonlijk*) objective; ~ *blijven* keep to the point; **zakelijkheid** conciseness, objectivity; matter-of-factness

zaken|brief business-letter; **-kantoor** (*Belg*) estate agent's office; **-leven:** *het* ~ the business community, industry; **-man** businessman; **-mensen** business-people; **-reis** business-trip; **-wereld** business-circles

zak|formaat pocket-size; **-geld** pocket-money

zakje (small) bag (pocket, etc)

zakken sink; (*van water, barometer*) fall, drop; (*van vliegtuig*) lose height; (*van muur, deur, enz*) sag; (*bij examen*) fail (the examination); *haar boosheid zakte* her anger ebbed; ~ *op wiskunde* fail in mathematics; ~ *voor ..., ook:* fail an examination; *laten* ~ let down (a blind), lower (he ...ed his newspaper), drop (one's voice); fail (they are going to ... you); *de moed laten* ~ lose heart

zakken|rollen *zn* pocket-picking; **-roller** pickpocket

zak|lantaarn torch, flashlight; **-lopen** *zn* sack-race; **-mes** pocket-knife; **-schaartje** pocket-scissors; **-woordenboek** pocket-dictionary

zalf ointment; *daaraan is geen* ~ *te strijken* it's labour lost; *aan hem is geen* ~ *te strijken* he is incorrigible; **zalfachtig** unctuous; **zalfje** *zie* zalf

zalig blessed, blissful; (*verrukkelijk*) divine (fruit), glorious (weather); *~e glimlach* beatific smile; *het was* ~ it was glorious; *het is ~er geven dan te ontvangen* it is more blessed to give than to receive

zaliger late, deceased; *zijn moeder* ~ his late mother

zaligheid salvation, bliss, beatitude; (*geluk, genot*) bliss

zaligmakend soul-saving, beatific, sanctifying (grace); **zaligmaker** Saviour; **zaligspreking** beatification

zalm salmon

zalm|kleurig salmon(-coloured), salmon-pink; **-moot** fillet of salmon; **-visser(ij)** salmon-fisher(y)

zalven (*ter wijding*) anoint; **zalvend** unctuous; *een* ~ *huichelaar* an unctuous hypocrite; ..., *zei hij* ~ he said unctuously; **zalving** anointing

zamen: *te* ~ together; *zie* samen

zand sand; *opeengewaaid* ~ drift-sand; *iem* ~ *in de ogen strooien* throw dust in a p.'s eyes; *z'n kop in het* ~ *steken* play the ostrich; *in het* ~ *bijten,* (*in beide bet*) bite the dust; *met* ~ *bestrooien* sand (...ed floor); ~ *erover!* let bygones be bygones; (*fam*) forget it!; **zandaardappel** sand- (*of:* light-soil) potato

zandachtig sandy

zand|bak sand-box; **-bank** sand-bank; **-bodem** sandy soil; **-duin** sand-dune

zanderig sandy, gritty

zand|gebak *zie* ~taart; **-groeve** sand-pit; **-grond** sandy soil; **-heuvel** sand-hill; **-kasteel** sand-castle; **-kleurig** sand-coloured; **-korrel** grain of sand; **-kuil** sand-pit; **-laag** stratum (*of:* layer) of sand; **-lichaam** embankment, sand-dam, sand-fill; **-loper** hour-glass; **-mannetje** sand-man, Wee Willie Winkie; **-oever** sandy shore; **-pad** sandy path; **-plaat** sand-bank, flat, shoal; **-rug** ridge of sand; **-ruiter** unhorsed (fallen, thrown) rider; ~ *worden* be unhorsed; (*fam*) take a toss; **-storm** sand-, dust-storm; **-straal, -stralen** (*techn*) sand-blast; **-taart(je)** sand-cake; (*van zand door kind gemaakt*) sand-, mud-pie; **-verstuiving** sand-drift; **-vormpje** (*van kind*) sand-mould; **-weg** sandy road (*of:* track); **-woestijn** sandy desert (*of:* waste); **-zak** sand-bag; **-zuiger** suction dredger

zang singing, song; (*lied*) song

zang|avond sing-song; *gemeenschappelijke* ~ community singing night; **-cursus** singing-class, -school

zanger(es) singer

zangerig melodious; *~e toon* (she answered in her pleasant) sing-song (tone); **zangerigheid** melodiousness

zangersfeest choral festival

zang|koor choir; **-kunst** art of singing, vocalism; **-les** singing-lesson; **-nummer** song (number); **-oefening** singing-exercise; **-onderwijs** singing-lessons; **-partij** voice part; **-stuk** song; **-uitvoering** vocal concert; **-vereniging** choral society; **-vogel** singing-, songbird; **-wijsje** tune, melody

zanik bore; **zaniken** keep on (about s.t.), nag; *lig toch niet zo te* ~ don't be such a bore, don't keep on nagging; *iem over iets aan de oren* ~ keep dinning s.t. into a p.'s ears; *blijven* ~ *over* keep harping on

zat satiated; *(dronken)* tight, soaked, *(sl)* pissed; *oud en der dagen* ~ old and full of years (of days); *zich* ~ *eten, enz* eat, etc one's fill *(aan* of); *hij heeft geld* ~ he has lots (heaps, pots) of money; *ik ben het* ~ I am sick of (fed up with) it; *zo* ~ *als een aap* stoned

zate homestead

zaterdag Saturday; **zaterdagavond** Saturday evening, Saturday night; **zaterdags** *bw* every Saturday, on Saturdays, of a Saturday; *bn* Saturday

zat|ladder, -lap *(fam)* soak

ze *(ev)* she, her; *(mv)* they, them

zebra id *(ook* = oversteekplaats)

zede custom, usage; *zie* zeden

zedelijk moral; ~ *gevoel* moral sence; **zedelijkheid** morality; *openbare* ~ public decency

zedelijkheids|apostel vice hunter (hound); **-gevoel** moral sense

zedeloos immoral; **zedeloosheid** immorality

zeden morals, manners; ~ *en gewoonten* manners and customs; *een vrouw van lichte* ~ a woman of easy virtue

zeden|bederf depravity; **-delict** *zie* ~misdrijf; **-kwetsend** obscene, immoral; **-leer** ethics; **-les** moral, moral lesson; **-meester** *(ong)* prig; **-meesterij** priggishness; **-misdrijf** sexual crime; **-politie** *ongev:* vice squad; **-preek** moralizing sermon, homily; **-preker** moralizer

zedig modest (girl, costume); **zedigheid** modesty

zee sea, ocean; *een* ~ *van tranen* a flood of tears; *een* ~ *van licht* a flood of light; *een* ~ *van tijd* heaps of time; ~ *kiezen* put out (to sea); *een zware* ~ *brak over het dek* a heavy sea broke over the deck; *aan* ~ (a village) on the sea, (stay) at the sea(side); *recht door* ~ *gaan* be straightforward, go straight, steer a straight course; *dat is niet recht door* ~ that is not fair and square; *in volle (open)* ~ on the high seas; *met iem in* ~ *gaan* join in with a p. (in doing s.t.); *naar* ~ *gaan: a)* go to sea; *b)* go to the sea(side); *op* ~ (out) at sea; *op* ~ *en aan land* (my friends) afloat and ashore; *landen over* ~ overseas countries; *hij kan niet tegen de* ~ he is a bad sailor; *de heerschappij ter* ~ the mastery of the sea(s); *strijdkrachten ter* ~ naval forces

zee|assurantie marine insurance; **-bad** swim *(fam:* dip) in the sea; **-bad(plaats)** seaside resort; **-banket** herring; **-benen** sea-legs; ~ *krijgen* find (get) one's sea-legs; **-beving** seaquake; **-bodem** sea-bed, ocean-floor; **-bries** seabreeze; **-damp** sea-haze; **-diepte** depth of the sea; **-dier** marine animal; **-dijk** sea-bank, -wall, -dike; **-engte** strait(s) narrows

zeef sieve; *ze is zo dicht als een* ~ she is an incorrigible sieve

zeefdruk silk-screen print(ing)

zee|gang sea; **-gat** tidal inlet (outlet), estuary; *het* ~ *uitgaan* put to sea; *(gaan varen)* go to sea; **-gevecht** sea-fight, naval combat; **-gezicht** seascape; *(schilderij ook)* sea-piece; **-golf** sea-, ocean-wave, billow; *(inham)* gulf; **-gras** seaweed; **-haven** seaport; **-heerschappij** naval supremacy, mastery of the sea(s); **-held** naval hero; **-hond** seal; **-hondebaby** baby seal; **-hoofd** pier; **-kaart** (sea-)chart, nautical chart; **-kant** sea-side; *(van stad ook)* (sea-)front (on the Brighton front); **-kapitein** sea-captain; *(scheepv)* naval captain; **-kasteel** floating castle; **-kijker** (pair of) marine glasses; **-klei** marine clay; **-klimaat** oceanic *(of:* maritime) climate; **-kreeft** lobster; **-kust** sea-coast, -shore

Zeeland Zealand, Zeeland

zee|leeuw sea-lion; **-lieden** seamen; **-liedenstaking** seamen's strike; **-loods** sea-pilot; **-lucht** sea-air; **-lui** seamen

zeem chamois-leather

zeemacht *a)* navy, naval forces; *b)* naval power

zeeman seaman, sailor; **zeemanschap** seamanship

zeemans|huis sailors' home *(of:* rest); **-kist** sea-chest; **-kunst** seamanship; **-leven** seafaring life, a sailor's life, sailoring

zeemeermin mermaid

zee|meeuw (sea-)gull, seamew; **-mijl** nautical mile; **-mijn** sea mine

zeem|leer chamois-leather; **-leren** shammy, wash-leather; ~ *lap* (wash-)leather

zee|mogendheid naval power, sea-power; **-nimf** sea-nymph, nereid; **-niveau** sea-level; **-officier** naval officer; **-oorlog** naval (maritime) war

zeep soap; *water en* ~ soap and water; *om* ~ *gaan, (sl)* go west, kick the bucket; *om* ~ *helpen, (sl)* do in; **zeepachtig** soapy

zeep|bakje soap-dish; **-baron** *(Belg)* war profiteer; **-bel** soap-bubble; *(fig)* (soap-)bubble

zee|pier lob-worm, lug(-worm); **-post** oversea(s) mail; *(als aanduiding op brieven)* surface mail

zeep|poeder soap powder; **-schuim** lather; **-sop** soap-suds; **-water** soapy water

zeer I *zn* sore, ache; *oud* ~ an old sore; ~ *doen (van lichaamsdeel)* hurt, ache, *(iem)* hurt *(ook fig)*; *dat doet* ~ it hurts; *doet het erg* ~? does it hurt much?; *zich* ~ *doen* hurt o.s.; *het hoofd* (*de rug*) doet mij ~ my head (back) aches; *mijn ogen doen me* ~ my eyes smart; **II** *bn* sore; *zere benen* sore legs; *tegen het zere been schoppen* touch a sensitive spot; **III** *bw* (*bij bn & bw*) (= *erg*) very, (*bij ww*) (very) much; *verder:* highly (respectable); ~ *tot* ... much to his disappointment; ~ *blij* very (greatly) pleased; ~ *onlangs* quite lately; ~ *te beklagen* very much to be pitied; ~ *verbaasd* very much (*ook:* very) surprised; *zich* ~ *vergissen* be greatly mistaken; *ik heb het* ~ *nodig, ook:* I need it badly

zee|ramp shipping-disaste; **-recht** maritime law

zeereerwaard: *de* ~*e Heer J. S.* the (very) Rev (= Reverend) J. S.

zee|reis (sea-)voyage; *zie* reis; **-reiziger** sea-traveller; **-rob** seal; (*fig*) (Jack) tar, sea-dog; *oude* ~ old salt, shellback; **-rover** pirate, buccaneer; **-roversvlag** (hoist the) Jolly Roger

zeerst: *ze werden om het* ~ *geprezen* they were equally praised; *ten* ~*e* greatly, highly

zee|schildpad turtle; **-schip** sea-, ocean-going vessel; **-schuimer** pirate, (*inz Noord-Afrika*) corsair; **-slag** sea-battle; **-sleper** sea-going tug; **-spiegel** surface of the sea; *boven* (*beneden*) *de* ~ above (below) sea-level; **-stad** seaside town; **-ster** starfish; **-straat** strait(s); **-strand** beach; **-strijdkrachten** naval forces; **-stroming** ocean current; **-tocht** voyage; **-vaarder** seafarer; **-vaart** navigation; **-vaartkundig** nautical; *Z*~ *Museum* Marine Museum; **-vaartschool** nautical college; **-varend** seafaring (nations); ~*e* seafarer; **-verkenners** sea-scouts; **-verzekeraar** (marine) underwriter; **-verzekering** marine insurance; **-vis** sea-fish, marine fish; **-vracht** freight

zeewaardig seaworthy; **zeewaardigheid** seaworthiness

zee|waarts seaward; **-water** sea-water; **-weg** sea-route, ocean highway; **-wering** sea-wall, sea-defence wall; **-wier** seaweed; **-wind** sea-wind, -breeze, onshore wind; **-ziek** seasick; *gauw* (*niet gauw*) ~ *zijn* be a poor (good) sailor; **-ziekte** seasickness

zege victory, triumph; **zegekar** triumphal car, chariot

zegel (*van lak*) seal; (*afdruk op gezegeld papier*) stamp; (*post-, enz*) stamp; (*gezegeld papier*) stamped paper; (*voorwerp*) seal, stamp; **zegelring** signet-, seal-ring

zegen blessing; boon (such a work would be a ...), godsend (it will be a ... to seamen); *er zal geen* ~ *op rusten* it will bring you (him, etc) no luck; *zijn* ~ *geven* give one's blessing; *zijn* ~ *geven aan, ook:* bestow one's blessing on (the plan); *de* ~ *uitspreken* give the blessing; *dat ongeluk was eigenlijk een* ~ was a blessing in disguise; *tot* ~ *van* for the benefit of; **zegenbede** blessing

zegenen bless; *God zegen de greep!* here goes!; *gezegend met aardse goederen* blessed with worldly goods; **zegening** blessing; **zegenrijk** beneficial

zege|praal victory; **-pralen** triumph (*over* over); **-rijk** victorious (army); **-tocht** triumphal march (*of:* tour); **-vieren** triumph (*over* over), come off triumphant; *zijn plichtsbesef* ~*vierde* his sence of duty prevailed (*over* over); ~*d* victorious

zeggen I *ww* say (he said to me ...); tell (he told me ...); (*betekenen*) mean; *ik zal het aan Vader* ~ I'll tell Daddy; *zeg, luister eens!* I say, just listen!; *zeg me eens!* just tell me!; *zeg, is dat niet mooi?* isn't that nice, now?; (*nou*) *zeg!* (= *och kom*) come now!; *zegge, tien gulden* (the sum of) ten guilders; *ik kan het niet* ~ I can't say; *wat zegt u?* I beg your pardon?; *wat je zegt!* you don't say (so)!; *wat zeg je daar?* what is that you're saying?; *hij zegt maar wat* he is talking through his hat; *je zégt daar wat* (*iets*) you have s.t. there; *hij wist wat hij zei* he knew what he was talking about; *zal ik je eens zeggen wat* ~? I'll tell you what; *wat ik wou* ~, ... by the way, ...; *wat heb ik je gezegd?* what did I tell you?; *ik heb gezegd* I've spoken (had my say); *en dat zegt wat* (he is richer than Rothschild), which is saying a good deal, that is saying (quite) a lot (something); *en, wat meer zegt,* ... and, what's more ...; *dat zegt nogal wat!* that's saying a good deal; *wie zal het* ~? who can tell?; *wie kan ik* ~ *dat er is?* who shall I say?; *zeg dat wél!* you may well say so; ~ *nu zelf* just think, just consider; *al zeg ik het* ~ though I say it who shouldn't; *nou je het zegt* now you (come to) mention it; *men zegt, dat hij ziek is* he is said to be ill; *men zou zo* ~ *dat* ... it would seem that ...; *ik hoef het maar te* ~ (, *dan gebeurt het*) I have only to say the word ...; *zeg het maar (ronduit)!* speak out!; *dat zegt ons niets* that tells us nothing; *dat zegt* (= *betekent*) *niets* that's nothing to go by, (*bewijst niets*) that isn't saying anything; *dat zegt niet veel* that's not saying much; *het is niet gezegd dat* ... there's no knowing if ...; *en daar is het* (*daar is alles*) *mee gezegd* and that's all (there is to say) about it, that is all there is to it, and that's that; (*en daarmee uit*) and there's an end of it; *laten we* ~ ... (let us) say ten shillings; *hij liet het zich geen tweemaal* ~ he did not need to be told twice; *hoe zal ik het* ~? how shall I put it?; *aardig gezegd* nicely put; *wat wil dat* ~? what does that mean?; *dat wil niet* ~ (*daarmee is niet gezegd*) *dat* ... that does not mean (that is not saying, that is not to say) that ...; *doe zoals je gezegd wordt* do as you're told; *dat is te* ~, *wat wil* ~ that is (to say); *jij hebt hier niets te* ~ you have nothing to say here; *ik heb er niets in te* ~ I have no say in the matter; *als ik het te* ~ *had* if I had my way; *het is* (*toch*) *wat te* ~! isn't it dreadful!; *houd dat voor gezegd* remember that, mind (you); *dat behoefte je hem geen tweemaal te* ~ he need not be told twice; *dat is niet te* ~ there is no saying; *meer dan hij kon* ~ (he loved her) past (beyond) expression; *goedenacht* ~ say good night; *het is gauwer gezegd dan gedaan* it is sooner said than done; (*of*) *beter* (*liever*) *gezegd* or rather; *om zo te* ~ so to speak (to say); *er valt niets op hem te* ~ there is nothing to be said against him; *daar is nogal wat op te* ~ a good deal might be said against it; *je hebt niets over het geld te* ~ you have no control over the money; *je hebt niets over me te* ~ I am not under your orders; *wat zou je ervan* ~ *als we ... namen?* what about another bottle?; *wat zeg je van dinsdag?* how about Tuesday?; *wat zeg je daarvan?* what do you say to that (to a game of tennis, etc)?; *er is alles voor te* ~ there is everything to be said for it; *er is weinig voor te* ~ it has little to recommend it; II *zn* saying; ~ *en doen zijn twee* saying and doing are two things, saying is one thing and doing another; *naar* (*volgens*) *uw* ~, according to what you say; *als ik het voor het* ~ *had* if I could have my (own) way; *hij heeft het voor het* ~ he runs the show; **zeggenschap** say (have a, no, say in the matter)

zeggingskracht expressiveness

zegje: *zijn* ~ *zeggen* (*doen*) say what one has to say

zegs|man informant, authority; **-wijze** (fixed, set) phrase, expression

zeiken piss, pee; (*fig*) *zie* zaniken; **zeiker(d)** bore

zeil sail; (*dekkleed*) tarpaulin; (*op boot, enz, voor schaduw*) awning; (*van kar*) tilt; (*op vloer*) oil-cloth, lino; *alle ~en bijzetten* leave no stone unturned, make every possible effort; *met volle ~en* with all sails set; *met een opgestreken* ~ in high dudgeon, with all his (her, etc) feathers ruffled up; *onder ~ gaan* get under sail, set (*of:* make) sail, sail (*naar* for, to); (*fig*) *doze* (*of:* drop) off; *onder ~ zijn,* (*fig*) be sound asleep

zeil|boot sailing boat; **-doek** canvas, sail-cloth

zeilen sail; *gaan* ~ go for a sail; **zeiler** (*pers*) yachtsman

zeil|jacht sailing-yacht; **-klaar** ready to sail; **-pet** yachting cap; **-schip** sailing-vessel; (*groot*) windjammer; **-sport** yachting; **-tocht(je)** sailing-trip; **-vereniging** yacht(ing)-club; **-wagen** sailing-car, -carriage, -wag(g)on, land-yacht; **-wedstrijd** regatta

zeis scythe

zeker I *bn* (*overtuigd*) certain, sure; (*stellig*) certain, sure (sign), positive (proof), firm (conviction); (*ongenoemd*) certain (a ... man, a ... anxiety); (*veilig*) safe, secure; *een ~e plaats* the toilet, the loo; *op ~e dag, enz* one day (afternoon, etc); *een ~e Mijnheer J.* a Mr. J.; *je bent hier je leven niet* ~ your life is not safe here; ~ *van zijn zaak* (*van zichzelf*) *zijn* be sure of o.s.; *daar kun je* ~ *van zijn* you can be sure of that; *het ~e voor het onzekere nemen* prefer the certain to the uncertain; II *bw* 1 (*met klem*) certainly, positively; *zo* ~ *als wat* (*als 2 × 2*) (I knew) as sure as eggs is eggs (as

Fate), sure enough; *hij zal* ~ *slagen* he is sure to succeed; *ik weet het* ~ I know it for certain; *weet je het* ~*? positief* ~ are you (quite) sure? I am positive; *ik weet niet* ~ *welke* I am not sure which; *ik kan het niet* ~ *zeggen* I cannot say for certain; ~*!* certainly! yes, indeed!; 2 *je hebt hem* ~ *al gezien* I daresay you have seen him by this time; *jij wilde ons* ~ *verrassen* you wanted to surprise us, didn't you?; *ik hoef* ~ *niet te zeggen* ... I need scarcely say, ...; *hij hield me* ~ *voor erg dom* he must have thought me very stupid; **zekerheid** certainty; (*veiligheid, waarborg*) security; *ik moest* ~ *hebben* I had to make sure; ~ *verschaffen* give certainty; *zich* ~ *verschaffen* make certain (*omtrent* about), satisfy o.s.; *met* ~ with certainty; *ik kan het niet met* ~ *zeggen* I cannot be certain; *voor alle* ~ to be quite on the safe side, to make assurance doubly sure; **zekerheidshalve** for safety('s sake)

zekering (*elektr*) fuse

zelden seldom, rarely; *niet* ~ not seldom; ~ *of nooit* almost never

zeldzaam I *bn* (*zelden voorkomend & ~ mooi, enz*) rare (a ... book); (*schaars*) scarce; *een natte juli is niet* ~ is not infrequent; *een ~ buitenkansje* a great stroke of luck; II *bw* exceptionally (fine, etc); ~ *goed* (she was a) rare (housekeeper); **zeldzaamheid** (*abstr*) rarity, scarcity; (*concr*) rarity, curiosity; *dat is een* ~ that is rare; *het was een* ~ *als men ... zag* it was a rare thing to see ...

zelf self; *ik* ~ I myself; *u* ~ you yourself; *mij* (*hem, haar, hun*) ~ myself (himself, herself, themselves); *ik doe alles* ~ I do everything myself; *ze kookt* ~ she does her own cooking; *iets* ~ *ontdekken* find s.t. out for oneself

zelf|bediening self-service; **-bedrog** self-deceit, self-deception; **-beheersing** self-command, -control; *zijn* ~ *behouden, ook:* keep one's nerve; *zijn* ~ *verliezen, ook:* lose control of o.s.; **-behoud** self-preservation; **-beklag** self-pity; **-beschikking(srecht)** (right of) self-determination; **-bestuur** self-government, home rule; **-bewust** self-assured, (look very) sure of o.s.; **-bewustheid, -bewustzijn** self-confidence

zelfde same

zelf|doding suicide; **-gemaakt** home-made (cake); **-ingenomenheid** self-complacency; **-kritiek** self-criticism

zelfmoord suicide

zelfmoord|commando suicide commando; **-poging** attempted suicide

zelf|onderricht self-tuition; **-ontplooiing** self--expression; **-ontspanner** delayed action shutter; **-opoffering** self-sacrifice; **-overschatting** overestimation of o.s.; **-overwinning** self-conquest; **-portret** self-portrait; **-respect** self-respect; **-rijzend**: ~ *bakmeel* self-raising flour

zelfs even; *ja* ~ indeed; ~ *niet* not even

zelfstandig independent; (*op zichzelf vertrouwend, ook*) self-reliant; (*in eigen behoeften voorziend*) self-supporting; ~ *naamwoord* noun, substantive; *kleine ~en* small tradesmen; **zelfstandigheid** (*abstr*) independence, self-reliance

zelf|studie self-study; **-verdediging** self-defence; *uit* ~ (act) in self-defence; **-verloochening** self-denial; **-vertrouwen** self-confidence; *vol* ~ self-confident, self reliant; *hij verliest zijn* ~ he is losing confidence; **-verwijt** self-reproach; **-verzekerd** self-confident; **-voldaan** (self)-complacent, -satisfied, smug; **-werkzaamheid** selfactivity, free activity

zelfzucht egosim, self-interest; **zelfzuchtig** selfish, egoistic (*bw:* -ally), self-seeking

zemelen I *ww* nag; **II** *zn mv* bran

zemen *ww* clean with wash-leather

zendeling missionary

zenden send (a p., parcel, goods), dispatch; forward, ship (goods); **zender** sender; (*radio*) transmitter; **zending** (*het zenden*) dispatch; (*het zenden & het gezondene*) shipment; (*het gezondene, ook*) batch; (*missie, roeping*) mission

zendings|post mission station, missionary establishment; **-werk** mission work

zend|installatie radio transmitter; **-ontvanger** trans(mitter-re)ceiver; **-station** (*telec*) transmitting-station; **-vergunning** transmitting-licence

zengen scorch (one's clothes), singe (one's hair)

zenig sinewy, stringy (meat)

zenuw nerve; *stalen ~en hebben* have nerves of iron (steel); *het op de ~en hebben* be in a nervous fit; *het op de ~en krijgen* get a fit of nerves; *dat werkt op mijn ~en* it gets on my nerves; **zenuwaandoening** affection of the nerves

zenuwachtig nervous; (*geagiteerd*) flustered; *het maakt me* ~ it gets on my nerves; *ze maakt zich ~ over haar kinderen* she fusses about her children; **zenuwachtigheid** nervousness

zenuw|arts neurologist; **zenuwcentrum** nerve centre; **-gestel** nervous system; **-inzinking** nervous break-down; **-lijder** nervous sufferer, neurotic; **-ontsteking** neuritis; **-oorlog** war of nerves; **-patiënt** nerve-patient; **-pees** (she is a) bundle (bag) of nerves; **-slopend** nerve-racking; **-stelsel** nerve-system; **-toeval** nervous attack, fit of nerves; **-trekking** nervous spasm (*of:* twitch); (*inz van het gezicht*) tic; **-ziek** mentally ill

zepen soap; (*voor het scheren*) lather

zerk slab (of stone); (*op graf*) tombstone

zes six

zes|achtste six eighths; ~ *maat* six-eight (time); **-daagse** six-day cycle-race

zesde sixth; *een* ~ a sixth (part); *ten* ~ sixthly

zes|maal six times; **-maandelijks** half-yearly; **-tal** six, half a dozen

zestien sixteen; **zestiende** sixteenth (part)

zestienmetergebied penalty area

zestig sixty; **zestiger** man (woman) of sixty; **zestigste** sixtieth (part); **zestigtal** (about) sixty

zet (*bij het spel, ook fig*) move; (*duw*) push, shove; *een knappe* ~, (*door politie, enz*) *ook:* a clever coup; *brutale* ~ piece of cheek; *geestige* ~ stroke of wit, sally; *gemene* ~ dirty trick; *geniale* ~ stroke of genius; *iem een ~(je) geven* give a p. a push; (*fig ook*) give a p. a leg up

zetbaas manager

zetel seat (*ook fig: raadszetel, enz*) chair; (*van bisschop: eig*) chair; (*van een maatschappij*) seat, registered office; ~ *der regering* seat of government; *een* ~ *in de raad* a seat on (in) the council

zetelen reside (*ook fig*); *maatschappij ~de te ...* company with registered office at ...

zet|fout compositor's (printer's) error, misprint; **-meel** starch; **-pil** suppository

zetten I *ww* (*plaatsen*) put, place; sew (a patch on a trouser-leg); (*diamant, enz*) set, mount (in gold); (*gebroken arm, enz*) set (a broken arm); (*val*) set (a mousetrap); (*thee, enz*) make; *jij moet* ~ it is your move; *ik kan hem niet* ~ I cannot stand (*fam:* stick) him; *de wekker* ~ set the alarm (*op ...* for, *of:* to 7); *zich aan tafel* ~ sit down to table; *zich aan de tafel* ~ sit down at the table; *het glas aan de mond* ~ put the glass to one's mouth; *zijn handtekening* ~ *onder* append one's signature to (a document); *hij zette het op een lopen* he took to his heels; *geld op een paard* ~ put money on a horse, back a horse; *de prijs* ~ *op 8 gulden* fix the price at 8 guilders; *alles erop* ~ stake everything; *op muziek* ~ set to music; ~ *tegen* put against, prop (*of:* lean) (one's bicycle) against (the wall); *zich tot iets* ~ set o.s. to do s.t.; *iem uit het land* ~ extradite a p., expel a p. from the country; **II** *zn* type-setting

zeug sow

zeulen drag, lug

zeur(der, -ster) bore; (*talmer*) slowcoach; **zeuren** (*drenzen*) whine; (*kletsen*) jaw, talk twaddle; (*talmen*) dawdle; *altijd over iets* ~ keep harping on s.t.; *hij zeurt me altijd om de oren om te ...* he badgers the life out of me to ...; **zeur|kous, -piet** bore, pain in the neck

zeven I *ww* sift; strain (soup); **II** *telw* seven; **zevende** seventh (part)

zeven|klapper jumping cracker; **-mijlslaarzen** seven-league boots

zeventien seventeen; **zeventiende** seventeenth (part)

zeventig seventy; *in de jaren* ~ in the seventies; **zeventigste** seventieth (part)

Z. Exc. H. E., His Excellency

zg. so-called

z.i. *zijns inziens* in his opinion

zich oneself, himself, herself, itself, themselves; *hij had geen geld bij* ~ he had no money about him; *elk voor* ~ each for himself (etc); *ieder voor* ~ everyone for himself (and God for us all)

zicht sight; (*op zee, enz*) visibility (... was good); *in* ~ (with)in sight (the end is in sight); *op* ~ *zenden* send on approval

zichtbaar visible; (*merkbaar*) perceptible; (*klaarblijkelijk*) manifest; *de resultaten werden* ~ the results showed themselves; ~ *aangedaan* visibly affected (moved)

zichtzending consignment on approval

zichzelf oneself, himself, herself, itself, themselves; *zij had ... aan* ~ she had the evenings to herself, the evenings were her own; *hij dacht bij* ~ ... he thought to himself ...; *hij was buiten* ~ he was beside himself; *in* ~ *praten* (*spreken*) talk to o.s. (*zo ook:* sing: whistle, laugh to o.s.); *elk geval op* ~ *beoordelen* judge each case on its own merits; *dat is op* ~ *een fout* this in itself is a mistake; *op* ~ *onschadelijk* (they are) in themselves harmless; (*erg*) *op* ~ *leven* live (very much) to o.s.; *een op* ~ *staand geval* a solitary case, an isolated instance; *dit geval staat niet op* ~ this case does not stand alone; *tot* ~ *komen* come to one's senses (one's right mind); *hij deed het uit* ~ of his own accord, of his own free will; *hij heeft geld van* ~ money of his own; *een coupé voor* ~ *hebben* have a compartment to o.s.

zieden *tr* boil (soap, salt); *intr* seethe, boil; ~ *van toorn* seethe (boil) with rage

ziehier look here

ziek (*pred*) ill, (*Am*) sick; (*attr*) sick; (*attr & pred, vooral van gestel, lichaamsdelen, bomen enz & fig van de geest, maatschappij, enz*) diseased; *zo* ~ *als een hond* as sick as a dog; ~ *worden* become ill; **ziekbed** sick-bed, bed of sickness

zieke patient, sick person; *de* ~*n* the sick; **ziekelijk** sickly, in bad health

zieken|auto ambulance; **-bezoek** visit to a sick person; **-boeg** sick-bay; **-broeder** male nurse; **-fonds** sick-fund; **-fondspremie** sick-fund premium; **-fondswet** sickness benefit act; **-geld** sickness benefit, sick pay; **-huis** hospital; **-rapport** (*mil*) sick parade; **-transport** ambulance service; **-verpleegster** (sick-)nurse; **-verpleger** male nurse; **-wagentje** invalid carriage; **-zaal** (hospital-, sick-)ward; **-zuster** (sick-)nurse

ziekte illness; (*lang en ernstig*) disease (*ook fig*); (*kwaal*) complaint; (*niet ernstige kwaal*) ailment (ladies' ...s); (*van orgaan*) disorder (of the stomach, liver, etc); (*aandoening*) affection (of the lungs); (*ongesteldheid*) indisposition; (*van planten*) disease; *wegens* ~ on account of ill-health

ziekte|beeld clinical picture, syndrome; **-geschiedenis** case history; **-kiem** disease- (*of:* pathogenic) germ; **-kostenverzekeraar** health insurance company; **-oorzaak** cause of disease; **-uitkering** sick-pay; **-verlof:** (*met*) ~

(on) sick-leave; **-verschijnsel** sy...; **-verzekering** (national) health insurance; **-wet** (national) health insurance act

ziel soul (*ook fig*), mind, spirit; (*fig ook*) life-blood; *die arme* ~ the poor soul (*of:* thing); *geen levende* ~ not a (living) soul; *God hebbe zijn* ~! God rest his soul!; *een stad van 10000* ~*en* of 10,000 souls; *hij is de* ~ *van de onderneming* the (life and) soul of the enterprise; *hoe meer* ~*en hoe meer vreugd* the more the merrier; *met z'n* ~ *onder de arm lopen* be at a loose end; *iem op zijn* ~ *geven* dress a p. down; *op zijn* ~ *krijgen* get a dressing-down; *ter* ~*e zijn* be dead and gone

ziele|piet, **-poot** pathetic creature; **-rust** peace of mind

zielig pitiful, pathetic (little man); (*verlaten*) forlorn; *wat* ~! how sad! what a pity!

ziels|bedroefd broken-hearted; **-gelukkig** intensely happy; **-ziek** diseased in mind; ~*e* mental patient; **-zorg** spiritual care

zieltje soul; (*doetje*) silly, simpleton; *een* ~ *zonder zorg* a happy-go-lucky fellow; ~*s winnen* win souls

zieltogen be dying; **zieltogend** dying, moribund

zien I *ww* see; (*bemerken*) see, notice; (*bezien*) see (over) (the house); (*kijken*) look; *ik zie niets* I cannot see anything; *hij ziet goed* (*slecht*) he has good (bad) eyes; *als ik het goed zie* if I see aright; *bleek* ~ look pale; *het was verkeerd gezien van ...* it was an error of judgment on the part of ...; *heb je ooit zo iets gezien!* did you ever see such a thing (anything like it)!; *mij niet gezien*, (*fam*) I'm not (I was not) having any; catch me!; not for me, thanks; *ik heb het wel gezien* I've had enough; *doe, alsof je het niet ziet* don't take notice; *ik kan hem niet* ~, (*uitstaan*) I hate the (very) sight of him, cannot bear the sight of him; *hij moet maar* ~ *dat hij thuis komt* he must find his own way back home; *dat mag gezien worden* that is worth looking at; *zie je?* you see? (*fam*) see?; *zie je nou wel!* (*daar heb je het al*) didn't I tell you? I told you so! there you are!; *iem niet willen* ~ cut a p. (dead); *dat zou ik wel eens willen* ~, (*nl. dat hij dat durft te doen, enz*) I should (just) like to see him try it; *ik zie je nog wel* (I'll) see you (later); *dat zie ik je al doen* I see you doing it; *men heeft het hem nooit* ~ *doen* he has never been seen doing (to do) it; *laten* ~ show; *laat je hier niet meer* ~ don't show yourself (your face) here again; *laat me eens* ~, ... let me see, ...; *we zullen wel* (*eens*) ~ we shall (we'll) see; *dat zullen we dan eens* ~, (*dreigend*) we'll see (if he won't); *dat zul je wel* ~ wait and see; *ik zie hem liever niet dan wel* I prefer his room to his company; *ik zal hem* ~ *over te halen* I'll try and persuade him; *er was niemand te* ~ there was no one to be seen; *de vlek zal niet (erg) te* ~ *komen* the stain won't show (much); *te* ~ *krijgen* catch

... face of it; *waar* ... *tell?*; *ik zie het aan* ... *ur face* (your look); *hij* ... he thought nothing of ...ers; *ik begrijp niet wat hij in die* ...*nat he sees to admire in that boy*; ...*ook at*; *uit Uw brief zie ik* ... I see ...) from your letter ...; *ik zie haar nog voor me* I can see her now; II *zn* seeing, sight, vision; *op (bij) het ~ van* ... on seeing ...; **ziende** seeing, sighted (blind or ...)

zienderogen: *hij ging ~ achteruit* he was visibly getting worse

ziener seer, prophet

ziens: *tot ~* see you again! see you (later)!

zienswijze opinion, view; *zij deelde mijn ~ niet* she was not of my way of thinking

zier: *geen ~ waard* not worth a pin; *het kan me geen ~ schelen* I don't care a fig; *ik heb geen ~ medelijden met hem* I haven't a scrap of pity for him

ziezo all right; *~, nu weet je het* so there!

ziften sift

zigeuner(in) gipsy

zigzag id

zij I (*ev*) she; (*mv*) they; II *zie* zijde 1; III *zie* zijde 2

zijaanzicht side-view

1 zij(de) side; *de ~n van een driehoek (een kubus)* the sides of a triangle (a cube); *iems ~ kiezen* take a p.'s side; *aan deze (die, de andere) ~ van* on this (that, the other) side of; *aan beide ~n* on both sides, on either side; *~ aan ~* side by side, cheek by jowl, alongside of each other; *hij stond aan mijn ~*, (*eig*) he stood at (by) my side; (*fig*) he was on my side, sided with me; *ik heb pijn in de ~* I have a pain in my side; *met beide armen in de ~* both arms akimbo; *naar alle ~n* in all directions; *zijn hoofd een beetje op ~* his head a little on (*of:* to) one side; *op ~ (daar)!* stand clear (there)!; *op ~ doen* put aside, put on (*of:* to) one side; *op ~ gaan* stand (step) aside; *geld op ~ leggen* put aside money; *op ~ springen* jump aside (clear); *op ~ zetten* swallow (one's pride); brush aside (all dogmas); *alle complimenten op ~ zetten* waive all ceremony; *ter ~* aside; *ter ener (ter anderer) ~* of the first (of the second) part; *ter ~ laten* leave on one side; *ter ~ staan* assist; *ik sta je ter ~, wat er ook gebeurt* I am behind you, whatever happens; *iem ter ~ nemen* take a p. aside; *ter ~ stellen* place on one side; *van alle ~n* (come) from all quarters, (hear s.t.) on all sides, (look at it) from all sides (all angles); *de bus werd van ter ~ aangereden* the bus was caught broadside on; *iets van ter ~ horen* hear s.t. by a side-wind; *iem van ter ~ aankijken* look at a p. out of the corner (the tail) of one's eye, have a side-look (side-glance) at a p.; *ik, van mijn ~* I, for one; *van de ~ der regering* on the part of the government; *van Duitse ~ is toegestemd* ... the Germans have agreed ...;

van zekere ~ in certain quarters (it has been stated ...); *van moeders ~* on the mother's side

2 zij(de) silk

zijdeachtig silky; **zijdehandel** silk-trade

zijdelings I *bw* sideways (sit ...), sidelong; II *bn* sidelong (look, movement); indirect (influence, invitation); *een ~e toespeling maken op* make an oblique reference to

zijden silk (hat); (*fig*) silken (curls, bonds); *~ stoffen* silks

zijderups silk-worm

zij|deur side-door (*ook fig:* introduce Protection by a ...); *af door de ~* (*fig*) exit in confusion; **-galerij** side-gallery; **-gang** side-passage; (*van mijn*) lateral gallery; (*van trein*) corridor; **-gevel** side-façade; **-gezicht** side-view

zijig silky (*ook fig*)

zij|ingang side-entrance; **-kanaal** branch-canal; side-channel; **-kant** side; **-leuning** railing; (*van stoel*) arm-rest; **-licht** side-light; **-lijn** (*van spoorw*) branch-, side-line; (*voetbal*) touch-line; *zie ook* zijlinie; **-linie** collateral line; **-loge** side-box; **-muur** side-wall

zijn I *ww* (*zelfst ww & koppelww*) be; (*hulpww van tijd*) have; (*hulpww van lijd vorm*) have been; ... *zij het dat hij* ... albeit that he ...; *ik ben er*, (*weet het*) I have it; *de dokter zal er dadelijk ~* will be round immediately; (*is er ook*) *iem geweest?* (has) anybody been?; *hij is uit Canada* from C.; *ik ben naar Parijs geweest* I've been to Paris; *hij is (zij zijn) advocaat* he is a lawyer (they are lawyers); *jongens ~ jongens* boys will be boys; *waar zijn we?* (*in boek, enz*) where are we?; *hoe is het met je?* how are you?; *is hij gekomen? ja, hij is er* has he come? yes, he has (he is here); *het is niet te doen* it is not to be done; *dat is gemakkelijk te begrijpen* it is easy to understand; *5 van de 12 is 7* 5 from 12 leaves 7; *2 × 2 is 4* twice 2 is 4; II *vnw* his, its; one's; *men moest ~ plicht doen* one should do one's duty

zijne: *de (het) ~e* his; *elk het ~e* every one his due

zijnerzijds on his part

zij|pad side-, by-path; **-raam** side-window; **-rivier** tributary (stream, river); **-span(wagen)** side-car; *motorfiets met ~* motor-cycle combination, motor-cycle and side-car; **-spoor** siding; *op een ~ brengen (zetten)* sidetrack; **-sprong** side-leap; **-straat** side-, by-street; **-tak** side-branch; (*van rivier, spoorweg, gebergte, enz*) branch; **-vleugel** side-wing; **-waarts** *bw* sideways, sideward(s); *zie* zijdelings; *bn* sideward, lateral; *een ~e beweging maken*, (*van auto, enz*) swerve; **-weg** side (by-, cross-)road; **-wind** side-wind

zilt saltish, salty; *~e tranen* (weep) salt (*of:* briny) tears; *het ~e nat* the briny ocean, the salt water; **ziltheid** saltiness

zilver silver; (*zilveren voorwerpen*) silver (polish the ...); (*ongemunt*) bullion; **zilverachtig** silvery (*ook fig:* a ... laugh), argentine

zilver|brokaat silver-brocade; **-draad** (*van zilver*) silver wire; (*met* ~ *omwonden*) silver thread

zilveren silver; ~ *bruiloft* silver wedding; ~ *haren* (*stem, lach*) silver(y) hair (voice, laugh)

zilver|erts silver-ore; **-gehalte** percentage of silver, silver-content; **-geld** silver money; **-grijs** silvery grey; **-houdend** containing silver; **-kleurig** silver-coloured; **-ling** (*bijb*) piece of silver; **-mijn** silver-mine; **-papier** silver-paper, tinfoil; **-rijk** rich in silver; **-smid** silver-smith; **-stuk** silver coin; **-vloot** silver-, treasure-, plate-fleet; **-vos** silver-fox; **-werk** silverware

zin (*zielsvermogen, verstand*) sense; (*betekenis*) sense, meaning; (*lust*) mind, desire, appetite; (*volzin*) sentence; *de vijf* ~*nen* the five senses; *zin voor humor* (*het schone, het schilderachtige*) (have a) sense of humour (beauty, *of:* the beautiful, the picturesque); *zijn eigen* ~ *doen* have one's own way; *iems* ~ *doen* do as a p. wishes; *iem zijn* ~ *geven* let a p. have his way; ~ *of geen* ~ willy-nilly, whether you like it or not; *deze woorden hebben geen* ~ these words make no sense; *wat voor* ~ *heeft het?* what is the sense (use) of it?; *ze zag niet in wat voor* ~ *het had* she saw no point in it; *hij wil in alles zijn* ~ *hebben* he wants to have it all his own way; *heb je nu je* ~*?* are you satisfied now?; ~ (*veel* ~, *wel* ~, *geen* ~) *hebben om te* ... have a mind (a great mind, half a mind, no mind) to ...; *als je* ~ *hebt te wachten* if you care to wait; *ik heb niet veel* ~ *om te gaan* I don't much want to go; *zie verder lust & trek; zijn* ~*nen bij elkaar houden* keep one's head; *zijn* ~ *krijgen* have one's way; *hij had er zijn* ~*nen op gezet* he had set his mind on it; *ik heb hem* **in** *die* ~ *geschreven* (*gewaarschuwd*) I've written to him (warned him) to that effect; *in eigenlijke* ~ in its literal (proper) sense; *in engere* ~ in a more restricted sense; *in figuurlijke* ~ in a figurative sense; *in die* ~ *dat* ... in the sense that ...; *in zekere* ~ in a way; *hij heeft niets goeds in de* ~ he is up to no good; *geen kwaad in de* ~ *hebben* intend (mean) no harm; *het kwam mij in de* ~ *dat* ... it occurred to me that ...; *het iem* **naar** *de* ~ *maken* please a p.; *men kan het niet alle mensen naar de* ~ *maken* you cannot please everybody; *dat is naar mijn* ~ that is to my liking (he's got too many ideas for my liking); *te duur naar mijn* ~ too expensive for my taste; **tegen** *mijn* ~ against my will; *hij is* **van** *zijn* ~ *beroofd* he is bereft of his senses; *één van* ~ *zijn* be of one mind; *zij handelden één van* ~ they acted with one mind and one spirit; *van* ~*s zijn* intend

zindelijk clean (*ook van hond*), neat, tidy; (*van kind*) (potty-)trained; (*van dier*) housetrained; **zindelijkheid** cleanness, tidiness, cleanliness

zingen sing

zink zinc; **zinkachtig** zinky

zinken I *bn* zinc; **II** *ww* sink (*ook van a...* enz*), go down; ~*d schip* (the rats are leaving the) sinking ship; *laten* ~ sink scuttle (ships); *diep* ~, (*fig*) sink low; **zinker** *a*) underwater main; *b*) (*van net*) sinker

zink|erts zinc-ore; **-put** cesspool, cesspit, settling-tank; **-stuk** (*waterbouw*) mattress, willow matting; **-sulfaat** zinc-sulphate; **-sulfide** zinc-sulfide; **-zalf** zinc-ointment

zin|ledig, -loos meaningless, senseless; *een zinloze moord* a pointless murder

zinnebeeld emblem, symbol; *het* ~ *zijn van, ook:* be symbolic(al) of (peace, etc); **zinnebeeldig** emblematic(al), symbolic(al)

zinnelijk 1 of the senses, of sense; ~ *waarneembaar* perceptible by the senses; **2** (*de zinnen strelend; zingenot beminnend*) sensual (pleasures, persons), carnal (appetites); **zinnelijkheid** sensuality, sensualism

zinnen (*peinzen*) ponder, muse, meditate, ~ *op* ponder, etc on; *op wraak* ~ brood on revenge; (*aanstaan, bevallen*) *het zint mij niet* I don't like (fancy) it; **zinnenprikkelend** titillating

zinnespel morality (play)

zinnig sane; sensible (proposal *voorstel*)

zinrijk full of sense (of meaning), significant

zins|bedrog, -begoocheling illusion, delusion, hallucination

zins|bouw sentence structure; **-deel** part of a sentence

zinsnede passage, clause

zinsontleding sentence analysis

zinspelen allude (to), hint (at); **zinspeling** allusion (*op* to), hint (*op* at), reference (*op* to)

zins|verband (*samenhang*) context; **-wending** turn (of speech, of phrase, of a sentence)

zintuig organ of sense, sense-organ, organ (of sight, etc); *de vijf* ~*en* the five senses; **zintuiglijk:** ~*e waarneming* sense (*of:* sensory) perception

zinverwant synonymous; ~ *woord, ook:* synonym

zinvol significant, meaningful

zionisme Zionism; **zionist(isch)** Zionist

zit: *die ruiter heeft een goede* ~ has a good seat; *hij heeft geen* ~ *in het lijf* he is a fidget, is fidgety, cannot sit still; *een hele* ~ a long journey, (from 7 to 12 is) a long time

zit|bad hip-bath; **-bank** bench, seat; (*soort canapé*) settee; **-hoek** sitting area

zitje *a*) table and chairs; *b*) seat; *een aardig* ~ a snug corner, a cosy nook; *op fiets* child's seat

zit|kamer sitting-, living-room; **-kuil** sunk sitting area; **-kussen** seat cushion; **-plaats** seat; *de bioscoop heeft 500* ~*en* the cinema seats (has seating-accommodation for) 500 people; **-slaapkamer** bed-sitting room, (*fam*) bedsitter

zitten sit; (*van vogel*) be perched (perch) (on a branch); (*kledingstuk*) fit (the coat ...s well); *de wind zit in het Noorden* is in the north; *de kip zit te broeden* the hen is sitting; *hoe zit dat?*

...e this, it's this
...e (in the eye) for
...s a question; that re-
..., heeft drie jaar gezeten his
... years; *de boom zit vol vruch-*
...*ruit; waar zit je toch?* where are
..., *de jas zit goed (slecht)* the coat is a
...oad) fit; *dat zit wel goed* that will be all
...it; *ik zie dat niet* ~ I don't see it coming off
(getting done, etc); *de stoel zit lekker* it's a
comfortable chair; *daar zit 'm de moeilijkheid*
there's the rub; *gaan* ~ sit down, take a seat,
sit down; *ze ging rechtop in bed* ~ she sat
upright in bed; *het meeste geld gaat* ~ *in boeken* most of the money goes in books; *ga* ~! sit
down!; *gaat u* ~ take a seat, won't you sit
down?; *gaan* ~ *ontbijten* sit down to breakfast; *altijd thuis* ~ be always at home, be a
(sad) stay-at-home; *blijven* ~ remain seated,
keep one's seat; (*op school*) stay down, fail to
pass; *in de sneeuw blijven* ~ stick in the snow;
de kogel bleef in zijn schouder ~ the bullet
lodged in his shoulder; *wij kunnen helemaal
tot A. blijven* ~ we can keep our seats all the
way to A.; *hij bleef maar* ~ he sat on and on;
haar haar wou niet blijven ~ would not stay in
place; *het verband bleef niet* ~ the bandage did
not hold; ~ *te lezen* sit (be) reading; *een meisje
laten* ~ jilt a girl; *zijn vrouw laten* ~ desert
one's wife; *laat maar* ~! (*tegen kelner*) keep
the change; *hij heeft het lelijk laten* ~ he has
not come too well out of it; *aan tafel* ~ be at
table; *hij zit overal aan* he touches everything,
cannot let (leave) anything alone; *wie heeft
aan dat slot gezetten?* who has been tamper-
ing with that lock?; *dat zit er niet aan* I can't
afford it; ... *dat hij erachter zit* I'm sure he has
something to do with it; *daar zit wat achter*
there is more to it than that, (*een verborgen
moeilijkheid, enz*) there must be a catch in it;
daar zit meer achter there is more in it than
appears; *bij iem* ~ sit by a p.('s side); *kom bij
ons (gezelschap)* ~ join us; *er zit niets (niet
veel) bij (hem)* he has nothing in him (there is
not much to him); *hij liet het er niet bij* ~ he
did not take it lying down; *hij heeft het er lelijk
bij laten* ~ he has made a poor job of it; *het zit
in de familie* it runs (it is) in the family; *wij* ~
weer in de winter another winter is upon us; *de
sleutel zit in het slot* is in the lock; *in de raad* ~
sit (be) on the (town-)council; *in de commissie*
~ be (sit, serve) on the committee; *in de gevangenis* ~ be in prison; *daar zit wel wat in* there is
some reason in that, there is something in it;
daarin zit het onrechtvaardige ervan that's
where the injustice of it creeps in; *het zit erin
dat het lukt* there's every chance of success; *hij
deed al zijn best om te winnen, maar het zat er
niet in* ... but he could not make it; *goed in de
kleren* ~ be well off (well set up) for clothes;
dat zit niet in hem it is not in him; *ik zit ermee* I
am at a loss (I do not know) what to do about

it; *waar ik mee zit* ... what bothers me ...; *ik
bleef met die artikelen* ~ these articles were
left on my hands; *zij bleef met vier kinderen* ~
she was left with four children; *kom naast mij*
~ sit beside me; *om het vuur* ~ sit (be seated)
round the fire; *onder de modder* ~ be covered
with mud; *er zit niets anders op* there is no alternative, there is nothing else for it; *dat zit
erop* that's that, that job is jobbed; *dat kan ik
niet op me laten* ~ I cannot sit down under
(put up with) it; *er zit een vlek op je jas* there is
a stain on your coat; *hoog te paard* ~ ride the
high horse; *het zit me tot hier* I'm fed up with
it

zittenblijver pupil who stays in a class for an
extra year

zittend sitting, seated; ~ *leven* sedentary life

zitting (*vergadering*) session; (*van stoel*) seat,
bottom; *stoel met leren* ~ leather-seated chair;
gemeenschappelijke ~ joint session (of both
Houses); ~ *hebben voor 4 jaar* hold office for 4
years; *4 maal per jaar* ~ *houden* hold four ses-
sions every year

zitvlak bottom, seat

Z. K. H. H. R. H., His Royal Highness

Z. M. *Zijne Majesteit* H. M., His Majesty

zo I *bw* so, like this, in this way, like that, thus;
(*aanstonds*) presently, directly, (I shall be
ready) in a minute; (*zoëven*) just now, (I've)
just (arrived); *melk* ~ *van de koe* fresh from
the cow; *een uur of* ~ *later* an hour or so afterwards; ~, *heeft hij je gezien?* he saw you, did
he?; ~, *is dat de naam?* oh, that's the name, is
it?; *hij is overgegaan;* ~? he has gone up a
class; indeed? has he?; ~, *en wat zei hij?* well,
and what did he say?; ~, *dat is genoeg* well,
that will do; *het was maar* ~ ~ it was but so-so;
Mijnheer ~ *en* ~ Mr. So and So; *de zaak zit zó*
it's like this; *zó ben ik het te weten gekomen*
that's how I know; *dat doe je zó* this is how it
is done; *zó is het goed* that's right; *ik wist niet
dat het zó slecht was* I did not know it was as
bad as (all) that; *dat is nog niet* ~ *slecht* that is
not too bad!; *het is treurig, maar het is* ~ it is
sad, but it is so; *maar het is (was) nu eenmaal* ~
but there it is (was); *hij is nu eenmaal* ~ he is
that sort; he is made like that; *is dat* ~? is that
so?; *het is* ~ it is so; *ja, dat is* ~ that's right; *is
het weer* ~? are you (is he, etc) at it again?; *als
dat* ~ *is* if so, if that is true; *het is (ook maar)
beter* ~ it is better as it is (better so); ~ *ziek als
hij is,* wil hij toch gaan ill as he is, he wants to
go; ~ *ben ik niet* I'm not like that, I'm not that
sort; *zó ver wil ik gaan* so (*fam:* that) far I will
go; *ik verlang (toch)* ~ ... I (do) so long to see
you; *ik heb er toch* ~ *het land aan!* I do so hate
it!; *zó kan het niet blijven* things cannot go on
like this; *zó heb ik de zaak nooit bekeken* I
never looked at the matter in that light; *zó
gaat het altijd* that is always the way; *zó gaat
het in het leven* such is life; *zó gaat het niet* that
won't do; *ik heb hem nog nooit zó gezien* I

never saw him like that; *zó zie je hem, en zó is hij weg* now you see him, now you don't; ~ *een* such a one; *net ~ een* just such another; ~ *iemand* such a one (man, woman); ~ *iets* something (anything) like it; ~ *iets heb ik nooit gezien* I never saw such a thing (the like, anything like it); ~ *iets dwaas* something equally foolish; *het kost ~ iets van £ 50* it costs something like £ 50; *hij zei me ~ iets* he told me as much; *daar zeg je ~ iets* now you're talking; *het is ~ ongeveer tijd* it is just about time; *ik dácht ~ ...* I kind of thought ...; ~ *maar (hij wordt ~ maar kwaad) ...* apropos of nothing; (~ *maar ontslaan*) ... without more ado; (I can't say) straight off; (why do you ask?) no reason, just for the sake of asking; *hij schreef het maar ~ op* he wrote it down off-hand; ~ *maar uit de fles drinken* drink straight out of the bottle; *dat zeg je maar ~* I am sure you don't mean it; *hij doet maar ~* he is only pretending (shaming); *ik was ~ gelukkig ...* I was fortunate enough to catch the early train; ~ *rijk als ...* as rich as ...; *niet ~ rijk* not so (*of:* as) rich as; *het is niet ~ eenvoudig* it is not so simple as all that; *zó lang* so long, (*fam*) that long; *half ~ groot* half the size; ~ *goed ik kan* as well as I can; *ó ~ zachtjes* (go) ever so gently; II *vw (vergelijkend)* as; (*voorwaardelijk*) if; ~ *ja* if so; ~ *neen (niet)* if not; ~ *hij het al merkte, ...* if he noticed it, he said nothing; ~ *hij komt, zal ik ..., ~ niet ...* if he comes I'll tell him, if not ...; ~ *nodig* if necessary

zoals as (he died ... he lived), such as (all kinds of products, such as ...), like; *er is niemand ~ zij* there is nobody like her; *doe ~ ik* do as I do, do like me; *het is schande ~ hij drinkt* it is a shame the way he drinks

zodanig I *bn* such; *als ~* (treat a p.) as such, in that capacity; *de instelling als ~* the institution in itself; II *bw* so, in such a way; *hij gedraagt zich ~, dat hij zich belachelijk maakt* he behaves so (in such a way) as to make himself ridiculous

zodat so that

zode sod, turf; *dat zet ~n aan de dijk* that's some use; *dat zet geen ...* that gets you nowhere

zodoende thus, in that way (manner); (*bijgevolg*) so, consequently

zodra as soon as; ~ *hij verscheen ..., ook:* the moment (the instant, *fam:* directly) he appeared ...; *niet ~ had hij ..., of ...* no sooner had he ... than ..., hardly (scarcely) had he ... when ...

zoek: *het is ~* it has been mislaid, it is nowhere to be found; *hij was ~* he was missing; *op ~ naar* (go) in search of (work); *zie ook ~raken, enz;* **zoekbrengen:** *de tijd ~* kill time

zoeken I *ww tr* look for (a book, person, wife), look up (a word), look out for (work, a new clerk), grope (fumble) for (s.t. in one's pocket); seek (rest, consolation, refuge, help,

work); (*trachten*) seek, try (*te* to); *hij wist niet waar hij het ~ moest,* (*van pijn bijv*) he did not know where to turn; *de politie zoekt hem* he is wanted by the police; *hij wordt gezocht (wegens moord*) he is wanted (for murder); *ik wou je juist gaan ~* I was just coming to find you; *dat had ik niet achter hem gezocht* I should not have thought him capable of it; *hij zoekt overal wat achter* he is very suspicious; *je kunt lang ~ vóór ...* you will have to go a long way before you find a finer song; *hulp ~ bij* seek help from; *de reden is niet ver te ~* the reason is not far to seek; II *intr* look (everywhere), seek; *zoek! (tegen hond*) seek! find him (her, it)!; ~ *naar* look for; *naar zijn woorden ~* seek (search) for words; *hij zocht naar zijn sleutel* he felt for his key; III *zn* search (*naar ...* for work), quest (*naar ...* of truth and beauty);

zoeker (*fot*) (view-)finder

zoeklicht search-, spot-light

zoekraken get mislaid, get lost

zoel mild

zoemen buzz, hum, drone, zoom; **zoemer** (*telefoon*) buzzer

zoen kiss; **zoenen** kiss

zoenoffer (expiatory) sacrifice; peace-offer

zoet sweet (*ook fig:* sweet tones, etc), (*van kind*) good; ~ *water* fresh water; *een ~ winstje* a rake-off; ~*e woordjes* honeyed words, sweet stuff; *hij is erg ~ geweest* he has been as good as gold; *daar ben je wel een hele middag ~ mee* you've got an afternoon's work cut out for you; ~ *houden* keep (children, etc) quiet; *het is alleen maar om de mensen ~ te houden* it's only to keep them sweet; ~ *maken* sweeten; **zoetekauw** sweet-toothed person, sweet-thooth

zoeten sweeten; **zoetheid** sweetness

zoethoudertje sop

zoetig sweetish; **zoetigheid** sweets

zoetjes softly, gently; *het was ~ aan tijd* it was about time

zoet|middel sweetener; **-sappig** goody-goody, sugary (novels), mealy-mouthed, milk-and-water (Christians); **-stof** sweetener; **-watervis** freshwater fish; **-zuur** *bn* sour-sweet, sweet(ish)-sour(ish); *zn* (sour and) sweet pickles

zoeven (*bijv van auto*) hum; swish (past *voorbij*)

zoëven just now, a moment ago, ~ *nog* only a moment ago, just now

zog (mother's) milk; *in iems ~ varen* follow in a p.'s wake

zogeheten so-called

zogen suckle, nurse, breast-feed (a child)

zogenaamd I *bn* so-called; (*voorgewend*) so-called, would-be (friends), self-styled (a ... officer), alleged (... statement, the ... Miss L.); II *bw:* ~ *om te* ostensibly (supposedly) to (help me); ~ *eerlijke mensen* supposedly honest people; *hij was ~ aan het werk* he was supposed to be at work; *... die hij ~ vertegenwoor-*

digde the party which he purported to represent

zogezegd: *het werk is ~ klaar* … is all but (as good as) finished

zojuist *zie* zoëven

zolang so long as, as long as, while; *~ ik me kan herinneren* ever since I can remember

zolder loft (*op* … in the loft), garret, attic; (*zoldering*) ceiling; **zoldering** ceiling

zolder|kamer(tje) garret, attic (room); **-luik** trapdoor; **-trap** attic-stairs; **-verdieping** attic-floor, top storey

zomer summer; *in de ~, des ~s* in summer; *van de ~:* a) this summer; b) last summer; c) next summer

zomer|avond summer-evening; **-dag** summer('s) day; **-dienst** summer-service; (*dienstregeling*) summer timetable

zomeren: *het begint te ~* it is getting summer(y)

zomer|huisje summer-house; **-kleding** summer-clothing, -clothes; **-pak** summer-suit

zomers summery (a … October), summer-like; *op zijn ~ gekleed zijn* wear summer-clothes

zomer|seizoen summer-time; **-sproeten** freckles; **-tijd** summer-time; **-vakantie** summer-holidays

zo'n such a (fellow); such (impudence); (a wife) like that; *~ 20 jaar* some 20 years

zon sun; *hij kan de ~ in het water zien schijnen* he is a dog in the manger; *door de ~ gebruind* sun-tanned; *in de ~* (stand, sit, etc) in the sun; *een plaats(je) in de ~,* (*ook fig*) a place in the sun; *tegen de ~ in* counter-sunwise, against the sun; **zonaanbidder** sun-worshipper

zondaar sinner

zondag Sunday; *des ~s* on Sundays; *op een ~* one Sunday

zondag|avond, **-middag**, **-morgen**, **-nacht** Sunday-evening, -afternoon, -morning, -night

zondags Sunday; *zijn ~e pak* his Sunday suit

zondags|jager would-be (*of:* casual) sportsman; **-kind** Sunday child; **-rijder** week-end motorist; **-schilder** amateur painter

zonde sin; *het is ~* it's a pity; *het zou ~ zijn* … it would be a sin to miss it (a waste not to use it); *ik vind het ~ van het geld* I begrudge the money; *een ~ begaan* (commit) a sin; **zondebok** scapegoat, (*fig ook*) whipping-boy

zondenregister register (*of:* budget) of sins

zonder without (*~ hoed* without a hat; *~ geld* without money); *~ u was ik niet geslaagd* but for you I should not have succeeded; *ik gaf het hem, ~ dat zij het zag* w her seeing it; *~ dat er iets gebeurt* without anything happening; *~ dat hij het weet* without his knowledge; *ze zit helemaal ~ thee* she's run right out of tea; *~ doen* dispense with, do without

zonderling I *bn* singular, queer, peculiar, odd; **II** *zn* eccentric (person), original, freak, (*sl*) queer customer, odd fish

zondig sinful; **zondigen** sin (*tegen* against), offend (against good taste)

zondvloed deluge (*ook fig*); *de ~* the Deluge, the Flood

zone id, belt; (*van tram, bus*) (fare-)stage

zonet just now; *zie ook* zoëven

zonlicht sunlight; *in het volle ~* in the full glare of the sun

zonne- sun

zonne|bad sun-bath; *~en, ook:* sun-bathing; **-bloem** sun-flower; **-brand** sun-glare; **-brandolie** sunburn lotion; **-bril** sun-glasses; **-cel** solar cell; **--energie** solar energy; **-god** sun-god; **-hoed** sun hat; **-jurk** sun-frock; **-klaar** (as) clear as daylight, abundantly clear; *~ bewijzen* prove up to the hilt; **-klep** sunshade, eye- shade; (*van auto*) visor

zonnen sun; *zich ~* sun (o.s.)

zonne|scherm sunshade, parasol; (*voor venster*) sun-blind; (*inz voor winkel*) awning; **-schijn** sunshine; **-steek** sun-stroke; **-stelsel** solar system; **-straal** sun-beam, (*fig ook*) ray of sunshine

zonnetje sun; *zij is een ~ in huis* she is a sunbeam in the house; *iem in het ~ zetten* poke fun at (chaff, gammon) a p.

zonnewijzer sun-dial

zonnig (*ook fig*) sunny, sunshiny

zons|ondergang sunset, sundown; **-opgang** sunrise; **-verduistering** solar eclipse

zoogdier mammal

zooi lot, heap; *de hele ~* the (whole) lot (of them), (*personen ook*) the whole gang; *het is me een ~!* they are a nice set!; *stuur de hele ~ naar huis!* sack the (whole) lot!

zool sole

zoölogie zoology; **zoölogisch** zoological; **zoöloog** zoologist

zoom (*van kleed, enz*) hem; (*rand*) edge, border; outskirts (of a town), fringe (the northern … of London); *aan de ~ van* … on the outskirts of …

zoomlens id

zoon son

zootje (small) lot; *het zijn een ~ schurken* they are a set of rogues

zopas just now

zorg (*aandacht, zorgzaamheid*) care; (*bezorgdheid*) solicitude, anxiety, concern; (*ongerustheid*) trouble, worry (financial worries); *~ voor* care of (the horses, patients, the skin); *~en hebben* be worried; *geen ~en hebben* have no worries; *heb maar geen ~* don't worry; *heb daar maar geen ~ over* don't worry about that; *mij een ~! het zal mij een ~ zijn!* a fat lot I care!; *dat is van later ~* we'll cross that bridge when we come to it; *een voortdurende ~ voor* … (he was) a constant source of anxiety to his parents; *~ baren* give cause for concern, cause anxiety; *~ dragen voor* take care of, look after, attend (see) to; *maak je geen ~en over mij* don't worry about me; (*veel*) *~ besteden* *aan* give special attention to, take (a good deal of) trouble over (one's hair); *een leven vol ~en* a life full of anxiety; *vrij van ~en* carefree; *met ~* carefully; *louter uit ~ voor haar* out of pure solicitude for her; *zonder ~* careless(ly); **zorgelijk** precarious, critical (condition); *een ~ leven* a worried life, *iets ~ inzien* view s.t. with concern; **zorgeloos** careless, light-hearted, unconcerned; (*vrij van zorgen*) carefree

zorgen care; *~ voor* take care of, look after (a child, one's teeth), provide for (one's family), see to (everything); (*verschaffen*) provide, supply (... the music); (*van huishoudster, enz, fam*) do for; *voor de oude dag ~* provide (make provision) for one's old age, lay by something for the future; *voor het eten ~* see to the dinner; *daar zal ik voor ~* I'll see to that; *wij ~ voor het overige* we do the rest; *ik zal ervoor ~ dat het gedaan wordt* I'll see it done; *zorg ervoor, dat het niet weer gebeurt* don't let it happen again; *daar zorgt ... wel voor* the police see to that; *je moet ervoor ~ dat ik ... krijg* you must provide a seat for me; *voor zichzelf ~* fend (provide, shift) for o.s.; *zij kan wel voor zichzelf~* she is able to look after herself
zorgenkind problem child; (*fig*) (constant) source of anxiety (care)
zorgvuldig careful
zorgwekkend alarming, critical
zorgzaam careful (mother), considerate (husband)
zot *bn* foolish, silly; *zie gek*; *zn* fool; **zotheid** folly
zottenpraat (stuff and) nonsense, foolish (silly) talk
zotternij folly, tomfoolery
zout I *zn* salt; *ze verdient het ~ in de pap niet* she cannot earn her keep; she earns next to nothing; *in het ~ leggen* salt; **II** *bn* salt, saltish, briny; *~e pinda's* salted peanuts; **zoutarm** low-salt (diet)
zouteloos saltless; (*fig ook*) insipid, pointless, unfunny (jokes)
zouten salt (down)
zout|gehalte salinity, saline content, salt content; **-houdend** saliferous
zoutig saltish, salty
zoutje salty biscuit
zout|korrel grain of salt; **-laag** salt- (*of*: saline) stratum
zoutloos salt-free (diet)
zout|oplossing salt (*of*: saline) solution; brine; **-pilaar** pillar of salt; **-smaak** salty taste; **-strooier** salt-sprinkler; **-vaatje** salt-cellar; **-water** salt water; **-watervis** salt-water fish; **-winning** salt-making; **-zak** salt-bag; (*fig*) milksop; *hij zakte als een ~ in elkaar* he crumpled up; *als een ~ in zijn stoel zitten* sit limply in one's chair; **-zuur** hydrochloric acid
zoveel so (as) much, *mv*: so (as) many; *~ mogelijk* as much (*mv*: many) as possible; *~ je*

wilt (laugh) all you like; *1900 en zóveel* 1900 odd, 1900 and something; *de trein van 5 uur zóveel* the five something train; *zóveel wat ... betreft, en nu de ...* so much for theory, now for practice; *~ te meer (beter, erger)* so much (*of*: all) the more (better, worse); *zóveel is zeker* that much is certain; *heeft het zóveel gekost?* dit it cost all that?; *ik geef er niet ~ om* I do not care so much about it; *ik houd toch ~ (zóveel) van je!* I do so love you!; *zij is ~ als zijn secretaresse* she is his secretary or something; (*voor*) *~ ik weet, zie* zover; **zoveelste**: *voor de ~ maal* for the hundredth (the thousand and first, the nth, *sl*: the umpteenth) time
zover so far, thus far; *~ het oog reikt* as far as the eye can reach; *~ terug als 1850* as far back as ...; *zóver gaat mijn kennis van ... niet* my knowledge of that language does not run to that; *zóver wil ik niet gaan* I won't go so (as) far as that; *herinner mij eraan als het zóver is* remind me when you (they) have got so far; *zóver zijn we nog niet* we haven't come to that; *als het ~ is* (of this we shall speak) in due (at the proper) time; *zóver is het nog niet gekomen* matters have not gone so far as that yet; *is het dan werkelijk ~ gekomen;* has it really come to this?; *je had het nooit ~ moeten laten komen* you ought never to have let it get as far as that; *hij was anders dan zij in ~(re) dat hij ...* he was unlike her in that he was afraid of his father; *tot ~* so far; *tot ~ is het me gelukt* so far I have succeeded; *tot ~ is (was) alles in orde* so far so good; (*voor*) *~ als* far as, (in) so far as; *voor ~ mogelijk* as far as possible; *voor ~ ik weet, ook:* (he has not an enemy) to my knowledge; *niet voor ~ ik weet* not to my knowledge, not that I know of
zowaar actually, really
zowat about; *~ niemand* hardly anybody; *~ van alles* all sorts of things, pretty nearly everything; *~ niets* next to nothing; *~ even oud als ...* pretty much (much about) as old as ...; *de brief was ~ van deze inhoud* much to this effect; *ik verwachtte het wel ~* I sort of expected it; *hij heeft hem ~ doodgeslagen* he all but killed him
zowel *~ als* as well as, both ... and; *hij had het ~ verwacht als gehoopt* he had both expected and hoped for it
zoz P. T. O., please turn over
zozeer so much, (the business had grown) to such an extent (that ...), to such a degree (that ...); *niet ~ ... als wel ...* not so much respected as feared; *het ontbreekt hem ~ aan moed* he does so lack courage
zucht sigh; (*begeerte*) desire (*naar* of, for), craving (for drink, excitement), appetite (for knowledge and power), thirst (of glory), love (of ease, contradiction); *~ naar zelfbehoud* instinct of self-preservation; *~ naar gewin* lust of gain; **zuchten** sigh; *~ onder ...* groan under

heavy taxation; ~ over sigh over; *ze zuchtte van verlichting* she drew a breath of relief; **zuchtje** (little) sigh, half-sigh; (*wind*) sigh, light breeze; *er is geen* ~ there is not a breath of wind

zuid south; *vgl* noord; **zuidelijk** *bn* southern; southerly (wind); *bw* southward(s); ~ *van* (to the) south of; **zuiden** south; *naar het* ~ to-(wards) the south; *ten* ~ *van* (to the) south of; *uit het* ~ from the south; **zuider** southern

zuider|breedte south(ern) latitude; *2° ZB.* Lat 2 South; **-halfrond** southern hemisphere

zuiderling southerner

Zuid-Europa South(ern) Europe

zuid|kant south-side; **-kust** south-coast; **-oost** south-east; **-oostelijk** *bn* south-east(erly), south-eastern; *bw* south-east(ward); **-oosten** south-east; **-oostenwind** south-east(erly) wind; **-pool** south pole; *in sam:* antarctic

zuidpool|expeditie antarctic expedition; **-gebied** antarctic regions

zuid|punt south(ern) point; **-vruchten** semitropical (subtropical) fruit; **-waarts** *bw* southward(s); *bn* southward; **-west(en)** south-west; **-wester** (*wind*) south-wester; (*hoed*) sou'wester

Zuidzee South Sea; *Stille* ~ Pacific (Ocean)

zuid|zij(de) south-side; **-zuidoost** south-south-east

zuigeling baby, infant

zuigelingen|sterfte infant mortality; **-zorg** care of infants, infant welfare

zuigen suck; *op zijn duim* ~ suck one's thumb; **zuiger** (*pers*) sucker; (*van pomp, enz*) piston

zuiger|klep piston-valve; **-stang** piston-rod

zuigfles feeding-bottle

zuiging sucking; (*van stroom, lucht, enz*) suction

zuig|kracht suction power; (*fig*) attraction; **-nap(je)** sucker, (*aan poot van vlieg, enz*) suction-pad

zuil pillar, column (Doric, Ionic, Corinthian ...)

zuilen|galerij, **-gang** colonnade, arcade; **-rij** colonnade

zuinig economical (live ...ly), saving, thrifty; (*schraal*) sparing, frugal; ~*e huishoudster* economical housekeeper; ~ *zijn* (*omgaan*) *met* be economical of (with) (one's money, time); be careful with (one's money); be chary (sparing) of (praise, words), be sparing with (the electric light); ~ *zijn op* be careful of (one's suit); ~ *in het onderhoud* (*gebruik*) economical in upkeep; ~ *kijken* look glum, look blue; *en niet* ~*!* (I gave it him) with a vengeance; **zuinigheid** economy, thrift(iness); *verkeerde* ~ false economy

zuinigheids|halve for reasons of economy; **-maatregel** measure of economy

zuinigjes economically, thriftily

zuip: *aan de* ~ *zijn* be given to drink; *weer aan de* ~ *zijn* be on the booze again; **zuipen** booze, tipple; *die auto* ~*t benzine* drinks petrol

zuiplap boozer

zuivel dairy produce

zuivel|boerderij dairy farm; **-consulent** dairy adviser, consulting dairy expert; **-fabriek** dairy factory, creamery; **-industrie** dairy industry

zuiver I *bn* pure (water, wool, air), clean (hands, conscience), clear (conscience), correct (pronunciation); (*onvervalst*) pure, unadulterated (alcohol); (*netto*) net (the ... amount, proceeds); (*louter*) pure, sheer, utter (nonsense); *zie louter*; ~ *goud* pure gold; ~ *ras*, (*van paarden, enz*) pure breed; *de* ~*e waarheid* the plain (honest) truth; ~*e winst* clear (net) profit, (*niet geldelijk*) clear gain; *het is geen* ~ *koffie* there is s.t. fishy about it; II *bw* purely (of ... English origin); ~ *en alleen om* ... purely and simply to ...; (*niet*) ~ *zingen* sing in (out of) tune; *dat is* ~ *verlies* a dead loss; **zuiveren** clean (a building, etc), purify (the air, petroleum, metals, the language); refine (sugar), purge (the party); (*ontsmetten*) disinfect (old buildings); (*van blaam* ~) clear (one's reputation); ~ *van* clean of (dirt), free from (vermin *ongedierte*), clear (a place) of (enemies); *zich* ~ *van* clear (purge) o.s. of (suspicion, etc); *zich van verdenking* (*schuld, enz*) ~, *ook:* clear one's character; **zuivering** cleaning; cleansing; purification; purgation; (*politieke* ~) purge; clean-up; clearing; ~ *van het drinkwater* water purification

zuiverings|installatie purification plant; **-zout** bicarbonate of soda

zulk such

zulks such a thing such, this, that

zullen 1 (*zuivere toekomst*) *1ste persoon:* shall (should); *2de & 3de persoon:* will (would); (*vrag*) *1ste persoon:* shall (should); *2de persoon:* will (would, should); *3de persoon:* will (would); (*dichtbijliggende toekomst*) be going to (he is going to start a business); *het zal warm worden* it is going to be hot; 2 (*waarschijnlijkheid*) will (probably) (you will probably have heard that ...); *zou hij ziek zijn?* I wonder if he is ill; *dat zal omstreeks één uur geweest zijn* that would be about one o'clock; *het zal zo wat één uur geweest zijn toen* ... it may have been one o'clock when ...; *hij zal waarschijnlijk niet komen* he is not likely to come; 3 (*twijfel*): *wie zal het zeggen?* (had he seen it?) who shall say?; (*ik vraag mij af*) *zou hij het doen?* I wonder if he'll do it; 4 (*wil van de spreker*) (you, he) shall; *je wilt niet? je zult!* you won't? you shall! *ik zal je!* I'll give it you!; *ik zal het hebben* I mean to have it; 5 (*oordeel van spreker omtrent de wenselijkheid van iets*): *zou je nu niet gaan?* hadn't you better go now?; 6 (*vraag naar wil van toegesprokene*): *zal ik* (*Jan, enz*) *het doen?* shall I (John, etc) do it?; 7 (*toekomst afhankelijk van de wil van de spreker; belofte*) *1ste persoon:* will; *2de & 3de persoon:* shall; *ik zal u dadelijk helpen* I will

(I'll) attend to you directly; *je zult het dadelijk hebben* you shall have it in a minute; **8** (*afspraak, regeling, beschikking*): to be to; *we ~ elkaar ... ontmoeten* we are to meet at the station; *ik zou hem nooit weerzien* I was never to see him again; *als hij zal slagen, ...* if he is to succeed, ...; **9** (*gerucht*): *hij zou* (*naar men zei*) *getracht hebben ...* he was alleged to have tried ...

zurig sourish; **zurigheid** sourness

zus I *bw* thus, in that manner; *nu eens ~, dan weer zo* now this way, now that; *het was ~ of zo* it was touch and go; **II** *zn* sister

zusje (little) sister, baby sister; **zuster** sister; (*verpleegster*) nurse; ~ (*verpleegster*) *J.* nurse J.; (*ja*) *je ~!* (*fam*) your grandmother! my foot!

zuster|huis (*in ziekenhuis*) nurses' home (quarters); **-liefde** sisterly (a sister's) love

zusterlijk sisterly

zuster|schip sister-ship; **-stad** twin city, sister-town

zuur I *bn* sour; (*chem*) acid; *zure haring* pickled herring; *met een ~ gezicht* sour-faced (man); *een ~ lachje* a wry smile; *een ~ leven* a hard life; ~ *maken* (*chem*) acidify; *iem het leven ~ maken* embitter a p.'s life, make life a burden to a p.; ~ *worden* turn (go) sour; *dat is ~* (*voor hem*) it is hard lines (on him); *nu ben je ~,* (*fam*) now you're in for it; **II** *bw* sourly; ~ *kijken* look sour; ~ *verdiend geld* hard-earned money; **III** *zn* (*ingemaakt*) pickles; (*chem*) acid; *het ~* (*in de maag*) heartburn; **zuurgraad** acidity, pH

zuurheid sourness, acidity

zuur|kast fume-cupboard, -chamber; **-kool** sauerkraut; **-pruim** sour-face, (*fam*) sourpuss; **-stof** oxygen

zuurstof|apparaat oxygen-apparatus; **-masker** oxygen-mask

zuurstok rock

zuurtje acid drop

zuur|verdiend *zie* zuur; **-zoet** sour-sweet (smile)

zwaai swing, sweep; **zwaaien I** *tr* swing (a hammer, etc); wave (a flag); **II** *intr* swing, sway (backwards and forwards, to and fro, from side to side); *er zal wat ~* there will be the devil to pay; *met zijn hoed* (*zakdoek, enz*) ~ wave one's hat (handkerchief, etc); **zwaailicht** rotating light

zwaan swan

zwaar heavy (load, industry, oil, loss, damage, smoker, sleep(er), beard, seas, rains, tread, thunderclap, debts); (*plomp & ~*) ponderous; (*van grote omvang*) bulky; (*fors*) heavily built, massive (his ... figure), robust, stalwart; (*zwaarlijvig*) stout; (*moeilijk*) heavy (day, breathe heavily), hard, difficult, arduous (task), hard (life); (*ernstig*) severe, dangerous (illness); *...ly ill*, bad (cold), grave (crime); (*streng*) severe (punishment); (*van tabak*) strong (cigars); (*diep*) deep (voice); *zware concurrentie* keen competition; ~ *geschut* heavies; ~ *boeten voor* pay heavily for; *zware jongens* big-time criminals; *een zware slag* a heavy blow; *een zware strijd* a hard struggle; *zware tijden* hard times; ~ *beladen* heavily laden; ~ *beschadigd* heavily (badly) damaged; ~ *beproefd* sorely tried; ~*der worden* gain in weight; *ik ben ~ in het hoofd* my head is heavy (awake with a heavy head); *ik heb er een ~ hoofd in* I am very doubtful about it; ~ *op de hand* heavy, ponderous; ~ *op de maag liggen* lie heavy on the stomach; ~ *drinken* drink heavily; ~ *drukken op* weigh heavy upon; *te ~ belast* overweighted; ~ *laden* overload; *het vonnis was te ~* the sentence was excessive; *de brief is te ~* is overweight; ~ *slapen* sleep heavily; ~ *getroffen worden* be hard hit; *met zware tong spreken* speak thick (with a thick tongue, in a thick voice)

zwaard sword; (*van vaartuig*) lee-board

zwaard|slag stroke with the sword, sword-stroke; **-vechter** gladiator; **-vis** sword-fish

zwaar|gebouwd heavily built, massive (figure); **-gewapend** heavily-armed; **-gewicht** heavyweight (jockey, prize-fighter)

zwaarlijvig corpulent, stout, obese; **zwaarlijvigheid** corpulence, stoutness, obesity

zwaarmoedig melancholy, melancholic; **zwaarmoedigheid** melancholy

zwaarte weight, heaviness

zwaarte|kracht gravitation, gravity; **-lijn** (*wisk*) median; **-punt** centre of gravity; (*fig*) main point, pith of the matter

zwaartillend pessimistic, gloomy

zwaarwichtig (*fig*) weighty, ponderous

zwabber swab, mop; **zwabberen** swab, mop; *zijn kleren ~ hem aan het lijf* his clothes flap about him

zwachtel bandage, ligature; **zwachtelen** bandage

zwager brother-in-law

zwak I *bn* weak (child, eyes, heart, nerves, health, play, voice, army, nation); delicate (child, health); feeble (cry, attempt, voice); light (wind), faint (attempt, cry, resistance); frail (body); (*zedelijk ~*) weak (character), frail (woman); *een ~ke broeder* (*kandidaat*) a shaky candidate; *het ~ke geslacht* the weaker sex; ~ *gestel* weak constitution; *in een ~ ogenblik* in a weak moment (a moment of weakness); ~*ke pols* weak (low, feeble) pulse; *het ~ke punt* the weak point (of an argument); *zijn ~ke zijde* his weak side (point); ~ *naar lichaam en geest* weak in body and mind; **II** *bw* weakly, etc; *je staat ~,* (*fig*) yours is a weak case; **III** *zn* weakness; *hij had nog altijd een ~ voor haar* he still had a soft spot in his heart for her

zwakbegaafd mentally handicapped; **zwakbegaafde** mentally handicapped person

zwakheid weakness, feebleness, delicacy;

zwakheden weaknesses; **zwakjes I** *bn* weakly, weakish; (*van kandidaat, enz*) shaky; **II** *bw* weakly, (smile) faintly; **zwakkeling** (*ook fig*) weakling; **zwakte** weakness, feebleness, infirmity

zwakzinnig feeble-minded, mentally deficient (defective); *een ~e* a (mental) defective

zwalken drift about; wander (rove) about; *door de wereld ~, ook:* knock about the world

zwaluw swallow; *één ~ maakt* (*nog*) *geen zomer* one swallow does not make a summer

zwaluwstaart (*eig*) swallow's tail; (*bij timmerwerk*) dovetail; **zwaluwstaarten** (*met een zwaluwstaart verbinden*) dovetail

zwam (*plant*) fungus (*mv:* fungi, funguses)

zwammen *ww* jaw, gas, talk hot air; **zwamneus** gas-bag, twaddler

zwane|dons swan's down; **-hals** swan's (swan-)neck; (*buis*) goose-neck, U-trap; **-zang** swan-song

zwang: *in ~ zijn* be in vogue (*bij ons* with us); *in ~ komen* become the vogue (the fashion)

zwanger pregnant, in the family way, expecting; *~ worden* become pregnant; **zwangerschap** pregnancy; *voorkoming van ~* contraception

zwangerschaps|onderbreking abortion, termination of pregnancy; **-verlof** pregnancy leave

zwarigheid difficulty, objection; *-heden maken* make (raise) objections, make difficulties

zwart black; *~e doos*, (*luchtv*) black box, flight-recorder; *~e kunst* black art, black magic; *~e lijst* black list; *~e markt* black market; *~e handel* black market; *~e handelaar* black marketeer; *de dingen ~ inzien* take a gloomy view of things; *~ kijken een ~ gezicht zetten* look black, scowl, frown; *~ van de mensen* (streets) black with people; *het ~ op wit zetten* put it down in black and white; *een ~e* a black; *~en en blanken* blacks and whites; **zwartepiet:** *iem de ~ toespelen* pass the buck to a p.

zwart|gallig melancholy, splenetic; **-harig** black-haired; **-kijker** *a*) pessimist; *b*) clandestine TV viewer; **-maken** black (one's face), blacken (*dikwijls fig:* a p.'s character), (*fig*) denigrate; **-ogig** black-eyed

zwartsel (smoke-, lamp-)black

zwavel sulphur

zwavel|achtig, -houdend sulphur(e)ous; **-waterstof(gas)** sulphuretted hydrogen, hydrogen sulphide; **-zuur** sulphuric acid

Zweden Sweden; **Zweed** Swede; **Zweeds** Swedish

zweef|molen chairoplane; **-rek** trapeze; **-vliegen** *ww* glide; *zn* gliding; **-vlieger** glider pilot; **-vliegtuig** glider; **-vlucht** *a*) (*zonder motor*) glide, soaring-flight; *b*) (*met stopgezette motor*) volplane, glide; *in ~ dalen* volplane

zweem semblance (not a ... of a wrinkle), trace shade, touch (of sarcasm, of vanity),

shadow (not the ... of a doubt); *geen ~ van bewijs* not a shred (shadow, trace) of evidence

zweep whip; (*jacht-*) (hunting-)crop; **zweepslag** (*ook: uiteinde van zweepkoord*) (whip)lash; (*knal*) whip-crack

zweer ulcer, sore, boil

zweet perspiration, sweat; *het ~ liep hem langs het gezicht* his face was streaming with perspiration; *het klamme ~* the clammy perspiration (*of:* sweat); *het koude ~ brak hem uit* he broke into (broke out in) a cold perspiration; *zich in het ~ werken* work o.s. into a perspiration (a sweat); *nat van het ~* streaming with (bathed in) perspiration

zweet|band sweat-band; **-druppel** drop (*of:* bead) of perspiration, sweat-drop; **-klier** sweat-gland; **-kuur** sweating-cure; **-lucht** sweaty smell, body-odour; **-vlek** sweat-spot; **-voeten** perspiring (sweaty) feet

zwelgen *tr* swill, guzzle, quaff (ale); *intr* (*eten*) guzzle; (*drinken*) carouse; *~ in* revel (luxuriate) in, feast on; **zwelgpartij** carouse, carousal, orgy

zwellen swell, expand; *doen ~* swell (the wind ...s the sails, the rains ... the rivers); **zwelling** swelling

zwem|bad (outdoor) swimming pool, (indoor) swimming-bath; **-blaas** swimming-bladder; **-broek** (bathing) trunks

zwemen: *~ naar* bear a slight likeness to; *~ naar zwart* incline to black; *~ naar oneerlijkheid* border upon dishonesty

zwemgordel swimming-belt

zwemmen swim; *gaan ~* go for (have) a swim; *in het geld ~* swim (roll) in money; **zwemmer** swimmer

zwem|pak swimsuit; **-proef** (pass the) swimming-test; **-sport** swimming; **-vest** life-jacket; **-vlies** web; **-voet** web-foot, webbed foot; **-vogel** web-footed bird, swimming-bird; **-wedstrijd** swimming-match, -contest, -race

zwendelaar swindler, sharper; **zwendelarij** swindling, fraud; (*in 't groot*) racket; **zwendelen** swindle

zwengel (*van pomp*) pump-handle, sweep; (*van molen*) wing; (*draaikruk*) crank; **zwengelen** swingle, crank

zwenk turn; **zwenken** turn about (round), swing round; (*plotseling uitwijken*) swerve; **zwenking** turn, swerve; (*fig*) change of front; **zwenkwiel** castor

1 zweren ulcerate, fester; *~de kies* ulcerated tooth; *~de vinger* gathering (septic) finger

2 zweren swear; *ik zweer het* I swear it; *een eed ~* swear an oath; *geheimhouding* (*gehoorzaamheid, enz*) *~* swear secrecy (obedience, etc); *iem vriendschap ~* swear friendship to a p.; *~ bij God* (*bij zijn eer*) swear to (by, before) God (on one's honour); *~ bij Marx* (*bij de homeopathie, enz*) swear by M. (by homoeopathy, etc); *~ bij al wat heilig is* swear by all that is holy; *ik durf erop ~* I can swear to it;

men zou erop ~ one could swear to it; *op de bij-bel* ~ swear on the Bible

zwerf|kat stray cat; **-kei** erratic boulder; **-lust** roving spirit; **-tocht** wandering, ramble (*op mijn* ~ in my ramble); **-vuil** (stray) litter

zwerk (*wolken*) rack, driving clouds; (*uitspansel*) firmament, sky

zwerm swarm (of bees, flies, birds, children, etc), (*in korf*) hive (of bees); **zwermen** *ww* swarm

zwerven wander, rove, ramble, roam (about), knock about; *langs de wegen* ~ tramp the roads; ~*de honden* stray dogs; ~*de stammen* wandering (nomadic) tribes; **zwerver** wanderer, vagabond, tramp; (*dier*) stray; **zwervertje** (*dakloos kind*) waif

zweten *intr* perspire, sweat; **zweterig** sweaty (hands)

zwetsen gas, talk hot air; **zwetser** boaster, gas-bag

zweven float (in the air); (*van vogel, enz*) hover, glide (the eagle ...s on its wings); (*doen*) ~, (*van munt*) float (the ...ing pound); *er zweefde een glimlach om haar lippen* a smile hovered about her lips; ~ *tussen* hover between (hope and fear); ~*de rib* floating rib; ~*de valuta* floating currency; ~*de vloer* sprung floor

zwichten yield, give in, give way; (*fam*) knuckle down (under); ~ *voor* yield to (temptation, arguments), bend before (public opinion), bow to (a p.'s authority)

zwiepen swish; **zwiepend** swishing (branches, sound)

zwier (*zwaai*) flourish; (*gratie*) elegance, grace(fulness); (*statie*) pomp; *aan de* ~ *zijn* (*gaan*) be (go) on the spree (on the loose, on the razzle-dazzle), be going (go) the racket; **zwieren** (*van dronkeman*) reel (about the streets); (*in balzaal*) whirl about; (*op ijs enz*) glide gracefully; **zwierig** stylish, dashing, jaunty, smart, showy, flamboyant; ~*e stijl* flamboyant (flowery) style

zwijgen I *ww* be silent, keep (maintain) silence, hold one's peace (one's tongue); *de muziek zweeg* stopped; *zwijg!* be silent! silence! hold your tongue! shut up!; *wie zwijgt, stemt toe* silence gives (is, means) consent; *daarover zwijgt de geschiedenis* history is silent upon (about, as to) it; ~ *als het graf* be silent as the grave; ~ *in alle talen* be conspicuously silent; *kunt u* ~? can you keep a secret?; *om nog te* ~ *van* ... not to speak of ..., to say nothing of ..., let alone ...; **II** *zn* silence; *iem het* ~ *opleggen* impose silence upon a p.; *hij deed er het* ~ *toe* he did not say a word, he sat mum; *tot* ~ *brengen* put to silence; (*zijn geweten*) still one's conscience; **zwijgend I** *bn* silent (*ook van film*); **II** *bw* ...ly, in silence

zwijggeld hush-money

zwijgzaam taciturn, uncommunicative, reticent

zwijm swoon, fainting-fit; *in* ~ *liggen* lie in a swoon; *in* ~ *vallen* faint, swoon

zwijmel (*duizeling*) giddiness, dizziness

zwijmelen *a*) be (feel) dizzy; *b*) faint, swoon

zwijn (*ook fig*) pig, hog, (*vooral fig*) swine (*mv:* swine); (*bof*) fluke, stroke of luck; *wild* ~ boar; **zwijneboel** piggery, pigsty, cesspit; **zwijnen** (*boffen*) be in luck; *ik zwijnde, ook:* my luck was in

zwijnerij filth, dirt, filthy talk, smut

zwijnestal pigsty (*ook fig*), piggery

zwijntje piggy; (*bof*) fluke

zwik: *de hele* ~ the whole caboodle

zwikken sprain; *mijn voet zwikte* I sprained (wrenched) my ankle

Zwitser Swiss (*mv* id); **Zwitserland** Switzerland; **Zwitsers** Swiss

zwoegen drudge, slave (away), plod, toil (at one's books); (*blokken, sl*) swot; ~ *onder een last* strain under a load; *tegen de wind in* ~ plug away against the wind; *haar boezem zwoegde* her bosom heaved; **zwoeg(st)er** toiler, drudge, plodder

zwoel sultry, close, muggy; (*fig*) sultry, erotic

zwoerd pork-rind, bacon-rind

Inhoudsopgave supplement

Thematische woordgroepen

Geïllustreerde woordgroepen

Grammaticale hoofdlijnen

Tijd

Tijd Time

De jaargetijden The seasons
  lente spring
  zomer summer
  herfst autumn
  winter winter

De dagen van de week The days of the week
  zondag Sunday
  maandag Monday
  dinsdag Tuesday
  woensdag Wednesday
  donderdag Thursday
  vrijdag Friday
  zaterdag Saturday

De maanden van het jaar The months of the year
  januari January
  februari February
  maart March
  april April
  mei May
  juni June
  juli July
  augustus August
  september September
  oktober October
  november November
  december December

Hoe laat is het? What is the time?

one o'clock

a quarter past one

half past one

a quarter to two

twenty-five past one

twenty-five to two

De belangrijkste tijdsaanduidingen The most important indications of time

seconde second
minuut minute
kwartier (a) quarter (of an hour)
uur hour

dag day
week week
maand month
jaar year
eeuw century

dag day
nacht night
morgen morning
middag afternoon
avond evening

's morgens in the morning
's middags in the afternoon
's avonds in the evening, at night
's nachts at night

om twaalf uur 's middags at noon
om twaalf uur 's nachts at midnight
voormiddags a.m. (ante meridiem)
namiddags p.m. (post meridiem)

om de andere dag every other day
dagelijks daily
wekelijks weekly
maandelijks monthly
jaarlijks annually

eergisteren the day before yesterday
gisteren yesterday
vandaag today
morgen tomorrow
overmorgen the day after tomorrow
verleden week last week
volgende maand next month
vóór morgen before tomorrow
over tien minuten in ten minutes
om twee uur at two o'clock
gedurende vier maanden
for four months
tijdens de voetbalwedstrijd
during the match
tegen vijven by five o'clock
binnen een week within a week
vandaag over een week today week
vandaag over veertien dagen
today fortnight
2 april 1984 April 2nd, 1984

Feestdagen Holidays

Nieuwjaar New Year
Pasen Easter
Eerste Paasdag Easter Sunday
Tweede Paasdag Easter Monday
Hemelvaartsdag Ascension Day
Pinksteren Whitsun(tide)

Kerstmis Christmas
Kerstavond Christmas Eve
Eerste Kerstdag Christmas Day
Tweede Kerstdag Boxing Day
Oudejaarsavond New Year's Eve

Hoeveelheden

Hoeveelheden Quantities

Hoofdtelwoorden Cardinal numbers

1 one	**21** twenty-one
2 two	**22** twenty-two
3 three	**30** thirty
4 four	**40** forty
5 five	**50** fifty
6 six	**60** sixty
7 seven	**70** seventy
8 eight	**71** seventy-one
9 nine	**72** seventy-two
10 ten	**80** eighty
11 eleven	**90** ninety
12 twelve	**91** ninety-one
13 thirteen	**92** ninety-two
14 fourteen	**100** a (one) hundred
15 fifteen	**200** two hundred
16 sixteen	**300** three hundred
17 seventeen	**1.000** a (one) thousand
18 eighteen	**100.000** a (one) hundred thousand
19 nineteen	**1.000.000** a (one) million
20 twenty	

Rangtelwoorden Ordinal numbers

eerste first 1st	**twaalfde** twelfth 12th
tweede second 2nd	**dertiende** thirteenth 13th
derde third 3rd	**veertiende** fourteenth 14th
vierde fourth 4th	**twintigste** twentieth 20th
vijfde fifth 5th	**eenentwintigste** twenty-first 21st
zesde sixth 6th	**dertigste** thirtieth 30th
zevende seventh 7th	**veertigste** fortieth 40th
achtste eighth 8th	**tweeënveertigste** forty-second 42nd
negende ninth 9th	**vijftigste** fiftieth 50th
tiende tenth 10th	**zestigste** sixtieth 60th
elfde eleventh 11th	**honderdste** hundredth 100th

De voornaamste maten en gewichten The most important weights and measures

1 inch = 2,54 cm	**1 ounce** = 28,35 gram
1 foot = 0,3048 m = 12 inches	**1 pound** = 0,4536 kg = 16 ounces
1 yard = 0,9144 m = 3 feet	**1 stone** = 6,350 kg = 14 pounds
1 mile = 1,609 km	
1 pint = 0,5683 dm^3 (liter)	**1 gallon (UK)** = 4,546 dm^3 = 4 quarts
1 quart = 1,137 dm^3 = 2 pints	▶ **Amerikaanse gallon** = 3,785 dm^3

Geldstelsel Monetary System

Er zijn (koperkleurige) munten van 1 en 2 pence en van 1 pond (£1).
De munten van 5, 10, 20 en 50 pence zijn uitgevoerd in wit metaal.
Uit de tijd voor de invoering van het decimale muntsysteem dateren nog twee
munten, die van één shilling (5 pence) en twee shilling (10 pence). De oude en
nieuwe munten zijn door elkaar bruikbaar, ook in automaten.
Naast de munten zijn er bankbiljetten van 5, 10, 20 en 50 pond sterling.

1 penny

£ 0.01

2 pence

£ 0.02

5 pence

£ 0.05

10 pence

£ 0.10

20 pence

£ 0.20

50 pence

£ 0.50

1 pond

£ 1

De wereld en zijn bewoners

De wereld en zijn bewoners The world and its inhabitants

Werelddeel continent · inwoner · volk · bijv. nw.
  Afrika Africa · African · Africans · African
  Amerika America · American · Americans · American
  Australië Australia · Australian · Australians · Australian
  Azië Asia · Asian · Asians · Asian
  Europa Europe · European · Europeans · European

Land country · inwoner · volk · bijv. nw.
  België Belgium · Belgian · Belgians · Belgian
  B.R.D. (Bondsrep. Duitsland) West Germany · West German · West Germans · (West) German
  Bulgarije Bulgaria · Bulgarian · Bulgarians · Bulgarian
  Canada Canada · Canadian · Canadians · Canadian
  China China · Chinese · Chinese · Chinese
  D.D.R. (Duitse Dem. Rep.) East Germany · East German · East Germans · (East) German
  Denemarken Denmark · Dane · Danes · Danish
  Engeland England · English(wo)man · English · English
  Finland Finland · Finn · Finns · Finnish
  Frankrijk France · French(wo)man · French · French
  Griekenland Greece · Greek · Greeks · Greek
  Groot-Brittannië Great Britain · Briton · British · British
  Hongarije Hungary · Hungarian · Hungarians · Hungarian
  Ierland Ireland · Irish(wo)man · Irish · Irish
  Italië Italy · Italian · Italians · Italian
  Japan Japan · Japanese · Japanese · Japanese
  Joegoslavië Yugoslavia · Yugoslavian · Yugoslavians · Yugoslavian
  Nederland the Netherlands (Holland) · Dutch(wo)man · Dutch · Dutch
  Noorwegen Norway · Norwegian · Norwegians · Norwegian
  Oostenrijk Austria · Austrian · Austrians · Austrian
  Polen Poland · Pole · Poles · Polish
  Portugal Portugal · Portuguese · Portuguese · Portuguese
  Roemenië Romania · Romanian · Romanians · Romanian
  Schotland Scotland · Scot, Scots(wo)man · Scots · Scots, Scottish
  Sovjetunie Soviet Union · Russian · Russians · Russian
  Spanje Spain · Spaniard · Spaniards · Spanish
  Tsjechoslowakije Czechoslovakia · Czech, Czechoslovak · Czechs, Czechoslovakians · Czech
  Verenigde Staten United States · American · Americans · American
  Wales Wales · Welsh(wo)man · Welsh · Welsh
  Zweden Sweden · Swede · Swedes · Swedish
  Zwitserland Switzerland · Swiss · Swiss · Swiss

In en om het huis

tree, dormer, tiles, bathroom, chimney, roof, bath, shower, bedroom, first floor, ground floor, fence, sitting room, dining room, garden, kitchen, toilet, bush, sink unit, cellar, flower-bed, lawn, hedge

Vervoermiddelen

space ship

rocket

aeroplane

helicopter

bus

van

underground

train

truck

coach   horse

trailer→

bicycle→

headlight   indicator light   bonnet   windscreen wiper   windscreen

rear-door (tailgate)

←boot

wing

tail-light

wheel

tyre   car

Op reis

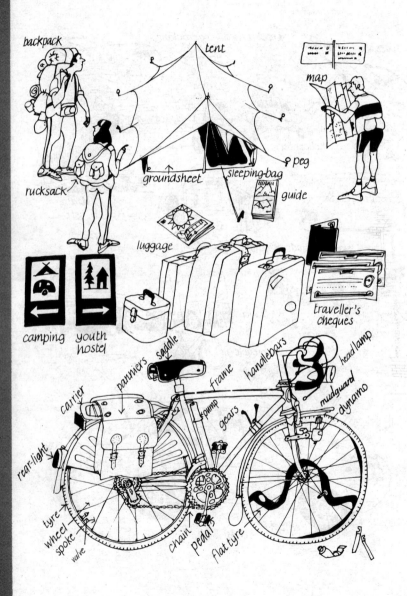

backpack

tent

map

rucksack

groundsheet

sleeping-bag

peg

guide

luggage

camping

youth hostel

traveller's cheques

saddle

panniers

frame

handlebars

head lamp

carrier

pump

gears

mudguard

dynamo

rear-light

tyre

wheel

spoke

valve

chain

pedals

flat tyre

Op straat

Grammaticale hoofdlijnen

Zelfstandige naamwoorden

1 Vorming van het meervoud
Algemene regel: zet een s achter het zelfstandig naamwoord (z.nw.).
hand hands   month months
minute minutes   day days

▶ *Uitzonderingen*
1 Eindigt een z.nw. op een medeklinker + *y* dan wordt de y vervangen door *ies*.
sto*ry* sto*ries*   la*dy* la*dies*   ▶ bo*y* bo*ys*
2 Bij sommige woorden die eindigen op *f* of *fe* wordt *f* of *fe* vervangen door *ves*.
kni*fe* kni*ves*   wi*fe* wi*ves*   ▶ safe safes
thie*f* thie*ves*   li*fe* li*ves*
hal*f* hal*ves*   shel*f* shel*ves*
3 Woorden die eindigen op een *sis*-klank krijgen de meervoudsuitgang *es*.
glass glass*es*   box box*es*   church church*es*
4 Onregelmatige meervoudsvormen
child children   mouse mice   foot feet
ox oxen   louse lice   tooth teeth
man men   goose geese
woman women
5 Sommige woorden die eindigen op *o* hebben als meervoudsvorm *oes*.
negro negro*es*   potato potato*es*

2 Bezitsvorm
1 Namen van *mensen* en *dieren* krijgen 's om bezit aan te geven.
That car belongs *to John*. Die auto is *van John*.
It's *John's* car. Het is de auto *van John*.
My *friend's* car. De auto van mijn vriend.
Those *men's* wives. De vrouwen van die mannen.
The *cat's* tail. De staart van de kat.
2 De bezitsvorm van *dingen* wordt gevormd met behulp van *of*.
This key belongs *to that room*. It's the key *of that room*.
The door *of the living room*. De deur van de huiskamer.
The pages *of your book*. De bladzijden van jouw boek.
The days *of the week*. De dagen van de week.
▶ In het meervoud komt i.p.v. 's alleen een ' (als het meervoud eindigt op s).
My parents' car. De auto van mijn ouders.
A seven days' journey. Een reis van zeven dagen.

De bezitsvormen 's en -' komen ook voor zonder hoofdwoord:
Is this your book? No, it is John's book. It is John's.
Is this your book? No, it is my father's book. It is my father's.
Is this your book? No, it is his parents' book. It is his parents'.

Persoonlijke en bezittelijke voornaamwoorden

I am in *my* house.	It belongs to *me*.	It's *mine*.
You are in *your* house.	It belongs to *you*.	It's *yours*.
He is in *his* house.	It belongs to *him*.	It's *his*.
She is in *her* house.	It belongs to *her*.	It's *hers*.
We are in *our* house.	It belongs to *us*.	It's *ours*.
They are in *their* house.	It belongs to *them*.	It's *theirs*.

This book isn't *mine*. Dit boek is niet *van mij*.
Is it *yours*? Is het *van jou*?
Is this coat *mine* or *yours*? Is deze jas *van mij* of *van jou*?
He is an old *friend* of mine. Hij is een oude vriend *van mij*.

Wij gebruiken het woord *it* als wij het niet over personen hebben.
Where is the bird? *It* is in *its* cage. Waar is de vogel? Hij zit in zijn kooi.
The space craft and *its* crew. Het ruimtevaartuig en zijn bemanning.
***It*'s cold.** Het is koud.
The town and *its* old houses. De stad en zijn oude huizen.
Have you seen this film? No, I haven't seen *it*. Heb je deze film gezien? Nee, ik heb hem niet gezien.

Aanwijzende voornaamwoorden

Enkelvoud	*Meervoud*
this dit, deze	**these** deze
that dat, die	**those** die

Vragende voornaamwoorden

1 Who
   Who is that? It is John Smith *(persoon)*.
2 What
   What is that? It's a cat *(dier)*. **It's a book** *(ding)*.
3 Which
   Which of these boys is John? The one in the middle. Wie van deze jongens is John? Die in het midden.
   Which of those dogs is yours? The one with the long tail. Welke van die honden is van jou? Die met de lange staart.
   Which of these cigars shall I give to father? The thin one on the left. Welke van deze sigaren zal ik aan vader geven? Die dunne aan de linkerkant.
   Which wordt gebruikt als je uit een *groep* moet *kiezen* (je weet uit hoeveel je moet kiezen).
4 Whose
   Whose pencils are those? Van wie zijn die potloden?
   Whose car is this? Van wie is deze auto?

Werkwoorden en hulpwerkwoorden

Vervoeging

zijn be

	o.t.t.	o.v.t.	v.t.t.	v.v.t.
I	am	was	have been	had been
you	are	were	have been	had been
he	is	was	has been	had been
we	are	were	have been	had been
you	are	were	have been	had been
they	are	were	have been	had been

hebben have

	o.t.t.	o.v.t.	v.t.t.	v.v.t.
I	have	had	have had	had had
you	have	had	have had	had had
he	has	had	has had	had had
we	have	had	have had	had had
you	have	had	have had	had had
they	have	had	have had	had had

werken work

	o.t.t.	o.v.t.	v.t.t.	v.v.t.
I	work	worked	have worked	had worked
you	work	worked	have worked	had worked
he	works	worked	has worked	had worked
we	work	worked	have worked	had worked
you	work	worked	have worked	had worked
they	work	worked	have worked	had worked

De spelling van de derde persoon enkelvoud in de onvoltooid tegenwoordige tijd (o.t.t.)

In de 3e persoon enkelvoud komt achter het werkwoord een *s*. Na een *s-klank* komt *es* en als het werkwoord eindigt op een *medeklinker + y* wordt de uitgang: *medeklinker + ies*.

I live, he live*s*   **I come, he come*s***

you dress, he dress*es*   **we close, he close*s***

I stay, he stay*s*   **I study, he stud*ies***

De spelling van de onvoltooid verleden tijd (o.t.t.) en het voltooid deelwoord

De onvoltooid verleden tijd en het volt. deelwoord worden gevormd door *ed* te plaatsen achter de grondvorm van het werkwoord

work, work*ed*   **look, look*ed***   **wait, wait*ed***

De slotmedeklinker wordt *verdubbeld* als de laatste lettergreep één klinkerteken bevat en de klemtoon heeft.

stop, sto*pped*   **ad'mit, ad'mi*tted***   **pre'fer, pre'fe*rred***

In het Engels wordt de *l* altijd verdubbeld: **travelled** (in het Amerikaans *niet*: **traveled**).

Een *y* voorafgegaan door een medeklinker wordt *ie*:
try, tried   **cry, cried**

Stomme *e* valt weg:
precede, preceded   **smoke, smoked**

Het gebruik van de tijden

1 De *o.t.t.* wordt in het Engels op nagenoeg dezelfde wijze gebruikt als in het Nederlands.

2 De *o.v.t.* wordt gebruikt wanneer wij *alleen maar* aan het *verleden* denken (er is *geen* verbinding met het heden).
    I *lived* there for four years. Ik heb daar vier jaar gewoond. (Ik woon er nu niet meer.)
    Yesterday he *came* to see me. Gisteren kwam hij me opzoeken.
Vaak staat in de zin een tijdsbepaling zoals: *yesterday*, *a week ago*, *in 1938*.

3 De voltooid tegenwoordige tijd (*v.t.t.*) wordt in het Engels gevormd door *have* + *volt. deelw.* en wordt gebruikt in de volgende gevallen:
Wanneer iets *in het verleden begonnen is en nog steeds voortduurt.*
    I've lived here since 1972. Ik woon hier sinds 1972. (Ik woon er nog steeds.)
    He has been ill very long. Hij is al lang ziek. (Hij is nog steeds ziek.)
  ▶ **He was ill last year.** Vorig jaar was hij ziek. (Hij is nu beter.)

Schematisch

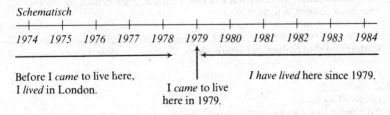

Before I *came* to live here, I *lived* in London.
I *came* to live here in 1979.
I have lived here since 1979.

Wanneer iets gebeurt *in een periode die nog niet voorbij is* (bijv. met deze week, vandaag).
    I've been to the cinema twice *this week*. Ik ben deze week (al) twee keer naar de bioscoop geweest. (De week is nog niet om.)
    I haven't seen much of him *this month*. Ik heb hem haast niet gezien deze maand.
  ▶ **I *went* to the cinema twice *last week*.** (*o.v.t.*!) Ik ben vorige week twee keer naar de bioscoop geweest.

Wanneer wij denken aan *het resultaat van iets dat in het verleden is gebeurd.*
It has rained (alles is nu buiten nat).
I've lost my watch (mijn horloge is weg).
I've already read that book (ik heb het uit).
▶ **I** *read* **it** *last week.* **I** *lost* **my watch** *last week.* (Er staat een tijdsbepaling bij.)

4 *Toekomst* wordt in het Engels aangegeven met de hulpwerkwoorden *will* en *would*, vaak afgekort tot resp. *'ll* en *'d*

I'll see you tomorrow.
He will be home at six.

He said he'd see me next month.
He promised he would be home at six.

Hulpwerkwoorden

Can/could worden gebruikt om aan te geven
dat iemand *in staat is iets te doen*:
I can swim. Ik kan zwemmen.
He said he could swim. Hij zei dat hij kon zwemmen.
dat iets *niet mogelijk* is:
I can't keep any money in my pocket. Ik kan geen geld in mijn zak houden.
We concluded that the story couldn't be true. We kwamen tot de conclusie dat het verhaal niet waar kon zijn.

May/might worden gebruikt om aan te geven
dat iets *mogelijk* is:
He may be ill. Hij is misschien wel ziek.
You might think I'm crazy but I'm not. Je zou kunnen denken dat ik gek ben, maar dat ben ik niet.
dat *toestemming* wordt/werd gegeven:
You may go to the cinema tonight. Je mag vanavond naar de bioscoop.
Father said that I might go to the cinema. Vader zei dat ik naar de bioscoop mocht.

Must geeft aan
een *bevel* of *opdracht*:
You must not smoke in this compartment. Je mag niet roken in deze coupé.
een *logische gevolgtrekking*:
If he isn't here, he must be still at home. Als hij niet hier is, moet hij nog thuis zijn.
He must be eighty by now. Hij moet nu wel tachtig zijn.

Should/ought to geven aan wat *raadzaam* is:
I should go to the doctor at once, if I were you. Ik zou meteen naar de dokter gaan als ik jou was.
Let's hurry! We ought to be home at six! Laten we opschieten! We moeten om zes uur thuis zijn.

Speciale werkwoordsvormen

Een vorm van *be* + *voltooid deelwoord* wordt gebruikt om de lijdende vorm te maken

	Bedrijvende vorm	Lijdende vorm
o.t.t.	**The postman delivers the post** De postbode bezorgt de post.	**The post *is delivered* by the postman.** De post wordt door de postbode bezorgd.
o.v.t.	**The postman delivered the post.** De postbode bezorgde de post.	**The post *was delivered* by the postman.** De post werd door de postbode bezorgd.
v.t.t.	**The postman has delivered the post.** De postbode heeft de post bezorgd.	**The post *has been delivered* by the postman** De post is door de postbode bezorgd.
v.v.t.	**The postman had delivered the post.** De postbode had de post bezorgd.	**The post *had been delivered* by the postman.** De post was door de postbode bezorgd.
toekomst	**The postman will deliver the post.** De postbode zal de post bezorgen.	**The post *will be delivered* by the postman.** De post zal door de postbode bezorgd worden.

Dikwijls wordt in het Nederlands de constructie met *er* of *men* gebruikt.
It is said that the president will resign. Men zegt dat de president zal aftreden.
The thief was seen running away. Men zag de dief wegrennen.
A lot of time is being devoted to this project. Er wordt veel tijd aan dit project gewijd.

Een vorm van *be* + *ingvorm* wordt gebruikt:
1 wanneer iets *gedurende een bepaalde tijd aan de gang is* (in het Nederlands vinden wij dan vaak constructies als: bezig met..., aan het..., zit/ligt enz. te...).
I'm reading a book at the moment. Ik ben nu een boek aan het lezen.
He's not doing anything now. Hij zit nu niets te doen.
He's playing the piano. Hij zit piano te spelen.
She's staying at that hotel. Zij verblijft in dat hotel.
2 om *nabije toekomst* aan te geven.
I'm leaving for the airport at six. Ik ga om zes uur naar het vliegveld.
Are you coming tonight? Kom je vanavond?
3 *Be going to* geeft toekomst aan.
They are going to send him to prison. Hij gaat de gevangenis in.
They are going to build an office block here in 1995. Ze gaan hier in 1995 een kantoorgebouw neerzetten.

Andere constructies eindigend op *ing* ('gerund') worden:

1 gebruikt als *onderwerp van een zin*.

Swimming is great fun. Zwemmen is erg leuk.

Reading many books can improve your English. Als je veel boeken leest, leer je goed Engels.

2 gebruikt *na een aantal werkwoorden* o.a. *like, enjoy, hate, keep (on), avoid, finish, stop, go on, start*.

We *consider going* abroad this summer. We overwegen om dit jaar naar het buitenland te gaan.

They *stopped talking* when I came in. Ze hielden op met praten toen ik binnenkwam.

I *enjoy smoking* my pipe after dinner. Ik rook graag mijn pijp na het eten.

3 gebruikt *na voorzetsels*.

***After cleaning* his teeth he went downstairs.** Toen hij zijn tanden had gepoetst...

I'm interested *in buying* a boat. Ik denk erover een boot te kopen.

Constructies met *werkwoord – zelfstandig naamwoord of voornaamwoord – onbepaalde wijs* komen voor na werkwoorden als: *hear, see, feel, find, watch* en na *let, have, make* (in de betekenis van *laten*).

The waiter would like to *see us go*. De kelner zag ons graag gaan.

I *saw my friend come* downstairs. Ik zag mijn vriend de trap af komen.

I *had him clean* my car. Ik liet hem mijn auto wassen.

I *made John repeat* his words. Ik liet John zijn woorden herhalen.

▶ Na *hear, see* enz. komt ook de constructie met een *ing-vorm* voor. Deze is meer beschrijvend dan die met een onbepaalde wijs.

I *heard him coming* back last night. Gisteravond hoorde ik hem terugkomen.

I *saw the car driving* up the lane. Ik zag de auto aan komen rijden.

Constructies met *werkwoord – zelfstandig naamwoord of voornaamwoord – voltooid deelwoord*.

Deze constructies komen voor na werkwoorden die een *wil* of *wens* aangeven en na *to see, hear, feel* enz.

He *had a new house built*. Hij liet een nieuw huis bouwen.

Father *wants it done* immediately. Vader wil dat het meteen gedaan wordt.

I'll *get my car washed* tomorrow. Ik zal morgen mijn auto laten wassen.

He *saw the plane shot* down. Hij zag dat het vliegtuig neergeschoten werd.

I *heard the opera performed* on network three. Ik heb de uitvoering van de opera gehoord op het derde net.

Voegwoorden en enkele andere verbindingswoorden

en*	and*	**Here's your dictionary *and* there's mine.** Hier is uw woordenboek *en* daar is 't mijne.
dat	that	**She said *that* it didn't make any difference.**(5) Ze zei *dat* het geen verschil maakte.
want*	for*	**He's going by boat, *for* he doesn't like flying.** Hij gaat met de boot, *want* hij houdt niet van vliegen.
maar*	but*	**John is here, *but* where's Mary?** Jan is hier, *maar* waar is Marie?
dus	so	**It was a very long walk, *so* we were very tired.**(4) Het was een lange wandeling, *dus* waren we erg moe.
of*	or*	**Do you prefer coffee *or* tea?** Heb je liever koffie *of* thee?
omdat	because	**I went shopping, *because* I needed some milk.**(4) Ik ging boodschappen doen, *omdat* ik melk nodig had.
wanneer	when	**I don't know *when* the train leaves.**(1) Ik weet niet *wanneer* de trein vertrekt.
voor(dat)	before	**Wash your hands *before* you start eating.**(1) Was je handen *voordat* je gaat eten.
nadat	after	***After* I've got dressed, I'll have breakfast.**(1) *Nadat* ik me heb aangekleed, ga ik ontbijten.
sinds/ sedert	since	***Since* when have you lived here?**(1) *Sinds/sedert* wanneer woon je al hier?
waar	where	**Do you know *where* the nearest bus stop is?**(2) Weet u *waar* de dichtstbijzijnde bushalte is?
of	if	**I'm not sure *if* he can come.**(5) Ik weet niet zeker *of* hij kan komen.
of ... of	whether ... or	**I don't know *whether* I'll send a letter *or* not.**(5) Ik weet niet *of* ik een brief zal sturen *of* niet.
als/ indien	if	***If* that's a real leather jacket, I'll eat my hat.**(3) *Als* dat een echt leren jasje is, ben ik een boon.
anders	otherwise	**Please phone before nine, *otherwise* I'll be out.** Bel vóór negenen op, *anders* ben ik uit.
hoewel/ ofschoon	(al)though	**I'm going there anyway, *although* I know it's dangerous.** Ik ga er hoe dan ook heen, *hoewel* ik weet dat het gevaarlijk is.

De met een sterretje gemerkte voegwoorden verbinden elementen van gelijk belang (d.w.z. zijn nevenschikkend). De andere verbinden elementen van ongelijk belang, meestal hoofd- en bijzinnen. Er zijn bijzinnen van tijd (1), plaats (2), voorwaarde (3), reden of oorzaak (4), lijdende voorwerpszinnen (5) e.d.

Trappen van vergelijking

Bijvoeglijke naamwoorden van één lettergreep en tweelettergrepige bijv. naamw. die eindigen op -le, -er, -ow, medeklinker + y en -some vormen hun trappen van vergelijking door achtervoeging van er, resp. est. Alle andere vormen hun trappen van vergelijking door het woord more, resp. most voor het bijvoeglijk naamwoord te plaatsen:

Een lettergreep

new	**newer**	**newest**	nieuw
big	**bigger**	**biggest**	groot
nice	**nicer**	**nicest**	aardig

Twee lettergrepen

able	**abler**	**ablest**	bekwaam
easy	**easier**	**easiest**	gemakkelijk
certain	**more certain**	**most certain**	zeker

Meer dan twee lettergrepen

beautiful	**more beautiful**	**most beautiful**	mooi

Onregelmatige trappen van vergelijking

good	**better**	**best**	goed
bad	**worse**	**worst**	slecht
little	**less**	**least**	weinig
much	**more**	**most**	meer (bij enkelv.)
many	**more**	**most**	meer (bij meerv.)

▶ **even ... als**   as ... as   He is *as tall as* his father.
niet zo ... als   not so ... as   He is *not so tall as* his father
Hij lijkt sprekend op z'n moeder.   He's *just like* his mother.

Zinspatronen

1 *Ontkennende zinnen*
Met het werkwoord *be*.

> His name is Peter. His name *is not* Peter. His name *isn't* Peter.
> They are here. They *are not* here. They *aren't* here.

Met de werkwoorden:
can, could, may, might, will (en *be going to*), *should* en *ought to, must* en *have to, need to, want to, 'd better, 'd rather, 'd like to.*

> I can swim. I *cannot* swim. I *can't* swim.
> He ought to go so late. He *ought not* to go so late. He *oughtn't* to go so late.
> You *had better not* do that again.
> I *'d rather not* go now.
> They *don't want to* help their parents.
> You *don't have to* wait for me.
> I *wouldn't like to* live in that country.

Met het werkwoord *do*:

> I speak English. I *do not* speak English. I *don't* speak English.
> Peter saw him in London yesterday. Peter *did not* see him in London yesterday.
> John knows German. John *does not* know German.

Met het werkwoord *have*:

> I *have not* any money.
> They *hadn't* listened to their teacher.
> They *didn't have* trouble with their spelling.

2 *Vraagzinnen*
Met het werkwoord *be*:

> His name is Peter. *Is* his name Peter?
> They were here. *Were* they here?
> It was cold. *Was* it cold?

Met de werkwoorden: *can, could, may, might* enz.

> John can swim. *Can* John swim?
> *Do* we *have to* be there at 10?
> *Do* you *want to* go there alone?
> *Do* we *need to* wait very long?
> *Would* you *rather* go at once?
> *Would* you *like to* stop the lesson now?

Met het werkwoord *do*:

> They *know* German. *Do* they *know* German?
> They *knew* German. *Did* they *know* German?
> Peter *goes* home at eight. *Does* Peter *go* home at eight?
> Peter *went* home at eight. *Did* Peter *go* home at eight?

Woordvolgorde

1 De plaats van bijwoorden.
    Yesterday the two astronauts landed _on the Moon_.
    The two astronauts landed _on the Moon yesterday_.

2 De plaats van bijwoorden die een niet-bepaalde tijd aanduiden (bijwoorden als:
    always, never, sometimes, frequently, generally, enz.
    I go home at six. I _always_ go home at six.
    I am happy. I'm _always_ happy.
    I can ask him for help. I can _always_ ask him for help.
    We have helped them. We've _always_ helped them.

3 Let op dit verschil in woordvolgorde:
    There's the dog. There _it_ is.
    Where's John? There _he_ is.
    Where are John's parents? There _they_ are.

4 Let op de volgorde in de volgende uitdrukkingen:
    What a beautiful lady _she is_.
    What high trees _those are_.

5 Woordvolgorde in korte antwoorden:
    Is he a student? Yes, he is. No, he isn't.
    Did he meet many friends? Yes, he did. No he didn't.

6 De plaats van woorden als _perhaps, possibly, maybe._
    Perhaps they're farmers.
    Maybe we can all go with them.
    Possibly he's a teacher.

Nog wat lastige gevallen

1 *One/ones*

One en *ones* kunnen de plaats innemen van zelfstandige naamwoorden in het enkelvoud resp. het meervoud:

Which *book* would you like, this *one* or that *one*. I'd like the green *one*.
One komt hier dus in de plaats van *book*.

2 *each, every, all*

Wanneer we aan de gehele groep denken:
    every + een enkelvoudig zelfst. nw.
        all + een meervoudig zelfst. nw.
Nemen we de begrippen één voor één, individueel:
    each + een enkelvoudig zelfst. nw.
each of + een meervoudig zelfst. nw.

▶ *every* day: yesterday and today and tomorrow, etc.
all day: from early morning to late at night.

3 *a little, little, some* (+ enkelvoud)
a few, few, some (+ meervoud)

I want *a little* milk in my tea, but not too much. Ik wil een beetje melk in mijn thee, maar niet te veel.
There's *little* money in my purse, so I can't even buy an ice-cream. Ik heb weinig geld in mijn portemonnee, dus ik kan zelfs geen ijsje kopen.

▶ *a little* milk = *some* milk. Tegengestelde: *no* milk.
little milk = *not much* milk. Tegengestelde: *much* milk.

A *few* of his friends helped him to redecorate the house. (Enkele van zijn vrienden ...)
He borrowed *some* books from me. (... enkele boeken)
Few friends were there to help. Most of them were too busy with themselves. (Weinig vrienden ...)
A few friends en *some* friends = *meer dan twee, niet veel*. Tegengestelde: *geen* vrienden (*no* friends)
Few friends = *niet veel* (not many). Tegengestelde: *veel* vrienden (*many* friends)

4 *much, many, a lot of, lots of* (veel)
much, a lot of, lots of + enkelvoud

Young children should drink *much* milk (*a lot of* milk, *lots of* milk). Jonge kinderen moeten veel melk drinken.
many, a lot of, lots of + meervoud

Many (a lot of, lots of) people were present at the opening of the new swimming pool. Er waren veel mensen bij de opening van het nieuwe zwembad.
a lot of en *lots of* worden gewoonlijk niet gebruikt in vragen en ontkenningen; *much* of *many* worden in plaats daarvan gebruikt.
Did he have *much* trouble with grammar? Had hij *veel* last met grammatica?

Lijst van onregelmatige werkwoorden

stam	verleden tijd	voltooid deelw.	
arise	arose	arisen	*ontstaan, verrijzen*
awake	awoke	awoke	*ontwaken, wekken*
be (am, are)	was/were	been	*zijn*
bear	bore	borne/to be born	*(ver)dragen/geboren worden*
beat	beat	beaten	*(ver)slaan*
become	became	become	*worden*
begin	began	begun	*beginnen*
bend	bent	bent	*buigen*
bet	bet(ted)	bet(ted)	*wedden*
bind	bound	bound	*binden*
bite	bit	bitten	*bijten*
bleed	bled	bled	*bloeden*
blow	blew	blown	*blazen, waaien*
break	broke	broken	*breken*
breed	bred	bred	*kweken, fokken*
bring	brought	brought	*brengen*
build	built	built	*bouwen*
burst	burst	burst	*barsten*
buy	bought	bought	*kopen*
cast	cast	cast	*werpen*
catch	caught	caught	*vangen*
choose	chose	chosen	*kiezen*
cling	clung	clung	*zich vastklemmen*
come	came	come	*komen*
cost	cost	cost	*kosten.*
creep	crept	crept	*kruipen*
cut	cut	cut	*snijden*
deal	dealt	dealt	*handelen*
dig	dug	dug	*graven*
do	did	done	*doen*
draw	drew	drawn	*trekken, tekenen*
drink	drank	drunk	*drinken*
drive	drove	driven	*rijden, drijven*
eat	ate	eaten	*eten*
fall	fell	fallen	*vallen*
feed	fed	fed	*(zich) voeden*
feel	felt	felt	*(zich) voelen*
fight	fought	fought	*vechten*
find	found	found	*vinden*
fly	fled	fled	*vluchten*
fly	flew	flown	*vliegen*
forbid	forbade	forbidden	*verbieden*
forget	forgot	forgotten	*vergeten*
forgive	forgave	forgiven	*vergeven*
forsake	forsook	forsaken	*in de steek laten*
freeze	froze	frozen	*vriezen*

get	got	got	*krijgen*
give	gave	given	*geven*
go	went	gone	*gaan*
grind	ground	ground	*malen, slijpen*
grow	grew	grown	*groeien, verbouwen, worden*
hang	hung	hung	*hangen*
have	had	had	*hebben*
hear	heard	heard	*horen*
hide	hid	hidden	*verbergen*
hit	hit	hit	*treffen*
hold	held	held	*houden*
hurt	hurt	hurt	*bezeren*
keep	kept	kept	*houden*
know	knew	known	*weten, kennen*
lay	laid	laid	*leggen*
lead	led	led	*leiden*
leave	left	left	*verlaten, laten*
lend	lent	lent	*(uit)lenen*
let	let	let	*laten, verhuren*
lie	lay	lain	*liggen*
lose	lost	lost	*verliezen*
make	made	made	*maken*
mean	meant	meant	*bedoelen, betekenen*
meet	met	met	*ontmoeten*
mow	mowed	mown	*maaien*
pay	paid	paid	*betalen*
put	put	put	*leggen, zetten*
read	read	read	*lezen*
rend	rent	rent	*(ver)scheuren*
ride	rode	ridden	*rijden*
ring	rang	rung	*bellen, klinken*
rise	rose	risen	*opstaan, -gaan, stijgen*
run	ran	run	*hard lopen*
saw	sawed	sawn	*zagen*
say	said	said	*zeggen*
see	saw	seen	*zien*
seek	sought	sought	*zoeken*
sell	sold	sold	*verkopen*
send	sent	sent	*zenden*
set	set	set	*zetten*
sew	sewed	sewn	*naaien*
shake	shook	shaken	*schudden*
shed	shed	shed	*storten (tranen, bloed)*
shine	shone	shone	*schijnen (licht, zon)*
shoot	shot	shot	*schieten*
show	showed	shown	*laten zien, tonen*
shrink	shrank	shrunk	*krimpen, terugdeinzen*
shut	shut	shut	*sluiten*

sing	sang	sung	*zingen*
sink	sank	sunk	*zinken*
sit	sat	sat	*zitten*
sleep	slept	slept	*slapen*
slink	slunk	slunk	*sluipen*
sow	sowed	sown	*zaaien*
speak	spoke	spoken	*spreken*
spend	spent	spent	*uitgeven, doorbrengen*
spit	spat	spat	*spuwen*
spread	spread	spread	*zich verspreiden*
spring	sprang	sprung	*springen*
stand	stood	stood	*staan*
steal	stole	stolen	*stelen*
stick	stuck	stuck	*steken, kleven, plakken*
sting	stung	stung	*steken, prikken*
stink	stank	stunk	*stinken*
strike	struck	struck	*slaan, staken*
string	strung	strung	*rijgen, bespannen, besnaren*
strive	strove	striven	*streven*
swear	swore	sworn	*zweren, plechtig beloven*
sweep	swept	swept	*vegen*
swim	swam	swum	*zwemmen*
swing	swung	swung	*zwaaien*
take	took	taken	*nemen*
teach	taught	taught	*onderwijzen*
tear	tore	torn	*scheuren*
tell	told	told	*vertellen, zeggen*
think	thought	thought	*denken*
throw	threw	thrown	*gooien, werpen*
thrust	thrust	thrust	*stoten*
tread	trod	trodden	*(be)treden*
understand	understood	understood	*begrijpen, verstaan*
wear	wore	worn	*dragen (aan 't lichaam)*
weave	wove	woven	*weven*
weep	wept	wept	*huilen, wenen*
win	win	win	*winnen*
wind	wound	wound	*winden*
wring	wrung	wrung	*wringen*
write	wrote	written	*schrijven*

Voorvoegsels

ante- vóór (plaats en tijd) · *to antedate, antediluvian*
anti- anti-, tegen · *anticlimax, anti-Semitism*
arch- aarts- · *arch-enemy, archangel*
co- samen, mede · *co-education, co-existence*
counter- contra, tegen · *counter-attack, counter-espionage*
de- ont- · *deform, dehumanize, demagnetize*
dis- drukt tegenstelling uit · *disagree, disorderly, distrust*
ex- ex-, gewezen, voormalig · *ex-member, ex-serviceman*
extra- buiten · *extraordinary, extramarital*
fore- voor · *forenoon, forefather, forefinger*
inter- inter, tussen, onderling · *intercontinental, intermarriage*
mis- mis-, verkeerd · *misprint, misshapen, mistrust*
non- niet-, zonder · *non-smoker, non-stop*
post- na · *post-war, post-graduate*
pre- voor(af) · *pre-war, pre-historic, pre-school*
pro- pro, voor (tegengestelde: anti) · *pro-American, pro-Jewish*
re- her-, opnieuw · *reprint, recall, reconstruct*
▶ Niet altijd heeft **re-** deze betekenis, bijv. *to repair, to remain.*
Soms maakt men gebruik van een koppelteken (-) om onderscheid te maken tussen woorden met het voorvoegsel re- en andere woorden, bijv.:
to recover terugkrijgen, herstellen; *to re-cover* opnieuw bedekken
semi- semi-, half · *semi-final, semi-weekly, semi-circle*
sub- sub-, onder · *subcommittee, subcontractor, submarine*
trans- trans-, over-, om- · *transport, transplant, transform*
un- on-, ont- · *unlock, undressed, uneconomic, unfaithful*
▶ In deze betekenis komen ook voor: **in-, il-, im-, ir-** *inaccurate, illegible, impolite, irregular*